講義刑法学・各論

［第3版］

井田 良

有斐閣

第3版のためのはしがき

本書は，2020（令和2）年12月に刊行された旧版に加筆修正を行った改訂版である。特に，現行刑法の姿を一新させた重要な法改正に対応して内容を書き加え，または書き改め（たとえば，拘禁刑の創設に関する9頁以下，性犯罪処罰規定に関する115頁以下，侮辱罪に関する197頁以下，逃走罪に関する623頁以下などを参照していただきたい），その際には，教科書・学習書としての枠を踏みこえないように留意しつつも，重要な事柄と思われれば，詳しい説明を与えるように努めた。法改正ばかりでなく，旧版刊行後に現れた重要な判例・裁判例についての説明を随所に織り込み，また，とりわけこれまでの説明が不適切・不十分と思われた数多くの箇所について，それらを改善するよう努力した。分量の圧縮に心がけたが，それでも全体として30頁だけ分量が増加した。ただ，それにより，本書の内容を最新のものにするとともに，その全体を質的に相当に改善することもできたと考えている。心残りといえば，特に若い世代の研究者の優れた単行書や研究論文を広く参酌してこれに言及することがほとんどできなかったところにある。著者の能力の限界という以外にはなく，許されるなら将来の課題とさせていただきたい。

本書のねらいとするところは，これまでといささかも変わらない。この本は，法学部や法科大学院で刑法を学ぶ学生のための刑法各論の教科書である。刑法各論は，数多く存在する個別の犯罪を定める刑罰法規を対象とし，それぞれに対し一定の順番で説明を加えていくものであるが，情報をただ列挙・羅列した（その意味で退屈な）本にならないように留意し，読者の知的好奇心を喚起するであろうtips（豆知識）や時事的話題なども多数挿入し，この本を熟読すれば，刑法各論が（ひいては刑法学の全体が）真に・立体的に理解できるようになる本とすべく力を尽くしたつもりである。それぞれの犯罪類型の説明にあたっては，まず，その犯罪を処罰しなければならない理由（処罰根拠と保護法益）およびその犯罪を刑法により禁圧することの果たす社会的機能から出発し，学説における解釈論上の議論の概要を紹介し，ときに立法論や外国法制にも言及しつつ，しかしその主眼は，著者の見解（そのようなものはどうでもよい）を明らかにすることにではなく，日本の裁判実務において刑罰法規がどのように解釈され，また適用されているかを明らかにすること，すなわち，一研究者の目から見た現行刑法の現実の姿を明らかにすることに置いた。

刑法学の学修のためには，最低限の知識を頭に入れることは不可欠であるが，刑法学の議論がわかるようになる（そして，自分もその議論に加わることができるようになる）ことこそが本質的に重要である。私が目ざしたものは，読者が本書を最初の頁から最後の頁まで（行きつ戻りつしながら）読み進め，個々の問題をいろいろな角度から，また問題のいろいろな側面に至るまで（頭をフル回転させながら）考え抜く訓練をすることにより，自ずと刑法が本当にわかるようになる，いいかえれば，刑法に携わる法律家として必要な学識と法的思考力（そしてそれ以前におよそ専門書の読み方）を自然と身に付けることができる，そういう本を読者に提供することであった。この本は，目の前の試験にぎりぎりパスするための最低限の知識を与えようとするものではない（そのような本はこの世に山ほど存在している）。私は，本書を通じて，読者が一生涯にわたり法律家として立派な仕事をしていくための基盤の形成に役立ちたい。喩えれば，本書は（誰だってときには訪れたくなるし，現に訪れる）ファーストフード店ではなく，親元を離れてひとり住まいをする学生に基本的には毎日通ってほしい（料理の腕前はいまひとつで，ときに勘違いもするが，学生の身体と健康のことを第一に考えている，ハートだけは熱いオヤジがいる）定食屋のような存在でありたい。

本書は，まったくの初学者がいきなり読むには少し難しすぎるかもしれない。しかし，刑法総論の教科書を一回すでに読み終えたか，少なくとも入門書等で刑法総論の骨格が頭に入っている読者であれば，時間と忍耐力さえある限り，読み進めることは十分に可能だと思う。本文680頁の大部な本ではあるが，実は，基礎的なことを（他の教科書には類例を見ないほど）相当に詳細に書き込み，高い学術的レベルを維持することに努めながらも，個々の論点に関する説明をより丁寧なものとしたために，この分量となった。だから，本の分厚さに恐れをなす必要はまったくない。なお，本書は『講義刑法学・総論〔第2版〕』と対をなすものであるため，その関連箇所を頻繁にリファーしているが，私の総論を読んでいなければ本書に書かれていることが理解できないということはないはずである。

刑法各論を学ぶとき，まずはそれぞれの犯罪類型の基本的イメージを頭に焼き付けることが大事である。そこで，本書では，判例に現れた事例を含む具体例を数多く用いて，個別の犯罪の具体的イメージの把握が可能となるように努めた。また，記述にメリハリを付けて，各論を学ぶ上で重要性が大きいと考えられる犯罪類型に多くの頁を割き，そうでもないと思われる犯罪類型については説明をかなり省略している。独自色を出すことは自制し，ほとんどの論点において判例および裁判実務の考え方にしたがっており，あえて異を唱えたところは，それにより判例の立場の基礎にある考え方が明確になり，読者にとりより理解しやすくなると思われる箇所だけであるといってよい。なお，情報の列挙・羅列になりかねない箇所においては，本文をスムーズに読めるようにするため，かなり重要な論点であっても本文でなく，脚注で説明しているところがある。通読にあたっては，脚注にも目を通してほしいと思う。

今回の改訂作業にあたっても，有斐閣法律編集局学習書編集部の藤本依子氏と荻野純茄氏のお二人が筆者を完璧にサポートして下さった。年齢を重ねるにつれて仕事が増加し，文字通り「貧乏暇なし」の著者（ここでいう「貧乏」はお金ばかりでなく，とりわけその能力に関わる）の作業がなかなかはかどらないために，お二人には殊の外，無理難題を押しつけることになったのではないかと心配している。この場を借りて，ただただ感謝を，そして何よりお詫びを申し上げたい。

2023（令和5）年11月

井 田　良

著者紹介

井 田　良（いだ　まこと）

1956（昭和31）年　東京に生まれる

現在　中央大学大学院法務研究科教授

〔最近の主要著作〕

『新基本法コンメンタール・刑法〔第2版〕』（共編著，日本評論社，2017年）

『講義刑法学・総論〔第2版〕』（有斐閣，2018年）

『入門刑法学・総論〔第2版〕』，『同・各論〔第2版〕』（有斐閣，2018年）

Autonomie am Lebensende – Kultur und Recht（共編著，Dike Verlag，2018年）

Menschenrechtsschutz und Zusammenarbeit im Strafrecht als globale Herausforderung（共編著，C. F. Müller，2018年）

『ケーススタディ刑法〔第5版〕』（共著，日本評論社，2019年）

『法を学ぶ人のための文章作法〔第2版〕』（共著，有斐閣，2019年）

『刑法事例演習教材〔第3版〕』（共著，有斐閣，2020年）

『基礎から学ぶ刑事法〔第6版補訂版〕』（有斐閣，2022年）

Strafrechtswissenschaft als Ordnungsfaktor. Texte zur Strafrechtswissenschaft und Strafrechtstheorie aus Japan（共編著，Mohr Siebeck，2022年）

『死刑制度と刑罰理論』（岩波書店，2022年〔ドイツ語訳，Carl Heymanns Verlag，近刊〕）

目　次

細　目　次

第2部　財産に対する罪

第11章 強 盗 罪 271

■第2編 社会的法益に対する罪■

第1部 公共の安全に対する罪

凡　例

(1) 法　令

刑法については，原則として条文番号のみを引用する。その他の法律，省令等の引用にあたっては，有斐閣『六法全書』巻末の「法令名略語」によった。

(2) 裁判例・判例集の略記

最判昭和 33・11・21 刑集 12 巻 15 号 3519 頁
　＝最高裁判所昭和 33 年 11 月 21 日判決，最高裁判所刑事判例集 12 巻 15 号 3519 頁

〈判　例〉

大　判（決）　大審院判決（決定）
大連判（決）　大審院連合部判決（決定）
最　判（決）　最高裁判所判決（決定）
最大判（決）　最高裁判所大法廷判決（決定）
高　判（決）　高等裁判所判決（決定）
地　判（決）　地方裁判所判決（決定）

〈判例集〉

刑　集　最高裁判所刑事判例集・大審院刑事判例集
民　集　最高裁判所民事判例集
刑　録　大審院刑事判決録
集　刑　最高裁判所裁判集刑事
高刑集　高等裁判所刑事判例集
判　特　高等裁判所刑事判決特報
高刑速　高等裁判所刑事裁判速報集
裁　特　高等裁判所刑事裁判特報
東高刑時報　東京高等裁判所判決時報（刑事）
下刑集　下級裁判所刑事裁判例集

刑　月　　刑事裁判月報

＊　なお，判例集未登載の裁判例については，判例データベースから引用した。そのときには，LEX/DB（TKCローライブラリー）またはLLI/DB（判例秘書）を用い，判例番号を付した。

⑶　雑誌等の略記

新　聞　　法律新聞
刑ジャ　　刑事法ジャーナル
曹　時　　法曹時報
判　時　　判例時報
判　タ　　判例タイムズ
法　教　　法学教室
法　時　　法律時報

主要な引用文献

＊教科書等（カッコ内にある著者名等で引用する）

浅田和茂『刑法各論』成文堂，2020 年（浅田）

阿部純二ほか編『刑法基本講座』第 1 巻～第 6 巻，法学書院，1992 年～1994 年（基本講座〔執筆者名〕）

井田　良＝大塚裕史＝城下裕二＝髙橋直哉編『刑法演習サブノート 210 問』弘文堂，2020 年（サブノート〔執筆者名〕）

伊東研祐『刑法講義・各論』日本評論社，2011 年（伊東）

植松　正『再訂刑法概論Ⅱ・各論』勁草書房，1975 年（植松）

内田文昭『刑法各論〔第 3 版〕』青林書院，1996 年（内田）

大塚　仁『刑法概説・各論〔第 3 版増補版〕』有斐閣，2005 年（大塚）

大谷　實『刑法講義各論〔新版第 5 版〕』成文堂，2019 年（大谷）

小野清一郎『刑法概論〔増訂新版〕』法文社，1960 年（小野）

香川達夫『刑法講義（各論）〔第 3 版〕』成文堂，1996 年（香川）

川端　博『刑法各論講義〔第 2 版〕』成文堂，2010 年（川端）

木村亀二『刑法各論』法文社，1957 年（木村）

小暮得雄＝内田文昭＝阿部純二＝板倉　宏＝大谷　實編『刑法講義・各論』有斐閣，1988 年（小暮ほか）

小林憲太郎『刑法各論の理論と実務』判例時報社，2021 年（小林・理論と実務）

斎藤信治『刑法各論〔第 4 版〕』有斐閣，2014 年（斎藤）

佐伯仁志「論点講座・刑法各論の考え方・楽しみ方〔第 1 回～第 18 回〕」法学教室 355 号（2010 年）～378 号（2012 年）（佐伯・法教）

佐伯仁志『刑法総論の考え方・楽しみ方』有斐閣，2013 年（佐伯・総論）

佐久間修『刑法各論〔第 2 版〕』成文堂，2012 年（佐久間）

塩見　淳『刑法の道しるべ』有斐閣，2015 年（塩見）

芝原邦爾ほか編『刑法理論の現代的展開・各論』日本評論社，1996年（展開〔執筆者名〕）

曽根威彦『刑法各論〔第 5 版〕』弘文堂，2012 年（曽根）

髙橋直哉『刑法の授業・下巻』成文堂，2022 年（髙橋・授業（下））

高橋則夫『刑法各論〔第 4 版〕』成文堂，2022 年（高橋）

団藤重光『刑法綱要・各論〔第 3 版〕』創文社，1990 年（団藤）

中　義勝『刑法各論』有斐閣，1975 年（中）
中森喜彦『刑法各論〔第 4 版〕』有斐閣，2015 年（中森）
中山研一（松宮孝明補訂）『新版口述刑法各論〔補訂 3 版〕』成文堂，2014 年（中山）
西田典之（橋爪隆補訂）『刑法各論〔第 7 版〕』弘文堂，2018 年（西田）
西原春夫『犯罪各論〔第 2 版〕』筑摩書房，1983 年（西原）
橋爪　隆『刑法各論の悩みどころ』有斐閣，2022 年（橋爪・悩みどころ）
林　幹人『刑法各論〔第 2 版〕』東京大学出版会，2007 年（林）
日髙義博『刑法各論』成文堂，2020 年（日髙）
平川宗信『刑法各論』有斐閣，1995 年（平川）
平野龍一『刑法総論Ⅰ』有斐閣，1972 年（平野・総論Ⅰ）
平野龍一『刑法総論Ⅱ』有斐閣，1975 年（平野・総論Ⅱ）
平野龍一『刑法概説』東京大学出版会，1977 年（平野・概説）
平野龍一『犯罪論の諸問題（下）各論』有斐閣，1982 年（平野・諸問題（下））
平野龍一『刑事法研究・最終巻』有斐閣，2005 年（平野・最終巻）
福田　平『刑法各論〔全訂 3 版増補〕』有斐閣，2002 年（福田）
藤木英雄『刑法講義・各論』弘文堂，1976 年（藤木）
堀内捷三『刑法各論』有斐閣，2003 年（堀内）
前田雅英『刑法各論講義〔第 7 版〕』東京大学出版会，2020 年（前田）
町野　朔『犯罪各論の現在』有斐閣，1996 年（町野）
松原芳博『刑法各論〔第 2 版〕』日本評論社，2021 年（松原）
松宮孝明『刑法各論講義〔第 5 版〕』成文堂，2018 年（松宮）
山口　厚『刑法各論〔第 2 版〕』有斐閣，2010 年（山口）
山中敬一『刑法各論〔第 3 版〕』成文堂，2015 年（山中）

＊コンメンタール（カッコ内の略称で引用する）

大塚仁＝河上和雄＝中山善房＝古田佑紀編『大コンメンタール刑法〔第 3 版〕』第 1 巻～第 13 巻，青林書院，2013 年～2021 年（大コンメ〔執筆者名〕）
小野清一郎＝中野次雄＝植松正＝伊達秋雄『ポケット註釈全書・刑法〔第 3 版〕』有斐閣，1980 年（ポケ註〔執筆者名〕）
川端博＝西田典之＝原田國男＝三浦守編『裁判例コンメンタール刑法』第 1 巻～第 3 巻，立花書房，2006 年（裁判例コンメ〔執筆者名〕）
団藤重光責任編集『注釈刑法』第 1 巻～第 6 巻，有斐閣，1964 年～1976 年（注釈〔執筆者名〕）

西田典之＝山口厚＝佐伯仁志編『注釈刑法第２巻・各論⑴』有斐閣，2016 年（新注釈⑵〔執筆者名〕）

西田典之＝山口厚＝佐伯仁志編『注釈刑法第４巻・各論⑶』有斐閣，2021 年（新注釈⑷〔執筆者名〕）

前田雅英編集代表，松本時夫＝池田修＝渡邉一弘＝大谷直人＝河村博編『条解刑法〔第４版補訂版〕』弘文堂，2023 年（条解）

序　刑法各論とは

1　意義と対象

刑法各論は，刑法学（刑法解釈学）の一分野であり（→総論52頁以下），刑法総論において明らかにされた，犯罪と刑罰に関する理論的・体系的認識を踏まえて，主として**個別の犯罪の成立要件とそれらの相互関係**，各犯罪について予定された**刑罰等の法律効果**をその研究の対象とする。刑法総論の応用編として位置づけられるが，しかし（単に総論の議論を敷衍・具体化したものというにとどまらない）独自の学問領域としての性格をもつ。総論を学びつつ，または，総論を本格的に学ぶ前に，各論を深く勉強するという刑法学の学び方も可能である（その方が，より効果的・効率的であるかもしれない）。各論は，抽象度の高い総論より（およそ犯罪たるもの・およそ刑罰たるものを扱う総論に特有の**体系的な思考**は，そう簡単に身に付けることはできない），ずっと具体的・現実的な内容をもち，各論の方がより理解しやすい（まるで「障害物競走」のように，それぞれの論点を確実に学んでいけばゴールに到達できる）という側面もある[1)]。

刑法各論は，**刑法各則**をその研究の対象とする。ここにいう刑法各則（広義）の中には，**刑法典の各則**と，特別刑法の個々の処罰規定とが含まれる。まず，刑法典（「刑法」という名称の法典であり，公式にこれを特定するための**法律番号**は「明治40年法律第45号」である）の**第2編「罪」**（条文としては，77条以下）は，第1編「総則」に対応する「各則」の部分として，個別の犯罪につき，その法律上の要件と，それに対する法律効果として科される刑とを規定している[2)]。刑法典の各則は，刑法各論の最も重要な研究対象である。

---

1)　刑法各論を学ぶことによりはじめて見えてくる，社会の側面や，いろいろな問題が存在する。各論は，より社会の現実に近く，社会のさまざまな姿・相貌を伝え，教えてくれるものである。また，それは（総論と異なり）社会の動きと人々の価値観の深化・変化を鋭く反映する「動的性格」をもっている。近年において，社会と価値観の変化のために大幅な見直しを迫られてきた代表的な例は，性犯罪処罰規定（176条以下）であろう（→115頁以下）。

2)　一般に「総則」とは，各則において個別的に問題とされることに共通する普遍的なものをまとめて扱う部分のことをいう。総則に置かれた規定は，それ自体としては不完全・非独立的な刑罰法規であり，殺人罪や窃盗罪などの処罰規定（本来の刑罰法規）を前提とし，それらを補充する役割をもつものといえる（→総論53頁注*20*））。法理論についてのドイツの代表的教科書の1つであるBernd Rüthers u. a., Rechtstheorie, 12. Aufl. 2022, S. 86 ff. は，このような見地から「完全法規」と「不完全法規」とを区別している。

総則の規定と各則の規定　各則の規定は，総則の規定と相まってはじめてその完全な意味が明らかになる。ある罪に対する刑として「10年以下の拘禁刑」（刑種としての拘禁刑については，9頁を参照）との定めがあるとき（235条など），拘禁刑の最下限（短期）については総則に一般的な規定があり，12条1項で「1月以上」とされているところから，その犯罪の法定刑は「1月以上10年以下の拘禁刑」ということになる（あわせて14条2項および68条3号も参照）。なお，総則において一般的に規定された事項について，個別の犯罪との関係で各則に**特則**が定められているとき，それらは**一般法と特別法の関係**にあり，**各則の規定が優先的に適用**される（たとえば，42条1項〔自首〕との関係での228条の3ただし書の規定，19条・19条の2〔任意的没収・追徴〕との関係での197条の5〔必要的没収・追徴〕の規定は特別法の規定である〔→173頁，174頁，679頁〕）。

個別の犯罪について定める刑罰法規は，刑法典の各則以外にも数多く存在し，実際にも重要な役割を果たしている。刑法典の外に数多く存在する刑罰法規，いわゆる**特別刑法**[3)]も，広義の刑法各則に含まれ，刑法各論の対象となる（これに対し，**総則は刑法典にのみ**あり，それは特別刑法の処罰規定にもそのまま適用されるのが原則である〔8条〕）。「軽犯罪法」，「爆発物取締罰則」，「暴力行為等処罰ニ関スル法律」，「盗犯等ノ防止及処分ニ関スル法律」，「航空機の強取等の処罰に関する法律」，「人質による強要行為等の処罰に関する法律」，「人の健康に係る公害犯罪の処罰に関する法律」，「組織的な犯罪の処罰及び犯罪収益の規制等に関する法律」，「自動車の運転により人を死傷させる行為等の処罰に関する法律」「性的な姿態を撮影する行為等の処罰及び押収物に記録された性的な姿態の影像に係る電磁的記録の消去等に関する法律」などは代表的な（主として刑事実体法を規定する）**単行法**である。ただ，「会社法」，「金融商品取引法」，「不正競争防止法」，「道路交通法」，「公職選挙法」，「所得税法」などの大きな法典の中に含まれる罰則規定も，特別刑法に属する。

---

3)　特別刑法の規定の中には，現代社会における犯罪対策を考える上で重要なものが多く含まれる。たとえば，会社法に規定された特別背任罪とか，覚醒剤取締法違反や大麻取締法違反の罪など，頻繁にメディアに登場する犯罪の多くは，特別刑法上の犯罪である。ただ，大学・大学院で法律学を学ぶにあたっては，刑法典にある処罰規定の解釈を学ぶことでひとまず十分である。

特別刑法の内容　特別刑法は，大きく**刑事刑法**と**行政刑法**とに分けられる。これらは常に相互に明確に区別されるものではないが，刑法典の罪と同じように，当然に反社会的で処罰に値する（当罰的な）行為（自然犯ないし刑事犯と呼ぶ）を対象とするのが刑事刑法（**準刑法**）であり，行政目的達成の見地から行政法規違反の行為を犯罪とし（法定犯ないし行政犯と呼ぶ），これに刑罰を科すのが行政刑法である。上記の単行法は，刑事刑法に属するものである。刑事刑法は，伝統的に刑法の守備範囲とされ，その中心は，人の生命，身体，自由，財産等の基本的な法益への侵害ないし危険という，多かれ少なかれ可視的な実害の認められる犯罪である。これに対し，行政刑法には，租税，選挙，環境保護，道路交通，経済取引，消費者・投資家保護，建築規制等の領域に見られる罰則規定がある。行政刑法の領域では，保護法益は**社会的・国家的法益**（→7頁）であり，実害が認められる以前のかなり早い段階から犯罪とされ（したがって，純粋のルール違反の処罰という性格が強い），被害は不可視的で観念的なものである（→総論46頁以下）。

刑法典の罪がもともと適用を予定している行為の一部につき，人的・事項的に適用範囲が制限された特別法上の処罰規定が存在するとき，刑法典の罪とその罪とは，**一般法と特別法の関係**にあり（たとえば，刑法上の背任罪〔247条〕と会社法上の特別背任罪〔会社960条・961条〕），後者が優先的に適用される（→総論582頁）。

2　方法と体系

刑法各論は，刑法学という**法解釈学**の一分野であり，その方法は法解釈学としての他の法律学（民法学など）と共通している。刑法各論は，個別の犯罪を規定する刑法各則の各刑罰法規の**解釈論**を中心的内容とする[4)]。それは，刑法総論において明らかにされた，犯罪と刑罰に関する理論的・体系的認識を前提として，それぞれ個別の犯罪類型を定めた**刑罰法規の解釈**を通して，各犯罪の具

4)　法律学は，伝統的には法の解釈を中心的な内容とするものであり，それだからこそ「法解釈学」とも呼ばれてきた。しかし，**立法**（法の定立）もまた，負けず劣らず重要な（そしてより困難な）課題であり，それを法律学における研究の対象としないわけにはいかない。立法を研究対象とする学問領域のことを**立法学**というが，刑法各則に関する立法学的研究も，刑法各論の内部で，またはそれに隣接する形で行う必要がある。実体刑法の立法学の試みの一例としては，井田良＝松原芳博編『立法学のフロンティア3 立法実践の変革』（2014年）97頁以下，123頁以下を参照。

体的な保護目的と成立要件（特に，構成要件の内容），犯罪類型間の相互関係（たとえば，窃盗罪〔235条〕と詐欺罪〔246条〕の関係），各犯罪について規定された刑罰等の法律効果を明らかにすることを主たる課題とする[5]。

各論の中の小さな総論　ただ，刑法各論も，それぞれの処罰規定の解釈に終始するものではなく，**個別的認識の一般化・体系化**をもその任務としている。その結果として，刑法各論の内部には，それぞれの刑罰法規の解釈というにとどまらない，「小さな総論」ができあがっている箇所がある。たとえば，財産犯に関して，その保護法益，その客体としての財物と財産上の利益，財産的損害の要否とその内容，不法領得の意思などに関わる議論は，財産犯の全般に関わる「財産犯総論」として，個々の規定の解釈を論じるための不可欠の前提となっている（→224頁以下）。そのほか，生命の始期・終期に関する議論（→14頁以下）や，文書偽造罪の保護法益や立法主義に関する議論（→491頁以下）も同様の意味をもっている。

刑罰法規（ないし処罰規定）の解釈にあたり，何より重要なことは，その犯罪がいかなる**法益**[6]（→総論16頁以下）に向けられたものであるのか，そして，その犯罪を処罰する刑罰法規がいかなる法益の保護のために存在するのかを明らかにすることである。たとえば，殺人罪を処罰する規定（199条）の保護法益は個人の生命であり，窃盗罪を処罰する規定（235条）の保護法益は個人の財産（正確には，財物の所有権および占有）である。このことを的確に認識することが解釈論の出発点となる。

なぜ法益を明らかにすることが刑罰法規の理解への鍵になるのか。それは，刑法の問題を考えるにあたっては，「刑法は何のためにあるのか」という問い

5)　西田・1頁は，「刑法各論とは，各犯罪類型の文理を基礎としつつも，保護法益や他の条文との関連をも考慮に入れながら，各犯罪類型の構成要件を主観，客観の両面において明らかにする作業」であるとする。また，伊東・1頁は，刑法各論という「学問領域の主たる任務の一つは……刑罰法規によって言語的に記述されている個々の犯罪について……それぞれの固有の成立要件を検討し，明らかにすることを通じて，国家刑罰権を正統に行使することの可能な範囲及び態様を確定することにある」とする。

6)　**法益を定義**すれば，個人や社会や国にとって，それがそのまま保持されることが必要であり，また法により保護することが適切であると認められる一定の利益（価値のある状態）のことである。法益概念についての最近の詳細な研究として，嘉門優『法益論』（2019年），甲斐克則『法益論の研究』（2023年）がある。

が何より重要であり，そして，この問いに対する答えは「刑法は法益の保護のために存在する」というものだからである（→総論15頁以下）。それぞれの刑罰法規は，法益の保護のために存在している。そのことは，具体的には，次のことを意味する。すなわち，それぞれの刑罰法規は一定の法益を**保護の客体**として予定しており，その法益に向けられた行為のみに適用することが可能だということである。いくら反社会的な行為であるとしても，当該刑罰法規が予定する保護法益に向けられていない行為を，その刑罰法規により処罰することはできない。法益Aを保護するために制定された刑罰法規を，法益Aは侵害せず，法益Bしか侵害しない行為に適用してこれを処罰することはできない（さらにいえば，法益Aを保護するために制定され，法益Aの侵害を処罰の根拠とする刑罰法規を用いて，法益Aの侵害を理由に処罰を行う際に，法益Bの侵害をもあわせて処罰するようなことを行ってはならない[7)]）。

このように，各刑罰法規には，それぞれ一定の「守備範囲」があり，それは保護法益によって決まる。ただ，それぞれの刑罰法規の保護法益が何であるのかははっきりしないことも多く（それは条文に明記されているわけではない），それは**刑罰法規の解釈**により明らかにされる。保護法益の内容を明確にすることは，ある行為に当該刑罰法規を適用してよいかどうかの結論を得るために，しばしば決定的な意味をもつ。

刑法典と法益　刑法の規定を見ると，刑法を制定した**立法者**もまた，法益の重要性をはっきりと意識していたことがうかがえる。たとえば，37条や222条・223条には，**生命・身体・自由・名誉・財産**という法益（個人的法益）が列挙されており，しかも，それらは価値の高い順番に並べられていることが明らかである（→12頁）。また，犯罪に対して科される刑罰も，その内容は法益の剝奪であるが，9条に列挙された現行法上の刑罰は，**生命・自由・財産**という法益の剝奪を内容としていることがわかる

7)　たとえば，東京高判平成27・2・6東高刑時報66巻1～12号4頁を参照（住居侵入・殺人・銃砲刀剣類所持等取締法違反により有罪とされた被告人の刑を決めるにあたり，被告人が被害者の裸の画像をインターネットに公開したこと〔いわゆるリベンジポルノであり，起訴されていないが名誉毀損にあたりうる行為（→204頁）〕をも実質上処罰する趣旨で考慮することは許されないとした）。それは，法解釈論上は，「量刑と余罪」というテーマの下で論じられる問題である。たとえば，成瀬剛「量刑と余罪」井上正仁ほか編『刑事訴訟法判例百選〔第10版〕』（2017年）216頁以下を参照。

（すなわち，このうちの死刑は生命刑であり，拘禁刑と拘留は自由刑であり，罰金・科料・没収は財産刑である）。これらの刑罰の軽重も，奪う法益の価値により決められる（10条1項本文を参照）。さらに，199条以下の処罰規定を見ると，生命に対する罪（199条以下）・身体に対する罪（204条以下）・自由に対する罪（220条以下）・名誉に対する罪（230条以下）・財産に対する罪（235条以下）の順番に配列されている（また，それぞれの犯罪に規定された**法定刑**の重さには，保護されるべき法益の価値の高低が反映している）。

生命・身体・自由・名誉・財産という法益は，その法益の享有主体（利益の主体）が個人であるところから，**個人的法益**と呼ばれる。それ以外にも，**社会的法益**と**国家的法益**がある。これらはいずれも公益（公共的利益）という点で共通するが，国および地方公共団体という統治機構を度外視して，市民の集合体としての社会の利益として観念できるものが社会的法益であり，たとえば，公共の安全（すなわち，不特定または多数の人の生命・身体・財産）がこれにあたる。国家的法益の例としては，贈収賄罪（197条以下）の保護法益とされる「公務員の職務の適正とそれに対する社会一般の信頼」が挙げられる[8]。

各犯罪類型の保護法益を明らかにすることがその解釈のために必要不可欠であることから，刑法各論の対象となる**犯罪類型の体系化**（グループ分け）も保護法益を基準としてこれを行うのが普通である。法益は，その利益の主体が個人であるか，社会であるか，国家であるかにより，個人的法益，社会的法益，国家的法益の３つに分類されることから，これに応じて犯罪も大きく３つのグループ（個人的法益に対する罪，社会的法益に対する罪，国家的法益に対する罪）に分けられる[9]。

8）なお，日本では，法益を三分する学説（**法益三分説**）が通説となっているが，ドイツなどでは「公益」と「私益」とに二分する見解（**法益二分説**）が支配的である。たしかに，広範な「民営化」の現象等に鑑みると，利益の主体に応じて三分するよりも，利益そのものの性質に応じて二分することの方が，区別の困難さから生じる難点が生じないという点で優っているとする考え方もありえよう（→421頁注*2*））。

9）最近では，**第４の保護法益**に関する議論がある。「国際刑事裁判所（International Criminal Court）に関するローマ規程」の採択とこれに基づく同裁判所の設置にともない，国際社会（個別の主権国家を超えた存在）にとり重要な利益ないし価値の刑法的保護が問題とされるに至っているのである。参考文献として，フィリップ・オステン「国際刑法における『中核犯

ただし，1つの刑罰法規が複数の法益の保護を目的とすることもある。たとえば，現行刑法の放火罪（108条以下）は公共危険犯の代表として社会的法益に対する罪に分類されるが（→432頁以下），そこにおいては，物の所有者が受けた財産的法益の侵害の有無・程度もかなり大きく考慮されている（→434頁以下）。また，たとえば，建造物損壊致死傷罪（260条後段）や往来妨害致死傷罪（124条2項）のような犯罪においては，それぞれ個人的法益に対する罪としての側面と社会的法益に対する罪としての側面の両方が含まれているといえよう。国家的法益を保護すると同時に，個人的法益も保護する犯罪類型として虚偽告訴等罪（172条）がある（→649頁以下）。

現行刑法典も，法益の性質の違いとその価値のランクを意識して，条文を配列していると見られる。すなわち，国家的法益に対する罪（第2編第7章まで），社会的法益に対する罪（第24章まで），個人的法益に対する罪（第26章以下）の順序で（なお，第25章の罪は，国家的法益に対する罪である），各犯罪を配列している（ただ，規定の位置づけが，現在の一般的理解とは一致しない箇所もある）。

刑法典各則における規定の配列　現行刑法が，国家的法益に対する罪 → 社会的法益に対する罪 → 個人的法益に対する罪の順序で，各犯罪を配列していることに対しては，強い異論も出されている。それは国家的法益の方を個人的法益よりも重視していることを示すものであり，個人に最高の価値を認める日本国憲法の下では，刑法典も，一般市民がまず何よりも関心をもつであろう個人的法益に対する罪から始めて，社会的法益に対する罪，そして国家的法益に対する罪の順で規定を置くべきだとするのである[10]。刑法各論の教科書を見ると，そのほとんどが，刑法典の順序とは逆さまに，

罪』の保護法益の意義」慶應義塾大学法学部編『慶應の法律学 刑事法』（2008年）229頁以下がある。さらに，伊東・10頁も参照。なお，国際刑事裁判所についての包括的な文献としては，村瀬信也＝洪恵子編『国際刑事裁判所〔第2版〕』（2014年）が重要である。

10）　たとえば，平野龍一『刑法の基礎』（1966年）98頁，100頁は，「現行刑法典では，国家に対する罪，すなわち内乱罪，外患罪などは，各則の巻頭におかれている。これはやはりこれらの罪が，個人の生命，財産に対する罪より重要なものであるという考えを示すものであるといわなければならない」，「現在の憲法のもとにおける価値観からすれば，個人の生命，身体，自由，財産こそ，最も優先的に刑法によって保護すべきものであろう。そして国家はむしろ，個人の生命，身体，自由，財産を保護する機構としてのみその価値が認められるべきであろう。たしかに，民主主義的な憲法は，刑法による丁重な保護に値するかもしれない。しかし，それとても結局は手段なのであって，自己目的ではないのである」と批判した。

個人的法益に対する罪 → 社会的法益に対する罪 → 国家的法益に対する罪の順序で，処罰規定を説明している。ただ，そのことは，個人的法益に対する罪の多くが，より身近であり，また，構造が比較的単純なため，初学者にもイメージしやすいものであること，したがって，その理解が容易であることとも関係しているといえよう。本書でも，その順序で，各犯罪類型を体系化した上で，検討の対象とする。

法益を基準とする処罰規定の分類・体系化は，解釈の指針を明らかにするという点で優れたものをもっている。ただ，**実際的な法適用の場面における，規定相互の関連を意識**させるという点では不十分なところがある[11]。たとえば，財産犯（個人的法益に対する罪）と文書偽造罪（社会的法益に対する罪）とは，実際のケースではしばしば同時に問題となるが，法益の性質の違いに気を取られると，そのような密接な関わりが理解されないというおそれもある。法益の種類ごとに3つにグループ分けする伝統的体系にしたがって刑法各論を学ぶときには，とりわけ**各刑罰法規の間の相互の関連性**に留意しなければならない（そこで，本書を読み進めるにあたっては，特に，「**他罪との関係**」について説明する箇所に注目していただきたい）。

3　拘禁刑の創設 ―― 2022（令和4）年刑法一部改正

2022（令和4）年6月，国会において可決成立した刑法一部改正法（2022〔令和4〕年6月17日法律第67号）により，刑種としての懲役と禁錮が廃止され，これらに代替するものとして「拘禁刑」という名称の自由刑が創設された。これにより，従来，作業の法的義務を負うかどうかにより区別されていた懲役と禁錮の区別がなくなり，自由刑が単一化されるとともに（→総論614頁），12条に新たに加えられた第3項において，「拘禁刑に処せられた者には，改善更生を図るため，必要な作業を行わせ，又は必要な指導を行うことができる」とされ，「作業」は刑罰の必要的な内容として課せられるのではなく，「指導」と並

---

11)　そこから，生活領域別に，それぞれの社会問題に対する刑法的規制を意識しつつ犯罪類型をグループ分けするという試みも行われている。たとえば，藤木英雄『刑法各論』（1972年），西原春夫『犯罪各論〔第2版〕』（1983年），平川宗信『刑法各論』（1995年）などが代表的である。

ぶ，受刑者の改善更生のためのものであることが法律上，明確化された。[12)]

この点の改正は，公布の日（2022〔令和4〕年6月17日）から起算して3年を超えない範囲内において政令で定める日（具体的には，2025〔令和7〕年6月1日）における施行が予定されており，2023年12月末現在の時点で未施行であるが，本書においては，この改正法の施行を前提とした説明を加えることとしたい。

12）たしかに，短期の自由刑である拘留は残されるが，今回の改正により，新16条2項として「拘留に処せられた者には，改善更生を図るため，必要な作業を行わせ，又は必要な指導を行うことができる」とする規定が追加され，刑罰内容は拘禁刑と統一化された。

第1編　個人的法益に対する罪

第1章　個人的法益に対する罪･総説

第1部　人格的法益に対する罪

第2章　刑法による生命の保護　第3章　刑法による身体の保護　第4章　生命･身体に対する危険犯　第5章　身体的内密領域に対する罪　第6章　自由に対する罪　第7章　個人の私的領域を侵す罪　第8章　社会的活動の主体としての人の保護

第2部　財産に対する罪

第9章　財産犯総論　第10章　窃盗罪と不動産侵奪罪　第11章　強盗罪　第12章　詐欺罪と恐喝罪　第13章　横領罪と背任罪　第14章　盗品等に関する罪　第15章　毀棄･隠匿の罪

■ 第*1*章 ■

個人的法益に対する罪・総説

1 概　観

個人的法益（すなわち，その利益を享有する主体が個人である法益）としては，生命・身体（健康）・自由・名誉・財産という5種類の法益が挙げられるのが普通である。これらの法益は，37条や222条・223条においてその順序で列挙されており，それは価値の高い順と考えることができる[1]。これら5種類の法益のうち，財産以外の法益は**一身専属性**を有し（すなわち，他人と共有したり，他人に譲渡したりすることができない），人としての生存とその活動に直接関わるものであるところから**人格的法益**とも呼ばれる[2]。これに対し，財産はその物的基礎であり，一身専属性をもたない（他人と共有したり，またこれを他人に譲渡した

---

1) 199条以下の処罰規定の配列を見ても，それぞれこれらの法益を保護法益とするものとして，基本的に同じ順序にしたがっている。また，各犯罪に対して規定された法定刑の重さには，法益の価値の高低が反映している（→6頁以下）。ちなみに，**法定刑の重さが何によって決定されるか**は，刑法の存在根拠（→総論4頁以下）や刑罰の理論（→総論600頁以下）についてどう考えるかにより，その答えが異なる。本書の立場からは，法益そのものの価値の高低のほか，その種の行為が法益にどれだけのダメージを与えうるものか（侵害行為か，危険行為か等），その種の行為を禁圧するためどれだけ強く（または弱く）警告を与えることが合理的か（たとえば，器物損壊行為より窃盗行為の方により強い警告を与えることが合理的である〔→234頁以下〕），その種の行為の意思決定に対し一般的にどれほど強い非難が可能かといった考慮により法定刑の重さは決定される。

2) 川端博『人格犯の理論』（2014年）を参照。これに対し，平野・概説188頁以下は，秘密に対する罪と名誉に対する罪だけを「人格に対する罪」として分類している。

りすることも可能である)。

犯罪は法益の侵害に向けられたものであるから(→総論15頁以下),保護法益の種類により,犯罪を分類することが可能である。たとえば,殺人罪は「生命に対する罪」,傷害罪は「身体に対する罪」,窃盗罪は「財産に対する罪」である。5種類の法益以外にも個人的法益は存在するのではないか(たとえば,「身体的内密領域」〔→115頁以下〕や,「個人の私的領域」〔→176頁以下〕を**独立の法益として承認**すべきではないか)が問題となりうるし,また,個人的法益に対する罪の中にも,その保護法益の内実と性格が必ずしも明らかでないものがある(たとえば,脅迫罪,住居侵入罪,業務妨害罪など)。これらの点については,本書のそれぞれの該当箇所で説明をすることにしたい。

刑法は,より価値の高い法益であればあるほど,これをより手厚く・より包括的に保護しようとする。最も重要な法益は個人の**生命**であるが,その侵害に向けられた行為については,その態様がどうであるかを問わず,またかなり早い時点から禁止し,これを処罰の対象としている(→23頁以下)。これに対し,最も価値の低い個人的法益として位置づけられている**財産**については,刑法はかなり控えめで,限定的な形でしかこれを保護していない(→224頁以下)。

個人的法益の「処分」可能性　個人的法益は,その享有の主体たる個人が,原則として自由に「処分」(すなわち,放棄)できる法益である。その限りで,個人は**自己決定権**をもつ。放棄可能な個人的法益との関係では,その個人が侵害に有効な同意を与える限り,そもそも**法益侵害性が否定**される。たとえば,逮捕・監禁行為(220条)について相手方に有効な同意があるとき,それはもはや「逮捕」でも「監禁」でもなく,およそ自由の侵害そのものが認められず,すでに逮捕・監禁罪の構成要件該当性が否定される。**個人の自己決定権の例外ないし限界**は,特に生命という法益,そして身体という法益について大きな問題となる(→30頁以下,66頁以下)。

2　刑法的保護の対象としての「人」

(1)　自然人と法人

個人的法益の享有主体たる人は,何より**自然人**である。生命や身体に対する罪,身体活動の自由や性的自由に対する罪(ないし身体的内密領域に対する罪)

については，自然人のみが被害者として予定され，**法人**はその客体となりえない。他方で，私法上は，法人も所有権等の財産権の主体となりうることから，（これを保護しようとする）財産に対する罪の被害者には（当然のことながら）法人も含まれる。同様に，名誉・信用，業務を保護法益とする犯罪（すなわち，「社会的活動の単位」としての人に注目してこれを保護しようとする犯罪〔→196頁以下〕）についても，自然人と並んで，法人も被害者となる。法人が犯罪の客体になるかどうかが明らかでないのは，意思決定の自由および意思実現の自由を保護法益とする脅迫罪・強要罪（222条以下）である（→154頁）。

自然人が享有主体となる法益は，その人が生まれてから死ぬまでの間，刑法により保護される。いいかえれば，「すでに人」といえる時点から，「まだ人」といえる時点まで保護は継続する（両端を区切られた，その間でしか「人」としては保護されない）。**人**（自然人）**の始期と終期**は，すべての個人的法益との関係で問題となるが，ここでは生命に対する罪（特に，殺人罪）を念頭に置きつつ，検討を加えたい[3]。

(2)　人（自然人）の始期

(a)　出産との関連性　　人の始期ないし**出生**（しゅっしょう）**時期**の問題は，どの時点から人が人として刑法的に保護されるかの問題である。出生以前の**胎児**（→93頁）を殺しても堕胎罪（212条以下）にしかならないが（堕胎罪は傷害罪と比べても刑が軽く，また故意犯のみが可罰的であり，過失行為は処罰されない），**出生以降**（死亡に至るまで）の人に対する加害については殺人罪・傷害罪等によって**より重く，かつかなり包括的に処罰**される。

たとえ**出産以前**でも，かりに母体外において未熟児保育を受けたときには生命を保続できるであろうと考えられる成育段階[4]に達すれば，すでに「人」と

3）　人の始期と終期をめぐる刑法上の諸問題についての総合的な参考文献として，たとえば，石原明『法と生命倫理20講〔第4版〕』（2004年），大谷實『新いのちの法律学』（2011年），齊藤誠二『刑法における生命の保護〔3訂版〕』（1992年）などがある。

4）　母体保護法（1948〔昭和23〕年7月13日法律第156号）による人工妊娠中絶（→92頁）は，「胎児が，母体外において，生命を保続することのできない時期」においてのみ許容されるが（2条2項），その時期とは，1990（平成2）年3月20日厚生事務次官通知により，通常「**妊娠満22週未満**」とされている（いわゆる生育限界）。詳しくは，中谷瑾子『21世紀につなぐ生命と法と倫理』（1999年）120頁以下，134頁以下を参照。

して保護すべきだとすることは不可能ではない[5)]。しかし，法律学の分野では，**出産のプロセスを経なければ人ということはできない**とする見解がとられている。それは，出産のプロセスを経る（「生まれる」）ことが人になることの前提であるという「共通の了解」が（今なお）共有されているからであろう[6)]。そのような前提を維持する限り，人の始期を定めるにあたっては，出産のプロセスとの関わりでこれを検討し，**出産プロセスがどこまで進行すれば人としての保護を行うことが妥当であるか**という見地から，継続的な過程のうちの一点において区切りを入れることが求められる。

(b) 一部露出説と全部露出説　判例[7)]および通説[8)]は，**一部露出説**をとり，人となるためには，出産のプロセスを「完了」する必要まではないとし，胎児が母体から一部露出した段階で人は出生したものとする。これに対し，民法上は，出産の過程の完了を要求する**全部露出説**が通説であり，刑法上も少数ながら全部露出説にしたがうものがある[9)]。

一部露出説の論拠　一部露出説の論拠としては，次の２つが重要である。まず第１に，一部露出の段階に至れば，母体に関係なく**外部からの直接の攻撃が可能**となることから，それに対応してその時点から客体を保護する必要が生じる点である[10)]。たしかに，一部露出の段階と，その後の全部露出の段階とを比較したときには，外部から危険にさらされる度合に差はないと考えられるし，身体の大部分が露出し一部のみが母体内にとどまっているという場面を想定したとき，なぜ全部露出の時点まで待って人としての刑法的保護をスタートさせるべきかが明らかでない。第２に，全部露出説

5）伊東・16 頁（人としての要保護性を出生〔出産〕とは無関係に承認する「独立生存可能性説」を主張する）。

6）もし将来，医学の進歩により，母体からの出産というプロセスを経由することなく人になるという事例が生じた場合，今は共有されている了解が反省を迫られざるをえないことになろう。

7）大判大正 8・12・13 刑録 25 輯 1367 頁。ただし，一部露出説が「確定した判例であるといえるか疑わしい」とするのは，平野・諸問題（下）262 頁。

8）たとえば，大塚・8 頁，大谷・8 頁以下，川端・10 頁以下，斎藤・5 頁以下，佐伯・法教 355 号 78 頁以下，佐久間・17 頁以下，髙橋・9 頁以下，団藤・371 頁以下，西田・7 頁以下，林・7 頁以下，前田・7 頁以下，山口・8 頁以下，山中・9 頁以下など。

9）浅田・16 頁以下，小暮ほか・14 頁以下〔町野朔〕，平野・諸問題（下）260 頁以下，松原・5 頁以下，松宮・12 頁以下など。

10）前掲注 7）大判大正 8・12・13 を参照。

によるとき，攻撃の時点ですでに全部露出の段階に至っていたかどうかを事後的に確定する必要が生じる。母体外において攻撃を受けたことは確実であるが，その時点において全部露出の段階に至っていたかどうかが確認できない（すなわち，**合理的な疑いを容れない程度に立証**できない）とき，殺人罪による処罰はできない（堕胎罪の成立しか認められない）ことになってしまう。これも全部露出説の弱点といえよう。他方，全部露出説の立場から，困難・危険な出産の過程が乗り越えられるまでは人としての保護に値する段階に達しないといわれることもあるが[11]，出産の過程が危険であるというのなら，むしろすでにその時点で刑法的保護を開始すべきなのであって，それは出産の完了まで保護を差し控える理由にはならない。

（c）　一部露出説の問題点　　以上のように，一部露出説は，全部露出説を批判する限りではまさに正当であるが，一部露出説には**適用上の不明確さ**のあることが指摘されている。まず，子の頭部ではなく，足から露出したとき（逆児（さかご））についてどう考えるか。客体に対する外部からの直接の攻撃可能性が同説の論拠となっている以上，露出した部分が頭であるかどうかは重要でないというべきであろう。ひとたび身体の一部が露出した後に再び母体内に戻ったときにはどうか。たしかに，外部的攻撃可能性の有無を基準とするのであれば，それが消滅した以上，人から胎児に戻ったと考える[12]ことも不可能ではない。しかし，ここでは，人の成長と出産のプロセスにおいてどの時点に至れば，人としての刑法的保護を開始するかを判定するための基準として一部露出の有無が問題とされているのであり，かりに子が母体内に戻るということがあったとしても，すでに人としての保護に値する成育段階に達したとする判断がくつがえるものではなかろう。

むしろ**一部露出説に対する重要な批判**は，保護法益との関連での実質的な論拠を欠いているとする批判である。一部露出説は外部からの直接的な攻撃可能性という側面に注目するが，しかし「人であるかどうかは，そのものの価値自体によって決すべき[13]」である。そこで，客体の価値という観点から，出産プロ

11）　小暮ほか・15頁〔町野朔〕。

12）　大谷・9頁を参照。

13）　平野・概説156頁。

セスにおいて法益との関連で実質的意味をもつ区切りを示そうとするのが出産開始説である[14]。

(d) 出産開始説　**出産開始説**（陣痛開始説とか分娩開始説ともいう）は，出産の開始（具体的には，**開口陣痛の開始**[15]）の時点において母体が子を外部に排出しようとする動きが開始したことになるから，それは母体内における発育の完了を示す自然的な徴候にほかならないとする。すでにその時点に至れば，**人としての発育の完了が医学的に明白なものとなった**のであり，人としての刑法的保護を開始すべきであるとする。これは一部露出説に比べてより妥当な考え方であるといえよう。前述のように，出産のプロセスから離れて人としての保護を肯定することはできないが，開口陣痛開始の時点まで，医学的知見に基づき可能な限りで人としての保護を拡大することは解釈論的に無理なことではない。ここでは，医療上の過誤に遭う危険のある出産の過程においては（特に，過失による侵害からの）保護の必要性が高いということも考えあわせるべきである[16]。

帝王切開による場合・中絶ないし堕胎行為による場合　出産開始説によるとき問題となるのは，帝王切開の場合の出生時点である。開口陣痛がまだ生じていない時点で，何らかの事情により医師の判断により帝王切開が行われる場合に，いかなる理由によりどの時点で出生を認めうるであろうか。この場合には，自然分娩のケースとパラレルに考えて，手術により子宮が開かれた時点をもって出生時期とすべきである（出産開始説が判例・通説であるドイツではそのように考えられている[17]）。それは，部分的に一部露出説を採用するというのではなく，母体が子を外部に排出しようとする動きが生じて子宮口が開き始めることと，医師の判断により母体外において母体から独立に発育させることが可能であり，それが適切であるとして人為的に子宮を開くこととは，

---

14) 岡上雅美・筑波法政 37 号（2004 年）67 頁以下，辰井聡子・法教 283 号（2004 年）51 頁以下。比較法的には，出産開始説はヨーロッパ大陸法諸国（たとえば，ドイツ）において支配的な見解である。

15) 産科学上，それは，周期的で，かつ次第に強くなり分娩まで持続する陣痛が開始し，その周期が約 10 分以内，頻度が 1 時間に 6 回以上になった時点とされている。

16) なお，開口陣痛がいまだ訪れていないと誤信して行為したときには，事実の錯誤により殺人罪の故意は阻却され，堕胎罪や（重）過失致死罪の成否が問題とされるにとどまることとなろう。

17) たとえば，Wessels/Hettinger/Engländer, Strafrecht, Besonderer Teil 1, 46. Aufl. 2022, Rdn. 8 ff., S. 3 f. を参照。

人としての発育の完了を示す時点として法的には同価値であると考えることができるからである。

適法な中絶手術・違法な堕胎行為により子が母体外に出された場合については，その子の生命保続可能性（生育可能性）の有無にかかわらず，刑法はそれを人として保護すべきであろう（→94頁以下）。刑法が人としての保護を開始すべき時点は，上のケースとパラレルに考えて，侵襲により子宮が開かれた時点となる。

(3) 人（自然人）の終期

(a) 三徴候説　死亡する以前の人に対する加害行為は，殺人罪・傷害罪・過失致死傷罪・遺棄罪等の罪を構成するが，死亡後の「死体」に対する加害行為は，死体遺棄罪または死体損壊罪（190条〔→582頁以下〕）として処罰されるにすぎない。このように，死亡の前後で，刑法的保護のあり方が大幅に異なるので，**人の終期**ないし**死亡時期**を確定することが重要な課題となる。

人の死亡時期の確定にあたり，従来の実務・判例，そして学説は，**三徴候説**をとってきた[18]。これは，臨床現場における死の判定基準として用いられてきているものであり，①心拍停止，②呼吸停止，③瞳孔反応消失等を**総合的に考慮**して人の死とする。このうち，①は心臓の機能停止の徴候である。②と③は，脳，特にその**脳幹**と呼ばれる部分の機能停止の徴候である（脳幹は，呼吸や血液の循環・調整等の基本的な生命維持機能を司る中核的な器官である）。そこで，三徴候説による死の判定とは，**心臓死（心臓の不可逆的機能停止）と脳死（脳の不可逆的機能停止）の2つを確認したときに**，個体としての死亡を判定するものといえる。

間接的な脳死の判定　三徴候説による死の判定は，脳死の判定を含んでいる。しかも，3つの徴候が出現すれば直ちに最終的な死の宣告が行われるというのではなく，**一定の時間的経過**が必要とされる。なぜなら，心臓や肺が止まっても，まだ脳に酸素が残っていることから，それが使い尽くされるまでは蘇生は可能だからである。三徴候説による死の判定は，もはや蘇生が不可能という判断をともなわなければならず，「間接的な脳死の判断」に帰着するものといいうる。

三徴候説は，その論拠が必ずしも明らかでない。そこでは，何を人の死にと

---

18) 現在でも，大谷・10頁，川端・11頁以下，高橋・12頁以下，前田・9頁など。

っての本質的に重要な要素とするのかが積極的に明示されていない。血液の循環による酸素の供給が重要視されていると理解することもできるが，それは機械と薬剤によって代替可能であるから，それを本質的なものと見ることはできない。脳血流が停止し，脳細胞が死滅して脳が自己融解を起こしても，人工呼吸器により呼吸機能が維持され，心臓は（酸素が供給されることから）動き続けているという状態であれば，血液循環は継続し，三徴候説によると死の判定はできないが（いわゆる脳死患者），はたしてそれでも人としての保護を継続させるべきかどうかは疑問である[19]。

(b) 脳死説　**脳死説**は，一般には「**全脳死説**」として主張され，**脳幹を含めた全脳機能が不可逆的に停止**することをもって人の死が到来したものと考える[20]。脳死の段階に至ると，人工呼吸器が付けられているので機械的に酸素は供給されているものの，脳機能の全体は不可逆的に失われ，脳組織に酸素が行かなくなっているため脳細胞の全体が壊死・溶解を起こしている（ひとたび壊死した脳細胞が元に戻ることはない）。脳死説は，この段階に至れば人として死を迎えたものと見ることができると考える。

その**解釈論上の根拠**は，次の点に求められる。人間は「精神」と「身体」という２つの要素からなるが，いずれとの関係でも**脳は本質的な臓器**である。精神作用は，**大脳**において営まれ，意識・思考・感情はそこに本拠をもつ（大脳が機能停止すれば，人は意識・思考・感情をもつことはありえないという意味で精神作用は失われる）。しかし，生命体にとっては，精神作用ばかりでなく，「身体的機能の統合」も重要である。前にも触れた**脳幹**は，呼吸や消化，血液の循環などを統合する役割を担う器官であり，この部分が機能停止すれば，人の生命体としての重要機能を全体として統合する作用が失われる。意識等の精神作用が不可逆的に消失するばかりでなく，**かつ**全体としての身体的機能の統合が不可

---

19)　将来，人工心肺が継続的に使用可能になったとき，ひとたびそれが装着された以上，脳死の時点をはるかに過ぎてもそのまま死を確定できない状態が続くことにもなってしまう。

20)　たとえば，小暮ほか・18 頁以下〔町野朔〕，佐伯・法教 357 号 113 頁以下，団藤・376 頁以下，林・19 頁以下，平野・諸問題（下）268 頁以下，町野・65 頁以下など。脳死説についての最近の研究として，長井圓『死の概念と脳死一元論の定礎』（2020 年），山中敬一『医事刑法概論Ⅱ』（2021 年）も参照。なお，脳死についての平易で信頼のできる解説書として，脳神経外科学の第一人者であった竹内一夫による『改訂新版 脳死とは何か』（2004 年）がある。

逆的に失われてはじめて個体死といえるとすることが，全脳死説をとることの理由とされる[21]。脳死説においては，脳が人の精神作用を担う，代替不可能な器官であることと並んで，脳（とりわけ脳幹）が，全体としての有機体の各器官の機能を代替不可能な形で統括する中枢器官であることに，生命保護の限界を決めるにあたって決定的な意味が与えられている。

脳死説に対しては，より実際的な理由づけを与えることも可能である。すなわち，脳死の状態は，脳において血液（酸素）の循環が行われていない状態であり，脳細胞はすでに死んでしまっているか，または次から次に死に続けている状態である。酸素が供給されず脳細胞が死んでしまえば，もはや元に戻すことは不可能である。そこで，脳死の段階のことを一般に**蘇生不可能点**（point of no return）という言い方をする。刑法が人としての保護をあきらめるべき区切りの時点は，脳死の時点であると考えられることになる[22]。

(c) 臓器移植との関係　三徴候説か，それとも脳死説かの対立は，**臓器移植の要件**（移植用臓器の摘出の要件）の問題と密接に関連する。脳死説を前提とすれば，脳死患者からの心臓等の摘出は，死体からの臓器の摘出として性格づけられ，それは死体損壊罪（190条〔→582頁以下〕）の構成要件に該当する行為ということになる。これに対し，三徴候説を前提とすると，脳死患者はまだ死亡以前の人であるから，臓器を摘出して心停止に至らしめれば，その行為は殺人罪（199条）の構成要件に該当する行為となる。

1997（平成9）年に制定・施行された**臓器の移植に関する法律**（臓器移植法。1997〔平成9〕年7月16日法律第104号）により，提供者本人による事前の書面による同意等を要件として，脳死患者からの臓器の摘出（そしてそれによる心停止への移行）も「死体からの臓器摘出」として合法化され，したがって心臓移植にも

21）　大脳の機能が失われ，意識が不可逆的に消失しても，脳幹がなお機能し，それゆえ呼吸中枢等の生命維持機能（植物機能）が継続している場合には，いわゆる**植物状態**であり，脳死ではないことに注意する必要がある。

22）　なお，脳死説をとるときでも，三徴候説による死の判定基準はやはり必要である。全死亡者のうち，人工呼吸器による呼吸管理が行われて脳死を経由して死亡する者は1％未満といわれる。通常のケースにおける人の死は，**三徴候の出現を前提とする総合判断**とならざるをえない。ここでは，死の概念と判定基準が2つに分裂してしまうと考える必要はない。前述のように，三徴候説による死の判定も，一種の（間接的な）脳死の判定だからである（→18頁）。

法的基礎が与えられることになった。死の概念と判定基準の問題に関し**制定当初の臓器移植法がとった立場**は，きわめて妥協的なものであった。本人の書面による同意等の要件が充足される場合に限っては，脳死をもって人の死とする（その限りで脳死移植も許容される）が，それ以外の通常の場合は，心停止が訪れてはじめて人は死亡したことになるとする。それは，**三徴候説を前提**としつつ，個人に臓器提供との関係において**脳死を選択**することを可能とし，個人の脳死の選択を前提としてその限りで脳死移植を合法化したものであった。これにより，たとえば，臓器移植目的での提供者（ドナー）からの心臓の摘出は，死体損壊罪の構成要件に該当するが，同法の求める要件を充足する限り，その違法性を阻却されることとなった。

その後，2009（平成21）年の臓器移植法の一部改正により，臓器の摘出のための法的要件を定めている同法6条の内容に大きな変更が加えられた。新6条は，脳死判定と臓器提供に関する本人の意思が不明の場合でも，家族・遺族が脳死判定と臓器提供に同意すれば，心停止後の眼球または腎臓の摘出（旧附則4条を参照）[23]ばかりでなく，脳死下においても（心臓等の，家族・遺族が同意した）臓器の摘出を可能にすることとした。また，この改正により，年少者・小児についても，家族・遺族の同意のみで脳死下での臓器の摘出を行いうるようになった。ドイツ等の海外の多くの国では，本人の意思が不明な場合には，家族の同意で臓器提供が可能とされているが（これを「拡大された承諾意思表示方式」という）[24]，2009年の法改正は，日本の臓器移植法が移植医療のために設けていた高いハードルを，世界水準のものに引き下げたものといえよう。

23）　2009年の改正により削除された旧附則4条1項は，次のように定めていた。「医師は，当分の間，第6条第1項に規定する場合のほか，死亡した者が生存中に眼球又は腎臓を移植術に使用されるために提供する意思を書面により表示している場合及び当該意思がないことを表示している場合以外の場合であって，遺族が当該眼球又は腎臓の摘出について書面により承諾しているときにおいても，移植術に使用されるための眼球又は腎臓を，同条第2項の脳死した者の身体以外の死体から摘出することができる」。本人の意思が不明な場合でも，遺族の同意があることを要件として，心停止後に眼球と腎臓の摘出だけは許容されるとしたものであった。

24）　世界の国々の中には，生前における本人の反対意思の表示（臓器摘出を拒否する意思の表示）がない限りは臓器摘出が許容されるとする方式（反対意思表示方式）をとる国もまた多い（ヨーロッパの大多数の国々がそうである）。それは，より広い範囲で移植用臓器の摘出を可能とするものである。

この法改正による臓器摘出要件の変更は，**脳死の法的性格の根本的変更**を踏まえなければ，これを理解することはできない[25]。もし臓器提供が通常よりも早められた死期の選択を前提とするものであるならば，またそうでなくても，脳死下の身体にメスを入れることが，その本人に何らかの現実的不利益をもたらすことなのであれば，本人自身の明確な同意なしにこれを行うことはできないし，同意能力のない年少者についてはそれを行うことはおよそ禁止されなければならない。脳死移植の場合に，家族・遺族の同意のみで，臓器摘出行為（それはもっぱら利他的性格をもつ）を許容することの前提は，それが**本人の権利ないし利益を侵害するものではない**ことである。法改正による臓器摘出要件の修正は，脳死が（本人の同意不同意いかんにかかわらず，いわば客観的に）人の死であること（もはやその人が権利・利益の主体ではないこと）の承認をともなうものでなければならない[26]。

改正臓器移植法の臓器移植以外の場面への影響　2009年の臓器移植法の一部改正が，**一般の終末期医療**のあり方やそこにおける死亡判定に影響を与えるかといえば，それはほとんどないといえよう。大多数のケースにおける死の判定は，三徴候の出現を前提とする総合判断として行われる（→20頁注*22*））。法改正による影響が問題となりうるのは，実際上，**脳死患者に対する治療の中止（具体的には人工呼吸器の取外し）の許容性**が問われる場面に限られる。そして，そのような場面における医療従事者の対応は，今後もこれまでと変わらないであろう（この法律が，医師に対し，脳死の診断後は直ちに人工呼吸器を停止することを義務づけるというようなものではありえない）。ただし，2009年の法改正により，刑法の解釈として，すでに脳死の状態に至った患者の呼吸管理を中止したケースにつき殺人罪の規定を適用することはさらに困難になったとはいえる。もしかりに「脳死患者を死亡させた」という理由で警察や検察による捜査・立件等が行われるとすれば，臓器移植法との根本的な矛盾が表面化することになろう。

25）　中森・7頁。

26）　なお，日本における臓器移植の現状を知るためには，公益社団法人・日本臓器移植ネットワークのウェブサイト（https://www.jotnw.or.jp）が便利である。移植に関する統計データ等もそこで見ることができる。なお，同組織は，臓器移植法の認める「臓器あっせん機関」（臓器移植12条以下）である。

■ 第2章 ■

刑法による生命の保護

1 総　　説

刑法は，それが価値の高い法益であればあるほど，より手厚く・より包括的に保護しようとする（→13頁）。個人の生命は，すべての法益のうちで，最も価値の高い法益である。そこで，刑法は，生命の侵害に向けられた行為を，その態様を問わず，また，かなり早い時点から禁止し，処罰の対象としている。

刑法の規定する犯罪の中でまず注目すべきは，**殺人罪**（199条），**傷害致死罪**（205条），そして**過失致死罪**（210条・211条）である。これら3つの犯罪類型は，被害者を死亡させるための手段・方法（**客観的態様**）を限定したり，その相違により異なった刑を予定したりしていない。つまり，これらは，いずれも他人の死亡の結果を発生させる犯罪として客観面においては共通しているが，ただ**犯罪の主観面**において相互に区別され，そこに規定された法定刑の重さもかなり大きく異なっている。殺人罪は，故意をもって他人の生命を侵害する犯罪として**故意犯**であり，過失致死罪は，過失（不注意）により他人の生命を侵害する犯罪として**過失犯**である。それぞれの法定刑を比較すると，刑法は故意犯と過失犯との間に大きな違いを設けていることが明らかになる[1]。2つの間の中間的存在としての**結果的加重犯**（→総論241頁以下）である傷害致死罪は，暴行や傷

1）　過失致死罪（210条）の刑が軽いことは，刑法の存在理由が，被害者およびその遺族の処罰感情を満足させるところにはないことをはっきりと示しているといえよう。

害を行う過程で，意図せずに死亡結果を引き起こした場合について特に重い刑を予定している。これも，殺人罪・過失致死罪と並んで，被害者の生命保護のために存在している重要な犯罪類型である。[2)]

犯罪の客観面 / 犯罪の主観面	生命侵害行為（行為＋結果＋因果関係）
犯罪的意思なし（過失）	**過失致死罪**（210 条・211 条）
暴行または傷害の故意	**傷害致死罪**（205 条）
殺人の故意	**殺人罪**（199 条）

このように，刑法は，生命侵害の客観的態様を問わず，そして主観的態様の相違に応じてメリハリを付けて，しかし包括的に生命という法益を保護していることがわかる。しかも，刑法は，故意の生命侵害に向けられた行為については，**時間的にかなり早い段階**からこれを処罰の対象としている。つまり，殺人については，既遂のみならず，その**未遂**も犯罪となるし（203 条を参照〔→総論 426 頁以下〕），さらに，実行の着手以前の段階で，殺害を準備する行為（たとえば，毒薬を入手することとか，凶器として用いるためのナイフを購入することなど）も，**殺人予備罪**として処罰の対象となる（201 条〔→29 頁〕）。同様に，早い段階からの生命保護の役割を果たそうとする犯罪類型として**遺棄罪**がある（217 条以下〔→101 頁以下〕）。それは，生命（および身体）を危険にさらす行為のうちの一定のものを処罰している。[3)]

2） **生命保護のための結果的加重犯**には，傷害致死罪以外にも，遺棄等致死罪（219 条），不同意わいせつ等致死罪（181 条），逮捕等致死罪（221 条），強盗致死罪（240 条後段），建造物等損壊致死罪（260 条後段），汽車転覆等致死罪（126 条 3 項）などがある。また，危険運転致死罪（自動車の運転により人を死傷させる行為等の処罰に関する法律 2 条〔→79 頁以下〕）も，故意の危険運転行為と意図せざる死亡結果の惹起とから構成されており，これを結果的加重犯として理解することができる。

3） ちなみに，人となる以前の**胎児**の生命については，堕胎罪の規定がこれを保護の対象としている（→90 頁以下）。

2　殺人罪（普通殺人罪）

（殺人）
第199条　人を殺した者は，死刑又は無期若しくは5年以上の拘禁刑に処する。

(1)　概要，構成要件

本条の「人」とは，行為者以外の「他人」のことをいう。刑法は，殺意を実現する行為に対し，種々の類型に分けて刑を区別することをせず，199条という1つの規定のみで対応しており[4)]，その構成要件は包括的で，法定刑の幅もきわめて広い[5)]（それは，諸外国の刑法と比較したとき，構成要件の包括性および法定刑の幅の広さという点で特異である[6)]）。

殺人罪の構成要件は，**故意結果犯**の構成要件であり，①殺人の実行行為，②人（行為者以外の人）の死亡結果，③行為と結果との間の因果関係（→総論121頁以下），④故意（殺意）（→総論164頁以下）という4つの要素から成る。このうち，各論において特に説明を必要とするのは①であるが，殺人罪の実行行為というためには，(イ)その行為が**人の死亡結果を発生させる一定程度の危険性**を有することと，(ロ)その行為と結果との間に，**他人（行為者以外の人）の新たな意思決定の介在という事情がないこと**（そのときにはじめて，行為は結果発生との関係で「正

---

4)　かつては，自己または配偶者の直系尊属（父母・祖父母・曾祖父母……）に対する殺人（**尊属殺**）を特に重く処罰する加重規定（法定刑は，死刑または無期懲役）が存在した（旧200条）。この規定は，最大判昭和48・4・4刑集27巻3号265頁により憲法14条違反とされ，1995（平成7）年の刑法一部改正（→総論48頁）により削除された。ちなみに，そのときに同時に，判例では合憲とされてきた尊属傷害致死罪（旧205条2項）および尊属遺棄罪（旧218条2項）の加重処罰規定も削除された。

5)　法定刑の下限が強盗罪（236条）のそれと同一であることが注目される。殺人については，重い責任を問うことがためらわれる事案もしばしば生じることが考慮されている。たとえば，DV被害を受け続けた末，絶望的な気持ちになりその加害者に向けて行為に出たケースや，長年にわたり親を介護し疲れ果てて加害者となったケースなどがその実例であろう。なお，殺人罪についても，酌量減軽の規定（66条）を適用した上で，実刑を回避して拘禁刑の執行を猶予することも可能である。ちなみに，日本の刑法典には，**嬰児殺**（えいじ）（生まれて間もない自分の子を殺すこと）について刑を減軽する規定は存在しない。

6)　たとえば，わが国の旧刑法（1880〔明治13〕年公布，1882〔明治15〕年施行〔→総論49頁以下〕）も，「謀殺故殺ノ罪」の節の中に，7種類の異なった故意殺人の類型を規定していた（292条～298条）。

犯性をもつ」のである〔→総論476頁以下〕）という2つの要件が必要である。
（イ）の危険性について述べれば，たとえば，人を殺そうと思って行為に出ても，およそ無害な薬物を使うときのように，結果発生の危険性をもたない行為は**不能犯**と呼ばれ，未遂犯としても処罰されない（→総論445頁以下）。かりに多少の危険性をもった行為でも，それが社会生活上無視できる程度のものであれば，実行行為性を欠き（万が一，奇跡的に結果が発生したとしても）構成要件に該当しない。その典型例は，偶然に災害に遭遇するリスクや，交通事故や通り魔殺人に遭遇するリスクのように**社会生活上，われわれ誰しもが広く・薄く負っているリスク**（これを**一般的生活危険**と呼ぶ）に人をさらす行為である。たとえば，飛行機が墜落することを願って，ある人に飛行機旅行をすることを勧め，たまたま偶然に飛行機が墜落したとしても，実行行為性を欠き，殺人既遂罪にも殺人未遂罪にもならない。
（ロ）の正犯性について述べれば，それが認められる場合の中には，**直接正犯**の場合と**間接正犯**の場合とがある（→総論486頁以下）。特に問題となるのは，後者の間接正犯のケースである。共犯行為（教唆行為や幇助行為）も，結果を発生させる危険性をもった行為であるが，正犯性を欠き，実行行為ではない。「正犯行為」という意味での実行行為といいうるためには，結果発生の危険性をもつだけでは十分ではない。正犯性を有するためには，**他人の自発的な意思決定を介さずに結果を発生させる**という関係が必要である。**結果を実現するために他人のさらなる意思決定が必要となる行為**は実行行為にあたらない。失恋して悲嘆に暮れている人に自殺を勧め，毒薬を与えてついに自殺に至らせたとき，その行為は他人を死亡させる危険をもった行為（しかも，死亡結果との間で法的因果関係〔危険の現実化〕を肯定できる行為）であるが，殺人罪の実行行為ではない（自殺教唆罪という別個独立の犯罪〔202条前段〕を構成する〔→30頁以下〕）。

実行行為の要素としての危険性と正犯性　最高裁は，自動車事故を装った方法により被害者（女性）を自殺させて保険金を取得しようと企てた被告人が，暴行，脅迫を交え，被害者に対し，漁港の岸壁上から乗車した車ごと海中に飛び込むように執拗に命令し，自殺の決意を生じさせるには至らなかったものの，被告人の命令に応じて車ごと海中に飛び込む以外の行為を選択することができない精神状態に陥らせ，その通り実行させたが，被害者は水没前に車内から脱出して死亡を免れたという事案について，

「被告人は，以上のような精神状態に陥っていた被害者に対して，本件当日，漁港の岸壁上から車ごと海中に転落するように命じ，被害者をして，自らを死亡させる現実的危険性の高い行為に及ばせたものであるから，被害者に命令して車ごと海に転落させた被告人の行為は，殺人罪の実行行為に当たるというべきである」とした[7]。

このケースにおいては，(イ)危険性の問題と(ロ)正犯性の問題を区別して論じることが必要である。(イ)は，自動車ごと岸壁から海中に転落させる行為が被害者の生命との関係で有する現実的危険性の有無の問題であり，本件事案ではこれを肯定することができる（単に強要罪〔223条〕にとどまるものではない)。それと区別されるべきは(ロ)の問題であり，行為者の被害者への働きかけがその自発的な意思決定を排除し意思を制圧したかが問われ，それが肯定されれば，**意思制圧型の間接正犯**が肯定されることになる（→総論489頁以下)。この事案では，飛び込みの実行にあたり被害者のある程度の自発的意思が働いていたとしても，行為者は被害者をして命令に応じて**車ごと海中に飛び込むというおよそ不合理な行為以外の行為を選択することができない精神状態**に陥らせていたというのであるから，意思制圧の関係を認めることができる[8]。ここから，被告人の行為について（単に自殺教唆未遂罪にとどまるものではなく）殺人の正犯としての実行行為性を肯定することができる（→35頁以下)。

以上のように，殺人の実行行為性を肯定するためには，(イ)危険性と(ロ)正犯性の両方が必要なのであるが，他人の行為を介さずに結果を生じさせるケースにおいては，危険性が認められる限り正犯性は当然に肯定され，これに論及する必要もない。**行為者の行為と結果との間に，他人の行為が介在するときに（したがって，間接正犯のケースではじめて）正犯性が問題となる**のである。

最近の判例の中には，自動車を運転して帰宅予定の者に対し，ひそかに睡眠導入剤をのませた上で，自動車を運転するよう仕向け，その者が走行中に仮睡状態等に陥って自車を対向車線に進出させ，対向車に衝突させる死傷事故を引

---

7) 最決平成16・1・20刑集58巻1号1頁。

8) 最決令和2・8・24刑集74巻5号517頁は，幼年の被害者の救命義務を負っていた母親の**不作為を強制**して被害者を死亡させたケースについて殺人罪の間接正犯（同時に，父親との関係では共謀共同正犯）を認めている。すなわち，「脅しめいた文言を交えた執ようかつ強度の働きかけ」により，母親をして，被害者の病気（1型糖尿病）を完治させるためには，インスリンの不投与等の指導にしたがう以外にないと一途に考えるなどして，被害者へのインスリンの投与という期待された作為に出ることができない精神状態に陥らせることにより，未必的殺意をもって母親を道具として利用して被害者を死亡させたとしたのである。

き起こさせたというケースについて，運転者および対向車の運転者に対する殺人罪ないし殺人未遂罪を認めたものがある[9]。このケースは，他人の，行為ともいえない身体的挙動を利用した間接正犯（→総論489頁）を肯定したものであるが，そこでは同時に，特に対向車の運転者に対する危険性の有無も争点とされている。

(2)　未　遂

殺人については**未遂も可罰的**である（203条）。構成要件に該当する結果惹起行為の一部が開始されれば，実行の着手（43条本文）は認められる。たとえば，殺意をもって被害者に向かって銃の狙いを定めたときとか，日本刀を振りかざしたときなどがそうである。包丁を持って被害者のいる室内に侵入しただけではまだ殺人の実行に着手したものとはいえない[10]。ただ，判例は，たとえ結果惹起行為（＝構成要件該当行為）が行われる以前の行為であっても，**行為者の計画を考慮したとき**，結果惹起行為に先行する密接な行為であり，その実行を決定的に容易にする行為があれば，その行為の時点で実行の着手が認められるとする[11]。

(3)　罪数，他罪との関係

本罪の保護法益である生命は，一身専属的法益であり，各人の生命はそれぞれ他の人のそれとは独立した刑法的保護の対象となる。したがって，殺人罪については，被害者の数により犯罪の個数が決まる。たとえば，1つの爆弾で一度に3人を殺せば，3個の殺人罪が成立する（これらは観念的競合〔54条1項前段〕として処断される）。強盗の機会に人を殺害したときには加重類型としての強盗殺人罪（240条後段）の規定が優先的に適用される（法条競合の一種としての特別関係〔→総論582頁〕）。特別法においても，人質殺害罪（人質による強要行為等の処罰に関する法律〔1978（昭和53）年5月16日法律第48号〕4条）や組織的殺人罪（組織的な犯罪の処罰及び犯罪収益の規制等に関する法律〔1999（平成11）年8月18日法律第136号〕3条1項7号）といった加重類型が定められている。これ

9）　最判令和3・1・29刑集75巻1号1頁。

10）　大阪地判昭和44・11・6判タ247号322頁。

11）　最決平成16・3・22刑集58巻3号187頁（**クロロホルム事件**〔→総論437頁以下〕）。

らの処罰規定も，刑法の殺人罪の規定とは特別関係に立ち，優先的に適用される。

3 殺人予備罪

（予備）
第 201 条　第 199 条の罪を犯す目的で，その予備をした者は，2 年以下の拘禁刑に処する。ただし，情状により，その刑を免除することができる。

刑法は実行の着手以前の殺人予備も処罰している（なお，殺人罪を含めた重大犯罪の実行準備段階を捕捉するテロ等準備罪については，総論 427 頁注 *4*）を参照）。**予備**とは，着手に至る以前の犯罪の（物的）準備行為をいう。予備罪は，狙いとする犯罪の実現を目的とした**目的犯**の構造をもち（→総論 116 頁以下，427 頁以下），客観的には無害な行為が多く，その段階で捕捉されることは稀であり（実際には，実行の着手に近接する段階に達したものに限られよう〔→総論 428 頁〕），また実行に至れば吸収され，独立に犯罪として成立しない[12]。これまでの判例・裁判例においては，殺人の目的で，被害者らが日常通行する農道の道端に毒入りジュースを置く行為[13]，点火して焼死させる目的で屋内に都市ガス（天然ガス）を漏出させる行為[14]，大量殺人の目的で猛毒のサリンの大量生産に向けて行われた行為[15]などにつき，殺人予備罪による処罰が認められている。強盗予備罪（237 条）とは異なり，情状により**刑の免除**[16]を行うことが可能とされている（刑の任意的免除〔本条ただし書〕）。

12）　総論 584 頁を参照。なお，**予備罪の共犯**については，総論 525 頁以下，542 頁，544 頁を参照。

13）　宇都宮地判昭和 40・12・9 下刑集 7 巻 12 号 2189 頁。

14）　大阪高判昭和 57・6・29 判時 1051 号 159 頁。

15）　東京高判平成 10・6・4 判時 1650 号 155 頁。

16）　刑の免除の判決も，有罪判決の一種であるが（刑訴 334 条を参照），犯罪が成立し有罪であるとする評価のみが示され，何らの刑の言渡しもともなわないものであるから，最も軽い有罪判決ということになる。

4　自殺関与罪・同意殺人罪

（自殺関与及び同意殺人）
第202条　人を教唆し若しくは幇助して自殺させ，又は人をその嘱託を受け若しくはその承諾を得て殺した者は，6月以上7年以下の拘禁刑に処する。

(1)　総説，構成要件

(a)　自殺関与罪と同意殺人罪――処罰の理由　　本条は，その前段において**自殺関与罪**（自殺教唆罪および自殺幇助罪）を，その後段において**同意殺人罪**（嘱託（しょくたく）殺人罪および承諾殺人罪）を規定する。それは，被害者が死ぬことに同意しているとしても，その被害者を殺す行為を違法とし（本条後段）[17]，さらに，**自殺**（すなわち，被害者が自ら命を絶つこと）に協力する行為（自殺関与，すなわち自殺の教唆と幇助）をも処罰の対象としている（本条前段）。自殺教唆罪・自殺幇助罪は，202条の規定により処罰される独立の犯罪であり，総則規定（61条以下）により処罰の拡張が認められて犯罪となる一般の教唆犯・幇助犯（→総論480頁以下，533頁以下）とは区別されなければならない[18]（ただし，「教唆」と「幇助」の語のもつ意義そのものは同じである）。

法定刑は，普通殺人罪と比べてかなり軽い。それは，死ぬことについて本人の同意があることを理由として**法益保護の必要性（法益の要保護性）が減少**するところに根拠があると考えられる（その意味で本条は**違法減少類型**を規定したものである）。前段の自殺関与は，後段の同意殺人と比べて，**結果への影響力・支配力が弱い**から，一般的にはさらに違法性の程度が低いといえよう。そこで，そもそも自殺関与罪についてはその処罰の根拠をどこに求めるか（その処罰は正当化されうるのか）が問題となる。現行法上，自殺そのものは犯罪とされていないが，そうであるとすれば，なぜそれを唆（そそのか）したり援助したりすることが可罰的な程度

17）　その行為はもともと199条に該当するが，特別な減軽類型として規定されたものとして理解することができる。

18）　一般の教唆犯・幇助犯は，正犯者の犯罪行為（少なくとも構成要件に該当する違法な行為）に従属して成立するものであるが（**共犯の従属性**〔→総論482頁以下〕），本条前段の罪について見れば，自殺は犯罪ではないから，それは従属的共犯ではありえない。むしろ自殺者は，被害者として理解されなければならない。

に違法・有責な行為となりうるのかが明らかにされなければならない。

自殺関与罪の処罰根拠 自殺そのものが犯罪ではないのに，これに他人が関与する行為がなぜ犯罪となりうるか。この問題をめぐっては，**自殺の法的評価**とも関連して見解が対立する。自殺そのものは犯罪とされていないが，それは少なくとも法規範の禁止する一般的違法行為（→総論 272 頁）であると考えることは可能である[19]。しかしながら，個人の意思決定に高い価値が認められる個人主義の法体系の下では，私事に関する**個人の自己決定権**は最大限に尊重されるべきである。そこで，現行法は，自殺者に対してその生命の放棄を禁止する規範を向けておらず（その限りで，われわれは「生命についての自己決定権」をもつ），**自殺は違法行為ではない**と理解することができる。いいかえると，自殺は，保護に値する生命の侵害であることは否定できないから，そこには結果不法（結果無価値）は認められる（したがって，他人がこれを阻止する行為は緊急避難〔37 条 1 項本文〕にあたりうる）。しかし，自殺行為は，法規範に反する行為ではないという意味で，行為不法（行為無価値）が否定されるのである。

このように自殺が違法ではないとしても，法にとり個人の生命が失われることが望ましくないことに変わりはない[20]。そこで，**生命に関する自己決定権を制限**し，自殺するにあたり他人に協力してもらうことまでは法的に保障しない（もし死にたいのならひとりで死ななければならない）とすることは可能であり，また法政策的に妥当である。他方，自殺者自身に生命放棄禁止の規範を向けることはできないとしても，**他人の自殺に協力したり，これを手助けしたりする行為**は「他者の生命を否定する行為」であることから，これを禁止することは可能である[21]。そのような禁止の目的は，他人の自殺に関与させないことによって，自殺者を「孤立」させ，これにより自殺がなるべく行われないようにすることであり，そのような禁止は法政策的に十分な理由があるものといえよう。自殺したいと思う人でも，自分ひとりではきっかけがつかめないという人も多いはずであるから[22]，自殺者を「孤立」させることは間接的な生命保

---

19) たとえば，大塚・18 頁，大谷・16 頁以下，山中・24 頁以下など。可罰的違法行為であるが，責任がないとするのは，林・25 頁以下。

20) 日本における自殺の実態に関する必読の文献としては，斎藤貴男『強いられる死――自殺者三万人超の実相』（2012 年）がある。

21) 平野・概説 158 頁を参照。

22) 自殺者の精神状態・心理状態につき，高橋祥友『自殺の心理学』（1997 年）5 頁以下には，次のように述べられている。「実際に自殺の危険が高い人で 100 パーセント覚悟が固まっていて，まったく平静な人などはほとんどいません。むしろ，自殺の危険の高い人は生と死の間で心が激しく動揺しているのが普通です。絶望しきっていて死んでしまいたいという気持ちばか

護に役立つ。このようにして自殺関与行為を犯罪とすることには理由がある。ましてや手を下して他人を殺害する同意殺人行為については，刑法による**被害者の生命の後見的保護**（→総論351頁）の見地から処罰が正当化されるであろう。[23)]

（b） 4つの構成要件　個人的法益は，原則としてその享有の主体（法益主体）が法的保護を放棄できる法益であるが（→13頁），本条が明らかにしていることは，生命については，たとえ本人がこれを放棄しようとしても，それでもなお刑法はその保護から撤退しないということである。この規定は，生命に関する法益主体の自己決定権（法益放棄の自由）を**制限**しており，**生命保護は本人の反対意思にもかかわらず貫徹される**ことになる（このことを指して，刑法による生命保護の**絶対性**と呼ぶこともある）。

202条の規定する4つの構成要件，すなわち，①自殺教唆，②自殺幇助，③嘱託殺人，④承諾殺人のうち，①と②をあわせて自殺関与罪，③と④をあわせて同意殺人罪と呼ぶ。このうち，**自殺教唆**とは，他人を唆して自殺させることである。自殺を決意していない他人を唆してその実行を決意させ，その結果，被教唆者が現実に自殺を実行するに至ることが必要である。教唆行為は，他人に自殺の決意を生じさせるに適した行為であれば足りる。被害者に対しメール等で「死んだ方がいい。早く死ね」といった内容のメッセージを送り付けることは，被害者側が精神的に追い詰められた状況にあり，行為者がその事情を知りつつ，本当に自殺行為に出る可能性を認識した上でこれを行う限りにおいて本罪を構成する。

りでなく，生きていたいという気持ちも同時に強いということです。まさに，この点に自殺予防の余地があります」。そして，まさにこの点に**自殺関与行為の処罰の法政策的必要性**が認められる理由もある。

23） 自殺関与罪の処罰根拠を説明するにあたり，「一人で自殺する場合には生命放棄の意思が完全であり適法であるが，他人の関与（教唆・幇助）があってはじめて自殺する場合は生命放棄の意思が完全とはいえないと法が一般的にみなしている」とする見解がある（浅田・31頁）。これは，法政策的には自己決定権の思想を推し進めたところに，そして，刑法理論的には結果無価値論を貫徹したところに成立する見解であるが，自殺関与・同意殺人が問題となる場面においては生命放棄の意思が不完全であるとするのは現実を無視したフィクションであるし，他方で，「自殺関与罪は本人の自殺意思が真意かつ任意であることを要件としている」（浅田・31頁）こととどのように整合するのかも私には不明である。

自殺幇助とは，自殺者が自殺を行うにあたりその実行を容易にする行為をすることをいう。すでに自殺を決意している他人が自殺するにあたってその実行を容易にする行為を行い，かつ自殺者が現実に自殺を実行するに至ることが必要である。幇助には，**物理的（有形的）幇助と心理的（無形的）幇助**とがある（この点も，62条1項にいう幇助と同じである〔→総論543頁以下〕）。自殺に用いるための毒薬等を与えることなどが前者の例であり，「たしかにお前なんか死ぬほかないだろう」などと言って心理的に自殺意思を強めることが後者の例である[24)]。

嘱託殺人とは，死ぬことを望む者の依頼を受け，その者を殺すことをいい，**承諾殺人**とは，殺害されることに同意するように積極的に持ちかけ，同意を得た上で殺すことをいう。これら同意殺人罪において，**本人（被殺者）の同意**があるといえるためには，少なくとも，本人が，死亡結果の生じうることを認識し，かつこれに（消極的でもよいが）本人の実現意思が及んでいるといえれば足りる。判例・通説によれば，結果について「認容」があれば足りる。それは，故意の要件（→総論175頁以下）とパラレルに考えることができる。死亡結果についての積極的な意欲・願望までは必要ない[25)]。

(2)　自殺関与と同意殺人の区別

202条は，自殺関与と同意殺人とを同等に扱っている。他人が行う自殺に関与する行為と，同意があるとしても他人を殺す行為とを同じに扱うことが正しいかどうかには疑問がないではない[26)]。欧米の多くの立法例に見られるように，同意殺人のみを処罰し，**自殺教唆・幇助を原則的に不可罰**とするならば[27)]，自殺関

---

24)　東京地判平成30・9・14 LEX/DB 25449805は，「自殺幇助とは，既に自殺の決意を有する者に対し，自殺の方法を教え，器具手段を供与する等して，その遂行を容易にすることをいい……，自殺行為を容易ならしめた以上，それが積極的手段たると消極的手段たると，また，物理的手段たると心理的手段たるとを問わないと解される……。弁護人は，自殺幇助は，類型的に死亡の結果を物理的に直接促進する行為に限られる旨主張するが，判例，通説に反する独自の見解であって，採用できない」とする。

25)　殺人罪を肯定した原判決を破棄し，嘱託殺人罪の成立を認めた大阪高判平成10・7・16判時1647号156頁は，202条における「嘱託」の意義につき，**被害者において自己が依頼した行為の結果が死に結びつくことを十分認識している場合**には，たとえ死の結果を望んでいなくても，真意に基づく殺害の嘱託と解する妨げとはならないとしている。

26)　疑問とするのは，中森・10頁，正当とするのは，林・23頁。

27)　1つの代表的立法例として，ドイツ刑法は，211条（謀殺）と212条（その他の故意殺）に

与と同意殺人の区別には決定的な意味が与えられることとなる。しかし，日本の刑法においては，それは同一罰条の中での行為態様の相違にすぎない。判決においてどちらの法的概念をあてはめるかという点に誤りがあったとしても，訴訟法上，直ちに上訴審において判決を破棄する理由（法令適用の誤り）にはならない（ただし，事実誤認の結果として，自殺幇助なのに，嘱託殺人を認めたという場合はもちろん別論である）。とはいえ，自殺関与と同意殺人の区別が不要ということではなく，両者を区別できなければならないことも当然である。

自殺関与と同意殺人の区別については，総論における**正犯と共犯を区別する基準**（→総論 478 頁以下）**を準用**することができる。すなわち，被殺者がその自由な意思決定により結果を自ら実現したといえるか，それとも，行為者の方に結果が第一次的に帰せられる程度に行為者が結果実現を支配していたかにより，自殺関与と同意殺人を区別することが可能である。行為者の働きかけはあったものの，被害者が自己の自由な意思によりさらに結果惹起行為（作為または不作為）を行わない限り，結果実現には至らないという場合は（いいかえれば，被害者が結果実現に至る因果の流れをなお手中に収めているといいうる場合であれば）自殺関与にとどまる。

自殺教唆と同意殺人の区別　行為者が結果発生に大きく寄与する行為を行ってはいるものの，結果発生までの過程において被害者の自由な意思決定による行為（作為または不作為）が介在しているという事例においては，その区別は紙一重のものとなる。たとえば，行為者が毒物を被害者の口まで運んだという事例や，ガス自殺を希望する被害者のためにガスの元栓を開いてやったという事例を考えると，被害者の自発的行為（作為・不作為）なしには最終結果の発生に至らないのであるが，一方で**行為者の**

より故意の殺人罪を処罰するほか，212 条を前提とする補充的な減軽規定として 216 条を設けている。それは，「①被殺者の明示的かつ真摯な嘱託により殺害を決意するに至ったとき，6 月以上 5 年以下の自由刑を言い渡す。②本罪の未遂はこれを罰する」と定めるものである。216 条の要件を充足しない同意殺人は 212 条で処罰されることになる。日本の刑法 202 条が**処罰創設的規定**であるかどうか（これを削除すれば，同意殺人を処罰することはできないことになるかどうか）は 1 つの問題である。ちなみに，ドイツでは，2015 年に，業として行われる自殺援助（geschäftsmäßige Förderung der Selbsttötung）を新たに犯罪とする 217 条の規定が新設されたが，連邦憲法裁判所の判決（2020 年 2 月 26 日）により，憲法の保障する，死に関する自己決定の権利を不当に制限するものとして憲法違反とされた。詳しくは，山中敬一『医事刑法概論 II』（2021 年）697 頁以下を参照。

行為の因果的・心理的影響力の強さ，他方で**被害者の意思決定の自由さ**の程度および**その行為の寄与**の程度を評価しなければ，自殺関与であるか，それとも同意殺人であるかを明らかにすることはできない[28]。

(3) 普通殺人罪との区別

(a) 同意の有効性と殺人の実行行為性　自殺関与罪・同意殺人罪にあたる行為と普通殺人罪にあたる行為とは，**被殺者の同意の有無**によって区別される。死の結果について有効な同意があるのに普通殺人罪が成立することはありえず，逆に，同意がないのに自殺関与罪・同意殺人罪が成立することはない[29]。1つの問題は，**同意の有効性の有無**と**殺人の実行行為性の有無**の関係である。もし被殺者において有効な同意が存在せず（したがって，202条に該当しない），他方で（行為と結果との間に法的因果関係を肯定することはできるが）殺人の実行行為性を肯定できず199条の罪の構成要件該当性を認めることもできないというケースが想定できるとすれば，そこには**処罰できない空白部分**が生じることになる。しかし，行為者が脅迫等を手段とし心理的圧迫を加えて自殺を決意させこれを実行させたというケースについて見ると（なお，騙して被害者に自殺を決意させたというケースについては(b)で述べる），**有効な同意の限界と殺人の実行行為性の限界とは一致**すると考えられる。すなわち，同意の有効性をなお認めうる限りにおいて自殺教唆罪が成立し（同時に殺人の実行行為性は否定され），同意の有効性が否定されるところで行為は殺人罪に転化する（殺人の間接正犯としての実行行為性が肯定される）と解される。

重要なのは，この同意の有効性の有無，そして同時に殺人の実行行為性の有

---

28)　その区別は微妙であり，かりに諸外国の刑法のように自殺関与が不可罰であったとすれば（→33頁），きわめて困難な解釈論上の問題となっていたであろう。もちろん，わが国でも，両罪の区別が裁判における争点となることはある。たとえば，東京高判平成25・11・6高刑速平成25年122頁は，夫婦が心中を決意して自動車内で練炭自殺を図ったが，妻のみが死亡したというケースにつき，原審が被告人の夫は承諾殺人罪の罪責を負うとしたのに対し，この判決を破棄し，その行為は自殺幇助罪にあたるとした。

29)　しかし，厳密にいうと，客観的には被害者の同意がないのに，結論として202条の罪の成立が認められることがある。それは，抽象的事実の錯誤の事例で，38条2項が適用されるケースである（→39頁注*38)*）。

無を判定する基準である。ここでは，被害者の生命という**法益の保護の必要性（要保護性）の程度が減弱するかどうか**が問題であり，他方で，行為者は被害者の心理的圧迫状態を創出し，これにより被害者の死亡という結果を惹起しようとしている。そうであるとすれば，被害者が意思決定の自由を完全に奪われる必要はない。被害者の精神状態が心神耗弱（39条2項）を疑わせる程度にまで減弱している場合には意思制圧の関係が認められる。また，緊急避難（37条1項本文）の要件が充足される場合はもちろん，それが充足されなくても，**当該被害者の主観的な捉え方を基準**として，自殺する以外に行動の選択肢が存在しないと考えられるところまで心理的に追い詰められたのであれば，意思制圧の関係を認めて同意の有効性を否定し，普通殺人罪とすることができる。[30)]

意思制圧の関係が認められる一事例　最高裁は，被告人らが，真冬の深夜，かなり酩酊し，かつ被告人らから暴行を受けて衰弱していた被害者を河川堤防上に連行して3名で取り囲み，「飛び込める根性あるか」などと脅しながら護岸際まで追い詰め，さらに垂木（たるき）で殴りかかる態度を示すなどして，逃げ場を失った被害者を護岸上から約3m下の川に転落させ，その上，長さ約3，4mの垂木で水面を突いたり叩いたりして溺死させたというケースにつき，殺人の実行行為性を認めた。このケースでは，行為者による被害者の意思の制圧の程度が，もはや物理的に川の中に突き落としたのと同視できるほど強いものとなっているといえよう。なお，行為の危険性の問題と，意思制圧の関係の存否（間接正犯の成否）の問題の関係については，26頁以下を参照。

(b)　欺罔（ぎもう）に基づいて得られた同意の有効性　次に，相手方を錯誤に陥らせて自殺させるか，または錯誤に基づく同意を得て殺す場合の扱いが問題となる。被害者において自分が死ぬことを認識していない場合（たとえば，事情を知らない被害者をして，高圧電線に触れさせるとか，毒入りジュースを飲ませるとかした場合），また，死の意味を理解する能力のない者（年少者や精神障害者）に死ぬことを承諾させた場合においては有効な同意は存在せず，反面において殺人罪の実行行為性を肯定することができ（有効な同意さえ認められれば自殺関与となる

---

30)　前掲注7）最決平成16・1・20は，被害者において自殺する意思が生じなかった事例ではあるが，被害者をして被告人の命令に応じる以外の行為を選択することができない精神状態に陥らせたことから殺人の実行行為にあたるとしている。

外形的態様においても，有効な同意が否定されるのであれば被害者を利用した間接正犯が認められる)，普通殺人罪が成立することに疑いはない。以前から議論が対立しているのは，被害者が**死ぬこと自体**については強制されることなく意思決定したものの，**意思決定の過程において重大な動機の錯誤**に陥っていた場合である。たとえば，いわゆる偽装心中の事案で，行為者がすぐに後追い自殺をするとウソをつき，被害者に死の決意をさせたケースについての法適用が問題となる。

偽装心中に関する最高裁判例　最高裁判例では，被告人が，料理屋の接客婦である被害者と交際し，いったんは夫婦となる約束までしたが，やがて同女との関係を絶とうと考えるに至り，別れ話を持ちかけたところ，同女はこれに応じず，心中を申し出たため，本当は追死(ついし)する意思がないのに追死するように装い，同女をそのように誤信させ，あらかじめ携帯してきた致死量の青化ソーダを同女に与えてこれを嚥下(えんげ)させ，即時同所において死亡させたというケースが問題となった。最高裁は，普通殺人罪の成立を認めた原審判決を正当とし，「本件被害者は被告人の欺罔の結果被告人の追死を予期して死を決意したものであり，その決意は真意に添わない重大な瑕疵ある意思である」から通常の殺人罪に該当するとした[31]。その趣旨を敷衍(ふえん)すれば，**本質的に重要な点**（すなわち，本当のことを知っていたなら，死ぬことを決意することはおよそありえなかったであろうと考えるほど重要な点）に関して騙すことは「意思決定の自由を奪うもの」であり，有効な同意（嘱託・承諾）と認めることはできない[32]ということになると思われる[33]。

---

31)　最判昭和33・11・21刑集12巻15号3519頁。また，66歳の被害者（女性）に対し一連の虚偽の事実を申し述べ，次第に心理的に追い詰めて自殺を決意させたケースについて，その自殺の決意は「真意に添わない重大な瑕疵のある意思」であり「自由な意思に基づくものとは到底いえない」という理由で，普通殺人罪を認めた判例として，福岡高宮崎支判平成元・3・24高刑集42巻2号103頁がある（ただし，これは，最判昭和33・11・21と異なり，不安と恐怖を抱かせ，体力・気力を消耗させて自殺を決意するに至らせたというケースである）。

32)　このように考えたとしても，**被害者の意思決定にとって真に重要な錯誤**のみが考慮されるから，意思決定に影響をもった錯誤のすべてが同意を無効にするわけではない。

33)　なお，普通殺人罪の構成要件該当性を肯定するためには，同罪の予定する実行行為性が具備されなければならないが，この判例のケースにおけるような**共犯的態様**による場合，いかなる意味で実行行為性が肯定されうるかが問題となる。被害者の意思決定に対し重大な意味をもつ錯誤を生じさせ，これを利用して死亡結果を引き起こそうとする行為は，被害者を利用した殺人罪の間接正犯とされることになろう。ここでも，**有効な同意の限界と殺人の実行行為性の限界とは一致**すると考えなくてはならない。すなわち，同意の有効性をなお認めうる限りにおいて自殺関与罪が成立し（同時に殺人の実行行為性は否定され），同意の有効性が否定されると

学説においては，このような判例の立場に対して批判的な見解が有力に主張されている。被害者が死ぬことについては正しく認識し，死ぬこと自体は強制されることなく意思決定しているのであるから，有効な同意があるものと認めるべきだとする[34]。最近では，被害者の錯誤に関する一般理論として，放棄された法益の内容そのものに関する**法益関係的錯誤**と，**それ以外の単なる動機の錯誤**とを区別し，後者に基づく同意にあっては，その法益が（その程度に）失われること自体については正しく認識した上で同意を与えている以上，同意としての有効性を否定すべきでないとする立場を前提として，判例の結論が批判されている（**法益関係的錯誤説**[35]）。

この点については，判例の考え方をもって妥当とすべきであろう[36]。202条は**普通殺人罪の違法減少類型**を規定したものであり，大幅に刑が軽くなることの根拠は，被害者の同意により**被害法益たる生命の保護の必要性が減少**するところに求められる（→30頁）。たとえば，脅迫を加えて被害者の意思を制圧して死ぬことに同意させる場合，たとえ被害者において死んでしまうという結果の認識があるとしても，意思決定は自由に行われたものではなく，法益の要保護性の減少は認められない。このことからもわかるように，被害者に*生命が失われることの認識があるかないか*はそれ自体として重要ではない。行為者により意図的に惹起（ないし維持）された錯誤の動機づけに対する影響力が大きく，結果的に意思決定が被害者の真意に沿わない不本意なものとなることに変わりはないというとき，そのような同意があることにより**被害者の生命という法益の要保護性が減少**するとはいえない。

ころで行為は殺人罪に転化する（殺人の間接正犯としての実行行為性が肯定される）と解されることになる。

34）たとえば，小暮ほか・27頁以下〔町野朔〕，曽根・13頁以下，中森・11頁以下，平野・概説158頁以下，松宮・28頁以下など。

35）たとえば，浅田・34頁，佐伯・総論216頁以下，高橋・21頁以下，中山・22頁，西田・16頁以下，堀内・23頁以下，山口・14頁以下，山中・29頁以下など。

36）判例の立場を支持するのは，大塚・19頁以下，団藤・400頁以下，福田・149頁など。なお，被害者が錯誤に陥ったという事情のほか，行為者による被害者に対する働きかけの強度等の事情をあわせ考慮して殺人の実行行為性を認めうる場合に普通殺人罪が成立するとするのは，伊東・21頁，大谷・19頁，21頁，斎藤・14頁，髙橋・授業（下）7頁以下，前田・17頁以下など。

反対説から引き出される結論は，次の意味においても妥当でない。もし意思決定に強い影響を与える動機の錯誤を生じさせて死に至らせようとする場合でも同意は有効とするのであれば，そのような巧妙な方法による法益侵害行為をより推奨することになりかねない。被害者にとり，「黙って殺害する行為」からはより手厚く保護されるが，「巧妙に偽装された行為」からはより手薄な保護しかなされないというのは，不当なことではないだろうか。法益関係的錯誤説の主張者は，被害者が死ぬこと自体につき間違いなく認識していたときには有効な同意があるとしつつ，ただ放棄しようとする生命の長さに関し錯誤があるときには法益関係的錯誤となるという。たとえば，「医師が癌患者に対して，あと1年の余命があるにもかかわらず，あと3カ月の命で激痛も襲ってくるからと欺罔して自殺させた場合には，同意は無効であって医師には殺人罪が成立する」とする[37]。しかし，他方で，被害者にとって最愛の人が死んだと騙し，もはや生きている意味がないと思わせた場合や，会社社長に対し「会社が倒産した」と虚偽の事実を述べて絶望させ自殺させた場合のように，重大な動機の錯誤を生じさせたケースにおいて自殺関与罪の成立しか認められないとするのであれば，それは理由のある区別ではない。

(c) 同意の存否に関する錯誤　　同意の存否に関し行為者において錯誤があった場合の扱いも問題となる。まず，被害者が実際には同意していないのに，行為者が被害者の同意があると誤信して（たとえば，被害者の言動を殺害の嘱託と誤解して），これを殺害した場合に何罪が成立するか（同意に関する積極的錯誤の事例）。ここでは，行為者としては同意殺人罪にあたる事実を実現しようとして，普通殺人罪の事実を実現したことになるから，それは**抽象的事実の錯誤**のケースであり，**38条2項**の適用により，軽い同意殺人罪の成立が認められることになる（判例・通説）[38]。

---

37) 西田・17頁。同旨，堀内・23頁以下，山中・30頁。

38) 判例・裁判例として，東京高判昭和53・11・15判時928号121頁，名古屋地判平成7・6・6判時1541号144頁，大阪地判平成31・2・26 LEX/DB 25570130などを参照。1つ問題となるのは，同意殺人罪の客観的要件として，被害者の有効な同意があることが必要であるとされていること（→35頁以下）と，被害者の同意があると誤信した場合において同意殺人罪の成立を認めることとが矛盾しないかという点である。これは，抽象的事実の錯誤の場合で38条2項の適用が認められるケースでは，客観的には重い犯罪（本文の例では普通殺人罪）の事実

これに対し，実際には被害者の有効な同意が表明されていたのに，行為者がこれを認識せずに被害者を殺した場合はどうか（同意に関する消極的錯誤の事例）。これは，行為者が普通殺人罪の事実を実現しようとしたが，結果として同意殺人罪の事実が実現された場合である。前述のように，202条は**違法減少類型**である（→30頁）。そこで，この問題は客観的に存在する違法減少類型にあたる事実を認識せずに，違法性の減少されない（重い）事実を実現しようとして行為した場合にどのように解決されるべきかの問題にほかならない。したがって，それは**偶然防衛**（→総論279頁以下）を典型例とする場合，すなわち客観的に存在する違法性阻却事由にあたる事情を認識せずに，違法性の阻却されない事実を実現しようとして行為した場合とパラレルに解決されなければならない。

同意を認識せずに行為した場合，学説上は，①違法減少の主観的要件が欠けると解して殺人既遂罪を認める見解[39]，②殺人未遂罪の成立を肯定する見解[40]，③客観面を重視して違法減少を認め同意殺人罪とする見解[41]が対立している[42]。このうちの③の見解は，客観面において同意殺人罪にあたる事実が実現されていることに注目し，行為者が普通殺人罪の故意をもっていることから，抽象的事実の錯誤の解決方法にしたがい（普通殺人罪と同意殺人罪との間では構成要件の重なり合いが肯定される），軽い発生事実について故意が認められるとして同意殺人罪の成立を認めるものである。しかしながら，客観的に被害者が同意していることから殺人既遂罪の成立を認めることはできないとしても，不能犯論に

があるのに，行為者の故意に応じた軽い犯罪（本文の例では同意殺人罪）を成立させること，すなわち，その犯罪（ここでは同意殺人罪）にあたる客観的事実が存在しないのに，主観面に故意があることからその犯罪の成立を認めるという特殊な処理を行わざるをえないことに由来する。抽象的事実の錯誤の問題の解決は，その限りで「構成要件の拡張」の許容をともなわざるをえない（→総論203頁，208頁，559頁注*16*））。

39）　結論として殺人既遂罪を認めるのは，内田・19頁以下。

40）　高橋・18頁，中森・11頁以下，林・26頁，平野・総論Ⅱ 250頁以下，松宮・31頁など。

41）　浅田・36頁，大塚・22頁以下，大谷・21頁以下，川端・36頁，佐久間・31頁，曽根・15頁，中山・23頁，前田・19頁以下，山中・32頁など。

42）　偶然防衛をめぐっては，①違法性阻却は認められず行為者は既遂犯として処罰される（既遂不法が認められる）とする見解，②未遂犯が成立する（未遂不法しか認められない）とする見解，③違法性が阻却され不可罰となるとする見解が対立しているが（→総論279頁以下），本文に示した見解の対立はこれに正確に対応している。

関する具体的危険説（→総論411頁以下）による限り，行為者が重い普通殺人の事実の実現を意図している以上，その未遂罪の成立が認められるケースがありうることは否定できない。同意殺人罪のみの成立を認める③の見解に対しては，そのようなケースにおいて，なぜ重い殺人未遂の不法を無視してよいのかの疑問が生じる。そこで，②の殺人未遂罪説が妥当であるが，これに対しては，被害者を死亡させた点をまったく評価しなくてよいのかが疑問とされる。そこで，殺人未遂罪とともに同意殺人罪も犯罪としては成立しているが，罰条評価としては，重い殺人未遂罪に吸収されると解すべきである[43]。

犯罪成立と罰条評価　行為者が被害者の同意を認識せずにこれを殺した場合，殺意をもって行為した点を殺人未遂罪で評価し，被害者を死亡させた点を同意殺人罪（既遂犯）で評価することによりはじめて（両罪の成立を認めてはじめて），**行為のもつ違法性がもれなく評価**される。ただし，殺人未遂罪と同意殺人罪の両罪が成立するとしても，**事案に対する罰条評価**の問題としては，重い殺人未遂罪の規定のみを適用すればそれで十分であり，同意殺人罪の事実はこれにより吸収的に評価される。すなわち，202条の規定をあわせて適用するには及ばず，客観的に生じた同意殺の不法は，殺人未遂罪による量刑の枠内で考慮すれば足りるのである（**包括一罪の一種としての吸収一罪**〔→総論583頁，587頁〕）。

(d)　殺すことの依頼を傷害の依頼と誤信した場合　　被害者から自身の殺害を依頼されたのを傷害の依頼と理解し，傷害の故意で行為して依頼者を死に致したという場合，具体的には，Aから殺害の嘱託を受けた行為者が傷害の故意でAに傷害を加えたところ，Aが死亡するに至ったというとき，いかなる法適用を行うべきであろうか。行為者としては傷害（204条）の故意で死亡の結果を生じさせているので傷害致死罪（205条）の刑事責任を問うことは可能である[44]。しかし，そうすると，行為者に殺意があった場合には法定刑が

---

43)　林・26頁，松宮・31頁，山口・17頁などを参照。なお，学説の中には，被害者が同意を外部的に表示していたかどうかを重視する見解もあり，それによれば，本文①のように，殺人既遂罪の成立が肯定されるべきこととなろう。しかし，被害者の同意・不同意のみが重要であり，同意の外部への表示のいかんを問題とすべきではない（→総論355頁注*30*））。

44)　ただし，被害者の同意を理由に傷害については違法性が阻却されるというケースであれば（→総論349頁以下），それによりカバーされない死亡結果との関係ではせいぜい過失致死罪（210条・211条）が成立するにすぎない。

より軽い同意殺人罪（202条）になるのに，傷害の故意しかない場合には法定刑のより重い傷害致死罪になるという不均衡（ないし「逆転現象」）が生じる。そこで，この場合には，傷害致死罪が成立するが，同意殺人罪の法定刑の上限を超える刑を科すことは許されないと解することになる（→総論352頁注*20*）[45]。

（4）　違法性阻却事由

202条後段の同意殺人罪に関しては，積極的安楽死（直接的安楽死）がその違法性を阻却するかどうかという問題がある（→総論359頁以下）。

（5）　未　遂

202条の罪については**未遂も可罰的**である（203条を参照）。自殺関与罪（前段）の実行の着手については，自殺に誘致する行為（たとえば，自殺教唆行為）の開始時点ではなく，**被害者の自殺行為**（被害者を殺害する行為と同等な意味において死に直接的な原因を与える行為）**の開始の時点**をもって着手時期とすべきことになる[46]。なぜなら，同一条文に規定された同意殺人罪（後段）の場合には，同意を得た上で被害者を殺害する行為の開始（それは普通殺人罪の実行の着手〔→28頁〕と同様の時点に認めることができるであろう）とともに着手が認められるが，それと同じように考えるべきだからである[47]。また，通常の共犯の場合（たとえば，殺人罪の教唆犯・幇助犯の場合）には，正犯者が実行に着手してはじめて共犯行為の可罰性が肯定されるが（**共犯の実行従属性**〔→総論481頁以下〕），その場合以上に処罰時期を早める必要性もない。

45）　これに対し，札幌地判平成24・12・14判タ1390号368頁は，202条後段が適用可能だとした。しかし，故意がないのに同意殺人罪の成立を認めることはできない。札幌高判平成25・7・11高刑速平成25年253頁は，これを破棄して傷害致死罪の成立を認めた（最決平成27・1・21 LEX/DB 25506125もこの法適用を是認した）。

46）　これが学説における多数説である。たとえば，内田・22頁，佐伯・法教357号119頁，中森・12頁，西田・15頁，山口・13頁以下，山中・31頁など。反対，大谷・19頁以下，平野・概説159頁，前田・19頁など。

47）　限界領域において自殺関与と同意殺人の区別は困難であることから（→33頁以下），これらについて異なった時点の着手時期を考えるべきではないという論拠も付け加えることができるであろう。

5 過失致死傷罪

（過失傷害）
第209条① 過失により人を傷害した者は，30万円以下の罰金又は科料に処する。
② 前項の罪は，告訴がなければ公訴を提起することができない。
（過失致死）
第210条 過失により人を死亡させた者は，50万円以下の罰金に処する。
（業務上過失致死傷等）
第211条 業務上必要な注意を怠り，よって人を死傷させた者は，5年以下の拘禁刑又は100万円以下の罰金に処する。重大な過失により人を死傷させた者も，同様とする。

生命・身体という重要法益は，故意ばかりでなく，過失による侵害からも刑法的に保護されている。過失犯の成否を検討する際に最も重要なことは，**過失の意義**，その要件，そして**故意との区別**であるが，これは刑法総論が取り扱うべきテーマとなっている（→総論175頁以下，212頁以下）。生命および身体の保護のための過失犯規定（したがって，**代表的な過失犯処罰規定**）としては，基本類型としての過失傷害罪・過失致死罪（209条・210条）のほか，業務上過失致死傷罪（211条前段），重過失致死傷罪（同条後段），過失運転致死傷罪（自動車の運転により人を死傷させる行為等の処罰に関する法律5条〔→87頁以下〕）の規定が存在する[48]（なお，傷害の意義については，49頁を参照）。過失致死傷罪（209条・210条）に対する刑は軽く[49]，業務上過失致死傷罪および重過失致死傷罪に対する刑は重く，過失運転致死傷罪に対する刑はさらに重くなっている。

過失致死傷罪は，過失行為により人の死傷の結果を生じさせた場合を処罰の対象とする過失結果犯である。この場合の過失は，業務上過失でも重過失でも

48) 業務上過失致死傷罪，重過失致死傷罪，過失運転致死傷罪が，致死と致傷とをまとめて致死傷罪として規定されているのは，行為の危険性に注目し，かりに「当該の場合に致傷にとどまったとしても，重い責任を問うのが適当な場合もあることを考慮したもの」（平野・概説159頁）であろう。

49) 過失傷害罪は，**親告罪**（→総論77頁注5)）とされており，被害者等による告訴がなければ，事件を裁判所に起訴することができない（209条2項）。犯罪の軽さゆえに，被害者が望まないのに行為者を訴追・処罰するまでの必要がないと考えられていることを意味している。なお，自動車の運転により人を死傷させる行為等の処罰に関する法律5条ただし書も参照（→89頁）。

ない，**通常の過失**（→総論 220 頁）のことである。

業務上過失致死傷罪は，その加重類型であり，**業務上過失**，すなわち，結果発生との関係で，行為者が業務者として「業務上必要な注意」を怠った場合の重い過失が認められるときに成立する。たとえば，工場災害，食料品や医薬品の事故，医療事故，鉄道事故，航空機・船舶の事故などから死傷者が生じたとき，本罪の適用が問題となる。業務上過失は，重大な過失（重過失）の一場合を類型化したものであり，業務上過失にあたらないが重大な過失といえる場合には重過失致死傷罪により処罰される。

ここにいう**業務**[50]は，きわめて広く解釈されている（それは，刑法における拡張解釈〔→総論 56 頁，59 頁〕の典型例である）。判例・通説によれば，それは「人が社会生活上の地位に基づき反復継続して（または反復継続する意思をもって）行う行為で，他人の生命・身体等に危害を加えるおそれのあるものであることを要するが，その目的がこれによって収入を得るにあるとその他の欲望を充たすにあるとは問わない」とされる[51]。職業としての仕事である必要はないし，営利性も要件とはならない。社会生活上の地位に基づいて行われることを広く含む（家庭における育児や料理のように，まったく自然的・個人的な生活活動は除かれる）。このような広い解釈により業務性が肯定されてきた典型例は，**自動車の運転**である。たとえば，休日に娯楽のためにマイカーを運転することも業務にあたるとされた。しかも，統計的な数値の問題として，業務上過失致死傷罪の規定が適用されるケースのほとんどは，交通事故の事例（いわゆる交通業過）だったのである。しかし，2007（平成 19）年の刑法一部改正により，「自動車運転過失致死傷罪」の規定が新設され（旧 211 条 2 項），自動車運転による死傷事故についてはもっぱらこの新規定が適用されることになった。そして，2013（平成 25）年に，新たな単行法として，「**自動車の運転により人を死傷させる行為等の**

50）「業務」は，本罪以外でも，刑法典のいくつかの犯罪において構成要件要素の 1 つとなっている（たとえば，業務妨害罪，業務上横領罪，業務上失火罪等。そのほか，総則規定である 35 条や 37 条 2 項も参照）。それらは，**反復継続性を概念の中核**としながらも，それぞれの文脈に応じて相当に異なった意味をもつことに注意する必要がある。

51）たとえば，最判昭和 26・6・7 刑集 5 巻 7 号 1236 頁，最判昭和 33・4・18 刑集 12 巻 6 号 1090 頁などを参照。なお，この業務には，**人の生命・身体の危険を防止することを義務内容とする業務**も含まれる（最決昭和 60・10・21 刑集 39 巻 6 号 362 頁）。

処罰に関する法律」が制定・施行され，自動車運転過失致死傷罪の処罰規定は，刑法典から削除され，この新しい法律の5条（罪名は，「**過失運転致死傷罪**」）に移されることとなった（→87頁以下）。

業務上過失致死傷罪における刑の加重の根拠　判例・通説は，業務者には一般通常人と異なった高度な注意義務が課せられていることに注目する[52]。これに対し，業務者であると非業務者であるとを問わず，同じ行為に対して要求される注意義務は同一でなければならないとして，業務者は一般に非業務者よりも高度の注意能力を有するから，注意義務違反の程度がより著しいことが加重処罰の根拠だとする見解もある[53]。判例・通説の立場は，次のようにこれを理解した上で，これを支持すべきであろう。すなわち，一定の危険行為を業務として行う者は，一般通常人より高度の注意能力をもつことを求められており，また現にもっているはずである。それにもかかわらず，注意義務に反して結果を生じさせたときには，注意義務違反の程度がより著しいといえる。また，かりに，高度の注意能力を備えずに危険な業務に従事したとすれば，そのこと自体が重い注意義務違反となる（→総論221頁）。

重過失致死傷罪は，業務上の過失にあたらなくても，具体的な状況の下において注意義務に違反する程度が著しい場合に成立する。重過失は，とりわけ，わずかな注意を払えば，容易に死傷結果の発生を予見できたという場合（したがって，その行為の危険性が明らかに著しい場合）に認められる。裁判例に現れた事例としては，自転車の走行中の事故[54]，泥酔した内妻の放置[55]，住宅街の道路上でのゴルフクラブの素振り[56]，犬の飼育にあたり落ち度があった場合（たとえば，闘犬の放し飼い[57]），夫婦げんかの際に憤激の赴くまま日本刀でふすまを突き刺しその背後にいた長男を死亡させた行為[58]，自転車を集合住宅の12階から1階部分にまで投げ落とし通行人に傷害を負わせた行為[59]に関するものなどがあ

52） 大谷・50頁以下，川端・96頁以下，団藤・432頁，西田・70頁以下など。
53） 大塚・45頁，平野・概説89頁，林・67頁以下，山口・67頁など。
54） 大阪地判平成23・11・28判タ1373号250頁など多数。
55） 東京高判昭和60・12・10判タ617号172頁。
56） 大阪地判昭和61・10・3判タ630号228頁。
57） 那覇地沖縄支判平成7・10・31判時1571号153頁。
58） 神戸地判平成11・2・1判時1671号161頁。
59） 大阪地判平成31・4・2 LEX/DB 25562946。

る。[60]

過失致死傷罪についても，保護法益である生命・身体は，一身専属的法益であり，各人の生命・身体はそれぞれ他の人のそれとは独立した刑法的保護の対象となることから，**被害者の人数**により犯罪の個数が定まる（たとえば，3人に被害を与えれば，3個の罪が成立する）。

60） 東京高判令和4・9・13 LEX/DB 25593957は，芸術イベントに学生サークルが出展した木製のオブジェの内部で起こった火災事故により幼児が死亡するなどしたケースについて，展示・監視等にあたっていた学生2名が重過失致死傷罪で起訴された事件で，過失が認められるとしても重過失にあたらないとした。

■ 第3章 ■

刑法による身体の保護

1 総　説

人の身体（そして健康）は，生命に次いで価値の高い，重要な個人的法益である。しかし，身体は（財産と並んで）**最も攻撃にさらされやすい法益**といえよう。ちょっとしたケンカは日常茶飯事のことであるし，通勤・通学時の満員電車，スポーツ（代表的には格闘技）や，医師による治療行為（代表的には外科手術）も，それぞれ身体的法益への侵害をともなっている。このように，身体的法益が害されることそれ自体は日常的に起こることだとしても，他人から何の理由もなく身体や健康を害されることが頻繁に生じるような環境の中では，やはりわれわれは安心して社会生活を送ることができない。個人の身体の保護のために刑法に向けられる期待には大きなものがある。

個人の身体を保護するための刑法典の諸規定[1)]のうち，最も基本的なものは**傷害罪**の処罰規定（204条）である。身体傷害（健康侵害を含む）の手段と行為態様は特に限定されていない（この点では，生命侵害を規定する殺人罪〔199条〕と同様である）。そのことに対応して，法定刑の幅も広くなっている（なお，2004〔平成16〕年の刑法一部改正により，傷害罪の法定刑は，懲役〔当時〕が10年以下から

---

1)　特別刑法の規定としては，特に，さまざまな加重類型を規定する**暴力行為等処罰ニ関スル法律**（1926〔大正15〕年4月10日法律第60号）が重要である。刑法の暴行罪や傷害罪にあたる行為が，この暴力行為等処罰法の規定にもあたるときには，特別法である後者の規定が優先的に適用される（法条競合の一種としての特別関係〔→総論582頁〕）。

15年以下に，罰金が30万円以下から50万円以下にそれぞれ引き上げられ，科料が削除された)。**傷害の未遂**は処罰されていないが，暴行という手段を用いて他人の身体に攻撃を加える行為は，傷害の結果が生じなくても，**暴行罪**（208条）として処罰される（→57頁以下。その限りで，暴行罪の規定は，**傷害未遂を処罰する補充的処罰規定としての機能**をもつ)。**暴行によらない身体への攻撃**は，傷害に至らない限りは原則として罪にならない[2]。

被害者に傷害を与える行為が行われたとき，そこから進んで，死亡の結果が発生するに至れば，その結果について故意（殺意）が認められるなら殺人罪が成立するが，暴行や傷害の故意しかなかったときには，結果的加重犯（→総論241頁以下）の典型である**傷害致死罪**（205条）を構成する（→65頁)。ここには，暴行を行えば暴行罪，そこから傷害の結果が生じれば傷害罪，さらに死亡の結果に至れば傷害致死罪という，「積み上げ」の関係が存在する。**暴行罪・傷害罪・傷害致死罪という3つの犯罪の相互関係**を正確に理解することがきわめて重要である。

人の身体とその健康は，**過失による攻撃**からも刑法上保護されており，すでに説明した，刑法典第2編第28章「過失傷害の罪」（209条以下）に規定された一連の犯罪は，過失犯の典型である（→43頁以下)。

2 傷害罪

（傷害）
第204条　人の身体を傷害した者は，15年以下の拘禁刑又は50万円以下の罰金に処する。

(1) 傷害の概念

傷害罪は**結果犯**であり（→総論109頁，122頁)，また，人の身体・健康（という**保護法益**）への侵害結果（傷害）が発生することを構成要件要素とする**侵害犯**

2) より厳密にいえば，暴行によらない身体への攻撃は，それが傷害の結果を生じさせなければ，遺棄罪（217条以下)，監禁罪（220条)，脅迫罪・強要罪（222条・223条）の規定にあたらない限り，処罰の対象とならない。ただし，「暴行」の概念は広く解釈されているので（→57頁以下)，身体への直接的攻撃の多くは暴行にあたることに注意しなければならない。

である（→総論 109 頁）。本条においても，「人」とは行為者以外の「他人」のことをいう。「傷害」の発生は，故意犯たる傷害罪のほか，過失傷害罪や多数の結果的加重犯（たとえば，181 条・219 条・221 条・240 条前段など）の構成要件要素となっており，その概念を明らかにすることは重要な意味をもつ。

判例・通説によると，**傷害**とは，人の生理的機能（生活機能）に障害を与えること，広く健康状態を不良に変更することをいう[3)]（**生理的機能障害説**）。ケガをさせることと，病気にかからせること[4)]の双方を含む。判例によると，被害者に疼痛を生じさせれば，たとえ何ら傷が残らなくても，傷害にあたるとされており[5)]，同様に，少しも外傷を与えることなく，**意識障害・意識喪失**（失神[6)]），嘔吐[7)]等を生じさせることも傷害の概念にあたる（ただし，軽微性の観点からの限定がある〔→51 頁〕）。不真正不作為犯としての実行（→総論 152 頁以下）も可能と考えるべきであろうから，投薬せずに発病させたり病状を悪化させたりすることや，医師による治療開始を遅らせて被害者の病気を悪化させることも傷害にあたりうるであろう。

---

3) 最決昭和 32・4・23 刑集 11 巻 4 号 1393 頁。

4) 最判昭和 27・6・6 刑集 6 巻 6 号 795 頁（被害者をして性病に感染させたケースについて「暴行によらずに病毒を他人に感染させる場合」にも傷害罪は成立するとした），最決昭和 57・5・25 判時 1046 号 15 頁（チフスや赤痢に罹患させたケースにつき傷害罪の成立を認めた〔千葉大チフス菌事件〕）。なお，他人をして HIV に感染させることは，すでにエイズの発症以前の段階で，健康状態の不良変更があったということができるので傷害となろう。同様に，新型コロナウイルスに感染させたとき，被害者において，PCR 検査等の結果として「陽性」であることが確定されただけで，何らかの外部的症状が認められないとしても，傷害罪の成立が認められよう。

5) 前掲注 *3)* 最決昭和 32・4・23。

6) 最決平成 24・1・30 刑集 66 巻 1 号 36 頁は，「被告人は，病院で勤務中ないし研究中であった被害者に対し，睡眠薬等を摂取させたことによって，約 6 時間又は約 2 時間にわたり意識障害及び筋弛緩作用を伴う急性薬物中毒の症状を生じさせ，もって，被害者の健康状態を不良に変更し，その生活機能の障害を惹起したものであるから，いずれの事件についても傷害罪が成立すると解するのが相当である」とした。

7) ただし，嘔吐は，生理的機能に不具合を生じさせた結果として（たとえば，自律神経系の失調を引き起こした結果として）これを生じさせる場合にはじめて傷害にあたると解される。青森地判平成 18・3・16 LEX/DB 28115159 は，被告人が右手の中指を被害者の口腔内の舌の付け根辺りまで押し込んで嘔吐させた行為について暴行罪の成立のみを認めている。

生理的機能障害説[8]に対しては，**身体の外貌に重要な変化を生じさせることもそれだけで傷害にあたるとする反対説がある（完全性侵害説[9]）**。この見解によるとき，人の生理的機能にまったく障害を生じさせることなく毛髪やひげ等を切除して身体の外見に重要な変化を与えることも傷害にあたる。生理的機能障害説によれば，毛髪やひげを引き抜いて表皮や毛根を傷つける場合[10]を除いては，暴行罪を構成するにすぎない[11]（かりに被害者の睡眠中に気づかれずに静かに行ったような場合でも，「人の身体に対する不法な有形力の行使」にほかならないから，暴行罪は当然に成立する）。

暴行罪の処罰規定が存在するのであるから，傷害罪に関し，（比較的）外延の明確な生理的機能障害説の限界を超えた解釈を行う必要性はないと考えられる。傷害の概念の中に「外見の重要な変化の惹起」をも含めるときには，かなり異質な（しかもその判断においてかなり曖昧な）要素が付加されることとなってしまう[12]（たとえば，客の指示を誤解して髪をカットしすぎた美容師は，過失傷害罪の罪責を問われかねないことになる）。

人の身体の一部が身体から分離されたとき，分離されたその部分はもはや傷害罪による保護の対象にはならない（それが財産犯による保護の対象となりうることは別論である〔→229頁以下〕）。身体に装着して用いる義手，義足，入れ歯等も（財物であっても）身体の一部分ではなく，それらを身体から分離したり破壊したりしても傷害罪にはならない。これに対し，人体と一体化し取り外せないもの（移植された臓器はもちろん，人工関節や差し歯等）は，傷害罪の客体にあたるというべきであろう。

---

8) 学説では，たとえば，西田・43頁，山口・44頁以下，山中・40頁以下など。

9) たとえば，大塚・25頁以下，大谷・24頁以下，佐久間・35頁，平川・52頁，福田・151頁以下など。なお，伊東・37頁も参照。

10) 大阪高判昭和29・5・31高刑集7巻5号752頁を参照。

11) 大審院判例は，女性被害者の頭髪を，カミソリを用いて根元から切断したというケースについて，健康状態の不良変更を生じさせたものでないことから傷害罪にはあたらず，暴行罪を構成するにとどまるとしている（大判明治45・6・20刑録18輯896頁）。これに対し，東京地判昭和38・3・23判タ147号92頁は，完全性侵害説の立場から，女性の頭髪の全部を根本からしかも不整形に切除，裁断する行為は傷害罪を構成するとした。

12) 斎藤・20頁を参照。

軽微な傷害　軽微な傷害についてはこれを**傷害ではなく暴行**（→57頁以下）**として**扱うにとどめるべきか否かが問題となる。この問題は，結果的加重犯たる致傷罪（強盗致傷罪や不同意性交等致傷罪など）の成立範囲にも影響するので重要である。傷害の発生が否定されれば，基本犯（たとえば，強盗罪や不同意性交等罪）の成立のみが認められることになり，致傷罪についてはかなりの刑の加重が見られるのが通常であるから，傷害にあたるとするか，それとも暴行として扱うかは大きな相違をもたらす。[13]

この点については，強盗致傷罪（240条前段）の成立を否定した，ある高裁判例が示した見解が注目される。[14] すなわち，傷害は「あくまでも法的概念であるから医学上の創傷の概念と必ずしも合致するものではない。殊に他人の身体に暴行を加えた場合には，厳密に言えば常に何らかの生理的機能障害を惹起しているはずであって，この意味で傷害と未だそれに至らない暴行との区別は，それによって生じた生理的機能障害の程度の差に過ぎないと言える」とした上で，①日常生活に支障を来さないこと，②傷害として意識されないか，日常生活上看過される程度であること，③医療行為を特別に必要としないこと等を一応の標準として，生理的機能障害がその程度に軽微なものかどうかを判断すべきだとしたのである。たしかに，**この3つの観点のいずれもが充足されるような場合**であれば，**傷害罪としての可罰的違法性を否定**し，暴行の範囲内で評価することが合理的である。医師の診断・治療を受けることが大げさであると受け止められるようなケースかどうかを目安とすることもできるであろう。[15]

13）　とりわけ，強盗致傷罪（240条前段）については，2004（平成16）年の刑法一部改正以前には，その法定刑の下限が7年の懲役（当時）であったため，酌量減軽（66条）を行っても執行猶予の要件（25条1項を参照）が充足されず，実刑を回避することができなかった。とりわけ事後強盗罪（238条〔→286頁以下〕）のケースで偶発的な暴行から軽微な傷害が生じるに至ったような場合には，刑の重さが顕著に意識されることになった。検察官があえて窃盗と傷害とに分離して起訴するというようなことも行われた。2004年の刑法一部改正により，強盗致傷罪の法定刑の下限が懲役6年に引き下げられたことで，酌量減軽の上，刑の執行を猶予することができるようになり，問題はその鋭さを失うに至ったといえよう。

14）　名古屋高金沢支判昭和40・10・14高刑集18巻6号691頁。裁判例コンメ2巻500頁〔小坂敏幸〕は，「下級審は概ねその基準に基づいて判断している」とする。同様に，強盗致傷罪の訴因につき，強盗未遂罪と傷害罪との観念的競合のみを認めた大阪地判平成16・11・17判タ1166号114頁も参照。ただ，最高裁は，「軽微な傷でも，人の健康状態に不良の変更を加えたものである以上，刑法にいわゆる傷害と認めるべき」であるとする一般論の判示をくり返していることに注意しなければならない（たとえば，最判昭和41・9・14集刑160号733頁）。

15）　中山・29頁は，生理的機能の障害が一時的か，それとも多少とも継続的かで区別すべきだとする。事例によっては，有効な限定基準になるといえよう。

(2)　昏酔と傷害

人の意識作用に障害を生じさせること，たとえば，気絶させることや眠らせることも傷害にあたる（→49頁。**ごく一時的なもの**であれば，軽微性の観点から傷害にはあたらないというべきである[16]）。しかし，強盗傷人罪・強盗致傷罪（240条前段）の傷害について見る限りは，別に昏酔（こんすい）強盗罪（239条〔→291頁以下〕）が存在することから，同罪において予定されている程度の「昏酔」を生じさせることは，強盗傷人罪・強盗致傷罪にいう傷害にはあたらないと解される（同じことは，不同意わいせつ罪〔176条〕・不同意性交等罪〔177条〕の一定の場合〔たとえば，176条1項3号・4号を参照〕と同致傷罪〔181条〕との関係についてもあてはまる）。さもないと，昏酔強盗罪にあたる場合には，同時に必ず強盗傷人罪・強盗致傷罪が成立する（その結果として，昏酔強盗罪の規定は適用場面を失う）ということになりかねない。そこで，昏酔強盗罪の構成要件において予定されている程度の短時間の意識障害（財物の取得のために必要十分とされる程度のもので後遺障害も残らないもの）を生じさせることは強盗致傷罪における傷害にはあたらないと解し，それを超えて長時間にわたる意識障害を生じさせるような場合であってはじめて240条前段の適用が問題となると解すべきことになろう[17]。

このような限定は，昏酔強盗罪との適用関係の競合が生じるところから導かれる，240条前段における傷害概念の限定である。したがって，二項強盗（236条2項）の手段として被害者を昏酔させたというときには，軽微な傷害（→51頁）といえない限り，強盗致傷罪が成立する。同様に，昏酔強盗罪の構成要件において予定されている程度の意識障害であっても，204条の傷害罪との関係ではそれは傷害の概念にあたるといえよう。

(3)　精神的機能の障害

判例と学説が，生理的機能（生活機能）の障害・健康状態の不良変更というとき，そこには身体的機能のみならず，**精神的機能に障害を与えることも**含めて

16）　なお，大決大正15・7・20新聞2598号9頁は，被害者に暴行を加え約30分間人事不省に陥らせることが傷害にあたらないとしたが，それはもはや軽微な傷害とは到底いえないであろう。

17）　この点につき，中森・128頁，山口・234頁を参照。

考えられている[18]。たしかに，刑法の傷害概念は「人の身体」を傷害することとして規定されており（204条の文言を参照），「身体」は「精神」と区別されるものであるとすれば，人の精神的機能に障害を与えることを刑法上の傷害に含めることはできないとする解釈論もそれなりの説得力をもつ[19]。しかし，「精神」も，結局は「身体」に還元されるとする考え方も可能である。すなわち，精神的機能の障害は，脳の機能の障害に基づくものであり，人の器官の機能障害という点で，通常の身体的機能の障害と本質的な差はないといえるのである。

他方において，他人に精神的な変調を生じさせることのすべてを刑法上の傷害にあたるとするわけにはいかない。精神的変調というものが多分に主観的なものであって客観性を欠くという側面があり，また，精神障害には種々の原因ないし条件が存在しており，行為との間にはっきりとした原因結果の関係を肯定することが困難な場合も多い。ただ，精神的変調が一定の**身体的症状**（たとえば，睡眠障害，食欲減退や嘔吐，下痢，頭痛，耳鳴り，動悸や発汗等）として客観化される程度のものとなり，行為との間の因果関係も明らかであるときには，これを傷害概念に含めることについて異論は生じにくいであろう。薬物等を用いて嘔吐させたり，頭痛を起こさせ，睡眠障害を生じさせたりすることなどは傷害概念にあたるとしつつ，精神的なストレスを加えて同じような身体的症状を生じさせ，被害者の日常生活に支障を生じさせながら，傷害概念を充足しないとすることは不合理であろう。むしろ問題となるのは，それほどの身体的症状は認められないものの，気力の大幅な減退や引きこもり，対人恐怖等の顕著な

18）傷害概念と精神的機能の障害に関する詳細な研究として，薮中悠『人の精神の刑法的保護』（2020年）がある。この研究は，現行刑法204条の前身というべき旧刑法の「殴打創傷ノ罪」（300条・301条）の成立過程にまで遡り，人の精神を保護法益に取り込むことがその立法に関わった者の共通認識であり，また旧刑法の解釈としてもその点に異論はなかったこと，現行刑法の成立過程では，旧刑法の規定とその保護法益に関する理解を基本的に受け継ぎながら条文化が進められ，かつ，草案において「重大不治の精神の疾病」が重傷害罪の構成要件的結果の1つとして文言化されたことがあり，現行204条の傷害罪規定は，その重傷害罪の規定を取り込む形で成立したものであること，現行204条の「身体」の文言も，必ずしも人の精神を傷害罪の保護法益から排除する趣旨で用いられたのではないことから，「人の精神は，少なくとも一定の態様ないし限度では傷害罪の保護法益であるとの理解が規定の沿革としては自然な理解である」との結論を導いている。

19）林・48頁，松原・51頁以下を参照。

所見が見られ，日常生活に大きな支障が生じているというときに，それが傷害の概念にあたるかどうかである。

こうした精神の障害を特別扱いして，これを傷害概念から排除してしまうことには疑問がある。肯定説をとった上で，傷害の成否に関わる判断に客観性・明確性を与えるため，精神医学の領域における診断基準として使用されているDSM-5（米国精神医学会による診断基準）やICD-11（WHOによる診断基準）等の承認された基準に依拠し，そこに示された要件を充足することをもって傷害と認めるということも考えられよう（ただ，その要件を完全に充足することが常に必ず必要だとする堅い考え方には問題があるであろう）。

判例実務が，精神的変調を傷害と認定する際にどういうスタンスをとっているかが注目されるところであるが，これまでの判例・裁判例を見ると，被害者において精神科の医師により精神障害として診断されていることを重視し，種々の身体的症状を示していることや，入院等を行っていることを考慮しているものが多いといえるであろう[20]。

20）たとえば，名古屋地判平成6・1・18判タ858号272頁は，ほぼ連日にわたり被害者宅付近を徘徊して自己の存在を顕示した上，同人方に向かって怒号したり，騒音を発するなどの一連の嫌がらせ行為によって，被害者に著しい精神的不安感を与え，入院加療約3カ月間を要する不安および抑うつ状態を引き起こしたというケースにつき，被害者に対し「不安及び抑うつ状態」という医学上承認された病名にあたる精神的・身体的症状を生じさせることが生理的機能障害にあたることは明らかであるとし，被害者においてその治療のために入院加療約3カ月間を要したことを認定している。また，広島高岡山支判平成25・2・27高刑速平成25年195頁は，強制わいせつ行為により被害者が**急性ストレス反応および全治期間不明のパニック障害（パニック障害等）**を発症したというケースにつき，「精神疾患発症の有無，その内容及び程度に関する診断は，臨床精神医学の本分であり，高い専門性が要求されるものであるから，当該専門家である精神科医の診断が証拠となっている場合には，その公正さや能力に疑いが生じたり，診断の前提条件に問題があったりするなど，これを採用し得ない合理的な事情が認められるのでない限り，その診断は十分に尊重されるべきであり，基本的にその信用性は肯定できる」としつつ，「この観点から本件の診断について検討すると，本件を診断したA医師の精神科医としての経歴や臨床経験等に照らしてその能力に問題はなく，また，公正さに疑いを生じさせるような事情はない。そして，同医師は，被害者を自ら6回にわたり診察したほか，被害者の家族等から被害者の症状を聞くなどした上で診断しており，その内容は前記のとおり関係証拠により認められる事実と合致しているから，診断の前提条件にも問題は見られない。さらに，同医師が診断に用いた診断基準は，国際的な診断基準であるICD-10であり，診断基準のあてはめ（被害者の症状の評価）についても特段不合理な点は見られない」と述べ，さらに，被害者の「症状の程度は，パニック障害については全治期間不明（少なくとも，本件犯行から3か月

PTSDと傷害　近年来，PTSD（心的外傷後ストレス障害）を生じさせることが傷害罪や致傷罪にあたるかどうかが議論されているが，裁判例のほとんどはこれを肯定している。最高裁も，不法に監禁した被害者においてPTSDを生じさせたというケース（そこでは，監禁致傷罪〔221条〕の成否が問題となった〔→163頁〕）において，再体験症状，回避・精神麻痺症状および過覚醒症状といった，**医学的な診断基準において求められている特徴的な精神症状が継続して発現**していることからPTSDの発症が認められたという事実認定を前提として，このような精神的機能の障害を惹起した場合も刑法にいう傷害にあたるとした[21)]。ただし，この判例が，医学的に承認された診断基準に該当することを常に必ず要求するものであるかどうかは明らかでない。

本質的な問題は，刑法上の傷害にあたる被害が生じているかどうかなのであるから，DSM-5やICD-11等の基準が絶対的なものとはなりえない（たとえば，症状の持続期間が1カ月に及んだか，それともそれより少し短かったかにより区別を設けることには理由がないであろう）。診断基準の項目を完全に充足しないとしても，行為との因果関係を特定できる，精神機能の障害を示す個別の諸症状が一定の重さをもって認定されるのであれば，これを傷害概念にあたるとすべきであろう[22)]。

(4)　新型コロナウイルス（COVID-19）と傷害罪

新型コロナウイルスに感染した者が，そのことを知りながら，マスクをつけずに，その事情を知らない相手方と一定の空間において会話や飲食等をともに行うことにより，その人をして感染症に罹患させたというとき，その行為に傷害罪の実行行為と評価しうるだけの危険性は（どのような要件の下で）認められ

以上経過した……時点で治癒していなかった。），急性ストレス反応についてもその症状が1か月程度続いたというのであれば，強制わいせつの被害者が通常感じるような心理的ストレスは，強制わいせつ致傷罪にいう傷害に含まれないとしても，本件被害者の精神的傷害はこれを超える重篤なものであり，同罪にいう傷害に当たるというべきである」として，強制わいせつ致傷罪（現在の不同意わいせつ致傷罪〔181条1項〕）の成立を認めた。

21)　最決平成24・7・24刑集66巻8号709頁。そのほか，強姦致傷罪（不同意性交等致傷罪）の成立を認めた高松高判平成29・10・26 LEX/DB 25548299，傷害罪の成立を認めた千葉地判令和元・6・26 LEX/DB 25563685などがある。

22)　PTSDのような精神障害については，**直接**に加えた暴行は身体傷害の結果を生じさせなかったが，犯罪の被害を受けたことによる恐怖等をともなう体験を，被害者自身が想起し直すという心理的原因・過程により，**間接的**に精神障害が生じた場合の取扱いも問題となる。また，直接に実行行為が向けられた人ではなく，その現場に居合わせた人や知らせを聞いた人（たとえば，直接的な被害者の近親者）にPTSDの症状が生じたという**二次受傷**のケースの取扱いも問題となる。

るのか，そして行為者において傷害の故意（少なくとも未必的故意）があったと（どのような要件の下で）いいうるのかが問われる。さらに，これに付け加わるのは，行為の危険性との関係において，その行為のもつ社会的有用性（たとえば，生計の維持や業務上の必要性等）や，被害者側の危険の引受けの要素をどのように考慮するかという難しい問題である（その会合が特に必要性のないものであったか，それともその会社の営業にとりきわめて重要なものであったのか等により，判断は変わってくるのかが問われよう）。ここにおいては，「その行為に一定の有用性があるとしても，また被害者側にもマスクを着けないことにともなう抽象的危険の認識があるとしても，そこに相当に高度な感染の危険性があり，またその点について行為者側に認識があれば，実行行為とその故意が認められる」という抽象的な定式化以上の解答は困難であろう[23]。

現実の事件においては，その行為と感染結果との間の因果関係の証明もまた困難であろうから，実際問題として，事実関係と当罰性が相当に明白な例外的事例においてのみ，傷害結果の惹起を理由とする立件・処罰が考慮されうるにすぎないということになる。たとえば，自分が症状の顕著な陽性患者であることを熟知しつつ，被害者に感染させることを意図して，その人とあえて濃厚な身体的接触を行い，現実に感染させたというようなケース（性的接触により性病に罹患させることに比肩しうるケース）であろう。現に，新型コロナウイルスばかりでなく，インフルエンザ等の感染症の場合でも，故意または過失の傷害罪に問擬しうる事例が観念的には想定できるにもかかわらず，これまで実際に立件・処罰された例を聞かないところである。

23） 同様に，過失傷害罪（209 条，211 条後段）の成否を検討するにあたっても，どの程度の危険性（したがって，予見可能性）があるときに結果回避義務が肯定されるか，また，いかなる社会的有用性（＝対抗利益ないし保全利益）が存在するときに結果回避義務が否定されるかが問われる。他人との会話や飲食等の接触行為は，一般的に社会的有用性が肯定される行為であり，さらに，個別的事情の下では，そこに特別なプラス利益の存在が承認されることもあろう。そして，被害者側にもマスクを着けないことにともなう抽象的危険の認識がある。ここにおける結果回避義務の存否をめぐる問いは，容易には答えが出せないであろう。

3 暴 行 罪

（暴行）
第 208 条　暴行を加えた者が人を傷害するに至らなかったときは，2 年以下の拘禁刑若しくは 30 万円以下の罰金又は拘留若しくは科料に処する。

(1)　暴行の意義

傷害罪が結果犯であるのに対し，暴行罪は**挙動犯**（→総論 109 頁，122 頁以下）である。**保護法益**は人の身体（ないし身体の安全）であり，**人の身体に対して有形力が向けられることそれ自体**を禁止し，処罰の対象としている（それは傷害罪の未遂形態の一部を含むが，身体・健康を害する危険を処罰の根拠とする危険犯ではない[24]）。

暴行の概念を明らかにすることの意味　暴行罪の成否の判断にあたっては，暴行の意義を明らかにすることがその前提となる。ただ，それは暴行罪規定の解釈にとり重要だというばかりではない。刑法が**犯罪の手段を特定するためにかなり頻繁に暴行の概念を用いている**ことから（たとえば，強盗罪〔236 条〕や不同意わいせつ罪・不同意性交等罪〔176 条・177 条〕），暴行罪における暴行（狭義の暴行）の概念を明らかにした上で，これを「物差し」のように基準として用いれば，それとの比較において各犯罪における手段としての暴行の概念の共通点と相違点が示されうる。また，傷害罪は暴行を手段とする場合に限り結果的加重犯を含むことから（→60 頁以下），人に対する攻撃が暴行罪にいう暴行にあたるか否かは，傷害罪・傷害致死罪の成否の判断にあたっても決定的な意味をもつ。

暴行とは，**人または物に対する有形力の行使**のことをいうが，その概念は多義的（相対的）であると同時に，概念の内容もそれほど明確ではない。暴行概念が多義的であるというのは，刑法典で用いられている暴行は，次の **4 種類**に分けることが可能とされているからである。

① 有形力の対象が人であると物であると問わない**最広義の暴行**（77 条 1 項・106 条・107 条）

---

24)　その行為が身体を傷害する危険をまったくもたない行為であっても，暴行罪となりうるのである。反対，林・59 頁。なお，この点を含めて，暴行の意義をめぐっては，橋爪・悩みどころ 28 頁以下の検討が参考になる。

② 有形力が人に向けて加えられれば足り，人の身体に対するものであることを要しない**広義の暴行**（95条・98条・100条2項・195条・223条1項など）

③ 人の身体に向けられた有形力の行使を意味する**狭義の暴行**（208条）

④ 被害者の反抗を抑圧する程度，または被害者の反抗を著しく困難にする程度の暴行を意味する**最狭義の暴行**（236条・238条・176条1項1号など）

暴行罪（208条）**の暴行**は，人の身体に向けられた有形力（物理力）[25]の行使のことをいう（狭義の暴行）。傷害結果が生じる危険性をもつもの（傷害未遂にあたるもの）であったり，身体的・生理的苦痛を引き起こすものであったりする必要はない（**無限定説**）。したがって，被害者の頭，顔，胸，腕および大腿部に食塩を数回振りかける行為も暴行にあたりうる[26]。また，被害者を脅かすため足もとに石を投げつけるとか，狭い四畳半の室内で被害者を脅かすために日本刀を振り回す[27]とか，飲酒した状態で小学4年生を97度の熱湯をはった浴槽の上に抱え上げて落とすふりをする[28]等の行為も暴行にあたり，人の身体に当てたり触れたり，何かを接触させたりすることは必ずしも要件とならない[29]（**接触不要説**[30]）。身体のそばでブラスバンド用の大太鼓を打ち鳴らすといった音響による

25）暴行は「物理力の行使」として定義されることもあるが，問題がないではない。後述のように（→63頁以下），狭義の暴行の概念の中に，**化学的・病理学的・薬理学的作用**を用いる場合を含ませることができるかどうかをめぐり見解の対立があり，積極説をとる場合には，「物理力」の行使として暴行を定義することは狭きに失すると考えられるからである。

26）福岡高判昭和46・10・11刑月3巻10号1311頁。これを疑問とするのは，西田・39頁以下，林・60頁，堀内・37頁，松原・48頁など。

27）最決昭和39・1・28刑集18巻1号31頁。したがって，その切先が被害者の身体に刺さり失血死させたとき，行為者において被害者を刺す意思がまったくなかったとしても傷害致死罪となる（→66頁）。

28）名古屋地判平成27・2・10 LEX/DB 25505920（被告人が，10歳の被害者を浴槽内に落とすふりをしたところ，足を滑らせてしまい，被害者を熱湯内に転落させて死亡させたという事案について傷害致死罪の成立を認めた）。

29）東京高判平成16・12・1判時1920号154頁は，被告人が自動車を運転して他の自動車を高速道路で追走し最短1m以下まで幅寄せしたり，強引に追い越してその前に斜めに割り込んだりする等の行為をした事案につき，被告人車両が実際に被害者の身体や被害車両に接触しなくても暴行にあたるとした。

30）大塚・35頁，川端・62頁，佐伯・法教358号119頁以下，団藤・419頁，福田・155頁など。これに対し，学説においては，**接触必要説**もある。たとえば，小暮ほか・36頁以下〔町野朔〕，平野・概説166頁以下，松原・46頁以下，山口・44頁など。なお，西田・40頁以下も

攻撃も暴行にあたる。[31]

(2)　傷害罪と暴行罪の関係

(a)　基本法規と補充法規　　208条の規定には,「暴行を加えた者が人を傷害するに至らなかったときは,……」とある。この規定だけでは完結しておらず,それでは,もし「傷害するに至ったとき」にはどうなるのかという疑問が生じるのである（たとえば,ケガをさせるつもりなくして〔傷害の故意なくして〕相手を突いたところ,意外にも被害者が転倒してケガをしたという場合にどうなるか)。判例・通説によれば,そのときには,傷害の故意がないにもかかわらず傷害罪が成立する（現在では,これに反対する見解はもはや存在しない)。これは,次のように説明することができる。すなわち,傷害罪の規定と暴行罪の規定は,それぞれ**基本法規と補充法規の関係**にある。刑法は,第2編第27章「傷害の罪」の冒頭に傷害罪の規定を置き,最後に暴行罪の規定を置いている（なお,208条の2は,1958〔昭和33〕年に挿入された規定である〔→74頁〕)。**基本法規**である204条の規定は,①傷害の故意をもって暴行を加え現に傷害の結果を生じさせた場合と,②暴行の故意はあったが,傷害の故意はなく行為したところ,傷害の結果が発生した場合の両方について適用があることを前提として,①または②の場合で,もし「人を傷害するに至らなかったとき」には,**補充法規**である208条の規定により処罰を補充するという条文の構造になっていると理解することができる（①の場合の補充は,**傷害未遂の処罰**の意味をもっている)。暴行罪から出発して考えると,傷害の故意なく暴行の故意のみをもって行為して,意外にも傷害の結果を発生させてしまったという**暴行の結果的加重犯**の場合にも,基本法規である傷害罪の規定が適用されるということになる。

38条1項との関係　たしかに,38条1項は,「法律に特別の規定」がない限り,故意がなければ罰しないとしているから（**故意犯処罰の原則**〔→総論165頁〕),傷害罪の規定についても,これを傷害の故意がない行為（＝暴行の故意しかない行為）に適用できるのかどうかという疑問が生じないではない。しかし,204条の解釈にあた

参照（傷害未遂としての暴行罪が成立する場合を除いて,接触が必要であるとする)。

31)　これに対し,有毒ガスを吸引させる場合や,有毒な薬物を服用させるような場合も暴行にあたるかどうかをめぐっては見解の対立がある（→63頁以下)。

っては，204条だけを孤立させて読むのではなく，これと208条とをあわせて読むべきであり，そうすれば，暴行の故意で暴行を加えた結果，人が現に傷害を受けるに至ったときは204条を適用する趣旨がそこからうかがわれる（解釈上，結果的加重犯を処罰する趣旨が読み取れるのであれば，「法律に特別の規定」があるものとして，故意犯処罰の原則の例外〔38条1項ただし書〕にあたると考えることができる）。

それればかりでなく，もし204条が純然たる故意犯の規定であり，傷害の故意のない場合には適用できないとすると，暴行の故意で暴行の事実が実現するにとどまったときには暴行罪となるのに，暴行の故意で傷害の結果を発生させたときには，より軽い過失傷害罪（209条）しか成立しないことになってしまう（暴行罪を規定する208条には，「人を傷害するに至らなかったとき」とあるので，この事例において暴行罪を成立させることはできない）。これは明らかに不合理な結論であり，刑法が予定する法適用であるとは考えられないのである。

(b) 暴行罪の結果的加重犯としての傷害罪　ただし，注意すべきことは，傷害罪は暴行罪の結果的加重犯をも含むというだけのことであり，傷害罪の規定は，原則的には故意犯の規定であるから，**暴行以外の手段の場合にはやはり傷害の故意が必要**となることである。たとえば，甲が，夜間帰宅中のAの前に立ちはだかり，「ぶん殴るぞ」と脅迫したところ，Aが脅迫から逃れるため，その場を走り去ろうとしたが転倒してケガをしたというケースを考えてみよう。脅迫行為から傷害の結果が発生した場合，傷害結果の発生につき甲に故意がないことを前提とすると，甲は脅迫罪（222条1項）とせいぜい過失傷害罪（209条）の罪責を負うにとどまる（両罪の関係は観念的競合）。これに対し，Aが甲の加えた暴行から逃げようとして転倒し負傷すれば，甲に傷害結果について故意が認められないときでも，傷害罪が成立する。傷害罪の規定は，**暴行を手段とする場合に限っては**，暴行の結果的加重犯を含むからである。

このような結論に対しては，同じ結果が発生しているのに，**出発点の行為が暴行か脅迫かで区別**することはアンバランスな扱いであるという疑問をもつ人もいるかもしれない。なぜ，刑法が，暴行の結果的加重犯は（傷害罪として）処罰しつつ，脅迫の結果的加重犯は規定していないかが問題となる。

結果的加重犯における刑の加重の根拠　刑法が結果的加重犯を規定しているのは，一定の基本行為が**重い結果を生じさせる類型的な危険性**をもち（いいかえれば，ふつうその種の行為はその種の結果を生じさせることが多いといえる場合であり），しかも，その行為のもつ**具体的危険性が重い結果の発生として現実化**したという事情がある場合ということができる。そのような場合には，**一般予防の見地**から，特に危険な基本行為を，より重い刑罰によって，より強く抑制する必要があるといえよう（→総論 243 頁以下）。脅迫行為について見れば，それが傷害の結果を生じさせることがないわけではないとしても，脅迫をすれば一般的に傷害の結果が生じることが多いとまではいえない。これに対し，被害者に暴行を加えれば，それが傷害を引き起こすことはよくあることであり，現実に危険な暴行が行われて結果として傷害に至ったときは，これをより重く処罰する理由があるといえる。このように考えれば，刑法が暴行の結果的加重犯を傷害罪として処罰しつつ，脅迫の結果的加重犯については規定を設けていないことにも理由がある。

(c)　暴行と傷害の区別の重要性　　傷害罪が成立する場合の中には，① 暴行により傷害結果を生じさせる場合と，② 暴行以外の手段により傷害結果を生じさせる場合とがあり，①の場合については，暴行の故意さえあれば，傷害結果につき故意がなくても傷害罪が成立するが，②の場合については傷害の故意がなければ傷害罪は成立しない。なぜなら，傷害罪は，傷害結果についての故意犯のほか，**暴行罪の結果的加重犯をも含み，暴行を手段とする場合に限り，傷害結果についての故意は不要**だからである。こうして，暴行を手段とする傷害か，それとも暴行以外の手段による傷害かは，きわめて重要な区別であることになる。

	手段が暴行 **（有形的方法）**	**暴行以外の方法** **（無形的方法）**
傷害の故意あり	**傷害罪**（204 条） ＝故意犯	**傷害罪**（204 条） ＝故意犯
傷害の故意なし	**傷害罪**（204 条） ＝暴行罪の結果的加重犯	**過失傷害罪**（209 条・211 条） ＝過失犯

殴るとか，突き飛ばすといった行為は暴行の典型例である。これに対し，**無形的方法による身体への攻撃**が暴行にあたらないことは明らかである。たとえば，言葉を用いて相手に精神的ショックを与えるとか，無言電話を頻繁にかける[32)]とか，嫌がらせ行為をくり返す[33)]とか，隣家の被害者に向けて自宅からラジオの音声および目覚まし時計のアラーム音を大音量で鳴らし続ける[34)]といった方法により，精神的ストレスを与えた結果，生理的機能の障害（そこには精神障害も含まれうる〔→52頁以下〕）を生じさせれば，それは**暴行によらない傷害**ということになる（したがって，これらの場合については，**傷害の故意がなければ傷害罪を構成しない**が，傷害の故意がなくても過失傷害罪にはなりうる）。

言葉を用いる場合でも，被害者を言葉で誘導して落とし穴に転落させてケガをさせるような場合はどうか。このような場合は，単に無形的方法による傷害ということはできず，被害者（の行為）を利用した**間接正犯**であり（→総論486頁以下），しかも，落とし穴に落ちたときに被害者が受けるのは物理的な打撃であるから，暴行の間接正犯にほかならない。そこから傷害結果が生じたときには，**暴行を手段とする傷害**にあたる[35)]。そこで，かりに傷害の故意がなかったときでも，結果的加重犯としての傷害罪が成立しうる。

脅迫による傷害か，暴行による傷害か　次のような事案で，強盗致傷罪（240条前段）の成否が問題となった。被告人は，被害者から金員を強取しようと企て，被害者の運

---

32)　東京地判昭和54・8・10判時943号122頁は，ほぼ連日にわたり，深夜から早朝にかけて無言電話をかけ，被害者を加療約3週間を要する精神衰弱症にかからせたケースにつき傷害罪を構成するとした。

33)　前掲注*20)*名古屋地判平成6・1・18。

34)　最決平成17・3・29刑集59巻2号54頁は，被告人が，自宅の中で隣家に最も近い位置にある台所の隣家に面した窓の一部を開け，窓際およびその付近にラジオおよび複数の目覚まし時計を置き，約1年半の間にわたり，隣家の被害者らに向けて，精神的ストレスによる障害を生じさせるかもしれないことを認識しながら，連日朝から深夜ないし翌未明まで，ラジオの音声および目覚まし時計のアラーム音を大音量で鳴らし続けるなどして，同人に全治不詳の慢性頭痛症，睡眠障害，耳鳴り症の傷害を負わせたケースにつき，その行為は傷害罪の実行行為にあたるとした。

35)　この点に関連して，**詐称誘導による暴行**の場合，たとえば，行為者が被害者をして腐った丸木橋を渡らせるとか，落とし穴の上を歩かせるなどしたとき，それだけで暴行罪が成立するのか，それとも，被害者が落ちて何らかの身体的打撃を受けてはじめて暴行となるのかという問題がある。おそらく後者のように解すべきであろう。

転するミニバイクの後部荷台にまたがって乗車し，登山ナイフを脇腹に突き付けて脅迫し，付近のアスファルト舗装の路上まで運転させて連行し，「倒れろ」と命じてミニバイクもろともその場に転倒せざるをえなくして現金を奪い，被害者に傷害を負わせたというのである。このケースについて，大阪高裁は，強盗致傷罪の成立を認めるにあたり，「強盗の手段たる脅迫によって傷害の結果を生じたものとして強盗致傷罪の成立を認めるのが相当」であるとした[36)]。つまり，この場合の傷害は，**脅迫を手段とする傷害**だとする。しかしながら，このケースでは，行為者は，転倒により被害者が路上に身体をぶつけることを認識してこれを転倒させている。脅迫による傷害というのではなく，意思を制圧された被害者（の行為）を利用した，間接正犯としての暴行に基づく傷害と捉えるべきである[37)]。

(3) 化学的・病理学的・薬理学的作用を用いた傷害

暴行にいう「有形力」の中には，狭い意味での物理的な力（力学的作用）に加え，音や光によるもの，熱・冷気・電気等のエネルギー作用によるものも含まれる。判例も，強い音を用いる場合については，暴行罪の成立を認めている[38)]。これに対し，**化学的・病理学的・薬理学的作用**により生理的機能の障害を発生させる場合，たとえば，感染症に罹患させる場合，有毒ガスを吸引させる場合，有毒な薬物をジュースに混ぜて飲ませる場合等に，これを（注射のような，手段として行われる有形力の行使とは切り離して，それ自体として）「暴行による傷害」といえるかどうかが問題となる。

この点をめぐり積極説，消極説のどちらをとるかにより，暴行罪・傷害罪の成否に影響が生じるばかりでなく，たとえば，債権者Aに毒入りのジュースを飲ませて殺害し，事実上借金の返済を免れるに至ったというような事例で，**強盗殺人罪**（240条後段）が成立するかどうかの結論が分かれることになる。積極説によれば，暴行を手段として財産上の利益を取得した（借金の返済を事実上免れた）といえるので，二項強盗罪（236条2項）の要件を充たし，その結果と

---

36) 大阪高判昭和60・2・6高刑集38巻1号50頁。

37) 同旨，大塚・231頁注(6)，林・222頁。

38) 最判昭和29・8・20刑集8巻8号1277頁は，被害者の身辺近くにおいてブラスバンド用の大太鼓，鉦（かね）等を連打し，被害者をして「頭脳の感覚鈍り意識朦朧たる気分を与え又は脳貧血を起さしめ息詰る如き程度に達せしめたとき」は暴行にあたるとした。

して，二項強盗による強盗殺人罪の成立を認めることが可能となる（240条を適用するためには，強盗〔少なくとも未遂〕の要件を充足しなければならないことについては，293頁以下を参照）。これに対し，消極説によると，殺人罪の成立のみが認められることになる。

化学的・病理学的・薬理学的作用による暴行　積極説[39]の根拠は，化学的・病理学的・薬理学的作用による場合も，無形的手段ではなく（すなわち，発せられた言葉の意味内容を通じて被害者を心理的に追いつめるという手段によるものではない），**有形力を用いるものであることに変わりない**ところに求められてきた。外部から与えられる有形的手段の中で，化学的・病理学的・薬理学的作用を別扱いとする理由は見出しがたい。たしかに，「暴行」という言葉の通常の使い方から外れる（たとえば，毒薬を飲ませて苦しませることを「暴行」とは普通はいわない）という点は，積極説の1つの難点である。しかし，光線を用いて傷害を与えた場合や，焼火箸に触れさせて火傷を与えた場合には，異論なく暴行による傷害にあたるとされている。この場合にも「暴行」とはいいにくいが，暴行とされている。その場合と比較すれば，被害者に有毒ガスを嗅がせて殺したり，猛毒入り液体を飲ませて苦しませて殺したりすることを「暴行」による殺害に含めることもまた，なお可能な解釈の枠内にとどまると考えられる。積極説によれば，薬物やガス等を用いた昏酔強盗行為は236条1項・2項の強盗罪にあたりうることになり，その限りで239条の規定は注意規定にすぎないということになる。

他方，消極説[40]によると，他人を毒殺してその者が所持する財布を奪ったとき，毒を盛ることは被害者の意識作用に影響を与えることから昏酔強盗罪（239条）にあたることになり（→291頁以下），その限りで強盗殺人罪の適用を認めうるとする結論になろう。しかし，前述の事例のように，財物（有体物）ではなく，借金の返済を免れるという**財産的利益**を得ようとする場合は，昏酔強盗罪の成立を認めることはできず，したがって，ただの殺人罪しか認められないことになってしまう。

39）大塚・27頁注(3)，35頁，大谷・26頁，39頁，西田・45頁以下など。

40）斎藤・20頁以下，高橋・44頁，中森・14頁，松原・45頁以下，54頁，山口・43頁以下，45頁以下など。判例は，必ずしも明らかではないが，消極説をとるものといえよう。前掲注4）最判昭和27・6・6は，被告人が病気の治療方法であるとして被害者の同意を得てその陰部に陰茎を押し当てて性病に感染させたというケースにつき，暴行によらない傷害の場合と捉えている。

(4)　暴行罪の罪数

暴行は，数多くの犯罪の実行にあたり手段として用いられる（→57頁）。たとえば，強盗罪（236条）は暴行（または脅迫）を手段として財産を奪う犯罪である。そして，強盗罪が成立するときには，同時に暴行罪も成立しているといいうるが，強盗罪の罰条のみが適用され，それと独立に暴行罪の成否が問題とされることはない（暴行は強盗に「吸収」されるといわれる〔**法条競合**の一種としての**吸収関係**〕）。同じことは，規定上，暴行が手段・方法として予定されている犯罪（不同意性交等罪，騒乱罪，公務執行妨害罪等）についてもあてはまる。

暴行罪の保護法益である個人の身体の安全は，**一身専属的な法益**であるから，被害者ごとに1個の暴行罪が成立する。2人に対して1個の石を投げつければ，2個の暴行罪が成立し観念的競合となる。1人に対して別の機会にそれぞれ1回の暴行を加えれば，2個の暴行罪が成立し併合罪となるのが原則である。ただ，同一の被害者に対し長期間にわたり複数回の暴行が行われたとしても，共通の動機に基づく同種の態様の暴行である限り，それらが**包括一罪**とされることがある。最高裁は，被告人が数カ月間にわたり被害者に対し，一定の人間関係を背景として，ある程度限定された場所で，共通の動機からくり返し犯意を生じ，主として同態様の暴行を反復累行し，その結果，被害者の身体に一定の傷害を負わせたというケースについて，全体を一体のものと評価し，包括して一罪（1個の傷害罪）と解することができるとした[41)]。

4　傷害致死罪

（傷害致死）
第205条　身体を傷害し，よって人を死亡させた者は，3年以上〔20年以下〕の有期拘禁刑に処する。

41）　最決平成26・3・17刑集68巻3号368頁。そのケースでは，個別の機会の暴行と傷害の発生・拡大ないし悪化との対応関係を個々に特定することはできなかった。同一犯罪の包括一罪を認めることの**訴訟法上の意味**（→総論585頁）は，有罪とするにあたり，一連の行為の始期と終期，行為の手段・態様や回数等をまとめて包括的に示せば足り，それぞれの行為の日時や場所，その態様，傷害結果との個別的な因果関係等が特定した形で証明されている必要がないとされるところにある（→342頁）。

暴行罪または傷害罪の実行行為が行われ，そこから被害者が死亡するという重い結果が発生したとき，犯人の故意がその結果に及んでいなかったという限りで，傷害致死罪が成立する。本罪は，**結果的加重犯**（→総論 241 頁以下）の典型である。

傷害罪が暴行罪の結果的加重犯で（も）あることから（→59 頁以下），傷害致死罪は，**暴行を起点とする二重の結果的加重犯**を含んでいる（したがって，主観的要件としては，暴行の故意さえあれば，被害者の死亡という重い結果が生じる限り，本罪が成立する[42]）。たとえば，甲が，A を単に驚かすつもりで（A の身体に石をぶつけるつもりはまったくなく）A の足もとに石を投げつけたところ，石が意外にも跳ね上がって A の頭部に命中し，A は死亡するに至ったという事例では，傷害致死罪が成立しうる。A を驚かせるつもりでその足もとに石を投げつける行為はそれ自体，被害者の**身体に向けられた不法な有形力の行使**であるから暴行罪にあたり（したがって，暴行の故意も当然に肯定される），傷害結果を介して死亡に至ったとき，傷害罪を通じて死亡に至らせたことになることから，傷害致死罪となりうるのである。

なお，結果的加重犯の成立要件については，総論 241 頁以下を参照。

5 暴行罪・傷害罪の違法性

暴行罪と傷害罪との関係では，しばしば**軽微犯罪**に対する刑法的対応のあり方がテーマとなる。犯罪となる場合と犯罪ではない日常的行為の限界は明確ではなく，相対的で流動的である。有形力の行使も，生理的機能の障害の惹起も，われわれの社会生活においては，実は日常茶飯事のことである。他人の行為から自分にそのような作用が生じることも（スポーツを楽しむときに・ラッシュアワーの通勤電車の中で・わが子と相撲をとるときに等），それ自体は日常的なことである。暴行罪や傷害罪となるかどうか（なるとしてそれが立件・訴追されるかどうか）は，被害の程度ばかりでなく，行為をめぐる諸事情，とりわけ**加害者と被害者との間の具体的な人間関係**に依存しており，その背後には，その社会においてどのような危険行為が許容されており，個人がどこまでそのリスクを受忍し

---

42) 前掲注 *27)* 最決昭和 39・1・28 を参照。

ているかという問題がある[43]。

違法性の判断にあたり，およそ身体に対し有形的作用を受けたという物理学的事態，およそケガをしたという医学的事態が決定的でないとすれば，何が決定的と考えられるであろうか。重要なことは，①被害者がそのような事態が生じることに同意しているかどうかであり，また，②その社会において（個々人の現実的意思にかかわらず）その種の行為が一般的に許容されていて，それが社会生活にともなうリスクとして受忍されているか否かであろう。暴行罪・傷害罪の違法性の限界は，①の**被害者の同意**のみにより決せられるものではないが，しかし，その中核部分において被害者の意思が重要であることもこれまた否定できない[44]。

被害者の同意があるとき，暴行罪については，およそ「暴行」という事態の発生が否定されよう。意思に反することが暴行という概念の要素になっていると考えられる。したがって，同意があれば暴行罪の構成要件該当性は否定される。これに対し，身体傷害については，同意があったとしても法益侵害そのものは存在し（したがって，構成要件該当性は肯定される），具体的事情の下でその法益の要保護性が否定されることにより違法性が阻却されると考えるべきであろう。かりに同意があったとしても，それ自体として存在する身体傷害の法益侵害性は明白（血が出たり，痛みを感じたり，傷がしばらく残るなど）だからである（→総論 347 頁以下）。

医師による外科手術のような**治療行為**についてもこれと同様である。患者の同意に基づく治療行為（たとえば，盲腸の手術のような外科手術）も法益侵害をもたらすものであり，それ自体として傷害の概念にはあたり[45]，しかも，それに

43） 他人から有形力の行使を受けることをいっさい拒もうと思えば，ラッシュアワーの人込みにもまれるとか，挨拶として友人から肩をたたかれるといったことも拒絶することになり，普通の社会生活を営むことは不可能となるであろう。

44） 暴行罪・傷害罪の違法性を，①の要素およびそれに準ずるもののみで説明しようと考えるか，②の要素を正面から承認するかについては見解が分かれる。②の要素は，いわゆる社会的相当性の理論により強調されるところである（最近の論文として，深町晋也・法時 95 巻 3 号〔2023 年〕15 頁以下を参照）。

45） このように考える見解を**治療行為傷害説**と呼び，学説における通説となっている（→総論 357 頁以下）。

より傷害罪の構成要件該当性は肯定されるが，ただ，身体的法益の放棄に関する法益主体の自由（自己決定権）が尊重されるとともに，疾病の治癒・健康の回復という優越的利益が肯定されることにより**違法性が阻却**されると考えるべきであろう[46]。これに対し，実務は，インフォームド・コンセント（医師による十分な説明を前提とした患者の同意）を得ないで治療行為を行ったケースについてこれを故意の傷害罪で立件・処罰するということをしていない。したがって，それは，同意なく行われた治療行為はおよそ傷害の概念にあてはまらないとする立場[47]を前提としているといえよう（→総論358頁以下）。

6　現場助勢罪

（現場助勢）

第206条　前2条〔204条・205条〕の犯罪が行われるに当たり，現場において勢いを助けた者は，自ら人を傷害しなくても，1年以下の拘禁刑又は10万円以下の罰金若しくは科料に処する。

現場助勢罪は，傷害罪・傷害致死罪が行われるにあたり，はやし立てたり，無責任な声援を送ったりするなど，現場において勢いを助ける行為を処罰の対象としている。判例によれば，そこでは，傷害の現場において行われる傷害罪・傷害致死罪の幇助犯（62条・63条）にはあたらない行為，すなわち，特定の人の犯罪実行を容易にするというような効果をもたない「やじ馬」的な行為が予定されている[48]。本罪は，そうした行為のみを（特に軽く）処罰するもので

46）　これに対し，学説の中には，治療行為傷害説をとりながら，被害者の同意を構成要件該当性を否定する事由として位置づける見解もある。ただし，治療行為傷害説をとる限りは，同意を構成要件段階に位置づけても，違法性阻却段階に位置づけても，いずれにしてもそれは違法性の要件に関わるものにほかならないから，本質的な理論的・実際的相違が生じるということにはならない。それは，概念整理の問題にほかならない。

47）　**治療行為非傷害説**と呼ぶ。この見解をとるのは，たとえば，大谷實『医療行為と法〔新版補正第2版〕』（1997年）78頁以下，同『医師法講義』（2023年）152頁，林・52頁以下，米田泰邦『医療行為と刑法』（1985年）184頁以下など。佐伯・法教358号125頁以下も参照。治療行為傷害説（「身体傷害モデル」）と治療行為非傷害説（「自由侵害モデル」）に関する詳細な研究として，天田悠『治療行為と刑法』（2018年）がある。

48）　大判昭和2・3・28刑集6巻118頁（現場における特定の正犯者に向けられた心理的幇助行

あり，特定の正犯者の傷害行為を容易にする幇助行為が行われたときは，本罪を構成するのではなく，傷害罪の幇助犯として（より重く）罰せられることになる。[49]

「**犯罪が行われるに当たり**」とは，傷害・傷害致死の原因となる暴行が行われているときにという意味である。「**現場**」とは，現にその暴行が行われている場所のことである。助勢行為は，言語による場合が普通であろうが，動作による場合も考えられないではない。

7 同時傷害の特例

（同時傷害の特例）
第207条 2人以上で暴行を加えて人を傷害した場合において，それぞれの暴行による傷害の軽重を知ることができず，又はその傷害を生じさせた者を知ることができないときは，共同して実行した者でなくても，共犯の例による。

(1) 趣 旨

本条は，同時傷害の特例を規定する。[50] たとえば，甲と乙が被害者Aに対しそれぞれ暴行を行ったというケースで，2人の間の意思の連絡（合意）ないし共謀の存在を証明できない場合は，共同正犯（60条）の要件が充たされないので（→総論514頁以下），単なる**同時犯**にすぎない。同時犯の場合には，それぞれの行為と傷害結果との間の因果関係を個別的に証明できないとき（すなわち，甲が加えた暴行がAにその傷害を生じさせたのか，乙が加えた暴行がAにその傷害を生じさせたのかを証拠により明らかにすることができないとき），どちらの行為者に

為は，本罪ではなく，傷害罪の従犯として処罰される）。これに賛成するのは，大塚・31頁，大谷・32頁以下，高橋・55頁，中森・17頁，林・54頁，平野・概説169頁など。

49) 判例の解釈に反対し，本罪は，**群集心理を考慮**し，幇助犯にあたる行為を含めて現場における助勢行為をすべて軽く処罰したものだと解する見解もある。団藤・417頁，西田・47頁，山口・49頁など。しかし，本罪は，「群集」の存在を要件としてはおらず，またそもそも，なぜ現場における傷害の幇助にあたる行為（それは，より危険性の高い行為といえる）を通常より軽く扱うかは説明が困難であるように思われる。

50) 本条は，独立の犯罪を規定したものではない。「同時傷害罪」といった犯罪はおよそ存在しない。

も（甲にも乙にも）Aに生じた当該の傷害結果について責任を問いえない（→総論505頁注*3*)）。しかし，本規定は，このような結論を不当と見て，傷害の同時犯につき**例外**を認め，共同正犯としての処罰を肯定する。被告人としては，自己の暴行がその傷害を生じさせていないことを証明しない限り，責任を免れない（すなわち，通常の場合とは異なり**被告人側に挙証責任が転換**される[51]）ことになる。また，被告人が意思の連絡ないし共謀の不存在を証明しても，それでも本条は適用される[52]。したがって，本条の特例は，単に**因果関係を推定し挙証責任を転換**するばかりでなく，**意思の連絡ないし共謀につき反証を許さず**に共同正犯とするのであるから，**共同正犯を擬制**するものでもある。

(2) 適用範囲

この特例は，憲法違反との評価さえある例外的な扱いであり[53]，その適用範囲の拡張には慎重にならざるをえない。しかし，判例は，傷害罪と並んで傷害致死罪の場合にも本条の適用を肯定している[54]。規定の文理解釈からすると疑問がないではないが，本条が傷害致死罪の規定の後に置かれていることから同罪を排除する趣旨ではないと考えられ，広義における「傷害」は傷害致死を含むとする解釈も不可能ではない[55]。

もちろん，判例によっても，強盗致死傷罪（240条）や不同意性交等致死傷

---

51) 刑事手続においては，訴追側，すなわち検察側が挙証責任を負うのが大原則である。すなわち，ある事実の存否がいずれとも不明であるとき，検察官側に不利益に事実を認定し，その事実が存在しなかったものとする。これを，**疑わしきは被告人の利益に**（in dubio pro reo）**の原則**と呼ぶ。そこで，犯罪事実が立証されるまでは，被告人は無罪と推定されていることになる（無罪推定の原則）。また，証明の程度としては「証拠の優越」では足りず，**合理的な疑いを超える**（beyond a reasonable doubt）**証明**が必要とされているのである。

52) 西田・48頁以下，山口・50頁などを参照。

53) 平野・概説170頁。その1つの理由は，挙証責任の転換は，**被告人側に立証が容易である場合にのみ正当化**されうるが，本条の予定しているケースでは，被告人側にとっても立証は容易でないということであろう。最近でも，酒巻匡『刑事訴訟法〔第2版〕』(2020年）494頁は，「合憲性の説明は困難である」とする。

54) 最判昭和26・9・20刑集5巻10号1937頁，最決平成28・3・24刑集70巻3号1頁。反対，大塚・33頁，大谷・36頁，中森・19頁，西田・49頁（反対説が通説であるとする）など。

55) また，かりに傷害致死の事案について本条の適用を否定したとしても，傷害罪としての量刑にあたり（死亡の一歩手前の）「極度に重い傷害」というところまでは本条の適用により罪責を肯定しうるとすれば，結論に大きな違いは生じないであろう。

罪（181条2項）等への適用は否定されている。本条の立法趣旨の中には，傷害罪（や傷害致死罪）程度の重さの犯罪であれば，挙証責任の転換を認めた上で重い結果を帰責することの合理性もなお肯定できるという判断が含まれている。強盗致死傷罪，不同意性交等致死傷罪（さらには殺人罪）などの，より法定刑の重い犯罪についてこれを認めることは，立法趣旨を踏み越えることになる。

(3)　要　件

本条を適用するためには，①各暴行が**当該傷害を生じさせうる危険性**を有するものであることと，②各暴行が外形的には共同実行に等しいと評価できるような状況において行われたこと，すなわち，同一の機会に行われたものであることの証明が必要である[56]。各暴行が同じ現場で同時に行われる必要はない（逆に，その場合には，共謀の事実を認定できる場合が多いであろう）。本特例は，2人以上の者の暴行の間に，**同一の機会の暴行**といえる程度の**時間的・場所的近接性**があれば適用が可能であり（ただし，それ以外の第三者の暴行による傷害の可能性がある場合には，もちろん適用は否定される），多少の時間的・場所的離隔があったとしてもその適用は妨げられない。高裁判例の中には，態様の異なる2つの暴行が最大30分ほどの時間的間隔をおいて近接した場所で行われた事例[57]，2つの暴行の間に時間にして20分，場所にして2 kmから3 kmの離隔がある事例[58]，第1現場における暴行と第2現場における暴行との間には，時間的に約1時間20分の差，場所的に約20 km前後の移動があるものの，被告人3名の各暴行は「社会通念上同一の機会に行われた一連の行為と認めることができ」るとされた事例[59]に本条を適用したものがある[60]。

本条は，各暴行と，発生した傷害結果との間の因果関係を推定するものであるが，各暴行と被害者の受けた傷害との間に因果関係があることそれ自体は認

56）　前掲注*54*）最決平成28・3・24。

57）　東京高判昭和47・12・22判タ298号442頁。

58）　福岡高判昭和49・5・20刑月6巻5号561頁。

59）　東京高判平成20・9・8判タ1303号309頁。

60）　他方，札幌高判昭和45・7・14高刑集23巻3号479頁は，甲・乙両名の被害者に対する暴行が場所的にはきわめて近接した地点で行われた場合であっても，その間に約40分の時間的経過があり，それらがまったく別個の原因に端を発して行われた等の事情があるときは，本条を適用できないとした。

定できるとしても，**それぞれの暴行のその結果への寄与の度合いが明らかでないとき**にも適用される（「それぞれの暴行による傷害の軽重を知ることができず」という本条の文言を参照）。たとえば，甲と乙の2人が意思の連絡なくAに対しそれぞれ激しい暴行を加え，その結果，Aが重傷を負って植物状態（→20頁注*21*））となったという事例において，甲の後に傷害を与えた乙の行為とAがそのような病態になることとの間にかりに因果関係を肯定できるとしても，甲と乙のそれぞれの行為の結果への具体的な寄与の度合が不明であるときには，本条が肯定されるべきことになる。したがって，**傷害致死のケース**で，複数の暴行のうちのいずれかについて死亡結果との間に因果関係を肯定できる（したがって，1人について傷害致死罪の罪責を肯定できる）としても，**死因となった傷害を生じさせたのが各暴行のうちのいずれかが明らかでない**というのであれば，本条は適用されるべきこととなる[61)]。逆に，共同正犯の関係にない甲・乙・丙がそれぞれAに対し暴行を加え傷害を与えて，Aは死亡したが，死因となった傷害を生じさせたのが丙でないことは明らかであり，しかし甲か乙かがわからないというときには，丙について207条を適用して傷害致死罪の罪責を問うことは許されない。

時に生じるケースであるが，甲の第1暴行と第2暴行が時間的・場所的に近接した関係において行われ，ただ，第2暴行の時点ではじめて乙が関与し，第2暴行は甲と乙との共同正犯として実行されたという場合（いわば「半分共同正犯」の場合）で，被害者の傷害が第1暴行により加えられたか，第2暴行により加えられたかが明らかにならないという事例における本特例の適用の可否が問題となる。甲は，第1暴行の結果についても（単独正犯として），第2暴行の結果についても（共同正犯として）責任を負わなければならないから，いずれにしても傷害罪の罪責を負う。問題は乙の刑事責任であり，本特例を適用することによりはじめて乙に傷害罪の罪責を認めることが可能となる。

本特例が予定しているのが，**発生結果について誰も刑事責任を負わないことにな**

---

61)　前掲注*54)*最決平成28・3・24。付言すれば，死因となった傷害を与えなくても，死亡結果について因果関係を認められることがある。たとえば，当該の暴行により被害者の死期を早めた場合がそうである。

りかねないケースであるとすれば，この事例では，少なくとも甲は発生結果について刑事責任を負うのであるから，特例の適用を否定すべきであるとも考えられる[62]。しかし，判例は，こういう場合にも，本条の適用を肯定して，乙に傷害罪の刑事責任を認めている[63]。

最高裁判例の考え方　近時，最高裁（最決令和2・9・30刑集74巻6号669頁）も，「他の者が先行して被害者に暴行を加え，これと同一の機会に，後行者が途中から共謀加担したが，被害者の負った傷害が共謀成立後の暴行により生じたものとまでは認められない場合であっても，その傷害を生じさせた者を知ることができないとき」は，同時傷害の特例を適用できるとした。その理由としては，第2暴行について共謀がなかった場合との均衡を指摘している。つまり，「途中から行為者間に共謀が成立していた事実が認められるからといって，同条が適用できなくなるとする理由はなく，むしろ同条を適用しないとすれば，不合理であって，共謀関係が認められないときとの均衡も失するというべきである」とする。共謀が認められなかったときに本特例が適用されるのに，途中から共謀のあったとき（＝より重く評価されてよいとき）に適用が否定されるのではアンバランスだというのである。

ただし，最高裁は**注目すべき限定**を加え，この場合に本特例の適用を肯定できるのは，「後行者の加えた暴行が当該傷害を生じさせ得る危険性を有するものであるときに限られる」とし，後行者の加えた暴行にその危険性がないときには，「その危険性のある暴行を加えた先行者との共謀が認められるからといって，同条を適用することはできない」とする。これは，甲の単独暴行（第1暴行）と，共謀後の甲および乙の共同暴行（第2暴行）との間で207条を適用するのではなく，甲の共謀の前後にわたる一連の暴行と乙の共謀後の暴行との関係において本条の適用を問題とする趣旨である[64]。たとえば，被害者が頭部に大ケガをしたとする。もし甲の暴行は（第1暴行についても第2暴行についても）頭部に大ケガをさせる危険をもっていたが，乙の暴行それ自体はそうでなかったというとき，乙については頭部の傷害について刑事責任を問われてはならないことになる。共同で行われた第2暴行について，一部行為の全部責任の法理（→総論504頁以下）にしたがい，乙にも頭部に大ケガをさせる暴行について共同の責任を問うこともできそうであるが，だからといって本特例を適用するこ

62）　大谷・37頁，高橋・60頁以下，西田・49頁以下，山中・61頁以下など。

63）　大阪地判平成9・8・20判タ995号286頁，名古屋高判平成14・8・29判時1831号158頁など。

64）　髙橋・授業（下）33頁。橋爪・悩みどころ65頁以下も参照。

とはできないというのである。

なお，**承継的共同正犯**の理論により，乙に第1暴行による傷害についての刑事責任を認めることができないかどうかが問題となるが，これは否定される（→総論519頁以下）。今や判例実務も，承継的共同正犯の及ぶ射程をそこまで拡大するものではない。最高裁は，他の者が被害者に暴行を加えて傷害を負わせた後に，被告人が共謀加担した上，さらに暴行を加えて被害者の傷害を重篤化させたというケースについて，被告人は，共謀加担前にすでに生じていた被害結果については，被告人の共謀およびそれに基づく行為との間に因果関係が認められない以上，傷害罪の共同正犯としての責任を負うことなく，共謀加担後に傷害の発生に寄与したことについてのみ，傷害罪の共同正犯としての責任を負うと明言した[65]。

8　凶器準備集合罪・同結集罪

（凶器準備集合及び結集）

第208条の2①　2人以上の者が他人の生命，身体又は財産に対し共同して害を加える目的で集合した場合において，凶器を準備して又はその準備があることを知って集合した者は，2年以下の拘禁刑又は30万円以下の罰金に処する。

②　前項の場合において，凶器を準備して又はその準備があることを知って人を集合させた者は，3年以下の拘禁刑に処する。

(1)　総　説

(a)　本条は，暴力団対策のために行われた，1958（昭和33）年の刑法一部改正の際に，証人等威迫罪の処罰規定（105条の2〔→641頁〕）とともに新設された。生命・身体・財産に対する共同加害行為の予備段階での行為を，凶器の準備に注目して処罰の対象とするものである（いいかえれば，凶器を用いた共同加害行為のもつ危険性にかんがみて，処罰を「前倒し」したものである）。もともとは当時における暴力団相互間の対立抗争事件の多発という事態に対応し，殺傷事犯の未然防止ないし事前鎮圧の目的で作られた規定であったが，その後は暴力団以外の集団（特に，過激派の学生集団）にしばしば適用された。

(b)　凶器準備集合罪・同結集罪をめぐっては，**保護法益**をどのように理

65）　最決平成24・11・6刑集66巻11号1281頁。

解するかが重要である。①個人の生命・身体・財産の安全という個人的法益の保護の側面（すなわち，人身犯罪等の予備罪としての側面）と，②（規定の置かれている体系的場所を度外視すれば）公共の平穏という社会的法益の保護の側面（すなわち，共同加害目的で凶器を所持した集団の存在自体が社会に不安を与えるという公共危険犯的な側面）という**2つの側面**が候補となりうるが，どちらを本罪の保護目的とするか，その両方なのかが問題となる。

もし保護法益に関し，個人的法益に対する罪としての側面を強調すれば，本罪は**予備罪**（→総論427頁以下）**に近い犯罪**として捉えられる。目的とした加害行為の実行がすでに開始されれば，もはやそれは予備の段階ではないから，本罪の予定する**構成要件的状況**は消滅した（もはやそれ以降は，本罪の成立は問題とならない）と考えることになる。したがって，たとえば先頭グループがすでに加害行為を開始した後に，はじめて後方から参加した者に対しては，本条はおよそ適用されない（そこで，集団内にいたある者について，共同加害行為開始前に参加したことが立証されない限りは，本条1項の罪は成立しないことになる）。これに対し，社会的法益に対する罪の側面を重視すれば，目的とされた加害行為の実行が開始された時点以降も，**社会の平穏を害する集合状態はまだ継続**しており，本罪はなお続いていることになるから（したがって，本罪の予定する構成要件的状況は消滅していないから），集団的な加害行為開始後にはじめて参加した者についても，本罪は成立することになる（したがって，**共同加害行為開始前に参加したかどうかの立証は不要**となる）。

以上の点についてどのように考えるかが，本罪の本質的性格をめぐる最も根本的な見解の分岐点であるといえよう。判例は，本罪は「個人の生命，身体または財産ばかりでなく，公共的な社会生活の平穏をも保護法益とするものと解すべきである」とする基本的立場に基づき[66]，集合の状態が継続する限り，目的とされた加害行為の実行が開始された後も，本罪は継続して成立し，したがって加害行為開始後の参加者にも本罪は成立すると解している[67]。このように，

66） 最決昭和45・12・3刑集24巻13号1707頁（清水谷公園事件），最決昭和48・2・8刑集27巻1号1頁，最判昭和58・6・23刑集37巻5号555頁。学説上，中・193頁以下，藤木・83頁以下は，本罪を正面から社会的法益に対する罪として位置づける。

67） 前掲注*66*）最決昭和45・12・3。この点について，学説では，判例の理解に反対する見解

判例においては，本罪は，（加害目的の対象とされた）個人の生命・身体・財産の侵害の未然防止を意図するだけでなく，共同加害目的で凶器を所持した集団の存在自体が社会に不安を与えることに注目し，そのような事態を禁圧する狙いがあるとする理解がとられている。本罪をこのように基本的に**公共的な社会生活の平穏に対する抽象的危険犯**として把握すること[68]は，本罪がいつまで継続するかという論点のみならず，本罪をめぐるさまざまな解釈上の問題（凶器の意義，共同加害目的の内容，他罪との関係等）の解決にも影響を与えている。

(2)　構 成 要 件

(a)　２つの構成要件　　**凶器準備集合罪**（1 項）は，2 人以上の者が他人の生命，身体または財産に対し共同して害を加える目的で集合した場合に，凶器を準備してまたはその準備があることを知って集合することにより成立する。この場合に，自ら凶器を準備してまたはその準備があることを知って人を集合させた者については，**凶器準備結集罪**（2 項）としてより重く処罰される。

(b)　凶　器　　**凶器**には，銃砲刀剣類のような**性質上の凶器**のほか，鎌，果物ナイフ，角材・角棒，コンクリート塊・石塊，竹竿，空き瓶のような**用法上の凶器**も含まれる。判例によれば，用法上の凶器の範囲は，社会通念に照らし人をして危険感を抱かせるに足りるものかどうかによって決せられる。これは，**判例による保護法益の理解**から導かれる解釈の基準であるといえよう。塩酸等は凶器とされるべきであろうが，ひもや手ぬぐいなどは，殺傷目的に使用できないものではないとしても，凶器性を否定される。判例によれば，長さ 1 m 前後の角棒は凶器にあたるとされ[69]，他方，他人を殺傷する用具として利用する意図の下に準備されたとしても，エンジンをかけたまま待機している状態にあるダンプカーは凶器にあたらないとされる[70]。ダンプカーは，その殺傷能力は高度であるとしても，携帯可能性ないし機動的な使用可能性という点では，

が大多数である。たとえば，大塚・40 頁以下，大谷・46 頁，曽根・30 頁以下，中森・23 頁，林・63 頁以下，平野・概説 170 頁以下，山口・58 頁以下，山中・88 頁以下などを参照。もちろん，これらの学説によっても，本罪が継続犯であること自体は否定されない。

68）　前掲注 *66*）最判昭和 58・6・23。この点について，団藤・421 頁以下も参照。

69）　前掲注 *66*）最決昭和 45・12・3。

70）　最判昭和 47・3・14 刑集 26 巻 2 号 187 頁。

これまで凶器とされてきたものと比べて劣るものである。そして，社会一般に不安感を抱かせるところに本罪の処罰根拠を求めるとすれば（→75頁以下），通常そういう態様で人の殺傷のために使われることがないダンプカーについては用法上の凶器から除かれるという結論が導かれることになる。

(c) 共同加害目的　「他人の生命，身体又は財産に対し共同して害を加える目的」（**共同加害目的**）は，殺人・傷害・暴行・器物損壊等の個人的法益に対する罪の共同実行を目的とする場合ばかりでなく，**列挙された法益の侵害が意図**されている限り，放火罪や公務執行妨害罪のような社会的法益に対する罪・国家的法益に対する罪を目的とする場合にも肯定できる。暴行の方法によらない監禁等の自由侵害を目的とする場合は含まれない[71]（法益の列挙は限定列挙と解すべきである）。積極的に攻撃する目的の場合だけでなく，相手が攻撃してきた場合に迎撃してこれを殺傷する目的であってもよい[72]。数人が集合して加害行為を共謀しその中の１人に実行させるような目的の場合は，共同加害目的の要件を充たさない[73]。集団の中に自ら共同加害の目的を有する者と，自らはその目的をもたず（ただ，他の者が共同加害目的を有していることを認識しつつ）たとえば単に気勢をそえる目的で集合した者とがいるとき，後者についても本罪が成立するかどうか（それとも単に本罪の共犯にすぎないか）が問題となる。判例のような保護法益の理解をとり，共同加害目的で凶器を所持した集団の存在自体が社会に危険な印象を与えるところに処罰の根拠があると考えるのであれば，気勢をそえる目的で集合した者も，本罪の違法内容の実現に直接寄与している以上，正犯として処罰しない理由はないということになる[74]。したがって，２人以

---

71) 団藤・422頁。

72) 最判昭和58・11・22刑集37巻9号1507頁（「いわゆる迎撃形態の兇器準備集合罪において共同加害目的があるというためには，行為者が，相手方からの襲撃の蓋然性ないし切迫性を認識している必要はなく，相手方からの襲撃のありうることを予想し，襲撃があった際にはこれを迎撃して相手方の生命，身体又は財産に対し共同して害を加える意思を有していれば足りると解するのが相当であ」るとする）。

73) 団藤・422頁。

74) 大阪高判昭和46・4・26高刑集24巻2号320頁。学説として，団藤・425頁。反対，伊東・48頁，大谷・43頁，西田・67頁以下，山口・62頁など。

上の者が共同加害目的をもっていれば足り[75]，**集合者の全員またはその大多数の者が共同加害目的を有している必要はない**ことになる[76]。

(d)　行　為　**行為**は，凶器準備集合罪（1項）については，①凶器を準備して集合すること，または，②凶器の準備があることを知って集合することである。凶器準備結集罪（2項）においては，自ら凶器を準備してまたはその準備があることを知って人を集合させることである。**集合**というとき，一定の場所において新たな集合を形成する場合のみならず，すでに集合している者が本条の要件（凶器の準備や共同加害目的等）を充たすに至った場合もこれにあたる[77]。また，当該行為者が，凶器の準備があることを知らずに集合に参加し，その後に凶器の準備があることを知ったときでも，その集合から離脱しないことにより，「凶器の準備があることを知って集合した」と評価されることになる。**結集罪**にいう「人を集合させ」るとは，集合の形成にあたり主導的・積極的役割を演じることを意味し，そうでなければ（単に1人を集合に参加させたにすぎないような場合）集合罪の教唆となることはあっても，結集罪を構成しない[78]。

本罪についても，総則の共犯規定（60条以下）の適用はある。共謀共同正犯の可能性も排除する理由はないと思われる[79]。

(3)　罪数，他罪との関係

本罪にあたる行為が同時に殺人予備や放火予備を構成するときには観念的競

---

75)　なお，2人以上の者全員が凶器の準備について認識している必要はない。甲・乙がAに対して害を加える目的で集合し，甲が凶器を準備していた場合に，乙は凶器を準備せず，かつ甲が凶器を準備していることを知らなかったとき，（乙は凶器準備集合罪にならないが）甲は本罪で処罰される（平野・概説170頁）。

76)　最判昭和52・5・6刑集31巻3号544頁（飯田橋事件）。本判決は，「兇器準備集合罪が成立するためには，2人以上の者が他人の生命，身体又は財産に対し共同して加害行為を実行しようとする目的をもって兇器を準備し集合したことをもって足り，集合者の全員又はその大多数の者の集団意思としての共同加害目的を必要とするものではないと解される」と述べている。

77)　前掲注*66)*最決昭和45・12・3。

78)　他方，集合罪の教唆犯にはあたらなくても，結集罪にはなりうる場合もある。たとえば，凶器の準備を知らない人々をともかくもその場にかり集めるという形態の行為も結集罪となる（団藤・427頁）。

79)　西田・68頁，山口・64頁以下を参照。これを肯定する高裁判例として，東京高判昭和49・7・31高刑集27巻4号328頁。

合となる。本罪と加害行為たる犯罪との関係については，学説上は牽連犯とする見解も有力であるが[80]，判例はこれを併合罪としている[81]。そこでは，本罪が「公共的な社会生活の平穏をも保護法益とするものであること」が理由とされている。たしかにそのような理解を前提とすれば，加害行為として実行された個人的法益に対する罪との間において違法評価の重複の関係が生じない（→総論592頁以下）から，牽連犯を認めることはできないこととなろう。なお，集合罪と結集罪をともに行ったときは，より重い結集罪のみにより包括的に評価すれば足りる。

9　補論――自動車運転死傷処罰法について

(1)　総　説

自動車の運転により行われる交通犯罪の処罰規定は，**道路交通法**（**道交法**〔1960（昭和35）年6月25日法律第105号〕）に含まれているが，2013（平成25）年に，新たな特別法（単行法）として制定された**自動車の運転により人を死傷させる行為等の処罰に関する法律**（2013〔平成25〕年11月27日法律第86号）に規定されたものが重要である。以前は，刑法典に規定されていた**危険運転致死傷罪**（旧208条の2）および**過失運転致死傷罪**（旧211条2項〔自動車運転過失致死傷罪〕）の処罰規定が，刑法典からこの法律（以下，「自動車運転死傷処罰法」と呼ぶ）に移された（それぞれ同法2条および5条）。また，この自動車運転死傷処罰法には，従来なかった犯罪類型が新たに設けられた。2020（令和2）年には，高速道路上でのあおり運転の問題に対応するための同法一部改正が行われた（→84頁以下）。ここでは，（従来，刑法典にその処罰規定があった）危険運転致死傷罪と過失運転致死傷罪を中心に簡単な説明を加えておきたい[82]。

---

80)　内田・52頁，大塚・41頁，中森・23頁，山中・90頁など。

81)　前掲注*66)*最決昭和48・2・8（本罪と暴力行為等処罰ニ関スル法律1条違反の罪との関係）。

82)　道路交通犯罪についての重要な文献として，川本哲郎『新版　交通犯罪対策の研究』（2020年）がある。また，自動車運転死傷処罰法については，高山俊吉＝本庄武編著『検証・自動車運転死傷行為等処罰法』（2020年），危険運転致死傷罪について，交通法科学研究会編『危険運転致死傷罪の総合的研究』（2005年），城祐一郎『ケーススタディ危険運転致死傷罪〔第3版〕』（2022年）などがある。

(2)　危険運転致死傷罪

（危険運転致死傷）
自動車運転死傷処罰法・第2条　次に掲げる行為を行い，よって，人を負傷させた者は15年以下の拘禁刑に処し，人を死亡させた者は1年以上の有期拘禁刑に処する。
一　アルコール又は薬物の影響により正常な運転が困難な状態で自動車を走行させる行為
二　その進行を制御することが困難な高速度で自動車を走行させる行為
三　その進行を制御する技能を有しないで自動車を走行させる行為
四　人又は車の通行を妨害する目的で，走行中の自動車の直前に進入し，その他通行中の人又は車に著しく接近し，かつ，重大な交通の危険を生じさせる速度で自動車を運転する行為
五　車の通行を妨害する目的で，走行中の車（重大な交通の危険が生じることとなる速度で走行中のものに限る。）の前方で停止し，その他これに著しく接近することとなる方法で自動車を運転する行為
六　高速自動車国道（高速自動車国道法（昭和32年法律第79号）第4条第1項に規定する道路をいう。）又は自動車専用道路（道路法（昭和27年法律第180号）第48条の4に規定する自動車専用道路をいう。）において，自動車の通行を妨害する目的で，走行中の自動車の前方で停止し，その他これに著しく接近することとなる方法で自動車を運転することにより，走行中の自動車に停止又は徐行（自動車が直ちに停止することができるような速度で進行することをいう。）をさせる行為
七　赤色信号又はこれに相当する信号を殊更に無視し，かつ，重大な交通の危険を生じさせる速度で自動車を運転する行為
八　通行禁止道路（道路標識若しくは道路標示により，又はその他法令の規定により自動車の通行が禁止されている道路又はその部分であって，これを通行することが人又は車に交通の危険を生じさせるものとして政令で定めるものをいう。）を進行し，かつ，重大な交通の危険を生じさせる速度で自動車を運転する行為

(a)　犯罪の構造　　本罪の処罰規定は，悪質な交通事犯に対する刑が軽すぎて，被害者とその遺族の納得が得られないとする世論の批判を背景に，2001（平成13）年の刑法一部改正により新設された（当時の刑法208条2）。それ以前は，酩酊運転を行い事故を起こして人を死亡させると，道交法上の酒酔い

運転の罪[83]と，刑法の業務上過失致死罪（当時の211条1項）という2つの罪が成立し，併合罪として処断された（→総論594頁）。しかし，酩酊運転等の危険な運転をあえて行い，その危険を直接に結果として実現させた悪質な交通事犯は，死亡結果との関係では故意がないとはいえ，**故意の交通危険罪としての実質**[84]は備えている。それを純然たる過失犯としての業務上過失致死傷罪と，故意犯ではあるが行政犯としての道交法違反の罪のみによって評価するのでは十分ではない。ここから，次に述べるような**結果的加重犯としての構造**をもつ本罪の処罰規定が新設されるに至ったのである。

傷害罪は暴行罪の結果的加重犯を含むから，暴行から傷害の結果が生じたとき，傷害結果について故意がなくても傷害罪となり，さらに死亡結果が生じたときには傷害致死罪となる（→59頁以下，65頁以下）。危険運転致死傷罪が予定する危険運転行為は，暴行の故意なく行われても，死傷の結果を生じさせる危険性をもつ点において，通常の暴行行為と変わらない（か，あるいはそれ以上）であろう[85]。そこで，**危険運転行為を暴行に準じて取り扱う**こととし，そこから傷害結果が生じれば15年までの拘禁刑を，死亡結果が生じれば20年までの拘禁刑を科しうるようにしている。本罪は，故意の危険運転行為（それ自体として道交法違反の罪を構成する）が行われ，そこから意図しない死傷結果が発生したと

83）なお，現在では，酒に酔い，アルコールの影響により正常な運転ができないおそれがある状態で自動車車両を運転すると，5年以下の拘禁刑または100万円以下の罰金に処せられる（道交117条の2第1号・65条1項）。なお，その程度に至らない酒気帯び運転については，3年以下の拘禁刑または50万円以下の罰金が予定されている（道交117条の2の2第3号・65条1項）。

84）本罪の構成要件が予定する危険運転行為は，周囲の人々を高度の危険にさらす行為である。その行為を，従来から刑法が処罰の対象としている**往来妨害罪**（124条〔→462頁〕）にあたる行為と比較してみよう。たとえば，道路をふせぎとめる等の行為を行えば，往来妨害罪を構成し（同条1項），それにより死傷結果を発生させれば，結果的加重犯である往来妨害致死傷罪（同条2項）が成立する。危険運転致死傷罪の予定する交通危険行為も，十分これに匹敵する危険性をもちうる行為といえるであろう。

85）本罪の新設以前にも，東京高判昭和50・4・15刑月7巻4号480頁は，高速道路上で自分の運転する大型貨物自動車を，並進走行する普通乗用車に嫌がらせのため故意で著しく接近させる行為は暴行にあたるとし，発生結果につき傷害罪・傷害致死罪の成立を認めた。なお，前掲注*29*）東京高判平成16・12・1も参照。

きに成立する犯罪であるので一種の**結果的加重犯**である。[86]

危険運転行為と死傷結果の関係 判例は，結果的加重犯の重い結果につき過失を不要としている（→総論 242 頁）。しかし，危険運転致死傷罪については，死傷結果につき過失もないケースでその成立を肯定するとすれば，結果との関係で過失運転致死傷罪が成立しえない場合にも本罪の成立を認めるという，不当な結論に至ってしまう。本規定の立案当局によれば，[87] 本罪の成立を認めるためには，条文上特定されたそれぞれの「危険な運転行為」と死傷結果の発生との間の因果関係が要求される。したがって，たとえば，アルコールの影響により正常な運転が困難な状態であったことが（本条 1 号を参照），その死傷事故の原因となったことが立証されなければならない。そこで，その際の前方不注視により死傷事故を起こしたというケースであれば，その前方不注視がアルコール摂取の影響であったことが肯定されない限りは，危険な運転行為と死傷結果との間の因果関係が否定される。そしてまた，自動車の直前への歩行者の飛び出しによる死傷結果など，当該結果について行為者に発見の遅れといった過失があるとしても，それがアルコール摂取の影響ではなく，酩酊運転の高度の危険性が現実化したとはいえないものについては，因果関係が否定されることになる。このような関係が要求される限り，かりに結果的加重犯に関し過失不要説をとるとしても，不当に本罪の成立が拡大されることにはならない。[88]

86） なお，最決平成 30・10・23 刑集 72 巻 5 号 471 頁は，公道上，2 台の自動車がお互いに速度を競うように走行し，車両の 1 台が死傷事故を起こしたというケースについて，運転手どうしが，赤色信号を殊更に無視し，かつ重大な交通の危険を生じさせる速度で自動車を運転する意思を暗黙に相通じた上，共同して危険運転行為を行ったものといえるとし，危険運転致死傷罪（2 条 5 号〔＝現在の 7 号〕）の共同正犯が成立するとした。黙示の意思連絡に基づく実行共同正犯を認めたものである。ちなみに，危険運転致死傷罪は，**暴行の故意がない場合**を予定している。本規定は，交通危険行為を行っていながら行為者に暴行の故意がない場合にはこれを適正に評価して重い刑を科すことができないところから新設された。行為者に暴行や傷害の故意が認められる場合には，道交法違反の罪のほか，傷害罪や傷害致死罪の成立を認めれば足りる。これに対し，実務では，暴行の故意が認められるケースについても危険運転致死傷罪での立件を原則としていると仄聞（そくぶん）する。しかし，それは正しい解釈ではないと思う。

87） 井上宏＝山田利行＝島戸純・曹時 54 巻 4 号（2002 年）60 頁以下を参照。

88） 本罪では，類型化された 8 つの危険運転行為のもつ，それぞれの特定の危険が結果として直接に実現することが必要である（この点において，およそ故意の暴行行為が認められる限り，それを原因として死傷結果が発生すれば足りると一般に解されている傷害罪・傷害致死罪とは異なる）。いいかえれば，その特定の危険行為が「主たる原因」となって結果が発生するという意味での因果関係が要求されているのである（この点について，大阪高判平成 27・7・2 判タ 1419 号 216 頁を参照）。ただし，最高裁は，赤色信号を殊更に無視し，かつ対向車線に進出した上で交差点に進入しようとしたため，自車を右方道路から青色信号にしたがい左折して対

(**b**) 危険運転行為　対象となる**自動車**とは，原動機によりレールまたは架線を用いないで走行する車両のことをいい，自動二輪車や原動機付自転車もこれに含まれる（自動車運転死傷1条1項。道交2条1項9号・10号を参照）。本法2条は，危険運転行為を**8つ類型化**している。それは，①運転者の能力ないし技能との関係での危険運転行為（1号から3号[89]）と，②自動車の制御は可能であっても，他の自動車等との関係で危険な運転行為とにグループ分けすることができ，さらに，後者の②の中でも，(イ)加害者車両が高速で走行していることから危険が生じる場合の危険行為（4号・7号・8号〔いずれも，**「重大な交通の危険を生じさせる速度」という速度要件**[90]の充足が求められている〕）と，(ロ)加害者車両の速度は遅くても，被害者車両の方が高速で走行していることから危険が生ずる場合の危険運転行為（5号・6号）とに分けることができよう。危険運転行為の類型の数は，法改正により次第に増やされてきた。本罪が最初に刑法典の208条の2として設けられたときには，1号〜4号および7号の5種類であったが，2013（平成25）年に本罪が自動車運転死傷処罰法に移されたときに現在の8号が追加され，さらに，**2020（令和2）年の同法の一部改正**（2020〔令和2〕

向進行してきた自動車に衝突させ，同車運転者らを負傷させた行為についても，傷害との間の因果関係を肯定して刑法旧208条の2第2項後段（＝現在の自動車運転死傷処罰法2条7号）の危険運転致傷罪の成立を認めている（最決平成18・3・14刑集60巻3号363頁）。もし，本罪の因果関係としては，当該の危険運転行為の特別の危険性が結果として現実化したという関係が必要だとすると，このケースでは，自動車を対向車線上に進出させるという危険運転行為から結果が発生したのであり，赤色信号を殊更に無視したという危険運転行為の危険性が結果として現実化したのではないともいえよう。これに対し，最高裁は，「被告人が対面信号機の赤色表示に構わず，対向車線に進出して本件交差点に進入しようとしたことが，それ自体赤色信号を殊更に無視した危険運転行為にほかならない」としたのである。

89）最高裁は，「アルコールの影響により正常な運転が困難な状態」につき，それは「アルコールの影響により道路交通の状況等に応じた運転操作を行うことが困難な心身の状態をいう」としつつ，アルコールの影響により前方を注視してそこにある危険を的確に把握して対処することができない状態も含まれるとした。また，「アルコールの影響により正常な運転が困難な状態」の判断にあたっては，事故の態様のほか，事故前の飲酒量および酩酊状況，事故前の運転状況，事故後の言動，飲酒検知結果等を総合的に考慮すべきであるとした（最決平成23・10・31刑集65巻7号1138頁）。

90）前掲注*88*）最決平成18・3・14は，現7号の類型の事案について，普通乗用自動車を時速約20キロメートルで走行させた場合でも，「重大な交通の危険を生じさせる速度」に該当するとした。ただし，これは当該事例についての判断であり，一般化できるものではない。

年6月12日法律第47号）により，5号・6号が新たに追加された。

あおり運転と危険運転致死傷罪　2020年の法改正は，危険なあおり運転に対し，従来の危険運転致死傷罪の規定では十分に対応できないところから必要とされたものである。**あおり運転**とは，高速道路上等における他の特定車両への威圧的な迷惑行為のことであり，典型的にはその車両を追跡し，自車を著しく接近させて圧力をかけたり，前方に入り込んで進路を妨害し，さらには車線上に停止することを強制したりする行為のことをいう。この種の行為の多くは，**従来からある4号の類型**に該当する。たとえば，高速道路上で自車を走行させている甲が，被害者Aの車両を威圧的に追跡し，走行中のA車両の直前に自車を進入させるか，または，走行中のA車両に自車を著しく接近させたために，Aがハンドル操作を誤ってガードレールに激突し死傷の結果が生じたというケースであれば，問題なく4号の危険運転致死傷罪が成立するであろう。

これに対し，甲が自車をA車両の前に進入させ，スピードを緩め，さらに自車を停止させたために，Aがこれを避けるため，ハンドル操作を誤ってガードレールに激突して死傷結果が生じたとか，または，A車もその車線に停止を余儀なくされたため後続車により追突されて死傷結果が生じたときはどうであろうか。4号は，加害者車両が「重大な交通の危険を生じさせる速度」で走行することを要件としており，停止行為（またはそれに近い低速度の運転行為）はこの速度要件を充足しない[91]。そこで，4号を適用するためには，それより前の段階の（つまり，速度要件を充足する）行為を捉えてこれを本罪にいう危険運転行為とし，それと死傷結果との間に刑法上の因果関係を肯定することで4号の危険運転致死傷罪の成立を肯定するほかはないこととなる[92]。しかしながら，そのような解釈によるとき，危険運転行為と死傷結果との間に，本罪が予定する因果関係（→82頁以下）が存在するかどうかが問題となり，結果として現実化したのは（つまり結果の「主たる原因」となったのは），まさに高速道路上における停止行為（またはそれに近い低速度の運転行為）のもつ危険ではないかという疑問が生じる。そうであるとすれば，その種の場合に本罪の適用を認

91）たしかに，高速道路では，低速度の行為や速度ゼロの行為（停止行為）こそが「重大な交通の危険を生じさせる速度」で走行させることにあたるとする解釈も文言上は不可能ではない。しかし，この文言については，立法者意思においても，その後の解釈においても，もっぱら**高速度であるがゆえに危険が生じる場合**が念頭に置かれてきたのである。

92）いわゆる東名あおり運転事故についての横浜地判平成30・12・14 LEX/DB 25570337（第一審）および東京高判令和元・12・6高刑速令和1年339頁（控訴審）は，2020年の法改正以前の本罪の規定を前提として，そのような理解に基づく法適用を行っている。

めることは，条文にない危険運転行為を処罰の対象とすることになりかねないのである。

そこで，2020 年の法改正は，加害者車両の速度は遅くても（速度要件を充足しなくても），被害者車両の方が高速で走行していることから危険が生ずる場合の危険運転行為が結果を生じさせたケースを正面から処罰の対象とするとともに（5 号），高速自動車国道（たとえば，東名高速道路，名神高速道路，常磐高速道路等）または自動車専用道路（首都高速道路，阪神高速道路等）において，被害者車両の前方で停止したり，これに著しく接近したりして，これに停止または徐行をさせる行為をも危険運転行為に加えることとしたのである（6 号）。

(c)　特に，「制御困難高速度走行」について　　近年の実務においては，危険運転行為の類型のうち「その進行を制御することが困難な高速度で自動車を走行させる行為」（自動車運転致死傷 2 条 2 号）がしばしば問題とされている。ある高裁判例の事案は，上り線と下り線が中央分離帯で区切られた片側 3 車線の国道（法定最高速度 60 km/h）の第 3 車線を約 146 km/h という（2 倍以上制限速度を上回る）高速度で直進走行中の被告人が，左方道路沿いの駐車場より左から右に横断してきたタクシーの右側面に自車前部を衝突させて 4 名を死亡させ，1 名に重傷を与えたというものであったが，これについては，危険運転致死傷罪が認められず，過失運転致死傷罪が成立するにとどまるとされた[93]。

たしかに，この事案における運転行為は，その危険性の程度において，他の類型の危険行為に十分匹敵するともいえそうである。また，「その進行を制御することが困難な高速度で自動車を走行させる行為」という文言だけを素直に読むならば，その運転行為はそれに十分に該当しそうである。しかしながら，下級審判例の大勢[94]によれば，「進行制御困難性」の判断にあたっては，車両の構造・性能，道路の幅・形状，路面の状況といった客観的事情のみを考慮すべ

---

93)　名古屋高判令和 3・2・12 高刑速令和 3 年 467 頁。また，2022（令和 4）年 7 月に大分地裁に公訴提起が行われた事件では，被告人（事件当時 19 歳）が片側 3 車線の一般道（法定最高速度 60 km/h）を走行中，交差点（信号は青）を約 194.1 km/h の高速度で直進し，対向車線から右折してきた被害車両に自車を衝突させて，その運転手を死亡させたというケースについて，危険運転致死罪ではなく過失運転致死罪で公判請求がなされたという。

94)　たとえば，前掲注 *93)* 名古屋高判令和 3・2・12 のほか，東京高判平成 22・12・10 東高刑時報 61 巻 1～12 号 338 頁，東京高判令和 4・4・18 判タ 1502 号 116 頁など。

きであり，他の走行車両や歩行者等の存在は度外視すべきものとされている（この解釈を前提にすると，上記のケースは「制御困難高速度走行」にあたらないことになる）。もし他の走行車両や歩行者等の存在を含めた，当該道路の全事情を前提として判断するとすれば，その状況下で事故を起こさないよう車両の進行を制御できないスピードで走れば，すべて制御困難高速度走行にあたる，ということになりかねないからである。そうした解釈の下では，速度超過が事故の要因となるケースについて見る限り，もはや過失運転致死傷罪との区別は不可能となってしまうし，この類型は危険運転致死傷罪の他の類型（たとえば，走行中の車に著しく接近することとなる方法で自動車を運転する行為の類型）の危険行為まで含み込み，それらを不要なものとしてしまうことにもなりかねないのである。[95]

(d)　故意，その他の犯罪類型　8つの類型の危険運転行為は，**故意**をもって行われることが必要である。たとえば，自分が酩酊していて，正常な運転が困難な状態にあることの認識がなければならない。かりに酒気帯び運転の程度であったところ，その後，酔いが進んで居眠りをしてしまい，暴走して人をはねて死亡させたという事例では，事故直前には「正常な自動車の運転が困難な状態」が認められるが，それはそもそも刑法上の「行為」ともいえず（→総論30頁以下），また，当然のことながら故意もないので，危険運転行為が存在せず，2条の危険運転致死傷罪にはならない。2013（平成25）年の自動車運転死傷処罰法制定（→79頁）にあたり，この種のケースも想定して，危険運転致死傷罪よりは軽く，しかし過失運転致死傷罪よりは重く処罰するための新しい犯罪類型（いわば「準危険運転致死傷罪」[96]）が設けられた（同法3条。この規定は，いわゆる危険ドラッグを使用して死傷の結果を生じさせた場合や，一定の病気の発症により死傷の結果を生じさせた場合にも適用される）。

95）　解釈による対応が難しいということになれば，再び立法による不均衡の是正が求められることになろうが，加重処罰を実現しつつ，しかも過失運転致死傷罪との合理的な区別をも可能とするような要件を考案できるかどうかは相当に困難な課題となろう。

96）　ただし，本罪は，法律上は，あくまでも「危険運転致死傷罪」の一類型である。2条の危険運転致死傷罪と区別するため，準危険運転致死傷罪と呼ぶか，または，「**3条危険運転致死傷罪**」と呼ぶほかはない。

自動車運転死傷処罰法の制定にあたっては，さらに，アルコールまたは薬物の影響によりその走行中に正常な運転に支障が生じるおそれがある状態で自動車を運転した者が死傷事故を起こした際に，「その運転の時のアルコール又は薬物の影響の有無又は程度が発覚することを免れる目的で，更にアルコール又は薬物を摂取すること，その場を離れて身体に保有するアルコール又は薬物の濃度を減少させることその他その影響の有無又は程度が発覚することを免れるべき行為」をすることが新たな犯罪とされるに至った（過失運転致死傷アルコール等影響発覚免脱罪・同法4条）。これは，あえて「ひき逃げ」をして過失運転致死傷罪および道交法違反の罪で処罰を受けることの方が，事故現場に残り身体に保有するアルコールや薬物を調べられて危険運転致死傷罪を適用されることになるよりも，科刑上より有利であるという事態（いわゆる逃げ得）をなくすための処罰規定である。なお，この法律に規定される罪を犯したときに無免許運転であった場合の加重処罰規定も新設された（同法6条）。

(3) 過失運転致死傷罪

（過失運転致死傷）
自動車運転死傷処罰法・第5条　自動車の運転上必要な注意を怠り，よって人を死傷させた者は，7年以下の拘禁刑又は100万円以下の罰金に処する。ただし，その傷害が軽いときは，情状により，その刑を免除することができる。

過失運転致死傷罪の処罰規定は，もともと2007（平成19）年の刑法一部改正により新設されたものであり（旧211条2項），業務上過失致死傷罪にあたる行為の中から，その大多数を占める交通事故の場合（いわゆる交通業過）をくくり出し，法定刑の上限を従来の5年から7年に引き上げたものである[97]。

従来，無免許の自動車運転行為による事故については，それまで反復継続して運転していたか，または反復継続して運転する意思をもっていたときには「業務」といえるので，業務上過失致死傷罪とされ（→44頁），そうでないとき

97）規定新設の1つの狙いは，一般市民にとってわかりやすい規定にするところにあったといえる。自動車運転中の落ち度により事故を起こすと，それが休日のマイカーの運転であったときでも「業務上過失致死傷罪」となるというのは，法律専門家でない人にとっては理解が難しいものがあった。

は（稀なことではあるが）重過失致死傷罪とされてきた。しかし，この規定の新設後は，この意味における**業務性の有無にかかわらず**，この過失運転致死傷罪の規定が適用されることになった（なお，無免許の場合の刑の加重について，同法6条を参照）。

2007年の刑法一部改正による規定新設の大きな理由は，自動車による死傷事故のケースに対する自由刑の上限を従来の5年から7年に引き上げるところにあった。落ち度ある自動車運転行為は，類型的に，複数の人に重大な結果を発生させやすい危険をともなうものであり，従来の業務上過失行為の中から，これを切り出して重い刑を規定することには理由がある。たしかに，自動車事故以外にも，電車や航空機の事故など，同じように複数の人に結果が生じる可能性の大きいものを想定することはできるが，自動車事故が代表的であり，そういう代表的なものを特に捕捉して類型化することは，立法としてインパクトを高めることにもなり，警告機能ないし一般予防効果という観点から合理的なものでありうる。前述のように，自動車運転死傷処罰法の制定にともない，この規定は刑法典から同法5条に移された（→79頁）。

過失運転致死傷罪は，自動車の運転上必要な注意を怠り，よって人を死傷させることにより成立する。業務上過失致死傷罪および重過失致死傷罪と並ぶ，**過失致死傷罪の加重類型**である（→43頁）。自動車の意義は，危険運転致死傷罪におけるのと同じである（→83頁）。**自動車の運転**は，発進に始まり停止に終わるが，停止させる場所が適切でなかったために事故につながったというときにも，停止行為をする上での注意義務を怠ったものとして本罪にあたる。これに対し，普通乗用自動車を運転していた者が，車を道路左端に停車後，降車しようとして，後方を十分確認することなく運転席ドアを開けたため，後方から進行してきた自転車にドアをぶつけてしまい，自転車に乗っていた人に傷害を与えたというケースについて，自動車の運転自体はすでに終了していたことから，自動車運転上の過失を認めることはできない（が，自動車の運転に付随する行為であって，自動車運転業務の一環としてなされたものから傷害の結果を生じさせたものとして業務上過失傷害罪〔→44頁〕が認められる）とした高裁判例がある[98]。

98）東京高判平成25・6・11高刑速平成25年73頁。

本罪については，傷害が軽いときは，情状により刑を免除することができる（本条ただし書）。これは現在の社会生活における自動車の普及に鑑み，誰でもが犯しかねない軽微な事犯まで立件・処罰することは適切でないとする考慮に基づく取扱いである。実務上，この規定は，検察官が起訴猶予処分（刑訴248条）を行う際に，判断の指針を与えるとともに，また，その処分の実体法上の根拠としての機能を果たすものである。

■ 第4章 ■

生命・身体に対する危険犯

1 堕胎の罪

(1) 総説，保護法益

堕胎の罪（212条以下）の保護法益は，通説によれば，**胎児の生命および身体の安全**（ただし，妊婦の同意のない不同意堕胎罪とその結果的加重犯〔215条・216条〕については，それに加えて**妊婦の生命および身体の安全**）である[1]。しかし，もし胎児の身体の安全まで保護したいのであれば，外部から薬物等で胎児の身体を害する行為も処罰すべきであろう。刑法はそこまで処罰の対象としてはおらず（堕胎罪の未遂も処罰していない），堕胎罪処罰にあたり想定されているのは，堕胎行為による胎児の生命への危険であるといえよう。堕胎罪の保護法益は**胎児の生命**であり，堕胎罪の処罰規定は**胎児の生命の安全**（不同意堕胎罪とその結果的加重犯については，それに加えて**妊婦の生命および身体の安全**）を保護しようとするものである[2]。

判例・通説によれば，**堕胎**とは，胎児を母体内で殺すか，または自然の分娩期より前に人為的に母体から分離・排出することである[3]。母体内で（さらに母体外で）胎児を死亡させることも含めて本罪の中で評価されるが，胎児を死亡

1) 大塚・49頁，川端・116頁，団藤・440頁，山中・98頁以下など。

2) 平野・概説159頁。

3) 学説として，大塚・53頁，大谷・67頁，高橋・26頁，団藤・446頁以下，中森・36頁，山中・99頁など。判例として，大判明治42・10・19刑録15輯1420頁を参照。

させることは必ずしも堕胎罪の要件にはならない。堕胎罪は，胎児の生命という保護法益との関係で，侵害犯ではなく，**危険犯**（**具体的危険犯**）ということになる（具体的危険犯については，総論109頁以下を参照）。

堕胎概念についての異説　これに対し，堕胎とは「胎児に攻撃を加え，母体内または母体外で死亡させる行為」であるとする見解も有力である[4]。これによれば，本罪は胎児の生命に対する**侵害犯**ということになる。しかし，堕胎の概念の中に胎児殺害の要素が必然的に含まれているわけではない。その見解によれば，妊婦の依頼を受けて胎児を殺害するために違法な堕胎行為を行い，その結果として，体外に排出された子が死なず，その子に重大な障害が残ったという場合，（不同意堕胎罪の場合を除いて未遂を処罰しない日本の刑法の下では）およそ不可罰となってしまう[5]。危険犯という犯罪形態は犯罪としての成立範囲の点で不明確性をともなってはいるが，判例・通説の見解をあえて否定して，このような結論を甘受すべき理由があるとは思われない。なお，分娩開始後，一部露出前の段階で傷害を与え，生まれてきた子に障害が残ったというケースについては，人の始期につき出産開始説をとるときは（→17頁以下），殺人未遂罪ないし傷害罪の成立が認められる。

(2)　人工妊娠中絶と堕胎

妊婦の同意のない不同意堕胎罪とその結果的加重犯（215条・216条）が処罰されるべき犯罪であることは明白である。それは，胎児の生命の安全に加えて，**妊婦の生命・身体の安全**も保護しようとする処罰規定である。立法論上，大きな問題となるのは，**妊婦が同意**していることを前提とする自己堕胎罪（212条）・同意堕胎罪（213条）・業務上堕胎罪（214条）である。刑法がこれらの行為をも処罰の対象としているということは，**胎児の法益を母体の法益とは独立に保護**していることを示している。

母親が同意している場合における堕胎処罰（その違法性阻却）に関する**立法の方式**（**立法のモデル**）としては，「期限モデル」と「適応モデル」とが存在する[6]。

---

4)　たとえば，西田・22頁以下，林・35頁以下，平野・概説161頁，山口・19頁以下など。

5)　中森・36頁。

6)　堕胎処罰をめぐる立法論上の諸問題については，たとえば，上田健二『生命の刑法学』（2002年）99頁以下，中谷瑾子『21世紀につなぐ生命と法と倫理』（1999年）47頁以下，84頁以下などを参照。

期限モデルは，一定の期限内（たとえば，妊娠初期の12週以内）については無条件に妊娠中絶を合法とするものである（妊婦の「自己決定権」をより尊重しようとするものといえよう）。これに対し，**適応モデル**は，一定の適応事由が認められる限りで堕胎行為の違法性を解除しようとするものである。**適応事由**には，①医学的適応事由（妊娠の継続が母体に危険をもたらす場合），②優生学的適応事由（生まれてくる子に重篤な遺伝的疾患等が認められる場合），③社会的・経済的適応事由（子を育てることが経済的に困難である場合），④倫理的（または刑事学的）適応事由（性犯罪の被害を受けて妊娠した場合）などの種類がある。日本は，このうちの適応モデルを採用し，**母体保護法**[7]（1948〔昭和23〕年7月13日法律第156号）の14条において一連の適応事由（したがって，堕胎行為の違法性を阻却する事由）を規定している。母体保護法に基づく中絶を「**人工妊娠中絶**」と呼ぶ（同法2条2項参照）。

母体保護法の規定する適応事由は，「妊娠の継続又は分娩が身体的又は経済的理由により母体の健康を著しく害するおそれのあるもの」（14条1項1号）と，「暴行若しくは脅迫によって又は抵抗若しくは拒絶することができない間に姦淫（かんいん）されて妊娠したもの」（同項2号）について認められる。後者は，上記の④倫理的（刑事学的）適応事由であるが，前者は，①医学的適応事由を基本にしながらも，③社会的・経済的適応事由の要素も含んでいる。実際に同法による「指定医師」（14条1項柱書）の行う中絶手術においては，この14条1項1号がきわめて緩やかに解釈・適用されているため，胎児が母体外で生命を保続できない時期（妊娠満22週未満〔→14頁注*4*)〕）における堕胎行為は一律に適法な妊娠中絶として行われ，堕胎罪の規定（212条～214条）は**ほぼ空文化**している。日本における妊娠中絶の規定は，法律上は適応モデルにしたがいながら，現実には（妊婦にとりかなり自由度の高い）期限モデルとなっているといえよう。

堕胎処罰の限界　堕胎罪の規定は胎児の生命を保護するものであり，それは女性の

---

7) 母体保護法は，「優生保護法」という名称の下に，1948（昭和23）年に制定され，「優生上の見地」から不妊手術（優生手術）や妊娠中絶を行うことを認めてきた。前者については同意によらない強制的なものさえ含まれていた。しかし，1996（平成8）年に大幅に改正され，強制的な不妊手術に関する規定などは削除された。この改正に至るまでの優生保護法の歴史については，藤野豊『強制不妊と優生保護法』（2020年）を参照。

自律とか自己決定の利益との比較を許さない高い価値をもつのではないか，そうすると，せいぜい医学的見地から見て妊娠の継続が母体に危険を与える場合（**医学的適応がある場合**）以外には妊娠中絶は許容されないはずではないかという疑問が生じるかもしれない。しかし，**法と現実の間に存する大きなギャップ**に示されているように，堕胎処罰には限界がある。いま以上に堕胎処罰の範囲を広げることに対しては，たとえば，次のような問題点を指摘することができるであろう。すなわち，まず，①堕胎を広く禁止しようとしても，それは事実上不可能であり，むしろ中絶の非合法化による弊害（「ヤミ堕胎」の増加による健康被害や費用高額化による搾取の危険）が大きいと考えられること，また，②中絶が増加することは，子をもつ親に対する社会的援助が不充分であることの反映でもあり，社会保障制度の不備に責任のある国が，女性に対し妊娠と出産を刑罰をもって強制できるのかどうか疑問であること，さらに，③堕胎処罰の拡大は女性のみに負担をかけるものであり，社会的に不公正であること等の問題点である。

(3) 胎児に対する堕胎罪と人に対する殺傷罪の関係

胎児は，**受精卵が子宮内で着床**して以降，堕胎罪により保護される[8]。着床以前の段階で着床を妨げる行為は不可罰である[9]。

胎児の保護の開始時点　胎児への成長の過程は，以下のようなプロセスをたどるといわれる。精子と卵子の結合 → 受精卵の形成 → 子宮内着床と胎盤の形成開始 → 胎芽（たいが）（妊娠8週未満）→ 胎児である。堕胎罪による保護については，着床以前から保護すべきだとする見解，胎芽以降を保護すれば足りるとする見解もありうるが，通説的には子宮内着床以後を保護すべきものとされている。なお，胎盤形成開始前のものを**胚（ヒト受精胚）**と呼ぶが，これが刑法上どのように保護されるか（されるべきか）をめぐっては，見解の対立がある[10]。とりわけ毀損や奪取からの保護につき財産犯規定を適用できるかが問題となる（→230頁）。

堕胎罪による保護は人として出生するまでの間，継続する。保護の終了時点は人としての出生の時点（判例・通説によれば，一部露出の時点，本書の見解によれ

---

8) 小暮ほか・59頁〔町野朔〕，団藤・448頁，山中・101頁など。

9) ドイツ刑法には，「子宮内において受精卵が着床を完了する以前に作用を生じる行為は，本法の意味における妊娠中絶とは認めない」とする明文の規定がある（218条1項2文）。

10) 詳しい研究として，山中敬一『医事刑法概論Ⅱ』（2021年）がある。

ば，出産開始の時点〔→15頁以下〕）であり，この時点から殺人罪や傷害罪や遺棄罪など（＝殺傷罪）による保護が開始する。困難な問題となるのは，何らかの理由で（堕胎等の違法行為による場合と，母体保護法に基づく妊娠中絶等の適法な行為による場合とが考えられる）**自然の分娩期以前**に母体外に排出された胎児に対し，母体外において加害行為が行われた場合の刑事責任である。

第1説は，排出された子に**生命保続可能性**（ないし**生育可能性**）がある場合とそれがない場合（母体外では生きられないくらいの早期に排出された場合）とを区別する。[11] 生命保続可能性がある子が生まれてきたときには，堕胎罪と並んで殺人罪や保護責任者遺棄致死罪の成立が認められる。[12] 生命保続可能性がない早期の成育段階で排出されたケースでは，堕胎を行った者との関係では堕胎罪の限度で処罰されるとする。この見解は，胎児は，一般的に母体外においてすでに生命保続可能とされる成育段階に至っていなければ，たとえ母体外に排出されているとしても，およそ「人」として保護されないとするのである。[13]

しかし，第1説によれば，たとえ自然の分娩期より以前とはいえ，母体外に排出された子は生命保続可能性がない限り*およそ人ではない*ことになり，まったくの第三者がその子を刺殺したというときには（器物損壊とするわけにはいかないので）完全に不可罰になるが，[14] それが妥当な結論であるかどうかには疑問がある。一般に，生命という法益は，その時点・その時点が保護に値する絶対的な法益といわれ，人はその生命保続可能性を問わずに，人として保護されるものとされる。いったん母体外に排出されたものについて生命保続可能性の有無により刑法的保護に差異を設けることは，刑法による生命保護の基本原則に反するものである。

11） この場合の生命保続可能性は，一般的基準として問題とされているのであるから，個々の事例における具体的な生育可能性を基準とすべきではなく，一般的に胎児が母体外において生育可能とされる時点，すなわち現在では妊娠22週経過の後（→14頁注4)），それが肯定されると解すべきものであろう。

12） ただし，堕胎行為そのものの作用で排出後に死亡したというのではなく，排出後に，独立の意味をもった（作為または不作為による）加害行為が行われることが当然の前提である。

13） 小暮ほか・15頁以下〔町野朔〕，西田・23頁以下，林・11頁以下，前田・8頁。

14） 胎児の生命を保護法益とする堕胎罪（たとえば，215条）に問おうとしても，規定の文言上，これを適用することはできないであろう。

そこで，自然の分娩期より以前に母体外に排出された子も（その時期を問わず，またその生命保続可能性の有無を問わず）一般的に人であると考える**第2説**がとられるべきである[15]。ただ，問題として残るのは，違法な堕胎手術または適法な中絶手術を行った者自身が，母体外に出てなお生命を継続している子に対して行う加害行為（作為・不作為）について，それが常に殺傷罪を構成すると考えるのは妥当でないのではないかという点である。考慮に値する理論構成は，事後の殺傷行為を**事前の堕胎罪によりまたは適法な妊娠中絶の一部として評価されるべき行為**として捉えるものである[16]。これによると，母体から排出された子については人としての法益性が認められるが，堕胎行為者との関係では，そして**堕胎行為と一連・一体の過程で行われる（堕胎行為に通常ともなう）加害行為**についてはすでに堕胎罪により評価済みと考える（殺傷罪による処罰は排除され，または不問に付される）ことになる。また，母体保護法による適法な妊娠中絶が先行する場合にも，中絶を許容している趣旨が没却されないようにするために，殺傷罪による処罰が不問に付されることになる。こうしたことは，先行する堕胎罪処罰または母体保護法の人工妊娠中絶との関連での扱いであるから，殺傷の事実のみに関与した者や独立に殺傷を行った第三者については通常の殺傷罪による処罰が妨げられないことになる。

堕胎後の遺棄に関する最高裁判例　最高裁は，産科医師として妊婦の依頼を受け，自己の開業する医院で**妊娠26週に入った胎児**を母体外に排出し，排出した子Aをそのまま放置し，すぐに保育器のある近くの病院に運べば救命できるのに，そうしなかった（Aはそのまま死亡した）というケースについて，業務上堕胎罪にあわせて保護責任者遺棄致死罪（219条）の成立を認めた[17]。このケースでは，Aは妊娠26週に入ったところで体外に排出されたのであるから（生命保続可能性が肯定できる），かり

15）大谷・68頁，斎藤・44頁以下，佐伯・法教356号112頁以下，曽根・39頁以下，高橋・26頁以下，中森・41頁，山口・27頁以下，山中・18頁以下など。この見解をとるときに重要な問題となるのは，それでは胎児はいかなる発育段階から人として保護されるかである。理論的には脳の形成を基準とすべきであろうが，明確な時期を挙げることは困難であろう。そこで，わが法が死胎を死体に準ずるものとして扱っている妊娠4カ月以降とすることが考えられよう（→582頁）。

16）山口・30頁を参照。

17）最決昭和63・1・19刑集42巻1号1頁。

に第1説（→94頁）をとるとしても，それは「人」であり，保護責任者遺棄罪（218条）の客体たる「幼年者」として「扶助を必要とする者」にあたりうる。しかし，2つの点で疑問が生じる。まず，事後の放置行為は，先行する業務上堕胎行為により評価されてしまうものであり，独立に遺棄罪を成立させないのではないかということである[18]。次に，もし保護責任者遺棄罪に問うとしても，業務上堕胎を行った医師はAとの関係で保護責任者となりえないのではないかということである（→110頁注*61*））。

(4) 胎児性致死傷

母体内の胎児に対し外部から傷害行為を行い，後に，障害を負った子を出生させ，さらにはその病変により死亡させた場合，人に対する殺傷罪の規定の適用を認めることができるかどうかが，**胎児傷害**ないし**胎児性致死傷**の問題である[19]。結果として出生後の「人」が身体に傷害を受けているという事実がある以上，「人を傷害した」（死亡させるに至れば，「人を死亡させた」）ということができそうである。しかし，学説では**否定説が多数**である[20]。反対説の主たる論拠は，①攻撃が客体におよぶ時点（すなわち，傷つける時点）において（法律上予定された）客体たる「人」が存在しなければ「人を傷害した」とはいえないこと，そして，②もし肯定説をとると，過失により胎児に重大な傷害を与え，直ちに母体内で死亡させれば不可罰であるのに（過失による堕胎罪は処罰されていない），より軽い傷害を与えて出生させれば過失傷害罪となるが，それはいかにもアンバランスであることの2つである。

このうち，**肯定説**の立場から，②の論拠に対しては，過失堕胎のように「人」たる客体がおよそ存在するに至らない場合（「人」に被害が生じていない場

18）松宮・67頁を参照。本件事案のように，被害者に生命保続可能性があるときは，先行する業務上堕胎罪により評価され尽くせないところから，保護責任者遺棄致死罪が成立すると考えることになろうが，その限りでは，生命保続可能性の有無により客体の刑法的保護に差を設けることになるのである。

19）この種のケースは，薬害や食品公害のほか，不注意で自動車事故を起こし，妊婦たる被害者に傷害を与えるとともに胎児に傷害を与えた事例においても問題となる。

20）浅田・17頁以下，伊東・26頁以下，大塚・9頁以下，大谷・27頁以下，斉藤誠二『特別講義 刑法』（1991年）247頁以下，高橋・28頁以下，中森・39頁以下，西田・25頁以下，林・15頁以下，日髙・31頁以下，平野・諸問題（下）266頁以下，松宮・15頁以下，山口・24頁以下，山中・47頁以下など。否定説によれば，母親に対する傷害罪等を肯定できない限りは，およそ犯罪は成立しないことになる。

合）と，出生した「人」に傷害の結果が生じている場合（「人」に被害が生じている場合）とは本質的に異なるのであり，後者の場合のみを可罰的とするのはアンバランスではないとする反論が可能であるかもしれない。むしろ，①の論拠，すなわち**侵害ないし攻撃の作用が客体におよぶ時点**において「人」が存在しなければ「人を傷害した」とはいえないとする論拠の方が決定的である[21]。

熊本水俣病事件　この事件では，被告人らは，塩化メチル水銀を含む工場排水を排出して，付近の海域に生息する魚介類を汚染した。汚染された魚介類を摂取した妊婦の体内において胎児が胎児性水俣病にかかり，後に障害を負った状態で出生したAは，病変が悪化して死亡するに至った。最高裁は，業務上過失致死罪（211条前段）の成立を認めた[22]が，**侵害の作用が客体におよぶ時点において「人」が存在しなければならないのではないか**という点につき，次のように述べている。「現行刑法上，胎児は，堕胎の罪において独立の行為客体として特別に規定されている場合を除き，母体の一部を構成するものと取り扱われていると解されるから，業務上過失致死罪の成否を論ずるに当たっては，胎児に病変を発生させることは，人である母体の一部に対するものとして，人に病変を発生させることにほかならない。そして，胎児が出生し人となった後，右病変に起因して死亡するに至った場合は，結局，人に病変を発生させて人に死の結果をもたらしたことに帰するから，病変の発生時において客体が人であることを要するとの立場を採ると否とにかかわらず，同罪が成立するものと解するのが相当である。」

このように，最高裁は，侵害の作用が客体におよぶ時点において「人」が存在しなければならないとする立場を前提としつつも，**侵害の時点で「人」たる母親が存在し，「母体の一部を構成する」胎児を傷害した**と考えることにより，業務上過失致死罪を肯定する結論を導いたのであった。しかしながら，問題は，「胎児は母体の一部である」とする考え方が根拠のあるものであり，また，そこから不当な結論が導かれることがないかどうかである。上の決定理由の中でも触

21）　この点について，林・17頁以下を参照。

22）　最決昭和63・2・29刑集42巻2号314頁。これに賛成するのは，団藤・372頁以下，前田・23頁以下。なお，自動車による交通事故の事例で，母体に傷害を与え，出生後の子に死傷の結果が生じた場合に，最高裁の論理にしたがって過失致死傷罪の成立を認めた裁判例がいくつか存在する。

れられているように，堕胎罪においては，**胎児は母体とは別個の客体として保護**されている。また，もし胎児を傷害することが母体を傷害することを意味するとすれば，胎児に対する傷害行為そのものが（堕胎罪にあたる場合も含めて）むしろ母親に対する傷害罪としてすべて可罰的だということになるはずである。それにより，堕胎罪の規定の存在する意味が相当に失われることになり[23]，また，外部から胎児の身体のみに障害を与える行為も（現行法では不可罰とされているのに）妊婦に対する傷害罪として堕胎罪よりも重く処罰（しかも，それが過失による場合も可罰的と）されることになる。それはおよそ現行法と不整合な考え方であろう。このように考えると，「胎児は母体の一部である」とする前提をとることはできない。**侵害ないし攻撃の作用が客体におよぶ時点**において「人」が存在しなければ「人を傷害した」とはいえないという前提を動かさない限り，否定説のみが可能な見解というべきであろう[24]。

(5) 堕胎罪の諸類型

(a) 自己堕胎罪・同意堕胎罪・業務上堕胎罪

（堕胎）
第212条　妊娠中の女子が薬物を用い，又はその他の方法により，堕胎したときは，

---

23) 不同意堕胎罪（215条1項）の適用が問題となる事例では，必ず傷害罪（204条）が成立することになるから，より重い傷害罪の規定の適用が優先する（ただし，刑を6月以下にすることはできない）ということになってしまうであろう。逆に，傷害罪を排除して，不同意堕胎罪の規定の適用のみを認めるというのであれば，なぜわざわざ刑を軽くするのか，その説明がつかないであろう。

24) 肯定説の中には，傷害を受けた胎児が出生後，人となった時点以降において，その症状が悪化し，傷害の程度が増悪したケース（**症状悪化型**のケース）においては，その限りで「人を傷害した」ことが認められるとするものがある（これに対し，**症状固定型**のケースでは否定的な結論が導かれる）。鹿児島地判平成15・9・2 LEX/DB 28095497は，不注意で交通事故を起こし，被害者の妊婦Aに傷害を与えるとともに，この傷害を原因として早期に出生したBに対しても傷害を負わせたというケースにつき，「胎児に病変を発生させることは，人である母体の一部に対するものとして，人に病変を発生させることにほかならず，そして，胎児が出生して人となった後，右病変に起因して傷害が増悪した場合は，結局，人に病変を発生させて人に傷害を負わせたことに帰する」として，Bとの関係でも業務上過失傷害罪（当時）が成立するとした。たしかに，人になった後にも，行為の作用が継続してそれがその人において生理的機能の障害をもたらしたのであれば，これを傷害の概念に含めることは可能である。しかし，症状が単に悪化することと，行為の作用が継続することとは同じでないであろう（佐伯・法教356号110頁以下，中森・40頁注51），林・18頁以下を参照）。

1 年以下の拘禁刑に処する。
（同意堕胎及び同致死傷）
第 213 条　女子の嘱託を受け，又はその承諾を得て堕胎させた者は，2 年以下の拘禁刑に処する。よって女子を死傷させた者は，3 月以上 5 年以下の拘禁刑に処する。
（業務上堕胎及び同致死傷）
第 214 条　医師，助産師，薬剤師又は医薬品販売業者が女子の嘱託を受け，又はその承諾を得て堕胎させたときは，3 月以上 5 年以下の拘禁刑に処する。よって女子を死傷させたときは，6 月以上 7 年以下の拘禁刑に処する。

自己堕胎罪（212 条）は，妊娠中の女性が薬物を用い，またはその他の方法により堕胎することにより成立する。妊婦を主体とする**身分犯**であり，最も軽い犯罪類型となっている。**同意堕胎罪**（213 条前段）は，妊娠中の女性の嘱託（依頼）を受け，またはその承諾（同意）を得て堕胎させることにより成立する（嘱託と承諾については，33 頁も参照）。妊婦に死傷の結果が生じたときは刑が加重される（同条後段）。基本犯の既遂を前提とした**結果的加重犯**である[25]。ただし，この場合の傷害結果は，堕胎行為に通常ともなう程度を超えたもののことをいう。**業務上堕胎罪**（214条前段）は，医師・助産師・薬剤師・医薬品販売業者（身分は限定列挙である）が妊娠中の女性の嘱託を受け，またはその承諾を得て堕胎させることにより成立する。医師等を主体とする**身分犯**である。同意堕胎罪と同様に，妊婦に死傷の結果が生じたときは刑が加重される（同条後段）。

妊婦が，同意堕胎罪または業務上堕胎罪を嘱託し，またはそれに承諾したときは，それらの罪の共犯として処罰されるのではなく，自己堕胎罪となる[26]。212 条にいう「その他の方法により」堕胎したといいうるからである。実質的にこれを見ても，同意堕胎罪と比べて，自己堕胎罪の刑が軽いのは，**妊婦の陥っている心理的葛藤状況**を考慮したためと考えられるが，そうであるとすれば，他人の行う 213 条または 214 条にあたる行為に妊婦が共犯的に関与する形になっているとしても，その共犯ではなく（65 条 2 項を参照），より刑の軽い自己堕

25）この点について，団藤・450 頁を参照。
26）団藤・449 頁など通説。

胎罪の成立を認めるのが結論的に妥当である。[27]

また，非業務者（医師等でない者）が，妊婦が行う212条の行為に関与した場合，自己堕胎罪の共犯が成立すると考えるのが判例である。[28] 非業務者が，医師と妊婦とをそれぞれ教唆して手術を行わせた場合には，より重い業務上堕胎罪の教唆犯の刑が科されるべきところであるが，業務者たる身分がないことから，65条2項により同意堕胎罪の刑を科すべきだとするのが判例である。[29]

(b) 不同意堕胎罪・同致死傷罪

（不同意堕胎）
第215条① 女子の嘱託を受けないで，又はその承諾を得ないで堕胎させた者は，6月以上7年以下の拘禁刑に処する。
② 前項の罪の未遂は，罰する。
（不同意堕胎致死傷）
第216条 前条の罪を犯し，よって女子を死傷させた者は，傷害の罪と比較して，重い刑により処断する。

不同意堕胎罪（215条）は，妊娠中の女性の嘱託を受けず，またその承諾も得ないで堕胎させることにより成立する。**未遂も処罰**される（同条2項）。保護法益には，妊婦の生命・身体も含まれ，最も重い犯罪類型となっている。

不同意堕胎の未遂または既遂の行為から，妊婦に死傷の結果が生じたときは，結果的加重犯としての不同意堕胎致死傷罪（216条）が成立する。「傷害の罪と比較して，重い刑により処断する」という文言は，刑法典においてしばしば用いられている（118条2項・124条2項・145条・196条・216条・219条・260条を参

27) 妊婦が，医師に依頼して堕胎手術を行わせたとき，業務上堕胎（214条前段）に関与したものであり，65条2項の適用により同意堕胎（213条前段）の共犯になるとする法適用も不可能ではなかろうが，実質的に適切な結論ではないであろう。

28) 大判昭和10・2・7刑集14巻76頁，大判昭和15・10・14刑集19巻685頁。これに対し，西田・20頁，中森・38頁は，自己堕胎罪における妊婦という身分を65条2項の身分にあたるとし，同意堕胎罪の教唆犯・幇助犯として処罰すべきだとする。自己堕胎罪は責任減少を理由として妊婦につき刑を軽くした規定であり，関与した他人には責任減少を認める理由はないというのがその実質的根拠である。この点については，松宮・71頁，山口・21頁以下を参照。

29) 大判大正9・6・3刑録26輯382頁（犯罪の成立と科刑とを分離する趣旨〔→総論510頁以下，568頁〕であるかどうかは明らかではない）。

照)。傷害の結果が生じたときには，215条の法定刑と204条（傷害罪）の法定刑とを比較し，上限と下限についてそれぞれより重い刑を選んで処断刑とし（したがって，6月から15年までの拘禁刑となる），死亡の結果が生じたときには，215条の法定刑と205条（傷害致死罪）の法定刑とを比較し，上限・下限についてそれぞれより重い刑を選んで処断刑とする（したがって，3年から20年までの拘禁刑となる）という趣旨である。

2 遺棄の罪

(1) 総 説

遺棄罪（217条・218条）も危険犯である。ただ，これを**生命または身体に対する危険犯**と解するか（判例・通説[30]），それとも**生命に対する危険犯**と解するか[31]をめぐり争いがある。

規定が傷害の罪（204条以下）よりも後に置かれていることは，遺棄罪を生命・身体に対する危険犯として理解すべきことの1つの論拠となる。また，刑法は，遺棄行為から傷害の結果が生じたとき，**遺棄致傷罪**（219条）として重く処罰する。これは，遺棄行為が身体に対する危険を有することを踏まえて，その危険が現実化により確証されたときにはより重く処罰しているのであるから，ここでは**身体の保護が意図**されていることは明白なのである。こうして判例・通説の解釈には十分の理由がある[32]。しかし，他方において，身体傷害の危険を有する行為まで処罰の対象にすると，処罰範囲が広くなりすぎるし，傷害罪(204条）の未遂が処罰されていないこと（→48頁）を考えると，無限定な形で身体を保護の対象に含めることはできないであろう。しかも，保護責任者遺棄

---

30) 大塚・57頁，斎藤・40頁以下，佐伯・法教359号94頁以下，佐久間・57頁，曽根・40頁以下，川端・126頁，団藤・452頁，松宮・75頁，中森・42頁，山中・107頁以下など。

31) 伊東・28頁，大谷・73頁，高橋・31頁，西田・28頁，林・39頁以下，平野・概説163頁，松原・32頁以下，山口・30頁以下など。

32) ドイツの通説は，遺棄罪（ドイツ刑法221条）を生命に対する危険犯として把握する。日本刑法とは異なり，同罪は，「生命に対する罪」の章（第16章）に規定されており，被害者が死亡する危険または重い健康障害を被る危険が具体的に生じることを要求しており（具体的危険犯），また死亡の結果または重大な健康被害が生じた場合のみを結果的加重犯として処罰していることから，解釈論上は当然のことといえよう。

罪（218条）においては，「遺棄」と並んで「生存に必要な保護をしないこと」も処罰の対象とされており，そこでは単に健康への危険をもつ行為以上のものが予定されている。このように見てくると，現行法の遺棄罪は，生命・身体に対する危険犯であるが，しかし，処罰の対象は，**生命侵害および重い健康被害の危険性を有する行為**に限定されると解すべきであろう[33]。

次に，遺棄罪が具体的危険犯か[34]，それとも抽象的危険犯か[35]をめぐり見解が対立する。**具体的危険犯**として理解するときは，被害者を保護されている状況からその外に移動させたとき（一般的・類型的には生命侵害および重い健康被害の危険性をもちうる行為を行ったとき），被害者が新たに保護されるかどうかいまだ確実でないとしても，生命・身体に対する具体的な危険が発生しない限りはまだ遺棄罪とはならないということになる。しかし，**被害者を保護の確実でない状態に置くこと自体**で処罰の理由はあるといわなければならない[36]。また，もし遺棄罪が生命に対する具体的危険の惹起を処罰しようとするのであれば，その法定刑は軽すぎるであろう（特に，単純遺棄罪の刑は，死体遺棄罪〔190条〕のそれよりもずっと軽い）。したがって，遺棄罪は**抽象的危険犯**と解すべきである[37]。なお，具体的危険犯説によれば，遺棄罪の故意（生命に対する危険故意）と殺人罪の故意（生命に対する侵害故意）との区別も困難なものとなり，また，危険はないと

33）前田・62頁を参照。

34）団藤・452頁，平川・70頁。

35）大塚・60頁，西田・28頁，中森・42頁，平野・概説163頁，松宮・75頁以下など。

36）大審院時代の判例であるが，単純遺棄罪が**生命・身体に対する抽象的危険犯**であることを明示したものがある。すなわち，「刑法217条の罪は，扶助を要すべき老者，幼者，身体障害者または病者を遺棄することによって直ちに成立し，その行為の結果が現実に生命・身体に対する危険を発生させたかどうかは問うところではない。けだし，法律は，上のような行為をもって当然に被害者の生命・身体に対して危険を発生させるおそれあることを想定して，これを処罰の理由としたものであるから，遺棄の事実について判示すれば足り，特に危険発生のおそれある状態の存在について説示することを要しない」（大判大正4・5・21刑録21輯670頁）というのである（ただし，現代文に書き改めた）。

37）たとえば，行為者が，生後間もない子を捨て子することとし，ベビーカーに乗せたまま路傍に置き，物陰に隠れて誰か来てくれないかとこっそりうかがっていたが，通りかかった主婦がこれに気づきベビーカーを押して交番の方向に進み始めたのを確認した後に，安心してその場を立ち去ったというようなケースでも，**被害者が保護されることが確実でない以上**は，保護責任者遺棄罪として処罰する理由はあると思われる。

軽率に信じ込んだ行為者について故意を否定するほかはないことになってしまうが，それも妥当でない[38]。

抽象的危険犯の実質的解釈　抽象的危険犯説によるとしても，当該のケースの諸事情の下で，**およそ危険の発生が排除**されているのであれば，刑法の予定する遺棄行為とはいえないと解さなければならない。そのことは，保護責任者遺棄罪（218条）において，遺棄と並んで，要扶助者の「生存に必要な保護をしな」いこと（不保護）が処罰されており，**遺棄もそれと同等の当罰性をもたなければならない**と考えられることからは当然のことでもある。たとえば，幼児の父親がその子の世話を妻にまかせて突然に家出するとか，産科で子供を産んだ母親が嬰児を置いたまま病院を出て行ってしまうといった行為は，親としての扶養義務違反ではあるとしても，およそ本罪の意味での遺棄にあたるというべきではない。遺棄にあたるかどうかの解釈を行う際に，具体的な事情の下における被害者の生命・身体への危険の有無・程度（およそ危険の発生が排除されているかどうか）が重要な考慮の要素になることは認められるのである[39]。

(2)　単純遺棄罪と保護責任者遺棄罪

（遺棄）
第217条　老年，幼年，身体障害又は疾病のために扶助を必要とする者を遺棄した者は，1年以下の拘禁刑に処する。

---

38)　中森・42頁，西田・27頁を参照。

39)　この点につき，たとえば，大谷・75頁以下，謝煜偉『抽象的危険犯論の新展開』（2012年）158頁以下，前田・64頁，林・40頁，山口・31頁，山中・108頁以下などを参照。ただ，それぞれの見解が**どの程度に高度な危険を要求**するものであるかについては決して明らかでない。なお，この点に関し，大阪高判平成27・8・6 LEX/DB 25447575は，小学校教員の被告人が，小学校敷地内で自ら交通事故により負傷させた小学2年生の児童を事故現場から校舎出入口付近まで引きずっていって放置した行為につき，遺棄とは「対象者の生命・身体に具体的な危険を生じさせるに足りる行為であることを要すると解すべき」であるとし，被告人の行為は，「被害者の傷害の程度や，被害者が放置されたのが学童保育施設職員から容易に発見されて保護され得る場所であったことにも照らすと，それだけでは，被害者の生命・身体に直ちに具体的な危険を生じさせ得るものとは認め難」いとして，保護責任者遺棄罪にいう遺棄にあたらないとした。これは，実行行為の要件として「生命・身体に具体的な危険を生じさせるに足りる行為」であることが必要だとするものであり，遺棄罪を具体的危険犯として把握するものではないとしても，かなり現実的な危険をともなう行為であることを要求するものといえよう。

（保護責任者遺棄等）
第 218 条　老年者，幼年者，身体障害者又は病者を保護する責任のある者がこれらの者を遺棄し，又はその生存に必要な保護をしなかったときは，3 月以上 5 年以下の拘禁刑に処する。

(a)　2 つの遺棄罪　　217 条の遺棄罪は，単純遺棄罪とも呼ばれ，身体的・精神的事情により他人の援助に依存し，1 人では日常生活のために必要な動作ができず，生命侵害または重い健康被害の危険が生じかねない人を保護のない状態に置く行為を処罰の対象とする。保護責任者遺棄罪（加重遺棄罪）は，**保護責任者**（すなわち，まさに被害者がその者による保護に依存している人）**を主体とする身分犯**であり，単純遺棄罪の加重類型である。保護責任者が主体である場合については，要扶助者の遺棄だけでなく，「その生存に必要な保護をしな」いという不作為も同様に処罰の対象となる（218 条後段）。これを特に**不保護罪**と呼ぶ。

高齢で病臥（びょうが）し自力では日常生活が不可能な A を遺棄する行為は，A の世話をしている息子の甲（身分者）によるときは保護責任者遺棄となり，同じ行為（すなわち，生命・身体に対する危険の有無・程度〔結果無価値のレベル〕はまったく同一の行為）が隣人の乙（非身分者）によって行われるとき（単純遺棄）よりも，その刑が重くなる。これは，刑法が保護責任者に対し，法益保護の見地から，自分がいま保護している人の保護については，通常よりも強く命じており（より重く義務づけており），同一の行為であっても**違法性（義務違反の程度）がより重い**と理解することができる[40]。

(b)　客　体　　**客体**につき，217 条は「老年，幼年，身体障害又は疾病のために扶助を必要とする者」としており，これは 218 条の保護責任者遺棄罪についても（文言は異なるが）**まったく共通**である。「老年，幼年，身体障害又は

40)　これに対し，結果無価値論の立場からは，単純遺棄と保護責任者遺棄とでは違法性の程度は同じであるが，後者はより責任が重いことから刑が重くされていると解さざるをえないことになろう。しかし，刑の相違を道徳的・倫理的な義務違反を根拠にして「より責任が重い」ところに求めるとすれば，それは法と道徳を混交させるものである。また，保護責任を有することが責任要素だとすれば，不真正不作為犯における保証者的地位（→総論 155 頁以下）についてもこれを責任要素とすることになってしまうであろう。

疾病のために」は限定列挙と解されるから，道に迷った者，危難に遭遇した者，手足を縛られて行動できない者などは，たとえ他人の保護・援助を必要としているとしても，本罪の客体に含まれない。「老年」も「幼年」[41]も，年齢により画一的にこれを決定できるものではなく，高齢による心身の衰えまたは年少ゆえの心身の未発達により他人の扶助を必要としているかどうかにより判定される。判例の中には，堕胎により出生した未熟児（推定体重1000グラム弱）を保護責任者遺棄致死罪の客体にあたるとしたものがある[42]。「身体障害」と「疾病」についても，その程度・態様が他人の扶助を必要とするものであるかどうかが重要である。判例が保護責任者遺棄罪における「病者」にあたるとしたものには，交通事故により重傷を負った者[43]，泥酔者[44]，覚せい剤により錯乱状態に陥った者[45]など（→110頁）がある。**扶助を必要とする者**とは，他人の助力がなければ，自分では日常生活に必要な動作ができない者のことをいうとされているが，保護法益との関連でいえば，他人の保護がなければ，生命侵害または重い健康被害の危険が生じかねない人のことである。

(c) 遺棄の概念　単純遺棄罪は**遺棄**のみを処罰の対象とし，保護責任者遺棄罪においては，遺棄のみならず，**生存に必要な保護をしないこと**（**不保護**）も実行行為となる。不保護は不作為（不動作）であるから，保護責任者遺棄罪は**真正不作為犯**（→総論152頁）を含んでいるということになる（同罪においては，単純遺棄罪と比べて，刑が重くなるというばかりでなく，処罰の範囲が広がっている）。

「遺棄」と「不保護」は，ともに生命侵害および重い健康被害の危険性を有する行為という点で共通する。**判例・通説**によれば，後者の不保護は「そばにいて保護しない」ことである。前者の遺棄は，たとえば幼児を見知らぬ公園の

---

41) 遺棄罪は，しばしば児童虐待の一態様として年少者に対し行われる。遺棄罪の処罰規定は，児童福祉法（1947〔昭和22年〕12月12日法律第164号）や児童虐待の防止等に関する法律（2000〔平成12〕年5月24日法律第82号）などと協働する形で児童の保護のために役立つべきものである。**児童の保護のための法制**につき，詳しくは，安部哲夫『新版 青少年保護法〔補訂版〕』（2014年）を参照。

42) 前掲注17）最決昭和63・1・19。

43) 最判昭和34・7・24刑集13巻8号1163頁，盛岡地判昭和44・4・16刑月1巻4号434頁。

44) 最決昭和43・11・7集刑169号355頁。

45) 最決平成元・12・15刑集43巻13号879頁。

ベンチに置いて帰ってきてしまうときのように，①保護されている状態からそうでない状態に移し（**移置**），しかも，②「捨てる」「置いていってしまう」（**置き去り**）という2つの要素からなるのが通常である。**217条の遺棄**は，①の「場所を移す」という要素が常に必要であり，②だけでは足りない[46]のに対し，**218条の遺棄**については，②だけでも足りる。このように判例・通説によれば，単純遺棄罪と保護責任者遺棄罪とで，同じ「遺棄」の文言が異なって理解され，単純遺棄罪では**移置**を中核とする**狭義の遺棄**（作為の遺棄）のみが捕捉されるのに対し，保護責任者遺棄罪においては，これに加えて単なる**置き去り**（不作為の遺棄）でも足りる（その意味で，218条の遺棄は**広義の遺棄**と呼ばれる）のである[47]。

たとえば，高齢で病臥し自力では日常生活が不可能なAを遺棄する行為は（→104頁），隣人の乙（保護責任がない者）によって行われる単純遺棄の場合には，家から連れ出して森の中に棄てるというように，場所の移動（移置）が必要である。これに対し，Aの世話をしている息子の甲（保護責任者）によって行われるときは，甲がAを1人残して家を出て帰らない（置き去り）というだけ（不作為）でも遺棄となる（もし甲が家にいてAを助けなければ「不保護」となる）。このように，218条の不保護は不作為であるが，218条の遺棄も，217条によって処罰される作為の遺棄（狭義の遺棄）に加えて，不作為の遺棄（すなわち，保護責任者による置き去り）をも含んでいる。保護責任者遺棄罪は，(イ)**作為犯としての遺棄罪**，(ロ)**真正不作為犯としての不保護罪**と並んで，(ハ)**不真正不作為犯としての遺棄罪**をも処罰するものである。

以上のように，判例・通説は，単純遺棄罪と保護責任者遺棄罪とで，「遺棄」の概念を異なって理解する。2つの遺棄を異なって理解することは，解釈論として理由のあるところである[48]。なぜなら，**217条の遺棄**については，保護する者は行為者と一致しないから，行為者が客体を移動して保護者との間に場所的

46） なお，保護責任者でない者が，客体を場所的に移動して危険を生じさせる場合（①の要素がある場合），置き去り（②の要素）は不可欠ではないであろう。被害者をその場に残して立ち去らなくても，そばにいて世話をする気がないというのであれば，直ちに遺棄となりえよう。

47） 前掲注43）最判昭和34・7・24を参照。学説としては，団藤・452頁以下，中森・43頁など。山中・109頁以下も参照。

48） 以下の点につき，山中・114頁も参照。

距離を生じさせるだけで犯罪となりうるのに対し，**218条の遺棄**については，保護責任者たる行為者がそばにいる限り，客体を移動してもそれだけでは違法ではなく，その場を立ち去ってはじめて，すなわち置き去りにしてはじめて犯罪となる。このように，行為者が保護責任者であるところの218条の遺棄については，置き去りが本質なのである。[49)]

遺棄概念に関する異説　通説的な遺棄概念に対しては，3つの方向から批判があり，異なった理解が示されている。まず，**第1説**[50)]は，217条の遺棄の中には**作為による置き去り**も含まれるとする。たとえば，幼児が安全な場所に行こうとするのを妨げるとか，保護者の接近を妨害することなども同条の遺棄に含まれるというのである。他方，第1説は，218条の遺棄の中には，**不作為による移置**，たとえば，幼児が危険な場所に出て行くのをそのままにしておくことなども含まれるという。こうして，単純遺棄罪における遺棄は，もっぱら作為により，被害者を場所的に移置する行為，または被害者がその保護者に接近するのを積極的に妨げるような置き去り行為をさすことになる。また，保護責任者遺棄罪における遺棄は，作為によるもののほか，一定の不作為によるもの，たとえば，被害者をその場に置き去りにして立ち去ること，行為者自らが被害者を移動させないで被害者自身が立ち去るのにまかせておくことや，被害者と行為者との間の離隔を除去しないでおくこと（不作為による移置）も包含することになる。このような分析はまさに正当であり，**通説的な遺棄概念を前提として，これをより精密化**したものといえよう。

49）判例・通説によれば，218条により処罰される「不作為の遺棄」と「不保護」とは，**行為者が被害者との間に場所的離隔を生じさせるかどうかにより区別される**。行為者が被害者を置き去りにし，場所的離隔を生じさせれば不作為の遺棄であり，場所的離隔を生じさせることなく，生存に必要な保護をしないときは不保護にあたる。大分地判平成2・12・6判時1389号161頁は，被告人が，病気のA（当時13歳）をひとりアパートに残して家出し，愛人と同棲生活を送るようになり，当初は3日に1回位の割合で食料品を買って帰りこれを与えていたが，その後，食料を持ち帰らなくなり，やがて極度に衰弱したAに対し療養看護の措置をとらず，医師の診察も受けさせずにこれを放置し，ついにはAを餓死するに至らしめたというケースについて，保護責任者遺棄致死罪（219条）の成立を認めたが，Aを放置した行為は「生存に必要な保護をしない」こと（不保護）にあたるとした。被告人はもはやAと同居していなかったが，いつでもAのところに行って世話ができる状態にあったことから，なお支配領域内に病者をおいてその保護をしない行為にあたると解したものと考えられる。ちなみに，この種のケースにおいては，未必的殺意を肯定できないか，したがって不真正不作為犯としての殺人罪の成立が認められないかも問題となる（→113頁以下）。

50）大塚・58頁以下，福田・165頁など。

第2説[51]は，保護責任者が被害者との間に場所的距離を生じさせる置き去りは，**不作為による遺棄**（通説）なのではなく，それも**不保護**にあたると解すべきだとする。これにより，広義の遺棄の概念から不作為の遺棄（置き去り）が除かれ，その結果として，217条と218条とで遺棄の概念が統一的に理解されることになるというメリットが生じる。しかし，保護責任者が被害者との間に場所的距離を生じさせる行為は，まさに棄てる行為であり，遺棄にほかならないというべきであろう。

第3説[52]は，作為義務を負う者（保護責任者）の不作為は作為と同じに扱うことができるとはいえても，より重く処罰する理由にはならないとし，通説が**不作為による遺棄**を直ちに218条により処罰しようとすることを批判する。この見解によると，**保護責任者による不作為の遺棄**であっても，**原則として単純遺棄罪**として処罰されるべきことになる。たしかに，これにより，遺棄の概念を統一的に理解することが可能となり（すなわち，217条の遺棄も218条の遺棄も，いずれも作為と不作為の両方を含むことになる），不作為による遺棄（通説によると218条で処罰される）が217条で処罰されることとなって刑が軽くなる。しかし，この解釈には，217条と218条との区別を曖昧にするという難点と，217条にあたる不作為の遺棄に対応する不保護の場合（被害者のそばにいて保護しない場合）が処罰されないことになり，その結果，処罰の間隙が生じることになってしまうという難点がある[53]。

（d）　保護責任　　保護責任者遺棄罪は，保護責任者を主体とする身分犯である。**保護責任**とは，要扶助者を保護すべき地位・立場にあることをいう。それは，①作為による場合に刑を重くするとともに，また，②不作為による場合（遺棄または不保護）も（①の作為による場合と同程度に）可罰的とするという2つの機能を有する。保護責任者による遺棄を単純遺棄と比べて重く評価するのは，保護責任者に対しては重い義務を認めることにより，法益の保護をより充実させるためである。この場合の身分は，法益保護を理由として要求されるものであり，義務違反は違法性の程度を高めるものであるから，違法要素（一身的違法身分）である（→総論565頁以下）。

いかなる場合に，老年，幼年，身体障害または疾病のために扶助を必要とす

---

51)　大谷・75頁，西田・29頁以下，林・41頁など。

52)　内田・88頁，佐伯・法教359号96頁以下，曽根・43頁，堀内・28頁以下，松宮・77頁以下，山口・33頁以下など。

53)　中森・43頁，西田・31頁を参照。

る者についてこれを保護する責任を負うかは，条文上明記されていない。そこで，被害者との人的関係に基づき刑法上の作為義務を負う者の範囲とその要件が問われる**不真正不作為犯と共通の問題**がここに生じる（→総論 152 頁以下）。

保護責任者となりうるためには，**高度の法的義務（刑法上の義務）の認められる立場**にあることが必要であり，単なる道徳的・倫理的義務があるだけでは足りない。保護責任を生じさせる根拠としては，法令（たとえば，民法），契約（たとえば，雇用契約），救助の引受け，先行行為，所有者・管理者としての地位ないし支配領域性，（登山のパーティ等の）危険共同体の存在する場合が挙げられる。実質的な観点から見ると，保護責任が認められるためには，前提としてその**者に法益の維持・存続が具体的かつ（ある程度）排他的に依存しているという関係**（逆からいえば，その者が結果に至る因果の流れを支配しているという関係）がなければならない。しかし，そのような関係が認められるだけで，直ちに保護責任が肯定されるわけではない。たとえば，夜間，人気のまったくないところで瀕死の重傷者を偶然に発見したというときでも，それだけで保護責任が肯定されるわけではないのである。

そこで問題は，そのような関係が肯定された上で，付加的に何が加われば，保護責任が認められるかということになる。まず，①これまで**保護状態を継続**してきたときには，法益の維持・存続がその者に依存しているというだけでなく，その保護の継続が強く期待されるであろう（たとえば，嬰児（えいじ）への授乳や，病人の看護が継続的に行われている場合）。また，②いったん**保護を引き受ける**など，自己の意思に基づきその排他的支配下に移し，他人が手を出せない状況に置いた場合には保護責任者とすることに理由があろう。さらに，③自ら**法益侵害の危険を創出・維持**したのであれば，作為に出ることが強く期待されるといえよう。もし保護責任が肯定される場合をこの３つの類型に制限できるとすれば，その範囲はかなり明確なものになる。しかし，以上の３つの場合にあてはまらなくても規範的見地から保護が強く期待される場合がありうることから，最終的には総合的な判断に依拠して成立範囲を定めることが必要となるのである。

判例が保護責任を認めた事例　従来，判例が保護責任を認めたケースの多くは，上の３つのいずれかにあてはまるものであったといえよう。すなわち，同居している雇人が突然に病気になった場合[54]，養子契約に基づき幼児を引き取った場合[55]，病人を自宅に引き取った場合[56]，ホテルで少女に覚せい剤を注射し，この少女が錯乱状態に陥った場合[57]，いわゆるドラッグセックスをするため，違法薬物（MDMA）を被害者の女性に譲り渡し，2人きりの自室において同女とともに服用したところ，女性が錯乱状態に陥った場合[58]，自動車事故により過失で被害者に傷害を負わせ，被害者をいったん自動車に乗せて走った後に，車から降ろして放置した場合[59]などに保護責任が認められている。しかし，これに対して，会社の同僚が通行人と争いを起こして重傷を負った場合[60]や，医師が自らの堕胎手術により出生させた子をそのまま放置した場合[61]などにも保護責任が認められているが，これらは，3つの類型のいずれにもあてはまらないように思われる。

なお，保護責任者の行う**遺棄と不保護の意義**については，すでに述べた通りであるが（→105頁以下），このうち，要扶助者の近くにいて，かつその生存に必要な保護をしない不保護行為については，**刑法上義務づけられるべき保護行為を特定する必要**がある。この点に関し，最近の最高裁判例が次のように述べているところを参考にすべきである。「刑法218条の不保護による保護責任者遺棄罪の実行行為は，同条の文言及び趣旨からすると，『老年者，幼年者，身体障害者又は病者』につきその生存のために特定の保護行為を必要とする状況（要保護状況）が存在することを前提として，その者の『生存に必要な保護』行為として行うことが刑法上期待される特定の行為をしなかったことを意味すると解

54）　大判大正8・8・30刑録25輯963頁。

55）　大判大正5・2・12刑録22輯134頁。

56）　大判大正15・9・28刑集5巻387頁。

57）　前掲注45）最決平成元・12・15。

58）　東京高判平成23・4・18東高刑時報62巻1～12号37頁。

59）　前掲注43）最判昭和34・7・24など。

60）　岡山地判昭和43・10・8判時546号98頁。

61）　前掲注17）最決昭和63・1・19。このケースについては，被害者の生命に向けた故意の犯罪を行った者が行為後に被害者を救助しないというとき，保護責任者遺棄罪（不保護罪）を成立させてよいかどうかという疑問がある。故意犯が先行する場合，先行する犯罪により，それ以後に生じた違法な事態も吸収的に評価されるとも考えられるし，また，自分が意図的に生命を奪おうとした被害者に対し，事後に救助行為を行うことを刑法的に義務づけたとしても，それを果たすことは心理的に困難なことでもある（この点について，林・44頁を参照）。

すべきであり，同条が広く保護行為一般（例えば幼年者の親ならば当然に行っているような監護，育児，介護行為等全般）を行うことを刑法上の義務として求めているものでないことは明らかである[62]」。

いわゆる**ひき逃げ**のケース（すなわち，不注意な運転で交通事故を起こし，人にケガをさせた自動車運転者が，被害者を放置したまま逃走したという場合）で，保護責任者遺棄罪が成立するかどうかが問題となる（ひき逃げと不作為による殺人については，総論161頁を参照[63]）。学説上は，先行行為（たとえば，不注意で人をはねて大ケガをさせたこと）や，道路交通法上の救護義務（道交72条1項前段）があるというだけでは刑法上の保護義務を認めるのに十分でなく，犯人が**事故後の救助を引き受け，被害者を自己の排他的支配領域内に置いたこと**（たとえば，いったん自車内に収容して現場を離れること）が，保護責任を肯定する上で決定的だとされている[64]。このように考えられていることの背景には，交通事故の場合，作為たる救助行為を行うこと（たとえば，病院まで運搬して，医師による治療を受けさせること）がなかなか容易ではなく，また，普通は時間的余裕・心理的余裕に欠けるところから，それを刑法上の義務にまで高めるのは難しいこと，過失運転致死傷罪や道路交通法の救護義務違反の罪の成立も認められるから[65]，行為の評価としてはそれで十分と考えられること等の事情があるといえよう。

被害者の救命可能性と保護責任　被害者の救命のための行為を行わなかったことが遺

---

62)　最判平成30・3・19刑集72巻1号1頁。

63)　ひき逃げの場合，過失運転致死傷罪（自動車運転致死傷5条〔→87頁以下〕）のほか，道路交通法上の**救護義務違反の罪**および**事故報告義務違反の罪**という2つの罪（真正不作為犯）が成立しうる（道交72条1項・117条・119条1項10号を参照）。しかも，救護義務違反の罪の法定刑は，「5年以下の拘禁刑又は50万円以下の罰金」であって保護責任者遺棄罪と変わらず，そればかりか，「人の死傷が当該運転者の運転に起因するもの」であったときは，「10年以下の拘禁刑又は100万円以下の罰金」であり，保護責任者遺棄よりもはるかに重くなる。なお，自動車運転死傷処罰法4条も参照（→87頁）。

64)　中森・45頁，西田・35頁，山口・36頁以下など。判例が保護責任者遺棄罪の成立を肯定しているのも，過失により被害者に傷害を負わせ，被害者をいったん自動車に乗せて走った後，救助を怠った事案である（判例として，前掲注*43)* 最判昭和34・7・24を参照）。事故の後，ただそのままその場に放置したというだけでは，たとえそれが夜間で人気のない場所であるとしても保護責任遺棄罪にはあたらないということになろう。

65)　注*63)*を参照。

棄（不作為の遺棄）または不保護にあたるとされる場合に，後に被害者が死亡し，かつ実行行為の時点で被害者を救命する可能性があったことが，**合理的な疑いを容れない程度に立証できなかった**というとき，すぐ次に述べるように，因果関係は否定されて遺棄等致死罪は成立しないが，それでも遺棄罪ないし不保護罪が肯定されるかどうかが問題となる。事後的に救命可能性がなかったとされる以上，行為の時点でも救命を義務づけることはできないとする考え方も可能である（法は不可能を義務づけない）。しかし，本罪は抽象的危険犯であり（→102頁），行為の時点において医学的見地から救命しうる相当程度の可能性（たとえば，60パーセント）があったという場合[66]はもちろん，一般通常人を判断の基準として，かなりの救命可能性が肯定される行為状況においても，救命のための行為を法的に義務づけることが妥当である。

(3) 遺棄等致死傷罪

（遺棄等致死傷）
第219条　前2条〔217条・218条〕の罪を犯し，よって人を死傷させた者は，傷害の罪と比較して，重い刑により処断する。

単純遺棄または保護責任者遺棄・不保護の行為から，被害者に死傷の結果が生じたときには遺棄等致死傷罪となり，刑が加重される（219条）。遺棄等致死傷罪は，単純遺棄罪および保護責任者遺棄罪・不保護罪の**結果的加重犯**である（なお，「傷害の罪と比較して，重い刑により処断する」の意味については，100頁以下を参照）。

単純遺棄または保護責任者遺棄・不保護の行為と死傷の結果との間には刑法上の**因果関係**が肯定されなければならない（→総論121頁以下）。実行行為が**不作為**の場合（不作為の遺棄または不保護が問題となる場合）には，要求される行為を行っていれば，死傷の結果は発生していなかったであろうということが**合理的な疑いを容れない程度に確実**であったことが必要である（→70頁注*51)*）。最高裁は，保護責任者遺棄致死罪の成否が問題とされ，被告人の救助行為があれば「十中

66)　確実な救命可能性はなかったとして保護責任者遺棄致死罪の成立を否定しつつ，しかし保護責任者遺棄罪の成立を認めた裁判例として，札幌地判平成15・11・27判タ1159号292頁，前掲注*58)*東京高判平成23・4・18がある。

八九被害者の救命が可能であった」と認定されたケースにおいて，結果防止は「合理的な疑いを超える程度に確実であったと認められる」として因果関係ありとした[67]。「十中八九」という言葉の意味は，**救命の可能性が非常に高くほとんど救命できた**というものである。判例が，100パーセント中の「80～90パーセントの結果防止の可能性」があるだけで因果関係が認められるとする一般的な準則を定立したものと理解することは明白な誤りである（→総論154頁以下）。

ここでいう救命可能性について，最終的な救命の可能性のことをいうのか，それとも，ある程度の延命の可能性でも足りるのかという問題がある。つまり，最終的な救命は不可能であると考えられるが，死期の到来を先延ばしすることはできたというときにも，それを致死と評価できるかどうかである。最終的な救命が可能であったことが疑いの余地なく認定されない限り，致死の刑事責任を問うことはできない（死亡させたとはいえない）とする考え方もあろうが，ある程度の期間，死期を先延ばしできたというときにも，致死の評価は可能と考えるべきであろう（このような考え方は，作為により余命わずかな患者を直ちに死亡させたときにも致死とされることと整合的であるといえよう[68]）。

行為者に遺棄の時点で**傷害または殺人の故意**があったときには，本罪ではなく傷害罪または殺人罪が成立する。問題となるのは，実行行為が**不作為**の場合で，かつ行為者に**殺人の故意**があったときの法適用である[69]。1つの考え方は，不作為による殺人罪を認めるためには，218条の保護義務違反以上の特に重大な作

67）前掲注*45*）最決平成元・12・15。

68）東京高判平成20・11・20判タ1304号304頁は，救命救急センターの当直医であった被告人について不作為による業務上過失致死罪の成否が問題となったケースで，頭蓋内損傷を負った患児をはじめて診察した時点において，直ちに頭蓋内損傷を疑い，CT検査やMRI検査をすべき注意義務はなかったとした上で，かりにCT検査をしていたとしても，患児の救命はもちろん延命も合理的な疑いを超える程度に確実に可能であったといえないとして無罪とした。結果回避可能性（ないし不作為と死亡との間の因果関係）を検討するにあたり，救命可能性のみならず，延命の可能性も問題としたのである。

69）また，殺人ばかりでなく，**傷害の不真正不作為犯**も考えられ，それと保護責任者遺棄罪との区別が問題となりうる。保護責任がある者（たとえば，老父の世話をしている息子や，患者に対し治療義務のある医師）が，容態が急変した被害者を意図的に放置し，治療を遅らせて，病気を悪化させたとすれば，遺棄罪・不保護罪にとどまらず，傷害罪（204条）の成否が問題となりうるであろう。ただし，傷害罪と保護責任者遺棄致傷罪とでは法定刑の上限が同じである（219条を参照）。

為義務違反が認められなければならないとし，その程度に至らない場合には199条ではなく219条の適用を認めるべきだとするものである[70]。これによれば，ひき逃げのケースで，いったん救助を引き受け車内に入れたが，しばらく走った後，怖くなって被害者をその場に放置して逃走したというような場合には，その不作為はなお作為の殺人行為と同価値的とまではいえず，せいぜい保護責任者遺棄（致死）罪を基礎づける保護義務の違反が認められるにすぎないと考えることになろう。作為義務違反の強さがいわば80未満であれば保護責任者遺棄致死罪であり，強さが80〜100であれば殺人罪になる（80未満のときは，かりに殺意があっても保護責任者遺棄致死にとどまる）と解するのである。

たしかに，保護責任者遺棄罪は抽象的危険犯であるから（→102頁以下），その被害者を死亡させる具体的危険がない行為が行われた段階で，かりに行為者に殺意があったとしても殺人未遂罪を肯定することはできない。その行為は保護責任者遺棄で処罰されるにとどまる。しかしながら，殺人未遂による処罰を基礎づけるだけの危険性をもった不作為が現に行われ，さらには被害者がそれにより死亡したというとき，作為義務違反の程度により両罪を区別することが可能だとは思われない。生命に対する侵害犯である殺人罪を基礎づける作為義務違反と，生命に対する危険犯である保護責任者遺棄罪を基礎づける作為義務違反とを区別することには（観念的にはともかく実際的には）大きな困難がともなうからである。しかも，行為者に殺意があるのに，保護責任者遺棄致死罪という結果的加重犯の成立を認めることが可能かどうかも問題である。生命保護のための刑法上の作為義務を肯定できる事案だというのであれば，殺意がある以上，不作為による殺人罪の成立を認めるべきであろう[71]。

70）大塚・66頁，大谷・82頁以下，高橋・40頁，林・46頁，前田・70頁，平野・総論Ⅰ158頁以下，山口・38頁以下など。

71）中森・45頁以下，西田・36頁以下など。

■ 第5章 ■

身体的内密領域に対する罪

1 総　　説

(1) 保護法益としての性的自由・性的自己決定権

刑法典は，第22章（174条から184条）において，性的なことに関係する犯罪をひとまとめにして規定している。これらのうち，不同意わいせつ罪，不同意性交等罪およびその周辺の罪（176条～182条〔なお，2023（令和5）年の刑法一部改正以前は，それぞれ「強制わいせつ罪」，「強制性交等罪」と呼ばれており，そのうち強制性交等罪は，2017（平成29）年の刑法一部改正以前は「強姦（ごうかん）罪」と呼ばれていた〕）は，**個人的法益に対する罪**であり，それ以外の犯罪（特に，174条と175条の罪が重要であるが，それらは個人的法益に対する罪ではなく，**社会的法益に対する罪**〔風俗ないし道徳的秩序に対する罪〕とされている〔→554頁以下〕）とは根本的に罪質を異にする[1]（なお，176条から181条までの処罰規定については，国民の国外犯についても適用される〔3条5号〕→総論70頁）。不同意わいせつ罪・不同意性交等罪については，公然わいせつ罪（174条）やわいせつ物公然陳列罪（175条）とは違い，「公然と」行われることが要件とされていないこともそこに理由がある[2]。

---

1) ただし，公然わいせつ罪（174条）も，わいせつ物頒布等罪（175条）も，それが意思に反して「わいせつ」なものを見せられる等することにより性的感情を害される個人の法益を保護する側面をあわせもっている。それが犯罪の成否を検討する際に必ずしも本質的でないとされているにすぎない（→556頁）。

2) 立法論としては，不同意わいせつ罪および不同意性交等罪に関する規定の体系的位置づけ

個人的法益に対する罪としての不同意わいせつ罪および不同意性交等罪の処罰規定（いわゆる性犯罪処罰規定）の保護法益（保護の客体）については，これを**性的自由**ないし**性的自己決定権**に求めるのが刑法学の通説である[3)]。ここにいう性的自由・性的自己決定権とは，一般には，性的行為を行うかどうか，誰を相手として行うかに関して自分で決めることのできる（他人に強制されない）自由のこととして理解されているといえよう。

しかし，性犯罪（たとえば，不同意性交等罪）を「自由に対する罪」として把握するとき，生命，身体，自由，財産という法益の序列の中に位置づけるときは，相対的にかなり軽い犯罪のランクを与えられることになり，それでは被害の重大性が的確に把握されたことにならないという問題がある。現行法上，不同意性交等罪（177条）は，傷害罪（204条）に比べても相当に重い犯罪なのであるが，その重さが保護法益の次元で表現されていないことになる[4)]。

注意すべきことは，自由とか自己決定権とかといっても，直ちに軽い法益が問題となっているとは限らないことである（生命についてもその自己決定権が語られる〔→31頁〕）。自己決定の対象により，いいかえれば，意思に反して何を強制されるかにより，被害は重大なものとなりうる。しかし，性犯罪により何が侵害・毀損されるか（逆にいえば，何がそこで保護されなければならないか）ということが「性的自由・性的自己決定権」という言葉によっては適切に表現されていないというところに問題がある[5)]。

（つまり，これを個人的法益に対する罪の中に配列していない）という点に問題がある。

3) たとえば，大塚・97頁以下，川端・190頁，高橋・128頁以下，団藤・489頁以下，西田・97頁以下，林・87頁以下，山口・105頁，山中・162頁などを参照。このような理解は，ドイツ刑法学の影響の下に形成されたものといえようが，ドイツ刑法典では，性的強制罪等の処罰規定を含む各則第13章（174条以下）の章名自体が「性的自己決定に対する罪（Straftaten gegen die sexuelle Selbstbestimmung)」となっており，現在までの学説においても，この点に関し（立法論としても）異論のないところである。

4) また，「性的自由」という言葉自体が，ここで問題となっている刑法的保護の対象（したがって被害の実体）を正確に（誤解を生じさせることなく）表現しているかどうかに関しても異論がある。裁判員の加わる裁判において（たとえば，不同意性交等致傷罪で起訴された事件において），裁判官が保護法益の内容を説明しようとするとき，「性的自由」という用語は，自由な性ないし性的放縦（ほうしょう）を連想させるものでもあり，必ずしも適切でないともいわれるのである。

5) この点に関し，辰井聡子「『自由に対する罪』の保護法益」町野朔先生古稀記念『刑事法・医事法の新たな展開上巻』（2014年）413頁は，「『自由』という言葉の多義性に隠れて，真の

他方において，被害の重大性を表現しようとするあまり，「個人の人格」や「人間の尊厳」，「生きる権利」などの，きわめて抽象的な保護法益を考えることも疑問である[6]。人格や人間の尊厳を踏みにじる行為は性犯罪に限られるものではなく（殺人や重大な傷害行為などはまさにそう呼びうるものであろう），性犯罪による被害の特性（および性犯罪処罰規定による保護の客体の実質）を具体的に把握して記述するのに適しているとはいえない。また，それらはあまりに観念的で曖昧であり，そこから一定の具体的結論を引き出すことも困難であろう[7]。

(2) 性犯罪の保護法益の実体

性犯罪における被害の実質は，性的行為という特殊な身体的接触の体験を犯人と共有することを強いられるところにあるといえよう。人は他人にアクセスされることを欲せず，他人のそれにアクセスすることも欲しない身体的領域をもつ。これを本書では**身体的内密領域**と呼びたい[8]。性的行為とは，そのような身体的内密領域を一定の他者との関係で相互に開放し，視覚や聴覚のみならず，嗅覚や触覚などの五感すべての作用をもってその領域を相互に経験し合う特殊な人的営みである。こうした体験の犯人との共有を強いられることこそ，性犯罪における被害の実体である。

性犯罪者がそこに踏み込もうとする身体的内密領域については，一生涯にわたり他人には誰にもそこに立ち入らせたくないという考えをもつ人がいてもお

保護法益が十分に言語化され」ていないと指摘するが，まさにその通りであるといえよう。

6) たとえば，齊藤豊治「性暴力犯罪の保護法益」齊藤＝青井秀夫編『セクシュアリティと法』（2006年）221頁以下，231頁以下，新注釈（2）622頁以下〔和田俊憲〕，辰井・前掲注 ***5)*** 424頁以下，前田・95頁などを参照。さらに，次のようにも言われている。「強姦罪の保護法益は，判例・通説では『性的自由の侵害』，つまり誰と性交渉を自由にするかという権利の侵害とされている。しかし，強姦の被害者は強姦時の肉体的・精神的苦痛のみならず，後遺症に長く苦しめられており，強姦が人格を破壊する『魂の殺人』とも言われていることに鑑みれば，生きる権利の侵害，人間の尊厳に対する侵害であると考えるべきである」（自由民主党・女性活躍推進本部〔本部長・稲田朋美衆議院議員〕による提言〔2015（平成27）年6月9日〕24頁以下）。

7) 佐伯仁志・曹時67巻9号（2015年）30頁以下を参照。

8) 性的自己決定権の積極的側面ではなく，防御権としての側面（消極的側面）に注目し，性的自己決定権の重要な基盤は「内密領域の尊重を求める権利（Recht auf Achtung der Intimsphäre）」であるとするのは，Tatjana Hörnle, in: StGB. Leipziger Kommentar, Bd. 6, 12. Aufl. 2009, Vor § 174, Rdnr. 27 ff. である。

かしくないし，現に一定数存在することであろう。他の大多数の人は，そうでなくても，特別に親密な関係のある人に限ってそれを許すという気持ちをもっているであろう。それは職業や政治に関わるものの見方よりももっと根源的な人生観・世界観の問題であり，この世界において生きる自分という個の捉え方・描き方と深く関連している。それだからこそ，身体的内密領域に踏み込まれ・踏み込まされる経験の強制を中核とする性犯罪が，被害者に対し持続的な深い精神的ダメージを与えることがしばしばある。

不同意わいせつ罪・不同意性交等罪の保護の客体は，以上のような意味における身体的内密領域として把握されるべきであり，これら性犯罪の保護法益は，**身体的内密領域を侵害しようとする性的行為からの防御権という意味での性的自己決定権**として捉えられるべきである[9)]。

(3) 2017 年における性犯罪処罰規定に関わる改正

現行刑法の性犯罪処罰規定は，1908（明治 41）年に刑法典が施行されて以来，この間における時代状況と社会意識の変化にもかかわらず，基本的にそのまま維持されてきたが，2017（平成 29）年に至り，かなり大幅に改正された[10)]。この刑法一部改正法（2017〔平成 29〕年 6 月 23 日法律第 72 号。施行は同年 7 月 13 日）による主な変更点は，①強姦罪の構成要件および法定刑の見直し，②監護者わいせつ罪および監護者性交等罪の新設，③強盗強姦罪（旧 241 条）の構成要件の見直し，④強姦罪等の非親告罪化の 4 点にまとめることができる。この改正により，わが国の刑法典の性犯罪処罰規定が，時代状況と社会意識の変化に対応し，また国際水準にほぼ合致したものとなったといえよう。

より具体的に，改正された箇所を述べれば，（イ）これまでの日本の性犯罪処罰規定の中にあった，男女の性別による格差が除かれた（ジェンダー・ニュート

---

9) このような身体的内密領域の防御権は，その人に性的事項に関する判断能力があるかないかを問わず，すべての人に保障されなければならない。当然のことながら，乳幼児や重度の精神障害者もこのような防御権を有する（本人の有効な同意がない限り，他人はそこに立ち入ることはできない）。

10) 法案の内容と改正の経緯について知るには，前澤貴子「性犯罪規定に係る刑法改正法案の概要」国立国会図書館・調査と情報――ISSUE BRIEF 962 号（2017 年）1 頁以下が便利である。改正法成立後の解説として，松田哲也 = 今井將人「刑法の一部を改正する法律について」曹時 69 巻 11 号（2017 年）211 頁以下などを参照。

ラルなものとなった）こと，(ロ)性犯罪のうち特に重い類型（177条）とより軽い類型（176条）との間に，合理的な区別が設けられるに至ったこと，(ハ)強制性交等罪・準強制性交等罪および強制わいせつ罪・準強制わいせつ罪に加えて，それらと法的評価の上で同視できる新しい類型である監護者性交等罪・監護者わいせつ罪（179条）が設けられたこと，(ニ)強制性交等罪の犯人が強盗を犯した場合についても，従来の強盗強姦罪と同様に処罰できる規定を設けたこと，(ホ)性犯罪の非親告罪化により，性犯罪の立件・訴追が国の責任であることが明確化されるに至ったことである。

(4)　2023年における性犯罪処罰規定に関わる改正

現行刑法の性犯罪処罰規定は，2023（令和5）年，再び改正され，その根幹部分において大きく姿を変えることとなった（以下では，これを「2023年改正」という）。同年6月に国会で成立した「刑法及び刑事訴訟法の一部を改正する法律」（2023〔令和5〕年6月23日法律第66号）により，刑法，そしてそればかりでなく，刑事訴訟法も一部改正され（なお，同法附則20条には，施行後5年が経過した段階での検討を求める「検討条項」が置かれている），同時に，「性的な姿態を撮影する行為等の処罰及び押収物に記録された性的な姿態の影像に係る電磁的記録の消去等に関する法律」（2023〔令和5〕年6月23日法律第67号）という名称の単行法（以下では，これを「**性的姿態撮影等処罰法**」という）が誕生した（いずれの法律も，刑訴法の証拠能力の特則に関する規定〔刑訴321条の3〕および性的姿態撮影等処罰法の行政手続としての消去・廃棄の規定を除いて，同年7月13日に施行された[11]）。

その概要をまとめると次の通りである。**刑法典の規定の改正**としては，(イ)これまでの強制わいせつ罪および準強制わいせつ罪，そして強制性交等罪および準強制性交等罪の要件を大きく改め，これらを不同意わいせつ罪，不同意性交等罪として規定し直したこと，(ロ)2017年の刑法一部改正後も，なお強制わいせつ罪の処罰対象とされた，陰茎以外の身体の一部（たとえば，手指）または物（たとえば，性具）を膣または肛門に挿入する行為を，重い類型の性的侵害行

---

11)　2023年に行われた刑法等の改正についての詳しい紹介と検討は，法時95巻11号（2023年），「2023年刑事法改正の焦点」有斐閣Online（2023年10月30日公開），刑ジャ78号（2023年）などで行われている。

為，したがって不同意性交等罪の処罰対象とすることにしたこと，(ハ)配偶者間においても性犯罪が成立することを法律上明確化したこと，(ニ)これまで，暴行や脅迫を用いなくても強制わいせつ罪または強制性交等罪が成立するとされた被害者の年齢は「13 歳未満」であったが，その年齢を「16 歳未満」に引き上げた上で，13 歳以上 16 歳未満の者に対する行為については，その者より 5 歳以上年長の者が性的な行為を行った場合に不同意わいせつ罪または不同意性交等罪として処罰しうることにしたこと，(ホ)若年者の性被害を未然に防止するため，性的な行為をする目的で若年者を懐柔する行為を処罰する規定を新設し，具体的には，わいせつの目的で，16 歳未満の者に対し，威迫，偽計，利益供与などの不当な手段を用いて面会を要求する行為やそれによって面会する行為，性的な映像の送信を要求する行為を処罰対象としたことである。

刑事訴訟法典の規定の主な改正[12)]としては，まず，(ヘ)性犯罪についてより長期にわたって訴追可能性を確保するため，公訴時効期間を延長することとし，具体的には，性犯罪について公訴時効期間を 5 年延長するとともに，被害者が 18 歳未満の者である場合は，その者が 18 歳に達するまでの期間，さらに公訴時効期間を延長することとした（刑訴 250 条 3 項・4 項[13)]）。次に，(ト)いわゆる司法面接的手法[14)]による聴取結果を記録した録音・録画記録媒体について，一定の要件の下で，主尋問に代えて証拠とすることができるとする証拠能力の特則を設け，ただ，この場合でも，反対尋問の機会は与えなければならないこと

---

12) なお，2023 年の刑訴法一部改正法（2023〔令和 5〕年 5 月 17 日法律第 28 号）により，逮捕状や起訴状における，性犯罪の被害者等の個人特定事項（氏名や住所等）の秘匿措置等に関わる，犯罪被害者の情報を保護するための諸規定が整備されたことも，被害者保護のため重要な意味をもっている。

13) これにより，たとえば，不同意性交等罪の公訴時効期間は 15 年となり，かりに 12 歳の時点で不同意性交等の被害を受けたとすれば，時効の完成は 21 年後となった。なお，公訴時効に関する改正は，新法施行の際すでに時効が完成している罪については適用されないが，それが完成していない罪については改正後の新規定が適用される（附則〔2023〔令和 5〕年 6 月 23 日法律第 66 号〕2 条を参照）。

14) 司法面接とは，「法的な判断のために使用することのできる精度の高い情報を，被面接者の心理的負担に配慮しつつ得るための面接法」と定義されるが（仲真紀子編著『子どもへの司法面接』〔2016 年〕2 頁），子ども等の対象者（被害者・目撃者）の負担を最小限にしつつ，記憶の変容・汚染が生じず，誘導・暗示が行われないように配慮して，対象者から経験した事実を聴き取ることをいうとされている。

とした（刑訴 321 条の 3）。

さらに，**新たに成立した単行法**としての「性的姿態撮影等処罰法」も重要な内容をもっている。まず，これにより，(チ)性的な姿態や性的部位を一定の態様・方法により撮影する行為や，その画像を提供する行為等を処罰する規定が新設された。また，この法律により，(リ)有罪判決があった場合において，撮影罪等の犯罪行為により生じた物の複写物に原本と同じ内容の性的な姿態が記録されているとき，その複写物を没収できることとした。さらに，(ヌ)検察官が保管している押収物について，それが撮影罪等の行為により生じた物であるときは，行政手続として，その押収物を廃棄する等の措置をとることができることになった。

以下では，2023 年改正後の現行刑法典の性犯罪処罰規定について解説を加えることとするが，「性的姿態撮影等処罰法」についても簡単に触れることとしたい[15]。

2 不同意わいせつ罪と不同意性交等罪

（不同意わいせつ）

第 176 条① 次に掲げる行為又は事由その他これらに類する行為又は事由により，同意しない意思を形成し，表明し若しくは全うすることが困難な状態にさせ又はその状態にあることに乗じて，わいせつな行為をした者は，婚姻関係の有無にかかわらず，6 月以上 10 年以下の拘禁刑に処する。

一 暴行若しくは脅迫を用いること又はそれらを受けたこと。

二 心身の障害を生じさせること又はそれがあること。

三 アルコール若しくは薬物を摂取させること又はそれらの影響があること。

四 睡眠その他の意識が明瞭でない状態にさせること又はその状態にあること。

五 同意しない意思を形成し，表明し又は全うするいとまがないこと。

六 予想と異なる事態に直面させて恐怖させ，若しくは驚愕（がく）させること又はその事態に直面して恐怖し，若しくは驚愕していること。

七 虐待に起因する心理的反応を生じさせること又はそれがあること。

---

15) なお，現在および今後の性犯罪処罰規定のあり方を考えようとするとき，国際的な動向に注意を払うことが不可欠である。貴重な研究業績として，樋口亮介＝深町晋也編著『性犯罪規定の比較法研究』（2020 年）がある。

八　経済的又は社会的関係上の地位に基づく影響力によって受ける不利益を憂慮させること又はそれを憂慮していること。
②　行為がわいせつなものではないとの誤信をさせ，若しくは行為をする者について人違いをさせ，又はそれらの誤信若しくは人違いをしていることに乗じて，わいせつな行為をした者も，前項と同様とする。
③　16 歳未満の者に対し，わいせつな行為をした者（当該 16 歳未満の者が 13 歳以上である場合については，その者が生まれた日より 5 年以上前の日に生まれた者に限る。）も，第 1 項と同様とする。
（不同意性交等）
第 177 条①　前条第 1 項各号に掲げる行為又は事由その他これらに類する行為又は事由により，同意しない意思を形成し，表明し若しくは全うすることが困難な状態にさせ又はその状態にあることに乗じて，性交，肛(こう)門性交，口腔(くう)性交又は膣(ちつ)若しくは肛門に身体の一部（陰茎を除く。）若しくは物を挿入する行為であってわいせつなもの（以下この条及び第 179 条第 2 項において「性交等」という。）をした者は，婚姻関係の有無にかかわらず，5 年以上の有期拘禁刑に処する。
②　行為がわいせつなものではないとの誤信をさせ，若しくは行為をする者について人違いをさせ，又はそれらの誤信若しくは人違いをしていることに乗じて，性交等をした者も，前項と同様とする。
③　16 歳未満の者に対し，性交等をした者（当該 16 歳未満の者が 13 歳以上である場合については，その者が生まれた日より 5 年以上前の日に生まれた者に限る。）も，第 1 項と同様とする。

(1)　両罪の関係

不同意性交等罪は，不同意わいせつ罪の**加重特別類型**と捉えることができる。不同意性交等罪（177 条）が処罰の対象とする「性交等」は，不同意わいせつ罪（176 条）の意味における「わいせつな行為」であり，その一態様である。刑法は，不同意わいせつ罪にあたる行為のうち，「性交等」を 177 条により特に重く処罰し，それ以外の形態の性的侵害行為は 176 条にあたるものとして，より軽い罪として扱っていることになる。

2017 年の強姦罪規定改正　従来，重い類型の性的侵害行為を定めていた強姦罪規定（旧 177 条）は，女性を被害者とする膣性交（男性器を女性器に挿入すること）の強制のみを強姦として加重処罰していた。しかし，種々の性的侵害行為のうち，膣性交の強制のみを特別視することはもはや正当化できなくなった。また，男性を被害者とする膣性交の強制については，強制わいせつという軽い類型にあたるものにすぎないとする差別的扱いについても，その正当化の根拠を見出すことが困難であった（それは，女性は男性と異なり配偶者以外と性的関係をもってはならないとする道徳観と深く関連していたといえよう）。そこで，2017年の刑法一部改正法（→118頁）は，**177条による処罰の範囲を拡大**し，強制的な性器結合と同等のダメージを与える性的侵害行為（2017年以前では強制わいせつ行為に含められていた肛門性交および口腔性交）を切り出して177条に含ませ，これらに膣性交の強制と同じ法定刑を予定するとともに，いずれの態様についても，男性を被害者とするものを含める（ジェンダー・ニュートラルなものとする）こととしたものである（このような立法者の価値判断を前提とすれば，**量刑**においても，膣性交を肛門性交・口腔性交と比べて重く評価したり，男性を被害者とする場合を犯情として軽く評価したりすることは許されない)。

なお，2017年の改正により，強姦罪が**強制性交等罪になるとともに，その法定刑の下限が懲役5年に引き上げ**られた。旧規定の法定刑は3年以上の有期懲役であったが，とりわけ強盗罪の法定刑（5年以上の有期懲役）よりも下限においてより軽い点において強い批判があった。また，量刑の実務においても一般に強盗よりも重い刑が言い渡されており，一種の逆転現象が生じていた[16]。2017年の改正による法定刑下限の引き上げにともない，強姦罪の加重規定であり，4年以上の有期懲役を法定刑としていた**集団強姦等罪（旧178条の2）の規定が削除**された[17]。引き上げられた法定刑の枠内において適切な量刑が可能と考えられたからである。

2023年改正は，2017年の改正を前提として，「性交等」に含まれる範囲をさらに拡大した。すなわち，膣性交・肛門性交・口腔性交に加えて，膣または肛門に身体の一部（手指など）または物を挿入する行為（ただし，わいせつなもの）も重い性的侵害行為の類型に移したのである。この点については後述する（→126頁以下）。

---

16) 現在の諸外国の立法例を見ても，多くは同等あるいは強制（不同意）性交等罪の方により重い刑を規定している。法定刑は被害法益の価値の尺度であり，法が被害法益にどれだけの重みを認めているかという法の価値決定がそこに示されているという基本的な考え方からすれば，強盗罪の法定刑の方が強制性交等罪のそれより重いことは正当化することが困難であったといえよう。なお，3年の拘禁刑は，酌量減軽（66条以下）が行われなくても実刑を回避できるギリギリの刑という点でも特徴的である（25条以下を参照)。2017年の改正は，強制性交等罪においては，**酌量減軽という特別な判断があってはじめて実刑を回避できる，それほどの重い法益侵害が問題となっている**ということを立法上明確にするという意味があったことになる。

17) 集団強姦等罪は，2004（平成16）年の刑法一部改正により新設された，強姦罪と準強姦罪の加重類型であった。

(2)　わいせつな行為と性交等

不同意わいせつ罪にいう「**わいせつな行為**[18]」とは，被害者の意思に反して，上記のような身体的内密領域を侵害し，そのことにより被害者の性的羞恥心を害し[19]，かつ一般通常人でも性的羞恥心を害されるであろう行為のことをいう。「わいせつ」という概念は，社会的法益に対する罪である174条や175条の罪においても用いられているが，そこにいう「わいせつ」と（→558頁以下），個人の性的自由を保護する本罪における「わいせつ」とは，同一の文言であっても，その意味は異なる（概念の相対性〔→総論58頁〕）。不同意わいせつ罪におけるわいせつ行為とは，性器・乳房・尻や太もも等に触れたり，これらをもてあそんだりする行為，裸にして写真を撮る行為，強いてキスしようとする行為等のことである。その行為がそれを見る人に与える不快感や性的嫌悪感などは（174条や175条の場合とは異なり）重要ではない。被害者をして行為者自身の性器等に触れさせる行為も含む。

着衣の上から尻や胸をなで回す等の行為についても，その程度・執拗さのいかんによりわいせつな行為となる[20]。電車内などにおける痴漢行為のうち，着衣の上から軽く触れる程度にとどまるものについては，直ちに176条1項にいう「わいせつな行為」とまでいえないことから，不同意わいせつ罪にはならない（ただ，それは都道府県の迷惑行為防止条例等により犯罪となる[21]）。同様に，電車

18）　将来のための立法論としては，「わいせつな行為」という文言を維持すべきかどうかが問題となる。これを「性的行為」とか「性的侵害行為」とかの概念に置き換えることも考慮すべきであろう。ちなみに，ドイツ刑法典は，「性的行為（sexuelle Handlung）」という概念を用いるとともに，通則的な制限を設け，「それぞれの保護法益との関係で一定の重大性をもつもの（von einiger Erheblichkeit）に限られる」としている（刑法184条h第1号）。

19）　かりに被害者が就寝中にその行為が行われたとしても，被害者が目覚めてから性的羞恥を感じる行為であれば足りるように，被害者が幼児であったとしても（この点につき，中森・65頁注38）を参照），後に成長してから性的羞恥を感じるであろう行為であることが必要であり，それで足りる。

20）　本罪の成立を肯定したものとして，東京高判平成13・9・18東高刑時報52巻1～12号54頁，名古屋高判平成15・6・2判時1834号161頁などがある。

21）　たとえば，東京都については，「公衆に著しく迷惑をかける暴力的不良行為等の防止等に関する条例」（1962〔昭和37〕年10月11日条例第103号）の5条1項が，「何人も，正当な理由なく，人を著しく羞恥させ，又は人に不安を覚えさせるような行為であつて，次に掲げるものをしてはならない」とし，同項1号は，「公共の場所又は公共の乗物において，衣服その他

内などで行われる行為のうち，犯人自ら全裸になり他人に見せつける行為や，さらには自慰を行って射精する行為なども（すぐ次に述べるように，被害者の意思に対する働きかけ〔少なくともそれを受忍することの強制〕がないことから）それ自体としては本条にいうわいせつ行為にはあたらないであろう[22]。

もはや暴行や脅迫は必須の要件とされないが（→128頁以下），被害者が「同意しない意思を形成し，表明し若しくは全うすることが困難な状態」にあることが要件とされるのであるから，意思に対する働きかけがあり，被害者に少なくとも行為者の行為を受忍させることが必要であろう。犯人自身の自慰行為を見ることを被害者に強制する行為や，犯人が被害者の裸の肢体を撮影することを被害者に受忍させる行為[23]は本罪のわいせつ行為にあたりうるが，衣服を着けていない場所にいる被害者をひそかに写真撮影するような行為は，本条にいうわいせつ行為にはならない（したがって，睡眠等，意識がない状態にあることに乗じて16歳未満の者に対して行われたとしても，176条3項にはあたらない[24]）。

不同意わいせつ行為として問題となる行為の中には，①上述の例にあるような，行為のもつ性的性質が明確で，当該行為が行われた際の具体的状況いかんにかかわらずわいせつ行為と評価可能な行為のほか，②行為そのものがもつ性的性質が不明確で，当該行為が行われた際の具体的状況等をも考慮に入れなければ当該行為に性的な意味があるかどうかが評価しがたい行為も存在する[25]。後者②については，個別事案の具体的事情を考慮に入れ，行為者の目的等の主観的事情をも判断要素としてわいせつ行為といいうるかどうかを検討すること

の身に着ける物の上から又は直接に人の身体に触れること」と定める。刑罰は，同条例8条1項2号により「6月以下の拘禁刑又は50万円以下の罰金」である。

22） ただし，そこから立ち去らないように強制したり，被害者に近づき精液をかける等の行為が行われたりすれば，本罪の成立を認めることができよう。

23） 広島高判平成23・5・26 LEX/DB 25471443を参照。

24） 被害者の目の前で脅迫を加えて自ら着衣を脱がせ，裸の写真を自らの携帯電話等を用いて「自撮り」させる行為も不同意わいせつ行為であり，そうであるとすれば，遠隔地から被害者を脅迫し，裸の写真を自撮りさせて，その画像を犯人宛てに送付させる行為も不同意わいせつ行為にあたる。したがって，16歳未満の被害者に対するものであれば，脅迫等がなくても176条3項にあたる。**非接触型のわいせつ行為**については，橋爪隆・研修860号（2020年）3頁以下を参照。

25） 最大判平成29・11・29刑集71巻9号467頁。

になる（→137頁）。これに対し，③一般的には性的性質をもたない行為を特殊な嗜好（しこう）をもつ行為者が性的意図をもって被害者に対して行い，被害者はそのとき強い性的羞恥心を感じており，行為者もそのことを認識していたというときはどうであろうか。およそ性的性質があるかどうかは，「その時代の性的な被害に係る犯罪に対する社会の一般的な受け止め方を考慮しつつ客観的に判断されるべき事柄である[26]」から，そのようなケースでは不同意わいせつ罪にはならないと解すべきである[27]。

不同意性交等罪（177条）にいう「**性交等**」とは，性交，肛門性交，口腔性交という3つの行為類型[28]に加えて，2023年改正により加わった「膣（ちつ）若しくは肛門に身体の一部（陰茎を除く。）若しくは物を挿入する行為であってわいせつなもの」をいう。このうち性交とは，性器の結合（男性器〔陰茎〕を女性器〔膣〕内に挿入すること）のことであり，肛門性交とは男性器を肛門に挿入すること，口腔性交とは男性器を口腔内に入れることをいう（当然のことながら，射精は既遂の要件とならない）。加害者・被害者ともに男女を問わない（ただし，少なくとも一方が男性であることを要する）。行為者が自己の膣・肛門・口腔に，被害者の男性器を挿入させる行為も本罪にあたる。被害者の男性器を「挿入させる行為」も，男性器の身体への挿入をともなう濃厚な性的なコンタクトの経験の共有を強いるという，行為の本質的部分（→117頁以下）においては，加害者の男性器を「挿入する行為」と何ら相違がない。

2023年改正により，被害者以外の人の身体の一部（手指等）や物（バイブレ

26）　前掲注*25*）最大判平成29・11・29。

27）　青森地判平成18・3・16 LEX/DB 28115159（→49頁注*7*））は，被告人が自己の特異な性的欲求を満足させるため，右手の中指を被害者の口腔内の舌の付け根辺りまで押し込んで嘔吐させた行為について暴行罪の成立のみを認めている。

28）　現在の諸外国の立法例を見ても，これらの3つの行為類型は，基本的に同じ評価に値する行為とされているといえよう。これに対し，口腔性交については，現象的形態がかなり異なるとする意見もありうる。しかし，不同意性交が行われる際に，口腔性交があわせ行われるケースが多いことに示されているように，性的欲求の対象となる度合いが高く，それだけ被害者の強い保護が要請されるという点で，膣性交・肛門性交と同じに扱うべきものであろう。また，口腔性交は被害者の顔に近いところで行われ，またそれは排泄のために使う身体部位を食事のために使う器官の中に入れるのであるから，身体的内密領域の侵害という点で顕著なものがあるということも付け加えることができよう。

ータ等の性具等）を膣または肛門に挿入する行為も「性交等」に含められ，重い類型の性的侵害行為に振り分けられることになった。今回の改正について，注意すべきことは，①口腔に挿入する行為は除かれていること（性具を挿入する等，それがわいせつな行為として行われても不同意わいせつ罪にとどまること）と，②犯人が被害者をして身体の一部や物を自分の膣または肛門に挿入させる行為は「性交等」にあたらないこと（不同意わいせつにとどまること）である。なお，新類型につき，法文上，「わいせつなもの」に限定されている趣旨は，（特に16歳未満の者に対して）薬や生理用品を挿入する場合や，医師の治療行為として行われる場合を除外する趣旨である。

性的適合手術によって形成された陰茎または膣も，生まれながらの陰茎や膣と同等に扱うべき場合が考えられよう。自己または他人の組織を使用し，さらには一定の物質を使って形成されたものが手段または客体となる場合でも，最初から本罪の適用が排除されるものではない（それは，傷害罪における「人の身体」〔204条〕について，生まれながらの身体ばかりでなく，他人の臓器・組織や，一定の物質を人の身体に移植等したときに，容易に分離できない形で結合したものについてはこれにあたる〔→50頁〕というのと考え方としては同じである）。

不同意わいせつ罪も，不同意性交等罪も，犯罪の主体に限定はない（したがって，いずれの犯罪も**身分犯ではない**）。不同意性交等罪については，性交，肛門性交，口腔性交の3類型に限り，少なくとも行為者か被害者かのいずれかが男性であることが必要であるが，女性も，間接正犯や共同正犯の形態では女性を被害者とする同罪の正犯となることが可能である[29]。

配偶者間（夫婦間）においても不同意わいせつ罪および不同意性交等罪は成立する[30]。2023年改正により，両罪について，「婚姻関係の有無にかかわらず」という文言が入ったことにより，規定上そのことは明確化され，解釈上の疑義が

29）なお，旧規定の下において，女性が男性と共謀しその強姦行為に加功したときに強姦罪の共同正犯を肯定したのは，最決昭和40・3・30刑集19巻2号125頁，東京高判昭和57・6・28高刑速昭和57年254頁（ただし，いずれの判例も，65条1項を適用している）。ちなみに，不同意性交等罪に関し，行為者が同性の被害者を異性と誤信して膣性交を行おうとしたとき，既遂到達の危険性があると考えられる限り，不能犯ではなく未遂犯となる可能性はある。

30）たとえば，新注釈（2）625頁以下〔和田俊憲〕，西田・102頁以下，山口・109頁以下など。同じことは，不同意わいせつ罪についても妥当する。

入る余地はなくなった。かつては婚姻が継続的な性交渉を前提とすることを理由とする消極説も存在したが，その人の意思に反してわいせつな行為や性交が行われているのに，形式的に夫婦間という理由だけで両罪の成立を否定するのは不当な解釈である[31)]。また，「夫婦関係が実質的に破綻している場合」に限定して犯罪の成立を肯定しようとする見解もあったが（いわゆる限定的肯定説），こうした限定も，婚姻関係にある個人の身体的内密領域の刑法的保護を理由なく切り詰めてしまうものであった。もちろん，「法が家庭の中に入っていくにあたっては相当な慎重さが要求される」という一般的な解釈指針は，ここにおいても妥当する。同様の慎重さは，配偶者間のケースに限らず，事実婚の関係にある者どうし，親密な関係にある同性間・異性間における性暴力への国家的対応に際しても，同様に要求される。

(3) 不同意わいせつ行為・不同意性交等

(a) 2023年改正の意義　2023（令和5）年の刑法一部改正により，従来の（準）強制わいせつ罪および（準）強制性交等罪の各処罰規定（旧176条～178条）は根本的に改められた。性犯罪の本質は，被害者側に有効な同意があるといえないのに性的行為が行われるところにある。このことは改正前の規定においても同じであったと考えられる。旧規定においては，これを，①暴行・脅迫を用いて性的行為を行う場合[32)]と，②被害者が精神障害等の一定の理由で抵抗ができない場合（心神喪失・抗拒不能の場合）とに分け，前者を強制わいせつ罪・強制性交等罪，後者を準強制わいせつ罪・準強制性交等罪と呼んでいた。これらは被害者側に有効な同意があるといえない場合を類型化したものであるが（その意味で，これらを「不同意性交等罪」と呼ぶことも可能であった），可

---

31) かつてのドイツ刑法の強姦罪規定（1997年の法改正までは，「婚姻外の」性交を強制することが強姦罪の成立要件とされていた）と異なり，日本の刑法には犯罪の成立を認めることに対する文言上の障害はなかった。配偶者間においても強姦罪（旧177条）の成立を認めた判例として，広島高松江支判昭和62・6・18高刑集40巻1号71頁，東京高判平成19・9・26判タ1268号345頁がある。いずれも婚姻関係が実質的に破綻していた事案であったが，後者の東京高裁の判決は，そうでなくても強姦罪が成立しうることを述べていた。

32) さらに，暴行・脅迫が加えられなくても，性的行為の強制が行われたものと法的に見なされる類型として，被害者が性的同意年齢に達しない場合（→133頁以下）と，監護者わいせつ罪と監護者性交等罪（→139頁以下）の場合があった。

罰的行為を捕捉する要件を規定するものとして大きな問題を抱えていたといえよう。暴行・脅迫を原則的な要件とし，①と②を二分して，後者を二次的・補充的な類型としていることにも理由があるとはいえないし，何よりも**行為の時点において被害者がどのような心理状態になければならないか**を正面から文言化していなかった。そのかわりに，暴行・脅迫という行為態様・行為手段を法文上の要件とし，または心神喪失・抗拒不能という（上述のような性犯罪の本質から見て不適切な）概念を用いて被害者の陥った状態を規定していた。そこから，旧法下では，次のような問題が生じていたといえよう。

判例実務は，暴行・脅迫，心神喪失・抗拒不能という要件を解釈するにあたり，上記のような性犯罪の本質的理解に基づき，それに合致するように，これらの文言を相当に緩やかに解釈することを通じて，適正な処罰範囲を確保するように努めてきたといえる。しかし，暴行・脅迫ないし心神喪失・抗拒不能という文言それ自体は，かなり狭い文言であり，強制性交等罪については，強盗罪の規定との構造的な類似性にも災いされて条文が狭く読まれることがあり，規定の理解と解釈にばらつきが生ずるきらいがあった（また，刑法の条文に接する一般市民にとってもその理解の困難な規定となっていたことも，刑法の行為規範性〔→総論 34 頁，54 頁以下〕という見地からは 1 つの問題であった）。

暴行・脅迫，心神喪失・抗拒不能　性犯罪の手段としての暴行・脅迫は，**最狭義の暴行・脅迫**でなければならないとされ（→57 頁），強盗罪（236 条）におけるように被害者の反抗を抑圧する程度のものであることを要しないが[33]，**被害者の反抗を著しく困難ならしめる程度のもの**でなければならないとするのが判例・通説である[34]。ただ，性犯罪において本質的なことは，被害者の意思に反して性的行為が行われるところにある（暴行・脅迫要件は，被害者側に同意がある場合を排除する機能をもつものであった）。そこで，2023 年改正以前においても，暴行・脅迫それ自体の強度を問題とすべきものではなかった。つまり，必ずしも外形的な暴行・脅迫がそれ自体として一般的

33）2017 年改正前において，強盗罪の法定刑の下限が，強姦罪（旧 177 条）のそれよりも重いのは，手段としての暴行・脅迫の強度の違いに基づくものといわれたこともあった。

34）最判昭和 24・5・10 刑集 3 巻 6 号 711 頁など。学説として，大塚・99 頁以下，102 頁，大谷・121 頁以下，124 頁以下，斎藤・53 頁，曽根・67 頁以下，団藤・490 頁以下，中森・66 頁，林・89 頁，91 頁，平野・概説 179 頁，前田・98 頁，102 頁，山口・107 頁以下，110 頁，山中・165 頁以下，169 頁など。

にはそれほど強度なものでなく，また被害者の抵抗が行われていないとしても，被害者にとり抵抗が困難であり性的行為が意思に反して行われたことが，合理的な疑いを容れない程度に証明されるのであれば，その場合にも，最狭義の暴行・脅迫は肯定できたのである[35]。改正後の現行規定の下では，そうした事例でも，176条1項1号，177条1項の暴行・脅迫要件は（場合により他の号と競合して）充足される。また特に，2023年改正以前における強制わいせつ罪については，暴行が同時にわいせつ行為そのものと認められる場合でもよいとされ，比較的軽度な暴行でも，被害者の油断・無防備に乗じて行われるときはその手段となるとされていた[36]。ただ，新規定の下では，そうしたケースでは，176条1項1号ではなく，同項5号に該当すると考えれば足りることになる。他方，心神喪失・抗拒不能のうちの「抗拒不能」とは，「抵抗が著しく困難な状態」のことをいうと解され，物理的・身体的に，または精神医学上の理由で抵抗できない場合だけでなく，一定の社会的な上下関係があり心理的に抵抗し難い場合も含むとされてきたが，それらのケースを捕捉するために「抗拒不能」が適切な概念でなかったことは明らかである。新規定においては，176条1項2号〜4号がそれにあたる主要な事例の類型であろう。

2023年改正後の新規定は，性的行為に関する自由な意思決定が困難な状態にあり有効な同意とは認められない場合を正面から捕捉するため，行為当時における被害者の心理状態を，「同意しない意思を形成し，表明し若しくは全うすることが困難な状態」という要件を用いて文言化した。同時に，従来の強制わいせつ罪・強制性交等罪と，準強制わいせつ罪・準強制性交等罪との区別をやめて統一的に，被害者がそのような心理状態となってしまう原因となる行為や事由を例示した。あわせて罪名も，性犯罪の本質を表現する「不同意わいせつ罪・不同意性交等罪」とした。それは，旧規定の下でも，適切な解釈を施しさえすれば処罰可能であったもの，そしてそれだけを処罰するように明確化する趣旨の規定であるといえよう。

35） 最高裁も，旧177条にいう「暴行または脅迫の行為は，単にそれのみを取り上げて観察すれば右の程度には達しないと認められるようなものであつても，その相手方の年令，性別，素行，経歴等やそれがなされた時間，場所の四囲の環境その他具体的事情の如何と相伴つて，相手方の抗拒を不能にし又はこれを著しく困難ならしめるものであれば足りると解すべきである」と述べていた（最判昭和33・6・6集刑126号171頁）。

36） 特に，大塚・99頁以下，大谷・121頁以下，山口・107頁以下など。

（b）規定の構造　不同意わいせつ罪・不同意性交等罪は，**強制類型**と**誤信類型**とに分けられる。前者の要件を規定する176条1項には，1号から8号まで，被害者が「同意しない意思を形成し，表明し若しくは全うすることが困難な状態」となるに至る原因行為ないし原因事由が列挙されている。行為者が原因を作り出す場合と，存在する原因を利用する場合の両方が含まれることになる。「その他これらに類する行為又は事由」まで含まれることから，これらは**例示列挙**にすぎない（176条2項・177条2項の誤信類型〔→132頁以下〕については規定の仕方がこれとは異なることに注意しなければならない）。

要件の本体部分である「**同意しない意思を形成し，表明し若しくは全うすることが困難な状態**」とは，当該の性的行為について被害者に有効な同意があったとはいえない場合の心理状態を文言化したものであり，不同意の意思の形成・表明・実現のいずれかが（不可能な場合はもちろん，少なくとも）困難であるため，性的行為の時点で被害者個人にとり意思決定の選択肢が事実上1つに収束してしまうときのこと（複数の選択肢の間の任意の選択とは評しえないときのこと）をいうと考えるべきであろう。そのような心理状態は，恐喝罪と同等のレベルで同意意思に重大な瑕疵を生じさせる（→348頁以下）ことを手段とする場合（単なる困惑以上の心理的プレッシャーを与える場合）には肯定されると解される。

立法論としては，条文にはこの要件だけを規定し，その内容の具体化は判例実務における解釈に委ねることも可能であった。しかし，その判断をより容易かつ安定的に行いうるようにするために，そうした状態の原因となりうる行為または事由を広く拾い上げて例示列挙することとした。8つに類型化された行為または事由により本規定がターゲットとする処罰対象のイメージを明確化することに役立ちうるものとなっている。

処罰範囲を明確にするための例示列挙　これは，これまでの規定が処罰の対象を必ずしも明確に示すものではなく，当てはめの判断がまちまちになりがちであったことを踏まえて，その判断をより容易にし，より安定的に行われるようにしようという趣旨のものである。「その他これらに類する」という文言は，類似の場合にも適用することを意味し，類推適用を禁止する刑法（→総論58頁以下）に似つかわしくないと思われるかもしれない。しかし，すでに刑法典においても，数多くの条文で「その他の方法」（125条や234条の2など）ないし「その他の行為」（79条など）という文言が用いられている（ちなみに，ドイツ刑法典においても，例示列挙を多用して刑罰法規適用の指針を与えるという立法技術は，かなり以前から用いられている）。

８つの列挙行為・列挙事由[37]は，これまでの裁判例等において見られたものおよび旧規定の下でその適用をめぐり明確さを欠いていたものを中心に類型化されている。１号は従来の強制わいせつ罪・強制性交等罪の手段とされていたものであり，２号から４号は従来の準強制わいせつ罪・準強制性交等罪の手段とされていたものである（そこでは，従来の解釈および判例・裁判例を参考とすることができる）。５号から８号は，従来の規定の下でも捕捉可能であったと解されるが，しかし，適用されるかどうかが明確でないとして批判も提起されていた場合をはっきりと類型化したものといえよう。法案審議の過程では，８号の「経済的又は社会的関係上の地位に基づく影響力によって受ける不利益を憂慮させること又はそれを憂慮していること」がとりわけ不明確であるという指摘も見られた。ただ，これも要件の本体部分である「同意しない意思を形成し，表明し若しくは全うすることが困難な状態」を引き起こす事由として理解されなければならない。そのような不利益の憂慮，つまりそれを不安に思い，心配することのゆえに，被害者にとり性的行為の時点で意思決定の選択肢が事実上１つに収束してしまう心理状態（複数の選択肢の間の任意の選択とは評しえない心理状態）に置かれ，性的行為に応じたというケースを処罰の対象として予定していると解される。

(c)　誤信類型　一般論としていえば，被害者の側の一定の重要な錯誤は同意を無効とする（したがって，不同意となる）というのが最高裁判例の立場である（→37 頁以下，186 頁以下）。しかし，被害者に重大な錯誤を生じさせて性的行為を行ったとしても，ただちにこれを強制類型（→131 頁以下）と同じに扱うことはできない[38]。強制類型が，被害者にとり行動の選択肢が事実上１つ

37) 列挙行為・列挙事由についての現段階での詳細な検討として，樋口亮介・法時 95 巻 11 号（2023 年）70 頁以下があり，参考になる。2023 年改正の実務における法適用や量刑への影響については，小池信太郎・法時 95 巻 11 号（2023 年）84 頁以下を参照。

38) このことが，刑法が不同意わいせつ行為・不同意性交等を処罰するべきだとしても，しかし，規定上の要件としては，「同意がないのに」とか「同意に基づかずに」とかの文言を用い

になってしまうような心理状態を予定しているとすれば，誤信類型は，それが「見返り」ないし「反対給付」との比較に基づく意思決定を前提とするものである限り，強制類型と同一の扱いはできないと考えられるからである。そこで，2023年改正による176条2項・177条2項は，誤信類型のうち，行おうとしている性的行為についての正確な認識がおよそ欠如しており，強制類型と同視しうる場合，すなわち，「行為がわいせつなものではないとの誤信をさせ，若しくは行為をする者について人違いをさせ，又はそれらの誤信若しくは人違いをしていることに乗じて」，わいせつな行為や性交等を行った場合に限ってこれを不同意わいせつ罪・不同意性交等罪により処罰することとした（この場合には，当然に「同意しない意思を形成し，表明し若しくは全うすることが困難な状態」であったと見なされることになる）。

「行為がわいせつなものではないとの誤信をさせ」る場合としては，医師による治療と偽って性器等に触れる事例などが考えられるであろう[39]。「人違い」とは，配偶者や恋人と誤信させる場合のような，人の同一性に関して誤信を生じさせることをいう。職業，資格の有無，既婚・未婚の別，財産状態といった人の属性に関して誤信を生じさせる場合を含まない。そこで，「結婚するから」「金銭を提供するから」「契約をしてあげるから」「試験に合格させてあげるから」等々と偽ったときなどは（利益供与型の類型），不同意わいせつ罪・不同意性交等罪にあたらない。避妊具の装着について誤信を生じさせること（いわゆるステルシング）も処罰の対象としない趣旨と解されよう。

(d)　同意年齢　不同意わいせつ罪も，不同意性交等罪も，**16歳未満の者**が被害者となる場合には，176条1項に規定された原因行為・原因事由の有無を問わず，かつ「同意しない意思を形成し，表明し若しくは全うすることが困難な状態にさせ又はその状態にあることに乗じ」たことの確認を必要としない（176条3項・177条3項を参照）。これは，被害者の同意・不同意の有無の確認を問わず当然に犯罪が成立すること（同意に基づく性的行為であることが否定さ

るべきでないことの理由である。

39）ただし，性的行為（たとえば，胸に触れること）については同意していたが，性交等については同意していなかったという場合に，被害者に気づかれずに性交等を行ったというときには，不同意性交等罪の成立が肯定されるであろう。

れること）を意味しており，いいかえれば，刑法は，16 歳未満の者については**性的行為に関する判断能力（同意能力）を否定**している（この事態を指して「性交同意年齢」は満 16 歳であるといわれることがある）。従来は同意年齢は満 13 歳であったが，2023 年改正によりこれが満 16 歳に引き上げられた。

ただし，2023 年改正は，同意年齢を満 13 歳から満 16 歳に引き上げるとともに，**満 13 歳以上満 16 歳未満の者との関係では，犯罪主体の側に重要な制限**を加えた。すなわち，その年齢層の者との関係では，「その者が生まれた日より 5 年以上前の日に生まれた者」に限って犯罪の主体となり，したがって年齢差が 5 歳未満の場合については（単に処罰条件が欠けるというのではなく）およそ構成要件に該当せず，犯罪とはならない（176 条 3 項・177 条 3 項）。たとえば，14 歳の者と 15 歳の者とがいずれも 176 条 1 項・177 条 1 項の要件に該当することなく性的行為を行ったというとき，上の制限がなければ，両者について犯罪が成立するはずであるが，相互に制限が適用され，構成要件に該当しないこととなる。

このことは，次のように考えるとき，理解が可能となろう。13 歳未満の者については，およそ性的行為のもつ意味を認識・理解できないため，およそ性的行為に対する同意能力が否定され，**絶対的な保護の対象**となる。これに対し，13 歳以上 16 歳未満の者については，性的行為のもつ意味はそれなりに認識・理解できるとしても，一定の年齢差以上の者との関係においては，その行為が自分に与える影響について自律的に考えて理解したり，考えた結果に基づいて相手に対処する能力はなお不十分である（相手方の働きかけにうまく対応して適切に意思決定・意思実現できない）と考えられ，刑法的保護の対象（いわば**相対的保護の対象**）とされなければならないのである[40]。その上で，この規定は**年長者による性的行為を一律に処罰対象とするもの**であるため，絶対に対等な関係はありえないといえるだけ十分な年齢差を設けるという見地から，5 歳以上年長の者によ

40）　実際にも，この近い年齢同士の者は相当に広範に性的行為を行っていると考えられ，これらを犯罪とすること（したがって少年法に基づく家庭裁判所送致の対象とすること）は非現実的であり，また，差別的な法執行を生じさせることとなるであろう。むしろ進んで，13 歳以上 16 歳未満の者にも，一定の限度では性的行為の自由があると解すべきなのである。

る性的行為を処罰することとされたものである。[41] そこで，5歳差未満の者との関係でも，当然には性犯罪とならないというだけで，具体的ケースにおいて176条1項・177条1項の要件に該当する限り（そして，被害者が16歳以上のケースと比較すれば，それらの要件はより容易にクリアされることとなろう），不同意わいせつ罪・不同意性交等罪が成立することになる。

以上のように，被害者の年齢は刑法が法益侵害性を認めるための要件となっているから，行為者側において**故意における認識の対象**であり，行為者が本当は15歳の被害者を錯誤により16歳以上であると誤信していたとき（たとえば，高校2年であると思っていたとき）には，故意が阻却され，犯罪は成立しない。また，満13歳以上満16歳未満の年齢層の者と性的行為を行ったが，年齢の誤信により，自分とは5歳以上の年齢差がないのに，それがあると思っていたとき，やはり故意が阻却される。

年少者の性的保護　現行法の下では，年少者の性的行為は（未成熟な者の保護の見地から）特別法により制限されている。すなわち，**児童福祉法**（1947〔昭和22〕年12月12日法律第164号）**34条1項6号**は，児童（満18歳未満の男女）に「淫行をさせる行為[42]」を禁止しており（その違反に対しては，同法60条1項により，10年以下の拘禁刑もしくは300万円以下の罰金が科され，またはこれらが併科される），そして，ここに淫行「させる行為」とは，「直接たると間接たるとを問わず児童に対して事実上の影響力を及ぼして児童が淫行をなすことを助長し促進する行為」をいうとされ[43]，そのようなものである限り，児童を第三者と淫行させる行為と，行為者自らが児童と淫行をする行為の両方が含まれるとされている。さらに，**児童買春，児童ポルノに係る行為等の規制及び処罰並びに児童の保護等に関する法律**（児童買春・児童ポルノ処罰法。1999〔平成11〕年5月26日法律第52号）**4条**により，児童買春が処罰

41）同意年齢に関する2023年改正についての詳細な理論的な検討は，深町晋也・法時95巻11号（2023年）77頁以下にある。改正の量刑の影響については，小池・前掲注*37*）85頁以下が示唆に富む。

42）ここにいう「淫行」とは，児童福祉法「の趣旨（同法1条）に照らし，児童の心身の健全な育成を阻害するおそれがあると認められる性交又はこれに準ずる性交類似行為をいうと解するのが相当であり，児童を単に自己の性的欲望を満足させるための対象として扱っているとしか認められないような者を相手とする性交又はこれに準ずる性交類似行為は，同号にいう『淫行』に含まれる」とされる（最決平成28・6・21刑集70巻5号369頁）。

43）最決昭和40・4・30集刑155号595頁，前掲注*42*）最決平成28・6・21を参照。

されている（違反に対しては，5年以下の拘禁刑または300万円以下の罰金が科せられる）。さらに，「淫行」を規制する**地方公共団体の青少年保護育成条例違反の罪**も存在する。[44)]

(4) 目　的

以前の最高裁判例[45)]は，当時の**強制わいせつ罪**につき，特別な主観的要素（故意に付加して要求される主観的違法要素）として，「犯人の性欲を刺激興奮させまたは満足させるという性的意図」が必要だとしていた。したがって，そのような性的意図がなく，もっぱら報復侮辱の目的で女性を脅迫し裸にして写真撮影する行為については，強要罪その他の罪の成立が考えられるにすぎないとしたのである。しかしながら，強制わいせつ罪が（そして現在の不同意わいせつ罪も）不当な方法で性欲を満足させることを処罰の対象とするのではなく，その保護法益はあくまでも被害者の性的自己決定権であるとすれば（→116頁以下），行為者において，被害者の意思に反してその身体的内密領域を侵すという違法内容についての認識（故意）がある以上，同罪の成立を認めない理由はない。故意に付加して主観的違法要素を要求することは不要であり不当である（→総論117頁以下）。

その後，最高裁は，**判例を明示的に変更**し，被害者の受けた性的な被害の有無やその内容，程度にこそ目を向けるべきであり，**故意に加えて性的意図があることを一律に同罪の成立要件とすることは相当でない**とする判断を示した[46)]。問題となったケースは，13歳未満の女子であることを知りつつ，被害者に対し被告人の陰茎を触らせ，口にくわえさせ，被害者の陰部を触るなどのわいせつ行為をしたというものであり[47)]，「行為そのものが持つ性的性質が明確で，当該行為が行われた際の具体的状況等如何にかかわらず当然に性的な意味があると認めら

44) これら諸法令について，安部哲夫『新版 青少年保護法〔補訂版〕』（2014年）12頁以下，17頁以下，19頁以下，215頁以下，242頁以下を参照。

45) 最判昭和45・1・29刑集24巻1号1頁。

46) 前掲注*25)*最大判平成29・11・29。

47) 2017（平成29）年刑法一部改正法施行後の行為であったとすれば，強制わいせつ罪ではなく，強制性交等罪（現在では不同意性交等罪）の規定が適用されるケースであった。

れる」ケースであったが（→125頁），このような場合には性的意図の有無にかかわらず直ちに強制わいせつ罪の成立が認められるとしたのである。

行為者の目的等の主観的事情が判断要素となりうる場合　ただし，最高裁は，「行為そのものが持つ性的性質が不明確で，当該行為が行われた際の具体的状況等をも考慮に入れなければ当該行為に性的な意味があるかどうかが評価し難いような行為」もあり，また性的な性質がある行為がすべて（法定刑の重い）本罪にあたるともいえないとする。そこで，本罪にあたるかどうかの判断にあたっては，「行為そのものが持つ性的性質の有無及び程度を十分に踏まえた上で，事案によっては，当該行為が行われた際の具体的状況等の諸般の事情をも総合考慮し，社会通念に照らし，その行為に性的な意味があるといえるか否かや，その性的な意味合いの強さを個別事案に応じた具体的事実関係に基づいて判断せざるを得ないことになる。したがって，そのような個別具体的な事情の１つとして，行為者の目的等の主観的事情を判断要素として考慮すべき場合があり得ることは否定し難い」としたのである。

その趣旨は必ずしも明らかでないが，**行為のもつ性的性質が不明確な場合**や，**それが可罰的な程度のものかどうかの境界線上にある場合**には，具体的事情の下での総合判断が要求され，その際に，行為者の目的等の主観的事情が１つの判断要素たりうるとするものである。行為のもつ性的性質が不明確な場合や，それが可罰的な程度のものかどうかの境界線上にある場合として特に問題となるのは，①一定の有形力の行使があっても違法性が阻却されうる行為（たとえば，医師により患者の治療の過程で行われる行為，親や学校の教師により教育ないし指導の趣旨で行われる行為など）や，②暴行・脅迫が要件とならない，16歳未満の者に対する行為や要介護者に対する行為（たとえば，入浴させる行為や着替えをさせる行為など）であろう。

以上のことは，2023年改正後の不同意わいせつ罪にもそのまま当てはまるといえよう。

(5)　既遂と未遂

不同意わいせつ罪は被害者に対するわいせつ行為が（その一部でも）行われることにより，不同意性交等罪は性交等が行われること（すなわち，挿入が行われること）により既遂となる。不同意わいせつ罪と不同意性交等罪においては**未遂も処罰**される（180条）。**実行の着手**（43条）は，176条１項・177条１項にいう「同意しない意思を形成し，表明し若しくは全うすることが困難な状態」にさせる場合には，手段としての８つの列挙行為（またはそれらに類する行為）のいずれかが開始された時点で認められることが多いであろう。また，そうした状態に乗じる場合には，わいせつ行為ないし性交等の行為の開始時点で着手が認められるのが通常であろう。ただし，前者の場合でも，5号の「同意しない意思を形成し，表明し又は全うするいとまがないこと」がその事由になるときには，わいせつ行為ないし性交等の行為の開始が必要となるし，また，「同意しない意思を形成し，表明し若しくは全うすることが困難な状態」に陥れるのに一定の時間が必要なときであれば（7号や8号のケースでそうした場合が考えられる）被害者への働きかけがあったというだけでただちに着手を認めることはできないであろう。

手段としての列挙行為（またはそれらに類する行為）が行われるにとどまったとき，不同意わいせつ罪の未遂犯となるか，それとも（より重い）不同意性交等罪の未遂犯となるかの区別は，行為者の目的が単なるわいせつ行為を行うところにあったのか，それとも性交等にあったのかにより行われることになる。また，不同意わいせつ罪にあたる行為が行われたとき，行為者が最初から性交等を行うつもりであったときには，その時点で不同意性交等罪の未遂犯が成立する（不同意わいせつ罪の既遂か，それとも不同意性交等罪の未遂かは，外形的には区別できず，行為者が性交等に及ぶ故意があったかどうかにより区別される）。

(6) 罪数，他罪との関係，没収

同一の機会に，同一の被害者に対しそれぞれ性交等にあたる複数の行為が行われた場合も，不同意性交等罪にあたる一罪である。不同意性交等罪を犯した者が，その機会に，被害者に対し性交等以外の不同意わいせつ行為を行ったときは，包括して重い不同意性交等罪により処罰される（不同意わいせつ罪も成立するが，不同意性交等罪の規定により包括的に評価される。包括一罪〔吸収一罪〕については，総論587頁以下を参照）。16歳未満の被害者に対し，176条1項ないし2項または177条1項ないし2項の要件を充足する形でわいせつ行為または性交等の行為をした場合，176条または177条に該当する一罪が成立する[48]。不同意わいせつ行為が同時に公然わいせつ罪（174条）の要件を充足するときには，両罪の観念的競合となる。

48) 最決昭和44・7・25刑集23巻8号1068頁（強制わいせつのケース）を参照。

同一場所で数人に対して不同意性交等罪を行ったときは，それぞれの被害者との関係で複数の不同意性交等罪が成立し，併合罪として処断される。強盗犯人が強盗の機会に一定の被害者に性交等を強制したときは，**強盗・不同意性交等罪**（241条〔→301頁以下〕）となる。不同意性交等罪の犯人が，その実行の着手後に，強盗の故意を生じて，畏怖している被害者から金品を強取したときも，同罪が成立する（2017年改正前は，強姦罪と強盗罪の併合罪となるにすぎなかった）。

没収をめぐり，2023年改正以前には，困難な問題が生じていた。すなわち，性犯罪の犯行状況を撮影した写真や動画（またはそのコピー）があるとき，それをいかなる根拠にもとづき，いかなる限度で没収しうるかをめぐり見解の対立があったのである（没収については，総論617頁以下を参照）。それらは，「犯罪行為によって生じた物」（生成物件）とも「犯罪行為によって得た物」（取得物件）とも（19条1項3号）いいにくい。もしビデオに撮ることで後に被害者が告訴等を行うことをためらわせる目的が行為者にあるときには，それが犯行の完遂を可能とするものであることから，「犯罪行為の用に供した物」（供用物件〔同項2号〕）にあたるともいいえようが[49]，そうした目的が認めにくいケースでは供用物件とすることは難しいであろう。2023年改正は，後に残る形で写真や動画等を作成すること自体を独立の犯罪とすることにより，写真や動画を生成物件（19条1項3号）として没収することを可能にし，かつ，性的姿態撮影等処罰法により，その複写物の没収も可能とすることにして（同法8条），この問題を立法的に解決した（→147頁以下）。

3　監護者わいせつ罪・監護者性交等罪

（監護者わいせつ及び監護者性交等）
第179条①　18歳未満の者に対し，その者を現に監護する者であることによる影

49）最決平成30・6・26刑集72巻2号209頁は，被告人が，強姦および強制わいせつの犯行の様子を被害者に気付かれないように撮影しデジタルビデオカセットに録画したというケースにつき，「被告人がこのような隠し撮りをしたのは，被害者にそれぞれその犯行の様子を撮影録画したことを知らせて，捜査機関に被告人の処罰を求めることを断念させ，刑事責任の追及を免れようとしたためであると認められる」とし，そのような事実関係の下では，デジタルビデオカセットは，19条1項2号の供用物件として没収できるとした。

響力があることに乗じてわいせつな行為をした者は，第176条第1項の例による。
② 18歳未満の者に対し，その者を現に監護する者であることによる影響力があることに乗じて性交等をした者は，第177条第1項の例による。

2017（平成29）年の刑法一部改正により新設された犯罪類型である。暴行や脅迫といった手段を用いることなく，地位・関係性を利用して行われた性的侵害行為であって，**同意がおよそ問題にならない状況下**にあったと捉えられる場合を類型化したものである。被害者が精神的に未成熟であり，かつ監護者との関係で精神的・経済的に依存しているときには，監護者がその影響力があることに乗じて行う行為について176条1項・177条1項（たとえば176条1項8号）の要件が充足されないときでも（それらの要件が充足されれば，不同意わいせつ罪・不同意性交等罪が成立しうる），被害者の有効な同意に基づく行為とはいえず[50)]，被害者を刑法典の性犯罪処罰規定により保護する必要があるとする考え方に立脚している。なお，18歳未満の者に対するその種の行為は，これまで児童福祉法34条1項6号の「児童に淫行をさせる行為」として処罰されてきたが（罰則は60条1項により，10年以下の拘禁刑もしくは300万円以下の罰金またはこれらの併科），その違法性の程度において不同意わいせつ罪・不同意性交等罪と変わらないところから，新規定が加えられたのである[51)]。

「現に監護する者」とは，親権者のように法律上の監護権に基づきこれを行う者（民法820条を参照）に限られない。事実上，現に18歳未満の者を監督・保護する者であればこれにあたりうる。ただ，親子関係と同視しうる程度に，居住場所の提供と指定・生活費用の支出・人格形成等の生活全般にわたる指導・監督などを継続的に行うことによる依存関係・保護関係が形成されていなければならない。逆に，法律上の監護権を有する者であっても，実際に監護し

50) かりに性的関係がかなり長期にわたり継続し，むしろそれが常態化しているといった場合であったとしても，被害者の（事実上の）同意はおよそ法的に有効なものと認めることはできない。179条の要件が認められる限りは，当然に同意は存在しないものと考えられるのである。

51) 学校の教師やスポーツクラブの指導者など，被害者との関係で監護者にあたらない者が地位・関係性を利用して行う性的侵害行為については，今後も児童福祉法34条1項6号により対応することとなる。ただ，176条1項8号の要件を肯定できるケースもありえよう。

ているという実態がなければこれから除かれることもありうる。「現に監護する者」の具体例としては，実親や養親等が挙げられるが，養護施設等の職員についても具体的事情の下でこれに該当する場合がある。「影響力」とは，監護者が被監護者の生活全般にわたり，衣食住などの経済的観点や，生活上の指導・監督などの精神的観点から，現に被監護者を監督し，保護することにより生じる影響力のことをいう。影響力があることに「乗じて」とは，影響力があることを明示し積極的にこれを利用するところまでは必要でなく，影響力があるにより可能となった状況において行為を行うことで足りる（単に，監護者であることを相手に認識させなかったというような稀有なケースがこれから除かれることになる）。本条の適用にあたっては，暴行・脅迫等による強制の有無や，被害者の同意の有無は問題にならない。被害者が16歳未満の者であるときは，本条ではなく，176条3項・177条3項が適用される。

本罪については**未遂も処罰**される（180条）。実行の着手は，わいせつ行為または性交等の行為が開始された時点において認められる。

4　不同意わいせつ等致死傷罪

（不同意わいせつ等致死傷）
第181条①　第176条若しくは第179条第1項の罪又はこれらの罪の未遂罪を犯し，よって人を死傷させた者は，無期又は3年以上の拘禁刑に処する。
②　第177条若しくは第178条第2項の罪又はこれらの罪の未遂罪を犯し，よって人を死傷させた者は，無期又は6年以上の拘禁刑に処する。

本罪は，不同意わいせつ罪・不同意性交等罪，監護者わいせつ罪・監護者性交等罪を**基本犯**とする**結果的加重犯**（→総論241頁以下）である[52]。規定の文言から明らかなように（「……又はこれらの罪の未遂罪を犯し」），基本犯が未遂に終わっても死傷の結果が発生する限り，本罪は既遂となる[53]。本罪における傷害の

52）　死亡結果が発生した場合と傷害結果が発生した場合について同一の法定刑により対応しようとしており，立法論としては大きな疑問がある。

53）　たとえば，性交等を行う手段として暴行を加え，そこから傷害の結果が発生したとき，不同意性交等致傷罪の既遂犯となるから，その後，性交等の行為に出ることなく，任意に中止し

意義は，傷害罪（204条）におけるのと同じである（→48頁以下）。不同意性交等罪のケースで，被害者に睡眠薬を与えたところ，被害者が眠り込んだという事例では（177条1項・176条1項3号），その睡眠が犯行のために必要十分な時間にとどまり，後遺障害の残らないものであれば，不同意性交等罪のみで評価され，181条2項にはあたらないと解される（この点では，昏酔強盗の場合と同様に理解することができる〔→52頁〕）。不同意性交等罪や不同意わいせつ罪の被害者が犯行後にPTSD（心的外傷後ストレス障害〔→55頁〕）を発症した事例においても，不同意性交等致傷罪や不同意わいせつ致傷罪の成立が認められるとされている[54)]。ただし，被害者が事件のことを苦にして後に自殺したような場合には，法的因果関係（→総論132頁以下）が欠如すると考えられ，不同意わいせつ致死罪や不同意性交等致死罪にはならないとすべきであろう。

どのような行為から死傷の結果が発生しなければならないのかをめぐっては議論がある。結果的加重犯における刑の加重根拠は，基本犯の行為のもつ特別な危険性に求められるべきであるから（→総論244頁以下），手段としての暴行・脅迫等から結果が発生した場合と，わいせつ行為ないし性交等の行為そのものから結果が発生した場合とに限られる。したがって，たとえば，被害者が犯人から逃げようとして走り出し転倒して傷害を負った場合がこれに含まれるとすることは妥当であるが，犯人が不同意わいせつ罪や不同意性交等罪の実行行為を終了した後にもっぱら逃走のため，犯人の逃走を阻止しようとする被害者に傷害を加えた場合などはこれに含まれないと考えるべきである[55)]。

たとしても，中止犯（43条ただし書）は成立しない。

54) 東京地八王子支判平成19・4・20 LEX/DB 28145176，大阪地判平成19・2・19 LEX/DB 28135106，さいたま地判平成24・6・14 LEX/DB 25482348，高松高判平成29・10・26 LEX/DB 25548299など。また，「急性ストレス反応及び全治期間不明のパニック障害」を生じさせたケースについて強制わいせつ致傷罪の成立を認めたのは，広島高岡山支判平成25・2・27高刑速平成25年195頁である（→54頁注*20*)）。ちなみに，181条の罪が成立する場合の中には暴行の故意がないケースも含まれているが，そのようなケースでPTSDが発症することについて故意がないにもかかわらず本罪の成立を認めてよいかどうかについては，疑問を差し挟む余地があろう。

55) 同旨，大谷・134頁以下，曽根・70頁，西田・108頁，松原・100頁以下，山中・174頁以下。

死傷の原因行為は不同意わいせつ罪・不同意性交等罪の構成要件該当行為に限られるか　これに対し，**判例**は，死傷の結果を惹起する行為は，不同意わいせつ罪や不同意性交等罪の構成要件該当行為そのものに限定されず，**それに随伴するもの**であれば足りるとする。[56] たしかに，犯行後における犯人の逃走を阻止しようとする被害者は加害者により特別な危険にさらされるのであり，その保護の必要性があるのは事実であろう。しかし，結果的加重犯の規定が設けられているのは，基本犯の実行行為が重い結果を惹起する特別な危険性をもつと考えられることを理由とするものであるから，死傷結果の惹起行為を基本犯の構成要件該当行為以外の行為に求めることは妥当ではないと解される。

犯人に被害者の**殺害につき故意**があった場合，判例は，犯人が被害者を強姦するとともに殺意をもって窒息死させたというケースについて強姦致死罪（現在の不同意性交等致死罪）と殺人罪との観念的競合になるとしている。[57] しかし，同じ殺害結果を故意により惹起されたものとして評価し，同時に過失的に惹起されたものとして評価することは矛盾している（それは，死の結果を二重評価するものである）とすれば，不同意性交等罪（または不同意わいせつ罪）と殺人罪との観念的競合とすべきであろう。[58] **傷害の故意**があった場合については，181条の刑が十分に重いことから，不同意性交等致傷罪（または不同意わいせつ致傷罪）等の成立のみを認めれば足りる。[59] その限りで，本罪は，傷害結果について故意ある場合も含めて予想していると考えることになる。

---

56)　最決平成20・1・22刑集62巻1号1頁，東京高判平成12・2・21判時1740号107頁。なお，千葉地判平成23・7・21 LEX/DB 25443733は，被告人が，女性を強姦した後，その頸部を圧迫して窒息死させた事案につき，頸部圧迫行為は，強姦の犯行の発覚を防ぐため，強姦行為と場所的に接着して行われたが，時間的に接着して行われたものとはいえず，被告人に強姦の意思が継続していたとも認められないとして，頸部圧迫行為は強姦行為に随伴するものとまではいえないことから，強姦致死罪は成立せず，強姦罪と殺人罪とが成立するにとどまるとした。

57)　最判昭和31・10・25刑集10巻10号1455頁。これに賛成するのは，川端・203頁，高橋・150頁，団藤・495頁，平野・概説181頁など。

58)　大塚・106頁，大谷・136頁以下，佐久間・126頁，中森・70頁，西田・108頁，林・97頁，山口・115頁以下など。

59)　これと異なり，不同意性交等罪ないし不同意わいせつ罪と傷害罪の観念的競合とすれば，本罪の法定刑の上限よりも処断刑の上限が軽くなり，アンバランスとなってしまう。団藤・495頁など参照。

5　性犯罪の非親告罪化

2017（平成29）年の刑法一部改正に至るまでの強制わいせつ罪・強姦罪と準強制わいせつ罪・準強姦罪（およびこれらの罪の未遂罪）は，原則として**親告罪**とされていた。親告罪とは，犯罪が成立し，かつ刑罰権が発生したとしても，**告訴**（被害者等が犯人の訴追と処罰を求める意思表示〔刑訴230条以下・260条・261条〕）があることが事件を裁判所に起訴するために必要な条件とされている犯罪（135条・〔旧〕180条1項・209条2項・229条・232条・244条2項・264条など）のことである（→総論77頁以下注*5*））。親告罪は，犯人を処罰するかどうかを被害者等の意思により決めるものであるから，被害が公益に及んでいない，純然たる個人的法益に対する罪についてしかこれを考えることができない。

ある犯罪が親告罪とされていることの根拠は，①被害が軽微であって被害者が望まないのに訴追・処罰する公益上の必要がないこと，または，②重大な犯罪であっても被害者が望まないのに裁判を行うのは不適当であることにある。性犯罪が原則として親告罪とされてきたのは，いうまでもなく後者の理由であり，被害者が立件・訴追を望まないケースにおいて立件・訴追が行われ，これにより（または手続の過程で）被害者がさらに傷つけられること（二次被害；セカンド・レイプ）を防止するとともに，加害者をして示談を成立させるように努力する動機づけを与え，事後的な被害者救済を促進するためであった。

しかし，他方で，被害者の意思決定に立件・訴追の有無が依存すること，いいかえれば，被害者に手続進行上の責任とイニシアティブが付与されていることが，相当数の被害者にとり**重い心理的負担として感じられてきた**という社会的事実が存在する。そこで，2017年改正は，**（旧）180条を削除**してこれまで親告罪とされてきた**性犯罪を非親告罪**とした上で，実務上の運用において被害者の意思を尊重しプライバシー侵害が生じないように配慮することとした[60]（また，この機会に，わいせつ目的や結婚目的の拐取罪についても非親告罪化した〔→174頁〕）。諸外国を見ると，親告罪制度を有する国々でも，フランス，ドイツ，韓国などの多くの国々が性犯罪を非親告罪としている。

60）　ただし，性犯罪の非親告罪化について批判的に検討した詳細な研究として，中根倫拓『親告罪の現代的意義』（2023年）が重要である。

なお，親告罪の規定は実質的には刑事訴訟法の規定であり，実体法上の原則である罪刑法定主義の原則（したがって，**刑罰法規不遡及の原則**）はこれに妥当しない（→総論67頁以下）。刑法一部改正法の施行（2017〔平成29〕年7月13日）前は親告罪であった犯罪であっても，本法施行後は非親告罪となる。改正法施行前に行われた行為であっても，施行後は告訴がなくてもこれを起訴することができる（附則〔2017（平成29）年6月23日法律第72号〕2条2項[61]を参照）。

6　16歳未満の者に対する面会要求等罪

（16歳未満の者に対する面会要求等）
第182条①　わいせつの目的で，16歳未満の者に対し，次の各号に掲げるいずれかの行為をした者（当該16歳未満の者が13歳以上である場合については，その者が生まれた日より5年以上前の日に生まれた者に限る。）は，1年以下の拘禁刑又は50万円以下の罰金に処する。
一　威迫し，偽計を用い又は誘惑して面会を要求すること。
二　拒まれたにもかかわらず，反復して面会を要求すること。
三　金銭その他の利益を供与し，又はその申込み若しくは約束をして面会を要求すること。
②　前項の罪を犯し，よってわいせつの目的で当該16歳未満の者と面会をした者は，2年以下の拘禁刑又は100万円以下の罰金に処する。
③　16歳未満の者に対し，次の各号に掲げるいずれかの行為（第二号に掲げる行為については，当該行為をさせることがわいせつなものであるものに限る。）を要求した者（当該16歳未満の者が13歳以上である場合については，その者が生まれた日より5年以上前の日に生まれた者に限る。）は，1年以下の拘禁刑又は50万円以下の罰金に処する。
一　性交，肛門性交又は口腔性交をする姿態をとってその映像を送信すること。

61）最判令和2・3・10刑集74巻3号303頁は，本法附則2条2項は遡及処罰を禁止した憲法39条に違反せず，その趣旨に反するものでもないとする。「親告罪は，一定の犯罪について，犯人の訴追・処罰に関する被害者意思の尊重の観点から，告訴を公訴提起の要件としたものであり，親告罪であった犯罪を非親告罪とする本法は，行為時点における当該行為の違法性の評価や責任の重さを遡って変更するものではない。そして，本法附則2条2項は，本法の施行の際既に法律上告訴がされることがなくなっているものを除き，本法の施行前の行為についても非親告罪として扱うこととしたものであり，被疑者・被告人となり得る者につき既に生じていた法律上の地位を著しく不安定にするようなものでもない」と述べる。

二　前号に掲げるもののほか，膣又は肛門に身体の一部（陰茎を除く。）又は物を挿入し又は挿入される姿態，性的な部位（性器若しくは肛門若しくはこれらの周辺部，臀（でん）部又は胸部をいう。以下この号において同じ。）を触り又は触られる姿態，性的な部位を露出した姿態その他の姿態をとってその映像を送信すること。

（1）　総説，保護法益

2023年改正により新設された処罰規定である。性犯罪のうち特に不同意性交等罪は刑の重い犯罪であり，（強盗罪のように〔237条〕）予備を可罰的とすることも考えられないではない。しかし，立法論としては，漠然とした内容となり実効性も乏しい予備罪の規定を設けるよりも，とりわけ性犯罪の被害に遭う危険性の高い16歳未満の者にターゲットを絞り，被害に遭う前段階の行為をなるべく明確に類型化した規定を設けてそれらの者の保護を図る方がより適切であると考えられる。新たに設けられたこの規定は，年少者に対する性的加害の前段階においてこれと親しくなり，これを誘惑して手なずける行為（**性的グルーミング**）そのものを広く処罰の対象とするものではないが，その重要部分をカバーするものとはいいえよう。**保護法益**は，究極的には16歳未満の者の性的自己決定権の保護（→116頁）にあるといえようが，その前段階においてそれらの者の**性被害に遭う危険性のない保護された状態（性的保護状態）**を確保することに求めることができる（後述の略取誘拐罪〔→164頁以下〕が保護しようとするのは，より一般的な保護状態である）。そして，新182条が規定する犯罪の中には，こうした保護法益に対する危険犯と侵害犯の両方が含まれている。

（2）　客体，行為態様

客体は16歳未満の者とされ，13歳以上16歳未満の者に対する行為については，行為者が5歳以上年長の者である場合に限る（176条3項・177条3項を参照）。これらは，目的とされた行為が犯罪にならないのに，その前段階の働きかけ行為が犯罪となるという矛盾を避けるための限定である。

本罪による処罰の対象となる**行為態様**は，**対面型**と**遠隔型**とに分けることができる。わいせつの目的で，威迫，偽計，利益供与等の不当な手段を用いて面会を要求する行為（本条1項）は対面型の類型であり，性的保護状態に対する**危険犯**である（最低限，性的保護状態が脅かされる一般的・類型的危険があれば足りるという意味では抽象的危険犯である）。その行為の結果として，わいせつの目的で現に面会する行為（本条2項）に至れば，これにより性的保護状態はすでに侵害されている。それは対面型の類型の**侵害犯**であるといえよう。

本条3項は，行為者と被害者がオンライン上でやり取りを行っている状況で，被害者に対し，性交等をする姿態，性的な部位を露出した姿態などをとってその写真や動画を送るよう要求する，遠隔型の類型の行為を処罰の対象とする。性的保護状態への影響は間接的であるとはいえ，しかしわいせつ行為を行うことを要求しているのであるから，その限りで性的保護状態はすでに侵害され，不同意わいせつ罪の実行に接着する行為が行われていることになる（同罪の着手が認められ，さらにその結果として，実際にそれらの写真や動画を送らせるに至れば，不同意わいせつ罪〔176条3項〕の未遂罪，さらには既遂罪が成立する）。

(3)　他罪との関係

本罪にあたる行為の結果として，不同意わいせつ罪や不同意性交等罪が行われたとき，性的保護状態という独立の保護法益の侵害ないし危険が認められることを強調すれば，本罪も同時に成立し，牽連犯として処断されるべきこととなろう。しかし，本罪も究極的には性的自己決定権の保護を目ざすものと理解するのであれば（つまり，一種の予備罪としての性格を踏まえるのであれば），不同意わいせつ罪または不同意性交等罪の罰条のみにより評価され，本罪はそこに吸収されるべきことになろう（法条競合のうちの吸収関係）。本罪にあたる行為が未成年者誘拐罪（224条）またはその未遂罪にもあたるときは，両罪が成立して観念的競合となる。

7　補論――性的姿態撮影等処罰法について

(1)　総説，保護法益

2023年改正と同時に，「性的な姿態を撮影する行為等の処罰及び押収物に記録された性的な姿態の影像に係る電磁的記録の消去等に関する法律」（略称は，「性的姿態撮影等処罰法」）が制定された。意思に反して自己の性的姿態を撮影されるときは，それが視覚的情報として記録・固定化され，他の人（ひいては不特定または多数の人）に見られる危険性が（そうでない場合と比べて飛躍的に）高まり，それが現に他の人の閲覧に供されることにより，被害者はさらに深く傷つくことになる。そこで，この単行法は，性的な姿態を撮影する行為や，これにより生じた記録を提供する行為等を処罰するとともに，性的な姿態を撮影する行為により生じた物を複写した物等の没収を可能とし（原本については，すでに刑法の没収の規定により没収可能である〔19条1項3号〕），さらに，押収物に記録された性的な姿態の影像に係る電磁的記録の消去等の措置を行うことを可能とした。ここでは，その概要について説明しておきたい。

性的姿態の撮影行為（いわゆる盗撮行為）についていえば，これまでも各都道府県の迷惑防止条例（たとえば，東京都の「公衆に著しく迷惑をかける暴力的不良行為等の防止に関する条例」〔1962（昭和37）年10月11日条例第103号〕5条1項2号・8条2項1号）により処罰の対象とされてきた[62]。しかし，迷惑防止条例は，都道府県ごとに処罰対象が異なり，また撮影行為により生じた記録の送信や保管等の行為まで捕捉するものではなかった（さらに，複数の都道府県の上空をまたがって飛行する航空機内の行為に適用することが難しいという問題もあった）。そこで新法は，**意思に反して自己の性的姿態等を画像として記録され，これを他人に見られることがないという意味での性的自己決定権**を基本的な保護法益として，次の5つの犯罪類型を設けた（性的姿態撮影等処罰法2条〜6条）。すなわち，①性的姿態等撮影罪，②性的影像記録提供等罪，③性的影像記録保管罪，④性的姿態等影像送信罪，⑤性的姿態等影像記録罪である。これらの犯罪については，他の性犯罪と同じく（刑法3条5号を参照），刑法3条の例にしたがい，国民の国外犯も処罰される（性的姿態撮影等処罰法7条）。

(2) 犯罪類型

ここでは，5つの犯罪類型のうち，最も基本的な犯罪類型である性的姿態等撮影罪のみ見ておきたい。

（性的姿態等撮影）
第2条① 次の各号のいずれかに掲げる行為をした者は，3年以下の拘禁刑又は300万円以下の罰金に処する。
一 正当な理由がないのに，ひそかに，次に掲げる姿態等（以下「性的姿態等」という。）のうち，人が通常衣服を着けている場所において不特定又は多数の者の目に

62） そのほかにも児童（18歳未満の者）を対象とする児童買春・児童ポルノ処罰法による，ひそかに児童ポルノを製造する罪（同法7条5項）もある。

触れることを認識しながら自ら露出し又はとっているものを除いたもの（以下「対象性的姿態等」という。）を撮影する行為
イ　人の性的な部位（性器若しくは肛門若しくはこれらの周辺部，臀部又は胸部をいう。以下このイにおいて同じ。）又は人が身に着けている下着（通常衣服で覆われており，かつ，性的な部位を覆うのに用いられるものに限る。）のうち現に性的な部位を直接若しくは間接に覆っている部分
ロ　イに掲げるもののほか，わいせつな行為又は性交等（刑法（明治 40 年法律第 45 号）第 177 条第 1 項に規定する性交等をいう。）がされている間における人の姿態
二　刑法第 176 条第 1 項各号に掲げる行為又は事由その他これらに類する行為又は事由により，同意しない意思を形成し，表明し若しくは全うすることが困難な状態にさせ又はその状態にあることに乗じて，人の対象性的姿態等を撮影する行為
三　行為の性質が性的なものではないとの誤信をさせ，若しくは特定の者以外の者が閲覧しないとの誤信をさせ，又はそれらの誤信をしていることに乗じて，人の対象性的姿態等を撮影する行為
四　正当な理由がないのに，13 歳未満の者を対象として，その性的姿態等を撮影し，又は 13 歳以上 16 歳未満の者を対象として，当該者が生まれた日より 5 年以上前の日に生まれた者が，その性的姿態等を撮影する行為
②　前項の罪の未遂は，罰する。
③　前 2 項の規定は，刑法第 176 条及び第 179 条第 1 項の規定の適用を妨げない。

意思に反して記録されることから保護される**性的姿態等**とは，(1)人の性的な部位（性器もしくは肛門もしくはこれらの周辺部，臀部または胸部），(2)人が身に着けている下着のうち現に性的な部位を覆っている部分，(3)わいせつな行為または性交等がされている間における人の姿態のことをいう。ただし，16 歳以上の者については，「人が通常衣服を着けている場所において不特定又は多数の者の目に触れることを認識しながら自ら露出し又はとっているものを除いたもの」とされる。したがって，性的部位や下着が撮影の対象となっていない限り，スポーツ選手が公衆の前で演技している様子を撮影し，後にその姿態の一部を拡大するような行為は撮影罪にあたらないことになる（これに対し，赤外線カメラを用いて性的部位を撮影するような行為はもちろん撮影罪にあたる）。**可罰的と**

される撮影の態様・方法は，(a)正当な理由がないのに[63]，ひそかに撮影する行為，(b)同意しない意思の形成・表明・全うが困難な状態にさせ，またはその状態にあることを利用して撮影する行為，(c)誤信をさせ，または誤信をしていることを利用して撮影する行為，(d)正当な理由がないのに[64]，16歳未満の者の性的姿態等を撮影する行為（ただし，13歳以上16歳未満の者の場合には，行為者が5歳以上年長の者であるときに限られる）である。撮影罪については，その未遂も処罰される（2条2項）。また，この規定にあたることが不同意わいせつ罪や監護者わいせつ罪の規定の適用を排除するものでないこと（撮影罪の規定がそれらの規定の特別法ではないこと）が注意的に定められている（2条3項）。撮影の過程で不同意わいせつ罪にあたる行為が行われたときは両罪の観念的競合となるであろう。

そのほかの犯罪類型は，いずれも**この撮影罪にあたる行為により生じた記録に関係する行為を処罰**するものである。すなわち，撮影罪にあたる行為により生じた記録を提供したり，公然と陳列したりする行為を処罰する性的影像記録提供罪（性的姿態撮影等処罰法3条），撮影罪にあたる行為により生じた記録を，提供・公然陳列の目的で保管する性的影像記録保管罪（同法4条），他人の性的姿態等を一定の態様・方法でライブストリーミングにより不特定・多数の者に配信する性的姿態等影像送信罪（同法5条），その配信行為により送信された影像を記録する性的姿態等影像記録罪（同法6条）がある。注意すべきことは，性的姿態等に関する記録がひとたびその人の同意を得て作成されたとき，それをその人の意思に反して他人に提供したり，公然と陳列したり，提供目的で保管したりしても，これらの罪にはあたらないことである（そこに一種の性的自己決定権の侵害が認められることは否定できないが，そのようなケースをも一般的に刑事罰の対象とするときは，処罰の範囲が広くなりすぎることとなろう）。ただし，そうし

63）性的姿態等をひそかに撮影する行為について「正当な理由」がある場合の例としては，立案当局により，医師が，救急搬送された意識不明の患者の上半身裸の姿を医療行為上のルールにしたがって撮影する場合が挙げられている。

64）16歳未満の者に対する撮影行為について「正当な理由」がある場合の例としては，立案当局により，親が子どもの成長の記録として，自宅の庭で上半身裸で水遊びをしている子どもの姿を撮影する場合や，地域の行事として開催される子ども相撲の大会において，上半身裸で行われる相撲の取組を撮影する場合が挙げられている。

た行為は，私事性的画像記録の提供等による被害の防止に関する法律（2014〔平成26〕年11月27日法律第126号〔リベンジポルノ防止法〕）による規制の対象となる（→204頁）。

(3)　性的姿態の画像等の没収・消去

新設の性的姿態撮影等処罰法は，撮影罪・記録罪にあたる行為により生じた性的姿態等の画像（やリベンジポルノ防止法により規制される私事性的画像記録物）についてその**複写物をも没収の対象**としている（同法8条）。刑法の没収は原本のみを対象とするため，これまで複写物の没収はできなかったのである（→139頁）。

また新法は，検察官が保管する押収物等に記録されている**性的姿態等の画像等を廃棄・消去**することができる制度を新設した（同法9条以下）。刑罰としてそれを科すのではなく，検察官が行政手続としてこれを行うのである（関税法にも，行政手続として輸入禁止物品を没収する制度がある）。行政手続として制度化することにより，①性的姿態等撮影罪について公訴時効期間がすでに経過している場合や，②被害者が刑事手続が行われることは回避したい意思を強くもっている場合でも，押収物を廃棄したり，電磁的記録を消去したりすることができることになる。前掲の撮影罪・記録罪にあたる行為により生じた物，私事性的画像記録物，児童ポルノについては押収物を廃棄でき，それが電磁的記録を記録したものである場合には電磁的記録を消去（または当該押収物を廃棄）できることとし，いわゆるリモートアクセス捜査のアクセス先に残存している電磁的記録についてはその消去を命令できることとした[65]。

65）裁判所ではなく，検察官にそのような権限を与えることについては異論の生じうるところであるが，そうした画像等の没収・消去が問題となるのは，捜査において当該画像等の存在が明らかになる場合がほとんどであり，その多くは，当該画像等が記録された物が証拠物として差し押さえられている場合が多いであろうことから，没収・消去の主体を捜査機関にさせるのが適当と考えられたのである。

■ 第*6*章 ■

自由に対する罪

1 保護法益としての「自由」

刑法が保護の対象としている個人的法益は，222条・223条（そして37条1項）にリストアップされているが，それらの法益は価値の高い順に並べられていると考えることができる（→6頁）。そのうちで「自由」は，3番目に重要な保護法益ということになる。ただ，自由の侵害は，身体や健康への侵害に匹敵する（場合によりそれを上回る）大きなダメージを被害者に与えることがある[1]。また，それは（財産的法益の侵害とは異なり）事後的な民事上の救済方法（たとえば，損害賠償）によっては十分に回復できないことも多い。このように，自由という法益についても，刑法的保護の必要性は高いといわなければならない。

自由に対する罪の全体を概観すれば，刑法典の罪[2]としては（規定の配列の順

1）たとえば最判平成15・7・10刑集57巻7号903頁（新潟女性監禁事件）の事案では，犯人が下校途中の9歳の女子小学生を無理やり拉致（らち）し，9年2カ月もの長期にわたり自宅の部屋内に監禁し続けたのであった。このケースで成立する監禁罪（→160頁以下）は「自由」に対する罪である。しかし，その行為は，単に自由を剝奪したというばかりでなく，被害者の人生そのもの（そして，愛するわが子を奪われた両親の人生）に対して，もはや取り返しのつかないダメージを加えるものであったといえよう。自由に対する罪は，時に他人の「人生を破壊する」だけのポテンシャルを備えているのである。

2）特別刑法上の罪としては，次のものが重要である。暴力行為等処罰ニ関スル法律（1926〔大正15〕年4月10日法律第60号）は，①団体もしくは多衆の威力を示し，または，②団体もしくは多衆を仮装して威力を示し，または，③凶器を示し，または，④数人共同して，脅迫の罪を犯すことを（刑法典と比べて）重く処罰している（同法1条）。また，人質による強要行

ではなく）軽い罪から重い罪の順に見ると，①脅迫罪・強要罪（222条・223条），②逮捕罪・監禁罪（220条），③略取誘拐罪・人身売買罪（224条以下），④不同意わいせつ罪・不同意性交等罪（176条以下〔→121頁以下〕）がある。そして，最近の学説の多くは，住居侵入罪・不退去罪（130条）も，自由に対する罪として位置づけている（本書では，これを秘密侵害罪〔133条・134条〕とともに，「個人の私的領域を侵す罪」として位置づけて説明することとしたい〔→176頁以下〕）。このように，一言で「自由」といっても，それぞれの処罰規定が保護する**自由の内容とその性格**は相互にかなり異なっている。脅迫罪・強要罪は，意思決定の自由および意思実現の自由を保護法益とし，逮捕罪・監禁罪は，行動の自由（身体活動の自由，場所的移動の自由）を保護法益としている。略取誘拐罪・人身売買罪は，被害者の行動の自由に加えてその安全を保護の対象に含めている。また，不同意わいせつ罪・不同意性交等罪の保護法益は，性的自由（性的自己決定権）であるとされ（→116頁以下），住居侵入罪の保護法益は，他人に対し住居等への立入りを認めるかどうかの自由（住居権）にあるとされる[3]。

「自由」という法益の侵害があるかどうかは，その事態が**被害者の意思**に合致しているかどうかにかかっている。自由の侵害とは被害者の意思に反することにほかならない。生命や身体という法益の侵害は，たとえその被害者が同意していても存在するが，自由に対する罪については，行為が被害者の意思に合致するとき，そこにはそもそも**法益侵害自体が認められず，構成要件該当性が否定**される（→総論348頁）。

為等の処罰に関する法律（1978〔昭和53〕年5月16日法律第48号）は，刑法典の強要罪の特別な類型（人質強要罪）を規定している。さらに，組織的な犯罪の処罰及び犯罪収益の規制等に関する法律（1999〔平成11〕年8月18日法律第136号。一般に，「組織的犯罪処罰法」と呼ばれる）は，暴力団を含む組織犯罪集団の活動を有効に規制するため，団体の活動として，その罪にあたる行為を実行するための組織により行われたとき，逮捕・監禁，強要，身の代金目的拐取等に対する刑を重くしている（同法3条1項）。

3）自由の内容と性格の違いは，罪数の判断（→総論576頁以下）等に影響する。たとえば，被害者を略取するに際して（なお，略取とは，暴行または脅迫を手段として被害者を自己または第三者の実力支配下に置くことをいう〔→164頁〕），あわせて監禁も行ったというとき，略取罪（224条以下）と監禁罪（220条）とでは法益の内容・性質が異なるため，片方の罰条の適用によるだけでは行為の違法性の評価が尽くされず，もう一方の罰条の適用も必要となる。その結果として，両方の罪の成立を認めるべきこととなる（→175頁）。

同意能力　精神的な未成熟に基づく判断能力の欠如等を理由として同意能力が否定されるときは，かりに事実としての同意（らしき外形）があってもその同意は無効であり，法益侵害性が肯定され，犯罪の成立が認められる。刑法は，たとえば，不同意わいせつ罪と不同意性交等罪について，明示的に16歳未満の者の同意能力を否定し，事実としての同意があっても犯罪の成立を認めている（176条3項・177条3項〔→133頁以下〕）。

自由に対する罪は，生命・身体に対する罪と同様に，**被害者として自然人を予定**している。法人については，身体活動の自由や性的自由などを考えることはできない。意思決定の自由および意思実現の自由に限っては，これを認めることが可能であるようにも思われるが，判例は，法人を被害者とする脅迫罪の成立を否定している（加害を告知された，法人の代表者等の**自然人が畏怖しうる内容の脅迫文言**であれば，当該の自然人に対する脅迫罪が成立しうる[4]）。学説においては，強要罪については（法人の役員を脅すことにより法人から金銭を喝取すれば，恐喝罪〔249条1項〕が成立することに異論はないであろうから）法人との関係でも成立しうるとする有力な見解がある[5]。

2 脅迫罪

（脅迫）
第222条①　生命，身体，自由，名誉又は財産に対し害を加える旨を告知して人を脅迫した者は，2年以下の拘禁刑又は30万円以下の罰金に処する。
②　親族の生命，身体，自由，名誉又は財産に対し害を加える旨を告知して人を脅迫した者も，前項と同様とする。

4）　大阪高判昭和61・12・16高刑集39巻4号592頁は，暴力行為等処罰ニ関スル法律1条の集団的脅迫罪に関するものであるが，規定の位置，保護法益，規定の文言を根拠として，法人を被害者とする脅迫罪の成立を否定している。ただし，「それら法人の法益に対する加害の告知が，ひいてその代表者，代理人等として現にその告知を受けた自然人自身の生命，身体，自由，名誉又は財産に対する加害の告知に当たると評価され得る場合にのみ，その自然人に対する同罪の成立が肯定される」とした。同法1条の団体示威脅迫罪について同旨，高松高判平成8・1・25判時1571号148頁。さらに，横浜地判平成21・11・24 LLI/DB L06450850は，金融商品取引法158条の相場変動目的脅迫罪の相手方に法人は含まれないとする。

5）　大谷・92頁，中森・50頁，西田・79頁，山口・79頁など。反対，林・78頁。

脅迫とは，相手方（被害者）に対し，一般通常人であれば恐怖心を起こす（畏怖する）であろう程度の害悪を告知する（害を加えることを告げ知らせる）ことをいう（被害者がそれにより現に畏怖することは必要でない）。「お前をぶっ殺す」とか「妹の腕をへし折ってやる」というように，殺人や傷害など，犯罪にあたる行為を行うことを通告する場合がその代表例である（ただし，告知する害悪の内容が犯罪その他の違法行為であることを必ずしも要しない[6]）。害悪の告知は，当該の諸状況下において，一般通常人であれば恐怖心をもつほどの具体性・現実性をもつものでなければならない（そうでなければ，単なる「警告」にすぎず，本罪にいう害悪の告知にあたらない）。ただし，この場合の「一般通常人」は，当該の具体的な状況（客観的・主観的状況）の下に置かれた普通の人という意味であり，日時・場所・四囲の状況，年齢・性別・体格・知識・経験，行為者との関係，体調・精神状態なども勘案した上で，それなりの恐怖心をもちうるものかどうかが判断されなければならない。また，脅迫といえるためには，話したことが相手方に（発生しうる害悪に対する）強い恐怖心を引き起こしうるというだけでは足りず，その害悪の発生が何らかの形で**行為者自身によって可能なものとされることを通知**することが必要である（したがって，天災その他の不幸な出来事の発生を単に予言することは本罪にあたらない）。このことは，脅迫罪および強要罪については，規定に「害を加える旨を告知して」とあることから明らかである[7]。ただ，加害者自ら被害者に害を加えることを告知するのでなくても，加害の有無に影響を与えることができる（コントロールできる）ことを告知すれば，脅迫にあたると解される[8]。実際に第三者等によりその加害が行われる可能性がある

6) たとえば，大塚・70頁，西田・68頁など。反対，山口・75頁以下。反対説によれば，犯罪にならないプライバシー侵害行為（→176頁以下）を行うことをもって相手を畏怖させることは脅迫罪にならないという結論になる。また，犯罪でなくてもいいが，少なくとも違法でなければならないとするのは，曽根・54頁，中森・49頁，山中・137頁。

7) いわゆる三億円事件（1968〔昭和43〕年12月）のようなケースでは，加害者が被害者（財物の占有者）に対し危害を加えることを告知してはいないので，被害者が畏怖したとしても脅迫は認められず，したがって強盗罪（236条1項）は成立しない。財物の占有を弛緩させた上で，それを奪っているので窃盗罪（235条）が成立する（なお，財物の交付行為〔→316頁以下〕がないので，詐欺罪〔246条〕の成立も排除される）。

8) 大判昭和5・7・10刑集9巻497頁を参照（新聞記者である被告人が，同僚記者が被害者の風評を掲載準備中であるが中止させるには何らかの措置を講じる必要があるなどと申し向け，

かどうか，また行為者がその加害の有無に影響を与える可能性が現実にあるかどうかは重要ではない。そのような可能性があるかのように告知されれば，脅迫となる。**告知の方法**には限定がない。書面・口頭・動作・挙動等，どのような方法でもよい[9)]。加害を暗示するのでもよい[10)]。脅迫の**故意の要件**としては，行為者が伝達した内容が，一般通常人（→155 頁）であれば恐怖心をもつようなものであることを認識していれば足りる。現に被害者が畏怖するという結果の発生は構成要件要素ではなく，したがって，畏怖させる意思・目的をもつこと等は故意の要件とならない。

脅迫罪が，どのような意味で「自由に対する罪」であるのかは自明のことではない。脅迫を加えたとしても，何かを行おうとする被害者の意思決定の自由を直ちに侵害するものとはいえないからである。ただ，被害者にとり，脅迫を受けたことが自由な意思決定の制約として働くおそれがある（すなわち，社会生活を送る上で不安が生じて，心配なくのびのびと判断し行動することができにくくなるおそれがある）。この意味において，脅迫罪を**意思決定の自由に対する抽象的危険犯**として把握することができよう[11)]。

脅迫行為そのものを処罰するのが脅迫罪であるが，脅迫の概念は，多くの処罰規定において**犯罪遂行の手段を特定**するために用いられている（この点で，暴行

金銭を交付させたという事例について恐喝罪〔249 条 1 項〕の成立を肯定した）。

9) インターネットの掲示板への書込みでもよい。東京高判平成 20・5・19 東高刑時報 59 巻 1～12 号 40 頁は，インターネット掲示板に，文化センターにて開催予定の講座の会場を血の海にするなどと講師に危害を加える内容の書込みを行ったという事案について，講座主催者である文化センターの事務局長らに対する威力業務妨害罪（234 条・233 条〔→214 頁以下〕）と並んで，講座の講師に対する脅迫罪の成立を認めた。

10) 最判昭和 35・3・18 刑集 14 巻 4 号 416 頁は，「2 つの派の抗争が熾烈になっている時期に，一方の派の中心人物宅に，現実に出火もないのに，『出火御見舞申上げます，火の元に御用心』，『出火御見舞申上げます，火の用心に御注意』という趣旨の文面の葉書が舞込めば，火をつけられるのではないかと畏怖するのが通常であるから，右は一般に人を畏怖させるに足る性質のものであると解して，本件被告人に脅迫罪の成立を認めた原審の判断は相当である」とした。

11) 伊東・58 頁以下，大塚・67 頁以下，川端・151 頁，西田・75 頁，林・76 頁以下，堀内・63 頁，山口・72 頁以下など。学説の中には，本罪の保護法益を個人の私生活の平穏ないし法的安全感に求めるべきであるとする見解も有力であるが（たとえば，大谷・91 頁，斎藤・60 頁，高橋・91 頁，中森・48 頁，平野・概説 173 頁など），そうすると，自由の保護との関わりが明らかでなくなってしまう。

と類似している〔→57頁〕)。それらの犯罪では,「脅迫」が構成要件要素となっている(当該の犯罪が成立するときには,脅迫罪はそれに吸収され〔法条競合〕,独立には成立しない〔→総論583頁〕)。

刑法典で用いられている脅迫は,一般に,3種類に分けることが可能だとされている。

① 害悪を告知することの一切をいい,その害悪の内容・性質,告知の方法のいかんを問わない**広義の脅迫**(95条・98条・100条2項・106条・107条など),
② 告知される害悪の種類が特定され,また加害の対象が限定される**狭義の脅迫**(222条・223条),
③ 被害者の反抗を抑圧する程度,または被害者の反抗を著しく困難ならしめる程度の脅迫を意味する**最狭義の脅迫**(236条・238条・176条1項1号など)

脅迫罪(および223条の強要罪)**における脅迫**(すなわち,狭義の脅迫)は,(1)法文に列挙された「生命,身体,自由,名誉又は財産」に対し害を加える旨を告知することをいう。ここに列挙された法益以外の法益に対する加害を内容とする脅迫を行ったとしても,脅迫罪にはあたらない(限定列挙)[12]。しかも,それは,(2)被害者自身(1項)またはその親族(2項)の法益に対する加害をもって脅す場合に限定されている。**親族**とは,民法に定める法律上の親族のことであり(民725条),六親等内の血族,配偶者,三親等内の姻族に限定される[13]。したがって,恋人を殺すとか,親友を傷つけると申し向けて脅すことは,脅迫罪にあたらない(したがって,それを手段として一定の行為を強制したとしても強要罪にもならない[14])。そのことに対しては,処罰のバランスを欠く(処罰の不当な間

---

12) ただ,列挙された法益への害悪の告知にあたるかどうかが微妙なケースもある。いわゆる村八分の通告は,このうちの「名誉」に対する加害の告知であるとされている(大阪高判昭和32・9・13高刑集10巻7号602頁など)。

13) 大谷・93頁など。これに対しては,内縁関係にある者や法律上の手続を完了していない養親子関係にある者も,加害の対象となる「親族」に含めるべきだとする異説(平川・162頁など)もある。

14) 特別法である人質による強要行為等の処罰に関する法律(→152頁以下注*2*))は,刑法典の強要罪の規定を補完する重要な意味をもつ(西田・80頁以下を参照)。すなわち,同法1条の人質強要罪は,かりに被害者の親族以外の人であっても(たとえば,被害者の恋人や親友),その人を逮捕または監禁した上,これを人質にして,被害者に対し強要行為を行えば成立する。その限りにおいて,刑法典の強要罪については存在している処罰の間隙が,この特別刑法規定

隙が生じてしまう）という批判もできそうであるが，刑法は，この種の態様の自由の侵害が社会においてはかなりありふれたものであることを考慮し，犯罪成立の限界が曖昧で無限定なものとならないように**明白に当罰的な場合のみに処罰の範囲を限った**と考えることができよう。それは**刑法の謙抑性（謙抑主義）の原則の表れ**といいうる（→総論18頁以下）。

狭義の脅迫と最狭義の脅迫　脅迫罪（および強要罪）における脅迫は，上の(1)および(2)の限定がある点で，狭義の脅迫であるといわれる。これに対し，恐喝罪（249条）の手段としての脅迫にはそのような限定はない（その意味では，広義の脅迫で足りることになる[15]）。恋人や親友に害を加えると脅して現金を交付させれば，恐喝罪（同条1項）が成立する。他方，最狭義の脅迫といわれるものについても（→157頁），上の(1)および(2)の限定は不要である。最狭義の脅迫は，狭義の脅迫を前提としてこれをさらに限定したものでは必ずしもないということになる。

なお，家庭や教育機関，会社などにおいて教育や指導，人間関係の調整などのために（必要かつ相当な範囲内で）相手方に一定の不利益の賦課を告知することは，そのような「加害の告知」を受けないようにわれわれは法的に保護されているものではないから，そこにはそもそも脅迫罪の予定した法益侵害が認められず，脅迫罪（および強要罪）の構成要件該当性が否定される（→66頁以下）。犯罪被害者が加害者に対し，告訴すると告知することについても同じである。ただし，被害者が，告訴する意思がないのに，相手方を畏怖させるために執拗に告訴意思を表明することは，脅迫罪にあたり（告知される害悪の内容は違法な行為である必要はない〔→155頁〕），それにより相手方を一定の作為・不作為へと動機づければ強要罪や恐喝罪を構成するであろう。

3 強要罪

（強要）
第223条① 生命，身体，自由，名誉若しくは財産に対し害を加える旨を告知して

により埋められていることになる。

15） 大塚・68頁以下を参照。

脅迫し，又は暴行を用いて，人に義務のないことを行わせ，又は権利の行使を妨害した者は，３年以下の拘禁刑に処する。
②　親族の生命，身体，自由，名誉又は財産に対し害を加える旨を告知して脅迫し，人に義務のないことを行わせ，又は権利の行使を妨害した者も，前項と同様とする。
③　前２項の罪の未遂は，罰する。

強要罪は，脅迫または暴行を用いて，他人に義務のないことを行わせ，または権利の行使を妨害したときに成立する犯罪である。Aという行為をしたいと思っている人にこれをやめさせ，またはしたくないBという行為をさせることがその人の**意思決定の自由または意思実現の自由**を害することは明らかであろう。本罪の処罰規定は，したいことをなし，したくないことをしない個人の自由を保護する最も基本的な規定（**一般的自由保護規定**）である。その処罰規定は，より特化した形の自由をそれぞれ害する犯罪（たとえば，逮捕・監禁・不同意わいせつ・不同意性交等・恐喝・強盗等の各罪）を処罰する規定との関係で**一般法と特別法の関係**に立つ。そこで，これらの，より個別的な犯罪が成立するとき，その過程で強要罪の構成要件に該当する行為が認められるとしても，それらの個別的な犯罪で処罰されるだけであり，強要罪の規定は適用されない（→総論582頁）。強要罪の規定は，他の自由保護の規定でカバーできないところを捕捉する「受け皿」として機能するのであり，逆に，それぞれの個別的な自由保護規定が適用されるときには，表舞台には登場しないことになる。

強要の手段には**暴行**も含まれるが，この暴行は人に向けられれば足り，人の身体に対するものであることを要しない（**広義の暴行**〔→58頁〕）とされている。この理解によれば，被害者自身を殴りつけなくても，たとえば，そばにあったタンスを蹴り飛ばすことや第三者を殴りつけることも強要の手段たりうることとなる[16]。

「義務のないことを行わせ」たか・「権利の行使を妨害した」かの判断は，しばしば困難である。かりに法律上の義務があるとしても，脅迫・暴行をもって

---

16)　大塚・73頁，大谷・97頁，西田・79頁など。これに対し，このような形で暴行概念を拡張すべきでなく，それらは脅迫（言うことを聞かなければ，次は被害者自身を痛い目に遭わせるという内容の害悪の告知）として理解することができるとする反対説もある。たとえば，山口・78頁など。

その履行を強制することは許されないはずである（たとえば，庭木の剪定を依頼し，料金を先払いしたのに一向にこれを行わない植木職人に対し，脅迫・暴行を加え，無理やりこれを行わせたというとき，強要罪，さらに見解によっては二項恐喝罪が成立するであろう）。他方，法律上の義務がある場合はもちろん，道徳的・倫理的な義務があるにすぎない場合でも，その実現のために多少の心理的な強制を用いることは社会生活上もまま見られ，看過されるところであるともいえよう。ここでは，**社会生活上一般に受忍すべき限度を超えたかどうか**という高度に規範的な判断に訴えざるをえないのである（→66頁以下）。

強要罪については，（脅迫罪と異なり）**未遂も処罰**される（223条3項）。強要目的の脅迫または暴行が開始されたが，目的とした結果（被害者に義務のないことを行わせるか，またはその権利の行使を妨害すること）が生じなかったときに未遂罪が成立する。

4　逮捕罪・監禁罪

（逮捕及び監禁）
第220条　不法に人を逮捕し，又は監禁した者は，3月以上7年以下の拘禁刑に処する。

逮捕罪と監禁罪（220条）は，**行動の自由**（いいかえれば，身体活動の自由および場所的移動の自由）を害する犯罪である。脅迫や強要が人の意思決定・意思実現に向けられた行為であるのに対し，逮捕・監禁は，より物理的・身体的な自由の侵害を内容とする行為であるといえよう。**逮捕**とは，人の身体に直接的な支配を設定して身体活動の自由を害することであり，**監禁**は，人が一定の場所から脱出することを不可能にしまたは著しく困難にする[17]ことである[18]。たとえば，

17）　最判昭和24・12・20刑集3巻12号2036頁を参照。

18）　法文には，「不法に」という文言があるが，これに特別な意味はない。「不法に行われること」が構成要件要素になるというものではない。違法性が阻却される場合があるので，注意的に加えられたともいわれる。逮捕・監禁罪に関係する重要な違法性阻却事由として，刑事訴訟法上の逮捕・勾留がある（刑訴199条以下・60条以下を参照）。たとえば，警察官でない私人が現行犯人を逮捕したとき，その行為は逮捕・監禁罪の構成要件に該当するが，刑事訴訟法212条以下の規定に基づく法令行為（刑35条）としてその違法性を阻却されうる（→総論284

背後から被害者の身体をつかまえ，しばらくそのままの状態に置いて拘束することは逮捕であり（ほんのわずかな時間，つかまえるだけであれば，それは逮捕ではなく，暴行〔→57頁以下〕にすぎない），部屋や倉庫等の一定の空間に閉じ込めて脱出できないようにすることが監禁である。監禁は，物理的に周囲が囲まれ閉ざされた場所に被害者を閉じ込める場合のみならず，原動機付自転車の荷台に被害者を乗せて1000 m余りを疾走することもこれにあたるし[19]，入浴中の女性の衣服を持ち去り羞恥心のためその場から出られないようにするなど，心理的に脱出不可能にする場合でもよい[20]。

逮捕と監禁の区別　限界事例では区別がなかなか困難であるが，行為者が**被害者の身体を直接的に拘束**しているのであれば逮捕であり，**その場所から出られない**という側面が本質的であれば監禁ということになる。たとえば，被害者にピストルを突き付けて「そこを動くな」と命じ，そのままの状態に置けば逮捕であろうし，屋根に上った人が使ったはしごを持ち去って屋根から降りることができないようにすれば監禁となるであろう。ただ，逮捕か監禁かは，同一罰条の中での行為態様の相違にすぎないので，区別の実益は大きくない。もし裁判所においてどちらかという点の判断に誤りがあったとしても，訴訟法上，上訴審が判決を破棄する理由とはならない。なお，逮捕行為の後，引き続き監禁に移行するというケースもしばしば起こるが，この場合の罪数は「220条にあたる一罪」ということになる（いわゆる**狭義の包括一罪**〔→総論586頁〕）。

保護法益としての「行動の自由」を享受しえない人（たとえばハイハイもできない赤ちゃんや意識を喪失した状態が継続している重症患者等）に対しては，本罪は成立しない[21]。問題となるのは，**自己が自由を拘束されていると意識していない者**

頁）。なお，同意能力ある者の有効な同意があれば，そもそも逮捕・監禁罪の構成要件に該当しないことになる（→153頁）。鎖と南京錠で拘束された8歳の被害者の承諾が真意に基づくものであるかどうかが問題とされ，これが否定された事案として，大阪高判平成27・10・6判時2293号139頁がある。

19）　最決昭和38・4・18刑集17巻3号248頁。

20）　ただし，入浴中の衣服の持ち去りの事例について監禁にならないとするのは，西田・83頁以下，平野・概説175頁，前田・73頁，堀内・52頁など。

21）　京都地判昭和45・10・12刑月2巻10号1104頁は，生後1年7カ月の幼児につき，監禁罪の成立を肯定した。被害者は，「自力で，任意に座敷を這いまわったり，壁，窓等を支えにし

（それには，騙されて錯誤に陥っている者も含む）との関係で逮捕・監禁罪が成立するかどうかである。

判例・通説は，本罪の保護法益たる行動の自由は，現実的な自由であることを必要とせず，**可能的な自由**（つまり，その人がもし動こうと思えば動くことができるという自由）で足りるとし，自由の拘束を意識していない被害者との関係でも逮捕・監禁罪は成立すると解している[22]。この可能的自由説によれば，被害者のいる部屋に施錠し，1時間後に鍵を開けたという場合で，被害者がそのことに気づかず，施錠されている間にいっさい外に出ようという気にもならなかった（たとえば，ずっと昼寝をしていた）というときでも，監禁罪が成立することになる。たしかに，自由とは，「その場所から動こうと思えばいつでも動くことができる」状況が確保されていることをいうのであり，かりにその場を脱出しようと思ってもおよそ出ることができない**客観的状況**が存在する以上，本人が気づいていようといまいと，その人の自由はやはり奪われているというべきであろう。これに対し，現実的自由の侵害が必要だとする見解（現実的自由説[23]）は，被害者が拘束されていることを意識している場合にだけ本罪による

て立ち上り，歩きまわったりすることができた事実は十分に認められる……されば，同児は……自然的，事実的意味における任意的な歩行等をなしうる行動力を有していたものと認めるべきであるから，本件監禁罪の客体としての適格性を優にそなえていたものと解するのが相当である。そして，その際同児は，被告人の行為に対し，畏怖ないし嫌忌の情を示していたとは認められないけれども，同児が本件犯罪の被害意識を有していたか否かは，その犯罪の成立に毫も妨げとなるものではない」というのである。

22） たとえば，最決昭和33・3・19刑集12巻4号636頁は，被害者を欺き，真の意図を隠して自動車に乗せて走ることは監禁罪にあたるとしている。しかも，被害者が騙されたことに気づき停車を求めた時点からではなく，被害者が騙されて自動車に乗った時点から（この時点では被害者は自由拘束の事実を認識していない）監禁罪が成立するとしている。また，広島高判昭和51・9・21刑月8巻9＝10号380頁も，被告人らが強制性交の目的で被害者を自動車に乗せて犯行現場まで走行させたが，被害者は被告人らの意図にまったく気づいておらず，途中で被告人らに対し降車させるよう求めることもなかったというケースについて，監禁罪が成立するためには，被害者が自己が監禁されていることを意識する必要はないとして，自動車を疾走させることが監禁罪に該当するとした。学説としては，浅田・99頁以下，伊東・63頁以下，大塚・76頁，大谷・85頁以下，斎藤・47頁以下，佐伯・法教360号100頁以下，曽根・48頁，林・72頁以下，山口・83頁以下など。

23） たとえば，川端・142頁以下，中山・68頁以下，西田・82頁以下，堀内・51頁以下，山中・127頁以下など。なお，現実的自由説によるときは，監禁の継続中に，本人が睡眠をとっ

保護を認めれば足りると主張して反対する。なお，この見解によるときも，被害者が騙されて錯誤に陥った結果として拘束・束縛を意識していないときには，同意が無効であるということを理由として，監禁罪の成立を認める余地がないではない。しかし，積極的に誤信している場合と，単なる不知の場合（たとえば，まったく気づかないうちにその部屋のドアが施錠されていた場合）とを区別して，前者についてのみ同意の効果を否定するとすれば，それには理由がないであろう。

監禁罪においては，法益侵害の事態の継続（たとえば，監禁されている事態）そのものが構成要件の内容とされており，**継続犯**（→総論111頁以下）の典型例である。したがって，法益侵害状態が継続している限り実行行為が継続していることになり，その途中でそれに協力した者は共犯となりうるし，また，行為者に当初の時点で故意がなくても途中から故意が生じればその時点以降は犯罪となりうる（たとえば，人のいる部屋に誤って外から鍵をかけてしまい，1時間後にこれに気づいたが，そのまま放置したとすれば，その時点から監禁罪が成立する）。

逮捕罪・監禁罪についても，被害者ごとに一罪が成立する。同一の人を逮捕し，引き続き監禁するときは，220条にあたる一罪である（狭義の包括一罪）。逮捕・監禁の手段として，暴行や脅迫が行われたとき，それらは逮捕罪・監禁罪に吸収される。恐喝の手段として監禁が行われたとき，両罪は牽連犯ではなく，併合罪とされる[24]。

5　逮捕等致死傷罪

（逮捕等致死傷）
第221条　前条〔220条〕の罪を犯し，よって人を死傷させた者は，傷害の罪と比較して，重い刑により処断する。

本罪は，220条の罪の**結果的加重犯**である。死傷の結果は，**逮捕罪・監禁罪の構成要件該当行為から発生**する必要がある。すなわち，逮捕・監禁行為そのもの

たり意識を失ったりすれば，その時間中だけ監禁が中断するということにもなりかねない。
24）　最判平成17・4・14刑集59巻3号283頁。

が原因となって重い結果が発生するか，または，被害者が逮捕・監禁行為から逃れようとした際に（たとえば，転倒・転落により）死傷結果が生じた場合でなければならない[25)]。

「傷害の罪と比較して，重い刑により処断する」の意味するところについては，100頁以下を参照。ここでは，逮捕罪・監禁罪の法定刑と，傷害罪または傷害致死罪の法定刑とを比較して，上限・下限とも重い刑を選んだものが法定刑となることを意味する。逮捕・監禁行為から傷害の結果が生じた場合には，3月以上15年以下の拘禁刑，被害者が死亡した場合には，3年以上（20年以下）の有期拘禁刑となる。

6　略取誘拐罪・人身売買罪

(1)　総説，保護法益

略取誘拐罪（拐取（かいしゅ）罪ともいう。224条以下）は，暴行・脅迫または欺罔（ぎもう）・誘惑を手段として，人を現在の生活環境から離脱させ，自己または第三者の事実的支配下に置く犯罪である。被害者を場所的に移転させることは必須ではなく，被害者を移動させることなく，監護権者を騙して立ち去らせるなど，その支配を排除することによっても本罪は成立しうる[26)]。**略取**とは，暴行・脅迫を手段とする場合，**誘拐**とは，欺罔・誘惑・甘言を手段とする場合のことをいう（両者をあわせて**拐取**という）。両方の手段があわせて用いられた場合には，略取誘拐の一罪とすればよい。本罪は，逮捕罪・監禁罪と比べて，被害者に対する直接的な自由の侵害の程度はより低いといえる（特に誘拐を手段とする場合がそうであろう）。しかし，本罪においては，保護された生活環境から引き離され，離脱の困難な状況下に置かれた被害者が，生命・身体への危険にさらされたり，労働を強いられて搾取されたり，わいせつ行為の被害者となる危険等にさらされるところから（225条～226条に規定された**目的要件**を参照），逮捕罪・監禁罪よりも法定刑は重く定められている[27)]。略取誘拐罪の保護法益には，被拐取者の

25）法的因果関係の存否が問題となった事例に関する重要判例として，最決平成18・3・27刑集60巻3号382頁（トランク事件）がある（→総論140頁）。

26）大塚・84頁，大谷・101頁，福田・176頁など。

27）現代社会においては，「人さらい」とか「人身売買」といった形態によるよりも，よりマイ

自由に加えて，**保護された環境における安全**も含まれるのである。[28]

判例・通説によると，被拐取者が未成年者であるときには（そして，重度の精神障害により判断能力がない者であるときにも），親権者等の監護権ないし保護監督権も法益に含まれる。[29] たしかに，未成年者拐取罪（224条）につき，かりに被拐取者の同意があり，または被拐取者が同意能力を欠く年少者であり，かつ現在の生活環境と同じぐらい安全で保護された生活環境（そればかりか，より良好な生活環境）に移すときであっても，親権者等の同意[30]がない場合には本罪が成立するとすれば，そこでは，**適法に子を監護する親権者等の利益**（そして，**法により裏打ちされた現在の生活関係**）の侵害を理由として処罰が認められることになる。なお，近年では，離婚後ないし離婚係争中に，父母の間で子の奪い合いが生じて，未成年者略取罪の成否が問題とされる事案が目立つが，親権者（の1人）についても（現在の監護権者との関係で）本罪の成立が認められている。[31]

ルドかつ巧妙な手段で青少年・女性・労働者の利益を害することが行われる。そこで，児童福祉法，児童買春・児童ポルノ処罰法，青少年保護育成条例（以上につき，135頁を参照），売春防止法（1956〔昭和31〕年5月24日法律第118号），職業安定法（1947〔昭和22〕年11月30日法律第141号）などによる規制が，重要な機能を営んでいる。

28) 平野・概説176頁を参照（「自由と安全に対する罪」）。

29) たとえば，団藤・476頁，平野・概説177頁を参照。

30) なお，高松高判平成26・1・28高刑速平成26年213頁は，未成年者略取罪における保護者の同意（承諾）に関し，「その真摯な承諾が存在するというだけでなく，承諾を得た動機，目的や，略取の手段，方法等を総合考慮し，当該行為が社会的に見て相当といえる場合に初めて違法性が阻却されるものと解され，保護者の真摯な承諾があったといえるためには，単に子を連れ去るということのみならず，その連れ去りの動機，目的や手段，方法等の少なくとも概要についても承諾を得ていることを要すると考えられる」とし，その錯誤についても，「その動機，目的や手段，方法等の概要までをも含んだ具体的な連れ去り行為について保護者から承諾を得ているものと犯人が誤信し，かつ，その内容が社会的に見て相当といえる場合に初めて責任故意を阻却すると解するのが相当であり，単に子を連れて行くことを保護者が承諾していると思い込んでいたというだけでは故意は阻却されない」とした。

31) たとえば，最決平成15・3・18刑集57巻3号371頁は，被告人（オランダ国籍）が，共同親権者の1人である別居中の妻の下で平穏に暮らしていた長女（当時2歳4カ月）を，外国に連れ去る目的で，入院中の病院から有形力を用いて連れ出したというケースについて，「保護されている環境から引き離して自分の事実的支配下に置いたのであるから，被告人の行為が国外移送略取罪に当たることは明らかである。そして，その態様も悪質であって，被告人が親権者の1人であり，長女を自分の母国に連れ帰ろうとしたものであることを考慮しても，違法性が阻却されるような例外的な場合に当たらないから」国外移送略取罪（現在の所在国外移送目

保護法益に関連して，**被拐取者による同意**の効果をめぐり争いがある。成人の被拐取者の同意であっても，また，一般的には満18歳となり自由の侵害につき同意能力ある未成年者の同意であっても，それが暴行・脅迫や欺罔・誘惑に基づくものである限り，これを有効であるとは認めえないであろう。

略取誘拐罪における生活環境からの離脱　略取誘拐罪は，「保護された生活環境から離脱させること」を本質的内容とする犯罪であるが，実務においてはこの点が広く解され，たとえば，未成年者に対して，その場所から遠くに連れ去ることなく比較的短時間の間にわいせつ行為を行おうとするようなケースにつき，未成年者拐取罪の規定の適用を認めることもあるようである[32]。しかし，たとえば，中学生や高校生程度の未成年者をラブホテル等に誘う行為についてまで本罪の成立を認めてよいかどうかには疑問があるといえよう。なお，同罪はついては未遂も処罰される（228条）。2023（令和5）年の刑法一部改正により，16歳未満の者に対する面会要求等罪（182条）

的略取罪〔226条〕）の成立が認められるとした。最決平成17・12・6刑集59巻10号1901頁は，離婚係争中の妻の監護養育下にある子（当時2歳）を有形力を行使して連れ去った被告人の行為につき，それは親権者による行為であっても，未成年者略取罪の構成要件に該当し，例外的に違法性が阻却されるべき事情も認められないとした。違法性が阻却されない理由として，次のように述べている。「被告人は，離婚係争中の他方親権者であるA〔被告人の妻〕の下からB〔子〕を奪取して自分の手元に置こうとしたものであって，そのような行動に出ることにつき，Bの監護養育上それが現に必要とされるような特段の事情は認められないから，その行為は，親権者によるものであるとしても，正当なものということはできない。また，本件の行為態様が粗暴で強引なものであること，Bが自分の生活環境についての判断・選択の能力が備わっていない2歳の幼児であること，その年齢上，常時監護養育が必要とされるのに，略取後の監護養育について確たる見通しがあったとも認め難いことなどに徴すると，家族間における行為として社会通念上許容され得る枠内にとどまるものと評することもできない」。この2つの判例では，刑法35条による違法性阻却の可否が問われ，それが否定された。この問題についての研究書として，深町晋也＝樋口亮介＝石綿はる美編著『親による子の拐取を巡る総合的研究』（2023年）がある（比較法および民事法との関係についても詳しい）。

32）　たとえば，名古屋高判平成28・11・22高刑速平成28年220頁は，通行中の被害者（当時14歳）に暴行を加えて無理やり自己の車に乗せようとしたが，被害者が逃げ出したために目的を遂げなかったという事案について，被害者を乗車させた後，その場から車を移動させて連れ去る意図があったとまでは認めがたいが，被告人は，被害者を自己の車に乗車させてその事実的支配下に置くべく暴行に及んだもので，本件の状況（人や車の通行の少ない道路で下校途中の当時14歳の女子中学生を無理やり停車中の窓ガラスがスモーク状態の車に乗せようとしたもの）に照らし，その目指したところが保護環境からの引離しにあたることは明らかであるとして，未成年者略取未遂罪（228条・224条）の成立を認めた。

が設けられたが（→145頁以下），これまで未成年者拐取罪は，その領域をカバーする機能をもっていたといえよう。

略取誘拐罪を定める刑法典第2編第33章の諸規定は，**2005（平成17）年の刑法一部改正**によりかなり大幅に改正された[33)]。それは，**人身取引**（トラフィッキング）等の，人身の自由に対する犯罪への対応を意図したものであり，逮捕罪・監禁罪（220条）および未成年者略取誘拐罪（224条）の法定刑の上限が引き上げられるとともに，**人身売買罪**（226条の2）の処罰規定（→171頁以下）および生命・身体に対する加害の目的による略取誘拐罪（→169頁）が新設され，これまでの国外移送目的略取誘拐罪が「所在国外移送目的略取誘拐罪」（226条）に，これまでの国外移送罪が「被略取者等所在国外移送罪」（226条の3）に変更される（→169頁，172頁）といった，かなり根本的な手直しが行われた。

(2) 略取誘拐罪

（未成年者略取及び誘拐）
第224条　未成年者を略取し，又は誘拐した者は，3月以上7年以下の拘禁刑に処する。
（営利目的等略取及び誘拐）
第225条　営利，わいせつ，結婚又は生命若しくは身体に対する加害の目的で，人を略取し，又は誘拐した者は，1年以上10年以下の拘禁刑に処する。
（身の代金目的略取等）
第225条の2①　近親者その他略取され又は誘拐された者の安否を憂慮する者の憂慮に乗じてその財物を交付させる目的で，人を略取し，又は誘拐した者は，無期又は3年以上の拘禁刑に処する。
（所在国外移送目的略取及び誘拐）
第226条　所在国外に移送する目的で，人を略取し，又は誘拐した者は，2年以上の有期拘禁刑に処する。

33）　2005年の刑法一部改正は，2000年に国際連合で採択された国際組織犯罪防止条約（TOC条約）を補足する議定書（「国際的な組織犯罪の防止に関する国際連合条約を補足する人（特に女性及び児童）の取引を防止し，抑止し及び処罰するための議定書」）の締結にともなう国内法整備を目的としたものである。この議定書については，外務省のウェブサイト https://www.mofa.go.jp/mofaj/gaiko/treaty/treaty162_1.html を参照。

「略取，誘拐及び人身売買の罪」の章に設けられた規定は多いが，略取誘拐罪が基本的な犯罪類型である。これらは，いずれも略取することまたは誘拐することを処罰の対象としており，**未遂も可罰的**である（228条）。通説的見解によると，これらの罪は**継続犯**である。[34] たしかに，被害者が解放されない限り，本罪の保護法益は同じように侵害され続けるのであるから，継続犯と解することには理由がある。しかし，拐取罪とは別に，被略取者引渡し等罪（227条）を設けてより軽い刑を規定していることは（→172頁），継続犯説では説明できない（継続犯説によれば，収受等の行為は拐取罪自体を構成しうる〔したがって，刑を軽くする理由はない〕はずだから）。略取誘拐罪は，被害者を従前の生活環境から離脱させ，自己の事実的支配下に移す行為の部分を構成要件の内容とする**状態犯**と解すべきであろう[35]（→総論113頁）。

未成年者（18歳未満の者〔ただし，民法の一部を改正する法律（2018〔平成30〕年6月20日法律第59号）の施行日（2022年4月1日）以前は20歳であった〕。既婚と未婚とを問わない）を客体とする（法定刑が最も軽い）**未成年者拐取罪**（224条）を除いて，成人を客体とするときには**一定の不法な目的**をもって行われることが要求されている。略取誘拐罪が予定しているのは，それ自体としては，監禁罪（220条）の程度には至らない，より緩やかな支配関係の設定であることから，目的要件による絞りがないと，処罰の範囲が不当に広がりかねないのである。

営利目的等拐取罪（225条）について見ると，**営利の目的**とは，財産（財物またはその他の財産上の利益〔→224頁以下〕）を自ら取得し，または第三者に取得させる目的のことをいう。たとえば，被拐取者を働かせてその対価として得た賃

34）　たとえば，大塚・82頁以下，大谷・103頁以下，斎藤・50頁，曽根・58頁，林・82頁など。なお，東京高判平成14・3・13東高刑時報53巻1～12号31頁は，営利目的略取罪を状態犯であるとしながらも，共犯者が営利目的で略取した被害者をそのまま支配下に置いて監禁し続けている段階で，被告人がその事情を熟知しながらこれに加担したときは，営利目的略取罪の共同正犯が成立するとした。しかし，これは，継続犯と理解しなければ導きえない帰結である。

35）　たとえば，伊東・67頁，高橋・111頁以下，中森・56頁，西田・85頁，松宮・104頁，山口・90頁など。なお，およそ稀有な設例ではあるが，ある犯人（第1犯人）により略取誘拐され，今はその犯人のところにいる被害者を，さらに別の犯人（第2犯人）が略取誘拐して自分の手元に置いたというケースでも，元々の生活環境からさらに遠くに引き離されるところに注目して略取誘拐罪が成立すると解することが可能である。

金を自ら取得する目的の場合や，拐取行為に対して第三者から報酬を受ける目的がそれにあたる。身の代金取得の目的（225条の2）は，これに含まれない。**わいせつの目的**とは，被拐取者に対し性的行為を行い，または被拐取者をして性的行為を行わせる目的のことをいう。行為者において176条・177条等の罪が成立する態様の行為が目的とされているかどうかを問わない。**結婚の目的**とは，自己または第三者と結婚させる目的のことをいい，それは婚姻に限定されず，事実上の結婚を含む。**生命・身体に対する加害の目的**は，2005（平成17）年の刑法一部改正により加えられた（→167頁）ものであり，自己または第三者が被拐取者を殺害し，傷害を与え，または暴行を加える目的をいう。

所在国外移送目的拐取罪（226条）は，営利目的等拐取罪よりもさらに法定刑が重くなっている。**所在国外移送目的**とは，被拐取者が現にいる国の領土・領海・領空の外にその者を運び出す目的のことである（→165頁注*31*)）。本罪の処罰規定は，すべての拐取罪・人身売買罪の処罰規定（224条から228条まで）と同じく，**日本国民による国外犯**（3条12号）と日本国民を被害者とする**日本国民以外の者による国外犯**（3条の2第5号）に適用されるので，たとえば，日本国籍をもつ者が，外国にいる被害者（たとえそれが日本人であっても）を日本に移送する目的で外国で拐取行為を行えば，本罪により処罰される[36)]。

最も重く処罰されているのは，**身の代金目的拐取罪**（225条の2第1項）である[37)]。近親者その他略取されまたは誘拐された者の安否を憂慮する者の憂慮に乗じてその財物を交付させる目的で，人を略取しまたは誘拐することによって成立する[38)]。また，身の代金目的略取誘拐罪のみについては，その**予備**（→総論427頁

---

36) なお，国際結婚の破綻にともなう，一方の親による子の連れ去りをめぐる民事法上の問題については，**ハーグ条約（国際的な子の奪取の民事上の側面に関する条約）**を参照（たとえば，外務省のウェブサイト https://www.mofa.go.jp/mofaj/gaiko/hague/index.html に詳しい）。

37) 身の代金目的拐取罪は，1964（昭和39）年の刑法一部改正により，身の代金要求罪（225条の2第2項・227条4項後段），身の代金目的被拐取者収受罪（227条4項前段），身の代金目的略取等予備罪（228条の3）とともに新設された。なお，同時に，解放減軽に関する228条の2の規定も追加された。なお，身の代金目的拐取罪が新設される以前は，身の代金目的の拐取行為は，営利目的拐取罪にあたるとされていた。

38) ここでは，財物を交付すれば釈放するという場合のみならず，財物を交付しなかったら殺傷するという場合も含めて考えられている。平野・概説178頁を参照。

以下）**も処罰**される。

「安否を憂慮する者」の意義　判例は，「単なる同情から被拐取者の安否を気づかうにすぎないとみられる第三者は含まれないが，被拐取者の近親でなくとも，被拐取者の安否を親身になって憂慮するのが社会通念上当然とみられる特別な関係にある者はこれに含まれる」とし，相互銀行の代表取締役社長が拐取された場合における同銀行の幹部らもこれにあたるとしている[39]。さらに，裁判例の中には，都市銀行の一般行員が誘拐されたとき，被拐取者と個人的つながりがまったくない同銀行の代表取締役頭取も「安否を憂慮する者」にあたるとしたものが現れている[40]。

(3)　身の代金要求罪

第225条の2②　人を略取し又は誘拐した者が近親者その他略取され又は誘拐された者の安否を憂慮する者の憂慮に乗じて，その財物を交付させ，又はこれを要求する行為をしたときも，前項と同様とする〔＝無期又は3年以上の拘禁刑に処する〕。
（被略取者引渡し等）
第227条④〔前段略〕略取され又は誘拐された者を収受した者が近親者その他略取され又は誘拐された者の安否を憂慮する者の憂慮に乗じて，その財物を交付させ，又はこれを要求する行為をしたときも，同様とする〔＝2年以上の有期拘禁刑に処する〕。

身の代金要求罪は，人を拐取した者（目的要件〔→168頁以下〕の充足の有無を問わないと解される）または被拐取者を収受した者（227条1項〜4項前段を参照）が，近親者その他被拐取者の安否を憂慮する者の憂慮に乗じて，その財物[41]を交付させ，またはこれを要求する行為をしたときに成立する。未遂は処罰されない。ただ，要求行為が行われれば足り，被拐取者の安否を憂慮する者にそれが了知される必要はない。

39）最決昭和62・3・24刑集41巻2号173頁。

40）東京地判平成4・6・19判タ806号227頁。これに反対するのは，堀内・59頁，松原・114頁。

41）したがって，財産上の利益を得ようとする場合を含まないことになる。伊東・71頁，西田・81頁は，預金口座への振込送金・振替送金も含まれるとしている。

(4) 人身売買罪・被略取者等所在国外移送罪

(人身売買)
第226条の2 ① 人を買い受けた者は，3月以上5年以下の拘禁刑に処する。
② 未成年者を買い受けた者は，3月以上7年以下の拘禁刑に処する。
③ 営利，わいせつ，結婚又は生命若しくは身体に対する加害の目的で，人を買い受けた者は，1年以上10年以下の拘禁刑に処する。
④ 人を売り渡した者も，前項と同様とする。
⑤ 所在国外に移送する目的で，人を売買した者は，2年以上の有期拘禁刑に処する。
(被略取者等所在国外移送)
第226条の3 略取され，誘拐され，又は売買された者を所在国外に移送した者は，2年以上の有期拘禁刑に処する。

人身売買罪の処罰規定は，2005年の刑法一部改正（→165頁）により新設された。これにより，これまで直ちに処罰することができなかった単なる人身取引行為が処罰されることとなった。現行刑法の略取誘拐罪の規定には，未成年者を客体とする場合は別として，**特定の目的が要件**とされており（→168頁以下），そのため人身取引への対応ができにくくなっていた。そこで，2005年の改正では，目的要件を外して人身売買そのもの（＝買受け・売渡し）を処罰することを可能にした（ただ，一定の目的があれば，さらに刑が加重される）。人身買受行為について見れば，人を不法に支配する手段として買受代金を負担しているため，「元を取ろう」として，何らかの形で被害者の自由をより強く拘束し，被害者の負担において不当な利益を得るという形で搾取しようとするであろうから，その反面において，被害者はそれだけ危険な立場に置かれる。そこで，買い受けた人において営利の目的とかわいせつの目的とかの不法な目的がない，あるいはそういう目的をもつことを証明できないという場合でも，買い受けるだけで処罰に値すると考えられるのである。売り渡す側も，対価を得て被害者をそのような立場に陥れるのであるから，処罰に値するといえる。本罪の処罰規定は，このような基本的な考え方に立脚している[42]。

---

42) 人を売り買いの対象にしているとしかいいようがない行為については，われわれ誰しもがある程度はっきりしたイメージをもっているものである。人身売買罪などというのは，「法が

人を買い受けるとは，対価を提供して売主からその事実的支配下にある人の引渡しを受け，これを自己の事実的支配下に移すことをいう。単に「契約」が成立しただけでなく，現実に支配の移転があったことを要する。対価は金銭等の財物に限らない。人身売買罪については**未遂が処罰**されるが（228条），売買の申込みを行えば，それで実行の着手が肯定される。

被略取者等所在国外移送罪は，被拐取者または売買された者を所在国外に移送する罪である。**未遂も可罰的**である。「移送」とは，所在国外に運び出すことをいう。客体は，所在国外移送目的拐取罪（→169頁）の被害者に限られない。

(5) 被略取者引渡し等罪

（被略取者引渡し等）
第227条① 第224条，第225条又は前3条の罪を犯した者を幇助する目的で，略取され，誘拐され，又は売買された者を引き渡し，収受し，輸送し，蔵匿し，又は隠避させた者は，3月以上5年以下の拘禁刑に処する。
② 第225条の2第1項の罪を犯した者を幇助する目的で，略取され又は誘拐された者を引き渡し，収受し，輸送し，蔵匿し，又は隠避させた者は，1年以上10年以下の拘禁刑に処する。
③ 営利，わいせつ又は生命若しくは身体に対する加害の目的で，略取され，誘拐され，又は売買された者を引き渡し，収受し，輸送し，又は蔵匿した者は，6月以上7年以下の拘禁刑に処する。
④ 第225条の2第1項の目的で，略取され又は誘拐された者を収受した者は，2年以上の有期拘禁刑に処する。〔後段略〕

種々の拐取罪や人身売買罪等の犯人の行為を事後的に助ける行為（**事後従犯行為**）を類型化し，独自の犯罪として処罰の対象とするものである。これらの罪については，**未遂も処罰**される。

(6) 予 備 罪

（身の代金目的略取等予備）
第228条の3 第225条の2第1項の罪を犯す目的で，その予備をした者は，2年

人を物扱いするもの」とする批判もあったが，すでに現実世界にある，人を物扱いするような卑劣な行為を捕捉することを意図した規定といえよう。

以下の拘禁刑に処する。ただし，実行に着手する前に自首した者は，その刑を減軽し，又は免除する。

本条は，拐取罪のうち違法性が強く，特に防止の必要性が高いと考えられる身の代金目的拐取罪の予備を処罰する[43)]（→169頁）。本条ただし書は，政策的見地から自首をした者について刑の必要的減免を規定する（→174頁）。

(7) 政策的考慮に基づく刑の減軽・免除，親告罪

（解放による刑の減軽）
第228条の2　第225条の2又は第227条第2項若しくは第4項の罪を犯した者が，公訴が提起される前に，略取され又は誘拐された者を安全な場所に解放したときは，その刑を減軽する。
（親告罪）
第229条　第224条の罪及び同条の罪を幇助する目的で犯した第227条第1項の罪並びにこれらの罪の未遂罪は，告訴がなければ公訴を提起することができない。

被害者の安全をはかり，またその利益を保護するための**政策的考慮**に基づき一連の規定が設けられている。228条の2は，いわゆる**解放減軽**の規定であり，要件を充たすとき，**刑の必要的減軽**が認められる。これは，「身代金目的の誘拐罪がはなはだ危険な犯罪であって被拐取者の殺害される事例も少なくないことにかんがみ，犯人が自発的，積極的に被拐取者を解放した場合にはその刑を必要的に減軽することにして，犯人に犯罪からの後退の道を与え被拐取者の一刻も早い解放を促して，右のような不幸な事態の発生をできるだけ防止しようとする趣旨に出たもの」である[44)]。**安全な場所**とは「被拐取者が安全に救出される

---

43) 東京地判昭和39・5・9判時376号16頁は，1964年の刑法一部改正により本条の処罰規定が新設される以前に（→169頁注*37)*），身の代金目的略取を計画しこれを実行しようとした被告人らが営利目的略取未遂罪に問われたケースについて，実行の着手が認められないとして，その点については無罪としたものである。

44) 最決昭和54・6・26刑集33巻4号364頁。さらに，この最高裁決定は，本規定の趣旨に照らし，「解放の手段，方法などに関して，通常の犯人に期待しがたいような細心の配慮を尽くすことまで要求するものではなく，また，……『安全に救出される』という場合の『安全』の意義も余りに狭く解すべきではなく，被拐取者が近親者及び警察当局などによって救出されるまでの間に，具体的かつ実質的な危険にさらされるおそれのないことを意味し，漠然とした抽

と認められる場所」を意味するが，解放場所の位置，状況，解放の時刻，方法，被拐取者をその自宅などに復帰させるため犯人の講じた措置の内容，その他被拐取者の年齢，知能程度，健康状態など諸般の要素を考慮して判断しなければならないとされる[45]。

すでに前にも触れた228条の3ただし書（→172頁以下）は，身の代金目的拐取罪の予備があったときに，**自首**をした行為者について，政策的考慮に基づき，**刑の必要的減免**を規定する。通常の自首（42条1項〔→総論559頁〕）の法律効果が刑の任意的減軽にとどまるのに対し，ここでは**特則**として，より寛大な扱いが認められる。**自首**とは，犯人が自ら進んで捜査機関に対し自己の犯罪事実を申告し，その処分に委ねる意思表示を行うことであるが，42条1項の自首とは異なり，「捜査機関に発覚する前」でなくても，実行の着手前にこれが行われれば足りる。

拐取罪は，未成年者拐取罪（224条）および被略取未成年者引渡し等罪（227条1項），そしてそれらの未遂罪に限り，**親告罪**とされている（229条）。本罪は重大な犯罪ではあるが，名誉・プライバシー保護の見地から被害者および監護権者の意思に反する立件・訴追が行われることは適切でないと考えられたのである。未成年者とともに監護権者や保護監督者も被害者として告訴権を有すると解される[46]（→165頁）。なお，以前は，わいせつ目的や結婚目的の拐取罪・引渡し等罪も親告罪であったが，2017年の刑法一部改正法により，これらは非親告罪とされた（→144頁）。

(8) 罪数，他罪との関係

営利目的等拐取罪（225条）が，未成年者を客体として行われたとき，未成年者拐取罪（224条）ではなく，より重い営利目的等拐取罪により処罰され，未成年者拐取罪はこれに吸収される（法条競合の一種としての吸収関係）。

象的な危険や単なる不安感ないし危惧感を伴うということだけで，ただちに，安全性に欠けるものがあるとすることはできない」としている。

45） 前掲注 *44*）最決昭和54・6・26。

46） 福岡高判昭和31・4・14裁特3巻8号409頁は，未成年者拐取罪の保護法益には監護権も含まれるとする立場を前提として，被拐取者の**事実上の監護権を有する監督者**も告訴権を有するとする。

拐取罪の実行にあたって，しばしば被害者を監禁する行為が行われる。成立する両罪の関係が問題となるが，犯人が拐取行為の後，さらに被害者を監禁したとき，牽連犯とする学説もあるが，判例は併合罪だとする[47]。ただ，拐取行為自体が逮捕罪・監禁罪を構成するケースでは，両罪は観念的競合となろう[48]。

身の代金目的拐取罪（225条の2第1項）を行った者が身の代金要求罪（225条の2第2項）を行ったとき，両罪は牽連犯となる[49]。これに対し，営利目的等拐取罪（225条）を犯した犯人が，身の代金要求罪を行ったときには，両罪は併合罪である[50]。

47） 最決昭和58・9・27刑集37巻7号1078頁。

48） 前掲注*1*）最判平成15・7・10のケースは，そのような事案であった。

49） 前掲注*47*）最決昭和58・9・27。

50） 最決昭和57・11・29刑集36巻11号988頁。

■ 第7章 ■

個人の私的領域を侵す罪

1 総　　説

個人が他者からその「私的領域」に踏み込まれない権利を有することは，現在では自明のことである。しかし，現行刑法の下では，その権利は断片的にしか保護されていない。個人の私的領域を守る上で中核となるべき権利は**プライバシーの権利**である。それは比較的新しい法益であり，「ひとりで放っておいてもらう権利」ともいわれ，**個人の私的領域への他者の干渉を排除する自由権**のことである。[1] しかし，これを直接かつ包括的に保護する処罰規定は存在しない。名誉や秘密を害する罪の規定，住居侵入罪の規定，特別法上の処罰規定[2] などにより**間接的かつ断片的に保護**されるにとどまる。刑法典の罪のみについて見れば，プライバシー侵害の行為が名誉毀損をともなうときその限りで名誉毀損罪（230条）により，秘密侵害をともなうときは信書開封罪（133条）や秘密漏示罪（134条）により，住居侵入を手段とするときには住居侵入罪（130条）により処

---

1) 刑法で何よりも問題となるのは，他者により自己の私的領域を侵されないという消極的・自由権的な内容の利益の保護であって，憲法学上問題とされる「自己情報のコントロール権」といった積極的・能動的側面をもった権利（芦部信喜〔高橋和之補訂〕『憲法〔第8版〕』〔2023年〕126頁以下を参照）の保護ではない。

2) プライバシーの権利を守る機能を果たす**特別法上の処罰規定**として，たとえば，電気通信事業法（1984〔昭和59〕年12月25日法律第86号），不正アクセス行為の禁止等に関する法律（1999〔平成11〕年8月13日法律第128号），個人情報の保護に関する法律（2003〔平成15〕年5月30日法律第57号）の処罰規定などがある。

罰されるにすぎない。これらの罪はプライバシーの保護と密接な関係をもつが，それを直接的な保護目的とするものではなく，プライバシーが侵害されればこれらの犯罪が必ず成立するというものではない。

プライバシー侵害が犯罪とならない一事例 たとえば，ロボットにカメラをつけて住居内に「侵入」させ，住居内を撮影して，他人のプライバシーを侵害したとしても，住居侵入罪で処罰することはできない。なお，その行為は犯罪とならず，可罰的違法行為ではないとしても，これに対し**正当防衛**（36条）を行うこと（たとえば，このロボットを壊すこと）は当然に可能である（→総論272頁，301頁）。

現行刑法上，個人の私的領域を害する犯罪としては，住居侵入罪，信書開封罪，秘密漏示罪がある[3)]。本章ではこれらの犯罪を取り上げることとする。なお，名誉毀損罪も，限定された範囲でプライバシー保護の機能を営みうるが，直接には**名誉**という，プライバシーとは区別される法益[4)]を保護する犯罪である（たとえば，ある未婚の男女が親密に交際しているという事実は，プライバシーに属する事柄であるが，それが公にされたとしても，名誉，すなわち社会的評価への侵害が認められないので，名誉毀損にはならない）。

2 住居侵入罪・不退去罪

（住居侵入等）

第130条 正当な理由がないのに，人の住居若しくは人の看守する邸宅，建造物若しくは艦船に侵入し，又は要求を受けたにもかかわらずこれらの場所から退去しなかった者は，3年以下の拘禁刑又は10万円以下の罰金に処する。

---

3) これらの犯罪のうち，住居侵入罪については，建造物を客体とする場合（つまり建造物侵入罪の場合）には，会社や市役所，学校等への侵入のように，個人の私的領域の侵害という性格づけがそぐわないことが多いと感じられるかもしれない。しかし，そうした場所にいる個人にとり，部外者が許諾なく立ち入ることは，やはり自己の生活領域の侵害にほかならないのである。他方で，住居侵入罪もまた，共同生活を営む家族の私的領域を侵すものであり，そこでは，純粋の個人個人の法益というよりは，社会化された個人的法益が問題となっている（→180頁以下）。

4) 名誉とは，個人に対する社会的評価のことをいい，それは，現行法上，秘密やプライバシーと異なり，手厚く，かつ包括的に保護されている法益である（→196頁以下）。

(1) 総説，保護法益

住居侵入罪は，人の住居や人の看守する建造物等に侵入する行為と，要求を受けてこれらの場所から退去しない不作為を処罰の対象とする[5]。前者が**狭義の住居侵入罪**であり，後者を**不退去罪**と呼ぶ。不退去罪は，条文上はっきりと不作為が処罰の対象とされている**真正不作為犯**（→総論 152 頁）である。このうち狭義の住居侵入罪が継続犯か，それとも状態犯か（→総論 111 頁以下）をめぐっては議論があるが，法益の内容をどのようなものと捉えるにせよ，法益侵害状態の継続が構成要件の内容とされているのではなく，法益侵害のない状態からそれがある状態への変化（としての「侵入する」という行為）が構成要件の内容となっており，また不退去罪が別に設けられていることからも**状態犯**と考えられる[6]。もし，継続犯（したがって，監禁罪〔220 条〕と同種の犯罪）なのであれば，不退去行為も「侵入」として処罰可能なはずであるから，（監禁罪に関して不解放行為を別に処罰する必要がないように）別の犯罪として処罰の対象とする必要はないはずである。狭義の住居侵入罪が成立するとき，侵入した犯人が被害者の要求を受けて退去しなかったとしても，不退去罪が独立に成立することはないが，このことも状態犯とする理解と矛盾するものではない[7]。

住居侵入罪の解釈をめぐる中心問題は，**保護法益の実質**は何か（そして，保護法益との関連で「侵入」の意義をどのように理解するか）である。本罪は，規定の位置からすると，社会的法益に対する罪として考えられていたようであるが[8]，現在では，本罪が個人的法益に対する罪であることについて異論はない。戦前

---

5) 住居侵入罪についての包括的な研究書として，関哲夫『住居侵入罪の研究』（1995 年），同『続・住居侵入罪の研究』（2001 年），同『続々・住居侵入罪』（2012 年）がある。

6) 佐伯・法教 362 号 105 頁，山口・119 頁。継続犯とするのは，大塚・120 頁，大谷・144 頁，川端・210 頁，佐久間・133 頁，高橋・155 頁，西田・113 頁，林・101 頁，山中・186 頁など。

7) 判例は，この点に関し，住居侵入罪は侵入行為により成立するが，「退去するまで継続する犯罪」であるという理由で，不退去罪は成立しないとする（最決昭和 31・8・22 刑集 10 巻 8 号 1237 頁）。ここから，判例は本罪を継続犯と理解しているとされている。しかし，住居侵入罪の構成要件は**侵入行為のみを捕捉**するが（その意味で状態犯であるが），侵入した者が違法な不退去状態を継続することは当然に予定されていることであるから，事後の不退去行為もあわせて評価する（法条競合の一種としての吸収関係〔→総論 583 頁〕）と考えるべきであろう。

8) 旧刑法（→総論 50 頁）もまた，「静謐（せいひつ）を害する罪」の章の中に，騒乱罪，公務執行妨害罪，往来妨害罪などの公益に対する罪とともに住居侵入罪を規定していた。

の判例の主流は「住居権」をもって本罪の保護法益と捉えるものであったが（**旧住居権説**），それは家長・戸主のみが有する法的権利と理解された（たとえば，夫の不在中，妻の不倫の相手がその同意を得て住居内に入ったケース〔**不倫事例**ないし**姦通事例**〕では，家長たる夫の住居権を侵害するとの理由で住居侵入罪の成立が肯定されたのであった[9]）。戦後になり，家長権の思想が否定されてからは，住居内で共同生活を営む者全員に平等に帰属する利益としての「事実上の住居の平穏」をもって住居侵入罪の保護法益とする**平穏説**が学説の支持を集めた。これに対し，住居権を「他人の立入りを認めるか否かの自由」と理解し，居住者が平等に有する自由権として個人主義的に把握する学説が**（新）住居権説**（許諾権説）として主張され有力となるに至って，平穏説と住居権説の対立が本罪の解釈論における中心的な論点となった。

住居の平穏（住居内の安息と平和）が害されるのは，居住者の意思に反して立入りが行われるからであり，住居権の侵害と住居の平穏の侵害とは同一の事態の２つの側面といってよい。しかし，平穏説は，**かりに居住者の意思に反する立入りがあっても，平穏が害されない限り本罪の成立を認めない見解**として主張されてきた。戦後の判例の中には，これにしたがい，居住者・看守者の意思に反する住居・建造物への立入りがあっても，平穏が害されていないという理由で本罪の成立を否定するものもあった。最高裁は，ある労働事件との関連で，このような平穏説の論理を否定したのである。

大槌郵便局事件最高裁判決　最高裁は，住居侵入罪における侵入とは，「他人の看守する建造物等に管理権者の意思に反して立ち入ることをいうと解すべきであるから，管理権者が予め立入り拒否の意思を積極的に明示していない場合であっても，該建造物の性質，使用目的，管理状況，管理権者の態度，立入りの目的などからみて，現に行われた立入り行為を管理権者が容認していないと合理的に判断されるときは，他に犯罪の成立を阻却すべき事情が認められない以上，同条の罪の成立を免れない」と述べ，**看守者の意思に反しても平穏を害しない限り本罪は成立しないとする平穏説の考え方を否定**したのであった[10]。

---

9)　大判大正 7・12・6 刑録 24 輯 1506 頁，大判昭和 14・12・22 刑集 18 巻 565 頁など。

10)　最判昭和 58・4・8 刑集 37 巻 3 号 215 頁。ただ，この最高裁判決については，平穏説を否

平穏説が，意思侵害を重要な判断要素としながらも，事実上の住居等の平穏を害したかどうかという**平穏侵害**に決定的な意味を与えるのに対し，住居権説によれば，居住者・看守者の意思に反するかどうかという**意思侵害**の有無により本罪の成否が判断される。最近の学説においては，住居権説が通説といえよう[11)]。

しかし，住居侵入罪の保護法益は，個々の居住者・看守者の立入り許諾権に尽きるものではなく，犯罪の成否の判断にあたっては，住居等の事実上の平穏への影響（より具体的にいえば，**立入りにともなう被害者側の利益侵害の可能性**，たとえば強盗の被害を受ける危険という**実質的利益の侵害の可能性**）をあわせ考えざるをえないと思われる。まず，①居住者等の真意に反する立入りがあっても，立入りの態様および目的が平穏を害するものでなければ，必ずしも本罪の成立を認めるまでもないと考えられる場合がある（→185頁以下）。また，②居住者の一部が不在の場合に明らかなように，「今・現在の住居内の事実上の状態」が重視され，それを現実に享受する者の利益が不在者の利益に優先することにより住居侵入罪の成立が否定される場合があるが（→188頁以下），このことは住居権説では説明できないであろう。さらに，③居住者が何人いても侵害された住居の数が1つであれば1個の住居侵入罪が成立するというように，**住居の数が罪数判断の基準**となることも，住居の事実上の平穏を保護法益と考えることによってはじめて理解することができる。

住居侵入罪において，住居（または建造物等）における事実上の平穏もまた意

定するものでないとする評価もあり，また，本判決が破棄した原審判決に対しては，平穏説の立場からも強い批判が出されていた。この最高裁判決後に，平穏侵害を考慮して本罪の成否を判断した裁判例もある。

11）住居権説をとるのは，伊東・85頁以下，大谷・139頁以下，川端・206頁以下，佐伯・法教362号96頁以下，塩見・143頁以下，高橋・154頁以下，中森・77頁以下，西田・109頁以下，林・98頁以下（「領域説」），平野・概説182頁以下，松宮・130頁以下，堀内・73頁以下，山口・116頁以下（「許諾権説」），山中・178頁以下など。現在でも平穏説をとるのは，大塚・110頁以下，佐久間・128頁以下，団藤・501頁，福田・202頁以下，前田・115頁以下など。関『住居侵入罪の研究』（前掲注*5*））は，個人・家族の住居の場合と，公共営造物・社会的営造物とを区別し，保護法益を多元的に理解し，前者については他人の立ち入り・滞留についての許容・不許容の自由が保護法益であり，後者については業務遂行が乱されることのない平穏な状態が保護法益であるとする。

味をもつことは，本罪が単にバラバラの個人の自由権の保護を問題としているのではなく，**家庭（または事務所，会社，学校等）という社会を構成する単位の中にいる個人**を保護しようとするものであることに基づくものである（その意味で，本罪は社会的法益に対する罪としての性格を併有する〔→178 頁以下〕）。個人の自由や意思から出発してこの犯罪を理解しようとする解釈論が限界をもつ理由はそこにある。

以上のところから，本書は平穏説を支持するが，現在の学説の支配的見解は住居権説（許諾権説）であることに注意すべきである。ただし，許諾権者の意思に反する立入りが行われれば，それは住居の平穏を害するのが普通であるから，平穏説と住居権説の違いは，ごくわずかな事例においてしか顕在化しない。

判例の住居権説　多くの刑法各論の教科書や参考書には，判例は住居権説をとっていると書かれている。しかし，判例の立場が，学説のいう住居権説のそれと同一であるとは必ずしもいえない。まず，判例は，住居侵入行為が私生活の平穏を害するものであることを否定していない[12]。また，判例は，**意思に反する立入りにより侵害される，住居内における実質的利益を考慮**しており，判例の結論は，学説の住居権説のそれとは重要な点で異なっている。

(2)　客　体

本罪の客体は，①人の住居と，②人の看守する(イ)邸宅，(ロ)建造物，(ハ)艦船である。①の**人の**住居とは，行為者以外の他人が居住する住居のことをいい，居住者が民法上の居住権限を有するかどうかは関係がない。その人が不法に家屋を占拠しているときでも，そこに無断で立ち入れば本罪を構成する（かりに行為者がその住居の所有者であったとしても同じであるが，立退きを求めるための**自救行為**〔→総論 340 頁以下〕であったときは違法性が阻却される）。すべての居住者を殺した後に，その住居に侵入しても本罪にはあたらない[13]。**住居**とは，人が起

---

12)　たとえば，最判平成 21・11・30 刑集 63 巻 9 号 1765 頁は，マンションの管理組合が管理する場所に，管理組合の意思に反して立ち入ることは，「本件管理組合の管理権を侵害するのみならず，そこで私的生活を営む者の私生活の平穏を侵害するものといわざるを得ない」という言い方をしている。また，185 頁注 22）に引用する最判平成 20・4・11 も参照。

13)　大谷・142 頁，中森・78 頁注 4)，西田・111 頁，山口・121 頁など。これに対し，東京高

居（起臥寝食）のために日常的に使用する場所のことである[14]。必ずしもそれは建造物である必要はない。**客体としての一個性**は，個人の生活空間としての単位という観点から決められる。アパート・マンション・ホテルの中の各居室，患者が入院中の病室も，それぞれが独立の住居となるし，住居は房室に限られるものではないから，多数人が居住する共同住宅たるマンションの共用部分（玄関ホールや廊下，エレベーターホール等）も住居の一部であり，そこに立ち入れば本罪が成立する。重要なことは，「住居」（そして，次に述べる「邸宅」および「建造物」）には，それぞれ**囲繞地も含まれる**ことである。それは，建物部分のすぐ周りにあり塀などにより取り囲まれたその付属地のことをいう（たとえば，人の住む家の庭に入れば「住居に侵入した」ことになるし，無断で小学校の校庭に入ったときは，たとえ校舎の中に入らなくても，それだけで「建造物に侵入した」ことになる[15]）。

判昭和 57・1・21 刑月 14 巻 1＝2 号 1 頁は，被告人らが，被害者 A を松山市内で殺害して財物を奪い，その約 25 時間後に，東京の A 宅に侵入してさらに A の財物を奪ったというケースについて，被告人らは，A を殺害する前から，殺害後に A 方に侵入することを企図していたものであること，殺害現場と A 方住居との距離や時間的経過の点は，航空路線の発達からしてそれほど大きいものではないと考えられること，A の死亡の事実は被告人らだけが知っていたものであること，A 方住居は施錠され，A の生前と同じ状況下にあったことなどの諸点からすれば，「A 方の住居の平穏は，被告人らの侵入の時点においても，A の生前と同様に保護されるべきものであり，被告人らはその法益を侵害したものと解される」として，住居侵入罪の成立を肯定している。これは，窃盗罪の成否の判断にあたり，いわゆる死者の占有が問題となる場合（→260 頁以下）と類似の理論構成を用いたものである。

14) 会社の事務室，学校の校舎，大学の研究室等は住居とはいえないと解されるが，これらも住居に含まれうるとする反対説もある（大塚・112 頁，大谷・131 頁など）。ただ，「住居」に含まれないとする見解をとったとしても，それが「建造物」に含まれることは明らかであるから，結論に違いが生じるものではない。

15) 最判昭和 51・3・4 刑集 30 巻 2 号 79 頁によれば，**囲繞地であるため**には「その土地が，建物に接してその周辺に存在し，かつ，管理者が外部との境界に門塀等の囲障を設置することにより，建物の附属地として，建物利用のために供されるものであることが明示されれば足りる」。最判平成 20・4・11 刑集 62 巻 5 号 1217 頁も参照。最近の高裁判例の中には，囲繞地であるためには，囲障の存在によってその土地を建物の利用に供し，部外者の立入りを禁止するという居住者の意思が明示されていると認められることが必要だとした上，当該事案については，囲障が存在するのが全体の一部に過ぎず，立入りを禁止する居住者の意思が明示されているとは認められないとの理由で住居侵入罪の成立を否定したものがある（大阪高判令和 3・7・16 判タ 1500 号 120 頁）。なお，囲繞地の問題についての詳細な研究として，関『続・住居

②の3つの客体に共通して必要な要件である**人の看守する**とは，**他人が事実上，管理支配**しており，侵入防止のための人的・物的設備を施していることを意味する。[16] **邸宅**とは，人が住むために建てられた建造物で，住居以外のものをいう。空き家やシーズンオフの別荘などがこれにあたる。判例は，人が現に住んでいる場所であっても，居住者とは別に管理者のいる集合住宅（たとえば，公務員宿舎のように国がこれを所有・管理し，公務員に貸与し，貸与された公務員が居住しているような場合）の共用部分は邸宅にあたる（その敷地の部分は邸宅の囲繞地にあたる）としている。[17] そこで，「人の看守する」という要件を充足する必要があり，立入りの許諾についても居住者にではなく管理者の方に権限があると考えられることになる（いいかえれば，「人の看守する」という要件を吟味する必要がなく，居住者の管理下にあり，立入りについても居住者に権限があると考えられる空間は，住居の一部またはその囲繞地なのである）。**建造物**とは，屋根があり壁または柱により支持され土地に定着する工作物のうち，少なくとも人の起居出入りに適する構造を有するもののこと（ただし，住居および邸宅にあたるものを除く）をいい（→413頁），工場，社屋，学校の校舎，倉庫，劇場，官公署の庁舎などがこれにあたる。[18] **艦船**とは，軍艦および船舶をいう。

勝手に住居や建造物の屋根に上がれば，住居侵入罪ないし建造物侵入罪を構成する。[19] 一定の限度内において上空や地中も本罪の客体に入ると解される（さもないと，上空のヘリコプターから縄ばしごで降りて来て家屋内をのぞき込む行為も，その人の足が地面に着いていない限り本罪にあたらないというおかしなことになっ

侵入罪の研究』（前掲注 *5*））51 頁以下がある。

16）その方法は問わない。施錠したり，塀を設けたり，監視人を置いたりすることなどが考えられる。しかし，ただ単に立入り禁止の立札を置く程度では不十分とされている。

17）特に，前掲注 *15*）最判平成 20・4・11。これに対し，**分譲マンション**の共有部分につき，前掲注 *12*）最判平成 21・11・30 は，それが住宅にあたるのか，それとも邸宅にあたるのかを明示していない。なお，住居に接続する囲繞地であっても，**居住者とは独立した管理主体が存在するときに**は住居部分と区別して「邸宅」とされることになる（最判昭和 32・4・4 刑集 11 巻 4 号 1327 頁を参照）。

18）広島地判昭和 51・12・1 刑月 8 巻 11＝12 号 517 頁は，広島の原爆ドーム（旧広島県産業奨励館）について，その重要部分において屋蓋がないかないに等しく雨露をしのぐこともできず，全般的に人の起居出入りに適していないという理由で「建造物」にあたらないとした。

19）東京高判昭和 54・5・21 高刑集 32 巻 2 号 134 頁。

てしまうであろう）。判例によれば，警察署庁舎建物および中庭への外部からの交通を制限し，みだりに立入りすることを禁止するために設置された高さ約2.4 m の塀は，それ自体として建造物侵入罪の客体にあたり，中庭に駐車された捜査車両を確認する目的で塀の上部に上がる行為は，それだけで（たとえ中庭に入る気がまったくなくても）建造物侵入罪となる[20]。

(3)　侵　入

(a)　侵入の意義　**侵入**とは，居住者または看守者の意思に反して，行為客体として本条に規定された場所に立ち入ることをいう。居住者ないし看守者の許諾があれば，もはや「侵入」とはいえず，本罪の構成要件に該当しない（このことは自由に対する罪に共通することといえよう〔→153 頁〕）。法文には，「**正当な理由がないのに**」という文言があるが，これに特別な意味はない。「正当な理由があること」が本罪についてのみ消極的構成要件要素になるということではない。語調の上から加えられたとか，犯罪にならないことが多いので注意的に加えられたといわれる。

1つの住居・建造物であっても，居住者ないし看守者の許諾された範囲を超えて他の部分に立ち入れば本罪が成立する。たとえば，応接間に入ることを許された者が，居間や寝室に入るのは住居侵入罪を構成しうる[21]。また，大学校舎への立入りを許諾された男が，盗撮目的で女性用トイレに入れば，建造物侵入罪となる。

住居侵入罪の違法性阻却事由　正当な理由があって他人の住居に立ち入った場合，たとえば，刑事訴訟法 128 条以下に基づく検証，同法 218 条以下に基づく捜索・差押えの場合，「正当な理由がないのに」という文言があることからそもそも構成要件に該当しなくなる，というものではない。構成要件には該当し，行為の違法性が阻却されると解されることになる（なお，同様の文言は，105 条の 2・133 条・134 条などに見られるところである）。なお，東京高裁は，自衛隊のイラク派遣に反対する趣旨のビラを防衛庁宿舎各室玄関ドア新聞受けに投函する目的で，管理者・居住者の承諾を得ないで同宿舎の敷地等に立ち入ったという邸宅侵入行為（→183 頁）につき，法益侵害の程度がきわめて軽微であったとはいえず，可罰的違法性を欠くとして違法性が

20）　最決平成 21・7・13 刑集 63 巻 6 号 590 頁。

21）　平野・概説 184 頁。

阻却されるとはいえないとした。[22)]

侵入の意義をめぐり，保護法益の理解（→178 頁以下）と関連して見解の対立がある。**住居権説**は，居住者・看守者の意思に反するかどうかという意思侵害の有無により本罪の成否を判断する。これに対し，**平穏説**は，意思侵害を重要な判断要素としながらも，事実上の住居の平穏を害したかどうかという平穏侵害にも決定的な意味を認める。そこで，意思侵害の有無のみにより本罪の成否が決まると考えるべきか（**意思侵害説**），それとも平穏侵害もあわせて考慮すべきか（**平穏侵害説**）が対立のキーポイントとなっている。

(b) 居住者を騙して立ち入る場合　意思侵害説と平穏侵害説とで結論に違いの出る争点としては，特に，**真の目的を隠し居住者の同意を得た上で住居内に立ち入ったとき**，はたしてそれが侵入といえるかどうかという問題がある。[23)] 住居権説の主張者の多くは，ここでは立入りそのものが居住者の意思に反するかどうかが問題であり，住居権者が立入りそれ自体には同意している以上，立入りの目的に関する錯誤があったとしても法的に重要でなく，本罪の成立は否定されるとする。[24)] それによれば，強盗の目的をもち凶器をコートの下に隠し

---

22) 東京高判平成 17・12・9 判時 1949 号 169 頁。本件上告審判決である前掲注 *15)* 最判平成 20・4・11 刑集 62 巻 5 号 1217 頁は，本件被告人らの行為をもって邸宅侵入罪に問うことは，**憲法 21 条 1 項に違反するものではない**とした。すなわち，「本件では，表現そのものを処罰することの憲法適合性が問われているのではなく，表現の手段すなわちビラの配布のために『人の看守する邸宅』に管理権者の承諾なく立ち入ったことを処罰することの憲法適合性が問われているところ，本件で被告人らが立ち入った場所は，防衛庁の職員及びその家族が私的生活を営む場所である集合住宅の共用部分及びその敷地であり，自衛隊・防衛庁当局がそのような場所として管理していたもので，一般に人が自由に出入りすることのできる場所ではない。たとえ表現の自由の行使のためとはいっても，このような場所に管理権者の意思に反して立ち入ることは，管理権者の管理権を侵害するのみならず，そこで私的生活を営む者の私生活の平穏を侵害するものといわざるを得ない。したがって，本件被告人らの行為をもって刑法 130 条前段の罪に問うことは，憲法 21 条 1 項に違反するものではない」。

23) 住居侵入行為は，何らかの目的のための手段として実行されるのが通常である。しばしば，その目的は，一定の犯罪の実現に向けられる。目的とした犯罪が行われた場合，手段としての住居侵入罪とは**牽連犯**（54 条 1 項後段）の関係に立つ（→190 頁）。

24) たとえば，佐伯・法教 362 号 98 頁，103 頁以下，曽根・8 項以下，高橋・163 頁以下，中森・79 頁以下，西田・113 頁以下，林・103 頁以下，平野・概説 184 頁，堀内・77 頁以下，松原・127 頁以下，松宮・137 頁，山口・125 頁以下，山中・190 頁以下などを参照。住居権説は，

て「新聞代金の集金にまいりました」等と述べて居住者を欺いて家の中に入る場合や，訪問販売員が，セールスのために来たというと玄関の中にも入れてもらえないことが多いため，市役所のアンケート調査と偽って家の中に入る場合など，いずれにしても住居侵入罪の成立は否定されることになろう[25]。

平穏侵害説は，行為者の**立入りの目的の内容をも考慮**した上で，平穏を害する態様での立入りであったかどうかを問題とする。そこで，殺人，傷害，強盗，不同意性交等が目的とされたケースについては，「平穏を害する態様による立入り」が認められるとして本罪の成立を肯定し，詐欺や押売り，借金の請求，贈賄，盗聴器の設置などの目的を隠して居住者の同意を得て住居内に立ち入った場合については，平穏侵害がないという理由でこれを否定するという結論を導く。これに対しては，「平穏を害する態様」かどうかの基準が曖昧であるという批判がありうるが，行為者の目的が明らかになった段階で（退去要求を前提として）不退去罪の成立を認めることにより十分な保護になるかどうかで区別するということが考えられよう。すなわち，強盗犯人に対しては，退去要求は無力であり，ひとたび住居に入られたからには，不退去罪により保護されるといっても意味がない。これに対し，セールスマンがアンケートと偽って玄関に入る場合については，行為者の目的が明らかになった段階で退去要求を行うことにより不退去罪による保護が可能となり，それで足りる（住居侵入罪の成立を認めるまでもない）と考えられるのである。

それでは，**判例**は，真の目的を隠し居住者の同意を得た上で住居内に立ち入ったというケースにつき，どのような解決を示しているであろうか。判例は，強盗目的を隠して立ち入った場合につき住居侵入罪の成立を認めている[26]。平

「入り口でのチェック」が重要であり，住居等の中でどのような実質的利益が害されるであろうかは重要ではないと考えるのである。立入りの態様自体が同意によってカバーされないとき，たとえば，拳銃を示しつつスーパーに乱入する場合には，この説でも本罪を構成する。

25）この種の事例で，およそ立入りについて同意があるという理由で被害者の同意の有効性を認めるのは，**法益関係的錯誤説**の帰結である（→38頁以下）。住居侵入罪についてこの理論を適用するなら，居住者としては，およそ立入りを認めるかどうかの二者択一的な決定しかできず，人の属性・立入りの目的に関し条件をつけてもそれはいっさい法的に無意味であると考えることになろう。

26）たとえば，最判昭和23・5・20刑集2巻5号489頁は，強盗殺人の目的をもつ被告人3名

穏侵害説の立場からは，こうしたケースにおいて本罪の成立を肯定する判例の見解は妥当なものと考えられる。被害者の置かれた立場を実質的に考慮するとき，ひそかに立ち入ろうとする侵入行為からは保護されるが，巧妙に偽装された行為からは保護されないというのは，理由のある区別とはいえない。しかも，行為者が殺人，傷害，強盗，不同意性交等の目的を隠して立ち入った場合については，事後の退去要求は，かりにこれを行ったとしても無力であろう。これに対し，判例が，詐欺や押売り，借金の請求，贈賄，盗聴器の設置などの目的を隠して居住者の同意を得て住居内に立ち入ったという事例において本罪の成立を認めるかどうかはいまだ明らかでない。

(c)　違法目的での立入り　　**多くの人の出入りが最初から予定された建造物**，たとえば，官公署，競技場，銀行などへの**違法目的による立入り**については[27]，建造物内で建造物の本来的な利用ないし支配そのものを阻害する行為が予定されている限りにおいて，不退去罪による建造物保護のみでは十分とはいえず，その一歩前の段階で建造物侵入罪の成立を認めることに理由がある。**判例**は，たとえば，数名が夜間に税務署庁舎内にセメント袋入り人糞を投げ込む目的で，人々が自由に通行する同構内に立ち入った場合[28]，ベランダから垂れ幕を下げビラを撒布するなど管理者の定めた禁止事項を行う目的で，一般人の出入りが自由な会館に立ち入った場合[29]，国民体育大会の開会式を妨害する目的で，一般観客を装い入場券を所持して陸上競技場の正規の入り口から平穏かつ公然と入場した場合[30]について，それぞれ建造物侵入罪にあたるとしている。これら

が顧客を装い閉店後の店舗内に入ったときは，被害者が犯人の申し出を信じ店内に入ることを許容したとしても本罪は成立するとし，最大判昭和24・7・22刑集3巻8号1363頁は，強盗の意図を隠して「今晩は」と挨拶し，家人が「おはいり」と答えたのに応じて住居に入ったというケースにつき，「外見上家人の承諾があったように見えても，真実においてはその承諾を欠く」として本罪の成立を認めている。

27)　なお，最判昭和59・12・18刑集38巻12号3026頁は，井の頭線吉祥寺駅南口1階階段付近は「一般公衆に開放され事実上人の出入りが自由であるとしても」人の看守する建造物にあたるとした。

28)　最判昭和34・7・24刑集13巻8号1176頁。

29)　東京高判昭和48・3・27東高刑時報24巻3号41頁。

30)　仙台高判平成6・3・31判時1513号175頁。

は正当であると考えられる。[31)]

しかし，違法な目的を隠して普通の入場者と同じように立ち入る行為のすべてが建造物侵入罪にあたるとはいえない。多くの人の立入りを一般的に認めるとき，万引きやスリの目的で立ち入る者がいないかどうかまでいちいちチェックすることはできないし，かりにある人がそのような目的をもつことが判明したときには個別的に退去要求を行えば足りる。しかし，**判例**は，より広く，不退去で対応できるような事例についても，およそ居住者・管理者の事実的・推定的意思に反すると認められる限り，建造物侵入罪の成立を認める。たとえば，最高裁は，現金自動預払機（ATM）利用客のカードの暗証番号等を盗撮する目的でATMが設置された銀行支店出張所に営業中に立ち入る行為について，それが同所の管理権者である銀行支店長の意思に反するものであることは明らかであるとし，その立入りの外観が一般のATM利用客と異なるものでなくても，建造物侵入罪が成立するとしている。[32)] 最高裁は，居住者・管理者の意思に反する限り直ちに住居侵入罪・建造物侵入罪が成立すると考える無限定な立場をとっていることになる。[33)] それによれば，万引き目的でデパートに入る行為も建造物侵入罪を成立させるということになってしまうであろう。[34)]

不倫事例（姦通事例） 甲がその妻Aの留守中に，不倫相手の乙を住居内に立ち入

31） 住居権説の立場からこれに反対するのは，高橋・163頁以下，西田・114頁，堀内・77頁，山口・126頁，山中・190頁以下など。

32） 最決平成19・7・2刑集61巻5号379頁（→219頁注*65*））。

33） また，東京高判平成5・2・1判時1476号163頁は，傍聴券に虚偽の住所・氏名を書いて監督の衛視に示し参議院本会議場に入った行為について，立入りの時点で特に違法な行為におよぶ目的をもっていたことを認定できないとしても建造物侵入罪にあたるとした。しかし，行為者がどのような目的であったのか明らかでないのに本罪の成立を認めることは妥当でないと思われる。

34） 住居権説の立場をとりながらも，およそ立入りの目的に関し居住者を騙して立ち入ったとき（たとえば，セールスマンがアンケートと偽って玄関に入る場合など）であっても，有効な同意はなかったことになるとして，判例の結論を支持する見解も存在する（たとえば，大谷・144頁以下，川端・217頁以下）。判例の立場はこのような立場に近いといえよう。住居権説によるときは，立入りが意思に反するかどうかが唯一決定的な判断基準となるので，立入りそのものについて同意がある限り住居侵入罪はいっさい成立しないとするか，またはおよそ錯誤がある限り意思に反することに変わりはないから，必ず本罪を成立させるかのどちらかの結論とならざるをえないのである。

らせたというケース（妻が夫の留守中に不倫の相手を住居内に招き入れたというケースでも同じ）における乙に住居侵入罪は成立しないとするのが一般的な見解である[35)]。その結論を支える根拠としては，現実にそこにいる居住者（の１人）が同意している以上，「侵入」とはいいにくいことが挙げられよう。しかし，乙の立入り行為が，甲と平等に住居権をもつＡの意思に反することは明白である（推定的同意があるとすることはできない）。住居侵入罪の成立を否定するためには，現実に在宅する者の意思が決め手になるというほかはないが，なぜそういいうるかは問題である。もし現実にその場にいない限り住居権は「潜在化」する（その場を離れると住居権は弱まる）というのであれば，留守中で誰もいない住居に犯人が侵入する場合にも，本罪の成立を肯定しにくくなるということになりかねない。

同居者については，他の住居権者との関係で住居権の行使が制約される[36)]という理由づけにも疑問がある。複数の人が現にそこに居合わせる場合，または居住者全員が不在の場合，共同の生活空間への立入りは，居住者全員の意思の合致がなければ許されないはずであり，他の居住者との関係で権利の行使が制約される理由はないように思われる[37)]（現在する人のうちの１人でも立入りに同意していれば本罪は成立しないとする見解も有力であるが，それは個々人の生活利益を無視した反個人主義的立場ではなかろうか[38)]）。

そうであるとすれば，不倫事例においては，非在宅者Ａも**自分の生活空間に立ち入られないことについて法的利益**をもつが，それは**いま現在，住居を利用する共同生活者**の扱いに委ねられた利益にすぎず，その者の許諾に基づき現に立ち入ろうとする者に対し直接に主張できない利益であると解することによりはじめて住居侵入罪の成立を否定できると考えるべきであろう[39)]。

---

35) 団藤・505頁，西田・113頁，平野・概説183頁など。これに対し，可罰性を肯定するのは，大塚・119頁。

36) 山口・124頁以下。

37) 林・101頁以下を参照。

38) 東京高判昭和57・5・26判タ474号236頁は，複数の者が利用権限を有する別荘敷地につき，その１人が事前に拒否の意思表示をしていたときには，他の一部の者が立入りを許容したとしても，本罪は成立するとした。ちなみに，共同生活を営んでいた者であっても，そこから離脱した後に，その住居に侵入したとき，事情により本罪を構成することがある。家出をした息子が実父宅に深夜，共犯者３人とともに強盗目的で立ち入ったというケースについて本罪の成立を認めたものとして，最判昭和23・11・25刑集２巻12号1649頁。また，婚姻が破綻した関係にある妻が居住する家屋への立入りは，たとえその家屋が被告人の所有名義であったとしても，本罪を構成するとしたものとして，東京高判昭和58・1・20高刑速昭和58年64頁。

39) 伊東・88頁も参照。

(4) 不 退 去

退去の要求を受けたにもかかわらず，住居等から退去しないとき，不退去罪が成立する。不退去罪となるためには，行為者が（狭義の）住居侵入罪が成立しない態様で住居等に立ち入ったことが必要である[40]。退去要求をなしうる者は，住居侵入罪における（立入りへの）承諾権者である。それは，住居については居住者であり，邸宅・建造物等については看守者（管理権者）である。退去しない間は構成要件該当行為が継続することとなるから本罪は**継続犯**である。

(5) 未遂と既遂

住居侵入罪については**未遂も処罰**されるが（132条），実行の着手は，侵入行為の開始の時点に認められる（塀によじ登ろうとする行為や戸の鍵を壊そうとする行為など）。侵入があったとして既遂となるためには，身体の全部を入れたことを要するとするのが通説である[41]。そうすると，最初から身体の一部しか入れるつもりがなかったとき（たとえば，カメラをもつ手を差し入れて内部を撮影するつもりであったとき），本罪の故意が欠けることになるから未遂犯も成立しないことになる。不退去罪については，退去要求があればすぐに成立するというのではなく，退去するのに必要な時間が経過してはじめて既遂となる（そこで，不退去罪の未遂は，その時間が経過する前に，外に突き出されたというような稀有な場合にしか考えられない）。

(6) 他罪との関係

住居侵入罪は，窃盗，強盗，器物損壊，傷害，殺人，不同意性交等，放火などの各犯罪とそれぞれ**牽連犯**の関係に立つ（→総論592頁以下）。たとえば，住居に侵入して住居内で財物を盗めば，住居侵入罪と窃盗罪の牽連犯となり，住居に侵入して居住者を殺害すれば，住居侵入罪と殺人罪の牽連犯となる（なお，不退去罪とこれらの犯罪との関係についても同様であろう）。これらは，偽造罪と行使罪の場合（→481頁，514頁など）と並んで，牽連犯の代表例である。

---

40) 大塚・122頁は，不退去罪を「一種の身分犯」であるとしている。

41) たとえば，大塚・120頁。これに対し，仙台高判令和5・1・24 LEX/DB 25594356は，身体の全部が建造物内に入っていなくとも，その大部分が入った場合には，建造物内に物理的に身体を立ち入れたと評価することが十分可能であるといえ，その時点で侵入があったとみて建造物侵入罪が既遂に達するとする。

強盗または殺人の目的で他人の住居に侵入したとき，強盗予備罪または殺人予備罪と住居侵入罪とは観念的競合となる。住居侵入罪と軽犯罪法（1948〔昭和23〕年5月1日法律第39号）1条3号の罪（侵入具携帯の罪）とは併合罪，住居侵入罪と同法1条23号の罪（のぞきの罪）とは牽連犯の関係に立つ。[42]

住居侵入罪・建造物侵入罪が成立するとき，犯人が居住者・看守者の要求を受けて退去しなかったとしても，住居侵入罪・建造物侵入罪のみで処罰され，不退去罪の処罰規定を重ねて適用するわけにはいかない（→178頁）。

3　秘密侵害罪――信書開封罪と秘密漏示罪

（信書開封）

第133条　正当な理由がないのに，封をしてある信書を開けた者は，1年以下の拘禁刑又は20万円以下の罰金に処する。

（秘密漏示）

第134条①　医師，薬剤師，医薬品販売業者，助産師，弁護士，弁護人，公証人又はこれらの職にあった者が，正当な理由がないのに，その業務上取り扱ったことについて知り得た人の秘密を漏らしたときは，6月以下の拘禁刑又は10万円以下の罰金に処する。

②　宗教，祈禱若しくは祭祀の職にある者又はこれらの職にあった者が，正当な理由がないのに，その業務上取り扱ったことについて知り得た人の秘密を漏らしたときも，前項と同様とする。

(1)　総　説

秘密とは，一般に知られていない事実（非公知の事実）のことであるが，刑法的保護に値するといいうるためには，その事実を秘匿することについて本人に客観的な利益が認められる事実でなければならないか（**客観説**）[43]，本人がその事実を**秘密にする意思**をもっていれば足りるか（**主観説**）[44] をめぐり見解の対立がある。自己に関する情報についての個人の権利（個人情報に関する自己決定権）

42）大阪高判昭和61・9・5高刑集39巻4号347頁，最判昭和57・3・16刑集36巻3号260頁。

43）大塚・129頁，大谷・164頁，高橋・169頁，団藤・510頁，前田・125頁，中森・83頁，平野・概説189頁，福田・210頁，山中・200頁以下など。

44）伊東・103頁，107頁，曽根・86頁，西田・119頁，堀内・80頁，山口・132頁など。

を可能な限り広く保障すべきであるとすれば，後者の主観説を基本とすべきである。秘密侵害には，探知型・漏示型・窃用型があるが，現行刑法の信書開封罪（133条）は探知型にあたり，秘密漏示罪（134条）は漏示型にあたる。これら2つの犯罪類型により保護される秘密は，主として個人の私生活上の秘密であるが[45]，企業や国の秘密が問題となるときでもこれらの規定の他の要件が充足される限り，犯罪の成立を否定すべきではないであろう[46]。刑法典の秘密保護規定はこの2つのみであるが，特別法中には秘密侵害行為を処罰する多数の刑罰法規が散在しており[47]（部分的には刑法典の規定の特則となっており優先的に適用される），特に国家の秘密に関しても重要な処罰規定がある[48]。

秘密漏示罪は，医師や弁護士らが業務上取り扱ったことについて知りえた人の秘密を漏らすことを犯罪としており，秘密の侵害という実質的な法益侵害を処罰の対象とするものである（漏示により秘密はすでに侵害されているから，本罪は危険犯ではなく，侵害犯〔→総論109頁〕ということになる）。これに対し，信書開封罪は，封がしてある信書は一般には他人に知られたくない内容を含んでいるはずであるとの想定に基づき（実質的には秘密ではないかもしれないが，そのときには告訴が行われないことになろう。135条を参照），その開封行為を処罰の対象としている（秘密侵害との関係では抽象的危険犯〔→総論109頁以下〕ということに

45）団藤・508頁。

46）中森・83頁，林・110頁，山口・129頁以下，132頁以下を参照。反対，大塚・130頁，大谷・164頁，川端・221頁など。

47）たとえば，憲法の通信の秘密の不可侵（憲法21条2項後段）を具体化する郵便法（1947〔昭和22〕年12月12日法律第165号）80条，電波法（1950〔昭和25〕年5月2日法律第131号）109条，電気通信事業法（1984〔昭和59〕年12月25日法律第86号）179条，有線電気通信法（1953〔昭和28〕年7月31日法律第96号）14条のほか，不正競争防止法（1993〔平成5〕年5月19日法律第47号）21条，感染症の予防及び感染症の患者に対する医療に関する法律（1998〔平成10〕年10月2日法律第114号）73条・74条，個人情報の保護に関する法律（2003〔平成15〕年5月30日法律第57号）82条などを参照。

48）たとえば，国家公務員法（1947〔昭和22〕年10月21日法律第120号）100条・106条の12・109条12号，自衛隊法（1954〔昭和29〕年6月9日法律第165号）59条・118条1項1号・同条2項，日米相互防衛援助協定等に伴う秘密保護法（1954〔昭和29〕年6月9日法律第166号）3条以下，特定秘密の保護に関する法律（2013〔平成25〕年12月13日法律第108号）23条以下などを参照。

なる)。[49]

(2)　信書開封罪

信書開封罪における**信書**とは，特定人から特定人に宛てた意思・観念・事実を伝達する書面のことをいう。郵便物である必要はない。国・地方公共団体・法人等の組織も発信者ないし受信者たりうる。[50] 狭い意味の文書に限るか，それとも図画や写真をも含むかについて議論があるが，[51] 判例は，図画や写真を含ませることに消極的である。[52] 糊付け等（蠟(ろう)やひもを使ってもよい）の手段により**封**をすることにより秘密にする意思が表示されることになる。封をする以外にも，その文書を引き出しに入れて鍵をかけることなどにより秘密を守ろうとすることはありうるが，その鍵を開けて秘密を侵しても本罪にあたらないし，封をしてある信書でも，封を破ったり薬品を利用したりして開く以外の方法により内容を知ることは本罪を構成しない。[53] 信書を開封した上で，中に入っていた財物を窃取(せっしゅ)すれば，信書開封罪と窃盗罪の牽連犯となる。[54]

(3)　秘密漏示罪

秘密漏示罪は，主体が限定された**身分犯**（**真正身分犯**）である（→総論114頁）。この規定により，それぞれの職業に従事する者に**守秘義務**が課されることになる。[55] したがって，この処罰規定は個人の秘密を保護するばかりでなく，医師

49)　山中・198頁。

50)　伊東・105頁。ただし，大谷・162頁，川端・222頁，西田・117頁以下，堀内・79頁は，双方が国・地方公共団体のときは信書にならないとする。

51)　意思を伝達する文書に限るとするのは，特に，山中・197頁以下。狭義の文書に限られないとするのは，大塚・125頁以下，大谷・162頁，川端・222頁，佐久間・137頁，中森・82頁，平川・254頁，藤木・255頁など。

52)　大判明治40・9・26刑録13輯1002頁（ただし，旧郵便法の「信書」の解釈に関するもの）。

53)　この点に関し，ドイツ刑法202条の「信書秘密侵害罪」は，信書等の文書や図画・写真が引き出しや金庫に入れられ鍵をかけてある場合にこれを開け，その内容を知る行為や，封がしてある文書や図画・写真について，封を破る以外の方法により内容を知る行為をも処罰の対象とする包括的な処罰規定である。これに比べると，日本刑法の規定は，かなり処罰範囲を限定した，謙抑的な処罰規定ということになる。

54)　大判大正9・6・22刑録26輯398頁を参照（旧郵便法の郵便物を開披する行為を処罰する規定に関するもの）。

55)　なお，最決平成24・2・13刑集66巻4号405頁は，医師が，医師としての知識・経験に基づく，診断を含む医学的判断を内容とする鑑定を家庭裁判所から命じられた場合には，その鑑

や弁護士等の**職業**（プロフェッション）**への信頼をも保護**するものである。なお，法文に弁護士と弁護人とが別に規定されているのは，弁護士でなくても弁護人（特別弁護人）になることがあるからである（刑訴31条を参照）。

二重の法益侵害　医師を例にとれば，医師は，本罪を実行することにより，患者の秘密を害するとともに，医師という職業への信頼も失わせるという二重の法益侵害行為を行う。もし医師が秘密を守らないなら，患者は医師を信頼して秘密を打ち明けることができなくなり，そうすれば，医師の業務（診療＝診断と治療）という仕事そのものが成り立たないことになってしまうであろう。

医師等の**職にあった者**が，医師等でなくなった後に秘密を漏らしたときも処罰の対象となることに注意しなければならない[56)]。医者免許をもたぬまま医師としての診療をずっと行っていた者（ニセ医者）は，本罪の主体となりえないと解される。ただし，刑法134条の身分をもたない者も，共犯（たとえば，共同正犯）としては処罰されうる（**65条1項**を参照）。

漏らすとは，非公知の情報をそれを知らない人に告知することをいう。告知する行為があれば足り，相手方がこれを了知したことを必ずしも要しない。

医師や弁護士等，本罪の主体にあたる者が，民事訴訟や刑事訴訟において証人として尋問を受け，守秘義務のある事項について証言を求められたとき，窮地に陥ることがありうる。このような場合のため，民事訴訟法197条1項2号や刑事訴訟法149条により**証言拒否権**が認められている（なお，刑訴105条・222条1項も参照）。

定の実施は，医師がその業務として行うものといえるから，医師が当該鑑定を行う過程で知りえた人の秘密を正当な理由なく漏らす行為は，医師がその業務上取り扱ったことについて知りえた人の秘密を漏示するものとして秘密漏示罪に該当するとした。また，このような場合，「人の秘密」には，鑑定対象者本人の秘密のほか，同鑑定を行う過程で知りえた鑑定対象者本人以外の者の秘密も含まれるとし，これらの秘密を漏示された者は刑事訴訟法230条にいう「犯罪により害を被った者」にあたり，告訴権を有するとした。

56)　なお，**看護師**は本罪の主体とならないが，保健師助産師看護師法（1948〔昭和23〕年7月30日法律第203号）の2001（平成13）年の改正により守秘義務の規定が追加され（同法42条の2），秘密漏示行為は刑法134条と同じ重さの刑で処罰されるようになった（同法44条の3）。

秘密漏示罪の構成要件に該当する行為についても，**違法性阻却事由**が認められることがある。弁護人が被告人の正当な利益を擁護するために秘密を漏らすこと，たとえば，依頼者たる被告人が，公訴提起されている重大な犯罪について実はまったく無関係であるのに，真犯人をかばい，その身代わりとしての処罰を望んでいる場合に，その真相を明るみに出すことは，本罪の構成要件に該当するとしても，正当業務行為（35条後段）として違法性を阻却されるであろう。また，本罪の身分を有する者につき，法令上，届出や通告が義務づけられていることがあり[57]，その場合には，**義務を履行することが秘密漏示の構成要件に該当する**としても，法令行為（35条前段〔→総論284頁以下〕）として行為の違法性が阻却される[58]。

(4) 親 告 罪

信書開封罪も秘密漏示罪も，ともに**親告罪**（→144頁）とされている（135条）。これは，犯罪の被害が軽微で，本人の意思と無関係に訴追・処罰を行うほどの公益性が認められないこと，そして，その事件が立件・訴追されることにより秘密が公にされ，被害者がさらに傷つくおそれがあることを理由とするものである。信書開封罪については，発信人は当然に告訴権者であるが，信書の到達後には受信人も告訴権を有するとするのが判例である[59]。しかし，信書が発信前に開封されたときに，受信すべき人の秘密が侵害されているのにその人が告訴権を有しないのでは不都合なことがありうるから，発信の前後を問わず受信人も告訴権を有すると解すべきであろう[60]。

---

57) たとえば，児童福祉法（1947〔昭和22〕年12月12日法律第164号）25条，児童虐待の防止等に関する法律（2000〔平成12〕年5月24日法律第82号）6条，感染症の予防及び感染症の患者に対する医療に関する法律12条などを参照。

58) なお，最決平成17・7・19刑集59巻6号600頁は，医師が，必要な治療または検査の過程で採取した患者の尿から違法な薬物（覚せい剤）の成分を検出した場合に，これを捜査機関に通報することは，**正当行為として許容**されるものであり，医師の守秘義務に違反しないとした。

59) 大判昭和11・3・24刑集15巻307頁。これを支持するのは，山口・131頁。

60) 大塚・127頁以下，大谷・166頁，川端・224頁，団藤509頁，福田・211頁，山中・199頁など。

■ 第*8*章 ■

社会的活動の主体としての人の保護

1 総　　説

刑法典は，第2編第34章に「名誉に対する罪」を規定し（230条以下），次の第35章に「信用及び業務に対する罪」を規定している（233条以下）。これらの処罰規定により保護される法益である名誉・信用・業務は，それぞれ密接な関係にある。**名誉**とは，人に対する社会的評価のことをいう。**信用**とは，経済的側面における人の社会的評価（支払能力・支払意思，販売する商品の品質等に対する社会的信頼）であり，財産的利益に近い性格をもつが，人に対する社会的評価であるという点で，名誉の一種ということも可能である（しかし，信用という法益は，名誉と異なった特殊性をもつことから，名誉よりも刑法的保護の要件を限定的なものとしている〔→212頁以下〕）。信用と並んで保護されているのは**業務**であり，信用に対する罪と業務に対する罪とは，ともに人の経済活動の保護に役立つ面がある（ただし，業務妨害罪の処罰規定は，経済活動ばかりでなく，学校業務や宗教的活動なども保護している[1]）。信用および業務に対する罪が，**財産犯の規定の直前**に置かれていることは，それらが経済活動を保護する機能をもつことを考えるとき，十分な理由のあるところといえよう。このようにして，名誉・信用・業務は，人の一身専属的な**人格的利益**（→12頁）ではあるが，社会的存在としての人ないし**社会的活動の主体としての人**に注目した法益ということができる。

1）大谷・150頁を参照。

生命・身体・自由が確保されることにより人の自然的存在が可能とされ，それを前提として，名誉・信用・業務，そして財産が保護されることにより人の社会的活動の展開が可能となる。なお，これらの法益は，**法人**も社会的活動の主体である以上，法人にも認められるべきであり，したがって，法人を被害者とする名誉毀損罪，侮辱罪，信用毀損罪，業務妨害罪などは成立すると考えなければならない（なお，**法人格をもたない団体**についても同じである）。

名誉の保護と表現の自由　後述のように（→205頁以下），名誉の保護も，**表現の自由の前にかなりの後退**を迫られる[2]。興味深いのは，日本における名誉毀損や侮辱による訴追と処罰が比較的稀なことである。2021年の検察統計によれば，検察官が名誉毀損で正式裁判を求めて起訴したのが62件（侮辱罪については1件），略式命令を求めて起訴したのが182件（侮辱罪については41件）にすぎない[3]。ドイツでは，2021年に名誉毀損罪および侮辱罪で2万6000人以上に有罪判決（ただし，ほとんどが侮辱罪によるもの）が下されていること[4]と比較するとき，日本においては，**名誉毀損罪・侮辱罪の処罰規定はほとんど名目的なもの**にとどまっており，名誉という法益は，事実上，言論の自由の前に法的保護を否定されているといっても過言ではない。特にネット上の無責任な言論により，甚大な権利侵害が生じている。たとえば，刑事事件の被疑者や被告人について，さらにはその家族について写真や動画を含む夥しい（おびただしい）量の情報が流布され，激しい社会的非難の言葉が向けられることがある（大手メディアの犯罪報道においても，すでに被疑者としての逮捕の段階から**実名を挙げた報道**がなされる）。それはもはや一種の「集団リンチ」の域に達しているとさえいえよう。検察官が証拠不十分で不起訴にしたケースについて，それでもその人の実名を挙げての犯人扱いが行われ続けることもある。こうした場面における言論の自由は，無規制・無制約なものであり，その反面において，名誉やプライバシー，さらには，この社会における個人の生存権さえもが犠牲となっている。

2022（令和4）年6月，国会において可決成立した刑法一部改正法（2022〔令

2）　名誉の保護と表現の自由に関する古典的研究として，平川宗信『名誉毀損罪と表現の自由』（1983年）が重要である。なお，名誉毀損やプライバシー侵害を理由とする民事上の損害賠償責任との関係でも，刑法と基本的に同じ考え方があてはまるとされている。松尾剛行＝山田悠一郎『最新判例にみるインターネット上の名誉毀損の理論と実務〔第2版〕』（2019年）を参照。

3）　https://www.e-stat.go.jp/dbview?sid＝0003274055 を参照。

4）　Statistisches Bundesamt, Fachserie 10, Reihe 3, Rechtspflege, Strafverfolgung 2021, S. 104.

和4〕年6月17日法律第67号）により，**侮辱罪（231条）の法定刑が引き上げられた**（施行日は，令和4年7月7日）。従来の法定刑は「拘留又は科料」であり，刑法典の犯罪の中で最も軽いものであった。しかし，近年における被害の実態（特に，インターネット上の誹謗中傷により甚大な精神的被害を受けることがある）を考慮し，法定刑中に拘禁刑と罰金を加えることにより，**侮辱が法的により重く評価されるべき行為であること**を明らかにすることとしたのである。これにより，侮辱罪の教唆犯と幇助犯についても，新たに処罰が可能となった（刑法64条を参照）。また，刑事手続上も，公訴時効期間がこれまでは1年であったが，それが3年となり（刑訴250条2項6号・7号を参照），立件・処罰がより容易なものとなった。

2　名誉に対する罪

（名誉毀損）
第230条①　公然と事実を摘示し，人の名誉を毀損した者は，その事実の有無にかかわらず，3年以下の拘禁刑又は50万円以下の罰金に処する。
②　死者の名誉を毀損した者は，虚偽の事実を摘示することによってした場合でなければ罰しない。
（侮辱）
第231条　事実を摘示しなくても，公然と人を侮辱した者は，1年以下の拘禁刑若しくは30万円以下の罰金又は拘留若しくは科料に処する。

(1)　罪質，被害者

名誉に対する罪には，**名誉毀損罪**（230条）と**侮辱罪**（231条）とがある。いずれも個人の**名誉を保護法益**とする犯罪である。両罪は**親告罪**（→144頁）である（232条）[5]。親告罪とされている理由は，犯罪の性質上，被害者個人がどのようなダメージを受けたかが重要なことであり，その被害者が処罰を望んでいないのに犯人を訴追・処罰する公共的必要性があるとまではいえないことのほか，特に，被害者が法廷においてさらに傷つけられる可能性があるところに求めら

5）　告訴をすることができる者が天皇，皇后，太皇太后，皇太后または皇嗣であるときは内閣総理大臣が，外国の君主または大統領であるときはその国の代表者がそれぞれ代わって告訴を行う（232条2項）。また，死者（230条2項を参照）については，その親族または子孫が告訴権者になる（刑訴233条1項）。

れる。信用毀損罪（→212頁）が親告罪でないのに，名誉毀損罪が親告罪であるのはそのことを示している。

名誉の主体たる「人」には**法人**も含まれるので，法人に対する名誉毀損罪も侮辱罪もいずれも成立しうる[6)]。法人は，それを構成する自然人とは独立した社会的行動を行う**社会的存在**であり，法人自体に対しても自然人と同様の社会的評価が存在し，名誉という人格的利益の主体として認めてよいと解されるからである（同様に，**法人格をもたない団体**も保護の対象となる）。

230条の「人」の中には，**死者**も含まれる。ただし，死者の名誉の毀損については，「虚偽の事実を摘示することによってした」ことが必要である（230条2項）[7)]。事実を仮構するか，事実が虚偽であることを確定的に知りながら摘示することを要する[8)]。その反面において，事実の摘示を要件としない侮辱罪（231条）は死者については成立しないということになる。

(2)　名誉の概念

(a)　意　義　名誉とは，**人に対する社会的評価**のことであり，秘密やプライバシーとは似て非なる概念である。名誉侵害の理由となる情報も，「人に知られたくない情報」という点では秘密やプライバシーと共通しているが，名誉侵害とは社会的評価を低下させることであるのに対し，秘密やプライバシーの侵害は社会的評価の低下と必然的に結びつくものではない。秘密やプライバシーの侵害が，一定の情報の公表により人の社会的評価を害する形で行われるときに限って，名誉毀損罪として処罰することが可能となる。秘密やプライバシーが名誉毀損罪の規定により刑法上保護されるのはその限度においてである。たとえば，未婚と思われている人に実は配偶者がいること，ある独身男性Aがある独身女性Bと親密に交際していることといった事実はプライバシーに属する事柄であるが，それが公表されても名誉を毀損するものではない。一定

---

6)　最決昭和58・11・1刑集37巻9号1341頁。ただし，侮辱罪は主観的な名誉感情を保護法益とするものであり（→201頁），そこから法人を被害者とする侮辱罪の成立は否定されるべきであるとする2人の裁判官の意見が付されている。

7)　ここでは，遺族等ではなく，**死者自身の名誉が保護**されていると解される。われわれの人格的利益は，死後に至っても保護されるべきなのである。反対，林・114頁以下。

8)　大塚・149頁，大谷・186頁，団藤・515頁，中森・95頁，福田・190頁，山中・229頁など。

の病気にかかっていることや何らかの身体障害があることも秘密ないしプライバシーに属する問題であるが，それを公にすることは必ずしも名誉毀損とはならない[9)]。ただし，ある人の病気や身体障害に関する事実の指摘は，その人への倫理的・道徳的非難を含む場合や，職業への適性などに疑いを生じさせるような文脈で行われるときには名誉毀損となろう（なお，盗撮画像やリベンジポルノを公開することが名誉毀損にあたるかどうかも問題となる〔→204 頁〕）。

他人に知られたくない情報が公表されたとき，プライバシーの侵害にとどまる場合もあるし，それを超えて秘密侵害に至る場合もある。両者は，知られたくない情報を人に知らせたという点で共通するが，プライバシーは個人についてのみ認められるのに対し，秘密は国家や法人その他の団体にも認められるという点で異なる。また，秘密侵害はしばしば単に知られたくない事実を知られてしまうという以上の種々のダメージをともなうという点で異なる（秘密侵害については，191 頁以下を参照）。

名誉の概念の内容を厳密に検討しようとするとき，①客観的に存在する人の内部的価値である**内部的名誉**（その人の真の価値であり，外部からこれを毀損することができない），②人に対する社会の評価としての**外部的名誉**（世評・名声），③人の価値について本人自身が有する意識・感情である**名誉感情**の３つを区別することができる[10)]。このうちで，名誉毀損罪および侮辱罪が保護の客体としているのは，いずれも外部的名誉であるとするのが判例・通説である[11)]。これら両罪は，**事実の摘示の有無により区別**される。名誉毀損が侮辱より重く処罰されるのは，具体的事実を示して（すなわち，証拠を出して）社会的評価を害する方が，単に抽象的な軽蔑の価値判断を示すことよりも，被害者に与えるダメージが大きく，したがって違法性がより強いと考えられるからである。

---

9) 伊東・110 頁，展開 77 頁〔佐伯仁志〕，西田・122 頁も参照。

10) 詳しくは，小野清一郎『刑法に於ける名誉の保護』（1934 年）を参照。また，平川・前掲注 *2)* 2 頁以下も重要である。

11) 反対説については，次の注 *12)* を参照。なお，通説のように理解するとき，人の支払能力または支払意思に対する社会的評価としての**信用**も，個人に対する社会的評価の一場面であって名誉に含まれることになるが，別に信用毀損罪（233 条前段）が存在することから，ここにいう名誉から除外されることになる（→213 頁）。

名誉毀損罪と侮辱罪の区別　①の内部的名誉が刑法的保護の対象とならないのは，人の有する客観的な内部的価値は，外部から侵害できないし，刑法によって保護するのにも適さないからである。それでは，③の名誉感情はどうか。学説の中には，名誉毀損罪の保護法益は②の外部的名誉であるが，侮辱罪の保護法益は③の名誉感情であり，**両罪は保護法益が異なる**とする有力な少数説もある[12]。しかし，これによるとき，侮辱罪が公然性を要件としていることを説明できないし（侮辱されれば，それが公然と行われたものでなくても，名誉感情は害されるはずである），名誉感情をもたない幼児や，さらには法人などについては侮辱罪が成立しないことになって不当であり（→199頁），また，名誉毀損行為のほとんどは，名誉感情をも傷つけるから，法益が異なるとすれば，必ず両罪の成立を認めなければならなくなるという難点がある[13]。

（b）　抽象的危険犯　　法文には「人の名誉を毀損した者」とあるから（230条1項），名誉侵害の結果が発生したことを要求する侵害犯（→総論109頁）であるようにも見えるが，行為の結果，社会的評価が低下したかどうかを確認することはおよそ不可能といってよい。そこで，名誉毀損罪が成立するためには，名誉が現実に侵害されたことを要せず，侵害の危険が生じれば足りるとされている。しかも，社会的評価を低下させるのに適した行為をすれば足り，具体的に侵害の危険が生じることも必要でない（その立証もきわめて困難であろう）。侮辱罪についても同じである。名誉毀損罪および侮辱罪は**外部的名誉に対する抽象的危険犯**（→総論109頁以下）ということになる。

（c）　虚名の保護　　名誉毀損罪および侮辱罪の処罰規定により保護されるべき社会的評価はその人の真の価値に合致することを要しない。したがって，**虚名も原則として保護**される。230条1項に「その事実の有無にかかわらず」とあるのはその趣旨である。すなわち，名誉毀損罪が原則として「その事実の有無にかかわらず」成立するということは，本罪の成否の判断においては，**摘示された事実の真否を問わないのが原則**ということであり，真実を述べても処罰さ

---

12)　小野・前掲注*10)*252頁以下，300頁以下，団藤・512頁以下，福田・187頁以下。

13)　他方，通説に対しては，次のような疑問が生じないではない。すなわち，公知の事実を摘示したときも名誉毀損にあたるとするのが判例・通説であり，それはまた妥当な結論であると考えられるが（→204頁），そこでは，外部的名誉は（それ以上）害されないはずであり，もし害されるとすればそれは被害者の名誉感情のみではないかと考えられるのである。

れ，その反面では（本当はそれほど立派な人ではないのに，人々はそのように信じているという場合，その）虚名も保護されるということである。このように，刑法が事実を知らせて社会的評価を害することを原則として禁止していることには十分の理由がある。なぜなら，名誉毀損は，摘示された内容が真実であればあるほど被害者にとりダメージが大きいのが一般的だからである。名誉を害する事実は，もしそれが虚偽であれば，一笑に付してすますことができる場合もあるかもしれないが，それが真実であれば被害者に対するダメージは決定的なものとなりえよう。

事実的名誉と規範的名誉　刑法は原則として人が現に享受している事実としての名誉を保護していることから，**事実的名誉**の保護を原則としているといわれることもある。事実的名誉と対立するのは，本来あるべき名誉としての**規範的名誉**であるが，後述のように，公共の利害に関する場合（230条の2）には，例外として，事実的名誉は保護されず，規範的名誉のみが保護されることになる（→205頁以下）。同様に，**死者に対する名誉毀損**（230条2項）は，「虚偽の事実を摘示」した場合にのみ処罰の対象となる（→199頁）。

(3)　行　為

(a)　公然性　　名誉毀損罪も侮辱罪も，**公然性**が要件とされている。公然とは，不特定または多数の人が知ることのできる[14]状態のことをいう。これによれば，特定かつ少数の人しか知ることのできない状態，たとえば，家族の者2，3人に話すとか，利害関係者4，5人が会合を開いた際に話した場合などを除いて，公然性は肯定されることになる。

ただし，判例は，直接の相手方が特定かつ少数でも，そこから他の人に伝播（でんぱ）して最終的に不特定多数者が認識しうる可能性があれば公然性が認められると

14)　現に誰かが認識・視聴等している必要はない。駅前広場でマイクを使って名誉を害する内容を話したが，かりにそのときには数人の通行人しか通りかからず，また誰も注意しておらず内容を理解していなかったとしても公然性の要件は充たされる。

している。[15] この**伝播性の理論**に対しては批判的な見解もかなり有力である。[16] たしかに，公然性の要件は行為態様を限定する要件であるから，行為の直接の相手方が不特定または多数であることを要求しないと，限定的要件としての意味が稀薄になる。特定少数者に対して述べたことがたまたま多くの人に伝播した場合に，遡って「公然性」を認めるとすれば，この要件は骨抜きのものとなるであろう。しかも，本罪は抽象的危険犯であるから，行為態様による限定が重要な意味をもつことにも注意しなければならない。しかし，事実の摘示が行われる状況において，不特定または多数の人に伝播する具体的・現実的可能性のある状況が存在し，行為者がそのことを認識しつつ事実の摘示がなされたのであれば，それは「不特定または多数の人が知ることのできる状態」で事実の指摘を行ったことにほかならないであろう[17]（すなわち，そこには，前述の公然性の定義を修正せずにあてはめ可能な事実が存在するのである）。そればかりでなく，実際的にも，常に直接に不特定または多数の人に対してなされることを要求することが妥当であるかどうか疑問である。時間をおいて１人ひとりに話して100人に伝えたというときには本罪の成立を否定すべきではないであろう。また，行為者が直接にその全員に話すことが必ず必要だともいえないであろう。

(b)　事実の摘示　　名誉毀損罪は，公然と人の社会的評価を低下させるに足りる具体的事実を摘示することにより成立する。「人」は特定した者であることを要し，「東京都民」とか「九州人」というような漠然とした表示では特定性を欠く。[18] **摘示される事実**としては，人の犯罪（230条の２第２項を参照）ま

15）　最判昭和34・5・7刑集13巻5号641頁は，自分の家で，Ａの弟Ｂおよび火事見舞いに来た村会議員Ｃに対し，またＡ方でその妻Ｄ，長女Ｅおよび近所のＦ，Ｇ，Ｈ等に対し，問われるままに，「Ａの放火を見た」，「火が燃えていたのでＡを捕えることはできなかった」などと述べ，その結果，Ａが放火したといううわさが村中に相当広まったというケースについて，公然性を肯定し，名誉毀損罪の成立を認めた。これに対し，東京高判昭和58・4・27高刑集36巻1号27頁は，高校教諭の名誉を毀損する内容を記載した文書各１通を県教育委員会委員長，校長，PTA会長宛てにそれぞれ郵送したという事案で，他に伝播するおそれがなかったとして，公然性を否定した。

16）　たとえば，大谷・171頁以下，斎藤・71頁，曽根・90頁，高橋・177頁以下，中山・98頁，西田・124頁，平野・概説193頁，福田・189頁，松原・142頁，山口・137頁など。

17）　団藤・514頁，中森・87頁，堀内・84頁，前田・130頁，山中・211頁以下などを参照。

18）　大判大正15・3・24刑集5巻117頁。

たはそれに準ずる非行や，そうでなくても反社会的・反道徳的な行動に関する事実が考えられよう。裁判例の中には，入浴中の女性らの裸体の映像を集めてこれを編集したビデオテープを，アダルトビデオを扱う多数の書店やビデオ販売店等において陳列・販売したというケースについて，女性らを被害者とする名誉毀損にあたるとしたものがある[19)]。同様に，盗撮画像やリベンジポルノをインターネット上に公開することも，名誉毀損行為となりうるが，こうした行為については，私事性的画像記録の提供等による被害の防止に関する法律（リベンジポルノ防止法〔→151 頁〕）が制定されており，その処罰規定（同法2条・3条を参照）も適用されることになる。摘示される事実は，必ずしも非公知の事実であることを要しない[20)]。うわさや風評の摘示は，その内容たる事実の摘示として扱われる（→209 頁）。

私事性的画像記録提供と名誉毀損 2014（平成 26）年に制定されたリベンジポルノ防止法により，人の性的姿態が撮影された写真や動画（私事性的画像記録およびその記録物）を，第三者が閲覧することにつき撮影対象者の同意がないのに，第三者が撮影対象者を特定できる方法で不特定または多数の人に提供する等の行為が処罰の対象とされることとなった。不特定または多数の者に対する提供行為や公然陳列行為については，3 年以下の拘禁刑または 50 万円以下の罰金刑が予定されている。法定刑は名誉毀損罪と同じであるが，同罪とは保護法益が異なり，それは**性的プライバシーないし自己の性的情報に関する自己決定権**を保護する処罰規定である。そこで，たとえば，

---

19) 東京地判平成 14・3・14 LEX/DB 28075486。それによれば，被告人は「本件ビデオテープに……3 名の全裸の姿態が録画されているという事実を摘示したものということができる。そして，本件ビデオテープのようないわば性的関心に向けられた商品に女性の全裸の姿態が録画された場合，撮影された女性がだれかが分かれば，その女性が周囲の人たちから好奇の目で見られたり，場合によっては嫌悪感を抱かれるなど，その女性について種々否定的な評価を生ずるおそれがあることは否定し難い。殊に，本件では，〔被害者の女性らは，〕実際には，入浴中にその裸体を盗撮され，自分たちの知らない間にその映像を本件ビデオテープに録画されるに至ったのであるが，本件ビデオテープは，それ自体鮮明な画像に仕上がっているなど，その映像自体を見ても，実際に盗撮の方法で撮影されたものか，一見しただけでは明らかではなく，事情を知らない者が見れば，撮影されている女性が，不特定多数の者に販売されるビデオテープに録画されることを承知の上，自ら進んで裸体をさらしているのではないかという印象を与えかねないものになっている……。このような場合，上記のおそれにはとりわけ軽視し難いものがあるといわなければならない」とする。

20) 大谷・172 頁，団藤・515 頁など。

私事性的画像記録物公然陳列罪にあたる行為が同時に名誉毀損罪にも該当するときは，両罪がともに成立して観念的競合となる。

侮辱罪は，公然と，事実を摘示することなく，他人の人格に対する軽蔑の価値判断を表示することによって成立する。侮辱は，具体的な事実ではなく，抽象的な評価（くるくるパー，セクハラ変態男，悪徳商人で詐欺師……）を表示する行為である点で名誉毀損行為と区別されるのである[21)]。ある女性について「男なら誰でもいい尻軽だ」などと述べるのは，具体的事実を述べているのではなく軽蔑の価値判断を示しているのであり，侮辱にあたる。

インターネット上の事実の摘示と名誉毀損罪・侮辱罪　インターネット上での事実の摘示（たとえば，自分のブログにおいてそれを行ったり，掲示板に書き込んだりすること）が名誉毀損罪や侮辱罪を構成しうることに異論の余地はない（→210頁注*42*)）。ウェブ・サービスを提供している運営者に，そのような書込みを放置したことを理由として幇助犯（さらには共同正犯）が成立することもありうる。インターネット上の掲示板において被害者の名誉を毀損する記事を掲載し，利用者らに閲覧可能な状態を設定したとき，名誉毀損罪は既遂に達するが[22)]，その後，記事が削除されないままであれば，被害発生の抽象的危険が維持されており**犯罪は終了しておらず**，この間に告訴権者が犯人を知ったとしても，その日をもって告訴期間の起算日（刑232条1項，刑訴235条本文を参照）とされることはない[23)]。

(4)　名誉毀損罪と真実性の証明

（公共の利害に関する場合の特例）
第230条の2 ①　前条〔230条〕第1項の行為が公共の利害に関する事実に係り，かつ，その目的が専ら公益を図ることにあったと認める場合には，事実の真否を判断し，真実であることの証明があったときは，これを罰しない。

---

21)　侮辱罪の場合には動作や態度による実行も可能であるが，名誉毀損罪の場合にはそれは不可能でないとしても困難である。

22)　ただし，名誉毀損罪は継続犯ではなく**状態犯**である。この点について，山中・209頁以下を参照。

23)　大阪高判平成16・4・22高刑集57巻2号1頁。犯罪の既遂と終了の区別については，総論426頁以下を参照。

② 前項の規定の適用については，公訴が提起されるに至っていない人の犯罪行為に関する事実は，公共の利害に関する事実とみなす。
③ 前条〔230 条〕第 1 項の行為が公務員又は公選による公務員の候補者に関する事実に係る場合には，事実の真否を判断し，真実であることの証明があったときは，これを罰しない。

(a) 趣 旨 名誉毀損罪の成否の判断においては，摘示された事実が真実であるかどうかを問わないのが原則であり，たとえ真実を述べても処罰され，その反面で虚名も保護されることになる（→201 頁）。しかし，表現の自由と（それと表裏をなす）国民の知る権利との関係で，**虚名の保護を後退させる公共的必要性**が認められる場合がある。そこで，1947（昭和 22）年の刑法一部改正[24)]によって新たに設けられたのが，**真実性の証明**（**事実の証明**）に関する 230 条の 2 の規定である。刑法は，本規定にあたる場合に限っては（名誉を侵害したとしても）真実を述べることを認めたのである[25)]。

刑法の規定を素直に読む限りは，一般的には虚名を含む名誉の保護を表現の自由より優先させ，例外的に本条の厳格な要件の下に不処罰の扱いを認めていると理解することができる。名誉の保護と表現の自由・知る権利の保護とでは，前者にウエイトが置かれているのである。ところが，判例と学説は，後者の表現の自由・知る権利をより強く保障する方向での理論構成を行い，条文の文言からは少し離れたところで処罰・不処罰の限界が決せられる結果となっている（すなわち，本条の要件が充足されなくても，処罰されない場合が認められている[26)]）。

(b) 要件と効果 230 条の 2 は**訴訟法上の規定**でもあり，まず，刑事手続の過程で裁判所においてそもそも**事実の真否の判断を行うための 2 要件**を定め

24) 1947（昭和 22）年 10 月 26 日法律第 124 号（→572 頁，591 頁）。
25) ただし，真実性の証明に関する規定は，戦後になって新憲法の下ではじめて現れたというのではない。すでに 1893（明治 26）年の出版法，1909（明治 42）年の新聞紙法に，真実性の証明による免責規定が設けられていた。また，1940（昭和 15）年の改正刑法仮案（かりあん）（→総論 48 頁）においても，現行規定に近い規定が提案されていた。
26) なお，230 条の 2 が適用される場合以外でも，たとえば，正当な防御権・弁護権の行使（35 条）として，名誉毀損行為の違法性が阻却されることが考えられないではない。弁護人による正当な弁護権の行使であることを否定したものとして，最決昭和 51・3・23 刑集 30 巻 2 号 229 頁（→総論 288 頁）。

ている。すなわち，同条1項において，①名誉毀損行為が「公共の利害に関する事実」に関係すること（**事実の公共性**の要件），そして，②行為の目的がもっぱら公益を図ることにあったと認められること（**目的の公益性**の要件）という2つの要件が充足されたとき，事実の真否の判断を行うこととしている[27]。

公共の利害に関する事実とは，「公衆――不特定または多数人――の批判にさらすことが，公共の利益増進に役立つと認められる事実[28]」のことである（他に，「多数人一般の利害に関する」事実[29]とか，「市民が民主的自治を行う上で知る必要性がある事実[30]」という定義もある）。目的の公益性の要件に関しては，条文には「専ら」とあるが，より緩やかに解されており，**主たる動機が公益を図る**ところにあればよいとされている。主として被害弁償を受ける目的でそうしたというときは，本条2項により公共の利害に関するものといえるとしても，1項の目的の公益性の要件を充たさない[31]。

私人の私生活上の行状と事実の公共性　私人の**プライバシーに関する事実**，とりわけ，**私生活上の行状に関する事実**が「公共の利害に関する事実」となりうるかどうかが問題となる。最高裁[32]は，私人の私生活上の行状に関する事実でも，その携わる社会的活動の性質およびこれを通じて社会に及ぼす影響力の程度などのいかんによっては，その社会的活動に対する批判ないし評価の一資料として「公共の利害に関する事実」にあたるとした。また，表現方法や事実調査の程度などは，事実の公共性の有無の判断を左右するものではなく，目的の公益性の認定にあたってのみ考慮されるべき事柄だとした。

従来は，表現の方法が不適切であったり（侮辱的表現で面白おかしく書くなど），事実調査が不十分であったり（うわさや風聞をそのまま公表するなど）すると，そのことが総合的に考慮され，その結果として，事実の公共性が否定されることがままあった。本件の第一審・控訴審判決も，このような判断方法により，事実の公共性を否定していたのであった。最高裁は，この要件をクリアすることを著しく困難とする，

27）本条の要件が充たされないときは，量刑に資する情状立証のためであっても，真実性の証明は許されないと解さなければならない。西田・127頁，平野・概説195頁以下など。

28）藤木・242頁。そのほか，大谷・176頁も参照。

29）ポケ註520頁〔伊達秋雄〕。

30）西田・113頁，平川・231頁。

31）広島高判昭和30・2・5裁特2巻4号60頁。

32）最判昭和56・4・16刑集35巻3号84頁（月刊ペン事件）。

このような考え方を否定したのである。[33]

なお，1項の規定する，事実の真否の判断を行うための2要件に関しては，**2つの特則**がある。まず，同条2項により，「公訴が提起されるに至っていない人の犯罪行為に関する事実は，公共の利害に関する事実とみな」される。すなわち，事実の公益性の要件があることが擬制される。犯罪が隠されたままになっていることは公益に反する事態といいうるからである。そして，同条3項により，「公務員又は公選による公務員の候補者に関する事実に係る場合」には，事実の公共性と目的の公益性という2つの要件がともに備わることが擬制される。これは，「公務員を選定し，及びこれを罷免することは，国民固有の権利である」と規定する憲法15条1項の趣旨を踏まえ，公務員の資質と能力に関する情報が公にされることを妨げないようにしようとするものである。そこで，私的行為に関する事実を私怨を晴らす目的で摘示したとしても，真実性の証明が許されることになる。[34] ただ，そうであるとしても，公務員の資質や能力とまったく無関係な事実（たとえば，身体的な障害に関する事実や夫婦関係に関わる事実等）については，真実性の証明は許されない。[35]

事実の真否の判断を行うための2要件が充足されるとき，裁判所は，職権で調査を行った上で真否の判断を行う義務があると解されている。事実証明の程度については，真実であることが合理的な疑いを容れない程度まで証明されることが要求される。[36] 重要部分が真実に合致するものと認められれば足り，完全に一致する必要はなく，枝葉については不正確なところが残ってもよい。真否いずれとも不明に終わったときは，被告人は名誉毀損罪（230条1項）として処罰されることになるから，**挙証責任は被告人側に転換**されており，リスクは被告人が負担することになっている。

33） 詳しくは，木谷明・最判解刑事篇昭和56年度57頁以下を参照。

34） 大谷・167頁。

35） この点につき，最判昭和28・12・15刑集7巻12号2436頁を参照。

36） 東京高判昭和41・9・30高刑集19巻6号683頁。学説として，大塚・141頁，中森・92頁，前田・133頁注13)，山中・218頁など。これに対し，証拠の優越で足りるとするのは，伊東・117頁以下，大谷・179頁以下，川端・240頁，曽根・98頁，高橋・184頁，中山・100頁，西田・128頁，藤木・243頁，堀内・87頁，山口・143頁など。

なお，名誉を毀損する内容の**うわさ**の存在が公然と摘示されたとき，そのようなうわさが現に存在したことを証明するだけでは，摘示内容の真実性が証明されたとはいえない。「……といううわさがある」とか「人のうわさであるから真偽は別として……」とかと述べられたとき，情報の受け手の側はその内容を信じてしまうのが通例であり，そこでは風評の内容たる事実が摘示されたものと考えなければならない[37]。

(c) 不処罰の法的意味　真実性の証明があったときには「これを罰しない」とされるが，**処罰されないことの刑法上の意味**（**実体法上の意味**）については見解が対立している。**処罰阻却事由説**は，真実性の証明に成功したとしても名誉毀損罪という犯罪は成立するが，刑法的評価を超えた政策的理由によりその処罰が差し控えられるとする。この説の論拠は，それが規定の解釈として自然であること，訴訟の場における事後的な証明の成否により犯罪の成立・不成立そのものに影響が生じるのはおかしいこと，もし犯罪の成否に関する事情であれば，その挙証責任を被告人に負担させるのは不当であること[38]などに求められている。立法の趣旨に合致し，最高裁の旧判例も，この見解をとっていた[39]。しかしながら，**公共の利害に関する事実について公益を図る目的で真実を述べる行為が刑法上違法と評価されるの**は，どう考えても不当だといわなければならない。

通説は**違法性阻却事由説**である[40]。この見解は，230条の2という（「半分」は訴訟法上の）規定を**実体法の違法性阻却事由として読み直す**[41]。すなわち，**裁判の時点**

37） 最決昭和43・1・18刑集22巻1号7頁は，「『人の噂であるから真偽は別として』という表現を用いて，公務員の名誉を毀損する事実を摘示した場合，刑法230条の2所定の事実の証明の対象となるのは，風評そのものが存在することではなく，その風評の内容たる事実の真否であるとした原判断は，相当である」としている。

38） 酒巻匡『刑事訴訟法〔第2版〕』（2020年）493頁以下を参照。

39） 前掲注15）最判昭和34・5・7。

40） 大塚・144頁以下，川端・235頁以下，佐久間・146頁以下，曽根・95頁，団藤・522頁（かつては，同『刑法と刑事訴訟法との交錯』〔1950年〕82頁以下において，名誉の保護と表現の自由の保障とを犯罪論上完全に同列に置こうとする趣旨で，**構成要件該当性阻却事由説**を主張していた），山中・219頁以下（「可罰的違法性阻却事由」と解する）など。

41） 以下の点について，団藤・524頁以下を参照（「法律が実体法的なものと訴訟法的なものとを結びつけて230条の2の規定を設けている以上，その解釈にあたっても，両者の結合を直視した上でこれを実体法の面からとらえることを試みなければならない。そうして，『真実であることの証明があったときは罰しない』という訴訟法的表現を実体法の平面に投影させて考察

で法廷において真実であることを証明できたということは，その事実が**行為の時点**においては後の裁判の時点で証明可能な程度に真実であったということを意味し，裁判になったら証明できると考えられる程度の確実な資料・根拠に基づいてその事実を摘示したということにほかならないので，そのことが正当な言論として違法性阻却事由になると理解する。また，真実性の証明に失敗したときは，違法性は阻却されないが，行為の時点で，裁判になったら証明できると考えられる程度の確実な資料・根拠に基づいてそのことを真実だと思っていたのであればその限りで，**違法性阻却事由の錯誤**（→総論 378 頁以下）として故意が阻却されるとする。

事実性の誤信と最高裁判例　現在の最高裁判例も，違法性阻却事由説をとるものと見られ，真実性の誤信があったケースについては，「事実が真実であることの証明がない場合でも，行為者がその事実を真実であると誤信し，その誤信したことについて，確実な資料，根拠に照らし相当の理由があるときは，犯罪の故意がなく，名誉毀損の罪は成立しないものと解するのが相当である」としている[42]。

この見解は相当の説得力をもつ。しかしながら，裁判時に法廷において真実

するときは，事実が証明の可能な程度に真実であったことを阻却原由とみるべきである。そうして，故意論にこの見解を適用すると，行為者が，証明可能な程度の資料・根拠をもって事実を真実と誤信したときは，――たとい事実の証明がなくても――故意を欠くものとして罪とならない」)。

42）　最大判昭和 44・6・25 刑集 23 巻 7 号 975 頁。なお，最決平成 22・3・15 刑集 64 巻 2 号 1 頁は，**インターネット上の表現行為**についてはより緩やかな要件の下で誤信したことに相当の理由があったとすべきではないかという問題について，「個人利用者がインターネット上に掲載したものであるからといって，おしなべて，閲覧者において信頼性の低い情報として受け取るとは限らないのであって，相当の理由の在否を判断するに際し，これを一律に，個人が他の表現手段を利用した場合と区別して考えるべき根拠はない」とした。そして，「インターネット上に載せた情報は，不特定多数のインターネット利用者が瞬時に閲覧可能であり，これによる名誉毀損の被害は時として深刻なものとなり得ること，一度損なわれた名誉の回復は容易ではなく，インターネット上での反論によって十分にその回復が図られる保証があるわけでもないことなどを考慮すると，インターネットの個人利用者による表現行為の場合においても，他の場合と同様に，行為者が摘示した事実を真実であると誤信したことについて，確実な資料，根拠に照らして相当の理由があると認められるときに限り，名誉毀損罪は成立しないものと解するのが相当であって，より緩やかな要件で同罪の成立を否定すべきものとは解されない」とした。

であることを証明できたことと，その事実が行為の時点で証明可能な程度に真実であったこととを同視することはできない。十分な調査をしないで摘示した事実が，事後にたまたま証明できてしまうというケースもありうる（→②のケース）。また逆に，確実な資料・根拠に基づいて行われた言論が，事後的な証明の失敗により，遡って**刑法上違法という評価**を受けるのは（たとえ故意がないとして責任を否定されるとしても）不当である（→③のケース）。そこから，学説において有力となっているのは**新しい処罰阻却事由説**である[43]。これは，230条の2自体は処罰阻却事由であるとしながら（不十分な調査しかせずに摘示した事実が，事後にたまたま証明できてしまったという②のケースでも処罰は阻却される），もし行為の時点において確実な資料・根拠に基づいて事実を公表した場合（→①と③のケース），（裁判の時点で証明に成功するかしないかにかかわらず）それは正当な言論活動にほかならないということから，いずれも**正当行為（35条）として違法性が阻却**されるべきだとする。この見解によれば，公共の利害に関する事実をめぐる正当な言論活動は，結局のところ，230条の2ではなく，35条により正当化されることになる。舞台の中心が，そのために特別に設けられた230条の2ではなく，総則の35条という一般的な規定に移されてしまう点に解釈論としての不自然さはあるが，理論的にも結論的にも，この考え方が妥当である[44]。

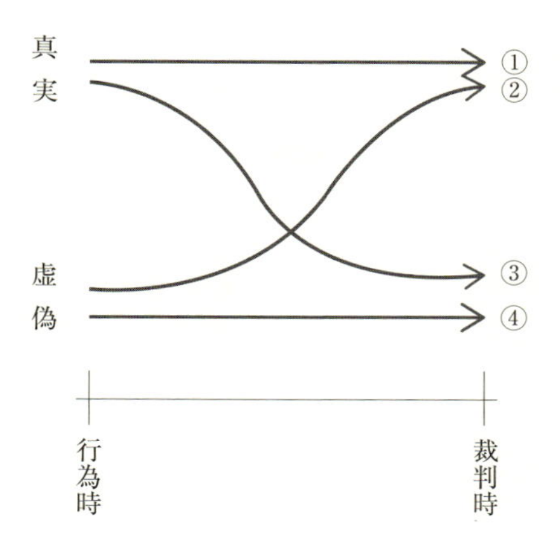

43） たとえば，伊東・118頁以下，大谷・181頁以下，高橋・187頁以下，中野次雄『刑事法と裁判の諸問題』（1987年）66頁以下，野村稔『未遂犯の研究』（1984年）168頁以下（ただし，230条の2の規定自体が，処罰阻却事由と違法性阻却事由とをあわせ規定していると理解する），中森・92頁以下，林・123頁以下，平川・前掲注2）特に85頁以下，前田・134頁以下など。

44） これ以外の理論構成として，230条の2を処罰阻却事由を規定したものとし，「事実の虚偽性」という処罰条件について行為者に少なくとも過失があることを要件とするのは，山口・143頁以下であり，また，230条・230条の2により，事実の虚偽性を認識しなかったことについての過失犯の処罰が認められていると解するのは，展開82頁以下〔佐伯〕，西田・131頁

(5) 罪数，他罪との関係

名誉毀損罪・侮辱罪は，一身専属的な法益を保護法益とするから，その犯罪の数（罪数）は被害者の数を基準として決せられる。たとえば，新聞紙上における1回の記事で2人の名誉を毀損したときは，2個の名誉毀損罪が成立し，観念的競合となる。1人についての記事を雑誌に連載し，継続的に名誉を毀損したときには，これを230条1項により一回的に評価すれば足りる（包括一罪）。名誉毀損と侮辱とが併存するとき，すなわち，具体的事実の摘示と軽蔑の価値判断の表示の両方が行われるときには，230条1項の罰条が優先して，これのみが適用される（法条競合の一種としての吸収関係）。そのとき，230条の2による真実性の証明の結果，名誉毀損罪の成立が否定されれば，侮辱罪の成立も否定されることになる[45)]。ただ，もしそうだとすると，侮辱行為のみが行われたときでも，その前提となる事実の摘示について230条の2（または35条）により違法性阻却が認められうる状況があるのであれば，侮辱罪の違法性が阻却されると解する余地があろう。また，名誉毀損罪とリベンジポルノ防止法3条の罪は両罪とも成立し，観念的競合として処断される（→204頁以下）。

なお，侮辱罪は，動作や態度による実行も可能であると解されるが，そのときに侮辱罪と暴行罪とは観念的競合になるであろう[46)]。

3 信用毀損罪

（信用毀損及び業務妨害）
第233条前段　虚偽の風説を流布し，又は偽計を用いて，人の信用を毀損し……た者は，3年以下の拘禁刑又は50万円以下の罰金に処する。

信用とは，経済的側面における人の社会的評価（支払能力・支払意思や販売す

以下である。

45) 名誉毀損罪と侮辱罪の保護法益がそれぞれ異なることを前提として（→201頁），これに反対するのは，団藤・530頁以下。なお，中森・96頁も参照。ちなみに，ドイツ刑法においては，事実の摘示については違法性阻却が認められたとしても，その際に行われた侮辱的価値判断については，これとは別に処罰の対象になるとする基本的な立場がとられている。

46) 暴行罪のみが成立するというのは，大谷・188頁。なお，佐伯・法教358号121頁以下も参照。

る商品の品質等に対する社会的信頼等）のことをいう。それは人に対する社会的評価である点で名誉の一種といいうるが，独自性があり，財産に近い性格をもつ。そこで，信用毀損罪は，人格的法益に対する罪としての性格を基本としつつ，財産犯に近接した一面をもつ独自の犯罪として捉えることができる。被害者たる「人」には，自然人のほか，法人や法人格のない団体も含まれる。

信用が，名誉と同様に人に対する社会的評価であるのに，名誉から切り離されて独立の要件の下で保護されているのは，**財産上の義務履行の能力・意思への社会的信頼**は，人格的評価である名誉とは相当に異なった内容をもつとともに，また，「虚名の保護」が原則とされる名誉（→201頁以下）とは異なり，**真実に合致した指摘から保護される理由はない**と考えられるからであろう。

行為は，虚偽の風説を流布し，または偽計を用いて人の信用を毀損することである。**虚偽の風説の流布**とは，客観的真実に反することを不特定または多数の人に伝播させることをいう。**偽計**とは，人を欺罔（ぎもう），誘惑し，あるいは人の錯誤・不知を利用する違法な手段のことをいう。名誉毀損罪の場合と同じく，行為の結果として現実に信用の低下したことを要しない[47]。名誉毀損においては，真実に合致することを述べることも原則として処罰の対象となるが，信用毀損においては，真実に合致するところを指摘する限り処罰されることはないし，したがってまた，たとえ虚偽の事実を不特定または多数の人に伝播させても，行為者がそれが真実であると誤信していたときには，故意が阻却されることになる。

商品の品質への社会的信頼と「信用」　最高裁は，被告人が，コンビニエンスストアで買ったオレンジジュースに家庭用洗剤を注入した上，警察官に対して，同コンビニエンスストアで買ったオレンジジュースに異物が混入していたという虚偽の申告をし，警察職員からその旨の発表を受けた報道機関をして，同コンビニエンスストアで異物の混入されたオレンジジュースが陳列・販売されていたことを報道させたというケースについて，粗悪な商品を販売しているという虚偽の風説を流布して，同コンビニエ

47）名誉毀損の場合に，現実に社会的評価が低下したことを確認することが不可能であるように（→201頁），信用の低下を確認することも不可能なことである。本罪も，侵害犯と解することはできず，名誉毀損罪と同様に**抽象的危険犯**と解すべきである。高橋・193頁，中森・97頁，西田・137頁などを参照。しかし，大塚・154頁は，これを具体的危険犯として把握する。

ンスストアが販売する商品に対する社会的な信頼を毀損したとして信用毀損罪の成立を認めた。[48]

この判例は，信用毀損罪にいう信用の意義に関し，大審院判例を変更して，**販売される商品の品質に対する社会的な信頼も含む**とした。それまでの判例と学説においては，信用を「人の支払能力または支払意思に対する社会的な信頼」に限定する解釈が一般的であったが，信用毀損罪は「経済的な側面における人の社会的な評価を保護するもの」との理解を前提に，従来のような限定には理由がないと考えたものである。信用が経済的側面における人の社会的評価であり，財産上の義務履行の能力・意思への社会的信頼を意味し，真実に合致した指摘から保護される理由がないという点で一般の名誉とは区別されるのだとすれば，これを支払能力・支払意思に対する社会的信頼に限定するのは理由がなく，販売する商品や提供するサービスの質に対する社会的信頼等も，信用毀損罪による保護の対象と考えるべきであろう。

4　業務妨害罪

（信用毀損及び業務妨害）
第233条後段　虚偽の風説を流布し，又は偽計を用いて，人の……業務を妨害した者は，3年以下の拘禁刑又は50万円以下の罰金に処する。
（威力業務妨害）
第234条　威力を用いて人の業務を妨害した者も，前条〔233条〕の例による。
（電子計算機損壊等業務妨害）
第234条の2 ①　人の業務に使用する電子計算機若しくはその用に供する電磁的記録を損壊し，若しくは人の業務に使用する電子計算機に虚偽の情報若しくは不正な指令を与え，又はその他の方法により，電子計算機に使用目的に沿うべき動作をさせず，又は使用目的に反する動作をさせて，人の業務を妨害した者は，5年以下の拘禁刑又は100万円以下の罰金に処する。
②　前項の罪の未遂は，罰する。

(1)　総　説

業務妨害罪の処罰規定には，経済活動を保護する面もあるが（その意味で信用毀損罪に近い性質をもつ），本罪により保護されるのは経済活動に限られない[49]

48)　最判平成15・3・11刑集57巻3号293頁。

49)　業務妨害罪の規定により保護される社会的活動には，公務やそれに準ずる公的性格の強い

ので，**社会的活動の自由に対する罪**として理解すべきであろう。業務活動が現実に阻害されることは必ずしも必要でなく，本罪も（信用毀損罪と同じく）**抽象的危険犯**である[50]（→213頁注*47*)）。本罪の処罰規定は，社会的活動に向けられた，暴行や強要や詐欺に至らない程度の妨害行為をも捕捉する，それだけ処罰範囲が広く，また不明確な規定となっている。日本社会においては，この刑罰法規は，業務者側にとり，日常的に遭遇しうる迷惑行為に際して，警察の助力を得て対応するための利便性の高い罰則規定になっているとはいえよう[51]。

(2)　業　務

本罪における**業務**とは，人が社会生活上の地位に基づき継続して従事する事務または事業をいう[52]。必ずしも職業として行われる活動である必要はなく，対価を得る必要もないとされる。違法な業務（たとえば，行政法令に違反する業務）であっても，直ちに刑法的保護を否定されるものではない。業務上過失致死傷罪における業務（→44頁）と異なり，生命・身体に対し危険性を有する行為であることも必要ない。一定の社会的活動が継続性・反復性の要件を充たすためには，かりに当該の活動そのものは一回的なものであっても，それを行う団体が，継続的にさまざまな活動を展開することを予定する団体であり，その一環として行われるのであれば（たとえば，その団体が最初に結成式を挙行するとき），それで十分である[53]。しかし，継続性・反復性のみを基準として業務の概念を広く理解すると，暴行や脅迫，詐欺などに至らない程度の行為を包括的に処罰することになるおそれがある。たとえば，休日のマイカーによる運転を妨害することも本罪にあたるとすることになりかねない。そこで，以上のような

活動，非営利的な福祉活動，宗教的活動，教育的活動なども含まれる。

50）　前田・147頁を参照。具体的危険犯とするのは，大塚・159頁以下，川端・262頁，しかし，最近の学説の多くは，これを**侵害犯**であるとする。たとえば，大谷・155頁以下，高橋・193頁，中森・72頁，西田・130頁，平野・概説188頁，松原・170頁，山口・167頁以下，山中・245頁など。

51）　ただ，警察統計（警察庁『犯罪統計書　令和4年の犯罪』）によると，年間の認知件数はそれほど多いとはいえない（2022〔令和4〕年で，信用毀損罪とあわせて986件にとどまる）。

52）　東京高判昭和35・6・9高刑集13巻5号403頁など。

53）　たとえば，大判大正10・10・24刑録27輯643頁（新聞社を創立するための事務），東京高判昭和37・10・23高刑集15巻8号621頁（政党の結党大会準備委員会の業務）など。反対趣旨の高裁判例として東京高判昭和30・8・30高刑集8巻6号860頁があるが，賛成できない。

意味での継続性・反復性を要件とした上で，「**職業またはこれに準ずるもの**」に限定すべきだとする見解[54]が説得力をもつことになる。

業務の中に**公務**も含まれるかどうかが問題となる。公務もすべて業務に含まれるとする見解（**無限定積極説**）もあるが[55]，**権力的・支配的性質の公務**は，ふつう**強制力**ないし**妨害排除力**をもつと考えられることから，自力による妨害排除が可能である限りで，暴行・脅迫に至らない，より弱い手段による妨害（威力や偽計等による妨害）からの保護まで与える必要はない。他方，暴行・脅迫を用いた妨害からは刑法的に保護されなければならないが，そのためには公務執行妨害罪（95条）が存在している（→603頁以下）。これに対し，**強制力・妨害排除力をもたない私企業的性格の公務**については，公務でない同種の活動と同様に，本罪の業務に含めて保護されなければならない（その意味で，一切の公務は業務に含まれないとする**消極説**は妥当でない）。私立大学の講義の妨害と国立大学法人の講義の妨害とを区別する理由はないし，銀行の事務の妨害と市役所の事務の妨害とを区別する理由もない。以上のような見解を，**強制力・妨害排除力の有無**により公務保護の範囲を限定しつつ，公務を業務に含まれるとして保護することを積極に解することから，**限定積極説**と呼ぶ。これが現在の判例・通説の立場であるといえよう[56]。

偽計による公務の妨害　強制力ないし妨害排除力を備えた公務の執行，たとえば警察の活動であっても，虚偽の通報を行って緊急出動をくり返させるとか，自動車警ら（パトロール）に出ようとしているパトカーのタイヤからひそかに空気を抜いてその出動を妨げるといった，偽計による妨害行為からは保護されなければならないと考えられる。そこで，学説の中には，強制力・妨害排除力も，偽計による妨害との関係では有効でないとして，権力的公務についても一般的に偽計業務妨害罪による保護を肯

54）平野・概説186頁。

55）大谷・152頁など。

56）学説としては，斎藤・86頁，佐久間・157頁以下，高橋・201頁以下，西田・138頁以下，林・129頁以下，堀内・97頁以下，前田・141頁以下，山口・160頁以下，山中・212頁以下など。なお，このような基準によれば，電子計算機損壊等業務妨害罪の処罰規定（234条の2）については（→222頁以下），公務において使用される電子計算機に向けられた行為すべてに適用されるべきことになろう。

定すべきだとする見解がある[57]。しかし，住民からの通報に対応した緊急出動や，パトロールそれ自体は，強制力・妨害排除力をともなって行われる実力の行使の前段階の活動であって（被疑者の逮捕等の強制力・妨害排除力をもってする公務の執行が行われるのは，警察の全体的な活動のごく一コマにすぎない），その限りで強制力を行使する権力的公務にあたらないという理由で，偽計業務妨害罪による保護の対象になると考えることができる[58]。

限定積極説によるとき，私企業的ではなく**権力的作用であるが，強制力がない公務**については，それが**妨害に対する自力排除力をもたない**以上は，暴行・脅迫に至らない手段による妨害からも保護する必要性があるから，これを業務に含め，妨害行為については業務妨害罪の成立を認めるべきであるとされる。判例は，県議会委員会の条例案採択等の事務について，「強制力を行使する権力的公務

57）西田・140頁，山口・161頁など。

58）東京高判平成21・3・12高刑集62巻1号21頁は，被告人が，インターネット掲示板に，JR土浦駅において無差別殺人を実行するという内容の虚構の殺人事件の実行を予告し（被告人にその意図はなかった），その掲示板を閲覧した者から警察に通報があったことから，警察署職員らが，土浦駅構内およびその周辺等への出動，警戒等の徒労の業務に従事し，その間，同人らは，本来であれば遂行されたはずの警ら，立番業務その他の業務の遂行が困難となったという事案について偽計業務妨害罪を認めたが，次のように述べている。「最近の最高裁判例において，『強制力を行使する権力的公務』が本罪〔＝業務妨害罪〕にいう業務に当たらないとされているのは，暴行・脅迫に至らない程度の威力や偽計による妨害行為は強制力によって排除し得るからなのである。本件のように，警察に対して犯罪予告の虚偽通報がなされた場合（インターネット掲示板を通じての間接的通報も直接的110番通報と同視できる。），警察においては，直ちにその虚偽であることを看破できない限りは，これに対応する徒労の出動・警戒を余儀なくさせられるのであり，その結果として，虚偽通報さえなければ遂行されたはずの本来の警察の公務（業務）が妨害される（遂行が困難ならしめられる）のである。妨害された本来の警察の公務の中に，仮に逮捕状による逮捕等の強制力を付与された権力的公務が含まれていたとしても，その強制力は，本件のような虚偽通報による妨害行為に対して行使し得る段階にはなく，このような妨害行為を排除する働きを有しないのである。したがって，本件において，妨害された警察の公務（業務）は，強制力を付与された権力的なものを含めて，その全体が，本罪による保護の対象になると解するのが相当である」。最近の名古屋高金沢支判平成30・10・30 LEX/DB 25561935も，違法薬物の所持を偽装し，警察官をして犯人が逃走を図ったものと誤信させて3時間以上にわたって追跡させるなどした行為について，上と同じ考え方をあてはめ，偽計業務妨害罪にあたるとした（最決平成31・2・26 LEX/DB 25563043も，被告人の上告を棄却している）。

ではない」ということから本罪の業務にあたるとし[59]，同じ理由で，公職選挙法上の選挙長による立候補届出受理事務も本罪にいう業務にあたるとし[60]，また，東京都が動く歩道を設置するため，路上生活者に対して自主的に退去するよう説得し，その退去後に通路上に残された段ボール小屋等を撤去することなどを内容とする環境整備工事は，本罪にいう業務として保護されるとしている[61]。

(3) 業務妨害とその手段

業務妨害罪は**抽象的危険犯**であり（→215頁），**業務を妨害した**といいうるためには，業務の外形的な混乱・支障が現実に生じることまでは必ずしも必要ではない。たとえば，ある温泉施設について「いつも盗撮が行われている」と虚偽のうわさを流したというケースで，本罪が成立するためには，現実に客の数が減少したり，その具体的危険性があったことが法的要件となる（裁判において認定される必要があり，行為者の故意もそこに及んでいる必要がある）と考える必要はない。しかし，およそ**業務の外形的な混乱・支障**が現実に生じる余地のない態様における行為は，本罪を構成しないと解される。たとえば，乗客１人が定期券に細工をして不正乗車をするケースや，正規の１人の受験生の代わりに別人が受験する「身代わり受験」のケースなどは，偽計により業務者側の判断を誤らせて業務内容を実質的に不適切にしたとはいえようが，本罪にあたらないであろう。ただし，判例は，いわゆるマジックホンの使用により，電話料金の計算のための課金装置の作動を不可能にしたという事例についても偽計業務妨害罪を認めている[62]。

---

59) 最決昭和62・3・12刑集41巻2号140頁。

60) 最決平成12・2・17刑集54巻2号38頁。

61) 最決平成14・9・30刑集56巻7号395頁。

62) 最決昭和59・4・27刑集38巻6号2584頁など（→総論267頁）。大学の入学試験等の際の「身代わり受験」のケースにおいては，不正行為発覚後に，試験実施者側に生じる業務の阻害を業務の妨害として把握するのであれば，行為者において不正行為が発覚することはないと確信していたときには，業務妨害の故意が否定されるのではないかという疑問がある。同様のことは，新型コロナウイルス感染症（COVID-19）の陽性患者が，そのことを秘して飲食店やホテルを利用し，後に陽性であったことが判明し，消毒等の措置を行うために，または風評被害のためにその店やホテルが休業を迫られたというような事例についてもあてはまる。偽計業務妨害罪の成立を認めることの障害となりうるのは，行為の時点において，行為者が後に陽性患

業務の妨害をどこに認めるかの問題も重要である。たとえば，警察に対して犯罪予告の虚偽通報がなされたというとき，まったく不要な現場への急行等の，無意味な活動を余儀なくされたというところに業務妨害があったとすることもできようが，むしろ虚偽通報により，それさえなければ遂行されたはずの本来の警察の業務ができなくなったという意味で業務妨害があったと見るべきであろう。また，インターネット掲示板において無差別殺人を実行するという内容の虚構の事件予告の書込みがあったというときは，いつもより多くの人員で，しかも攻撃に対する警戒を中心とした警ら活動を余儀なくされ，その分だけ他に予定されていた本来の業務の遂行ができなくなった点を捉えて業務妨害があったと考えるべきであろう[63]。

業務妨害の手段は，①**虚偽の風説の流布**，②**偽計**，③**威力**のいずれかである。虚偽の風説の流布とは，前述のように（→213頁），客観的真実に反することを不特定または多数の人に伝播させることをいう。虚偽の犯罪予告が不特定または多数の人に向けて行われたときには，虚偽の風説の流布ではなく，偽計または威力にあたる[64]。偽計とは，人を欺罔，誘惑し，あるいは人の錯誤・不知を利用する違法な手段のことをいう[65]。宅配すし店等に電話で虚偽の大量注文を行うことがその典型例の1つであろう。判例によると，漁場の海底に障害物を

者である事実が発覚することについて未必的認識がある場合を除き，同罪の故意が否定されるのではないかという点である。同罪における業務の妨害を，陽性の事実の発覚により消毒等の措置や休業を迫られたところに求める限り，事実の発覚は故意における認識の対象とならざるをえないであろう。

63）　前掲注58）東京高判平成21・3・12。

64）　ちなみに，虚偽の風説の流布も「偽計」の一態様として理解されており，虚偽の風説の流布を手段とする業務妨害罪も「偽計業務妨害罪」と呼ばれる。

65）　**偽計**を手段とする業務妨害の一例として，判例は，被告人らが，盗撮用ビデオカメラを設置したATMの隣に位置するATMの前の床にビデオカメラが盗撮した映像を受信する受信機等の入った紙袋が置いてあるのを不審に思われないようにするとともに，盗撮用ビデオカメラを設置したATMに客を誘導する意図であるのに，その情を秘し，あたかも入出金や振込み等を行う一般の利用客のように装い，適当な操作をくり返しながら，1時間30分間以上，あるいは約1時間50分間にわたって，受信機等の入った紙袋を置いたATMを占拠し続け，他の客が利用できないようにしたという事案について，その行為は，偽計を用いて銀行が同ATMを客の利用に供して入出金や振込み等をさせる業務を妨害するものとして，偽計業務妨害罪にあたるとした（最決平成19・7・2刑集61巻5号379頁〔→188頁〕）。

沈めておき漁網を破損させて漁獲不能にすることは，偽計業務妨害である。[66]
威力とは，「人の意思を制圧するに足りる勢力」を用いることをいう。百貨店の食堂配膳部に向けて縞蛇（しまへび）20匹をまき散らすこと[67]や，競馬場の本馬場に平釘（ひらくぎ）1樽（たる）分をまくこと[68]は，それぞれ威力業務妨害にあたる。[69]

偽計と威力の区別 偽計と威力の区別がしばしば問題となる。たとえば，ある大学に対しキャンパス内に爆弾を仕掛けたという虚偽の通知を行い，授業を休講にさせることは，相手方を騙すという点では偽計の要素を含んでいるが，むしろそのことにより**意思を制圧**された被害者（大学という法人）が本来，行えたはずの業務を行えなかったところに評価の重点があるから，それは**威力による業務妨害**である（→156頁注*9*)）。これに対し，たとえば警察に対して犯罪予告の虚偽通報がなされ，それがおよそ虚偽であるとは限らないということから，徒労の出動・警戒を余儀なくさせられたというとき，そこには意思制圧の要素がないので，偽計業務妨害ということになる。[70]

偽計も威力も，ともに**拡張解釈**されており，手段の限定としての機能を大幅に失っている。偽計については，**人に直接向けられる**ことを要するとするのが素直な解釈であるはずだが，判例は，マジックホンを使用して通話料金の課金業務を妨害することも偽計業務妨害にあたるとしている（→218頁）。威力については，威力の行使が**被害者の面前**で行われその意思がその現場で制圧される（そして，そのことにより業務が妨害される）必要まではなく，直接には物に対して暴力的行為が加えられ，後にその結果として人に対し業務を妨害させる影響を生じさせるという場合でも，威力業務妨害罪にあたるとされている。たとえば，判例は，弁護士の業務にとり重要な書類が入っているカバンを弁護士から

66） 大判大正3・12・3刑録20輯2322頁。

67） 大判昭和7・10・10刑集11巻1519頁。

68） 大判昭和12・2・27新聞4100号4頁。

69） そのほか，**威力**を手段とする業務妨害の一例として，判例は，卒業式の開式直前に，式典会場である体育館において，主催者に無断で，着席していた保護者らに対して大声で呼びかけを行い，これを制止した教頭に対して怒号し，被告人に退場を求めた校長に対しても怒鳴り声を上げるなどし，粗野な言動でその場を喧噪状態に陥れるなどして開式を約2分遅れさせた行為について威力業務妨害罪の成立を認めた（最判平成23・7・7刑集65巻5号619頁）。

70） 前掲注*58*）東京高判平成21・3・12。

力づくで奪い取り２カ月間余りの間自宅に隠匿して弁護士活動を困難ならしめたという事案[71]，上司の事務机の引出しに猫の死骸を入れるなどし，これを上司に発見させて恐怖感や嫌悪感を抱かせて畏怖させ，当日の執務を不能にさせた事案[72]について，「人の意思を制圧するに足りる勢力」を用いたことになり，威力業務妨害罪にあたるとする。

新型コロナウイルス感染症（COVID-19）と業務妨害罪　裁判例によれば，被告人が，営業中の家電量販店において，店員らに対し「俺コロナだよ」などと自分が感染症に罹患している旨の発言を繰り返し，店員らに，警察への通報，店内の消毒等を余儀なくさせ，店員らの正常な業務の遂行を妨害したという事案について威力業務妨害罪の成立を認めたもの[73]，被告人が，航空機内で，客室乗務員に対し，「俺，陽性だけど大丈夫」と虚偽の事実を申し向け，さらに同客室乗務員らから何の陽性か問われたのにこれを無視するなどして，同客室乗務員およびその連絡を受けた機長ほか同社職員らに，駐機場への引き返し，警察への通報，保健所への連絡，他の乗客への対応，座席の消毒作業等を余儀なくさせて同航空機の運航を遅延させた事案について偽計業務妨害罪を認めたもの[74]，被告人が，協同組合の支店において，従業員に対し，「俺コロナ。ばらまいてやる」と申し向け，同人に向かって咳をするなどし，支店従業員らに，同支店を閉店して消毒作業を行うことなどを余儀なくさせ，従業員らの正常な業務の遂行を妨げたとして威力業務妨害罪の成立を認めたもの[75]，SNSに「私はコロナだ」と投稿していた被告人が，その投稿に引き続き，都内の飲食店において，店のロゴが付されたビールグラスを含め店内での飲食の様子を撮影した写真とともに「濃厚接触の会」と投稿し，感染症に罹患した者がこの店で飲食しているかのような虚偽の事実を表示させて不特定多数の者が閲覧しうる状態にし，この店の経営会社の営業部長に，警察への通報や従業員への店の入念な消毒等の指示を余儀なくさせて，営業部長らの正常な業務の遂行に支障を生じさせたというケースで偽計業務妨害罪の成立を認めたもの[76]などがある。

71）最決昭和59・3・23刑集38巻5号2030頁。
72）最決平成4・11・27刑集46巻8号623頁。
73）名古屋高判令和2・9・17 LEX/DB 25566984。
74）千葉地判令和2・11・11 LLI/DB L07551024。
75）函館地判令和3・1・15 LLI/DB L07650096。
76）東京高判令和3・8・31高刑速令和3年241頁。

(4)　電子計算機損壊等業務妨害罪

234条の2は，**コンピュータ犯罪対策**の一環として，1987（昭和62）年の刑法一部改正に際して新しく刑法典に入った規定である。従来の業務妨害罪は，「人」を行為客体とする場合を予定しているが，本罪は，コンピュータという「機械」を直接の行為客体とする場合にも無理なく成立可能な犯罪として新設された。また，本罪に該当する行為の中には，通常の業務妨害罪や器物損壊罪（261条）等の規定の適用により処罰可能な行為も含まれているが，被害が重大であり広く国民生活に支障をきたす事態も予測されることから，それらの罪に比べて刑をより重くしている（そこで，本罪は社会的法益に対する罪としての一面ももっているといえよう）。

234条の2が設けられた当初は，未遂処罰の規定がなく，既遂のみが処罰可能であったが，2011（平成23）年の刑法一部改正により，**未遂犯処罰規定が新設**された（同条2項）。これにより，とりわけ遠隔からコンピュータウイルスを提供する行為が，被害者において業務の妨害をもたらす以前の段階で本罪により可罰的とされることとなった。

(5)　罪数，他罪との関係

1個の行為によって，信用を毀損するとともに被害者の名誉をも毀損した場合，信用毀損罪のみが成立する（法条競合）とする見解もあるが，現行法上，名誉と信用とが異なった法益として保護されていることから，名誉毀損罪と信用毀損罪の両罪が成立し，観念的競合になるとするのが多数説である。偽計と威力という両方の手段を使って業務妨害行為を行ったとき，233条と234条の両条にあたる一罪となる[77)]。1個の行為により他人の信用を毀損するとともに，業務を妨害したときには，両罪が成立して観念的競合となるとする見解が多い（が，233条〔および234条〕にあたる一罪とすることで足りると思われる[78)]）。

電子計算機損壊等業務妨害罪にあたる行為を行う過程で器物損壊罪（261条）にあたる結果を生じさせたとき（たとえば，ハードディスクの効用を害したとき），

---

77)　団藤・538頁を参照。

78)　ポケ註527頁〔伊達〕。前掲注*48*）最判平成15・3・11の第一審判決である大阪地判平成13・12・11刑集57巻3号318頁は，そのような法適用を示した。

後者の器物損壊は前者の罪に吸収されると考えられるが，両罪の保護法益が異なることから観念的競合とする見解もありえよう。

■ 第9章 ■

財産犯総論

1 総　　説

刑法による財産的法益の保護は，刑法学の重要問題の1つである。それは，刑法の**政策的側面**と**理論的側面**と**法技術的側面**が交錯するテーマであり，ここにおいてこそ刑法学の真の理解が試される。個人的法益の中で，財産という法益は，一般的にいえば最も価値の低い法益であり[1]，しかも，**私法的救済の可能性**もある（すなわち，民法等の予定する手段を用いることにより，ある程度まで事後的な損害の回復が可能である[2]）。他方で，財産の価値は，そのために人が自由を犠牲にすることも厭わないほど高いものがある（学生諸君がバイトに精を出すのも，自由を犠牲にして金銭を得ようとするものにほかならない）。経済的に裕福であるがゆえに，健康や生命の維持・保全が可能になる状況も容易に想像できよう。犯罪

1) 財産は，個人的法益の中で，最も下位に位置づけられている。刑法典における配列の順序を見ても，財産を保護する財産犯は末尾に置かれているし（235条以下），また，37条・222条・223条における法益の列挙においても，その最後に挙げられている。なお，個人的法益の中で，財産という法益は，生命・身体・自由・名誉といった人格的法益と異なり，一身専属性をもたないという点で，特別な性格をもっている（→12頁）。

2) 現実問題として，財産犯の訴追と処罰においては，行為者が**被害者に対し損害賠償を行ったかどうか**がきわめて大きな意味をもつ。財産犯については（ただし，強盗罪のような人身に向けられた犯罪としての側面をもつものは別論である），損害の補塡が十分になされる限り，訴追と処罰が行われることはむしろ例外的であろう。とはいえ，それは成立した犯罪の訴追と処罰が差し控えられるということにすぎず，犯罪そのものが成立しないということではない。

統計を見れば，財産犯，特に窃盗は，認知される犯罪の件数の上でも，際立って多い。財産は，最も侵害されやすい法益であり，「犯罪者にとっても最も魅力的」な法益なのである。

刑法犯の実態と窃盗のもつ意味 犯罪情勢および犯罪者処遇の実情を知るためには，犯罪に関する統計を用いる。種々の犯罪統計から重要な部分を選び出して編集したものが**『犯罪白書』**である（法務省に設置された研究・研修機関である法務総合研究所〔法総研〕の編集によるものであり，毎年末に発表・公刊される)。『令和4年版犯罪白書』を見ると，刑法犯（それは，刑法典の犯罪に，若干の特別刑法上の犯罪を加えたものである）の認知件数は，2021（令和3）年で56万8104件であった。**認知件数**とは警察が認知した犯罪の数のことであるが[3]，刑法犯の認知件数は，2002（平成14）年の285万3739件をピークに19年連続で減少したことになる。認知件数の変化にとり大きな意味をもつ（いいかえれば，その増減が全体数に如実に反映する）のは，**窃盗罪**である。窃盗は，全体の67.2％を占める。最近19年の認知件数の減少は，何より窃盗の認知件数の際立った減少（2002年：237万7488件→2021年：38万1769件）によるものである。

刑法が財産的法益をどこまで保護し，どこから保護しない（せいぜい民事法による保護に委ねる）のかという根本問題をめぐっては，刑法の歴史とほぼ重なるくらいの長い間，法律家たちがその知恵を絞ってきており，その何世紀にもわたる議論と試行錯誤の1つの成果として，現行刑法の処罰規定が存在する[4]。本章・財産犯総論においては，現行刑法が財産をどのような形で保護しているかについてその概要を説明し，同時に，なぜそういう規定になっているのか，その基礎にある考え方を明らかにすることとしたい[5]。

3）犯罪発生の実数を明らかにできればよいが，それは不可能である。たとえ全能の神であっても，そのすべてを把握しきれるものではなかろう。『犯罪白書』も，昭和56年版以降，犯罪の「発生件数」ではなく，「認知件数」という用語を使用することとしている。

4）刑法典の規定が（補充的・二次的な）保護の対象としているのは，主として民法が規定する財産権である。民法の特別法としての位置づけを与えられる**知的財産法**（著作権法や特許法など）に規定された権利の保護については，それらの法律の罰則規定がその役割を担っている。知的財産権の保護のために刑法典の処罰規定が果たしうる役割にはきわめて限られたものがある。

5）財産犯全体にわたって実務における刑罰法規の解釈と運用を論じた重要な本として，本江威

2　現行刑法による財産の保護

(1)　概　観

現行刑法の財産犯（財産罪）規定（235条から264条まで）を見ると，財産の侵害は**故意によるもののみ**が処罰の対象となっており，過失による財産侵害は処罰されない（そこで，被害の回復は，民法に基づく損害賠償によるほかはない[6]）。そのことを前提として，財産犯規定を理解するためには，**2つの視点**からこれを見ることが必要である。1つは，**財産犯の客体**が注目される。刑法は，財産を，①財物と，②それ以外の財産上の利益とに分けて保護している。そして，財物はかなり包括的に保護しているが，これに比べて，財産上の利益の保護の範囲はより狭くなっている（→232頁以下。ここでも，刑法的保護の対象とならない領域については，民事法による保護にまかされることになる）。

もう1つ，注目しなければならないのは，**行為の目的および行為の（客観的）態様**である。まず刑法は，**領得目的**（簡単にいえば，他人のものを自分のものにしてしまおうとする利欲目的）による**領得罪**と，**毀棄**（きき）**目的**（壊してやろう・使えなくしてやろうという目的）による**毀棄罪**とを区別し，前者の領得罪の処罰を中心にしている。刑法典の規定を見ると，235条から257条まで（第2編第36章から第39章まで）の規定に含まれる処罰規定は，基本的に領得罪に関わるものであり，毀棄罪（隠匿罪）の規定は，258条以下（第40章）にすぎない。領得罪の方が処罰の範囲が広く，また刑もより重くなっている。

次に，刑法は，**財産侵害の手段として占有の侵害**があったかどうかにより，取扱いを大きく区別している[7]。**占有**（または所持）とは，物に対する事実上の支配ないし管理のことであるが，現にその物を支配・管理している被害者からその物の支配・管理を奪い，移転させる形態の**奪取罪**（または**移転罪**ともいう。窃盗罪がその典型であるが，そのほか，強盗罪・詐欺罪・恐喝罪がある）については，**非**

憙監修・須藤純正＝吉開多一＝石井隆著『経済犯罪と民商事法の交錯』（全3巻，2021年～2022年）がある。

6)　そもそも，刑法が過失による侵害から保護しているのは，生命と身体という法益のみであり，209条・210条を見ればわかるように，故意犯と比べて過失犯の刑は原則として著しく軽くなっている。

7)　なお，それは領得罪の中での区別である。毀棄罪については，占有侵害の有無は法的重要性をもたないとするのが通説である。

奪取罪（非移転罪）である横領罪と比べて，より重く処罰している。奪取罪の中では，占有奪取の手段・態様により，さらに窃盗罪・強盗罪・詐欺罪・恐喝罪が区別される。なお，**奪取罪（移転罪）**を，**盗取罪（盗罪）**である窃盗罪・強盗罪（意思に反して占有を奪う犯罪）と，**交付罪**である詐欺罪・恐喝罪（瑕疵ある意思に基づき占有を移転させる犯罪）とに分ける（→236頁）が，強盗罪を除くと，法定刑の上限は変わらない。

このように，刑法は，財産が侵害されたという結果だけでなく，**行為の主観的態様**（故意か過失か，領得目的か毀棄目的か）と，**行為の客観的態様**（占有侵害があるか，いかなる手段により占有を侵害したか）を重視して，財産犯の類型をきめ細かに区別している。以下では，まず財産犯の客体としての財物と財産上の利益について，次いで，行為目的・行為態様に注目した区別について（→234頁以下）説明したい。

(2) 客体——財物と財産上の利益

（電気）
第245条　この章〔＝第36章「窃盗及び強盗の罪」〕の罪については，電気は，財物とみなす。

(a) 財物とは　刑法は，財産を保護するにあたり，これを**財物**（または**物**）と，**財産上の利益**とに区別し，財物の方をより手厚い保護の対象にしている。財物と財産上の利益とでは，保護の範囲と態様に違いがあることから，財物の意義を明らかにし，財産上の利益との限界をはっきりさせることが重要になる。

財物とは何かをめぐっては，かつては**有体性説**と**管理可能性説**とが対立していたが，現在では有体性説が通説となっている[8)]。有体性説は，空間の一部を占

8) たとえば，内田・231頁以下，大谷・194頁以下，斎藤・89頁以下，高橋・220頁以下，西田・152頁以下，平野・概説200頁，中森・101頁以下，林・172頁以下，堀内・107頁以下，山口・172頁以下，山中・253頁以下など。管理可能性説をとるのは，大塚・169頁以下（ただし，物質性を備えたエネルギーに限られるとする），団藤・547頁以下（ただし，電気と同じような自然力の利用によるエネルギーに限られるとする），福田・214頁以下（ただし，物理的に管理可能なものに限定され，事務的に管理可能なものは含まれないとする）など。

める物理的客体としての有体物のみが財物たりうるとする[9]。物理的客体である限り，固体や液体のほか，気体（たとえば，ガス）も財物となるが，固体でも液体でも気体でもない電気，その他のエネルギーそれ自体は，物ではないことになる。ただし，**245条**が「この章の罪については，電気は，財物とみなす」と規定しているので，第36章の罪（窃盗および強盗の罪）については，物ではない電気も例外的に客体にあたることになる[10]。有体性説によれば，245条の規定は，それがなければ処罰できない電気窃盗（盗電）行為を処罰できるようにした例外的な規定（処罰創設規定）である。245条は，**251条**により詐欺罪と恐喝罪に準用されているので，電気は詐欺罪・恐喝罪の客体にもなる。これに対し，横領罪や器物損壊罪については245条は準用されていないので，電気はその客体にならない，ということになる。そして，電気以外のエネルギーについては，有体性説によれば，およそ財物罪の客体とならない[11]（ただし，電気以外のエネルギーそれ自体を盗むケースとして，いったいどういう事例が考えられるのかは明らかでない）。

有体性説と管理可能性説　旧刑法（→総論49頁以下）の366条の窃盗罪規定は，「人ノ所有物ヲ窃取シタル者ハ窃盗ノ罪ト為シ2月以上4年以下ノ重禁錮ニ処ス」と定めていたが，そこには，現行245条のような，電気を物とみなす「みなし規定」がなかった。大審院は，ある電気窃盗事件について窃盗罪の成立を認めるにあたり，管理可能性説をとり，電気も「所有物」に含まれるとした[12]。その後，現行刑法の下においても，通説は管理可能性説によっていたが，次第に有体性説が有力となり，現在ではそれが支配的見解である。判例・実務も，これを否定するものではなかろう。

9）なお，民法85条は，「この法律において『物』とは，有体物をいう」と規定している。ちなみに，**動物**も刑法上は財物（物）である。動物の法的保護について詳しくは，青木人志『日本の動物法〔第2版〕』（2016年）を参照。

10）この「みなし規定」があるため，他人のコンセントに電源プラグを差し込み，他人の電気を勝手に使用すれば，窃盗罪が成立することになる。

11）これに対し，管理可能性説は，物理的に管理可能なものであれば，有体物でなくても財物たりうると主張する。この見解によれば，245条は，なくてもよい規定（注意規定）にすぎず，同条が準用されない横領罪や器物損壊罪についても，その客体に電気が含まれることになる。電気以外のエネルギーについても，管理可能性説によれば，財物罪の客体とされうることになる。

12）大判明治36・5・21刑録9輯874頁（→総論61頁）。

有体性説の解釈上の根拠は，245条が特に「みなす」と規定したのは（この種の法技術を，法律上の「擬制」と呼ぶ），本来は物でないことを論理的に前提としていることと，有体物以外のものに向けられた行為の処罰の必要性に疑問があることである。有体性説によれば，①電気以外のエネルギーは，窃盗・強盗，詐欺・恐喝の各財物罪の客体とはなりえないし，②横領罪や器物損壊罪については，それればかりでなく，電気も客体とならない。

なお，刑法が，窃盗罪・強盗罪・詐欺罪・恐喝罪については「財物」といい，横領罪（252条以下）と器物損壊罪（261条）の客体を「物」といって区別しているのは，245条の適用・準用があるものと，そうでない物を区別する趣旨であるともいわれる[13]。

(b) 価値の要否　財物といえるためには，経済的価値（交換価値）があることは必ずしも必要ではなく，**主観的価値**または**消極的価値**がある限り，刑法的保護に値すると考えられ，したがって財物性を肯定できる。たとえ経済的価値がなくても，本人にとっては貴重な物というものが存在するであろう。これも財物に含められなければならない（たとえば，今は亡き尊敬する恩師からいただいた1枚の葉書，若かりし頃の思い出のラブレター，外国旅行中に憧れの土地で拾った記念の石など）。また，経済的価値はなく，本人にとっての主観的価値もないが，他人の手に渡ると悪用の危険があり，自分の手で廃棄したいと考えるような書類も存在する。そのような消極的価値をもつにすぎないものも，刑法による保護の対象となる。およそ所有権の対象となりえないものや，所有権が放棄されている物は財物ではない[14]。

(c) 人の身体とその一部　**人の身体**はそのままでは財物ではないが，身体から分離されたもの（たとえば，毛髪）は財物となりうる。身体に装着して一部として用いる義手，義足，入れ歯等については財物性を肯定するのが通説である。これに対し，人体と一体化し取り外せない物（移植された臓器，人工関節や差し歯等）は，もはや財物ではなく，傷害罪による保護の対象となる（→50頁）。

13) 平野・諸問題（下）323頁。

14) 経済的価値がきわめてわずかな物（主観的価値・消極的価値もない物）であっても，財物として刑法的に保護されるべきかどうかが，可罰的違法性（絶対的軽微性）の問題である（→総論266頁以下）。

それでは，移植のために摘出された人の臓器，人から採取された精子や卵子，母体の外にある受精卵等についてはどうか（これらが財産罪の客体となりうるとすれば，その窃取行為はこれを窃盗罪で，その損壊行為はこれを器物損壊罪で処罰できることになる）。この点については，人の身体の一部も，精子・卵子・受精卵等も，**身体から分離される限り**，（財）物たりうると解すべきであろう[15]（体内にある受精卵を破壊しても不可罰であるが[16]，体外にある受精卵を攻撃する場合には器物損壊となりうるということになる）。それは「人を物扱いする」というのではなく，それらが刑法上何らの保護も与えられない事態を避けようとするものである。

これに対しては，人の身体の一部も，精子・卵子・受精卵等も，身体から分離されても「物」たりえず，財産罪による保護の対象とはならないとする見解も主張されている[17]。その根拠とされているのは，そもそも現行刑法が人（の身体）と物（財物）とを区別する基本的考え方をとっている以上，人の身体（その一部）を物として扱うことはできないというところにある。しかし，そのように考えるとすると，人の身体から取り出された血液や臓器・組織をいっさい刑法的保護の外に置くことになり，現実的な解釈かどうかには疑問が生じるであろう。また，人の身体の一部，精子や卵子は，身体から分離されれば「物」となりうるが，受精卵はこれと異なり，たとえ母体外にあっても「物」たりえないとする見解もある[18]。それは，受精卵については**人になる前段階の存在**であるから性質が異なり，母体内にある場合はもちろん，母体外にある場合も「物」たりえないと考えるのである。しかし，人から取り出された血液や臓器が刑法的保護の対象となるのに，母体外にある胚（ヒト受精胚）がまったく刑法的保護の対象とならないのではバランスを失する。胚についても，人の管理・処分権限が肯定される限度で，これを財産犯の客体とすることができる（したがって，精子・卵子提供者の承諾に基づいて研究の対象に供されている胚については物とし

15） 浅田・15頁，183頁，山中・258頁以下。

16） 胎児であっても，日本ではきわめて不十分な形でしか刑法的に保護されていない（→90頁以下）。

17） 町野・108頁以下。

18） 伊東・133頁，山口・174頁以下。

て保護することが可能）というべきであろう[19]。

(d) 禁制品　**禁制品（法禁物）**も，財産犯による保護の対象としての財物である。それは，「私人による所持・所有の禁じられている物」と定義され，たとえば，麻薬等の禁止薬物，銃砲刀剣類，わいせつ物等がこれにあたる。しかし，これら禁制品についてはおよそ所有権が成立しないというのではない。所有権は成立するが，場合によりその行使が制限されているというのにすぎない（具体的には，たとえば，法的手続を経て公的機関が没収することに対して，民法上の所有権等の権利を主張して拒むことができないというだけのことである）。禁制品の所有も占有も，窃盗等による侵害から刑法的に保護されなければならない[20]（→241 頁）。

(e) 財産上の利益　**財産上の利益**とは，人の財産の中で財物を除くすべてをいう。財物が有体物であるとすれば，財産上の利益は，有体性をもたない，無形の財産ということになる。たとえば，債権を取得したり，債務の履行を免れたり，無形の財産的利益である財産的情報，ノウハウ，企業秘密，重要なデータを取得したりすれば，**財産上の利益を得た**ことになる（→280 頁以下，319 頁，325 頁以下など）。役務・サービスの提供を受けることも含まれると解すべきである。ただ，この点については，対価を予定された役務（有償役務）に限られるべきであるとする見解も有力である[21]。しかし，財産的な価値があるのであれば，無償で提供されたものであっても財産的利益にあたると考えなければな

---

19) 新注釈（4）〔佐伯仁志〕7 頁以下。これに対し，死体（死亡した人の身体またはその一部）・遺骨・遺髪や棺に納めてある物については，独立の処罰規定（190 条・191 条）が存在することから（→582 頁以下），財産犯による保護の対象とすべきではないであろう。大塚・176 頁以下，大谷・198 頁，斎藤・92 頁，中森・103 頁，西田・154 頁，平野・概説 267 頁，町野・114 頁以下，山中・259 頁など。これに対し，団藤・363 頁，福田・144 頁は，財産罪の成立を競合的に認めるべきだとする。

20) この点について，町野・106 頁を参照。最決昭和 61・11・18 刑集 40 巻 7 号 523 頁も，禁制品（覚せい剤）の返還ないしその代金の支払を免れるという利益も財産上の利益に対する罪（利得罪）の客体となることを認めている。

21) 中森・104 頁，西田・208 頁，林・178 頁，平野・概説 219 頁，堀内・143 頁，山口・248 頁など。なお，およそ役務・サービスの提供そのものは，刑法上の利得罪により保護されるべき財産上の利益にあたらない（そこから生じる債務を免れてはじめて利得罪になる）とするのは，町野・122 頁以下。

らない。さもないと，被災地復興のためのボランティアと偽って働かせる場合も，財産上の利益に対する詐欺罪（二項詐欺罪〔246条2項〕）にならないことになってしまうであろう。[22)]

財物と財産上の利益の限界は，しばしば難しい問題となる。銀行の預金通帳は財物であるが，当該銀行との関係で預金債権をもつことは財産上の利益である。ダイヤモンドの指輪は財物であるが，それが有する使用価値（人の役に立つこと）は財産上の利益である。会社が集めた顧客情報を記載した分厚いファイルやこれを記録したDVDは財物であるが，顧客情報そのもの（たとえば，コンピュータのハードディスク内のデータそのもの）は無形の財産にすぎず，それは財産上の利益である。

財物としての不動産 不動産も「財物」であり，「物」である。しかし，窃盗罪（235条）と強盗罪（236条1項）においては客体にはなりえないと考えられる。なぜなら，たとえ不動産が財物であるとしても，物理的に動かすことのできない不動産を「窃取（せっしゅ）」ないし「強取（ごうしゅ）」することはできないからである（**行為態様からの客体の限定**）。[23)]他人の不動産を奪う行為については，不動産侵奪罪（235条の2）の規定が適用される。ただ，強盗的手段を用いて不動産を奪ったとき，二項強盗罪（236条2項）による処罰は可能であろう。その他の財物罪，たとえば，一項詐欺罪（246条1項），一項恐喝罪（249条1項），横領罪（252条・253条），器物損壊罪（261条）との関係では，「窃取」や「強取」の場合のような，文言にともなう制約がないので，不動産もその客体に含まれると考えることができる。不動産を騙し取ったり，脅し取ったり，横領したりすること，土地の効用を害することは問題なく可能である。

刑法は，財物と財産上の利益とで，その保護に関しどのように異なった取扱いをしているか。刑法は，財物については手厚く保護しているが，財産上の利益については，かなり控えめな態度をとる。刑法上の財産犯が，客体として財産上の利益を予定しているもの（**利得罪**または利益罪）は，236条2項の強盗罪，

22） なお，山口・214頁以下，247頁以下は，二項犯罪により保護される財産上の利益は「移転性のある利益」でなければならないとする。それは，**行為態様からの客体の限定**ということになる。しかし，通説はこのような限定を不要としている（→282頁）。

23） 団藤・553頁，574頁。詳しくは，丸山雅夫『刑法の論点と解釈』（2014年）221頁以下を参照。

246 条 2 項の詐欺罪，249 条 2 項の恐喝罪にすぎない。いずれも，2 項に規定されていることから**二項犯罪**と総称され，それぞれ二項強盗罪，二項詐欺罪，二項恐喝罪と呼ばれる[24)]（強盗利得罪，詐欺利得罪，恐喝利得罪といわれることもある）。注目すべきことは，**235 条に 2 項が存在しない**ことである。

すなわち，財産犯の中でも最も基本的な犯罪類型である窃盗罪（235 条）は，**財物（のみ）を保護する財物罪**であり，客体は財物に限定され，財産上の利益に対する窃盗（すなわち，利益窃盗ないし権利窃盗）を処罰の対象としていない。**利益窃盗が原則的に不可罰**であることはきわめて大きな意味をもつ。財産上の利益に対する領得目的による侵害は，暴行や脅迫を用いたり（236 条 2 項），詐欺的手段を用いたりした場合（246 条 2 項）等にのみ利得罪として処罰の対象となる[25)]。無形の情報のうち財産的価値をもつもの（財産的情報）を，保有者・管理者の意思に反して取得することも窃盗にならず刑法典上の罪を構成しない[26)]。また，財産上の利益に対する毀棄目的による侵害は，背任罪（247 条）にあたる場合を除いて処罰されない（たとえば，他人をうらみ，これに財産的損害を与えるため，誤った情報を流して大金を投資させたとき，それによって被害者が大きな損害を受けたとしても，犯罪は成立しない）。

刑法が，財物と財産上の利益の取扱いをこれだけ大きく区別していることの理由が問題となる。まず考えられるのは，現行刑法の制定当時には，現在のように無形の財産が大きな経済的意味をもつことは予想されていなかったという

24） 初学者にとり，たとえば「二項強盗罪」というのは，かなり違和感のある犯罪類型であるかもしれない。二項強盗の典型例はタクシー強盗であり，タクシーで目的地に到着し，代金を請求された客が，運転手に対し暴行・脅迫を加えて，これを反抗不能とし，事実上，代金の支払を免れてしまうようなケースである。物を奪っているのではないので，「無理やり奪い取る」という強盗の概念からは外れる感じがあるかもしれない。現に，ドイツ刑法は，強盗罪をもっぱら財物罪として規定し，日本でいう二項強盗は，「強盗的恐喝罪」という恐喝罪の加重類型により処罰している。このような位置づけは，強盗（Raub）というのは「無理やり奪い取る」ことであり，債務を免れることは強盗にはあたらず，本質的には恐喝（すなわち，財産的不利益の甘受の強要）であるという考え方に基づいている。

25） もっとも，246 条の 2 により処罰される電子計算機使用詐欺の行為は，一種の利益窃盗行為である。同条は，利益窃盗行為の一部を例外的に処罰する規定ということになる。

26） ただし，そのような情報が営業秘密にあたる限り，不正競争防止法（1993〔平成 5〕年 5 月 19 日法律第 47 号）21 条 1 項 1 号の罪等を構成しうる（なお，「営業秘密」の定義は，同法 2 条 6 項にある）。これらの規定も利益窃盗行為を処罰の対象として含むものである。

事情であろう。また，財物が侵害されたかどうかは客観的事実として明らかだが，**無形の財産の侵害そのものは客観的に明白な事態でない**ということも重要である。(そこで，犯罪として捕捉するためには**手段の違法性**〔暴行や脅迫等の違法な手段が用いられたかどうか〕に注目することが必要になる)。しかし，おそらく最も決定的な理由は，利益窃盗を一般的に犯罪とする（たとえば，これを235条2項に規定する）ならば，民法上の債務不履行（借金を期限までに返さないことなど）が直ちに犯罪となってしまうことである。それは明らかに行き過ぎであり，社会的に耐えがたい事態を引き起こすであろうと考えられるのである。

(3) 行為目的と行為態様

(a) 領得罪と毀棄罪　　現行刑法の財産犯処罰規定の大きな特色は，**領得罪の処罰を中心**とし，毀棄罪の処罰はあくまでも二次的としているところに見られる。いいかえれば，刑法は，他人のものを自分のものにしてしまおうとする領得目的に基づく財産侵害行為を主たるターゲットとし，これに対しては厳しい対応に出ており，破壊目的による財産侵害行為に対してはやや寛大な態度をとっているのである。

領得罪の典型である窃盗罪（235条）と，毀棄罪の典型である器物損壊罪（261条）とを比較してみよう。両者を比べたとき，結果の重大性という点では，後者が前者を上回ることもありえよう。盗まれるよりも，損壊・傷害される方が，被害者にとりダメージの大きいことは稀ではない。それにもかかわらず，窃盗罪の法定刑の方がはるかに重く規定されている（上限は窃盗罪の10年の拘禁刑に対し，器物損壊罪は3年の拘禁刑である）のである[27]。このような**領得罪と毀棄罪の取扱いの違い**は，他人の物を自分の物としたいという利欲目的の行動に出る衝動に駆られる人は多いが（利欲的衝動は，人々が労働したり，勉学に励むことの基礎にあるものでもあろう），他人の物を壊してしまおうという破壊的衝動に駆

27) それればかりか，窃盗については未遂も処罰されるが（243条），器物損壊については未遂は処罰されない。また，窃盗罪は非親告罪であるが，器物損壊罪は親告罪（→144頁以下）である（264条）。器物損壊罪については，窃盗罪と異なり，被害者の意思のいかんにかかわらず刑事訴追を行うほどの公益性が存在しないと考えられていることになる。さらに，前述したように（→233頁），財産上の利益に対する毀棄目的による侵害は，背任罪（247条）にあたる場合を除いて処罰されない。このように，窃盗罪と器物損壊罪に対する刑法の対応には，きわめて大きな違いがある。

られる人はそれほど多くないという洞察に基づくものといえよう。領得行為こそを強く禁止しなければ，効果的な財産的法益の保護はおよそ不可能である。**刑法の一般予防目的**（人々の犯罪を一般的に広く抑止する目的）の達成のためには，**領得罪の方がより強い禁止を必要**とし，逆にいえば，それをより強く禁止しなければ，財産的法益を十分に保護できないという考え方がそこにはある。

刑法典の規定を見ると，235条から257条までの規定に含まれる処罰規定は基本的に領得罪に関わるものであり，毀棄罪（隠匿罪）の規定は，258条以下の数カ条にすぎない。ただ，領得罪の中でも，窃盗罪・強盗罪・詐欺罪・恐喝罪と，横領罪とは性格が異なる。**横領罪**は，領得目的が実現された場合を処罰するものであり，いわば**領得罪の既遂類型**である。これに対し，窃盗罪・強盗罪・詐欺罪・恐喝罪は，領得目的をもって財物の占有を移転させるだけで（したがって，領得目的が実現される以前に）処罰する領得罪の未遂類型である。これらの犯罪については，**不法領得の意思（目的）という主観的要素**が重要な構成要件要素となる（→247頁以下）。

(b) 占有侵害とその態様　　行為目的と並んで，**占有侵害の有無およびその方法という行為態様**も重要な意味をもつ。窃盗罪・強盗罪・詐欺罪・恐喝罪と，横領罪とは，占有侵害が構成要件要素になっているかどうかという大きな違いがある。占有侵害をともなう領得罪のことを**奪取罪**というが（ただし，「奪取罪」は用語としてあまり適切とはいえない。「**移転罪**」の方がベターであろう），窃盗罪が奪取罪の典型である。窃盗罪は他人の所有権を侵害する犯罪である（→238頁以下。そのことは，すべての領得罪たる財物罪に共通する）。しかし，それが**占有侵害**という態様において行われる点で奪取罪として性格づけられる。窃盗罪は，占有侵害を手段として所有権を侵害する犯罪であり，**所有権と占有という2つの法益を同時に侵害する犯罪**である[28]。これに対し，**非奪取罪（非移転罪）である横領罪**は，所有権侵害のみを内容としており，占有を奪うという要素を含まない。たとえば，委託物横領罪（252条）について見ると，借りた物や預かった物を自分の物にしてしまう（たとえば，売却してしまう）場合に成立する。ここでは，

---

28)　これに対し，242条は占有侵害のみで窃盗罪が成立する例外的場合ということになる（→241頁以下）。

信頼関係（委託信任関係）を裏切って所有権を侵害する行為が行われているが，それでも，窃盗罪に比べると刑がずっと軽い（窃盗罪の法定刑の上限は10年の拘禁刑であるが，横領罪については5年の拘禁刑である)。刑法は，それだけ占有侵害の要素を重視しているということができよう。

窃盗罪・強盗罪・詐欺罪・恐喝罪は，すべて奪取罪（移転罪）であり，占有の侵害を要素としている点で共通している[29]。ただ，それらは相互に**占有奪取の手段・態様により区別**される。占有を単純に奪うのが窃盗罪であり，暴行または脅迫を用いて無理やり奪い取るのが強盗罪であり，騙し取るのが詐欺罪であり，暴行または脅迫を用いて脅し取るのが恐喝罪である。単純盗取か，強取か，騙取か，喝取かという点で，これらの犯罪は区別される。これらの奪取罪をグループ分けすれば，窃盗罪・強盗罪は，物の占有者の意思に反して占有を奪うものであり，詐欺罪・恐喝罪は，物の占有者の意思に基づいて（ただし，騙されたり脅されたりした上での瑕疵ある意思に基づいて）占有を移転させるものである。そこで，**盗取罪**（窃盗罪と強盗罪）と**交付罪**（詐欺罪と恐喝罪）とに区別されることになる。

財産犯の体系　まず，財産犯は，その**客体の区別**にしたがい，大きく財物罪と利得罪とに分類される（→227 頁以下)。ただし，背任罪（247 条）は，そのいずれかに分類することが困難である。そこでは，規定の上で，行為客体が明示されておらず，財物と財産上の利益のいずれを侵害する場合も含んでいる。

財産犯は，**行為態様**の面からは，まず領得罪と毀棄罪（隠匿罪）とに区別される。このうちの領得罪は，占有の移転（物に対する事実上の支配ないし管理の取得）をともなう奪取罪（移転罪）と，占有侵害を内容としない非奪取罪（横領罪）とに区別される。奪取罪（移転罪）は，さらに盗取罪（窃盗罪・強盗罪等）と交付罪（詐欺罪・恐喝罪）とに区別される。

また，領得罪については，これを**直接領得罪**と**間接領得罪**とに分けることができる。ここまで出てきた領得罪はすべて直接領得罪であるが，盗品等に関する罪（256 条）は間接領得罪である。この罪が間接領得罪と呼ばれるのは，それが，他人（本犯者）

29）なお，財産犯の客体には財物だけでなく，財産上の利益もある。これについては，占有の侵害ではなく，財産上の利益に対する支配・管理を奪って，支配・管理を移転させることが占有移転に対応する事態ということになる。ただし，二項犯罪の構造について詳しくは，285 頁以下を参照。

が窃盗罪等の領得罪によって物を得てきたことを前提として，その物につき，さらなる領得行為を行う犯罪だからである。典型例は，窃盗犯人が盗んできた高価な貴金属を犯人から買い受ける行為である（盗品の有償譲受け罪。かつては贓物故買罪と呼んでいた）。

さらに，財産犯の全体を**個別財産に対する罪と全体財産に対する罪**とに分類することがある。前者においては，個々の財物または個々の財産権（たとえば，債権）が侵害されただけで犯罪の成立が認められるが，後者においては，被害者の財産状態が（収支をプラスマイナスした結果）全体として悪化しなければ犯罪は成立しない。日本の刑法においては，背任罪のみが全体財産に対する罪で，それ以外はすべて個別財産に対する罪とされている[30]。

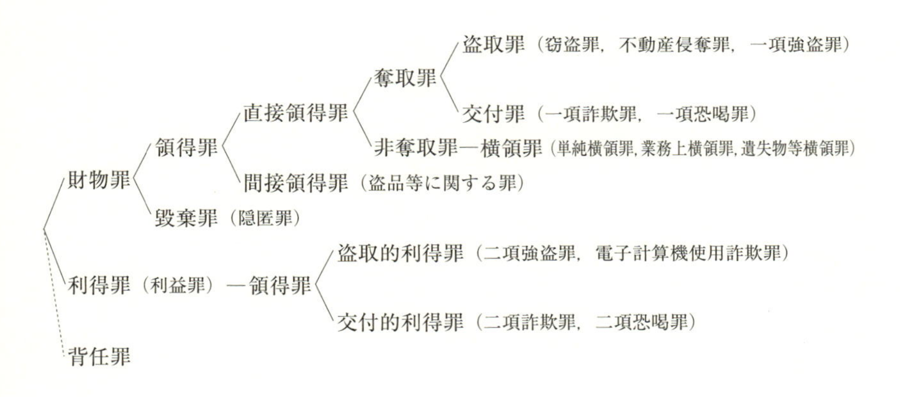

30）　これに対し，ドイツ刑法は，詐欺罪（および恐喝罪）を全体財産に対する罪とし，財産的損害の発生を構成要件要素として要求しており，所有権（および占有）を保護法益とする窃盗罪等とは構造的に異なった犯罪として把握している。日本の刑法が，窃盗罪と詐欺罪とを同一構造の犯罪として規定し，詐欺罪も財物の占有の移転（246条2項については，財産的利益の取得）が生じるだけで既遂になるとしているのと対照的である。たしかに，**窃盗罪と詐欺罪の間にはかなり根本的な相違**があるとも考えられる。つまり，窃盗罪においては，当該の財物の占有を失うこと（意思に反する占有の喪失）が被害の外形的実体をなすのに対し，詐欺罪においては，その意思に基づき財物を交付することが直ちに被害なのではなく，それとともに得られるべき反対給付（その有無および質・量）との関係ではじめて犯罪の成否が決まる。財物の提供の反面において得られるべき反対給付が得られなかったり，または被害者が想定していた質と量をもっていなかったという反対給付の瑕疵が重要な意味をもつ。このような相違は，**詐欺罪における財産的損害**の問題について検討する際に考慮されなければならない（→328頁以下）。

3　財産犯の保護法益

（窃盗）
第 235 条　他人の財物を窃取した者は，窃盗の罪とし，10 年以下の拘禁刑又は 50 万円以下の罰金に処する。
（他人の占有等に係る自己の財物）
第 242 条　自己の財物であっても，他人が占有し，又は公務所の命令により他人が看守するものであるときは，この章〔＝第 36 章「窃盗及び強盗の罪」〕の罪については，他人の財物とみなす。

(1)　議論の意味

財産犯の保護法益は何かといえば，それは財産にほかならない。たしかに，たとえば強盗罪（236 条）などは財産を侵害するだけではない。それは，**暴行または脅迫**という，それ自体が犯罪となる行為を手段として用い，被害者が反抗できないようにして無理やり財物を奪う（または財産上の利益を得る）犯罪であり[31]，それだけ重い法定刑が規定されている。つまり，そこでは被害者の身体や自由も保護法益に含まれるのである。ただ，強盗罪は，財産犯であるとともに，**人身犯罪としての側面**を強くもつ犯罪であり，身体や自由の保護はむしろ人身犯罪としての側面に対応する部分である[32]。したがって，財産犯の保護法益は財産であるという答えは間違いではない。

「財産犯の保護法益[33]」ということで特に議論があるのは，財物罪のうちで占有移転をともなう**奪取罪（移転罪）**についてである。そこでは，**242 条の「みなし規定」**の解釈と，242 条とこの規定が適用される 235 条等の規定との相互関係が問われる。242 条は，そこにいう「この章の罪」である窃盗罪・不動産侵奪

31）　強盗罪は，それ自体として犯罪となる暴行または脅迫という手段を用いて，それ自体が窃盗罪として犯罪となる財物の占有奪取を行うところの犯罪であることから，**結合犯**のグループに含められる（その典型例といえる）。暴行罪 or 脅迫罪＋窃盗罪＝強盗罪というイメージで考えることができる。

32）　強盗罪は，警察統計（→215 頁注 *51*））においては，殺人・放火・不同意性交等と並んで**凶悪犯**（→272 頁注 *2*））として分類されている。その認知件数の多さは，一国の治安の悪さの程度を示すバロメーターとなっている。

33）　研究書として，木村光江『財産犯論の研究』（1988 年），林幹人『財産犯の保護法益』（1984 年）がある。

罪・強盗罪に**適用**され，さらに詐欺罪・恐喝罪にも**準用**される（251条）。これらの，占有侵害を犯罪の要素（構成要件要素）に含む犯罪において，**保護法益は所有権なのか，それとも占有なのか**，そして，占有も保護されるとして，**どの範囲の占有まで保護されるのか**が議論の焦点となっている（これに対し，占有侵害を要素としない横領罪〔252条以下〕の保護法益が所有権であることについては異論の余地がない〔→353頁〕）。

(2) 235条における所有権の保護と占有の保護

窃盗罪を規定する235条にいう「**他人の財物**」とは「他人の所有物」のことであり[34]，窃盗罪は（242条のみなし規定が適用される場合は例外として）所有権侵害がなければ成立しない。その意味では，**窃盗罪の第一次的法益は所有権**にほかならない[35]。個人の財産のうちで所有権は根本的に重要なものであるから，それが刑法による保護対象の中核をなすべきものであることは当然である。ただ，奪取罪（移転罪）であり，占有侵害をも構成要件要素とする窃盗罪は，所有権に加えて，**同時に占有をも保護**しており，その限りで占有も235条の保護法益に含まれる。そして，保護法益の中に占有も含まれることにおいて，窃盗罪は，非奪取罪（非移転罪）である横領罪と区別される。

ここでは，次の3つの設例を用いて，**窃盗罪における2つの保護法益の関係**について説明することとしたい（甲・乙・丙には，不法領得の意思〔→247頁以下〕があるものとする）。

〈ケース❶〉 甲は，Aが所有し，かつA自身が占有する高級な腕時計をAから盗んだ。

〈ケース❷〉 Bは，その所有する高級な腕時計をCに賃貸していたところ，乙は，Cの占有するBの腕時計をCから盗んだ。

34） 山口・184頁。

35） ただ，窃盗にあたる行為が所有権を侵害するといっても，窃取という事実行為により，法的な権利としての所有権そのものが否定されるものではなく，所有権の機能が事実上害されうるにとどまる。したがって，その意味では，窃盗罪等の奪取罪は**所有権に対する危険犯**であるといえよう（斎藤・99頁。なお，団藤・544頁以下も参照）。ちなみに，利得罪において，財産上の利益を得たというとき，それが民法上有効である必要はない。たとえば，債権の取得といっても，取得した債権が民法上有効である必要はなく，債務の履行を免れるといっても，民法上有効に債権が消滅する必要はない。たとえば，被害者を脅し畏怖させて契約書にサインさせたというとき，民法上，契約が無効であったり取消し可能であったりしても，行為者は，事実上，財産的利益を得たといえる。

〈ケース❸〉 甲は，Aが所有し，かつA自身が占有する高級な腕時計をAから盗んだ。その後，さらに丙が，甲が占有していたAの腕時計を甲から盗んだ。

まず，**〈ケース❶〉**について見ると，甲の行為は，目的において所有者Aのもつ所有権の侵害に向けられ，手段・方法としてAの占有を侵害する行為である。いいかえれば，甲が客観的に行っている行為は，Aから財物の占有を奪い，自己の占有下に置く**占有**侵害行為である。これに対し，**所有権**侵害の要素は，行為者がその物を自分の物として利用・処分すること（たとえば，すぐに時計を売却して利益を得ること）を意図しているため，所有権が害される危険があるところに求められる。すなわち，**窃盗罪の構成要件は，財物の窃取（奪取）という占有侵害の要素と，不法領得の意思**（→247頁）**という所有権侵害の要素**（厳密には，所有権侵害の危険を基礎づける要素）とから成り立っている。

〈ケース❷〉を見れば，乙の行為は，腕時計についての，①所有権と，②賃借権と，③賃借権に基づく占有の3つを侵害する（ないしは危険にする）行為である[36]。ただし，このうちの賃借権は，所有権から導かれるその機能の一部を権利として構成したものと考えれば，**〈ケース❷〉**における賃借権は，独立に保護されるのではなく，所有権保護に含まれる形で保護されると考えれば足りる。したがって，このケースとの関係でも，窃盗罪の保護法益は**所有権と占有の2つ**であるといえば，それで何ら問題はない[37]。

このように，235条が，所有権という**主たる法益**と，占有という**従たる法益**の2つを保護していると考えるとき，問題となるのは，**〈ケース❸〉**である。ここにおける丙の行為が（**〈ケース❶〉**および**〈ケース❷〉**とまったく同様に）Aの所有権を侵害する（おそれをもつ）ものであることには疑いがない。疑問となるのは，甲が窃盗犯人であることから，刑法上保護に値する占有侵害が認められるかどうかである。しかし，甲の占有も，それ自体として法的保護を否定される理由はなかろう。甲は，その腕時計の所有者Aとの関係では民法上対抗でき

36）この点につき，西田・170頁を参照。

37）賃借権のような権利を，占有の裏付けとなる（＝占有を正当化する）民法上の権利ということで，**本権**と呼ぶ。そこで，窃盗罪の保護法益は「所有権およびそれ以外の本権と占有」であるといわれることもある。しかし，本文のように考えれば，端的に，所有権および占有が保護法益であるといえば足りることになろう。

ない（自分に占有を継続する権利があるとは主張できない）としても，それ以外の者との関係では（したがって，丙との関係でも）その占有の保護を（民法的にも刑法的にも，また全法秩序の観点からも）否定される理由はないからである（丙は，甲に対し民法上の権利を主張できるわけではなく，民事的手段により占有移転を要求できるわけでもない）[38]。**〈ケース❸〉**における丙は，法的に保護された占有状態の下にある他人の所有物を侵害したものであり，窃盗罪の成立が認められなければならない。判例も，盗品を所持する者からその物を奪うケースについて財物奪取罪の成立を肯定している[39]。

なお，この関連で，**禁制品（法禁物）**を他人から奪ったというケースも問題となるが，禁制品についても，およそ所有権が成立しないというのではなく，場合によりその行使が制限されているというのにすぎない（→231頁）。また，禁制品の占有がおよそ法的保護に値しないというのでもない。そこにおいては，**所有権侵害と占有侵害のいずれも肯定**されうる[40]。

(3) 242条による占有の保護

(a) 例外規定としての242条　以上のことを前提として，例外規定の242条を見ることにしよう。同条は，「他人の占有等に係る自己の財物」についての特則である。これは，**所有者自身による自己の財物の取戻し行為について適用される例外的な規定**にほかならない。この規定も**「みなし規定」**であるが，それは，本来は相互に異なる事柄（AとB）について，同一の法的効果を生じさせるため，（AとBとを）同一のものとして扱うという擬制を認める規定のことをいう（→229頁）。242条の規定により，もともと行為者自身の所有物である

38）林・158頁を参照。山口・192頁は，「窃盗犯人も，権利者からの要求に応じて盗品を返還する義務はあり，それを履行する必要上，その占有は無関係な第三者との間においては，なお保護されるべきである」とする。

39）最判昭和24・2・8刑集3巻2号83頁（恐喝罪），東京高判昭和29・5・24判タ40号30頁（窃盗罪）。

40）ただし，判例は，隠匿物資や連合国占領軍物資を客体とするケースについて，242条について主張される占有説の論理を用いて，財物奪取罪（詐欺罪および恐喝罪）の成立を肯定している。最判昭和24・2・15刑集3巻2号175頁，最判昭和25・4・11刑集4巻4号528頁などを参照。他方，松原・195頁は，本権説の立場から禁制品については奪取罪の成立は否定すべきだとする。

物が，235条の適用上は，「他人の財物」として扱われることになる。

本条により，自己の所有物であっても「他人の財物」と見なされるのは，①「他人が占有」するものであるとき（242条前段）と，②「公務所の命令により他人が看守するもの」であるとき（242条後段）である。前者①における「占有」の意義をめぐっては，本権説と占有説の対立がある。後者②の**公務所の命令により他人が看守するもの**とは，公務所の処分により所有者の事実上の支配力を排除し，これにより公務所の支配内に移した物を，第三者が公務所の命令を受けて自己の事実上の支配内に置いたもののことをいう[41]。たとえば，執行官が強制執行や仮処分の対象とした上で第三者に保管させている物や，刑事手続で司法警察員が差し押さえた上で第三者に保管させている物などがこれにあたる。それでは，司法警察員が差し押さえ，現在は警察署にある自己所有物はどうであろうか。それは242条前段の「他人が占有」するものにあたる（当該占有が私法上の権原に基づくものか，公法上の権原に基づくものかは重要でない）とする解釈もありえよう[42]。これに対し，242条前段は私法上の権原に基づく占有の場合であり，後段は公法上の権原に基づく占有の場合を予定していると理解するときには，そのようなケースでも後段にあたるとすることも可能である[43]。

(b)　本権説と占有説　　財産犯（財物奪取罪）の保護法益をめぐり，**本権説と占有説（所持説）との間の対立**があり，判例は占有説の立場をとっているといわれる。この論争を理解する鍵は，それが**もっぱら242条（という特殊な場面に関わる規定）の「他人が占有するもの」という文言の解釈についてのもの**であることをおさえることである。いいかえれば，242条に関する占有説を，235条の解釈にまで及ぼして，「窃盗罪はもっぱら占有を保護するものであり，所有権を保護法益とはしない犯罪である」などと理解することは，規定の文言上も・理論上も・法政策的にも不可能であることを認識することなのである[44]。その意

41）　大判大正6・2・26刑録23輯126頁。

42）　注釈（6）142頁〔団藤重光〕を参照。

43）　ポケ註553頁〔伊達秋雄〕は，242条後段の場合の被害法益は公務所の公法上の権原に基づく占有権（公法上の財産権）であるとし，242条後段には公務所自身が看守する場合も含まれるとする。同旨，大コンメ12巻431頁〔日野正晴〕。

44）　しかし，以前は，235条の「他人の財物」とは「他人の占有する財物」を意味するという解釈もあった。木村・105頁以下，西原・217頁など。

味で，まさしく「占有説と本権説は，どちらも所有権と占有の双方を保護法益とする見解であり，両者は，どの範囲の占有を保護すべきかについて対立している」[45]にすぎない。

235条と242条の関係　学説においては，242条に関する占有説の立場を，235条の解釈にまで及ぼして，「窃盗罪はもっぱら占有を保護するものであり，所有権を保護しない犯罪である」と理解するかに見える見解がこれまで有力に主張されてきた。これによると，242条は処罰を拡張する例外的な規定ではなく，「注意規定」にすぎず，235条の「他人の財物」とは「他人の占有する財物」を意味するということになる。

しかしながら，それは**占有説の極端なまでの誇張**といわなければならない。文言上，235条の「他人の財物」を「他人の所有物」以外のものと理解することは困難であり，罪刑法定主義の原則の支配する刑法において，このような形で，みなし規定を注意規定（または定義ないし例示のための規定）として読むことは解釈の枠を逸脱するものである。また，実質的にも，個人の財産のうちで所有権のもつ根本的な重要性に鑑みれば，それは刑法による保護対象の中核をなすべきものであろう。窃盗罪・強盗罪・詐欺罪・恐喝罪は占有のみを保護していて，所有権を保護していない（が，横領罪は所有権を保護している）などという解釈は不自然なものといわざるをえない。235条等は所有権保護のための原則的規定であり，窃盗罪等は所有権侵害がなければ（原則として）成立しないと解することが妥当である。そして，このような解釈は，**判例**のそれとも一致する。最高裁判所も，242条は窃盗罪等の「**処罰の範囲を拡張する例外規定**」であるとしている[46]。

242条は，所有権者による自己の財物の取戻し行為についてもこれを窃盗罪等として処罰することを認める。したがって，235条そのものは，所有権の侵

45）　佐伯・法教364号105頁。新注釈（4）〔佐伯〕13頁も参照。

46）　最決昭和52・3・25刑集31巻2号96頁。なお，窃盗罪における所有権保護の原則の確認は，**親族相盗例**（244条）において，犯人と誰との間に当該の親族関係が存在することを要求するかの問題とも関連する（→268頁以下）。最決平成6・7・19刑集48巻5号190頁は，犯人と，占有者および所有者の双方との関係で親族関係が必要だとするが，これは，所有者が（も）窃盗罪の被害者（保護法益を侵害された者）であるという解釈を前提とするものにほかならない。本最高裁決定に関する調査官解説である今崎幸彦・最判解刑事篇平成6年度70頁以下も，235条は所有権その他の本権および占有を保護し，242条はこれと異なり，単なる事実上の占有をも保護するものという理解を示している。

害がない限り適用されない規定であるのに対し，242条は，占有侵害だけしか認められないケースでも窃盗罪等の成立を肯定するものであり，例外的な**占有保護の規定**である。そして，この242条の特則による占有保護の範囲をめぐり，大きく2つの立場が対立している。すなわち，本権による裏付けのある占有（賃借権等の，占有を正当化できる民法上の権利〔本権〕により裏付けられた占有）に限ってこれを保護すべきだとする**本権説**と，そのような限定を付さずに，事実上の支配状態のすべてについてこれを保護しようとする**占有説**である。242条は，所有権者自身が「自己の物」を現在の占有者から取り戻そうとする，きわめて特殊な局面に関わる例外的な規定である。ここでは，所有権保護は問題にならず，占有の保護のみが問題となり，無限定に占有を保護してよいのかどうかが（民事法的保護との関わりで）テーマとされることになる。

(c)　本権説の問題点　　本権説[47]によれば，242条の特則の適用が可能かどうかは，**先行問題としての民法上の権利関係の評価**に依存・従属することになる（そこで，本権説は「民法従属説」とも呼ばれる[48]）。たとえば，物の所有者甲が，その物をAに賃貸していたところ，賃貸借期間終了後も，Aが返そうとしないので，これを取り戻したというケースで，もし賃貸借の期間が終了しており，Aには甲との関係でその物の占有の正当性を主張できる民法上の権利がないとすれば，その占有は242条により保護されるべき占有にはあたらず，その限りで，甲に窃盗罪が成立することはないということになる[49]。

しかし，この結論に対しては，疑問がある。法治国家においては，自ら実力を行使して権利の実現をはかる自力救済（自救行為）は原則として禁止される（そのかわりに，国の機関に対し法的救済を求めることができるものとされている）。たとえ正当な権利の保護・実現のためのものとしても，私人による実力の行使を許容せず，権利保護の貫徹を一般的に（強制力を集中的に掌握した）国家機関の

47）　現在，本権説の基本に忠実な立場をとると見られるのは，浅田・186頁以下，林・159頁以下，同・前掲注*33*）177頁以下，松原・191頁以下。

48）　曽根・110頁。

49）　本権説および本権説を基本とする修正説（→246頁注*57*））は，この場合の甲の行為について**窃盗罪の成立を否定**する。たとえば，曽根・113頁，西田・168頁以下，林・前掲注*33*）236頁以下，松原・194頁以下など。

役割とする方が，財産の保護のためにも結局はより妥当だと考えられるからである。甲の取戻し行為が刑法上許容されるとすれば，誰もが直ちに実力行使に出て，時間とコストのかかる民事上の権利実現の手続を利用しなくなる，ということにもなりかねない。本権説は，「自力救済放任論[50]」である点に大きな問題をもつ。また，ここにおいて重要なのは，民法上の法律関係が（事実上・法律上）明確なものではなく，**占有に民法上の権利（本権）による裏付けがあるかどうかが民事裁判を経ないと確定しがたいようなケース**においては，自分こそが所有権者だと確信する者にも，法的手続をとることを強制すべきだとする法政策的考慮なのである[51]。ここから，刑法の財産犯規定は，所有権保護を基本としつつも，242条においては，**必ずしも本権により裏付けられない占有にも保護範囲を拡張**していると理解するのが占有説である[52]。

(d) 判　例　　**現在の判例**は，このような考え方に立っているといえよう。それは，たとえ自己の財物の取戻しであっても，**事実上の占有の侵害がある限り，原則として窃盗罪の構成要件該当性を肯定**する**占有説**の理論構成を採用している[53]。法律関係に関する民法的な評価を先行させることなく（そこで，「民法独立説」とも呼ばれる[54]），自己の所有物であっても相手の事実上の支配内にあるも

50） 山口・193頁。

51） この点につき，島田聡一郎・法教289号（2004年）102頁以下を参照。

52） 自力救済が禁止された法の下では，占有者側には**「民事手続等の法的手続を経て権利関係を確認した上でなければその物を奪われない」という正当な法的利益**があると考えられる。それは，民法の保護する財産権とは次元を異にするが，民事法と無関係な利益ではなく，現行法秩序の下における「民事法上の利益」にほかならない。

53） 特に，最決平成元・7・7刑集43巻7号607頁が重要である。その事案は，被告人甲が，買戻し約款付き自動車売買契約により自動車金融をしており，甲が譲渡担保により所有権を取得し借主Aが買戻し権を喪失した後に（ただし，事案における民法上の法律関係の評価については争いがある），Aの事実上の支配内にある自動車をその承諾なしに引き揚げたというものであった。最高裁は，事案の民法的な評価に立ち入ることなく，「被告人が自動車を引き揚げた時点においては，自動車は借主の事実上の支配内にあったことが明らかであるから，かりに被告人にその所有権があったとしても，被告人の引揚行為は，刑法242条にいう他人の占有に属する物を窃取したものとして窃盗罪を構成するというべきであり，かつ，その行為は，社会通念上借主に受忍を求める限度を超えた違法なものというほかはない」とした。そのほかにも，最判昭和34・8・28刑集13巻10号2906頁（詐欺罪に関するもの），最判昭和35・4・26刑集14巻6号748頁（窃盗罪に関するもの）などがある。

54） 曽根・111頁。

のを奪うことは窃盗罪の構成要件にあたるとするのである。なお，判例の理論構成によれば，当該事例の具体的な利益状況に鑑みて，所有者の側に実力行使をもってしても権利実現を許してよい利益が認められるという状況があるのであれば（たとえば，所有者がその所有物を窃盗犯人に奪われ，その直後に，犯人から奪い返すような事例がその典型例であろう），原則的に窃盗罪の構成要件該当性を肯定した上で，**例外的な違法性阻却の判断**により，結論的には行為の違法性を否定する余地が認められる。所有者側の利益は，ただ違法性阻却の判断の枠内でのみ考慮されることになる。[55)]

修正占有説と修正本権説　学説の中には，本権説と占有説の間の中間説として，「一応理由のある占有」ないし「平穏な占有」を保護法益とする見解（**修正占有説**）がある。[56)] これは，実際上，所有者がその所有物を窃盗犯人に奪われ，その直後に，犯人から奪い返すような事例における窃盗犯人の占有のみを（しかも，所有者との関係でだけ）保護範囲から除こうとするものであるといえよう。ただ，判例の占有説の立場からもこのような「微修正」であれば，これを採用する余地はあり，それは判例に対立する見解とは必ずしもいえないであろう（判例との間に違いがあるとすれば，この見解が，242 条により保護される「占有」自体をその限りで制限するのに対し，判例は，構成要件該当性を肯定した上で，違法性阻却の問題として解決しようとするところにあるといえよう）。他方で，修正占有説よりもさらに本権説寄りの修正説（**修正本権説**）がある。[57)] これは，すでに構成要件該当性の判断の段階において保護されるべき占有の範囲を限定しようとする学説である。しかし，事実上の占有のうち，違法性阻却の判断における具体的な利益衡量に先立って，いわば絶対的な形で保護される占有がどのようなものであるかを類型的に示すことができなくてはならないにもかかわらず，双方の利益の衡量を超越して絶対的な保護に値する利益を（ある程度明確に）示すことには成功していないように思われる。

55）判例の立場を支持するのは，伊東・149 頁以下，大谷・202 頁以下，前田・157 頁以下など。

56）大塚・181 頁以下，佐久間・178 頁以下，西原・210 頁以下，日髙・210 頁以下，平野・概説 206 頁，福田・218 頁以下，堀内・117 頁以下，山口・186 頁以下など。

57）たとえば，斎藤・99 頁以下，佐伯・法教 364 号 102 頁以下，新注釈（4）〔佐伯〕12 頁，曽根・110 頁以下，高橋・232 頁以下，団藤・560 頁以下，西田・167 頁以下，松宮・197 頁以下，山中・260 頁以下など。

また，判例の理論構成には別のメリットがある。所有者が財物を取り戻した場合に財物奪取罪が成立するかという問題と，債権を有する者が法的手続によらずに不法な手段を用いて債務者にその履行を強制する場合について財物奪取罪の成立が認められるかどうかの問題（とりわけ，権利行使と恐喝罪の成否の問題）とを，共通の判断枠組みにしたがって統一的な観点の下で検討した上で，財産犯の成否を判定できることである（→350 頁以下）。

どのような要件の下に，当該の占有侵害行為が**自救行為として違法性阻却**されるかが問題となる。もともと**財産的権利**については，自救行為による違法性阻却はかなり限定されたものである。被害としては（人身に対する被害と比べて）決して重大なものではないし，事後的な救済によりほぼ被害が回復されると考えられ，また，すでに事態がそれとして安定し，急激な悪化が予想されないといった事情がある限り，むしろ正規の法的手続により救済されるべきことになるからである。違法性が阻却されうるのは，具体的事情の下で，正規の法的救済による権利の実現が不可能であるか，または困難な状況に限られる。たとえば，権利者が侵害者の名前や住所を知らず，その場から立ち去ることを認めれば，事実上，財物の占有の回復が不可能となるケースがそれである。具体的な事情の下で，**正規の法的救済による権利の実現がどれほど困難な状況にあったのか**ということが本質的に重要と考えられる。

4　不法領得の意思

刑法は，毀棄行為よりも，他人のものを自分のものにしてしまうことに向けられた領得目的の行為の方を重視して，財産犯処罰の中心に領得罪の処罰を置いている（→226 頁）。領得罪には，占有移転をともなう奪取罪（移転罪）と，占有移転をともなわない横領罪とがあるが，奪取罪（窃盗罪・強盗罪・詐欺罪・恐喝罪）については，**不法領得の意思**をもって占有を移転することにより（かりに領得意思を実現しなくても）これを既遂としている。これに対し，横領罪は，不法領得の意思が実現されてはじめて（たとえば，他人の物の第三者への売却行為が行われてはじめて）既遂となる。その意味では，窃盗罪等の奪取罪は，**領得の未遂**を処罰する犯罪類型であり，横領罪は，**領得の既遂**を処罰する犯罪類型であるといえよう[58]。このようにして，領得罪の構成要件要素のうち，不法領得の意思という主観的要素は，所有権保護という刑法の目的に照らして要求される最も本質的な要素である。不法領得の意思を欠く行為は，たとえそれが客観的には占有侵害をともなう行為であるとしても，本質的な処罰理由を欠く行為であり，領得罪を構成しない。

不法領得の意思（不法領得の目的）とは，「**権利者を排除し，他人の物を自己の所有物と同様に利用しまたは処分する意思**（**目的**）」のことをいうとされている[59]。それは，**権利者排除意思**と**利用処分意思**という2つの要素から構成される[60]。実は，不法領得の意思は，条文に明記された要件ではない[61]。それは，所有権保護という刑法の目的に照らして，解釈上要求される主観的要素なのである[62]。

このように，不法領得の意思が，その占有移転行為が利欲目的による所有権侵害の危険をもつことを示す主観的違法要素であるとすれば，所有権侵害の要素を含まない，所有者による自己所有物の取戻しの場合（242条〔→241頁以下〕）については，**不法領得の意思は不要**ということになる（かりに所有者自身により一

---

58) 未遂犯の場合の犯罪実現意思（故意）が主観的違法要素とされるように，不法領得の意思もこれを**主観的違法要素**と捉えるのが多数の見解である。中森・115頁を参照。ただし，結果無価値論に立脚して主観的超過要素のみが違法要素たりうるとする基本的見解をとるときは（→総論115頁以下），不法領得の意思の2要素のうち，権利者排除意思のみが違法要素であり，利用処分意思は責任要素にすぎないとすることになる。佐伯・法教366号74頁以下，西田・170頁以下，林・190頁以下，堀内・119頁以下，山口・197頁以下など。大谷・207頁もこれを支持する。

59) なお，不法領得の意思は，ふつう財物罪を念頭に置いて定義されるが，領得罪である限り，利得罪についても，不法領得の意思が要求されるのは当然である。ただし，その内容は，財産上の利益を受ける目的であり，実際上は，そのかなりの部分において利得罪の故意と重なることになろう。

60) 横領罪の実行行為とは，自己の占有する物について不法領得の意思を実現する一切の行為をいうが，そこで問題となる「不法領得の意思」は，窃盗罪等の場合におけるそれとは内容が少し異なることに注意しなければならない（→367頁）。

61) 不法領得の意思を，規定上はっきりと要件としているドイツ刑法とは異なり（→254頁注3)），日本の刑法の下では，それは記述されない構成要件要素（書かれざる構成要件要素）である（→総論94頁）。

62) 不法領得の意思を不要とする見解（不要説）をとるのは，大塚・196頁以下，川端・281頁以下，日高・238頁以下など。また，利用処分意思のみを不法領得の意思の内容とする見解として，伊東・142頁以下，高橋・237頁以下など。

時使用行為が行われたとしても，違法性が阻却されることが多いであろう）。

自己領得と第三者領得　不法領得の意思の中には，自ら領得する意思だけでなく，**第三者に領得させる意思**も含まれる。刑法の二項犯罪は，第三者領得を含む形で規定されている（236条2項・246条2項・249条2項の文言〔「他人にこれを得させた」〕を参照）。しかし，この第三者の範囲を無限定なものと理解するときは，それは実質上，毀棄行為を処罰することに等しい結論となろう。自己と何らかの関係があり，その人に領得させることが本人にとっても利益になるような場合に限られなければならないことになる（→325頁以下）。ただし，多額の現金を窃取した上，それを震災の被害者に対する義援金として配布して回るつもりであったというケースでは，自ら贈与行為という財産処分行為を行う目的が認められることから，自己領得意思が認められるというべきである。

かりに客観的な占有侵害行為が行われたとしても（そして，それを認識して行為しており故意も認められるとしても），不法領得の意思が欠ければ，窃盗罪の構成要件には該当しないことになる。その1つの場合が，**他人の財物を一時的に使用**するだけの目的で持ち出す**使用窃盗**の場合である。その場合には，不法領得の意思のうちの「権利者排除意思」を欠くため，窃盗罪の構成要件該当性が否定される。使用窃盗は犯罪にならないといわれるのはその趣旨である。たとえば，次のようなケースについて考えてみよう。

〈ケース❹〉　甲は，公園脇に停められていたAの自転車に鍵がかけられていなかったので，これに乗り，100ｍ先にあるコンビニまで買物に行こうとしたが，少し走ったところで，不審に思った警察官に呼び止められた。甲は，買い物の後，自転車をすぐに元の場所に戻しておくつもりであった。

〈ケース❹〉の甲の行為については，とうに実行の着手の段階を過ぎており，はたして財物の占有移転行為がすでに既遂の程度に達しているかどうかが問題となる。窃盗罪の既遂時期は，「財物の占有を取得したとき」とされるので（→263頁），事案のような状況下で，客体たる自転車に乗り始めて少し走れば，事実的支配の移転を完了したと評価できるであろう。しかし，たとえ客観的行為がそれ自体としては既遂段階にまで達しているとしても（したがって，故意の成立も認められるとしても），甲はごく短時間使用し，使用後には返還する意思があった。そこで，このような事例では，不法領得の意思のうちの**権利者排除**

意思が否定される。甲の行為は使用窃盗行為であり，窃盗罪の構成要件該当性が認められない。なお，客観的には同一の行為であったとしても，甲が自転車をそのまま自分の物にする目的であったのであれば，権利者排除意思が認められ，窃盗罪の既遂犯の成立が肯定されるのである。

判例における権利者排除意思　判例および最近の学説は，権利者排除意思をかなり緩やかに（とりわけ，かりに**返還意思**があってもそれでも）肯定する。たとえば，自動車など経済的価値の高い物については，たとえ返還の意思があっても，かなりの時間乗り回すときには，不法領得の意思が認められる[63]。また，情報を記載した重要ファイルを無断でコピーするために持ち出すようなケースでは，それが短時間であり，コピー後直ちに返還する意思があっても，そのことにより，客体の権利者による独占的・排他的利用が阻害され，その財物としての価値は大きく減損することから，不法領得の意思が肯定される[64]。

客観的な占有侵害行為が存在しても，不法領得の意思が欠けるという理由で窃盗罪の構成要件に該当しないもう１つの場合が，**他人の財物を毀棄目的で持ち出す場合**である（毀棄目的で騙し取る場合に詐欺罪が成立するかどうかも問題となる〔→338 頁〕）。たとえば，行為者が，A の所有する高価な陶磁器を破壊する目的で，これを A 家から外に持ち出してきたというようなケースでは，不法領得の意思のうちの「利用処分意思」を欠くため，窃盗罪の成立は否定される。ここにおいて，不法領得の意思は，窃盗罪という領得罪と，器物損壊罪という毀棄罪の**それぞれの成立範囲の間の境界を示す機能**をもつことになる[65]。たとえば，

63）　最決昭和 55・10・30 刑集 34 巻 5 号 357 頁。

64）　東京地判昭和 59・6・28 刑月 16 巻 5＝6 号 476 頁（新薬産業スパイ事件）。なお，東京地判昭和 55・2・14 刑月 12 巻 1＝2 号 47 頁（建設調査会事件）も参照。

65）　これに対しては，有力な反対説もある。団藤・562 頁以下は，不法領得の意思を「その財物につきみずから所有者としてふるまう意思」として理解し，毀棄目的で財物の占有を奪う場合でも，不法領得の意思が認められることから，窃盗罪になるとする。通説によれば，この場合には利用処分意思が肯定できないことから，器物損壊罪等の毀棄罪が成立するにすぎない。ただし，裁判例の中には，毀棄目的の場合には不法領得の意思を否定しつつも，「所有者としてふるまう意思」をその存否の判断の基準として重視するものが相当数存在する。利用処分意思に関する判例と学説の状況について詳しくは，冨川雅満・刑ジャ 76 号（2023 年）4 頁以下。

高裁判例の中には，被告人が，仕返しのため，海中に投棄する目的で，A宅から動力のこぎり1台を持ち出し，これを数百m離れた海中に投棄したというケースについて，不法領得の意思を欠くとして（器物損壊罪にはなるとしても）窃盗罪にはならないとしたものがある[66]。

「利用処分意思」の内容　利用処分意思の内容が，**経済的用法にしたがって利用・処分**しようとする場合のみに限定されるべきかどうかが問題となる。このような限定を付すことにより，毀棄目的の場合とはより明確に区別することができるが，そのような限定を付すと，不当な結論が生じるおそれがある。漬物石として使うためドイツ製の高価な置物を盗む場合，殺人に用いる目的でパン切りナイフを盗む場合，下着ドロボウの場合なども窃盗とすべきであろう。そもそも，経済的価値をもたない物であっても，財物罪による保護の対象となる（→229頁）。そうであるとすると，利用処分意思は経済的用法にしたがって利用・処分しようとする意思のみに限定されることなく，**およそ財物から何らかの効用を引き出そうとする目的**であれば足りると解すべきことになる。不法領得の意思とは，最小限度，財物から生じる何らかの効用を享受する意思であれば足りるとした裁判例がある[67]。

利用処分意思は，次のような事例でそれぞれ問題となる。まず，①被害者（所有者）がその財物を使用できないように自己の支配下に置いて隠匿しつつ，その後の目的物の売却の可能性を排除していない（まだどうするか決めていない）場合である。この場合には，その物について処分を含む利用が可能な立場を得たことを理由に利用処分意思を肯定することはできるように思われる。また，②最初から警察につかまる目的で他人の財物を持ち出し，そのまま交番に出頭し盗んだと述べてそれを証拠品として提出したという場合である。自己の所有物として利用する場合でないから，利用処分意思を認めるのは無理であろう[68]。

66）仙台高判昭和46・6・21高刑集24巻2号418頁。

67）東京地判昭和62・10・6判時1259号137頁。さらに進んで，広島高松江支判平成21・4・17高刑速平成21年205頁は，利用処分意思とは，「単純な毀棄又は隠匿の意思をもってする場合を排除するという消極的な意義を有するに過ぎないと解されるのであり，奪った現金を自首の際にそのまま提出するつもりであったというのは，要するに他人の財物を奪って所有者として振る舞う意思であったことに何ら変わりはなく，単純な毀棄又は隠匿の意思をもってする場合には当たらないから，不法領得の意思を否定することにはならない」とする。

68）広島地判昭和50・6・24刑月7巻6号692頁。これに対し，前掲注*67*）広島高松江支判平

被害者をうらんでこれを殺害した後，物取りの犯行に見せかけるため財布等を持ち去り，その後，現実にそれらを毀棄したという場合でも，利用処分意思を認めることはできない。③他人のスマートフォンを持ち去り，それを操作して，当日に被害者がそのスマートフォンで撮影した自分の写真データや自分が写っている過去の写真データを削除したというケースでは，スマートフォンを操作し，その機能を用いてデータを消去したという理由で利用処分意思を認めることはできないであろう[69]。④ YouTube に動画としてアップロードするため，スーパーマーケットにおいて，商品として陳列されていた魚の切り身１点をレジにおいて精算する前に口腔内に入れて嚥下する行為については，利用処分意思を肯定することが可能である。飲食物を飲食して消費する行為は，その存在を失わせる行為であるが，（一般的・類型的に）利用処分意思の実現行為である。行為者の主観的意図は関係がない[70]。

成 21・4・17 は，仮に刑務所に入るために強盗を行い，奪った現金を自首の際にそのまま提出するつもりであったとしても「要するに他人の財物を奪って所有者として振る舞う意思であったことに何ら変わりはなく，単純な毀棄又は隠匿の意思をもってする場合には当たらない」として強盗罪の成立を否定しなかった。

69） これに対し，東京高判平成 30・9・28 高刑速平成 30 年 236 頁は，権利者排除意思と利用処分意思をともに肯定した。

70） 名古屋高判令和 3・12・14 高刑速令和 3 年 501 頁は，「被告人が本件切り身を口腔内に入れて嚥下するという行為は，動画視聴者の興味を引くような『絵』そのものであるとともに，このような『絵』を作出するための行動であるから，被告人は，正に，本件切り身という財物自体を用いて，これから生ずる『動画視聴者の興味を引くような面白い「絵」』という効用を享受する意思を有していたというべきである」とするが，かりにもっぱらスーパーへの嫌がらせのために行ったとしても器物損壊罪になるものではない。

■ 第 *10* 章 ■

窃盗罪と不動産侵奪罪

1 窃 盗 罪

（窃盗）

第 235 条　他人の財物を窃取した者は，窃盗の罪とし，10 年以下の拘禁刑又は 50 万円以下の罰金に処する。

(1) 総　説

窃盗罪は，**財物**を客体とする**領得罪**（その代表例）であり，**所有権**を原則的な保護法益とするものであるが，**奪取罪（移転罪）**として**占有の侵害を手段**として実行される[1)]。保護法益は，**所有権と占有の 2 つ**ということができる（→239 頁以下）。235 条の規定を読むと，要件としては「他人の財物を窃取（せっしゅ）」することだけが記述されている[2)]。他人の財物の窃取とは，他人の所有物を，その占有者（事実上の支配者・管理者）の意思に反して，自己（または第三者）の占有に移すことをいう。条文には，**占有侵害という手段**の部分しか書かれておらず，窃盗罪にとり

1)　盗犯等ノ防止及処分ニ関スル法律（盗犯等防止法）（1930〔昭和 5〕年 5 月 22 日法律第 9 号）は，その 1 条において正当防衛の特則を規定するとともに（→総論 323 頁以下），2 条以下で，**常習的な**窃盗・強盗の特別な加重類型を規定している。

2)　なお，同条には，「**窃盗の罪とし**」という文言が入っている。これは，238 条の規定が「窃盗」の語を用いており，窃盗とは何かを示す必要があるところから挿入された文言である。同様の文言は，強盗罪（236 条）のほか，内乱罪（77 条）などにしか見られない。

最も本質的な**所有権の侵害（の危険性）**は，解釈上要求される「不法領得の意思」という主観的要素により確認されることになっている[3]（→247頁以下）。

規定上は，占有侵害しか記述されていないが，刑法がターゲットにしているのは，他人の財物を所有者のようにわがものにしようとする行為である。そこで，もし犯人が財物の占有を侵害するばかりでなく，さらに進んで，領得の意思を実現したり，現実に所有者でなければできない行為に及んだというとき，それは**窃盗罪の処罰規定の枠内でカバーできる行為である**といえよう。本罪に対し上限は10年の拘禁刑に至るまでの重い刑罰が法定されているのは，そのような事態に至りうることも最初から予定し（「織り込み済み」であり），そのような事態もあわせて評価しようとしているからと考えられるのである。

共罰的事後行為　窃盗犯人甲が，盗んできたA所有の高級腕時計をBに売却して現金を得たとか，甲が腕時計をしばらく使っていたが，そのうち気に入らなくなり，これを壊したというとき，そのような行為**（物の所有者であってはじめて行いうる行為）**は，窃盗罪の処罰規定により（その法定刑の範囲内で）評価すべきであって，遺失物等横領罪（254条）や器物損壊罪（261条）により別途処罰されるべきことにはならない（そのようなことをすれば，同一の所有権侵害行為を二重に評価することになってしまう）。このように，先行する犯罪により生じた，継続する違法状態の中で予定され，すでに評価済みと考えられる行為のことを**共罰的事後行為（不可罰的事後行為）**という（→総論112頁，583頁以下）。ただし，甲がその時計をBに売却したという場合，Bに盗品であることを知らせなかったときには，買主たるBの現金に対する**新たな所有権侵害**があったと認められるので，Bとの関係では詐欺罪（246条1項）が成立することになる。

(2)　窃取の意義

窃盗罪は，不法領得の意思（→247頁以下）をもって，他人の財物を窃取することにより成立する[4]。**窃取**とは，財物の占有者（事実上の支配者・管理者）の意

---

3)　ドイツ刑法の窃盗罪の規定（242条1項）は，日本の刑法の235条とは異なり，主観的要件としての不法領得の意思（不法領得の目的）を明記している。すなわち，「不法に自ら領得し又は第三者に領得させる目的（Absicht）で，他人の動産を他人から奪取した者は，5年以下の自由刑または罰金に処する」と定めている。

4)　通常は，占有の取得があり，その後に領得意思が実現されるというように，占有取得と領得

思に反してその物を自己または第三者[5]の占有下（支配下・管理下）に移すことをいう。たとえば，他人の住居に侵入して現金や貴金属等を持ち出すこと（侵入窃盗），駐車場に駐車中の他人の自動車内から現金やクレジットカード等を持ち出すこと（車上狙い），スリや万引きなどが典型例である。**占有移転が意思に反することが本質的**であり，必ずしも「ひそかに」盗る必要はなく，堂々と占有を移転する行為もこれにあたる。事情を知らない人や刑事未成年者等を利用した間接正犯（→総論486頁以下）の形態による窃取[6]も可能である。欺く行為を手段とする場合でも，それが被害者の占有を単に**弛緩**（しかん）させるものにすぎず（→317頁），占有移転が被害者の意思に反するときには，詐欺ではなく，窃盗である[7]。

「人」を騙して財物を交付させることは詐欺罪（246条1項）にあたるが，「機械を騙し」て（たとえば，機械に対し不正な操作を加えて）財物を取り出すこと（一例として，パチンコ台で磁石を使って玉を穴に誘導し，これを取得すること）は，財物の占有者の意思に反して財物の占有を移転させることになるので，詐欺罪ではなく窃盗罪を構成する。ここにおいて本質的なことは**占有移転が被害者の意思に反するかどうか**である。パチスロ機で遊技をする際に，「体感器」と称する電子機器を身体に装着し，それを用いて当たりを連発させてメダルを取得したというとき，パチスロ機を設置している店舗がおよそそのような態様による遊技を許容していないから，遊技をしている間にその者が取得したメダルについ

意思実現の間に時間的経過が存在するが，場合によっては，**領得意思の実現と占有の移転が同時に行われる**こともありうる（たとえば，書店の本棚のところで，本を自分の物とする意思を生じ，その場でマーカーで線を引きながら読み始めたというとき，領得意思の実現と同時に本の占有の移転も行われたと考えることができる）。佐伯仁志・研修645号（2002年）3頁以下を参照。

5）**第三者に占有を移転する場合**に窃盗罪の成立が認められるためには，自己の親族や友人・恋人に財物を取得させるときのように，占有移転が犯人の領得意思の実現に向けられたものといえる関係がなければならない（→249頁）。被害者の財物をまったく無関係の人の占有下に移転させる行為は，むしろ毀棄罪（たとえば，器物損壊罪）を成立させるであろう。

6）被告人が，日頃さからえば暴行を加えて自己の意のままにしたがわせていた12歳の養女に窃盗を命じ，これを行わせたときには窃盗罪の間接正犯が成立する（最決昭和58・9・21刑集37巻7号1070頁）。

7）デパートの洋服売場で，店員に対しスーツを試着したいと申し出て，試着室に向かうふりをしてそのままスーツを持ち逃げすれば，詐欺罪ではなく窃盗罪を構成する（→316頁以下）。

ては，それが「体感器」の操作の結果として取得されたものであるか否かを問わず，被害店舗のメダル管理者の意思に反してその占有を侵害し自己の占有に移したものとして窃盗罪となる[8]。

窃盗罪の実行行為（構成要件該当行為）とは，財物の占有を移転する行為のことである。占有取得後（既遂後）も違法な財産状態が継続するものの，その状態そのものは**犯罪事実ないし構成要件該当事実の一部ではない**。その意味で，窃盗罪は**状態犯の典型**である（→総論 111 頁以下）。したがって，窃盗の既遂後，盗品の運搬や売却の段階で他人がこれに関与しても，その他人の行為が盗品等に関する罪（256 条）を構成しうることは別論として（→389 頁以下），窃盗罪の共犯とはならない（また，既遂後の違法状態の中で行われることがすでに予定されている〔評価済みの〕行為は窃盗犯人自身にとっては共罰的事後行為として別罪を構成しない〔→254 頁〕）。

(3)　占有の概念

窃盗は，他人の占有の侵害を重要な要素とする犯罪である。窃盗罪が成立する前提は，その財物を**行為者以外の他人が占有すること**である。行為者自身に占有が認められれば，それを領得する行為は，占有侵害をともなうものではなく，せいぜい横領罪となるにすぎない（→356 頁以下）。ただし，**共同占有**の場合，共同占有者の１人甲が，他の共同占有者 A の意思に反して財物を自己単独の占有に移す行為は，A の占有侵害をともなうものであるから窃盗罪を構成する。

法人と財産犯　自然人と並んで法人も，所有権等の物権や，金銭債権等の債権の権利主体になりうるのであるから，窃盗罪等の財物罪や二項犯罪（→233 頁）等の財産犯の被害者となりうることも当然である。占有についても同じであるが，現実に財物を管理・保管しているのは自然人であるから，**管理行為を行っている法人の機関たる自然人を特定**する必要がある[9]。そこで，実務における窃盗罪等の犯罪事実の記載にあたっては，たとえば，「A 会社所有の同会社代表取締役 B 管理に係る現金 50 万円」というように表現されることになる[10]。なお，法人が被害者となる場合，**告訴**は，法人

8)　最決平成 19・4・13 刑集 61 巻 3 号 340 頁。なお，最決平成 21・6・29 刑集 63 巻 5 号 461 頁も参照。

9)　東京高判昭和 30・7・14 裁特 2 巻 14 号 729 頁を参照。

10)　末永秀夫ほか『犯罪事実記載の実務 刑法犯〔7 訂版〕』（2018 年）448 頁以下を参照。

の代表権を有する者（たとえば，株式会社の代表取締役）が行う。器物損壊罪につき，被害を受けた自動車を会社のために占有する工場長は被害者ではなく，告訴権を有するのは，会社の代表権を有する者であるとした高裁判例がある。[11]

刑法における占有とは，財物に対する**事実的支配**のことであり，その判断にあたっては，物に対する**占有の意思**（**主観的要素**）と**占有の事実**（**客観的要素**）の両方がその要素となる。一般論としていえば，客観的な支配関係（帰属関係）が明白であれば，支配意思は弱くても占有は肯定されうるし，それが客観的に明白でなくても支配意思が強ければ，占有は肯定されうる。[12] ただし，刑法における占有は，民法のそれと異なり，**より現実的な**支配関係を意味する。したがって，刑法においては，間接占有や代理占有といった観念（民180条以下）は認められない。刑法における占有を**所持**と呼ぶことがあるのは，民法の占有よりもより現実的なものであることを表現しようとするためである。[13] とはいえ，物の「握持」が要求されるわけではなく，物に対する個別的支配意思も必要ではない。本屋の主人が外出中であるときでも，店頭の本を占有しているのは，アルバイトの店員ではなく，店の主人である。

占有機関・占有補助者　店主の指示により商品を管理・監視する店員のように，財物がその者により握持ないし監視されているときでも，それが本人（ここでは，店主）の指示にしたがい，本人の財物支配の手段・方法としてそうしており，あたかもその手足として働いているにすぎないとき，これを**占有機関**ないし**占有補助者**といい，占有者とは認めない。店員が商品を領得したときには，横領罪ではなく窃盗罪が成立する。ホテルの従業員たるクローク係なども，クロークで預かった物の管理に責任をもつ上司たる自然人から独立した占有はもたず，占有機関もしくは占有補助者にすぎない。また，たとえば，旅館やホテルの宿泊客が，浴衣を借りて付近の散歩に出てい

11）　大阪高判昭和29・4・26判特28号120頁。また，大判昭和11・7・2刑集15巻857頁は，被害者が株式会社であるとき，その代表取締役が告訴権を有し，監査役は告訴権をもたないとした。

12）　ゴルフ場において，ゴルファーが誤って人工池に打ち込み放置したいわゆるロストボールについても，**ゴルフ場側に所有および占有が認められ**，窃盗罪の客体になるとした判例として，最決昭和62・4・10刑集41巻3号221頁。

13）　団藤・568頁を参照。

るとき，浴衣の占有は旅館・ホテルの側にあり[14]，宿泊客は占有機関ないし占有補助者にすぎないのが一般であろう。

問題となるのは，封がされた封筒や施錠（せじょう）された物（スーツケース，金庫など）を委託した場合，その物全体および内容物についての占有が所有者（委託者）と受託者のどちらにあるかである。その物全体は受託者の占有下にあるとしても，内容物に対する事実的支配は（たとえば，鍵がなければ中身を支配しているといえないから）**委託者に留保**されている。封をしたり鍵をかけたりすることは，委託者が在中物に対する支配を保持し，受託者の支配を排除する趣旨をもつと考えられる。したがって，受託者が内容物を取り出して領得したときは，窃盗罪の罪責を負うことになる[15]。ただ，物の全体は受託者に預けられているのであるから，**全体を領得すれば横領罪**ということになる[16]。

客体たる物が「占有を離れた」物であるかどうかによって，**窃盗罪と遺失物等横領罪（254条）とが区別**される（以下の点については，374頁以下も参照）。その財物が被害者の管理・支配する場所にあるか，または被害者により利用可能な状態に置かれている以上は，被害者の占有の下にあり，窃盗罪により保護するにふさわしい。財物がその場所ないし状態から離脱したとき（たとえば，被害者が携行していた物をその場に置き忘れたようなとき）でも，直ちに占有が失われて遺失物等（占有離脱物〔254条〕）となるのではなく，領得行為の時点において**被**

14）最決昭和31・1・19刑集10巻1号67頁（ただし，反対意見がある）。

15）判例も，行李（こうり）（荷物入れ）の在中物に対する占有の帰属について，「本件のごとく被告人が他人からその所有の衣類在中の縄掛け梱包した行李1個を預り保管していたような場合は，所有者たる他人は行李在中の衣類に対しその所持を失うものでないから，被告人が他から金借する質種に供する目的で擅（ほしいまま）に梱包を解き右行李から衣類を取出したときは，衣類の窃盗罪を構成し横領罪を構成しない」（ルビは引用者）とする（最決昭和32・4・25刑集11巻4号1427頁）。また，施錠されておらず，チャックも閉められていなかったが，上蓋が閉まり，止め金がかけられていた集金カバンの中の現金を持ち逃げした事例について窃盗罪を認めた判例として，東京高判昭和59・10・30刑月16巻9＝10号679頁。

16）大谷・221頁以下，前田・174頁以下など。とはいえ，行為者にとり最初から内容物の領得が目当てであったときには，後に，封を開いたり鍵を壊したりして内容物を取り出せば，その時点で窃盗罪が成立し，先行する行為が横領罪と評価されるものであったとしても，重い窃盗罪に吸収されるので，必ずしも不均衡な結論にはならない。この点について，大谷・221頁以下，西田・147頁を参照。

害者と財物との間の時間的・場所的な近接性（すなわち，その物が被害者の手から離れてから行為者が占有を取得しようとする時点までの時間的近接性と，行為者が占有を取得しようとする時点におけるその物と被害者との場所的近接性の両方）を肯定しうる限りは，なお窃盗罪により保護されるべきである。なぜなら，置き忘れた物をその直後に思い出して取りに戻るということはしばしば見られる社会的事実であり，置き忘れられた物が置き忘れた人に帰属することも一定限度で社会通念により承認されていると考えられるからである。支配がなお及んでいるかどうかの判断にあたっては，①支配意思の強弱（被害者が意識的に物をそこに置いたのかどうか等で異なる），②物の形状（財布やショルダーバッグ等〔支配が失われやすい〕とスーツケースなど〔多少の時間的・場所的離隔があっても支配関係の継続が認められやすい〕では異なる），③場所の特性（多数の人が行き来する公共の場所〔支配が失われやすい〕かどうかで異なる）などが考慮要素となる[17]。事実的支配が及ぶかどうかの限界事例においては，そこに居合わせた人が，その物がなお誰かの支配下にあると考えるような状況であったかどうか（逆にいえば，他人の物を領得した犯人が「遺失物だと思った」という弁解をしたとき，それを到底覆すことができない客観的状況がそこにあったかどうか）が重要な意味をもつであろう。

窃盗罪と遺失物等横領罪の区別　判例によれば，被告人が，バスに乗るため行列していた被害者 A がバスを待つ間に置き忘れた高級カメラを持ち去ったというケースでは，カメラは「なお被害者の実力的支配のうちにあったもので，未だ同人の占有を離脱したものとは認められ」ず，遺失物等横領罪ではなく，窃盗罪が成立する[18]。A は，このカメラを身辺の左約 30 cm のところに置き忘れ，行列の移動に連れて先に進み始めて約 5 分後，19.58 m 歩いたところで気がついて，直ちに引き返したが，すでに被告人により，その場から持ち去られていたというのであった。また，公園のベンチに置き忘れられたポシェットを領得した行為を窃盗罪にあたるとした判例も重要である。その判例では「被告人が本件ポシェットを領得したのは，被害者がこれを置き忘れてベンチから約 27m しか離れていない場所まで歩いて行った時点であったことなど本件の事実関係の下では，その時点において，被害者が本件ポシェットのことを一

17）　詳しくは，小川新二 = 田中嘉寿子「置き引きされた 2 つのバッグ」井田良ほか編著『事例研究 刑事法 I〔第 2 版〕』（2015 年）201 頁以下を参照。

18）　最判昭和 32・11・8 刑集 11 巻 12 号 3061 頁。

時的に失念したまま現場から立ち去りつつあったことを考慮しても，被害者の本件ポシェットに対する占有はなお失われて」いないとされた[19]。これら2つの最高裁判例に共通することは，犯人の領得の時点（これが基準時となる）において，かりに被害者が気づいて目を向ければそこにあるという状況が認められることであり，そのような場合にはなお占有が否定されない（これに対し，電車を降りてしまったとか，エレベータで別フロアに行ってしまったというようなときには占有は失われる[20]）ということであろう。より一般的にいえば，「その時点で置き忘れに気づけば，他者の干渉を排除して財物を確保する可能性」があれば，なお占有を肯定することができる[21]ということなのである[22]。

死者の占有は認められるかという問題がある。たとえば，犯人が被害者を殺害した後（または，傷害致死ないし過失致死で死亡させた後），はじめて犯意を生じて被害者が所持していた物を領得したというときに，窃盗罪となるか，それとも占有離脱物横領罪（254条）にすぎないかが争点とされている。領得意思を抱いた時点では，すでに被害者は死亡しているのであるから，窃盗罪の成立を肯定するためには，死者にも占有があることを認めなければならないように見えるのである。

19） 最決平成16・8・25刑集58巻6号515頁。

20） たとえば，東京高判平成3・4・1判時1400号128頁を参照。最近の東京高判平成29・10・18東高刑時報68巻1～12号125頁は，公道に落ちていた財布を被告人が拾い，これを持ち去ったという事案において，被害者が落としてから被告人が拾得するまでの時間は1分余りと短いものの，被害者は財布を落としたことに気付かずに駅に向かって歩き，被告人が拾得した時点では，本件場所から1ブロック先の角を左に曲がって横断歩道を渡り，反対側の歩道を駅方向に合計80ないし90メートル程度進行していたのであり，現場と被害者のいる場所は建物等で相互に見通すことができない状態であったと推認され，被告人が財布を拾得した時点では，現場の周囲には落とし主らしき者が見当たらない状況に至っていたと認められるのであって，そのような状況下では本件財布の落とし主である本件被害者の占有が継続していたとは認めがたいとして，遺失物横領罪の成立を認めた。

21） 髙橋・授業（下）62頁。

22） なお，これらの置き忘れの事例とは異なり，被害者が意図的にその場所に置いたというとき（つまり，**支配意思は強い**とき）でも，その人の支配を示す客観的事情がないとき，たとえば，自分の自転車を駅の近くなどに停めておくにあたり，その場所が駐輪にふさわしい場所ではなく，自転車に施錠もされていなかったというケースでは占有は否定されることになる。この点につき，東京高判平成24・4・11東高刑時報63巻1～12号60頁，東京高判平成24・10・17高刑速平成24年143頁を参照。

この種のケースにつき，判例は，死者にも占有があるとするのではなく，**被害者が生前有していた占有**はその**死亡直後**においてもなお**犯人との関係では継続して保護**すべきだという理由で窃盗罪の成立を肯定する[23]。このような解決に一定の説得力を与えているのは，犯人自らが被害者を殺害することにより被害者が占有する財物を占有離脱物に変えたのに，そのことにより犯人が有利に扱われて財物の占有が保護されなくなってしまうのは不当だと考えられることである。いいかえれば，被害者の占有下にあった物が結果的に犯人の側に移転したという事実には何ら変わりがないのに，犯人が被害者を殺害するという行為が間に介在することにより，法的評価が大幅に軽くなる（窃盗の法定刑と比べると占有離脱物横領罪の法定刑はきわめて軽い）ことは理解しがたいのである。判例が，「被害者からその財物の占有を離脱させた自己の行為を利用して右財物を奪取した一連の被告人の行為は，これを全体的に考察して，他人の財物に対する所持を侵害したものというべきである」[24]として，**全体的考察**に訴えているのはその趣旨であろう。さらに，そのように考えないと，殺害以前からその財物を奪おうと思っていたときの扱い[25]との違いが大きすぎること，また，殺害以前から故意があったことの証明が難しい場合があることなども，判例の見解を支持する理由となるかもしれない。他方，その見解によるとき，どの程度の時間が経過すると「死亡直後」とはいえなくなるのかが問題となる。被害者宅に残された物のように屋内にある場合には数日を経過しても窃盗であり[26]，屋外に放

23）　最判昭和 41・4・8 刑集 20 巻 4 号 207 頁。学説としては，内田・252 頁，大塚・187 頁，川端・315 頁以下，佐久間・182 頁，団藤・571 頁以下，前田・175 頁以下など。なお，この種のケースにおける客体たる物は，所有者が死亡しても直ちに無主物となってしまうわけではない。相続人がその所有者となり（民 882 条・896 条），相続人がいない場合には最終的には国庫に帰属する（民 959 条）。死亡後の被害者からその財物を奪う行為にも**所有権侵害は認められる**のである。

24）　前掲注 23）最判昭和 41・4・8。

25）　なお，最初から財物を奪うつもりで被害者を殺害し，その死体から財物をとる行為は，殺害した時点において，強盗殺人罪の既遂（240 条後段）が成立する。同罪の既遂・未遂（243 条を参照）は，財物奪取の成否とは無関係である。かりに物を取得することができなかったとしても，被害者が殺害された以上は，強盗殺人罪の既遂となる。被害者が一命をとりとめたときには，物の奪取の有無を問わず，強盗殺人罪の未遂となる（→300 頁）。ただし，この点に関し，団藤・571 頁以下も参照。

26）　被害者の所有物が家屋内に遺留されており，その家屋は，犯人が被害者と 2 人だけで同棲

置されたときには数時間が経過すると占有離脱物横領罪になるというように，具体的な状況により判断が異なってくるとされる。

これに対し，学説では，占有者の死後においては保護に値する占有はもはや存在しないとして，占有離脱物横領罪にとどまるとする見解が有力である。[27] その結論は，甲がAを殺すところをたまたま物陰から見ていた無関係の乙が，甲がAを殺してその場を立ち去った後に，Aが所持していた物を持ち去った場合，乙については占有離脱物横領罪にしかならないこととの均衡からも妥当だと考えられている。

(4) 未遂と既遂

窃盗罪については**未遂犯も処罰**される（243条）。そこで，未遂処罰の開始時期，したがって実行の着手時期が重要な問題となる。窃盗罪に関する従来の判例は，構成要件該当行為に直接に接着する行為の時点で着手を認める**形式的客観説**をとり，たとえば，住居侵入窃盗については，窃取に密接する物色等の行為の時点において着手を認めていた（**物色説**）。これに対し，最高裁は，電器店に侵入した犯人が，なるべく現金を盗みたいと思い，同店内にあったタバコ売場に行きかけた時点で窃盗の着手行為があったとした。[28] これは物色以前の段階で着手を認めたものであり，法益侵害ないし構成要件実現の切迫した危険性を判断基準とする**実質的客観説**に近づいた（またはその基準によった）判例と評価されている（しかし，その結論は，形式的客観説の基準と実質的客観説の基準の双方をあわせ考慮する見解からも支持が可能であろう〔→総論438頁以下〕）。[29] なお，住居侵入窃

していたもので，その玄関の鍵も被害者のほか犯人だけが保管していたというケースで，被害者の死亡と財物奪取との間に4日の時間的経過があっても，なお窃盗となるとした高裁判例がある（東京高判昭和39・6・8高刑集17巻5号446頁）。

27) たとえば，伊東・140頁，大谷・218頁以下，斎藤・111頁以下，高橋・256頁以下，西田・158頁以下，橋爪・悩みどころ147頁以下，林・189頁以下，平野・概説204頁，堀内・109頁以下，松原・208頁以下，山口・182頁以下，山中・271頁以下など。

28) 最決昭和40・3・9刑集19巻2号69頁。

29) 最近の裁判例である福岡地判令和3・12・1 LLI/DB L07651337は，窃取目的で被害者方に侵入し，玄関口から被害者が就寝している居室内まで周囲に何らかの金品がないか辺りを注意して見ながら歩いていたというケースについて，金品が盗まれる現実的な危険性があることを理由に窃盗の実行の着手を肯定した。

盗以外の態様について見ると，たとえば，スリの「あたり行為」[30]についてはそれだけではまだ着手と認められず，逆に，土蔵や倉庫のように，もっぱら財物を中に入れておくための設備の内部に侵入して物品を盗もうとするときには，壁の一部を損壊したり，扉の鍵を破壊するなど，侵入行為を開始した時点ですでに実行の着手が認められる[31]。

なお，**キャッシュカードすり替え窃盗**のケースにおける実行の着手時期については，317 頁以下を参照。

窃盗罪の**既遂時期**は，財物の占有を自己または第三者に移し，これを取得した（取得させた）ときである（**取得説**[32]）。スーパー店内において，買物かごに入れた商品をレジで代金を支払うことなく持ち帰ろうと考え，店員の監視のスキを見て，レジの脇のパン棚の脇から買物かごをレジの外側に持ち出したときには，商品をビニール袋に移すに至っていなくても，窃盗は既遂に達する[33]。また，パチスロ店内で，パチスロ機に針金を差し込んで誤動作させるなどの方法によって，パチスロ機からメダルを取り出せば，すでにその時点で（店外に持ち出す等していなくても）窃盗罪の既遂となる[34]。

(5) 罪数，他罪との関係

窃盗罪の個数は，**占有侵害の数**を基準として決定される。他人のカバンを窃取したとき，占有侵害の数は 1 個であることから，かりにそのカバンの中に複数の所有者に属する数個の財物が入っていたとしても，窃盗罪は 1 個しか成立

---

30) スリの場合の「あたり行為」とは，被害者が金品を所持しているかどうか確認するためポケットの外側に触れる行為をいう。これに対し，ポケットの中に金品があることを知って，これを盗るためにポケットの外側に触れたときには，窃盗の実行に着手したことになる（最決昭和 29・5・6 刑集 8 巻 5 号 634 頁）。

31) また，たとえば，電車の自動券売機の硬貨釣り銭返却口に接着剤を塗り付け，乗客が投入した硬貨の釣り銭が接着剤に付着するのを待ち，その釣り銭を回収して取得しようとしたケースにつき，本件接着剤塗布行為は，釣り銭取得のために最も重要かつ必要不可欠な行為であり，それに密接に結びついた行為であるとともに，その時点で硬貨の窃盗に至る客観的危険性が生じたという理由で，窃盗罪の実行の着手が認められるとした高裁判例がある（東京高判平成 22・4・20 判タ 1371 号 251 頁）。それは，**形式的客観説と実質的客観説のそれぞれの要素をあわせ考慮したもの**として理解することができる。

32) 大塚・194 頁以下，大谷・224 頁以下，西田・163 頁以下，山中・290 頁以下などを参照。

33) 東京高判平成 4・10・28 判タ 823 号 252 頁。

34) 最決平成 21・6・29 刑集 63 巻 5 号 461 頁。

しない。

1つの倉庫から2時間余りの間に3回にわたって米俵を盗み出した場合には，3個の窃盗罪ではなく，1個の窃盗罪と評価される[35]（包括一罪の一種としての**接続犯**〔→総論585頁〕）。接続犯については，342頁も参照。既述のように，住居に侵入して窃盗を行ったとき，住居侵入罪と窃盗罪とは牽連犯となる（→190頁）。

被害者の占有を失わせることだけが目的の行為は，不法領得の意思（→247頁以下）を欠き，せいぜい毀棄罪（たとえば，器物損壊罪）に問われることがあるにすぎない。

(6) 法 定 刑

2006（平成18）年の刑法一部改正により，窃盗罪の法定刑に罰金刑が加えられた。これは，主として，これまで起訴猶予とされていた比較的軽い事案についても金銭的制裁をもって対処できるようにしたものであり，一見したところとは異なり，従来よりも厳しい制裁をもって臨むことを可能としたものである。もともと窃盗罪等の財産犯に対し財産刑は予定されてこなかったが，それは経済的に困窮した犯人（罰金など払う経済的余裕がない人）により行われるものと考えられてきたからである。現在では，このような前提自体が成り立たないものとなっている。

このように，前記の刑法一部改正の趣旨は，窃盗に対する評価を軽いものとするところにはなかったが，しかし，刑の適用において罰金の選択を可能としたものであるから，刑法6条の適用においては，改正後の刑が「その軽いもの」となり，また，刑事訴訟法383条2号の「刑の変更」があったことになる[36]。なお，窃盗罪と，たとえば一項詐欺罪（246条1項）とでどちらがより重い犯罪であるかが問題となることがある。抽象的事実の錯誤の事例（→総論201頁以下）で，詐欺の故意で窃盗の結果を生じさせたというような場合にそのことが問われる。窃盗罪の法定刑に罰金が含まれていることから，窃盗罪の方がより軽い罪であるとすることも不可能ではないが，前述のような，選択刑

35） 最判昭和24・7・23刑集3巻8号1373頁。

36） ただし，改正の経緯に鑑みると，必ず原判決の破棄事由になるものではない。最決平成18・10・10刑集60巻8号523頁を参照。

としての罰金の付加の経緯に照らせば，窃盗罪をもってより重い罪と考えるべきであろう。

2　不動産侵奪罪

（不動産侵奪）
第 235 条の 2　他人の不動産を侵奪した者は，10 年以下の拘禁刑に処する。

（a）　構成要件　　不動産侵奪罪は，他人[37]の不動産を侵奪することによって成立する。**不動産**とは，土地と建物のことをいう（民 86 条 1 項を参照）。不動産はその場所的所在を変えるものではない以上，本来，民事の手続により十分その保護をはかりうるものであり，もともと本罪のような処罰規定は不必要なはずである。しかし，第二次世界大戦後の社会的混乱の中で不動産の不法占拠が社会問題化し，民法による対応では十分でないと考えられるに至り，1960（昭和 35）年の刑法一部改正により新設された。

本罪は，窃盗罪とはその客体を異にするが，それ以外の点は同様に解釈すべきだとされている。**侵奪**とは，「窃取」と同じく，占有を奪うこと，すなわち他人の占有を排除して自己の占有を設定することである。**主観的要件**として不法領得の意思（→247 頁以下）も必要とされる。**未遂も可罰的**である（243 条）。

不動産侵奪罪は，窃盗罪と同じく，継続犯でなく**状態犯**である。したがって，目的物の占有移転それ自体を構成要件該当行為（実行行為）の内容とする犯罪であるから，行為者がすでに適法に占有を開始している場合には，途中から不法な占有になったとしても，**新たな占有侵害**が認められない限りは，本罪は成立しない。

（b）　占有開始後の侵奪　　ただし，行為者がその不動産について適法に占有を開始した後に，すでに継続している**占有の態様が質的に変化**することにより，**あらためて権利者の占有が排除された**と見うる場合がないかが問題となる。判例はこれを肯定し，たとえば，甲が A から一時的に土地を借り仮設の家を建てて住んでいたが，返還の期日が来たので所有者 A が返還を請求したとこ

37)　窃盗罪と同様に，242 条により，自己所有物が客体に含まれうる。

ろ，甲はなかなか立ち退かず，そのうちに自分の土地だと主張し始め，コンクリート造りの耐久的な建物を建てたというような場合には不動産侵奪罪を構成するとしている[38]。

これに対しては，学説上，反対の見解も有力である[39]。すなわち，すでに単独の占有が開始されている以上，占有の態様に変化があったとしても，他人の占有を新たに奪取したことにならないから，本罪では処罰できないとするのである。しかし，窃盗罪とパラレルに考えても，先行する行為者の占有がいまだ完全なものではなく，権利者の支配を排除するような態様のものではなかった場合には，本罪の成立を認める余地があろう。その種の場合，完全に新たな占有の獲得はないとしても，不完全な占有を完全な占有に修正し（とりわけ，原状回復を困難にした場合がそうである），同時に**従来からの権利者の占有を排除**するという要素はある[40]。動産に対する窃盗罪においても，たとえば共同占有者の1人が，他の占有者の占有を排除して，自己の単独占有を確立したときには窃盗罪の成立が認められる（→256頁）。行為者が完全に新たな占有を獲得しなくて

38）　最決昭和42・11・2刑集21巻9号1179頁，最決平成11・12・9刑集53巻9号1117頁，最決平成12・12・15刑集54巻9号1049頁など。学説として，斎藤・118頁以下，西田・176頁以下，山口・207頁など。

39）　町野朔「不動産侵奪罪」平野龍一＝松尾浩也編『刑法判例百選Ⅱ各論〔第2版〕』（1984年）70頁以下。

40）　最高裁は，次のようなケースにつき，不動産侵奪罪の成立を認めた。すなわち，被害者である株式会社K工務店は，宅地1496 m^2 を地上の作業所兼倉庫等の建物5棟とともに所有していたが，振り出した小切手が不渡りとなったことから，債権者の1人である株式会社Tの要求により，T社に本件土地および地上建物の管理を委ねた。ただし，Tが取得した権利は，地上建物の賃借権およびこれに付随する本件土地の利用権を超えるものではなかった。Tは，その権利を競売物件の売買仲介業を営むN株式会社に譲り渡した。その頃，Kは，代表者が家族ともども行方をくらましたため，事実上廃業状態となった。建築解体業を営む被告人は，Nから上の権利を買い受けて，土地の引渡しを受けた後，これを廃棄物の集積場にしようと企て，土地上に建設廃材や廃プラスチック類等の混合物からなる廃棄物約8606.677 m^3 を高さ約13.12 mに堆積させ，容易に原状回復をすることができないようにしたというのである（前掲注*38*）最決平成11・12・9）。このケースにおいては，**土地に対するKの支配がなお存続**しており，**被告人がそれを排除**したといえれば，侵奪を肯定できよう。事案を見れば，被告人が譲り受けた権利は，土地に対する事実上の付随的利用権という限られた権利であり，その反面において，Kの支配がいまだ残っていた。被告人の行為は，完全な占有を確立するとともに，Kの占有を完全に排除するものであり，その限りで侵奪を肯定できるのである。

も，競合する他人の占有を排除し単独の支配を実現すれば，窃盗は肯定できる。不動産侵奪についても，同様のことがあてはまりうるのであり，完全な占有の確立と従来からの権利者の排除という要素があれば，侵奪と認めることができると解することは可能であろう。

不動産の横領？ 動産については，占有侵害をともなわない領得行為は，これを横領罪（252条以下）により処罰することが可能であるが，不動産の場合には，自己が占有する他人の不動産につき領得意思を実現しようとする事実行為を行ったとしても，これを横領罪となしうるかどうかは疑問であろう。不動産の横領とは，事実的な領得行為ではなく，**法的な処分行為を予定**していると考えられるからである（→358頁）。このようにして，不動産については占有侵奪をある程度，緩やかに（ないし観念的に）解さざるをえないという側面もある。

3 親族相盗例

（親族間の犯罪に関する特例）
第244条① 配偶者，直系血族又は同居の親族との間で第235条の罪，第235条の2の罪又はこれらの罪の未遂罪を犯した者は，その刑を免除する。
② 前項に規定する親族以外の親族との間で犯した同項に規定する罪は，告訴がなければ公訴を提起することができない。
③ 前2項の規定は，親族でない共犯については，適用しない。

(a) 特例の根拠 244条は，親族どうしの間で窃盗罪および不動産侵奪罪（およびその未遂罪）が犯された場合（強盗は除かれている）についての特例（**親族相盗例**）を定めている[41]。すなわち，配偶者，直系血族，同居の親族間における行為については**刑が免除**され（同条1項），その他の親族間における行為については**親告罪**（→144頁）とされる（同条2項）。告訴がない場合を前提にすると，**近い親族と遠い親族とでアンバランスな扱い**となるように見える。すなわち，遠い親族については告訴が訴訟条件となるのでそもそも訴追・処罰ができな

41） なお，この規定は，詐欺，背任，恐喝，横領の罪にも**準用**される（251条および255条）。特に，横領罪についての376頁以下をあわせて参照されたい。

いのに対し，より近い親族については起訴は適法であり，刑の免除という有罪判決を受けることになる。より近い親族の方がより不利に扱われているようにも見えるが[43]，刑の免除のみが法律効果として予定されているときに公訴の提起はありえない（許されない）とすれば，不均衡は存在しない[44]。

判例・通説によれば，親族相盗例は**政策的根拠に基づく特例**である。親族間において行われた所為といえども必ずしも犯罪としての評価（すなわち，違法性と責任の評価）が軽いとは限らないが，親族間の問題に国家刑罰権が干渉することはかえって親族関係を破壊するおそれさえあり，むしろ親族間の自主的規律に委ねる方がよいと考えられる（「法は家庭に入らず」の思想）。このような**刑法的評価を超えた政策的理由**によって処罰が否定され，または親告罪とされているのである[45]。本条3項が，**特例が親族でない共犯には適用されない**ことを明記していることも，とりわけ行為の違法性が減少する（親族との関係では財産権の保護が弱まる）という考え方に刑法が立脚していないことを示すものといえよう。

(b) 適用の要件　親族相盗例の適用にあたり，**親族の範囲**は民法725条以下にしたがって決せられる。学説上は，内縁関係にある者にも親族相盗例の類推適用を認めるべきだとする見解もあるが[46]，判例によれば，内縁の配偶者に適用または類推適用されることはない[47]。犯人と誰との間に当該の親族関係

42）親告罪について，かりに被害者の告訴がないのに起訴されれば，刑事訴訟法338条4号により，公訴棄却の判決が下される。それは，裁判所が犯罪の成否の判断をしない，いわば門前払いの扱いである。

43）そこで，団藤・582頁は，244条1項の場合についても，被害者の告訴が必要だとする。

44）大谷・235頁以下，中森・119頁以下などを参照。

45）判例は，**244条1項**について，その趣旨を明言している。すなわち，この規定は，「親族間の一定の財産犯罪については，国家が刑罰権の行使を差し控え，親族間の自律にゆだねる方が望ましいという政策的な考慮に基づき，その犯人の処罰につき特例を設けたにすぎず，その犯罪の成立を否定したものではない」というのである（最決平成20・2・18刑集62巻2号37頁）。これに対し，学説においては，刑の免除の根拠を，違法性または責任の減少に求めようとする見解もある。議論の状況については，新注釈（4）〔佐伯〕253頁以下を参照。

46）大谷・233頁。

47）最決平成18・8・30刑集60巻6号479頁は，「刑法244条1項は，刑の必要的免除を定めるものであって，免除を受ける者の範囲は明確に定める必要があることなどからして，内縁の配偶者に適用又は類推適用されることはないと解するのが相当である」とした。

が存在することが必要であるのかが問題となる。判例[48]および通説[49]は，**占有者および所有者の双方**との関係で親族関係が必要だとする。すなわち，所定の親族関係は，①犯人と目的物の占有者との間，および，②犯人と目的物の所有者との間の両方に存在しなければならないとする。ここで決定的なことは，窃盗罪の被害者は誰であるのか，いいかえればその**保護法益**は何か（それは占有か，それとも所有権か）の問題であろう。親族相盗例の適用にあたっては，犯人と「被害者」との間に親族関係がなければならない（告訴〔244条2項〕をなしうるのは被害者のみである）のであり，また，親族相盗例の法的性格についてどのように理解するにせよ，もし親族以外に対し被害が及んでいるのであれば，その者の立場を無視して特例を認めることはできないはずだからである。占有説の立場を極端なところまで徹底すれば（→242頁以下），親族相盗例の適用については唯一の被害者である占有者との関係でのみ親族関係の存否を考えるべきことになろう。しかし，占有説が，「事実上の占有のみが刑法的に保護される」と考える見解であり，所有権者はおよそ一般的に窃盗罪等の被害者たりえない（告訴もできない）とする立場だとすれば，それは妥当ではありえない[50]（→243頁注*46*)）。

判例も，財産犯の保護法益の中核は所有権であるとしており，242条をもって処罰を例外的に拡張する規定として理解する。判例が事実上の占有までを保護の対象に取り込むのは，処罰拡張規定としての242条の解釈の上でのことであり，原則規定である235条等については所有権と占有の両方が保護法益である（→239頁以下）。判例の見解でも，占有者のみならず，所有権者も窃盗罪等の被害者となる。また，学説も，占有説を徹底するごく一部の論者を除いて，

48）最決平成6・7・19刑集48巻5号190頁。

49）たとえば，大塚・208頁以下，大谷・234頁，斎藤・118頁，新注釈（4）〔佐伯〕255頁以下，川端・326頁，団藤・581頁，中森・119頁，西田・179頁以下，林・203頁，山口・210頁，山中・299頁など。

50）札幌高判昭和36・12・25高刑集14巻10号681頁は，もし犯人と財物の占有者との間にだけ親族関係があれば足りると解するならば，「財物の所有者はその物の占有を他人に移すかぎり，その他人と親族関係にあるすべての者によって財物がいかに移動・処分されても刑法上の保護を受け難い立場におかれ，右親族としては平俗にいえば全く『盗み放題』とさえいうことができることとなる」とする。

235条等において所有権と占有とが保護法益となることについて見解は一致している。したがって，所有権者と占有者の両方が刑法上の被害者である。財産犯の保護法益に関する理解からは，**占有者および所有者のいずれもが被害者**であるとするのが原則であり，**双方との関係で親族関係を要求**すべきことになる。

親族関係に関する錯誤　実際にはその財物は親族の所有物ではなかったが，行為者が親族の所有物であると誤信していた場合にどうなるか。通常の窃盗にあたる事実が38条2項にいう「重い罪に当たることとなる事実」であり，親族間の犯罪は「より軽い罪」であるとすれば，重い通常の窃盗罪として扱うことはできず，刑の免除を認めるか，または親告罪とされる程度の軽い犯罪として評価することとなろう。故意があるといえるためには，その犯罪にあたる違法な事実を認識していなければならないが，もし親族相盗例の根拠が，親族間の犯罪は普通の場合より違法性が軽いというところにあるとするなら，違法性の軽い事実を認識して行為した以上，違法性の重い通常の窃盗罪の成立を認めることはできないのである[51]。しかし，学説上の通説によれば，親族間において行われた窃盗行為といえども違法性の評価において軽いとはいえない。親族相盗例が認められる根拠は，犯罪の重さに関わらない政策的理由にある（→268頁）。たとえ親族との関係でも，個人の財産権に対する刑法的評価を弱めることは妥当でないし，また，親族間における所為も（たしかに処罰はされないが）完全な犯罪ではあるという評価を示すことに意味がある。このように考えると，親族関係に関する誤信は，犯罪の重さとは関係のない事情に関する錯誤であり，故意の成否に影響せず，38条2項も適用されないということになる[52]。

51）　高裁判例の中には，理論的根拠は明らかでないものの，244条1項の親族関係の存在を誤信した場合，刑の免除が認められるべきだとしたものがある（福岡高判昭和25・10・17高刑集3巻3号487頁，広島高岡山支判昭和28・2・17判特31号67頁）。

52）　大塚・210頁，団藤・582頁，山口・212頁など。

■ 第11章 ■

強　盗　罪

（強盗）
第236条①　暴行又は脅迫を用いて他人の財物を強取した者は，強盗の罪とし，5年以上の有期拘禁刑に処する。
②　前項の方法により，財産上不法の利益を得，又は他人にこれを得させた者も，同項と同様とする。

1 総　　説

強盗罪（236条）は，窃盗罪と同じく，所有権と占有を保護法益とする領得罪であり（242条〔→238頁以下〕は強盗罪にも適用される），被害者の意思に反する占有侵害を手段とする点でも，窃盗罪と共通する（そこから，窃盗罪と強盗罪とをあわせて**盗取罪**と呼ぶこともある）。異なるところは，**占有侵害の手段として暴行または脅迫**が用いられる点である。暴行も脅迫も，それ自体として犯罪であり（208条および222条を参照），これに窃盗という，もう1つの犯罪を合体させたものが強盗罪であり，いわゆる**結合犯の典型例**である[1)]。強盗罪は，一連の財産犯の中で最も重く処罰されており，窃盗罪と同様に**未遂が処罰**されるばかりでなく（243条），殺人罪や放火罪と同じように，その実行の着手以前の，犯行

1)　結合犯とは，それ自体でも犯罪となる複数の行為から構成された1つの犯罪のことをいう（→238頁注31)）。

の（物的）準備行為である予備も処罰の対象とされる（237条〔→305頁以下〕）。強盗罪は，財産犯としての側面とともに**人身犯罪としての側面**を強くもっている。刑事学上は「財産犯」にではなく，殺人罪や放火罪などと並んで「凶悪犯」に分類され[2]，その発生件数はその国の治安のレベルを示すバロメーターとなっている。

強盗罪が窃盗罪と違うのは，その手段が暴行または脅迫である点ばかりでなく，窃盗罪が単に財物罪であるのに対して，強盗罪は**利得罪でもある**[3]点においてである（→232頁以下）。また，強盗罪は，利得罪でもある点において詐欺罪および恐喝罪と共通するが，その手段として，相手方の反抗を抑圧するに足りる程度の暴行または脅迫を用い，被害者の意思に反して財産を奪う点で，そうではない詐欺罪および恐喝罪（これらを**交付罪**と呼ぶ）と区別される（→307頁以下）。詐欺罪・恐喝罪は，犯人が騙したり脅したりしているにせよ，ひとまず被害者側の意思に基づいて財物が交付され，または財産上の処分行為が行われることが犯罪の要素となっているのである。特に恐喝罪と強盗罪とは，手段としての暴行・脅迫の程度により区別される。その程度が強度であり被害者の意思に反する程度に至れば（恐喝ではなく）強盗になる。なお，強盗罪についても242条が適用されることから，**自己の物の強盗**に関し**本権説と占有説の対立**が重要であることはいうまでもない（→242頁以下）。

2　一項強盗罪

(1)　暴行・脅迫の意義

一項強盗罪（236条1項）は，「狭義の強盗罪」または「強盗取財罪」ともいわれ，暴行・脅迫を手段とし，**客体たる財物**（→227頁以下）をその占有者の意思に反して奪取する（これを強取（ごうしゅ）という）ことにより成立する。窃盗罪における

2）警察統計において，①凶悪犯とされるものは，殺人，強盗，放火，不同意性交等の各罪であり，②粗暴犯とされるのは，暴行，傷害，脅迫，恐喝，凶器準備集合である。そのほか，③窃盗犯，④知能犯（詐欺，横領〔占有離脱物横領を除く〕，偽造，汚職，背任等），⑤風俗犯（賭博，わいせつ），⑥その他に分類されている。

3）財産上の利益を客体とする二項強盗罪（強盗利得罪ないし利益強盗罪）を規定する236条2項を参照（→280頁以下）。

占有の奪取がただ占有者の意思に反するものであれば足りるのに対して，強盗罪においては，**暴行・脅迫が加えられることにより占有移転が意思に反するものとなる**ことまで要求されるから，暴行・脅迫は，**相手方の反抗を抑圧するに足りる程度の強度のもの**でなければならない（**最狭義の暴行・最狭義の脅迫**〔→58頁，157頁〕）。単に208条や222条にあたる暴行・脅迫であればよいというものではなく，**特別に強度かつ危険**なもの，たとえば，強く何度も殴りつける，ナイフ等の凶器を示す，複数で取り囲んで脅すことなどがこれにあたり，その程度に至らない暴行・脅迫が用いられたときは恐喝罪（→348頁以下）となるにとどまる。とはいえ，**強盗か恐喝か**は手段の態様により抽象的に決することはできず，相手を強く何度も殴りつけてケガをさせる程度のものであっても（以前からよく知る間柄であった等の事情があるときには）恐喝罪および傷害罪を成立させるにとどまることもある。具体的な判断のためには，行為者と被害者の属性（性別，年齢，体格，相互の関係等），犯行時刻や犯行場所等を考慮した上で，およそふつう抵抗できない状況であったかどうかを検討する必要がある。ちなみに，行為者が十分に被害者の反抗を抑圧するに足りる暴行・脅迫を加えたとしても，行為者の狙いが，**被害者をいったん解放してから被害者が主体的に行う一定の能動的行動に**向けられているとき（たとえば，後日，一定金額の現金を交付させることや行為者の銀行口座宛てに振込送金させること等を意図しているとき），それは強盗とはいえない（強盗未遂にもならない）。そこでは，**被害者の交付行為・処分行為を介した財産の移転が意図**されているのであり，恐喝罪が認められるにとどまる。[4)]

暴行は，直接に人の身体に対して加えられることを要せず，物に対して加えられた物理力がひいては被害者の反抗を抑圧しうるものである場合でもよい。[5)]

---

4) この点につき，福岡高判平成29・9・19高刑集70巻3号1頁を参照。なお，両罪の区別に関する詳細な研究としては，嶋矢貴之「強盗罪と恐喝罪の区別」高山佳奈子＝島田聡一郎編『山口厚先生献呈論文集』（2014年）265頁以下があり，示唆に富む。また，新注釈（4）〔嶋矢貴之〕90頁以下も参照。

5) 強盗罪における暴行は「最狭義の暴行」といわれるが，人の身体に対して加えられることを要しないとされる限りでは，狭義の暴行（人の身体に対して加えられることを要する）より広い概念である。ただし，物に対し加えられた物理力がひいては被害者の反抗を抑圧する場合においてはこれを脅迫として捉えれば足りるとし，あくまでも暴行は人の身体に加えられることが必要だとする解釈も可能であろう（→159頁および同頁注*16)*）。

脅迫とは，相手を畏怖させるに足りる害悪を告知することであるが，本罪における脅迫はその内容と態様が，被害者の反抗を抑圧するに足りる程度のものであることを要する。脅迫といいうるためには，害悪の発生が何らかの形で行為者によって可能なものとされうることを通知しなければならないから（→155頁），「爆弾が仕掛けられています，この場所から離れて下さい」などと申し向け，注意をそらせて物をとる行為は強盗ではなく，窃盗にすぎない（→155頁注7)）。

(2) 強盗罪の構造

強盗罪においては，意思に反する占有移転が要件とされる点で窃盗罪と同じであるが，**占有奪取の手段が特定**されることにより，犯罪の構造は一挙に複雑なものとなっている。すなわち，一項強盗罪が成立するためには，①強度の**暴行・脅迫**が加えられ，その結果として，②財物の占有者の**反抗が抑圧**され（すなわち，犯人に対し抵抗できない状態に陥り），その結果として，③客体たる財物の占有が犯人側に移転する（**財物の占有の取得**）という流れが認められなければならない（それぞれの要件が**因果関係**によって結びつく形で存在しなければならない）。甲が財物の占有者Aに対し，通常であれば相手方の反抗を抑圧するのに足りる程度の暴行・脅迫を加えたものの，Aが勇気のある人で恐怖心を抱かず反抗を抑圧されなかった（または，犯人が示した本物そっくりのモデルガンをモデルガンと見破った）としよう。かりにAが甲を哀(あわ)れに思って甲に財物を交付したとか，甲がスキを見て財物を持ち逃げしたというときには，財物の占有の移転が生じているとしても，強盗罪の**未遂**にとどまる[6]。そのとき，もし恐喝既遂の結果が発生したとしても，それは重い強盗未遂罪に吸収されるか（→総論583頁），または両罪の観念的競合となる。

強盗罪と反抗抑圧状態 以上のように，学説上の多数説は，強盗罪が既遂となるためには，最狭義の暴行・脅迫が加えられることにより**現実に被害者の反抗が抑圧されるという中間結果**が発生することを要求している。これに対し，判例は，被害者が

6) 川端・333頁，佐伯・法教369号139頁，高橋・279頁以下，団藤・588頁，中森・122頁，西田・182頁以下，山口・217頁など。

「精神及び身体の自由を完全に制圧される」ことを要しないとする[7]ばかりでなく，強盗罪となるか恐喝罪となるかは，その暴行・脅迫が社会通念上一般に被害者の反抗を抑圧するに足る程度のものであるかどうかという**客観的基準**によって決せられるのであり，具体的事案における被害者が反抗を抑圧されず，畏怖されるにとどまったとしても，（恐喝罪ではなく）強盗罪の既遂となるとする[8]。学説においても，反抗抑圧状態という中間結果の発生を必ずしも要求しない見解がかなり有力に主張されている[9]。もちろん，そうした見解も，ひったくり（→276頁）のケースをただちに強盗とするものではない。

一項強盗罪の**実行の着手時期は**，手段たる（被害者の反抗を抑圧しうるに足る強度の）暴行または脅迫を開始した時点とされ，**既遂時期**は財物を取得した時点（→263頁）とされる。このうち，実行の着手時期について見ると，構成要件要素である暴行か脅迫が開始されない限り，着手は認められないとするのが従来からの一般的理解である。ただし，犯罪類型によっては（特に，窃盗罪，殺人罪，放火罪について），必ずしも構成要件該当行為の一部が開始されなくても，法益侵害結果発生の危険性があることを理由として，実行の着手が認められてきた（→総論432頁以下）。これを説明するための論理としては，構成要件該当行為の一部が開始されなくても，行為者の計画を考慮したとき，それに直接に先行する密接行為・直前行為の時点ですでに結果発生の危険性があると認められるケースでは，実行の着手を肯定できる，とするものであろう。そして，詐欺罪について，このような方向に一歩踏み出したと見られる最高裁判例が出されるに至った（最判平成30・3・22刑集72巻1号82頁〔→339頁以下〕）。そこで，強盗のケースについても，結果発生の危険性が肯定できる限りで，暴行・脅迫に先行する密接行為の時点で実行の着手を肯定することも理論的には排除されないことになる。しかし，強盗の場合には，密接行為の時点で，結果発生の切迫性か，または障害の不在性が認められる場合は容易には考えられないであろう。暴行・脅迫が開始されてはじめて結果発生の危険性が生じるのが通常であるよう

7）最判昭和23・11・18刑集2巻12号1614頁。
8）最判昭和24・2・8刑集3巻2号75頁，最判昭和24・5・7集刑10号45頁。
9）新注釈（4）〔嶋矢〕79頁以下，82頁以下を参照。

に思われる。たとえば，いわゆる**アポ電強盗**のケースでは，犯人側が，一人暮らしの高齢者などに電話をかけ，所持金額等を確認した後，強盗に押し入るが，事前に電話する行為は，その後の暴行・脅迫行為との間での連続性を肯定できず，密接行為・直前行為とはいいにくいであろう。

ひったくりと強盗　上述のような強盗罪という犯罪の構造論（→274 頁）から直ちに導かれる帰結がある。それは，**ひったくりは強盗でない**ということである。たとえば，犯人甲が，帰宅途中の A 女のハンドバッグをひったくろうと考え，その背後からオートバイで近づき，A が腕にかけていたハンドバッグを無理やり取り去って逃げたとしよう。たしかに，甲は，被害者 A に暴行を加えて財物たるハンドバッグを得ている。しかし，この種の事案で強盗罪が成立すると考えるのは初歩的な誤解である。強盗罪の要件を充たすためには，行為者が財物の占有者の反抗を抑圧しうる程度の強度の暴行を用い，その結果として相手方が反抗を抑圧されるに至ること（＝中間結果）が必要である。上のケースにおける甲の暴行は，かなりの危険性をもつものであるが，A は反抗を抑圧された結果として財物の占有を奪われたのではない。甲は被害者のスキに乗じて財物の占有を奪ったにすぎず，窃盗罪の刑事責任を負うにとどまる。[10] ただし，もし甲がバッグを取り去ろうとしたところ，A がこれに気づいてバッグを離さず，甲により引きずられる格好となり，人身に危険が及ぶ状態で仕方なく離したという事情があれば，強盗罪となりうる。[11]

暴行・脅迫が相手方の反抗を抑圧するのに足りる程度のものであるかどうか

10） 裁判例として，次のケースにつき，窃盗罪と傷害罪の観念的競合になるとしたものがある。被告人甲と乙は，通行人から金品をひったくることを企て，路上において，甲が原動機付自転車を運転し，乙が同車後部に乗車して，同所を自転車を運転して通行中の A 女を後方から追い越す際，甲および乙において，A がバランスを崩すなどして自転車もろとも転倒するかもしれないことを認識しながら，あえて A が自転車の前かごに載せていた同女所有の手提げカバン 1 個の手提げ部分を乙がつかんで引っ張り，バランスを崩した A を同車もろとも路上に転倒させる暴行を加え，現金約 1 万 2000 円および財布等在中の手提げカバン 1 個（時価合計約 7700 円相当）を持ち去り，その際，同女に対し加療 6 日間を要する傷害を負わせたというのである（神戸地判平成 14・9・9 LEX/DB 28085174）。

11） 最決昭和 45・12・22 刑集 24 巻 13 号 1882 頁を参照。そういう事情のない最初の事例では，かりに A がケガをしたとしても，強盗致傷罪（240 条前段）ではなく，窃盗罪と傷害罪（の観念的競合）の罪責を負うにとどまる。なお，甲が A の身体に対し暴行（有形力の行使）を加えたことは明らかであり，被害者に傷害の結果が発生している以上，傷害罪が成立するのは当然である。

の判断にあたっては，具体的状況に即して各種の事情を総合的に考慮することが必要となる[12)]。通常の人なら反抗を抑圧されない程度の暴行・脅迫を用いたが，被害者が臆病者であったため結果として反抗を抑圧されたという場合において，行為者が被害者が臆病者であることを認識していたときには，被害者の意思に反する財物の強取があった以上，強盗罪になる[13)]。**暴行・脅迫の相手方の範囲**が問題となるが，財物の強取について障害となる者であれば足り，必ずしも財物の所有者または占有者であることを要しない。

(3) 暴行・脅迫後に財物奪取意思が生じたとき

暴行・脅迫の時期との関係で重要な解釈上の争点がある。とりわけ，当初は強盗の故意がなく，被害者に暴行・脅迫を加え，被害者がこれにより反抗を抑圧された後になってはじめて，行為者が財物奪取の意思を生じてこれを奪ったという場合が問題となる。強盗罪の成立を認めるためには，前述のような，暴行・脅迫 → 被害者の反抗の抑圧 → 財物の取得という因果的つながりが認められ，そのすべてが**故意によりカバー**されていなければならない。そうであるとすれば，**財物奪取の意思を生じた後にさらに暴行・脅迫**が加えられ（その結果として被害者側に反抗の抑圧が生じ）ない限りは，これを強盗罪とすることはできない（せいぜい暴行罪ないし脅迫罪と窃盗罪との併合罪となるにとどまる）。ただ，すでに当初の暴行・脅迫により被害者が反抗抑圧状態にある以上は，その後にそれ自体としてそれほど強度の暴行・脅迫を加える必要はないから，被害者の**反抗抑圧状態を維持・強化する程度の暴行・脅迫**であっても，強盗罪の要件を充たしうる[14)]（そうだとしても被害者がすでに気絶している場合には，もはやこれを強盗とするこ

---

12) 暴行ないし脅迫の結果，現実に被害者が精神・身体の自由を**完全に制圧**されることは必要でない。しかし，被害者がほとんど，または，それほど抵抗意思を抑圧されず，任意に財物を交付したときは強盗未遂にとどまるとするのが通説である（→274頁）。

13) 大塚・213頁，大谷・239頁以下，高橋・280頁，団藤・586頁以下，中森・121頁，山口・218頁，山中・305頁など。反対，斎藤・121頁，曽根・129頁，西田・183頁，前田・192頁以下。ただし，一般的には恐喝にしかあたらない手段が用いられているというとき，被害者が特別な臆病者であったせいで反抗を抑圧され，行為者もそのことを認識していたという事実を裁判において証拠により立証することは，実は相当に困難なことであろうから，この点をめぐる見解の対立は，ほとんど机上の議論にとどまるといってよいかと思われる。

14) 高橋・284頁以下，西田・186頁以下，林・208頁以下，前田・196頁以下，山口・221頁以下などを参照。反抗抑圧後に財物奪取の意思を生じた場合について，たとえば，東京高判昭

とはできないであろう[15])。

不同意性交等罪の実行開始後の財物盗取　特殊なケースであるが，甲と乙が共謀に基づきAに対し不同意性交等罪（旧強姦罪）にあたる行為を行い，乙の実行中に，甲が財物奪取の意思を生じてA所有のカバンの中から財布を奪ったという事案に関し，窃盗罪ではなく，強盗罪の成立を認めた高裁判例がある[16]。この事案における甲は，乙と共同で行った先行する暴行・脅迫により生じたAの反抗抑圧状態を利用して財物を取得したとはいえるが，先行する暴行・脅迫は，財物奪取の目的で行われたものではなく，それによって生じた効果を後に利用したからといって，なぜ最初から強盗目的で行為した場合と同視してよいのかは明らかでない。また，このケースで，甲がそばで見張り行為をしていたことがAの反抗抑圧状態を維持・強化する働きをしていたといえれば，財物奪取の意思を生じた時点でも，甲の一連の暴行・脅迫行為がなお継続していたと考えることができないではないが，甲の見張り行為がそこまでの効果をもっていたかどうかは疑わしい。

ただ，この事案における甲の行為につき強盗罪の成立を肯定することは，次のように考えるときには可能というべきであろう。すなわち，甲と乙は不同意性交等罪の実行を共謀し，その共謀に基づく乙の暴行・脅迫行為がなお継続中であった。そこで，甲に財物奪取の犯意を生じた時点以降における乙の暴行・脅迫も，甲と乙の共謀に基づく共同の暴行・脅迫行為であったと解することができる。このように考えるとき，

和57・8・6判時1083号150頁および大阪高判昭和61・10・7判タ631号239頁は，より緩やかに理解し，犯人が別目的で行った暴行・脅迫により生じた反抗抑圧の結果を利用して財物取得を行うならば，それで直ちに強盗罪の成立を認めうるとするようであるが，一般論としてそのようにいうことはできないと思われる。

15）　この点において，札幌高判平成7・6・29判時1551号142頁は正当である。進んで，東京高判平成20・3・19高刑集61巻1号1頁は，不同意わいせつ（強制わいせつ）の目的による暴行・脅迫が終了した後に，行為者が新たに財物取得の意思をもつに至り，暴行・脅迫により反抗が抑圧されている状態に乗じて財物を取得した場合において，被害者が緊縛された状態にあり，実質的には暴行・脅迫が継続していると認められる場合には，新たな暴行・脅迫がなくとも，これに乗じて財物を取得すれば，強盗罪が成立すると解すべきであるとした。緊縛状態の継続は，それ自体は厳密には暴行・脅迫にはあたらないとしても，逮捕監禁行為にはあたりうるものであって，被告人において，この緊縛状態を解消しない限り，違法な自由侵害状態に乗じた財物の取得は，強盗罪にあたるというべきだとする。その趣旨は理解できなくはないが，それを認めてしまえば，前掲注*14*）に掲げた2つの高裁判例のように，先行する別目的により生じた反抗抑圧状態を解消することなく，それを利用して財物を奪う限り，常に強盗罪が認められるとすることになるであろう。

16）　大阪高判平成11・7・16判タ1064号243頁。

甲は，**財物奪取の意思を生じて以降**，乙と共同して現にAに対して暴行・脅迫を加えつつも，それに基づくAの反抗抑圧を利用して，財物の占有を奪ったと捉えることができる。その限りで強盗罪の成立を肯定しうることになるのである[17]。

暴行・脅迫が，**財物取得行為の開始後**になされても，強盗となりうる場合がある。すなわち，窃盗犯人が，財物の占有をまさに取得しようとする段階（またはなかば取得した段階）で被害者に発見され，**占有を確実なものとする手段**として暴行・脅迫を加えたといいうるのであれば，その限りで強盗罪となり，それは事後強盗罪（238条〔→286頁以下〕）ではない（**居直り強盗**といわれる場合の1つにあたる）。これに対し，すでに窃盗が既遂に達した後であれば，事後強盗の問題にしかならない[18]。

強盗殺人後の財物領得　後に見るように，強盗殺人罪（240条後段）は，少なくとも強盗の実行に着手した行為者が強盗の機会に被害者を殺害すればそれで既遂となり，財物取得（強取）の有無は犯罪の成否に影響しない（→300頁）。そうであるとすれば，強盗殺人の犯人が被害者を殺害した後に，財物を領得することが（どの範囲まで）強取にあたるかどうかを検討する実益はないようにも思われる。しかし，そのような財物領得（たとえば，殺害後に計画通り被害者が住んでいたアパートに赴き，そこにあった現金を奪うこと）については刑法上評価しなくてよいということにはなら

17）　前掲注*16*）大阪高判平成11・7・16も，そのように考えたものと理解することができる。大阪高裁は，次のように述べている。「被告人自らあるいは共犯者の行為により，被害者をして，犯行を抑圧された畏怖状態に陥れ，かつ……いまだ，共犯者が強姦の実行行為を継続中であり，被告人自身もその傍らで見張り行為をしている最中に，被告人が単独で被害者の財物を奪取する旨決意してこれを実行し，その後も共犯者による強姦の実行行為や被告人自身による見張り行為が継続された場合，強盗罪の成立を否定する理由は見当らない。共犯者が現に実行継続中の行為は，被告人もその罪責を負うべき暴行行為にほかならず，本件の場合，被告人に財物奪取の犯意が生じた後に，被告人自身の行為による財物奪取に向けたあらたな特段の暴行又は脅迫がないのは，むしろ，その必要がないためと解される。また，被告人に，右状況にあることを認識した上で財物奪取に及ぼうとする意思があったことの優に認められる本件の場合は，強盗の犯意に欠けるところもない」。

18）　なお，窃盗が既遂に達しなければ事後強盗罪は問題とならないということではない。事後強盗罪は，強盗犯人が財物を取得するに至らず，たとえば窃盗の途中で他人に発見され，財物奪取をあきらめて逃走しようとした際，逮捕を免れるために暴行を加えるような場合にも成立する（→289頁）。

ないし，それを占有離脱物横領罪（254条）として評価するのも不自然であろう。[19] そこで，最初から奪うことを計画していた財物は，多少の時間的・場所的な離隔があっても，これを強盗殺人罪に含めて強盗と評価することができよう。[20] また，必ずしもすべての財物を奪うことを最初から計画に入れていなかったとしても，被害者を殺害することにより被害者から奪える状況が生じたのであれば，後に盗ることを思いついた財物でも，ある程度まで強盗の評価に含めることは可能であろう。[21]

(4) 罪数，他罪との関係

一項強盗罪の罪数も，占有の個数によって決められる。他人の住居に侵入して，財物を窃取した後，さらに意思を継続して家人に暴行・脅迫を加え，他の財物を強取したというとき，一項強盗罪の包括一罪となり，住居侵入罪とは牽連犯として処断される。

3 二項強盗罪（強盗利得罪）

(1) 総　説

二項強盗罪（236条2項）が成立するためには，一項強盗罪と同様の一連の要件の流れが必要である。すなわち，暴行・脅迫 → 被害者の反抗の抑圧 → 客体たる財産上の利益の取得である。**実行の着手時期**は，手段たる暴行または脅迫を開始した時点とされ（→275頁），**既遂時期**は財産上の利益を取得した時点とされる。

(2) 客　体

客体としての財産上の利益の意義については，すでにその一般的意義を説明した（→231頁）。強盗的手段を用いて，他人の**不動産**を奪ったとき（不法に占拠したとき），不動産は236条1項の財物には含まれないが（→232頁），財産上不法の利益を得たということはできるので二項強盗罪になる。

被害者が加害者に対して有する債権や物の返還請求権が，**民法的に保護されない場合**でも，それでもそれを免れれば二項強盗罪となるか。禁制品の返還請求

---

19) この問題について，サブノート284頁〔髙橋直哉〕を参照。

20) 東京高判昭和57・1・21刑月14巻1＝2号1頁を参照（→181頁以下注*13)*）。

21) 東京高判昭和53・9・13判時916号104頁を参照。

に関しては，禁制品も刑法的保護に値すると考える以上（→231頁），肯定説をとらないと均衡を失する。なぜなら，強度の暴行を手段として禁制品を奪えば強盗罪となり，禁制品の返還を迫られてこれを拒否するために強度の暴行を用いると強盗罪不成立というのでは不当だからである（→231頁注*20*)）。しかし，殺害の謝礼として現金を要求されて，これを免れようとする場合や，売春の代金を請求されてこれを免れようとする場合は，そもそも**いかなる意味でも法的な保護に値する権利がない**以上，二項強盗罪の成立を否定すべきである。[22)]

公序良俗違反と財産上の利益　これに対し，裁判例の中には，闇金融業者から貸金債務の支払の督促を受けていた被告人が，支払を免れようと企て，業者を殺害しようとしたというケースにつき二項強盗殺人未遂罪の成立を認め，「被告人両名に対する貸付行為は，いわゆる暴利行為であって，公序良俗に反し無効であるか，利息制限法上既に完済されているから債務は存在」しないとする弁護人の主張を排斥したものがある。[23)] すなわち，「被害者に民事的には法的保護に値する利益がない場合であっても，不法な手段によって財産法秩序を乱す行為を容認することは，結局，私人の財産上の正当な権利・利益の実現を不能ならしめることになるから，暴利行為による債務の弁済を免れるという利益も，強盗利得罪の客体となると解すべきであ」るというのである。しかしながら，そのように考えるとすると，もともと財産保護のために発動すべき財産犯処罰規定を，およそ一般的な違法行為の抑止のために用いることになり，**処罰の根拠**を財産保護から**何らかの公益の保護ないし純然たる秩序の維持へと抽象化・稀薄化**してしまうことになる。財産犯を処罰する理由は，財産法秩序（私法関係を支配する行動準則）の維持に求められるべきではなく，具体的な（そして刑法的保護に値する）財産的利益の保護に求められるべきである。そうであるとすれば，上記ケースについても，暴利行為として公序良俗に反し無効であるか，または，利息制限法上すでに完済されていて無効な債務が問題となっている限りで二項強盗罪の成立は否定されるべきであった。[24)]

---

22)　佐伯・法教369号136頁以下，西田・190頁，林・156頁，堀内・154頁以下など。

23)　大津地判平成15・1・31判タ1134号311頁。

24)　同じことは，二項詐欺罪や二項恐喝罪との関係でも問題となる。民法上無効な債務との関係で財産利得罪を肯定した裁判例として，名古屋高判昭和30・12・13判時69号26頁（二項詐欺罪）があり，否定裁判例として，札幌高判昭和27・11・20高刑集5巻11号2018頁（二項詐欺罪）がある。肯定説として，内田・306頁以下，大谷・293頁など。

なお，最近では，キャッシュカードの暗証番号に代表されるように，それ自体には財産的価値のない**情報**であっても，当該の特定の状況下において一定の財物を取得するための手段としての価値をもっている場合，これを財産上の利益となしうるかどうかが問題とされている。

暗証番号は財産上の利益か　高裁判例の中には，キャッシュカードを窃取した被告人が，被害者に対し包丁を突き付けて脅迫し，その反抗を抑圧して，同人名義の預金口座の暗証番号を聞き出したという事案について，**口座から預金の払戻しを受けうる地位という財産上の利益**を得たとして二項強盗罪の成立を認めたものがある[25]。暗証番号を聞き出すことが，キャッシュカードの取得と相まってATMから払戻しを受ける事実上の利益を取得することになると考えたのである。

この裁判所の判断は，行為者が今キャッシュカードを有し，ATMが付近に存在するという状況があり，そのことによってはじめて暗証番号に関する情報が具体的な利益性をもつに至っているという，特殊な事情の下における行為についてのものであり，その考え方を安易に一般化してはならないであろう。ただ，このような事情の下における財産的情報が，二項犯罪による保護の対象から排除されなければならない理由はないと思われる。財産上の利益には，**移転性**（物の場合と同様に，行為者が利益を得ることの反面において被害者側がその利益の享受可能性を失うという裏腹の関係があること）が必要だとする見解もあるが（→232頁注*22*），財産上の利益全般についてそのようなことが要求されているわけではない[26]。

(3)　処分行為の要否

二項強盗罪をめぐっては，①財産上の利益の取得が被害者の**処分行為**（すなわち，その意思により利益を提供する行為）に基づくことを要するかどうか，②判例・通説のように**処分行為不要説**をとるとしても，**いかなる場合に財産上不法の利益を得た**といえるのかが問題となる。財産上の利益の取得が被害者の処分行為に基づくことを要するかどうかの問題については，過去の判例は必要説をとり，これを支持する学説も有力であった。しかし，現在の判例は処分行為を不要と

25）　東京高判平成21・11・16判タ1337号280頁。

26）　中森・105頁を参照。

し，学説上も不要説が通説である。[27] **不要説の論拠**としては，(イ)被害者の処分行為を経ずして，行為者が財産的利益を取得することがありうるので，そのような場合に，強盗罪を認めないのは不当であること，(ロ)強盗は反抗を抑圧する程度の強度の暴行・脅迫を用いるものであり，その結果，被害者が処分「行為」をなしえないほどに完全に反抗を抑圧されることも当然にありうること，(ハ)一項強盗においては処分行為（すなわち，被害者による財物の意思的な交付行為）が要求されないのであるから，二項強盗についてもこれと同様に解すべきであることなどが挙げられる。

(4) 「財産上の利益を得た」ことの意義

このように，不要説が妥当であるとしても，債務者が債権者に強度の暴行を加えたり，これを殺害するような行為のすべてが直ちに二項強盗罪にあたるとはいえない。いかなる場合に行為者が財産上の利益（→231頁）を取得したといえるのかが論点となる。[28]

たとえば，**債権者を殺害**したという場合でも，債権は消滅してしまうものではないから利得があったと直ちにはいえないが，殺害によって事実上債務の履行を求められることがなくなったとか，履行の請求が著しく困難になったとか，かなりの期間にわたって不可能となった場合には，行為者が財産上の利益を得たものと見ることができる。ただし，単に債務の履行を一時的に免れた（猶予

---

27) 最高裁は，次のように述べて，必要説をとっていた従来の**判例を変更**した（最判昭和32・9・13刑集11巻9号2263頁）。「236条2項の罪は1項の罪と同じく処罰すべきものと規定され1項の罪とは不法利得と財物強取とを異にする外，その構成要素に何らの差異がなく，1項の罪におけると同じく相手方の反抗を抑圧すべき暴行，脅迫の手段を用いて財産上不法利得するをもって足り，必ずしも相手方の意思による処分行為を強制することを要するものではない。犯人が債務の支払を免れる目的をもって債権者に対しその反抗を抑圧すべき暴行，脅迫を加え，債権者をして支払の請求をしない旨を表示せしめて支払を免れた場合であると，右の手段により債権者をして事実上支払の請求をすることができない状態に陥らしめて支払を免れた場合であるとを問わず，ひとしく右236条2項の不法利得罪を構成するものと解すべきである。この意味において……明治43年判例〔大判明治43・6・17刑録16輯1210頁〕は変更されるべきである」。

28) 財産上の利益の取得があったと認められる典型例は，タクシー強盗の場合であろう。犯人が現場から離れてしまえば，債務の履行を迫られることはなくなる（少なくとも，債権者たる運転手にとり債務の履行を求めることは著しく困難となる）であろうから，結局，事実上，料金の支払を免れたことになり，財産上の利益を得たといいうるのである。

された）にすぎないという場合であっても，債権・債務をめぐる緊迫した対立状況が存在し，それが債務者（行為者）にとり一定の具体的な利益，その反面において，債権者（被害者）にとり具体的な損害をもたらすものであるときには，財産上の利益の取得を肯定しうるであろう。

しばしば問題となるのは，相続人となる者が，被相続人たる人を殺害した場合に，財産上の利益を取得したといえるのかどうかである（相続人の1人を殺害することにより，相続順位を上げる行為についても同じことが問題となる）。この点については，不法利得の意図をもって被相続人の殺害が行われる限り強盗殺人罪が成立するとする無条件肯定説もある。しかし，高裁判例を含め，多くは反対の見解をとっている。問題はその理由である。「任意の処分の観念を容れる余地がない」という理由づけを行うものもあるが[29)]，前述の処分行為不要説からすると説得力に乏しいであろう。また，相続人としての地位を取得するにすぎないのであるから，財産上の利益の取得はいまだ観念的・非現実的であるとする見解もあるが[30)]，それでは未遂犯の成立を否定する理由にならず，後に現実化したときには既遂を認めなければならないであろう。むしろ，二項強盗罪における財産の移転は（一項強盗罪の場合と同じく）暴行・脅迫により**直接的**になされることが必要であり，相続など法的事実を介して間接的・結果的になされる場合を含まないと考えるべきであろう[31)]。

被害者を殺害することにより財産上の利益を得たときでも，それが第三者から提供されるものであるときには，二項強盗の類型にはあたらない。典型例は，**保険金殺人**の事例（生命保険金の受取人になっている者が加入者を殺害する場合）である。殺害により同時に利得を得ているようにも見えるが，二項強盗殺人罪

---

29) 「相続の開始による財産の承継は……人の死亡を唯一の原因として発生するもので，その間任意の処分の観念を容れる余地がないから」236条2項にいう財産上の利益にはあたらないとしたものとして，東京高判平成元・2・27高刑集42巻1号87頁がある。

30) 伊東・172頁，大谷・248頁，中森・124頁以下，山口・225頁，山中・316頁以下など。

31) この点について，林・213頁を参照。なお，神戸地判平成17・4・26判時1904号152頁は，会社の経営権等の取得を目的として当該会社の実質的経営者を殺害し，実際に経営上の権益を取得したとしても，「一項強盗罪における財物の強取と同視できる程度に，その殺害行為自体によって，被害者から『財産上の利益』を強取したといえる関係」がなく，二項強盗殺人罪にあたらないとした。

(240条後段）ではなく，殺人罪（199条）が成立し，保険会社との関係で詐欺罪が問題となるにすぎない。

二項犯罪の成立範囲の限定　客体たる財産上の利益が必ずしも明確なものではないことから，二項犯罪（二項強盗罪・二項詐欺罪・二項恐喝罪）の成立が無限定なものとなってしまうおそれがある。そこで，その成立範囲を明確化しようとする試みがある。

まず，**客体たる財産上の利益に限定**を加えることが考えられる。利益の現実性・具体性を要求することも一案であるが，条件付き権利や期待権を得ることもやはり財産上の利益を得たことになるというべきであろう。債権の場合に，債権そのものの価値の減少を要求する見解もあるが，しかし債務を猶予してもらい期限の利益を得ることも二項犯罪の客体たりうるであろう。「役務」を保護の対象から外したり，それを有償のものに限定する見解もあるが，二項犯罪の成立範囲を限定しすぎると考えられる（→231頁以下）。

そこで，**二項犯罪の構造**という観点から一定の限定を試みる見解が注目される。1つの有力な見解は，財産上の利益についても，一項犯罪の場合の「財物の占有の移転」に対応するような**移転性**を要求するものである。そこまでの関係を常に要求することはできないとしても（→282頁），しかし，犯人側に利益が生じ，それに直接的に対応する形で被害者側に財産的不利益が生じるといった**利益と不利益の直接的な対応関係**は要件とされるべきであろう（そのような関係は一項犯罪にも要求される〔→326頁〕）。相続人となる者が被相続人を殺害した場合や保険金殺人の場合に強盗殺人罪にならない理由は，このような直接的な対応関係が欠けるところに求められる。

(5)　罪数，他罪との関係

同一の機会に，一項強盗罪と二項強盗罪が行われたとき，236条にあたる強盗罪の包括一罪となる。他人を騙して物品や役務の提供を受けた上，暴行または脅迫を用いてその対価の支払を免れた（さらには，それにより死傷の結果を生じさせた）場合の罪数関係はどうなるか。先行する行為について詐欺罪を成立させ，後の行為につき強盗罪を認めて併合罪として処断すると，財産の領得を（詐欺罪と強盗罪とで）二重に評価することになるという疑問が生じることから，裁判例における扱いが分かれていた。最高裁は，後の行為につき二項強盗罪（当該の事例では二項強盗殺人未遂罪）の成立を認め，先行する詐欺罪（ただし，当該の事例では窃盗罪となる可能性もあるとされた）と包括一罪となり，重い前者の刑により処断されるべきであるとの判断を示した[32]（→343頁）。

4　事後強盗罪――準強盗罪(1)

（事後強盗）
第238条　窃盗が，財物を得てこれを取り返されることを防ぎ，逮捕を免れ，又は罪跡を隠滅するために，暴行又は脅迫をしたときは，強盗として論ずる。

(1)　総　説

事後強盗罪は，**通常の強盗罪とは順序が逆に**，財物の取得またはその未遂（窃盗罪の既遂行為または犯意を放棄した未遂行為）が先行し，事後に暴行・脅迫が行われた場合に成立する。それは実質的には強盗と変わらないという評価に基づく。昏酔強盗罪（239条）とともに，「強盗として論じられる」罪，すなわち**準強盗罪**である。準強盗罪は，3つの関係において強盗として論じられる。すなわち，

①法定刑について236条と同じ刑の枠が適用される，

②本罪にあたる場合，240条や241条の適用上も「強盗」となる（たとえば，窃盗犯人が罪跡を隠滅する目的で目撃者を殺害したとき，**事後強盗殺人罪**となり，240条が適用される）

③判例・通説によれば，237条との関係でも強盗として扱われる（したがって，事後強盗の予備は強盗予備罪として処罰される）

のである。

事後強盗罪が「窃盗犯人」に犯罪主体を限定した**身分犯**であるのか（それとも，窃盗罪と暴行・脅迫罪との**結合犯**にすぎないのか）をめぐっては（**65条の適用の可否**とも関連して）見解の対立がある（→総論573頁以下）。本罪は，先行する窃盗行為を行った者（窃盗の未遂に終わった者を含む）のみが実行行為たる暴行・脅迫を行いうる犯罪であるから，実行行為の主体が限定されていると理解して何ら差し支えなく，本罪を65条（しかも，その1項）の意味における身分犯と

32)　最決昭和61・11・18刑集40巻7号523頁。このような場合の包括一罪を**混合的包括一罪**という（→総論597頁）。

解することを妨げる理由はない。強盗致死傷罪（240条）を「強盗犯人」を主体とする身分犯として捉えうるのと同様に，事後強盗罪を身分犯として捉えることは可能である[33)]（たとえば，甲が乙に対して最初から事後強盗行為を教唆した場合，甲の罪責を考えるにあたっては，65条1項の適用を問題としてよい）。

なお，犯罪の主体である窃盗（犯人）は，窃盗の正犯者・共同正犯者に限られ，教唆者・幇助者を含まない。

事後強盗罪は身分犯か，それとも結合犯か　この点をめぐってはしばしば議論が行われるが，概念をどう用いるかの問題に関わるものであり，それほど重要な争点であるとは思われない。ただ1つ，実質的な争点となるのは，事後強盗の犯人である甲が窃盗終了後，暴行・脅迫を行う時点ではじめて，乙がこれに関与し，甲と協力して被害者に暴行・脅迫を加えたというとき，乙について強盗の共同正犯としての罪責を認めうるかどうかという点のみであろう（本書の見解によれば，窃盗犯人という身分は，**連帯可能な違法身分**であるから〔→総論565頁以下〕，乙には**65条1項**を適用してこれを事後強盗罪の共同正犯とすべきである）。

なお，**結合犯説**からは，次のように主張される。すなわち，事後強盗罪の未遂は，先行する窃盗が未遂に終わったときに認められる。未遂か既遂かは実行行為が完遂されたかどうかの問題であるとすれば，それは窃盗行為が実行行為の一部だからこそだというのである。

しかしながら，それは概念的な議論にすぎない。**身分犯説**の立場からも，少なくとも窃盗に着手しさえすれば，事後強盗罪の主体たりうると解した上で（身分という要件の充足），実行行為が遂行された後，最終的に財物を得られなかったこと（強盗として結果が不発生に終わったこと）に着目して事後強盗の未遂とするだけのことであって，そこには何ら不自然なものはないであろう。

逆に，身分犯説から結合犯説に対して同レベルの概念的批判を加えるとすれば，もし事後強盗罪を結合犯として理解し，先行する窃盗も実行行為の一部である，というのであれば，窃盗を行った時点で（事後の暴行・脅迫についての故意があることを前提として）**実行の着手**が認められなければならないが，そうした結論は認められてい

33）内田・281頁，大塚・221頁，大谷・254頁，佐久間・203頁，曽根・133頁以下，堀内・135頁，前田・206頁など。身分犯であるが，65条1項に加えて65条2項も適用される（不真正身分犯）とするのは，日高・254頁以下。最近の裁判例である名古屋地岡崎支判平成30・2・26 LEX/DB 25560117は，窃盗犯人たる身分を有しない者についても刑法65条1項・60条により事後強盗致傷罪の共同正犯が成立する，としている。

ないことを指摘することができるであろう。

事後強盗罪と通常の強盗罪（236条1項）との関係をめぐっては，いくつかの問題がある。まず，（イ）行為者が最初から（＝窃盗を行う以前から）事後に暴行・脅迫を加えることを予定していたとき，それでも事後強盗罪となしうるのかどうかが問われる。事後強盗罪の規定が，財物奪取の時点で暴行・脅迫の意図がなかった場合には強盗とすることができないことから，その者が後に行った暴行・脅迫に鑑みて強盗へと格上げするための例外的な規定なのだとすれば，当初から暴行・脅迫を予定している場合には，通常の強盗罪を認めるべきであろう[34]。もちろん，これに対しては，当初からの暴行・脅迫の意図の有無にかかわらず，事後強盗罪の成立を認めてかまわないとする見解も可能であろう（とりわけ，事後強盗罪の場合は，暴行・脅迫が財産取得以外の目的で行われてもかまわないのであるから，それだけ要件が緩やかで適用しやすいのである）。次に，（ロ）通常の強盗罪が成立しないときにのみ補充的に事後強盗罪の適用が許されるのか，それとも，事例の特性に応じて適用しやすい方を適用することができると考えるべきかである。事後強盗罪の規定が例外的・補充的なものであるとすれば，前者のように考えるべきであろうが，後者のように，プラグマティックに扱うことも可能であろう。

(2)　行　為

本罪の暴行または脅迫は，通常の強盗罪と同様に，**相手の反抗を抑圧するに足りる程度**のもの（最狭義の暴行・脅迫）でなければならない。相手方の逮捕遂行の意思を制圧するに至らない防御的動作は，ここにいう暴行にあたらない[35]。暴行・脅迫は，3つの目的，すなわち，①財物を得てこれを取り返されることを防ぐ目的，②逮捕を免れる目的，③罪跡を隠滅する目的のうちのいずれかを目的として行われることを要する（目的犯）。法文の「財物を得て」の語は，

34）　当初から強盗を意図し，暴行・脅迫について計画ないし目的がある場合と，偶発的に暴行・脅迫の意思が生じた場合とでは，評価においてはかなり大きな違いがある（一般的に言って，日本の実務では，事前の計画は刑を重くする要素として重視されている）。事後強盗および事後強盗致傷の量刑には，評価の軽さが明らかに示されている。

35）　東京高判昭和61・4・17高刑集39巻1号30頁。

「これを取り返されることを防ぎ」のみにかかる（間に読点がない）[36]。そこで，財物を取得できなかった窃盗犯人も，②逮捕を免れる目的または③罪跡を隠滅する目的での事後強盗罪の主体にはなりうる[37]。「罪跡を隠滅する目的」とは，犯罪を証明すべき物を奪ったり，目撃者を殺害したりするなど，窃盗犯人であることの証拠となるものの効用を失わせようとする目的のことである。

本罪も**未遂が処罰**される（243条）が，既遂か未遂かは，通常の強盗罪と同様に，**財物を取得したかどうか**により決せられる。暴行・脅迫を行ったとしても，結局，財物を取得できなかったというときには，（かりに逮捕を免れる目的や罪跡を隠滅する目的が達成されたとしても）本罪の未遂犯が成立することになる。財物をいったん取得し確保していたが，暴行・脅迫を行ったものの，結局取り返されたというときには，強盗の目的を遂げなかったことになるから，本罪の未遂となると解すべきであろう。

(3)　窃盗の機会

事後強盗罪が成立するためには，暴行・脅迫が「**窃盗の機会**」に行われることが必要である（書かれざる構成要件要素ないし記述されない構成要件要素）。それが必要とされる根拠は，窃盗後に暴行・脅迫が行われたケースを通常の強盗と同一に扱うためには，その窃盗と同じ機会に暴行・脅迫が行われたと見うるような密接な関連性がなければならない，というところに求められる。窃盗の現場においてその直後に暴行・脅迫が行われれば，当然に窃盗の機会に行われたといえるが，そうではない場合，どこまで**窃盗の機会の継続性**が認められるかは，実務上もしばしば争われ（強盗となるかどうかは量刑にも大きく影響する），多くの判例・裁判例がある。

窃盗との関わりの密接性を示す窃盗の機会の継続性をめぐっては，①逃走追跡型，②現場滞留型，③現場回帰型の３つがあるとされている。①の**逃走追跡**

36）　この点について，西田・192頁も参照。

37）　大判昭和7・12・12刑集11巻1839頁。財物を取得できなかった窃盗犯人が，逮捕を免れる目的または罪跡を隠滅する目的で暴行・脅迫を加えるとき，そこでは，もはや財産的法益の保護は直接には問題となっていない。その限りで，事後強盗罪は純然たる財産犯なのではなく，**窃盗罪という特別な犯罪**（→225頁）**の犯人の逮捕や訴追という司法作用の保護**がその法益には含まれているというべきである。

型のケースでは，窃盗行為と多少，時間的・場所的に離れていても，犯人が現場から追跡を受けており，現場の継続的延長と見ることができれば，窃盗の機会の継続性を肯定できる。②の**現場滞留型**のケースについても，被害者等による窃盗犯人への追及可能性が依然として継続していることから窃盗の機会の継続性が肯定される。最高裁判例は，行為者が，被害者方で指輪を窃取した後も犯行現場の真上の天井裏に潜んでいたが，犯行の約1時間後に帰宅した被害者から，窃盗の被害に遭ったことおよびその犯人が天井裏に潜んでいることを察知され，犯行の約3時間後に被害者の通報により駆け付けた警察官に発見されたことから，逮捕を免れるため，持っていた切出しナイフでその顔面等を切り付け，同人に傷害を負わせたというケースについて，事後強盗による強盗致傷罪（240条前段）が肯定されるとした[38)]。窃盗の犯行後も，犯行現場の直近の場所にとどまり，被害者等から容易に発見されて財物を取り返され，あるいは逮捕されうる状況が継続していたことから，暴行は窃盗の機会の継続中に行われたものとされたのである。この種の事案では，被告人が被害者等から財物を取り返され，または逮捕される可能性という意味での「被害者等からの追及可能性」がなお継続していたことが重要であるといえよう。

これに対し，③の**現場回帰型**のケースについては，いったん「安全圏」に戻ることができた上での「現場回帰」であり，追及可能性がいったん消滅していることから継続性を否定するのが一般である。最高裁は，留守宅に侵入して財布等を盗んだ犯人が，自転車で1km離れた公園に行き，現金を数えると思ったより少なかったため，もう一度同じ家に盗みに入ろうと約30分後に被害者方に戻ったところ，その間に家人が帰宅しており，逃走しようとして発見され，逮捕を免れるためナイフを示して脅迫したというケースについて，原判決を破棄して事後強盗罪の成立を否定した[39)]。この事案では，被告人は，財布等を窃取した後，誰からも発見・追跡されることなく，いったん犯行現場を離れ，ある程度の時間を過ごしており，この間に，被告人が被害者等から容易に発見されて財物を取り返され，あるいは逮捕されうる状況はなくなったものであり，

38） 最決平成14・2・14刑集56巻2号86頁。

39） 最判平成16・12・10刑集58巻9号1047頁。

もはや窃盗の機会が継続しているとはいえないと考えられるのである[40]。

5　昏酔(こんすい)強盗罪——準強盗罪(2)

（昏酔強盗）
第239条　人を昏酔させてその財物を盗取した者は，強盗として論ずる。

昏酔強盗罪（「昏睡」ではないことに注意）は，事後強盗罪と並ぶ**準強盗罪**の一類型である（**未遂も処罰**される〔243条〕）。人の意識作用に障害を生じさせ反抗ができない状態に陥れて財物を盗取することにより成立する。被害者の抵抗できない状態に乗じて行われる不同意わいせつ罪・不同意性交等罪（→121頁以下）に対応するような準強盗罪の処罰規定は存在しない。もし行為者が強盗の意図なくして被害者を失神させたとき，その状態に乗じて財物を奪うとすれば，それは窃盗であるにすぎない（→277頁。これに対し，行為者が失神させた被害者に対しその時点ではじめて犯意を抱いて性交等を行えば不同意性交等罪が成立する）。

客体は財物に限られるから，財産上の利益を得た場合には本罪にあたらないことになる。意識喪失に陥らせるなど，人の意識作用に障害を生じさせることは傷害にあたりうる（→49頁以下）が，そうであるとすれば，本条の昏酔強盗行為を行うときは常に強盗傷人罪・強盗致傷罪（240条前段）が成立することになりかねず，この規定が空文化するおそれもある。本罪で予定されている程度の**一時的な意識障害**を生じさせることは，強盗傷人罪・強盗致傷罪の傷害にはあたらないと解すべきである[41]（→52頁）。

40）　また，東京高判平成17・8・16高刑集58巻3号38頁も，窃盗犯人による事後の殺害が，いったん被害者側の支配領域から完全に離脱してから再び現場に戻って行われたもので，窃盗の機会継続中であったとはいえないとして事後強盗殺人罪の成立を否定した。

41）　そこで，長時間にわたる意識喪失状態を生じさせるような場合であってはじめて240条前段の適用が問題となる。判例がこの点についてどのように考えているかはまだ明らかでない（最決平成24・1・30刑集66巻1号36頁を参照）。ちなみに，甲・乙・丙の3人がAに睡眠薬を飲ませてその金品を盗るという昏酔強盗の計画を立て，これを実行に移したが，Aが睡眠薬入りのビールを飲んだものの眠り込むには至らなかったため，甲が待ち切れずにAに暴行を加えて傷害を負わせた後，3人でA所有の金品を奪ったというケースについて，東京地判平成7・10・9判タ922号292頁は，昏酔強盗の共謀は暴行脅迫による強盗には及ばず，乙と丙は強盗致傷罪の罪責は負わないとした。

薬物を飲ませて人の生理的機能を害しようと試みることが暴行にあたる（→63頁）のであれば，それは通常の強盗罪（236条）の手段となりうる。したがって，本罪と一項強盗罪とは**法条競合**（**特別関係**）の関係に立ち，本条の規定が優先的に適用されることになる（→64頁）。もし財物ではなく財産上の利益が客体となる場合には，本罪は成立しえないから，二項強盗罪のみが成立することになる。

6　強盗致死傷罪，強盗傷人罪，強盗殺人罪

（強盗致死傷）
第240条　強盗が，人を負傷させたときは無期又は6年以上の拘禁刑に処し，死亡させたときは死刑又は無期拘禁刑に処する。

(1)　総　説

本罪は，強盗犯人を主体とする犯罪である（したがって，これを**身分犯**と解し[42]，65条1項を適用して差し支えない〔→総論570頁注*45*)〕)。240条は**4つの構成要件**を含む。すなわち，重い順に，①**強盗殺人罪**（死亡結果について殺意のある場合），②**強盗致死罪**（殺意のない場合），③**強盗傷人罪**（傷害結果について傷害の故意のある場合），④**強盗致傷罪**（傷害の故意のない場合）である。これだけでも十分に複雑であるが，さらに，単なる結合犯の場合と結果的加重犯である場合の両方を含んでいる。

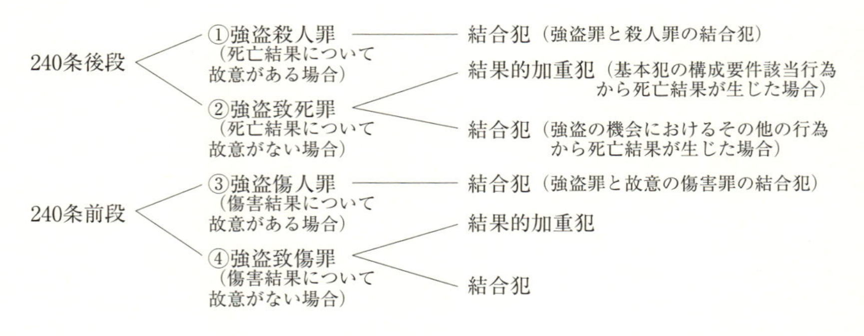

42)　大塚・226頁，大谷・256頁，佐久間・206頁。

①と③は，殺傷の結果についてそれぞれ故意のある場合であるが，①の強盗殺人罪は**強盗罪と殺人罪の結合犯**であり，③の強盗傷人罪は**強盗罪と故意の傷害罪の結合犯**である（重い結果について故意のある場合は，一般には結果的加重犯と呼ばない）。②と④は，殺傷の結果について故意のない場合であるが，これらのうちには，強盗の手段たる暴行・脅迫（または財物奪取行為それ自体）から死傷の結果が発生した**結果的加重犯**の場合のほか，強盗の機会に行われた暴行・脅迫から死傷の結果が発生した**結合犯**の場合（強盗と傷害罪の結合犯，または強盗と傷害致死罪の結合犯の場合[43]）も含まれている（「強盗の手段」と「強盗の機会」の関係については，**(2)**で説明する〔→294 頁以下〕）。

法定刑の重さ　240 条の規定において特に目を引くのは**法定刑の重さ**である。強盗の際には人の生命・身体が脅かされることが多いので，被害者保護のための一般予防の見地から特に重い刑を規定したものといえよう。法定刑の重さとの関係で特に問題とされてきたのは，2004（平成 16）年の刑法一部改正以前は強盗致傷罪（本条前段）に対する法定刑の下限が 7 年の懲役であったため，酌量減軽（66 条）しても 3 年 6 月となるにすぎない（68 条 3 号）ことから執行猶予の要件（25 条 1 項の「3 年以下」の要件）が充たされず，懲役の実刑を回避することができなかったという点である[44]。そこで，240 条前段の傷害は，204 条の傷害（→49 頁以下）と比較してその程度がより重大な場合に限るべきであり，軽微な傷害は 240 条にいう傷害に含まれないとする見解も主張された。しかし，凶悪犯罪に対する科刑の適正化を目ざした，2004（平成 16）年の刑法一部改正により，強盗致傷罪の法定刑の下限は 6 年に引き下げられた。これにより，酌量減軽の上，刑の執行を猶予することができるようになったのである。

「**強盗**」といいうるためには，**準強盗罪を含む強盗罪の要件が充足**されているこ

43）　さらに，240 条の主観的要件の解釈いかんによっては，強盗の機会における，強盗罪と過失傷害罪の結合犯，強盗罪と過失致死罪の結合犯も含めることになる（→298 頁以下）。

44）　たしかに，強盗致傷罪は重い犯罪である。しかし，たとえば，コンビニで万引きしようとしたところを店員に見つかってしまったので店員に暴力を振るったという偶発的なケースで，店員がケガをしたというとき，常に実刑相当かといえば，それは疑問であろう。このケースは通常の強盗の事例であるが，とりわけ事後強盗行為（→286 頁以下）から傷害の結果が発生したケースの中には，必ずしも実刑相当といえない場合もかなり含まれうる。従来の実務では，240 条の適用を避けるため，あえて窃盗と傷害とに分けて立件することもしばしばあったといわれる。

とが必要である。そこで，240条を適用する前提として，たとえば，二項強盗罪や事後強盗罪の要件の充足の有無が問題とされることが多い（そのため，「二項強盗殺人」とか，「昏酔強盗致傷」とかの言い方をする）。また，「強盗」といいうるためには，**少なくとも強盗の実行に着手**していることが必要であるが[45]（→275頁），本条の適用にあたり強盗の実行の着手時期について議論されることがしばしばある。なお，債権者と間違えて無関係の人を殺害したというケースでは，未遂犯と不能犯の区別に関する具体的危険説（→総論451頁以下）を適用した上で，**二項強盗罪の実行に着手したことが肯定される限り**は，その者は「強盗」であり，240条の適用は可能だと考えられる。

(2) 死傷の原因行為

(a) 見解の対立　　**強盗着手後のいかなる行為**から死傷の結果が発生しなければならないか。この「死傷の原因行為」をめぐっては，次の3つの見解が主張されている。すなわち，①致死傷の原因行為がおよそ強盗の機会，すなわち，強盗が行われた現場またはそれと継続性の認められる状況（逃走の場面等）に行われたことを要し，かつそれで足りるとする**非限定説**（または**機会説**[46]），これを狭く理解し，②強盗の手段たる行為（すなわち，財物奪取の手段たる暴行・脅迫）から死傷の結果が生じたことを要するとする**限定説**（または**手段説**[47]），中間的見解として，③強盗の機会になされた行為のうち，強盗との一定の関連性・牽連性のある行為から結果が生じたことを要するとする**折衷説**（または**関連性**

---

45) たとえ強盗が未遂に終わったとしても，死傷の結果が発生する限り，本罪は既遂となる（→300頁）。そうであるとすると，死傷の結果が生じた後に，犯人が被害者の財物を領得したかどうかは本罪の成否にとり重要でないとも考えられよう。ただ，罪数判断においてその領得行為をどこまで本罪に含めて評価できるかは重要な問題となりうる。**強盗殺人後の財物領得**について，279頁を参照。

46) 団藤・594頁など。

47) たとえば，香川・530頁以下，瀧川幸辰（ゆきとき）『増補 刑法各論』（1968年）（団藤重光ほか編『瀧川幸辰刑法著作集第2巻』〔1981年〕所収）333頁，瀧川春雄＝竹内正『刑法各論講義』（1965年）182頁以下など。なお，平野・概説210頁は，基本的にこの見解をとりつつ，強盗行為終了後の行為から死傷結果が生じたときには，事後強盗罪の要件を充たす範囲内で240条の適用を認めるべきだとする。これに近いのは，中森・130頁，中山・156頁，西田・200頁，林・219頁以下，松原・268頁以下，山口・236頁（「拡張された手段説」）など。

説[48]）である。**判例**は，従来から①の非限定説をとり，240条の罪における死傷の結果は，**強盗の機会**になされた行為によって生じたことをもって足りるとしてきた。

非限定説をとる判例 住居に侵入して強盗行為を行った後，家人が騒ぎ立てたため他の共犯者が逃走したので，被告人も逃走しようとしたが，その際，表入口付近で被告人を追跡して来た被害者両名の下腹部を日本刀で突き刺し死亡させたというケースについて，最高裁は，大審院の判例を踏襲して次のように述べた。「240条後段の強盗殺人罪は強盗犯人が強盗をなす機会において他人を殺害することによりて成立する罪である。……殺害の場所は同家表入口附近といって屋内か屋外か判文上明でないが，強盗行為が終了して別の機会に被害者両名を殺害したものではなく，本件強盗の機会に殺害したことは明である。然らば原判決が刑法第240条に問擬したのは正当である」[49]。また，最近の高裁判例の中には，被告人らが，強盗行為に引き続いて，被害者を自動車内に監禁して移動し，強盗の罪跡を隠滅するため，被害者に覚せい剤を注射して放置し，これを死亡させるに至ったというケースについて，「このような強盗の罪跡を隠滅する行為は強盗と一体のものと評価できる」として，被害者の死亡の原因となった覚せい剤を注射するなどした行為は「強盗の機会」に行われたということができることから，強盗致死罪が成立するとしたものがある[50]。

(b) 限定説と非限定説　これに対し，②の見解は，240条の罪を**もっぱら強盗罪の結果的加重犯**として理解する。それによれば，強盗行為から（すなわち，236条等の強盗罪・準強盗罪の構成要件に該当する行為そのものから）死傷の結果が生じることが要求される[51]。ただ，この見解によっても，窃盗犯人が財物の占有をまさに取得しようとする段階（または，なかば取得したが，しかしまだ排他

---

48) 伊東・182頁以下，植松・399頁，大塚・230頁以下，大谷・258頁以下，川端・347頁以下，佐久間・209頁，曽根・138頁，高橋・304頁以下，日高・273頁以下，福田・244頁，前田・212頁以下，山中・332頁以下など。

49) 最判昭和24・5・28刑集3巻6号873頁。

50) 東京高判平成23・1・25高刑集64巻1号1頁。

51) 限定説の根拠は，240条が強盗罪の結果的加重犯を定めたものとするところにあるから，死傷の原因行為は強盗の手段たる暴行・脅迫に限定される理由はなく，**強取行為そのものでもよい**はずである。たとえば，腕時計を奪い去るときに腕の部分に傷害を与えたという場合であってもよいであろう。

的支配下に置いていない段階）で被害者に発見され，強盗の意思を生じ，占有を確実なものとする手段として用いた暴行や脅迫から死傷結果が発生した場合には，240条の罪となろう。もしそうだとすると，強盗犯人が暴行・脅迫を用いて財物の占有をひとまず取得した後（すなわち，強盗行為終了後）に，財物を取り戻そうとする被害者に抗してさらに暴行を加え，それにより死傷の結果を生じさせた場合に，本条の適用を否定する理由はなかろう。さらにいえば，窃盗犯人が逮捕を免れるため，または罪跡を隠滅するため暴行・脅迫を加えた場合に事後強盗罪（→286頁以下）となり，そこから死傷の結果が生じたときには240条が適用されるのに，その同じことを強盗犯人がその犯行後に行ったときに240条の適用が否定され，強盗罪と傷害（致死）罪の併合罪となって処断刑がより軽くなるというのは明白にバランスを失する。限定説は，本罪が強盗罪の結果的加重犯と解されるべきことを重要な論拠とするが，240条が通常の結果的加重犯の場合に見られる「よって」「より」という文言[52]を用いておらず，結果が「強盗」としての行為から生じれば足りるように規定されていることは，むしろ非限定説の根拠となる。

このように，限定説を斥けて，非限定説のように**240条が結果的加重犯以外の類型をも含む**と解するとすれば，そのことは，次の2つのことを意味する。すなわち，①致死傷の原因行為は，強盗罪・準強盗罪の構成要件に該当する行為に限られないということ，そして，②本条の罪が，結果との関係で故意（たとえば，殺意）をもって行われた場合も含みうる（→299頁）ということである。

(c) 折衷説　　他方，非限定説によるとき本罪の成立範囲が広くなりすぎることを批判して有力に主張されているのが折衷説である[53]。この見解は，死傷の原因行為は強盗の機会に行われれば足りるとする非限定説を前提として，強盗行為と致死傷の原因行為との間に（非限定説よりもより）密接な関連性を要

52）結果的加重犯を定めた規定，たとえば，181条・205条・221条・241条3項などを参照。

53）折衷説によると，たとえば，強盗の機会に行われた行為のうちで，「強盗に附随して行われることの通常予想されるような定型的な行為」（中野次雄「強盗致死傷罪・強盗強姦罪」荘子邦雄＝大塚仁＝中野次雄『総合判例研究叢書 刑法（10）』〔1958年〕183頁），強盗行為との間に「有機的な関連」のある行為（植松・399頁），「被害者に向けられた当該強盗行為と，性質上，通常，密接な関連性をもつ行為」（大塚・231頁）などから死傷の結果が生じた場合に本条の適用を限定すべきだとされる。

求することにより若干の限定を試みようとする。**折衷説の理論的根拠**は，次の点にある。すなわち，240 条による刑の加重の理由が，死傷の結果を生じさせた行為者がたまたま強盗犯人であったところにではなく，**遂行された強盗行為が特に危険**であったところにあることである。たしかに，このような折衷説の基本的考え方は正当であり，たとえば，強盗犯人どうしが現場で仲間割れをして殴り合いになったため死傷の結果が生じたという事情や，被害者が犯人を追跡しようとして転倒し負傷したという事情などは，強盗の機会における死傷の結果であるとしても，強盗行為の特別の危険性を示すものではないことから，加重類型としての本罪の成立を認める理由とはならないというべきである（とはいえ，非限定説と比べたとき，**折衷説による限定はそれほど大きなものではない**ことに注意する必要がある)。

(3) 240 条の主観的要件

(a) 問題の所在　240 条をめぐっては，主観的要件も重要な争点となる。すなわち，240 条の適用が問題となるケースにおいては，死傷の結果との関係で，① 過失しかない場合，② 脅迫の故意はあった場合，③ 暴行の故意があった場合，④ 傷害の故意があった場合，⑤ 殺人の故意があった場合という**5 つの場合**が考えられる。240 条がこのうちの**どこからどこまでを予定**しているかが問題となるのである。とりわけ，(i)必要最低限の主観的要件として暴行の故意まで必要か，それとも単なる過失でも足りるかの問題，そして，(ii)死傷の結果について故意がある場合の適用いかんの問題がある。なお，240 条の未遂(243 条を参照）がいかなる場合に成立するかの問題（→300 頁）も，(ii)の論点と密接に関連している。

(b) 必要最低限の主観的要件　240 条を適用するための**必要最低限の主観的要件**に関する従来の通説は，強盗致死傷罪の成立には，死傷の結果の発生につき，**少なくとも暴行の故意**が必要だとしてきた[54]。その文理上の根拠は，38 条 1 項との関係で，少なくとも 204 条の傷害罪または 205 条の傷害致死罪の要件を具備する必要があるとするところにあった。

---

54) 大塚・233 頁，団藤・595 頁。

暴行による傷害か，それとも脅迫による傷害か　たとえば，甲が通行人から現金入りの財布を強取しようと企て，人気のない夜道で短刀を示してAを脅迫したところ，畏怖したAが自ら甲の短刀に触れてケガをしたというケースについて考えてみよう。強盗犯人甲は，強盗の手段としての脅迫行為により被害者Aに傷害の結果を発生させた。もし240条の適用のためには少なくとも暴行の故意が必要だと考えると，強盗未遂罪と過失傷害罪しか成立しないことになる。しかし，**凶器を被害者に示す行為そのものを暴行と捉える**ことも不可能ではない。現に，判例は，強盗の際に凶器を示して脅迫中に被害者がこれによって負傷した事案につき，凶器を突き出す行為そのものが暴行であるとしている[55]。そのように考えれば，甲には強盗致傷罪が成立することになる。

これに対して，**最近の通説**は，暴行の故意のある場合はもちろんのこと，暴行の故意のない場合，したがって，②脅迫の故意しかない場合[56]や，さらには，①純然たる過失致死傷の場合[57]にも，強盗致死傷罪の成立を認めうると主張する。最近の学説によれば，暴行の故意を要求する説によって240条の適用が認められる場合はもちろん，さらに加えて，(イ)暴行によらずに，脅迫行為から傷害の結果が生じた場合[58]や，(ロ)強盗の手段たる脅迫から法的因果関係の範囲内で（→総論132頁以下）傷害の結果が生じたが，被害者の行為が結果発生の一因となった場合[59]，さらには，(ハ)強盗の機会に過失により死傷の結果を生じさ

---

55)　最高裁は，脅迫の際に日本刀を突き付ける行為（最決昭和28・2・19刑集7巻2号280頁）や被害者の首やあごのあたりにナイフを突き出す行為（最判昭和33・4・17刑集12巻6号977頁）は，人の身体に対する不法な有形力の行使として暴行にあたるとし，そこから傷害が生じたときは暴行による傷害として強盗致傷罪を構成するとする。暴行の意思の認められない単なる脅迫行為に基づいて死傷の結果を生じさせた場合，さらには，純然たる過失致死傷が問題となる場合についての最高裁判所の立場はいまだ明らかでないといわざるをえない。

56)　内田・289頁，高橋・309頁，西田・200頁以下，林・222頁以下，平野・概説210頁，福田・245頁，山口・238頁など。

57)　伊東・184頁，植松・399頁，大谷・261頁，前田・215頁，山中・331頁など。

58)　たとえば，脅迫により，気の弱い被害者がショックで長時間失神したり，めまいを起こして転倒し負傷したというような事例や，強盗犯人が脅迫のためにかまえたピストルの引き金に誤って触れて弾丸を発射させ，被害者に死傷の結果を生じさせた事例など。

59)　たとえば，強盗犯人が被害者を脅迫したところ，被害者が難を逃れようとして逃げ出し，転倒して負傷したという事例など。

せた場合[60]においても240条の適用が肯定されることになる。

その論拠は，240条が，強盗の際には，意図せざる死傷の結果の発生をともないがちであることに着目して，被害者の生命・身体を特に厚く保護しようとする趣旨の規定であり，強盗の機会における単なる脅迫が原因となって傷害の結果が生じたり，さらには単なる過失によって傷害の結果が生じることもありうるから，そのような場合にも本罪の成立を否定する理由はない，とするところにある。実際上も，もし暴行の故意を要求すると，被害者が暴行から逃げようとして転倒し負傷すれば強盗致傷罪が成立し，脅迫から逃げようとして負傷した場合であれば成立しないという不均衡が生じるというのである[61]。

(c)　殺傷の故意のある場合　　強盗犯人が**殺意をもって死亡の結果を生じさせた場合**にどうなるかは，従来から議論の対象とされてきたが，240条後段のみの適用を認める（それが「強盗殺人罪」の場合であるとする）のが判例・通説である[62]。もし240条が殺意のある場合を予定していないとすると，強盗犯人が殺意をもって被害者を殺害したときは，ⓐ殺人罪と強盗致死罪の観念的競合（未遂の場合には，殺人未遂罪と強盗致傷罪の観念的競合）として処断するか，それとも，ⓑ殺人罪と強盗罪の観念的競合（か牽連犯）または併合罪として処断することになるが，そのいずれにも難点がある。すなわち，前者ⓐの解決には，

60）たとえば，強盗犯人が現場で誤って乳児を踏んで死傷の結果を生じさせたり，逃走の過程で通行人と衝突してケガをさせた事例や，被害者が犯人を追跡しようとして転倒し負傷した事例など。

61）近年の裁判例は，被告人がビル2階にある風俗店において3名に脅迫を加え反抗を抑圧した上で現金を強取したが，その際，店内の個室にいて被告人がその存在を認識していなかった被害者が畏怖して難を逃れようと思い，窓から脱出を試みたところ失敗して転落し傷害を負ったという事案につき，強盗致傷罪の成立を認めた（東京地判平成15・3・6判タ1152号296頁）。この裁判例は，脅迫行為から傷害結果が発生したときにも240条前段の規定を適用できることを前提としている。すなわち，「弁護人は，強盗致傷罪における『負傷』の結果は暴行の意思による行為に基づいて生じることを要する旨主張するが，強盗致傷罪の立法趣旨等に鑑みれば，同罪の成立についてそのような限定を加えるべき理由は認められず，弁護人の主張は採用できない」と述べている。

62）判例として，大連判大正11・12・22刑集1巻815頁，最判昭和23・6・12刑集2巻7号676頁，最判昭和32・8・1刑集11巻8号2065頁など。学説として，大塚・228頁以下，大谷・257頁，川端・344頁以下，佐久間・208頁，団藤・595頁，中森・130頁，林・221頁，日高・278頁以下，前田・218頁以下，山口・237頁，山中・330頁など。

殺意のある場合を240条は予定していないとしながら，それでも同規定を殺意のある場合に適用するところに論理的矛盾があり，後者ⓑの解決に対しては，本来，より重くてしかるべき場合の処断刑の下限がより軽くなってしまう（すなわち，殺意のある場合は5年の拘禁刑，殺意のない場合は無期の拘禁刑ということになってしまう）という問題がある。このような問題点を回避するためには，殺意のあった場合にも，240条後段のみの適用を認めて処断するほかはない。そればかりでなく，立法者が，強盗犯人が被害者を故意で殺害するという1つの典型的な犯行形態を度外視して，殺意のない場合のみを類型化し特に重い刑を規定したと考えるのも不自然といわなければならない。[63]

これに対し，240条前段の「人を負傷させたとき」，そして後段の「死亡させたとき」については，**傷害の故意**をもって行われたケースを当然に含む（したがって，後段は強盗の機会に，または強盗の手段として傷害致死が行われた場合を含むということになる）と考えられ，異論は見られない。

(4) 240条の罪の未遂

243条が予定する240条の罪の未遂がいかなる場合に成立するかも重要な論点である。もし240条の規定が殺意のある場合を含まない規定と考えると，240条の既遂・未遂は，財物奪取（または財産上の利益の取得）の有無により決まると考えるほかはない。これに対し，判例・通説のように，殺意のある場合も含むとすると，**意図した死亡結果が生じなかった場合**に未遂犯が認められる。[64]本規定の保護目的は，生命への被害を防止するところにあり，財産を得たかどうかは重要でないと考えれば，判例・通説の解釈の方が妥当である。

強盗傷人については，204条・208条の解釈として傷害の未遂は暴行罪として処罰されることから，強盗傷人の未遂も強盗罪にとどまるとする見解が一般

63) 通説的解釈を支持する立場から，本条に「よって」の文言がないことが殺意のある場合を含むことの論拠になるとされることがある。

64) 判例として，大判昭和4・5・16刑集8巻251頁など。学説として，大塚・232頁，大谷・260頁，川端・349頁，中森・131頁，西田・201頁，日髙・279頁，前田・219頁以下，山口・241頁，山中・335頁など。なお，浅田・226頁以下，曽根・140頁，中山・157頁以下，平野・概説211頁は，殺意のある場合を含むとしつつ，強取が未遂に終わった場合にも240条の罪の未遂となりうるとする（そうだとすると，殺意をもって被害者を殺したとしても，財物の取得を思い止まる限り，中止犯が成立しうることになろう）。

的である。

結局，240 条の罪の未遂罪は，強盗犯人が**殺意をもって行為し殺害の意図を遂げなかった場合**（のみ）に成立することになる。したがって，それは強盗の機会における殺人未遂および強盗の手段としての殺人未遂を処罰するものである。実行の着手時期は，（たとえ殺害の意図をもっていたとしても）財物奪取の開始時点ではなく，殺害行為そのものを開始した時点に認められる。

(5)　罪　数

本罪の罪数は，死傷した人の数により決められる。同一の強盗の機会に 3 人を殺傷したときには，3 個の本罪が成立する。それが 1 個の行為による場合には観念的競合であるが，それぞれ別の，3 個の行為による場合には，3 個の 240 条の罪が併合罪となると解されている。強盗の機会に行われたことが重複的に評価される点で疑問がないではないが，他方，これを包括一罪とすれば，強盗犯人ではないものが同一の機会に，3 個の行為で 3 人を殺傷したときに併合罪になることとの関係で不均衡であろう（ただし，強盗目的で住居に侵入し，その強盗の機会にそこに住む 3 人をそれぞれ別の行為で殺傷したというときには，住居侵入罪を「かすがい」として全体が科刑上一罪となるとされている〔いわゆるかすがい現象〕）。

7　強盗・不同意性交等罪，強盗・不同意性交等致死罪

（強盗・不同意性交等及び同致死）

第 241 条①　強盗の罪若しくはその未遂罪を犯した者が第 177 条の罪若しくはその未遂罪をも犯したとき，又は同条の罪若しくはその未遂罪を犯した者が強盗の罪若しくはその未遂罪をも犯したときは，無期又は 7 年以上の拘禁刑に処する。

②　前項の場合のうち，その犯した罪がいずれも未遂罪であるときは，人を死傷させたときを除き，その刑を減軽することができる。ただし，自己の意思によりいずれかの犯罪を中止したときは，その刑を減軽し，又は免除する。

③　第 1 項の罪に当たる行為により人を死亡させた者は，死刑又は無期拘禁刑に処する。

*旧第 241 条（強盗強姦及び同致死）　強盗が女子を強姦したときは，無期又は 7 年以上の懲役に処する。よって女子を死亡させたときは，死刑又は無期懲役に処する。

(**a**) 総　説　　本罪の処罰規定は，2017年の刑法一部改正法（2017〔平成29〕年6月23日法律第72号）により大きく改められた（→118頁以下）。従来の「強盗強姦罪」は，強盗犯人が強盗の機会に女性を強姦することによって成立する罪とされ，たとえば，強盗犯人が，財物を奪取するため，または現場から逃走するため，被害者の女性に暴行・脅迫を加えたところ，反抗を抑圧された女性の姿を見てにわかに強姦の意思を生じて強姦に及んだというようなケースにおいて成立するものとされた。2017年改正により，それまでの「強姦」が「性交等」に広げられ（そして，2023年改正〔→119頁以下〕により，性交等の範囲はさらに拡大された〔→126頁以下〕），また，**強盗と性交等の先後関係を問わず**，いずれの行為が先行する場合にも適用される規定となった。

旧規定の下では，強姦犯人が，強姦後，強盗の故意を生じて，畏怖している被害者から金品を強取したときは，強姦罪と強盗罪の併合罪とされるにすぎなかった[65]（処断刑は強盗強姦罪よりずっと軽いものであった）。しかし，**本罪の重罰根拠**は，被害者に大きなダメージを与える2つの犯罪（いずれも「凶悪犯」に分類される〔→272頁注*2*)〕）を同一機会に行うこと（それがしばしば起こりうるケースであることも指摘されている）のもつ評価の重さに加えて，被害者の羞恥心を利用して捜査機関への被害の届出を困難にすることを狙いとしうる点に認められる行為の悪質さ（同時に，犯人にとっての誘惑の大きさ）にあるとされる[66]。そうであるとすれば，強盗と性交等の先後のいかんは重要でなく（なお，実務上，先後関係が事後的には確定しがたい場合も少なくないとされる），不同意性交等の犯人が，行為後に，強盗の故意を生じて，畏怖している被害者から金品を強取したときであっても，（強盗罪と不同意性交等罪の両罪の要件がそれぞれ肯定できる限りは）不同意性交等罪と強盗罪の併合罪の場合以上に刑を重くすることには合理性が認められるのである。

(**b**) 強盗・不同意性交等罪　　本罪は，強盗罪（236条・238条・239条）と不同意性交等罪（177条[67]）の**結合犯**である（両罪が予定する保護法益の保護を目

---

65) 最判昭和24・12・24刑集3巻12号2114頁。

66) たとえば，大塚・234頁以下。

67) これに対し，監護者性交等罪（179条2項）については，強盗罪と同一の機会に実行されるという事態が想定しにくいため，これを除外している。

的とする)。いずれの犯罪の要件も充足されることを要する。強盗の行為と不同意性交等の行為は**同一の機会**に行われなければならない。同一の機会の意義については，窃盗の機会（289頁以下を参照）や強盗の機会（294頁以下を参照）と同様に理解されるべきであろう。予定された刑は，無期拘禁刑または7年以上の有期拘禁刑であり，強盗罪と不同意性交等罪の併合罪の場合の処断刑よりもかなり重くなっている。

2017年改正以前の旧規定の下では，旧243条において強盗強姦罪の未遂犯処罰が予定されており，それは（強盗の既遂・未遂を問わず）強姦そのものが未遂に終わったときとされていた。しかし，それは立法論としては問題があった。なぜなら，強盗（既遂）のときの処断刑の下限は5年の懲役であるのに，それに加えて強姦（未遂）を行うと処断刑が3年半の懲役となりえたからである。改正後の新規定は，本罪を強盗罪と不同意性交等罪の結合犯として，両方についてその既遂・未遂を問わないことにした。その上で，**241条2項本文においていずれの罪も未遂に終わったケース**についてだけ**特別の刑の減軽規定**を置いた[68]。それは法の規定の上では既遂犯であるが，その行為の違法性の低さを考慮した，**実質的には未遂減軽の規定**にほかならない。その上で，未遂に終わったいずれかの犯罪について中止行為と任意性の要件が認められるときには，**中止犯と同じ法律効果**（刑の必要的減免）を認めることとした（241条2項ただし書）。

強盗が行われたその場所で複数の被害者に対し不同意性交等の行為が行われたとき，不同意性交等の被害者の数に応じた強盗・不同意性交等罪が成立し，併合罪として処断される[69]。たしかに，同一の機会に数人に対し強盗が行われたとき（複数の被害者に対し暴行が加えられ，複数の人の所有物が奪われたとき）でも単純一罪とするのが最高裁判例[70]であるが，これは強盗罪の主たる保護法益である財産が一身専属性をもたない法益だからである。これに対し，強盗・不

68) そこで，旧規定によれば強盗強姦罪の未遂犯とされた行為も，新規定の下では，241条1項の要件を充足する既遂犯とされることになる。そして，強盗既遂＋不同意性交等未遂の場合には，もはや刑の減軽が認められないこととなったのである。

69) 強盗強姦罪（旧241条）について，最判昭和24・8・18集刑13号307頁を参照。

70) 最判昭和23・10・26集刑4号535頁（ただし，被告人らが強盗の目的で家宅に侵入し，そこに住む一家族が被害に遭った事例であった）。

同意性交等罪の１つの重要法益は性的自己決定権（＝身体的内密領域の侵害に対する防御権）という一身専属性をもつ法益であることから，被害者の数に応じた独立の評価が必要とされることになる。[71)]

(c)　強盗・不同意性交等致死罪　　本罪は，旧規定と異なり「よって」という結果的加重犯に特有の文言（→296 頁）をあえて用いていない。死亡という重い結果について故意（殺意）のない結果的加重犯の場合と，故意のある場合の両方を予定した規定である。したがって，強盗・不同意性交等罪を犯した犯人が故意をもって被害者を殺害した場合にも本罪一罪（のみ）が成立する。[72)]
新規定は（これも旧規定と異なり）243 条において**強盗・不同意性交等致死罪（241 条 3 項）の未遂が可罰的**であることを明記しており，241 条 3 項の罪が殺意をもって行われる場合があることを予定している。殺意のない場合を強盗・不同意性交等致死罪，殺意がある場合を**強盗・不同意性交等殺人罪**と呼ぶべきであろう。

死亡の原因行為は，241 条 1 項の構成要件に該当する行為でなければならないが，それに「随伴する行為」も含まれるとすれば（→143 頁），結局，強盗または不同意性交等の遂行に役立つ行為（それと密接な関連性をもつ行為）であれば足りることとなり，強盗または不同意性交等の機会における行為というのとほぼ同義ということになろう（この点については，強盗殺人罪・強盗致死罪について述べたところ〔→294 頁以下〕に準じて考えることができるであろう）。したがって，強盗・不同意性交等罪を犯した直後に，犯行が発覚しないように被害者を殺害したときも本罪にあたる。

強盗・不同意性交等罪を犯し，被害者に**傷害の結果**を生じさせたときは，強

71)　ただし，強盗の被害者は１人でしかなかったというときには，重複評価を避けるため，その者との関係でのみ強盗・不同意性交等罪とし，同一の機会に行われた性交等のみの被害者については，不同意性交等罪のみを認めるという制限的な解釈も考えられよう。

72)　旧規定の下での判例は，強盗強姦罪の犯人が殺意をもって被害者を殺したとき，強盗強姦罪と強盗殺人罪（240 条後段）の観念的競合となるとしており（たとえば，最判昭和 33・6・24 刑集 12 巻 10 号 2301 頁〔ただし，強姦の点は未遂だったので，強盗強姦未遂罪と強盗殺人罪の観念的競合を認めた〕），通説もこれに賛成していた。新規定の下の法適用によるときも処断刑そのものは変わらない。ただ，**240 条後段の解釈と統一が図られ**，より簡明なものとなったというべきであろう。

盗・不同意性交等罪（241条1項）のみの成立を認めれば足りる[73]。傷害の結果が発生したが，強盗と不同意性交等のいずれも未遂に終わったというときでも，刑の減軽の可能性はないので（241条2項を参照），強盗致傷罪（240条前段）や不同意性交等致傷罪（181条2項）よりも処断刑が軽くなるおそれはない。

8　強盗予備罪

（強盗予備）
第237条　強盗の罪を犯す目的で，その予備をした者は，2年以下の拘禁刑に処する。

強盗罪（準強盗罪を含む）については予備が処罰される。それは，強盗実行目的をもって行われる**目的犯**としての構造をもつ犯罪である（予備罪の構造については，総論116頁，427頁以下を参照。また，**予備罪の共犯**については，総論525頁以下，542頁，544頁を参照）。

強盗予備行為が途中で中止され，強盗の実行の着手までに至らなかった場合，中止犯の規定（43条ただし書）の準用を認めるべきかどうかという問題がある（いわゆる**予備の中止**の問題）。判例はこれを否定するが，本罪については，殺人予備罪（201条〔→29頁〕）と異なり，情状による刑の免除が予定されていないので，強盗の実行の着手後であれば中止犯として刑が免除される可能性があることとの関係で明らかに不均衡である。中止犯の規定を準用（ないし類推）して，刑の免除の可能性を認めるべきであろう（→総論474頁以下）。

「強盗の目的」には，**事後強盗の目的**が含まれるか。判例はこれを肯定する[74]。

73）旧規定の下での判例として，大判昭和8・6・29刑集12巻1269頁，東京地判平成元・10・31判時1363号158頁など。学説として，西田・204頁，福田・247頁，山中・338頁など。241条では，傷害の結果が発生した場合は予定されていない。すなわち，「強盗・不同意性交等致傷罪」という犯罪は存在しない。強盗・不同意性交等罪の刑がかなり重いことも考慮すれば，被害者に負傷の結果が発生した場合でも，本罪のみの成立を認め，量刑上勘案すれば足りると考えられるのである。

74）その可罰性を肯定した判例の事案は，被告人が，ビルの事務所等に忍び込んで窃盗をしようと思い，ドライバー，ペンチ，ガラス切り，金づち，懐中電灯，手袋，サングラスなどのほか，「窃盗に入りもし〔人に〕見付かったら脅す」ために模造拳銃と登山ナイフ（刃渡り14.5 cm）を携帯して，入ろうとする建物を物色しながら徘徊中，警官に職務質問されて逮捕されたというものであった（最決昭和54・11・19刑集33巻7号710頁）。

学説では否定説も有力であり，強盗予備罪の規定が事後強盗罪の規定の前に置かれていること，刑法は窃盗の予備を罰していないのに事後強盗の予備を罰するのは不都合であることなどを理由として挙げている。しかし，① 237 条は「強盗の罪を犯す目的で」と明記しており（201 条と比較せよ），事後強盗罪も強盗をもって論じられること，② 強盗の目的の中には「居直り強盗」の目的も含まれるが，それとあまり変わらない事後強盗の目的を除外する理由に乏しいこと，そして，③ 一般的に目的犯の目的は未必的でもかまわないとされていることなどを考慮すると解釈論としては**肯定説が妥当**であろう[75)]。

強盗予備罪の主観的要件としての「目的」が肯定されるためには，強盗に出ることにつきほぼ決意が固まっている（しかし，実行段階でもう一度考え直す余地が残されている）という程度でも足りると考えられる（→総論 181 頁）。

75） 伊東・177 頁以下，大谷・265 頁，団藤・598 頁，西田・196 頁，福田・248 頁，前田・226 頁など。

■ 第 *12* 章 ■

詐欺罪と恐喝罪

（詐欺）
第 246 条① 人を欺いて財物を交付させた者は，10 年以下の拘禁刑に処する。
② 前項の方法により，財産上不法の利益を得，又は他人にこれを得させた者も，同項と同様とする。
（恐喝）
第 249 条① 人を恐喝して財物を交付させた者は，10 年以下の拘禁刑に処する。
② 前項の方法により，財産上不法の利益を得，又は他人にこれを得させた者も，同項と同様とする。

1 総 説

詐欺罪と恐喝罪とは，刑法典の同一の章（第 2 編第 37 章）に一緒に規定されているところからも明らかなように，きわめて近い関係にある（そればかりか，旧刑法〔→総論 49 頁以下〕においては，同一条文〔390 条〕においてまとめて規定されていた）。これら 2 つの犯罪は，窃盗罪・強盗罪と同じく，財物の所有権を保護法益とする**領得罪**（→226 頁）であり（ただし，242 条は詐欺罪・恐喝罪にも準用される〔251 条〕），かつ占有侵害をともなう**奪取罪（移転罪）**である点でも，窃盗罪・強盗罪と共通する。また，両罪は，強盗罪と同じように，財物を客体とする**財物罪**と，財産上の利益を客体とする**利得罪**（二項犯罪）の両方を含んでいる。他方，窃盗罪・強盗罪のように財物の占有者の意思に反して財物の占有を奪うのではなく，**被害者の意思に基づいて**財物または財産上の利益を提供させる点において（**交付罪**）詐欺罪と恐喝罪とは共通する[1]（→236 頁）。「被害者の意思に基づいて」といっても，犯人が被害者の意思決定に対し不法な影響を与えこれを操作して（つまり，人を「騙(だま)す」か「脅(おど)す」かの手段により動機づけを与えて），完全に自由ではない意思（「瑕疵(かし)〔すなわち，きず〕のある意思」と呼ぶ）に基づいて財物を提供させる犯罪である。なお，詐欺罪と恐喝罪とは，**未遂犯が処罰**され（250 条），**親族相盗例の規定が準用**される（251 条・244 条）点でも共通する。親族相盗例の準用にあたっては，犯人と財物の所有者・占有者（または財産上の利益の保持者）との間に親族関係があれば足り（→268 頁以下），欺(あざむ)かれてまたは脅されて交付行為（または処分行為）を行う者との間に親族関係が存することを要しない。

財物罪としての 246 条 1 項と 249 条 1 項の罪を，それぞれ**一項詐欺罪**（詐欺取財罪ともいう）・**一項恐喝罪**（恐喝取財罪ともいう）といい，利得罪としての 246 条 2 項と 249 条 2 項の罪を，それぞれ**二項詐欺罪**（詐欺利得罪）・**二項恐喝罪**（恐喝利得罪）という。

詐欺罪と恐喝罪が異なるところは，**その手段**である。詐欺罪は，騙すこと，すなわち欺いて相手方を錯誤に陥れることを手段とし，恐喝罪は，脅すこと，すなわち暴行または脅迫により畏怖させることを手段とする[2]という違いがある。

詐欺罪と恐喝罪とは，**犯罪として共通の基本構造**をもつ。財物または財産上の利益の取得に向けて，**一連の要件**（なお，それらのすべてが条文の文言に手がかりがあるわけではない）が**因果的につながって存在**しなければならない。詐欺罪が成立するためには，①犯人による**欺く行為**（欺罔(ぎもう)行為）があり，その結果として，②被害者において**錯誤**が惹起され，その結果として，③被害者により**財産的処分行為**が行われ，その結果として，④行為者または第三者において財物の占有または財産上の利益が取得されること（このような手段で財物の交付を受け，または財産上の利益の取得を受けることを「騙取(へんしゅ)」という）が必要である。そこでは，

---

1) これらを「動機づけ犯」と呼ぶこともある（団藤・604 頁）。

2) 典型的な恐喝罪のイメージは，他人の悪事や醜行(しゅうこう)に関する秘密を暴露するぞと脅して金銭を支払わせるというものであろう。

欺く行為（①）に基づいて錯誤（②）に陥り，そして，錯誤に基づいて処分行為が行われ（③），それに基づいて財物の占有・財産上の利益が取得される（④）という流れが必要とされる。それぞれの事実の間に因果関係が存在しないときは，かりに最終的な結果だけは発生したとしても，未遂犯が成立するにとどまる。具体例としては，欺く行為が行われた（①はあった）が，被害者は真実を見破り，錯誤に陥らなかった（②に至らなかった）ものの，別の理由から（たとえば，被害者が犯人を哀れに思い，同情の念をおぼえて）財物を交付したというようなケースが考えられよう[3]。

まったく同様に，恐喝罪についても，①恐喝行為（脅す行為）→②畏怖（いふ）状態の惹起→③被害者による財産的処分行為→④行為者または第三者による，財物の占有または財産上の利益の取得（このような手段で財物の交付を受け，または財産上の利益の取得を受けることを**「喝取（かっしゅ）」**という）が必要である。

2 詐欺罪

(1) 保護法益

詐欺罪の保護法益は（「取引上の信義誠実」といった観念的な価値などではなく）個人の財産である[4]。特に一項詐欺罪についていえば，保護法益の具体的な内容は**所有権と占有**である（ただし，242条〔→241頁以下〕は詐欺罪にも準用されるから〔251条〕，その限りで，所有者が自己の物を取り戻したときでも一項詐欺罪が成立する可能性がある）。

保護法益との関連では，**国や地方公共団体を被害者とする詐欺罪の成否**が論点とされている。国や地方公共団体の機関も，**私法関係において財産権の主体となりうる以上は**，刑法がその財産を保護しない理由はない[5]。判例によれば，次のような場合に詐欺罪の成立が肯定されているが，いずれも正当である。すなわち，騙して配給食糧や統制物資を購入・受配すること，騙して米穀配給通帳等の配給通帳を不正に取得すること，不正に補助金や生活保護費の交付を受けること，

3） 大谷・280頁，団藤・613頁など。

4） 団藤・605頁以下も参照。なお，いわゆる結婚詐欺は，被害者側が財産を騙し取られる（または，騙し取られそうになる）事態が発生してはじめて詐欺罪の問題となる。

5） 大谷・267頁など。

農地法の予定する開墾利用の意思がないのに未墾の国有地の払下げを受けること[6]などである[7]。

詐欺罪を認めることに疑問が生じるのは，詐欺的行為が，国や地方公共団体等の財産を害すると同時に，一定の国家的・社会的法益の侵害にも向けられ，違法評価の重点はむしろ後者の公益の侵害にあり，その点については他の刑罰法規（特に，行政刑罰法規）が存在しているときである。典型例は，**詐欺的手段を用いた脱税**であり，これが税法違反にすぎず，詐欺罪にはならないことについては見解の一致がある。同様に，公務員に対し虚偽の申請を行い，単なる**証明書**（**証明文書**），たとえば，旅券（パスポート）や印鑑証明書などの交付を受ける行為についても，詐欺罪の成立は否定される[8]。そこでは，免状等不実記載罪（157条2項〔→510頁〕）の処罰規定にあたるにすぎない行為（ないしはそれにもあたらない行為）を刑のはるかに重い詐欺罪により処罰するのは不当であるとする考慮が働いているのはたしかであるが，当該行為のもつ財産侵害的側面については（かりにそれがあるとしても）反対給付としての手数料の徴収により埋

---

6) 最高裁は，被告人らが県知事を欺罔し，農地法が予定する開墾利用の意思がないのに，未墾の国有地の売渡しを受けたというケースにつき，「……欺罔行為によって国家的法益を侵害する場合でも，それが同時に，詐欺罪の保護法益である財産権を侵害するものである以上，当該行政刑罰法規が特別法として詐欺罪の適用を排除する趣旨のものと認められない限り，詐欺罪の成立を認めることは，大審院時代から確立された判例であり，当裁判所もその見解をうけついで今日に至っている……。また，行政刑罰法規のなかには，刑法に正条あるものは刑法による旨の規定をおくものもあるが，そのような規定がない場合であっても，刑法犯成立の有無は，その行為の犯罪構成要件該当性を刑法独自の観点から判定すれば足りる」とする（最決昭和51・4・1刑集30巻3号425頁）。反対，大塚・240頁以下，団藤・607頁以下，福田・249頁。

7) なお，最決令和3・6・23刑集75巻7号641頁は，人を欺いて補助金等または間接補助金等（補助金等に係る予算の執行の適正化に関する法律2条1項，4項）の交付を受けた旨の事実について詐欺罪で公訴が提起された場合，被告人の当該行為が同法29条1項違反の罪に該当するとしても，裁判所は当該事実について刑法246条1項を適用することができると解するのが相当であるとした。

8) 旅券の事案について最高裁は，次のように述べる。「同条〔刑法157条2項〕に規定する犯罪の構成要件は，公務員に対し虚偽の申立を為し免状等に不実の記載をさせるだけで充足すると同時にその性質上不実記載された免状等の下付を受ける事実をも当然に包含するものと解するを正当とする。しかも，同条項の刑罰が1年以下の懲役……に過ぎない点をも参酌すると免状，鑑札，旅券の下付を受ける行為のごときものは，刑法246条の詐欺罪に間（ママ）擬すべきではなく，右刑法157条2項だけを適用すべきものと解するを相当とする」（最判昭和27・12・25刑集6巻12号1387頁）。

め合わせされ，もはやそれ以上に法的に重要な程度の財産的侵害は認められないという事情も考慮されているといえよう。

これに対し，同じ証明書ないし証書であっても，公務員を欺いて簡易生命保険証書[9]や国民健康保険証[10]，住民基本台帳カード[11]を騙し取った事案については，これらの文書は単なる証明文書にとどまるものではなく，それが財産的価値をもつ給付を受けることを可能にするものであり，それ自体として独自の経済的価値を有することから，それらの客体に対する一項詐欺罪の成立が認められる。

財産的利益と結びついた財物　財物（物）の中には，**財産的利益や財産的給付と密接に結びついたもの**がある。たとえば，銀行の預金通帳は，単なる紙の冊子ではなく，銀行に対する預金債権を証明する証拠証券であり，同時に，それにより預金の払戻し等が可能となるものである。もちろん，単なる紙の冊子であったとしても，それ自体として財物性を有するが（→227頁以下），預金通帳は，それだけでなく，上のような機能と働きをもつものとしてその財物性を刑法上保護されている[12]。同様に，キャッシュカードや国民健康保険証も，単なるプラスチックカードや紙にとどまるものではなく，財産的利益や財産的給付と結びついた，それぞれの機能をもつものとして刑法上保護されている。ただし，預金通帳やキャッシュカードについては，以上のように財物性は肯定されるとしても，**財産的損害が生じたといえるかどうかの観点からの検討**が，別途，必要となる場合がある（→335頁）。

(2)　欺く行為

(a)　意　義　欺く行為（欺罔行為）とは，財産を処分させる手段として，財産についての処分権限をもつ相手方において，財産処分の判断の基礎となる重要な事項に関し，錯誤（思い違い・勘違い）を生じさせる行為である。たとえ他人を騙しても，それが相手方に処分行為をさせることに向けられたものでな

---

9)　最決平成12・3・27刑集54巻3号402頁。

10)　最決平成18・8・21判タ1227号184頁。

11)　東京高判平成27・1・29東高刑時報66巻1～12号1頁。

12)　最決平成14・10・21刑集56巻8号670頁は，「預金通帳は，それ自体として所有権の対象となり得るものであるにとどまらず，これを利用して預金の預入れ，払戻しを受けられるなどの財産的な価値を有するものと認められるから，他人名義で預金口座を開設し，それに伴って銀行から交付される場合であっても，刑法246条1項の財物に当たると解するのが相当である」とする。この場合の財産的損害については，335頁を参照。

いときは欺く行為にあたらず，詐欺未遂罪も構成しない（本物そっくりのモデルガンを本物のピストルのように示して相手を畏怖させた上で所持金を奪う行為は強盗罪であり，人を騙しているからといって詐欺罪にはならない）。条文には「人を」欺いてとあるから，錯誤を引き起こすことは**「人」との関係でのみ考えられ**，「機械を騙した」としても詐欺罪は成立しない。機械に対して詐欺的手段を用いて財物を取得すれば，それは窃盗となる。たとえば，パチンコ遊技機に対し磁石等の手段を使い，うまく操作して玉を出せば，窃盗罪となる（それだけで窃盗既遂である）[13]。これに対し，財産上の利益が客体であれば，**利益窃盗**（→233 頁）にすぎないから，原則として犯罪とはならない[14]。たとえば，100 円玉や 500 円玉と重さ・形態が類似した金属片を入れてゲームセンターのゲーム機で遊んだり，コインロッカーを利用したりする行為がそうである[15]。機械を設置し稼働させている「人」の信頼を裏切ったという理由で欺く行為を肯定することもできない[16]。**例外として可罰的**となるのは，電子計算機使用詐欺罪（→344 頁以下）が成立する場合である。

(b)　重要事項性　　欺く行為は，欺かれる人（被欺罔者）をして財物の交付等の財産処分へと動機づけうる事項に関し錯誤を生じさせうるものでなければならない。判例（→332 頁以下）によれば，それは被害者の**財物の交付その他の財産の処分の判断の基礎となる重要な事項**に関する錯誤を生じさせうる行為である。財産処分により被害者に**実質的な財産的損害**が（どの程度）生じるかは，錯誤が「判断の基礎となる重要な事項」に関わるかどうか（**重要事項性**が肯定されるかどうか）において考慮される。一般的に取引上重要とされる事項（たとえば，目的

13）　同様に，拾得したキャッシュカードを使って ATM から現金を取り出すと，やはり窃盗（既遂）罪が成立する。

14）　**キセル乗車**等の鉄道の不正乗車については，駅の改札がほとんど自動化・機械化されている現在では，「人を欺く」ことができないため，詐欺罪の成立は否定されることになる（→324 頁）。ただ，不正乗車については，鉄道営業法（1900〔明治 33〕年 3 月 16 日法律第 65 号）29 条に処罰規定があり，キセル乗車にこれが適用されることについても異論はない。

15）　なお，改正刑法草案（→総論 48 頁）は，その 339 条 1 項において，「自動設備の不正利用」の罪を提案していた。

16）　それは，客を信頼している店員や駅員の漠然とした期待が裏切られたという理由で，万引きや自動改札機を通過するキセル乗車行為が詐欺罪にあたると考えることはできないのと同じである。

物の属性・品質等）は，当然に「判断の基礎となる重要な事項」である。しかし，必ずしもそれが財産的評価になじまない事情であっても，被害者の財産処分の意思決定に重要な影響を与えるもの（もし真実を知っていたらその処分を行わなかったであろうというとき）であれば，それについて錯誤を生じさせることは欺く行為にあたると解すべきである（→337 頁以下）。

不動産の二重譲渡と一項詐欺罪　たとえば，甲が，A に対し，甲の所有する土地を 1000 万円で売る契約をし，登記に必要な書類を A に交付し，代金のうち 800 万円を受け取ったが，登記簿上の所有名義はなお甲のままになっていたことに乗じて，B には事情を秘してその土地を 1200 万円で売り，B への所有権移転登記を了したという事例における甲の罪責が問題となる。甲については A との関係において委託物横領罪（252 条）が成立するが（→358 頁注 *17*）），ここでは，B に対する詐欺罪の成否のみを問題としたい。

民法上の法律関係としては，第 2 譲受人の B が先に対抗要件を備えたので，A にも対抗できる不動産所有権を取得したことになる。そうであるとすれば，B には財産的損害が生じようがないので，そもそも「財物の交付の判断の基礎となる重要な事項に関する錯誤」が引き起こされたことにならないということも可能であるし，また，B が真相を知っていたとしても B はやはり買い受けたであろうといえれば，欺く行為と B の買受け行為との間に因果関係がないとすることもできよう。

これに対し，A との関係での紛争に巻き込まれるおそれがあり，民事訴訟で敗訴する可能性も否定できないなどの事情を考慮して，実質的な財産的損害が肯定できるとし，したがって，財物の交付の判断の基礎となる重要な事項に関する錯誤が引き起こされたとすることも可能である[17]。この種の不動産の二重譲渡のケース（ただし，上記の事案と異なり，B は最終的に所有権移転登記を得たのではなく，ひとまず所有権移転登記請求権保全の仮登記を取得したにすぎなかった）に関し，実質的考慮に基づき一項詐欺罪の成立を認めた高裁判例がある[18]。すなわち，「……売買の経緯に照らし，第 1 の売買の存在およびその内容等が第 2 の買主の所有権移転登記の取得を断念させるに足りるもので，第 2 の買主が，もし事前にその事実を知ったならば敢えて売

17）実務的には，第 2 譲受人が代金を支払ったものの，その後の事情で所有権登記を受けておらず，第 1 譲受人に対する横領罪の罪責は問われていないような事案について，第 2 譲受人に対する詐欺罪の成否を検討する必要に迫られるといわれる（本江威憙監修・須藤純正著『経済犯罪と民商事法の交錯 I』〔2021 年〕47 頁）。

18）東京高判昭和 48・11・20 高刑集 26 巻 5 号 548 頁。

買契約を結び，代金を交付することはなかったであろうと認めうる特段の事情がある限り，売主が第1の売買の存在を告知しなかったことは詐欺罪の内容たる欺罔行為として，第2の買主から交付させた代金につき詐欺罪の成立があるものと解するのが相当である」とした。このケースでは，具体的事情の下で，Aが代金の相当部分を支払っていることからBが紛争に巻き込まれうる立場に立たされる可能性が高いこと，AがBにとり勤務先の得意先にあたることから紛争が生じては困ることなどが特段の事情とされたのである。[19]

(c) 態　様　　欺く**手段・方法**に制限はない。作為によるものばかりでなく，**不作為**であってもよい。それは，財産処分の判断の基礎となる一定の重要な事項を相手方に知らせる法的義務（告知義務）を負うのにもかかわらず（保証者的地位〔→総論155頁以下〕にあるにもかかわらず）それを告知しないことが，積極的に欺くことと同視しうる場合である。たとえば，契約のための交渉の過程で，商品の買主が商品の重要な性質について誤解していることが判明したとき，売主がそのことを知りつつ誤解を正さないときには，不作為による欺く行為にあたりうる。また，継続的給付契約の途中で代金を払えなくなった買主が，売主の側にそれを伝えずにさらに給付を継続させたときには不作為による欺く行為にあたりうる。学説上は，**釣り銭詐欺**の事案で，店員（被害者）が釣り銭を間違えて多く渡し，客（行為者）がすぐその場で気づいたのに，そのことを店員に言わずにそのまま釣り銭を財布に入れて持って帰ってしまったとき，（不真正不作為犯〔→総論152頁以下〕としての）詐欺罪の成立を認める見解が多い。[20] しかし，この場合に，積極的に欺くことと同視しうる程度の作為義務違反を肯定しうるかどうかは疑問であろう。

不作為による欺く行為と区別されるべきは，**挙動による欺く行為**（行為態度に

19） なお，土本武司『新訂 民事と交錯する刑事事件』（1997年）17頁以下は，売主甲の行為は，原則として（すなわち，買主が売主の権利の欠如を問題にしない例外的場合を除いて）欺く行為にあたり，また，買主Bが代金を支払いそれを喪失していること自体が財産上の損害にあたるとして，一項詐欺罪の成立を肯定するが，現在ではこのような無限定な見解は少数であろう。

20） これに対して批判的なのは，中森・137頁。釣り銭詐欺のケースで，客が帰宅途中の路上ではじめてお釣りが多すぎることに気づいたのに，その金を領得したときは，占有離脱物横領罪（254条）にあたる。この点については異論は生じえないであろう。

よる黙示的な欺く行為[21]）である。たとえば，当初から代金支払の意思と能力がないのに商品を注文したり役務の提供を求めることは，支払意思があることを積極的に相手方に告知していないとしても，その注文や申込みという作為自体が支払意思と能力があることを黙示的に表示していると見ることができることから作為による欺く行為であり，告知義務に関する作為義務違反を問題とする必要もない。このように，挙動による欺く行為が肯定されるのは，当該の事項が取引上特に重要なものであり，いわば「言うまでもないこと」として認識されている場合に限られることになる[22]。

欺く行為は事実の表示を内容とするのが原則であるが，価値判断の表示も欺く行為となりうる[23]。被害者の錯誤が，民法上，内容の錯誤とされるか動機の錯誤にすぎないかを問わない。また，錯誤に陥ったことにつき，被害者に過失が認められる場合でも差し支えない[24]。なお，通常人なら騙されるはずもない

21）平野・概説 212 頁。

22）挙動による欺く行為は，判例でもこれまで広く承認されてきた。たとえば，最決昭和 43・6・6 刑集 22 巻 6 号 434 頁（代金を支払える見込みもその意思もないのに商品買受けの注文をすること），最決平成 19・7・17 刑集 61 巻 5 号 521 頁（預金通帳およびキャッシュカードを第三者に譲渡する意図であるのにこれを秘して銀行支店の行員に対し預金口座の開設等を申し込むこと），最決平成 22・7・29 刑集 64 巻 5 号 829 頁（チェックインカウンターにおいて，他の者に渡してその者を搭乗させる意図であるのにこれを秘して航空機の搭乗券の交付を請求すること），最決平成 26・3・28 刑集 68 巻 3 号 646 頁（暴力団関係者であることを秘してゴルフ場施設の利用を申し込むこと）など。

23）たとえば，「世界最高級の名馬」という価値判断の表示と，有名なレースに何回優勝したという事実の表示とでは，あまり差異がない。価値判断を表示することも欺く行為となりうるとする見解が一般にとられている理由の 1 つは，価値判断の表示と事実の表示の区別の限界が曖昧であることである。

24）宗教活動の一環として物品の販売が行われるとき，その価格には，「有難み」や安心感を与えることに対する「対価」も含まれている。その価格が，物品自体の価格をはるかに超えることをもって直ちにそれが詐欺にあたるとすることはできない。詐欺罪としての立件が可能なのは，売り手の側の活動がおよそ宗教活動の実体をともなわないような場合に限られよう。この一例に示されているように，種々の**悪徳商法**に対しては，詐欺罪等の財産犯処罰による対応にも限界があり，一連の特別法による規制が試みられているところである。たとえば，割賦販売法（1961〔昭和 36〕年 7 月 1 日法律第 159 号），不当景品類及び不当表示防止法（1962〔昭和 37〕年 5 月 15 日法律第 134 号），特定商取引に関する法律（1976〔昭和 51〕年 6 月 4 日法律第 57 号），無限連鎖講の防止に関する法律（1978〔昭和 53〕年 11 月 11 日法律第 101 号），消費者契約法（2000〔平成 12〕年 5 月 12 日法律第 61 号）などを参照。また，宗教団体等によ

行為は欺く行為にあたらないが，未成年者等の知慮不十分な者を相手方とするときは，**準詐欺罪**（→343頁以下）となる。ただし，財産の移転についてその意味を理解しえない者（たとえば，年少者）との関係では，せいぜい窃盗罪の成否が問題となるにすぎない。

(3) 交付行為・処分行為

(a) 意 義　法文に「交付させ」るとあるのは（246条1項），**任意に交付させること**を意味する。窃盗罪と強盗罪とが**被害者の意思に反して**財産を奪う犯罪であるのに対し，詐欺罪（と恐喝罪）については，財産の任意の提供行為，すなわち**被害者側による財産的処分行為**が要件となる。詐欺罪（および恐喝罪）は，処分行為が要件とされる点で，被害者の意思に反して財物の取得が行われる窃盗罪・強盗罪と区別される。財産上の利益を客体とする場合については，被害者側の処分行為が否定されれば，その行為は（二項強盗罪が成立する場合と電子計算機使用詐欺罪が成立する場合とを除いて）利益窃盗（→233頁）として不可罰である。処分行為の要件は，被害者の意思に基づく財産の取得か，それとも被害者の意思に反する財産の取得かを明らかにする機能，したがって**詐欺罪か窃盗罪かの限界を明らかにする機能**をもつ[25]。ちなみに，詐欺罪規定と窃盗罪規定の適用関係については，両罪が同時に成立する場合もあるとする見解もあるが，一般的には，どちらかのみが（他方を排斥して）成立すると考えられている（**法条競合の一種としての択一関係**〔→総論581頁以下〕）。

具体例　甲が，デパートの洋服売場で，店員Aに対し，男性用スーツを試着したいと申し出て，Aからスーツを数点手渡され，試着室に行くふりをして，これらを持ち逃げしたとしよう。このケースでは，一項詐欺罪が成立することはなく，窃盗罪

る**寄附の勧誘を規制**する新しい法律として，法人等による寄附の不当な勧誘の防止等に関する法律（2022〔令和4〕年12月16日法律第105号）が制定された。

25）処分行為を狭く理解すれば，窃盗罪の成立範囲（財産上の利益を客体とする場合は，利益窃盗として不可罰となる範囲）が広がり，逆に，処分行為を広く肯定すれば，詐欺罪の成立範囲が拡大して窃盗罪の成立範囲（財産上の利益を客体とする場合は不可罰となる範囲）が縮小するという関係がある。財物を客体とする場合については，いずれにせよ窃盗か詐欺かのどちらかは成立するのであるから，**2つの犯罪の間の成立範囲の振り分け**の問題にすぎないが，財産上の利益を客体とする場合については，被害者側の処分行為が否定されれば，その行為は**利益窃盗として（原則として）不可罰**となるので影響は重大である。

が成立する。詐欺罪が成立するためには，財産的処分行為（つまり，**財物の占有を任意に移転する交付行為**）が必要であるが，店員Ａは，甲に対し試着室におけるスーツの試着を許しただけであり，財物たるスーツを行為者に交付する（すなわち，占有を移転してしまう）意思はなかった。客がデパートの洋服売場の試着室でスーツを試着するとき，そのスーツの占有（事実的支配）はなおデパート側にあり，客に移転してしまうものではないからである。Ａは，スーツの占有を相手に移転させてしまう交付行為を行ったものではなく，甲はＡの意思に反して財物の占有を奪ったことになるから，詐欺罪ではなく窃盗罪の刑事責任を問われる[26]。このように，意思に基づき占有を移転させた場合ではなく，**占有を弛緩**（しかん）させて目的物を奪ったときには，詐欺ではなく窃盗となるのである。

なお，近年，警察官や金融庁職員を装って高齢者宅を訪問し，キャッシュカードが不正に利用されているとウソを言って暗証番号を書いたメモとともにこれを封筒に入れさせ，被害者に対し印鑑をもってくるように申し向け，被害者がその場を離れたスキに別の封筒にすり替えて，カードを持ち去るという手口の犯罪が増えている。これは「キャッシュカードすり替え詐欺」とも呼ばれ，特殊詐欺の一形態とされることも

---

26) 最高裁判例の事案では，被告人の虚言を信じて，被害者が現金を入れた風呂敷包みを玄関上がり口のところに置いたまま被告人だけを玄関に残して便所に行ったところ，被告人がそのスキに現金をもって逃走したというケースについて詐欺罪が認められているが（最判昭和26・12・14刑集5巻13号2518頁），学説のほとんどは，被告人が現金を持ち逃げした時点において，まだ被害者の占有が失われていないことから，むしろ窃盗罪が認められるとして，これに対し批判的である。高裁判例の事案を見ると，たとえば，古物商店で顧客を装い，上衣を見せてくれといって交付を受け，手を通して着ても，その上衣の占有はまだ行為者に移転しておらず，その上衣を着たまま逃走すれば，窃盗罪を構成するとしたもの（広島高判昭和30・9・6高刑集8巻8号1021頁），老人が銀行で生活扶助金を引き出すにあたり，その付添いを装い，銀行の預金係が差し出した現金を受け取って銀行の外に出る行為は窃盗罪を構成するとしたもの（東京高判昭和49・10・23判時765号111頁）がある。これらは，被害者の任意の交付行為に基づいて財物の占有が移転したことを否定して窃盗罪の成立を認めたものである。これに対し，東京地八王子支判平成3・8・28判タ768号249頁は，被告人が，試乗サービスが行われている自動車販売店で，ある車に関心を示し場合によっては購入するかもしれないふりをして，添乗員なしの試乗を希望し，車両の試乗中にそのまま乗り逃げしたというケースについて窃盗罪ではなく，一項詐欺罪の成立を認めた。**試乗車が路上に走り出れば，それで販売店の事実上の支配は及ばなくなり，すでに占有を離れた**と考えることを前提としている。なお，最決昭和61・11・18刑集40巻7号523頁にも，窃盗と詐欺の区別をめぐる興味深い論点が含まれている（このケースでは，覚せい剤取引のあっせんにかこつけて，覚せい剤をもつ被害者をホテルの一室に呼び出し，別室に買主が待機しているかのように装った上で，話をまとめるためには現物を買主に見せる必要があると申し向けて被害者から覚せい剤を受け取り，これを持って同ホテルから逃走する行為が窃盗となるか，それとも詐欺となるかが問題とされた）。

あり，詐欺罪とすることも不可能ではなかろうが[27]，被害者側にカードについての**交付意思（占有移転意思）が欠ける**ことから，これも**占有を弛緩させたにすぎないケース**であり，窃盗罪にあたると考えるべきであろう（本書ではこれを「キャッシュカードすり替え窃盗」と呼ぶ）。問題は，犯人側が被害者宅を訪問する前に被害者に電話し，虚偽の事実を申し向けた上で，「これからキャッシュカードを確認しに参りますので，カードを手元にご用意ください」等と述べる行為の時点で，**実行の着手を認めうるかどうか**である。もし詐欺罪と考えるのであれば，こうした行為はその後に行われる欺く行為と連続しており，**欺く行為またはその直前行為ないし密接行為にあたる**（→275頁以下，339頁以下）として着手を認めることも可能であろうが，窃盗罪であるとすれば，それは占有移転行為の直前行為・密接行為とは言いにくい[28]。しかし，最近の最高裁判例[29]は，警察官を装った被告人が，被害者に電話して虚偽の説明や指示を行い，キャッシュカードを用意させた後，被害者宅付近路上まで赴いた時点で犯行を断念したというケースで窃盗罪の実行の着手を肯定した。もし，犯人の電話における説明を信じ，その指示を受け入れ，それにしたがう心の用意をすることにより，犯行計画の実現が飛躍的に容易になり，その障害が除かれる（結果発生の自動性が生じる）と考えることができれば，被害者宅付近路上まで赴く行為が（場合によっては，架電行為それだけでも）占有奪取行為の直前行為・密接行為であることを肯定できることとなろう[30]。

27） 前掲注 *26*）最判昭和 26・12・14 のケースで詐欺を認めるのであれば，この場合にも被害者がその場を離れたときに占有が移転した（交付意思も認められる）と解する余地もないではない。しかし，終始すべてのことが被害者の家の中の狭い空間（被害者の事実的な支配領域内）において行われているとすれば，そこに占有の移転（および占有を移転させる意思）を認めることは困難であろう。

28） この点につき，髙橋直哉・研修 854 号（2019 年）11 頁を参照。

29） 最決令和 4・2・14 刑集 76 巻 2 号 101 頁。「本件犯行計画上，キャッシュカード入りの封筒と偽封筒とをすり替えてキャッシュカードを窃取するには，被害者が，金融庁職員を装って来訪した被告人の虚偽の説明や指示を信じてこれに従い，封筒にキャッシュカードを入れたまま，割り印をするための印鑑を取りに行くことによって，すり替えの隙を生じさせることが必要であり，本件うそはその前提となるものである。……金融庁職員を装いすり替えによってキャッシュカードを窃取する予定の被告人が被害者宅付近路上まで赴いた時点では，……キャッシュカード入りの封筒と偽封筒とをすり替えてキャッシュカードの占有を侵害するに至る危険性が明らかに認められる。……このような事実関係の下においては，被告人が被害者に対して印鑑を取りに行かせるなどしてキャッシュカード入りの封筒から注意をそらすための行為をしていないとしても，本件うそが述べられ，被告人が被害者宅付近路上まで赴いた時点では，窃盗罪の実行の着手が既にあったと認められる。」

30） 特集「すり替え窃盗の実行の着手時期」刑ジャ 73 号（2022 年）に収録された諸論文を参照。

処分行為は，法律行為である必要はなく，事実行為で足りる。必ずしも作為である必要はなく，不作為も含む。一項詐欺については，財物の占有を任意に移転する交付行為がこれにあたる。二項詐欺における処分行為の内容としては，①何らかの債務を負担すること（民法上有効か無効かを問わない），②債務の履行として役務を提供すること，③一定の給付を債務の履行として受け取ること（たとえば，本当の債権額よりも少ない額を正しい額として受け取ること），④債務を免除すること，⑤債務弁済の延期を認め，または履行の請求を猶予することなどがある。

(b) 処分行為の主観的要件　伝統的な理解は，**処分の事実と処分の意思の対応**を要求するものであった（**処分意思必要説**または**意識的処分行為説**）。これによれば，客観面における処分の事実（一項詐欺については，財物の占有移転の事実）と，主観面における処分の意思（一項詐欺については，占有移転の事実の認識）とが必要であり，この客観面と主観面とは符合していることが求められた。詐欺罪における処分行為は，意識的なものに限られ，無意識的なもの（自己の行為が処分の意味をもつことを意識していない場合）は除外されることになる。そこで，財物の占有が行為者側に移転することを被害者に認識させない場合（たとえば，スーパーマーケットで商品の一部を隠してレジを通過し代金を支払わなかったというケースや，被害者の高価な所有物がそこに入っていることを知らせずに紙袋を無償で交付させるケースなど）には，詐欺罪ではなく窃盗罪に問われることになる。

還付金詐欺　特殊詐欺のうちの振り込め詐欺の1つの態様として，還付金詐欺と呼ばれるものがある。これは，還付金等を受領できると誤信させ，被害者をATMコーナーに誘導し，携帯電話を通じて被害者にATMを操作させ，送金操作と気付かせないまま犯人らの管理口座に現金を振込送金する操作を行わせるものである。被害者側には振込送金を行う意思がないので，交付意思（金銭についての占有移転意思）を認めることができず，一項詐欺罪の成立を認めることはできない。また，他人口座への振込送金が行われても財物の占有移転が認められないので，窃盗罪（の間接正犯）にもならない。電子計算機使用詐欺罪（の間接正犯）にあたるとされている（→346頁）。

ただ，**二項詐欺**との関係でも，このような客観面と主観面の対応まで要求すると，被害者において処分の事実（たとえば，債権が存在しそれを事実上失うこと）

の主観的認識が要求されることになり，詐欺罪の成立範囲がかなり限定される（したがって，不可罰とされる範囲が拡大する）。最高裁は，傍論であるが，無銭宿泊・飲食のケースにつき，債務の支払を免れることによって財産上不法の利益を得たというためには，債権者を騙して債務免除の意思表示をさせることが必要であり，「自動車で帰宅する知人を見送ると申欺いて被害者方の店先に立出でたまま逃走した」というだけでは詐欺罪にならないとした[31]。これに対し，高裁判例の中には，**処分意思の要件を緩和**することにより，二項詐欺罪の成立を肯定しようとするものがある。すなわち，被告人が数日間，旅館に滞在した後，その日の午後3時頃，宿泊料の支払を免れようとして，旅館の主人に「今晩必ず帰ってくるから」と申し向け，旅館を立ち去ったまま帰らなかったというケースにつき，夜まで弁済を猶予するという，支払の一時猶予の意思があったとして処分行為を肯定したのである[32]。このケースにおいて行為者が得た利益は，単なる支払の一時猶予ではなく，事実上債務を完全に免れたことである。処分行為者の処分意思はその全体をカバーしておらず，支払の一時猶予を認める意思しか認められなかったのであるから，それでも処分行為の要件が充足されているということは，そこでは処分意思の要件がはっきりと緩和されているのである。

二項詐欺との関係において処分意思を厳格に要求すると，被害者において債務の存在さえ意識させず履行の請求をさせないとき，たとえば，帳簿の操作をして借金を実際より少なく見せて実際の債務を免れるような行為や，債務者が「もうすでに弁済した」とか「債務者は別人だ」とかと騙して債権者に履行の請求をさせないこと，甲がA宅において都内に電話をかけさせてくれと欺罔

31） 最決昭和30・7・7刑集9巻9号1856頁（「詐欺罪で得た財産上不法の利益が，債務の支払を免れたことであるとするには，相手方たる債権者を欺罔して債務免除の意思表示をなさしめることを要するものであって，単に逃走して事実上支払をしなかっただけで足りるものではないと解すべきである。されば，原判決が……飲食，宿泊をなした後，自動車で帰宅する知人を見送ると申欺いて被害者方の店先に立出でたまま逃走したこと……をもって代金支払を免れた詐欺罪の既遂と解したことは失当であるといわなければならない」）。また，キセル乗車の事例について，下車駅の改札口係員による処分行為を否定した東京高判昭和35・2・22東高刑時報11巻2号43頁も参照。

32） 東京高判昭和33・7・7裁特5巻8号313頁。

し，実際には国際電話を利用しながら10円しか支払わなかった場合[33]などは利益窃盗として不可罰となるであろうが[34]，その結論は妥当とはいえないであろう[35]。それらのケースは，欺く行為と錯誤を通しての利益取得を処罰する二項詐欺罪が捕捉すべき典型的事例に属するとさえいえよう。二項詐欺についての処分意思の要件の緩和は，これを認めざるをえないと思われる。

二項詐欺罪における処分意思要件の緩和　二項詐欺について処分意思の要件を緩和するとき，それが一項詐欺の解釈論にどのように跳ね返るかが問題となる。処分意思要件を緩和すると，その具体的な財物の占有が行為者側に移転することについて被害者に認識させない場合，たとえば，スーパーマーケットで商品の一部を隠してレジを通過し代金を支払わなかったケースや，被害者の高価な所有物がそこに入っていることを知らせずに紙袋を無償で交付させるケースなどがすべて詐欺罪に編入されることとなってしまう。一項詐欺罪においては，少なくとも**財物の事実上の占有移転について意識的であることを要求**しなければ，従来のような窃盗罪との区別は不可能となってしまうのである。

そうであるとすれば，一項詐欺罪における処分行為（交付行為）の要件と，二項詐欺罪における処分行為の要件との間には相違があることを正面から認めるべきであろう。一項詐欺に関しては，当該の具体的な財物の事実上の占有移転についての認識が被害者にあることまで必要であり，他方で，二項詐欺に関しては，**緩和された処分意思を要件**とし，事実上相手方に利益を与えることについての認識が被害者にあれば足りる（たとえば，犯人がその場から離れることなど，事実上の「拘束」から解放されることについての認識が被害者にあれば足りる）と解すべきである[36]。したがって，特定の財物の占有が行為者側に移転することを被害者に認識させない場合には，一項

33）　西田・212頁。

34）　また，たとえば，甲がAから借りていた本を返すのが惜しくなり，なくしてしまったとウソをついて自分の物にしたというときでも，二項詐欺罪ではなく，委託物横領罪（252条）が成立するにとどまる。

35）　ドイツ刑法について，Gunther Arzt u.a., Strafrecht, Besonderer Teil, 3. Aufl. 2015, § 20 Rdn. 73 f., S. 636 f. を参照。

36）　佐伯・法教373号119頁以下を参照。高裁判例の中には，被告人が店員からテレホンカード80枚を奪おうと思い，枚数の確認を求められてテレホンカードを受け取った際，「今若い衆が外で待っているから，これを渡してくる。お金を今払うから，先に渡してくる」とウソを言って店外に出て，そのまま逃走したというケースについて一項詐欺罪にあたるとしたものがある（東京高判平成12・8・29判時1741号160頁）。これは，一項詐欺罪についても，交付意思の要件を緩和するものといえよう。

詐欺罪ではなく窃盗罪が成立するとすべきである。また，まったく別の文書（たとえば，原発反対の署名簿）と誤信させて契約書にサインさせたという事例については，サインをした被害者において相手方に何らかの事実上の利益を与える意思も認められないことから，これを二項詐欺罪とはなしえないことになる[37]（処分意思の要件を否定し，**無意識的処分行為**でも足りると解すれば[38]，この事例でも二項詐欺が認められることになるはずである）。

（c）　交付行為者・処分行為者　　欺かれて交付行為・処分行為を行う者は，財物の所有者・占有者（または財産上の利益の帰属者）とは必ずしも同一でなくてもよい[39]。詐欺罪においては，財物の所有者・占有者でない人（または財産上の利益が法的に帰属するのではない人）に対し「欺く行為」を行い，これを錯誤に陥らせて，財物を交付させること（または財産的処分行為をさせること）も可能である。ただ，そのときには，錯誤に陥って交付行為（処分行為）を行う人が，**目的となった財産について（法律上または事実上）処分しうる権能または地位**をもつことが必要である（ただ，このような場合でも，交付行為者・処分行為者は被害者ではない[40]）。そうであってはじめて，財物の交付（または財産の処分）が，被害者の意思に反するものではなく，その意思に基づくものと評価できるからである。このような構造をもった詐欺を**三角詐欺**と呼ぶ[41]。先ほどのデパートの事例

37）　同様に，食堂での飲食後，代金の支払を免れるため，店員にトイレの場所を尋ね，トイレに行くふりをして裏から逃げたという無銭飲食のケースであれば，不可罰的な利益窃盗と考えることになる。ちなみに，**無銭飲食のケース**で，最初から代金支払の意思も能力もないのに食事を注文したという場合であれば，支払の意思なく食事を注文する行為自体が**挙動による欺罔**であり（→314頁以下），それに基づいて財物たる料理を交付させた時点で一項詐欺罪の既遂となる（**犯意先行型**のケース）。これに対し，食事が運ばれてきてから後に犯意を抱いて，店員の目を盗んで逃走したというケースでは，代金支払債務を事実上免れているので，財産上の利益を得ているが，犯意が生じた時点以降において，欺く行為等が認められないので，不可罰的な利益窃盗にとどまり，二項詐欺罪は成立しないのである（**飲食先行型**のケース）。

38）　内田・316頁以下，中森・139頁以下，西田・211頁以下，平野・概説214頁以下など。

39）　これに対し，**被欺罔者と交付行為者・処分行為者は同一**でなければならない（平野・概説216頁）。

40）　目的となった財産について（法律上または事実上）処分しうる権能または地位をもつということは，財物の場合であれば，その者が**少なくとも占有補助者**の立場にあるということを意味するであろう。平野・諸問題（下）342頁以下を参照。

41）　たとえば，大谷・274頁以下，高橋・338頁以下，西田・216頁，林・244頁以下，山口・

(→316 頁以下）において，もし甲が偽造された商品券を店員 A に渡してスーツを騙し取ったとすれば，A が被欺罔者であるが（A は占有機関ないし占有補助者にすぎない），被害者はデパートという法人組織である（→256 頁）。ただ，A には財産処分の権能ないし地位があると考えられるので，スーツを客体とする一項詐欺罪が成立する。

訴訟詐欺　三角詐欺の１つの場合が訴訟詐欺である。訴訟詐欺とは，裁判所に対し虚偽の主張をし自己に有利な裁判を得て，敗訴した者から財物または財産上の利益を得ることをいう。訴訟詐欺が詐欺罪を構成するかどうかにつき，判例は，裁判所に「処分権限」が認められない場合[42]は別にして，肯定説をとり，通説もこれを支持している[43]。

否定説の論拠は，①民事訴訟は歴史的真実を究明することを任務とせず（認定事実が真実に合致しているかどうかは重要ではない），ただ当事者の主張に拘束されて裁判するのであるから，欺罔とか錯誤とかは問題にならないのではないか，②被害者がやむなく裁判にしたがって勝訴した者に財物を提供したり，強制執行を甘受したりしたとき，財産的処分行為があったとはいえないのではないかという点にある[44]。これに対しては，肯定説から，①につき，民事裁判も，真実に合致した事実認定を前提に裁判を行うことを目ざしているのであり，ただそれに一定の制度的制約があるにすぎず，欺く行為による錯誤の要件はクリアされると考えるべきであるといわれている。たしかに，通常の取引関係においても，相手が主張する事実が虚偽であるかもしれないと気付いていても，時間的制約の中で，それが虚偽であることの根拠を示せない（反証ができない）ことから，やむなく財物や有償サービスを提供するということが考えられないではない。そのような場合にも，欺く行為と錯誤の要件は肯定されなければならないのである。また，②につき，裁判所が被欺罔者かつ処分行為者であり，これに財産の処分権限があった場合（すなわち，三角詐欺の場合）と解することが可能だといわれている[45]。

---

262 頁，山中・368 頁以下などを参照。なお，まったく無関係の人を騙したとき，事案により窃盗（または窃盗の間接正犯）になる場合があるが，詐欺罪にはならない。

42）　最決昭和 42・12・21 刑集 21 巻 10 号 1453 頁を参照。

43）　大塚・248 頁以下，大谷・274 頁以下，川端・379 頁，斎藤・146 頁以下，中森・140 頁以下，西田・216 頁以下，堀内・150 頁，山口・263 頁，山中・371 頁以下など。

44）　たとえば，団藤・614 頁を参照。

45）　大塚・248 頁以下，大谷・274 頁以下を参照。

二重抵当のケースについても三角詐欺の成否が問題となりうる。たとえば，甲がＡのために自己の不動産に抵当権を設定したが，まだ登記のないのに乗じて，さらにＢのために抵当権を設定し，これを登記したという場合である。かつての判例は，Ｂが欺かれる人（被欺罔者）であり，Ａが財産上の被害者であるとして詐欺罪の成立を認めていた[46]。しかし，ＢにはＡの財産を処分しうる権能または地位がおよそないのであるから，詐欺は成り立ちえない[47]。最高裁は，この種のケースについて，一番抵当権者のＡを被害者とする背任罪の成立を認めるに至っている[48]（→379頁）。

キセル乗車　キセル乗車とは，Ａ駅（乗車駅）からＤ駅（下車駅）まで電車に乗ろうとする者が，Ａ―Ｂ間の乗車券を用いてＡ駅の改札を通って乗車し，下車駅ではＣ―Ｄ間の乗車券を用いて改札を通ることにより，Ｂ―Ｃ間については正規の乗車券を持たず，その分の運賃の支払を免れることをいう。現在では，駅の改札はほとんど**自動化・機械化**されているが，そこでは「人を欺く」ことができないため，すでにその理由から詐欺罪の成立は否定されることになる（ただし，電子計算機使用詐欺罪の成立を肯定した裁判例がある〔→347頁注*106*)〕)。以下での検討は，行為者が，自動化・機械化されていない有人改札を通る場合（または，自動化・機械化されていない有料高速道路のキセル利用の場合）を前提としている（なお，不正乗車については，鉄道営業法29条に処罰規定がある。自動化・機械化の有無に関わりなくキセル乗車にこれが適用されることについて異論はない〔→312頁注*14*)〕)。

肯定説の理論構成としては次の2つがある。乗車駅において，Ｄ駅まで乗車する意思を抱きつつ，あたかも途中のＢ駅までしか乗らないように装って入場したところに「欺く行為」があり，輸送という有償的役務の提供を受けた点に「財産上の利益の取得」がある（少しでも走れば既遂となる）と見るのが**乗車駅基準説**である。これに対し，下車駅において，途中区間Ｂ―Ｃ間の運賃を支払うことなく，あたかもＣ駅から乗車したように装って出場するところを「欺く行為」とし，運賃精算義務を事実上免れたことをもって「財産上の利益の取得」があったと見るのが**下車駅基準説**である。キセル乗車の扱いをめぐる最高裁判例はなく，高裁判例においては見解が分かれ

46)　大判大正元・11・28刑録18輯1431頁。

47)　平野・概説218頁を参照。

48)　最判昭和31・12・7刑集10巻12号1592頁。詐欺罪を認めていたかつての判例は，先例としての意味を失ったものと見られる。

ている。[49]

結論からいえば，どちらの理論構成も可能であると思われる。[50] 乗車駅基準説に対しては，B駅までの乗車は正規の乗車券による正当なものであり，この部分について犯罪の成立を認めることはできないとする批判があるが，詐欺の手段として対価の一部が支払われていても詐欺罪の成立は妨げられないのであり，[51] 欺く行為を行って役務の提供を受けた以上，二項詐欺罪の成立を認めることは不可能ではない。[52] 他方，下車駅基準説については，下車駅における改札係の処分行為が問題となるが，無意識的処分行為を肯定する見解によればもちろん，処分意思の要件を緩める見解によっても，処分行為の要件が充足されると考えることは可能である。[53]

(4) 騙　取

財産的処分行為の結果，財物[54]（→227 頁以下）の交付または財産的利益（→231 頁以下）の処分が行われ，これを行為者または第三者が取得したとき，騙取という。行為者と現に財物の交付を受ける者は同一人であることを要しないが

---

49) 大阪高判昭和 44・8・7 刑月 1 巻 8 号 795 頁は，乗車駅基準説をとり二項詐欺罪の成立を肯定したが，東京高判昭和 35・2・22 東高刑時報 11 巻 2 号 43 頁は，乗車駅における欺く行為，下車駅における処分行為の要件はいずれも充たされないとして否定説を展開した。広島高松江支判昭和 51・12・6 高刑集 29 巻 4 号 651 頁も，入場券で乗車したが途中で検札にあって下車させられた事案につき，乗車段階において被害者側に処分行為がないとして二項詐欺罪は成立しないとした。これに対し，福井地判昭和 56・8・31 判時 1022 号 144 頁は，**高速道路のキセル利用**の事案につき，出口の料金所における欺く行為と被害者側の処分行為を肯定して二項詐欺罪の成立を認めた。

50) 乗車駅，下車駅いずれの段階についても本罪の成立を否定するのは，浅田・240 頁以下，斎藤・155 頁以下，曽根・151 頁以下，松宮・265 頁，山中・389 頁以下など。

51) たとえば，月賦形式の商品の購入に際して，第 1 回目の支払のみを行い，残りの支払の意思はないというときでも詐欺罪は成立するであろう。なお，最決昭和 45・6・30 判タ 251 号 271 頁を参照。

52) 大塚・264 頁以下，大谷・290 頁，藤木・315 頁を参照。反対，高橋・338 頁，林・243 頁以下，福田・258 頁以下，山口・267 頁。乗車駅基準説に対しては，途中駅のB駅までは発覚の可能性がないこと，また，下車駅での精算の可能性が常に予定されていることから，同説は現実に合わないとする批判は可能であろう。

53) 大塚・264 頁以下，大谷・291 頁以下，川端・376 頁，高橋・338 頁，林・244 頁，藤木・315 頁以下，福田・259 頁，松原・288 頁以下，山口・261 頁などを参照。なお，改札が自動化されている場合を含めたキセル乗車の問題についての最近の研究として，真島信英・亜細亜法学 58 巻 1 号（2023 年）63 頁以下があり，参考になる。

54) **財物**については，242 条と 245 条の規定が準用される（251 条）。

(このことは，二項詐欺については，法文上明らかである)，**広い意味の利害関係**が存在することが必要であり（→249 頁），まったく無関係の第三者に財物を交付させるのでは騙取とはいえない（そう考えなければ，実質は毀棄行為であるものを領得罪により処罰することになってしまうであろう。同じことは，二項詐欺における利益の取得者についてもいいうるであろう)。たとえば，会社を欺罔して，自己と無関係の慈善団体に多額の寄付をさせたときは詐欺罪にならない[55]。

行為者の得た財産と被害者が失った財産の直接的な対応関係　財産領得罪においては，一項犯罪と二項犯罪に共通する要件として，行為者側に財産的利益が生じ，それと直接的に対応する形で被害者側に財産的不利益が生じるという**利益と不利益の直接的な対応関係**が要件とされるべきであろう（→284 頁以下)。学説はこれを詐欺罪に特有の要件として理解し，素材同一性（Stoffgleichheit）と呼ぶ[56]。たとえば，甲が，A の所有する高価な絵画を無価値な偽物であると騙し，落胆した A をしてその絵を破壊させたとき，そのことについて乙（A をねたみ A 所有の絵画が破壊されることを強く望む人）から謝礼を得たとしても，一項詐欺罪にはならない。

このような観点から興味深いのは，次のようなケースである。甲らは，病気などの悩みを抱えている被害者らに対し，実際には効果のない「釜焚き」と称する儀式の料金を要求し，これを支払う能力のない被害者らに対し，被害者らが甲らの経営する薬局から商品を購入したように仮装し，その購入代金につき信販業者とクレジット契約（立替払契約）を締結し，これに基づき信販業者に立替払をさせたというのである。最高裁は，「被告人らは，被害者らを欺き，釜焚き料名下に金員をだまし取るため，被害者らに上記クレジット契約に基づき信販業者をして立替払をさせて金員を交付させたものと認めるのが相当である」として，一項詐欺罪の成立を認めた[57]。このケースでは，被告者らが負った支払債務の弁済方法として，信販業者に立替払をさせるという特殊な方法がとられたにすぎず，被告人らの取得したものと被害者らの債務負担とは直接的に対応しているということができる。

法文にいう「財産上不法の利益を得〔た〕」とは（246 条 2 項)，利益を取得す

55）堀内・145 頁。

56）松宮・257 頁，山中・377 頁など。詳しくは，荒木泰貴・慶應法学 34 号（2016 年）49 頁以下を参照。

57）最決平成 15・12・9 刑集 57 巻 11 号 1088 頁。この判例については，山口厚『新判例から見た刑法〔第 3 版〕』（2015 年）232 頁以下を参照。

る手段が不法なことをいい，利益の生じる原因である法律行為が私法上有効であるかどうかを問わない。

また，一項詐欺罪に関し，騙されて財物を交付する被害者の行為が**不法原因給付**（民708条）にあたり，給付した物の返還を請求できない場合であっても（かりに民法708条ただし書にあたらない場合でも）詐欺罪は成立すると考えるのが判例であり，学説上もほぼ異論を見ない[58]。たとえば，AがBのことを深くうらんでいるのを知った甲が，Aに対し，報酬をもらえばBを殺害する用意があると虚偽の申し出を行い，Aがこれを本気にして現金を手渡したというケースにおいて，Aの殺害依頼は違法であり，Bを殺してもらえるというAの期待は法的保護に値しないが，しかし，弱みにつけ込んだ申し出により侵害されるAの財産は刑法的保護に値しないとはいえない。同様に，受験生の親を騙して裏口入学の話を持ちかけ，財物を交付させたというような事例でも，一項詐欺罪が成立するというべきであろう（ただし，これらの事例において被害者に生じた**実質的財産侵害**とは何かということが問題となろう〔→337頁〕）。

債務の履行ないし弁済の一時猶予　債務者にとって債務の履行ないし弁済を猶予してもらうことも財産上の利益であり，したがって，債権者が債務者に対し債務の履行ないし弁済を猶予することも財産的処分行為にあたる（→319頁）。ただし，一時的に債権者の督促を免れる場合のすべてにおいて刑法上保護に値する利益の侵害があったとすることはできない。二項詐欺の成立を認めるためには，処分行為の結果として，はたして**どのような利益が得られたか・失われたか**（被害の事実）を特定しなければならない。最高裁は，りんごの引渡しという債務の履行が問題となった事案に関し，「すでに履行遅滞の状態にある債務者が，欺罔手段によって，一時債権者の督促を免れたからといって，ただそれだけのことでは，刑法246条2項にいう財産上の利益を得たものということはできない。その際，債権者がもし欺罔されなかったとすれば，その督促，要求により，債務の全部または一部の履行，あるいは，これに代りまたはこれを担保すべき何らかの具体的措置が，ぜひとも行われざるをえなかったであろうといえるような，特段の情況が存在した」ことを要するとした[59]。二項詐欺の場合に

58）たとえば，大塚・253頁，大谷・293頁以下，斎藤・145頁以下，塩見・180頁以下，高橋・358頁以下，中森・135頁，西田・228頁以下，林・153頁以下，堀内・154頁，山口・272頁以下，山中・373頁以下など。

59）最判昭和30・4・8刑集9巻4号827頁。なお，強盗罪（二項強盗殺人罪）に関する鹿児島

おいては，一項詐欺の場合と異なり，被害（財産的損失として評価できる被害）を特定する必要性がある。学説では，債務の履行の一時猶予により債権の財産的価値が減少したことまで必要だとする見解[60]も有力である。ただ，債権そのものの財産的価値の減少がなくても，債務を猶予してもらい，その分だけ期限の利益を得ることも，財産上の利益たりうるであろう。

(5)　財産的損害

(a)　問題の所在　　法文上は「財産的損害の発生」は成立要件とされておらず，窃盗罪などでは取り立てて論じられないにもかかわらず，詐欺罪についてはこのことが問題とされてきた[61]。そして，詐欺罪が成立するためには，被害者に財産的損害が生じたことが必要であると解する点において見解は一致している。他人の所有物の占有の移転が生じるだけで直ちに犯罪の成立を認める解釈は，窃盗罪では不当でないとしても，詐欺罪においては不当な結論をもたらす場合がある。

典型例は，書店において，18歳未満の行為者がその年齢に関し書店主を騙し，18歳未満の青少年に販売することが条例により禁止されている「有害図書」を自己に（販売価格通りに）販売させたというケースである（「**有害図書事例**」）。同じ行為者が同じ本を「万引き」したときには直ちに窃盗罪の成立が認められてよいのに対し，このケースで一項詐欺罪の成立を認めることには違和感がある。それは，実質的な財産的損害（それをどのように理解するにせよ，単に「売りたくない人に売ってしまった」という「気分の悪さ」にとどまらない，それ以上の損失）がなければ詐欺罪ではないと考えられるからであろう。

より一般的にいえば，窃盗罪においては，当該の財物の占有を失うこと（意思に反する占有の喪失）が被害の外形的実体をなすのに対し，詐欺罪においては，その意思に基づき財物を交付することが直ちに問題となるのではなく（それは日常的なことであり，個人の経済的自由の表れでありうる），それとともに得られるべき反対給付（その有無および質・量）との関係ではじめて問題となる。財物の

地判平成24・3・19判タ1374号242頁も参照。

60）　西田・207頁以下，平野・概説219頁など。

61）　この問題についての研究として，足立友子『詐欺罪の保護法益論』（2018年），佐竹宏章『詐欺罪と財産損害』（2020年）がある。

提供の反面において得られるべき反対給付が得られなかったり，または被害者が想定していた質と量をもっていなかったという**反対給付の瑕疵**が重要な意味をもつ[62]。窃盗罪は単に占有が奪われるだけの犯罪であるが，詐欺罪は，反対給付の瑕疵にもかかわらず財物の交付等の財産的給付が行われる犯罪であることを本質とする。

(**b**) 形式的個別財産説と実質的個別財産説　詐欺罪における財産的損害については，「形式的個別財産説」と「実質的個別財産説」の対立がある。従来の通説ともいわれる**形式的個別財産説**によれば，欺かれなければ交付しなかったであろう財物を交付して占有を失うこと自体，または，欺かれることがなければ相手方に提供されることはなかったであろう財産上の利益が提供されること自体が財産的損害として捉えられる[63]。たしかに，直前まで手元にあった財物の占有の喪失または一定の利益の相手方への移転だけで被害者の財産に一定のマイナス状態が生じていることは疑いえないことであるし，そのことを財産的損害として理解することは可能であるように見える。ただ，詐欺罪の成否の判断にあたっては，**給付と反対給付の関係**を検討することが不可欠であるとすれば，形式的個別財産説をとることはできない。この見解の本質的特色は，反対給付の考慮をおよそシャットアウトするところにあるからである（この見解によれば，「有害図書事例」についても，直ちに詐欺罪が肯定されることになってしまう）。

判例と形式的個別財産説　判例は，形式的個別財産説を基調としているといわれている。**相当の対価を提供**したとしても詐欺罪は成立するし[64]，被害者の提供した代金の

62）この場合の「反対給付」は，法技術的な概念ではなく，より広い意味をもつものとして理解する必要がある。その中には，当該取引において得られた反対給付にともなう「マイナス利益」，またはそこから直接・間接に生じる「マイナス利益」も含まれる。**相当対価の給付**が与えられたとしても，たとえば，ラーメン屋の営業権を相当な値段で譲り受けたが，実はそのラーメン屋は暴力団につきまとわれており，高額の「みかじめ料」を支払わなければならないこともしばしばあったこと（マイナス利益）が事後に判明したという事例などでそのことが問題となろう。

63）たとえば，大塚・255頁以下，266頁，大谷・280頁以下，川端・364頁以下，368頁，団藤・619頁，福田・249頁以下，藤木・308頁以下など。

64）最決昭和34・9・28刑集13巻11号2993頁，最決平成16・7・7刑集58巻5号309頁を参

一部に相当する商品を引き渡したとしても代金全額について詐欺罪が成立する。しかし，中には，反対給付を考慮した上で実質的な財産損害がないと見られるときに詐欺罪の成立を否定したものがある。たとえば，医師の免許を有しない者が医術に関する知識をもち，患者を無料で診断してこれに適応した売薬を所定の代価で買い取らせたというケースについて，たとえ医師と詐称しこれを買い取らせたとしても，直ちに一項詐欺罪を構成するとはいえないとしたもの[65]，また，請負人が，内容虚偽の汚泥処理券を提出して請負代金を受領したというケースについて，「本来受領する権利を有する請負代金を不当に早く受領したことをもって詐欺罪が成立するというためには，欺罔手段を用いなかった場合に得られたであろう請負代金の支払とは社会通念上別個の支払に当たるといい得る程度の期間支払時期を早めたものであることを要する」としたもの[66]などがある[67]。

近時の学説において有力化している**実質的個別財産説**[68]によれば，被害者が自らの財産処分により追求した，**取引上（経済的に）重要な目的の不達成**（反対給付の不獲得）があったといえなければ，財産的損害を肯定できない。この見解は，給付と反対給付の関係を考慮して財産的損害の有無を判定しようとするものであるが，2つの問題があるといえよう。まず，詐欺罪の要件論として，どこにおいて財産的損害の発生を検討するのか（「欺く行為」という要件においてか，それとも別個独立の要件においてか）が明らかでないことである。次に，いかなる場合に「実質的な財産損害」があったといえるのかの内実が明確でないことである（損害の理解によっては，その具体的適用において形式的個別財産説と変わらない結論に至ることもありえよう）。

照。前者のケースは，被告人は，その効能等につき真実に反する誇大な事実を告知して被害者らを誤信させ，ドル・バイブレーター（電気あんま器）を購入させたというものであり，最高裁は，たとえ**相当価格の商品を提供**したとしても，真実を告知するときは相手方が金員を交付しないような場合において金員の交付を受けた場合は詐欺罪が成立するとした。ただし，この種の事案では，かりに実質的個別財産説でも詐欺罪の成立が認められなければならないであろう。

65） 大決昭和3・12・21刑集7巻772頁。

66） 最判平成13・7・19刑集55巻5号371頁。

67） なお，前掲注*8*）最判昭和27・12・25も参照。

68） 曽根・144頁以下，西田・220頁以下，堀内・153頁以下，松宮・265頁以下，山口・267頁以下，山中・376頁以下，379頁以下など。

(c) 要件としての位置づけ　このような基本的見解の対立は，**要件論**としてはすでに解消したともいいうる。まず，形式的個別財産説は，独立の要件として実質的な財産的損害の有無を検討することはしないとしても，「欺く行為」があったといえるかどうかの検討においては，反対給付の実質的瑕疵の有無を検討している[69]。また，実質的個別財産説も，「実質的な財産的損害の発生」を，他の明文上の要件とは別の要件（書かれざる構成要件要素〔構成要件的結果〕）として把握するのではなく（もしそうであるとすれば，その点について行為者の故意が及んでいることが必要となってしまうであろう），それを「欺く行為」の要件の中において検討しなければならない[70]。なぜなら，**反対給付の瑕疵が行為者の意思決定に重要な影響**をもち，それが処分行為を引き起こしたといいうることを成立要件において確認するためには，それを「欺く行為」の要件の中に位置づけざるをえないからである。人の財産処分の自由という思想を前提とする以上は，反対給付の瑕疵は常に客観的・一般的に確定できるものではなく，**被害者の動機づけにとり重要な意味をもっていたかどうか**が決定的な意味をもつ。当該の事例において，反対給付の瑕疵が被害者の動機づけにとり具体的影響をもったかどうかの確認は，これを欺く行為の要件として位置づけ，それが錯誤および処分行為を惹起したかどうかを検討することによってのみ行われる。かくして，形式的個別財産説であれ，実質的個別財産説であれ，「欺く行為」の要件において実質的な財産的損害（反対給付の瑕疵）を考慮しなければならないことに変わりはないのであり，その意味で両説の対立は要件論としては解消されたものといえる。

実質的な財産的損害と「財産処分の判断の基礎となる重要な事項」　近年の最高裁判例は，一項詐欺罪と二項詐欺罪に共通する判断の枠組みとして，「欺く行為」という要件の内部において実質的な財産的損害を考慮するに至っている。すなわち，「欺く行為」とは，**被害者による財産処分の判断の基礎となる重要な事項を偽る**ことなのである。実

69） 代表的な主張は，注釈(6)175頁〔福田平〕，福田・252頁に見られる。

70） 中森・134頁，前田・228頁以下，252頁以下を参照。保護法益の考慮を「欺く行為」の要件の枠内で行おうとする最も明快な主張は，法益関係的錯誤説（→38頁）に見られる。たとえば，佐伯・法教372号106頁以下，山口厚『問題探究刑法各論』（1999年）161頁以下，同・267頁以下など。

質的な財産的損害（すなわち，反対給付の瑕疵）とそれが被害者の動機づけに対してもつ「重み」は欺く行為の要件の中で検討されることとなる。

① **搭乗券事例**　最高裁は，空港の国際便のチェックインカウンターにおいて，実際にはカナダに不法入国することを希望しているAを搭乗させる意図であったのにこれを隠し，Bに対する航空券とパスポートを呈示して，搭乗券（ボーディングカード）を請求し交付させたというケースについて，一項詐欺罪が成立するとした[71)]。その判断にあたり，搭乗券の交付の際に，交付を請求する者が航空券記載の乗客本人であることについて厳重な確認が行われていたという事実関係に注目し，厳重な本人確認が行われていたのは「航空券に氏名が記載されている乗客以外の者の航空機への搭乗が航空機の運航の安全上重大な弊害をもたらす危険性を含むものであったことや，本件航空会社がカナダ政府から同国への不法入国を防止するために搭乗券の発券を適切に行うことを義務付けられていたこと等の点において，当該乗客以外の者を航空機に搭乗させないことが本件航空会社の航空運送事業の経営上重要性を有していたからであ」るとして，こうした事情の下では，本人自身が航空機に搭乗するかどうかは「**交付の判断の基礎となる重要な事項**」であるということを指摘し，このような場合に搭乗券の交付を請求する行為は，詐欺罪にいう人を**欺く行為**にほかならないとした。ここでは，搭乗券の交付の反面において当該乗客本人以外の者が航空機に搭乗することが被害者にとってもつ経営上の[72)]「マイナス利益」であることが指摘され，そこからその事項について**重要事項性**（→312頁）が肯定されたのである。

② **ゴルフ場事例**　また，最高裁は，暴力団員によるゴルフ場施設の使用が二項詐欺罪を構成するかどうかが問題とされ，控訴審においていずれも同罪の成立が認められた3件（うち2件は同一事案）のケースのうち，2件（ただし，同一事案）については詐欺罪の成立を否定して無罪とし（破棄自判），1件については原審の判断を是認して同罪の成立を肯定した[73)]。最高裁は，詐欺罪の成立を肯定した上告棄却決定において明らかなように，暴力団関係者のゴルフ場利用により，ゴルフ倶楽部側には「財産上の損害」が生じることを肯定している[74)]。それにもかかわらず，一方の事案に

---

71)　前掲注*22)*最決平成22・7・29。

72)　航空会社のような企業体にとっての「反対給付の瑕疵」は，経済的価値をもったもの，または少なくとも経営上の重要性をもったものであるのが通常であろうが，ただ，それが詐欺罪全体を通じる要件となるわけではないと解される。

73)　最判平成26・3・28刑集68巻3号582頁（否定），前掲注*22)*最決平成26・3・28（肯定），最判平成26・3・28集刑313号329頁（否定）。

74)　前掲注*22)*最決平成26・3・28。すなわち，「ゴルフ場が暴力団関係者の施設利用を拒絶するのは，利用客の中に暴力団関係者が混在することにより，一般利用客が畏怖するなどして安

ついて詐欺罪の成立を否定したのは，被告人が暴力団関係者であることを申告せずにフロント係の従業員に施設利用を申し込んだ行為が，申込者が暴力団関係者でないことまで黙示的に表示しているとは認められず，**欺く行為にあたらない**とされたからである。要するに，そこでは暴力団員であることを黙って利用を申し込む行為について**挙動による欺罔**（→314頁以下）**が否定**されたのである。問題となった2つのゴルフ倶楽部に共通することは，利用細則や利用約款で暴力団関係者の利用を禁止していたことであるが，詐欺罪が否定されたゴルフ倶楽部では，出入口に「暴力団関係者お断り」の立て看板を設置している程度で，利用にあたり暴力団関係者でないことを誓約させたり，その他，確認する措置は講じられておらず，暴力団関係者を排除する取組みが徹底されていなかった。これに対し，詐欺罪が肯定されたゴルフ倶楽部では，入会審査にあたり暴力団関係者を同伴，紹介しない旨誓約させるなどの方策を講じていたほか，県防犯協議会事務局から提供される他の加盟ゴルフ場による暴力団排除情報をデータベース化した上，予約時または受付時に利用客の氏名がそのデータベースに登録されていないか確認するなどして暴力団関係者の利用を未然に防ぐといった取組みをしており，また，被告人らも，当日の利用にあたり，フロントに赴くことをせず，「ご署名簿」に自署することが求められていたのにこれを代筆させるなどしていたという違いがあった。このように，後者のゴルフ倶楽部においては，挙動による欺く行為があるとされたばかりでなく，利用客が暴力団関係者であるかどうかについて**重要事項性が肯定**されたのであった。[75]

③　**貯金通帳事例**　　さらに，最高裁は，暴力団員である被告人が，自己名義の総合口座通帳およびキャッシュカードを取得するため，約款で暴力団員からの貯金の新規預入申込みを拒絶する旨定めている銀行（株式会社ゆうちょ銀行）の担当者に対し，暴力団員であるのに暴力団員でないことを表明，確約して口座開設等を申し込み通帳

全，快適なプレー環境が確保できなくなり，利用客の減少につながることや，ゴルフ倶楽部としての信用，格付け等が損なわれることを未然に防止する意図によるものであって，ゴルフ倶楽部の経営上の観点からとられている措置である」としている。

75）詐欺罪の成立を認めた最高裁決定（前掲注 *22*）最決平成26・3・28）は，次のように述べる。「以上のような事実関係からすれば，入会の際に暴力団関係者の同伴，紹介をしない旨誓約していた本件ゴルフ倶楽部の会員であるAが同伴者の施設利用を申し込むこと自体，その同伴者が暴力団関係者でないことを保証する旨の意思を表している上，利用客が暴力団関係者かどうかは，本件ゴルフ倶楽部の従業員において施設利用の許否の判断の基礎となる重要な事項であるから，同伴者が暴力団関係者であるのにこれを申告せずに施設利用を申し込む行為は，その同伴者が暴力団関係者でないことを従業員に誤信させようとするものであり，詐欺罪にいう人を欺く行為にほかならず，これによって施設利用契約を成立させ，Aと意を通じた被告人において施設利用をした行為が刑法246条2項の詐欺罪を構成することは明らかである」。

等の交付を受けた行為は，一項詐欺罪にあたるとした[76]。最高裁は，「以上のような事実関係の下においては，総合口座の開設並びにこれに伴う総合口座通帳及びキャッシュカードの交付を申し込む者が暴力団員を含む反社会的勢力であるかどうかは，本件局員らにおいてその交付の判断の基礎となる重要な事項であるというべきであるから，暴力団員である者が，自己が暴力団員でないことを表明，確約して上記申込みを行う行為は，詐欺罪にいう人を欺く行為に当たり，これにより総合口座通帳及びキャッシュカードの交付を受けた行為が刑法246条1項の詐欺罪を構成することは明らかである」とした。なお，すでに，最高裁は，他人に成り済まして預金口座を開設し，預金通帳の交付を受けた行為につき，一項詐欺罪の成立を認め[77]，自己名義の預金口座を開設して預金通帳・キャッシュカードを取得する場合であっても，預金通帳とキャッシュカードを第三者に譲渡する意図であるのにこれを秘して申込みを行う行為について同じく一項詐欺罪を構成するとしている[78]。

(d) 財産的損害の内実　　それでは，詐欺罪における財産的損害は，どこに認められるべきであろうか。前述のように（→328頁以下），財産的損害は，給付と，それにより得られることが期待された「反対給付」との関係において捉えられなければならない。反対給付に瑕疵さえなければ，財産的損害は否定されるが，反対給付に瑕疵が認められる以上は，被害者による給付そのもの，したがって被害者による財産の処分そのものが財産的損害を意味する[79]。そういう言い方をすると，まるで形式的個別財産説の主張であるかのように思われるが，そうではない。反対給付に瑕疵がある以上は，財物の交付そのものが詐欺罪における法益侵害なのであり，詐欺罪規定はそれが生じないようにするた

76）　最決平成26・4・7刑集68巻4号715頁。被害者となった銀行では，貯金は，預金者が暴力団員を含む反社会的勢力に該当しないなどの条件を充たす場合に限り，利用することができ，その条件を充たさない場合には，貯金の新規預入申込みを拒絶することとし，通常貯金等の新規申込み時に，暴力団員を含む反社会的勢力でないこと等の表明，確約を求めることとしていた（また，利用者が反社会的勢力に属する疑いがあるときには，関係警察署等に照会，確認することとされていた）。

77）　前掲注12）最決平成14・10・21。

78）　前掲注22）最決平成19・7・17。

79）　林・154頁が述べるように，「被害者が当該取引のためにまさに交付しようとする財産……を，交付されないように保護しようとするものである。いいかえると，欺罔によって交付される財産の喪失が，詐欺罪における損害なのである」。

めに存在している。

まず，反対給付として，法的な権利を得たが（または法的義務を免れたが），同時に（予測していなかった）経済的なリスクのある地位に置かれたというとき，そのような地位を得たことそれ自体を損害と評価できる。ただし，それが構成要件的結果なのではなく，相手方への給付（財産の処分）による財産の喪失が構成要件的結果としての侵害結果となる（したがって，ここでは，未遂なのに既遂として処罰しているのではないかとか，侵害犯を危険犯に変えるものとかの批判はあたらない）。最高裁の判例には，自己名義の預金口座を開設して預金通帳・キャッシュカードの交付を受ける場合であっても，その預金通帳とキャッシュカードを第三者に譲渡する意図であるのにこれを秘して申込みを行う行為は，人を欺く行為にほかならず，一項詐欺罪を構成するとしたものがある[80]。今日の銀行取引において相手方が誰かという同一性は重要な事項であり，あらかじめ把握されたのとは別人と取引関係に入ることになるのは，銀行側にとりそれ自体として経済的にリスクのある地位に置かれることにほかならない（また，前述の暴力団員のゴルフ場利用のケースにおけるのと同様に，それにより金融機関としての信用に影響が生じうる状況に置かれること自体が財産的損害と評価することができよう）。

クレジットカード詐欺　ここでは，クレジットカードの保有者が，銀行口座の預金も残高がゼロ円となり，決済時に代金相当額以上の預金残高となる見込みがないことを知りながら，自己名義のカードを使用し，換金目的で，クレジット加盟店で高価な商品を購入したというケースが問題となる（他人名義のカードを勝手に使って加盟店において商品を購入したり，サービスの提供を受けることが加盟店を被害者とする詐欺罪となることについては異論がない）。判例は，**もっぱら加盟店との関係**でのみ詐欺罪の要件が充足されるかどうかを検討し，客体が財物か財産上の利益かにより，一項詐欺罪または二項詐欺罪の成立を認めている[81]。支払意思・能力に関する欺く行為が

80）　前掲注 *22*）最決平成 19・7・17。

81）　支払の意思も能力もないのに自己名義のクレジットカードを使用して物品を購入した場合についての福岡高判昭和 56・9・21 刑月 13 巻 8＝9 号 527 頁および東京高判昭和 59・11・19 判タ 544 号 251 頁がある。最高裁も，被告人が，**名義人本人に成り済まして他人のクレジットカードを使用**したというケースについてではあるが，かりに名義人から同カードの使用を許されていると誤信していたという事情があったとしても，**加盟店との関係での詐欺罪**は成立する

なければ，財物の交付やサービスの提供が行われなかったのであり，それ自体が財産的損害と評価されるし，加盟店には，会員に支払意思・能力がないことがわかれば商品やサービスの提供を拒絶する信義則上の義務があるから，錯誤に陥って財産を提供したといえるし，事後に加盟店に対し支払が行われ，経済的に損害が生じないことは，詐欺罪の成否に影響しないとするのが判例実務の考え方である。[82)]

このような理論構成によると，**法的な被害者**（**加盟店**）と**経済的被害者**（**クレジット会社**）とが一致しなくなるという問題がある。[83)] しかし，そのような場合は他にもある。典型例は，他人の預金通帳を盗み，それを使って正当な権利者であるかのように装い銀行の窓口で預金を引き出したというケースである。この場合，かりに銀行は払戻しにより債務を免れるとしても（民 478 条），銀行との関係で一項詐欺罪が成立し，[84)] 法的には銀行が被害者とされるというように，経済的な被害者と法的な被害者とは異なりうるのである。また，加盟店の側にも実質的な財産的損害は認められる。商品の交付やサービスの提供を行った加盟店側は，クレジット会社から支払を拒絶されたり，紛争に巻き込まれる可能性があるなど，正常な形での代金相当額の支払を受ける上でのリスクがあるからである。

財産を提供することの「反対給付」として，非財産的・非経済的な目的の達成を期待するときであっても，詐欺罪の成立を否定する理由はなかろう。財産的対価を求めることがない**寄付金詐欺**や**補助金詐欺**についても，詐欺罪の成立は認められなければならない。被害者による給付が財産的ないし経済的性格を有することは必要であるが（財物または財産上の利益の処分でなければならない），被

（故意も否定されない）としている（最決平成 16・2・9 刑集 58 巻 2 号 89 頁）。

82） 学説としては，大塚・250 頁以下，大谷・276 頁以下，川端・379 頁以下，福田・256 頁，前田・247 頁以下など。

83） 学説の中には，クレジットカード詐欺を一種の三角詐欺（→322 頁）として理論構成し，犯人の行為により，加盟店（欺かれた人）が事実上クレジット会社（被害者）の財産を処分することになると見る考え方も有力である。これによると，犯人が加盟店において商品の交付を受けたか，サービスの提供を受けたかにかかわらず，常に二項詐欺罪の成立を認めることになる（斎藤・149 頁以下，曽根・154 頁，高橋・341 頁以下，中森・141 頁，西田・218 頁以下，林・250 頁以下，堀内・151 頁以下，松原・303 頁以下，山口・264 頁以下など）。さらに，被欺罔者も被害者もカード会社だとするのは，伊東・200 頁以下。

84） なお，盗んだ他人のキャッシュカードを用いて ATM で現金を取り出したときは窃盗罪となる。借金の返済のため，盗んだカードを用いて ATM で他人口座に一定金額を振り込んだときには電子計算機使用詐欺罪（→344 頁以下）となる。

害者が期待する反対給付が財産的価値を有する必要はない[85]。

さらに，反対給付が違法行為，とりわけ犯罪であるときでも，それに動機づけられて被害者が財産的給付を行っている以上は，実質的な財産的損害を肯定することができる（これは，**不法原因給付**と詐欺罪の成否の問題として議論されており，同罪の成立を肯定するのが判例・通説である〔→327頁〕）。そこにおいては，違法であり，法的には保護されない目的によるものだとしても，瑕疵ある反対給付に動機づけられて財物の交付または財産的利益の提供が行われている以上，被害者の側に財産損害を肯定することができる[86]。

財産概念の主観的性格　個人にとり財産処分の目的となりうること（要するに，本書にいう広義の「反対給付」）は，財産的・経済的な性質の事柄に限定されない。その人が財産にどのような価値を認めるか，何の目的のために（いかなる「反対給付」と引き換えに）どの程度に財産を犠牲に供するかは，個人の自由の問題であり，それは本質的には財産処分者の主観的な意思により決定される。「有害図書事例」（→328頁）についても，本質的には，被害者たる書店主が青少年への有害図書の販売についてどう考えているかにより，損害要件が充足されるかどうかが決まる。買主が青少年ではないことが強い消極的動機を形成する事例においては，それ自体として財産的損害はこれを否定することができない。

85）以上のことは，詐欺罪と恐喝罪の比較からも明らかになると思われる。恐喝罪の場合には，たとえば身体や名誉といった法益への侵害を回避するために財産を提供するときにも（当然のことながら）成立する。刑法は，意思決定に不当な影響を与えて身体や名誉を守るために財産を犠牲にさせようとすることからもその財産を守ろうとしている。反対給付を求める意思決定に誘導することにより財産の処分をさせる行為から財産を守るための犯罪として，詐欺罪と恐喝罪は共通する。そうであるとすれば，反対給付の性質により（たとえば，それが経済的価値を有するかどうかにより）詐欺罪の成立が限定されることはない。

86）以上のように考えるとすれば，「有害図書事例」（→328頁）でも，およそ詐欺罪の成立が否定されることにはならないであろう。寄付金詐欺の事例で，一定の社会的目的，たとえば青少年保護のために役立ててもらおうという目的で被害者が寄付を行うときに詐欺罪の成立を認めるのであれば，青少年保護のため有害図書を青少年に販売することだけはしたくないと思う被害者との関係で詐欺罪の成立を認めない理由はない。同様に，被害者が親密になることを望んでいる女性も聴きに来ると騙して被害者にピアノの演奏会のチケットを買わせたというケースでも，財産的損害がないことを理由として詐欺罪が成立しないとすることはできないであろう。もしこれらの事例において詐欺罪を肯定することに，法益侵害の有無という見地から違和感が生じるとすれば，被害者の主観的な目的の不達成（反対給付の瑕疵）が軽微なものであり，それほど切実な被害として感じられないというだけのことであろう。

このような財産概念の主観的性格は，反対給付の瑕疵が一般的に取引上重要なものと考えられているときには問題として顕在化することはないであろう。行為者の側には故意が認められ，瑕疵に触れないことが欺く行為となるであろう。これに対し，反対給付の瑕疵が一般的に取引上重要なものとまで考えられていないときには，単に行為者の側に被害者の主観的価値決定について故意があるというだけで詐欺罪の成立を認めることは適切ではない。ここでは，被害者の主観的意思が客観化されていた（交付・処分にあたり被害者の関心がその事項に向けられていた）ことが要求されなければならない。「欺く行為」とは，財産処分の「判断の基礎となる重要な事項」について被害者に錯誤を生じさせるものであるとする解釈は，行為者の欺く行為が被害者に錯誤を生じさせ，これが財産の処分に対し法的因果関係をもったことを明確化するばかりではなく，**財産的損害の有無を決定する被害者の主観的意思を客観化**する（そうして客観化された意思のみを考慮可能とする）という機能をもつことになる。

(6)　故意，不法領得の意思

詐欺罪の故意については，故意についての一般論（刑法総論の故意に関する理論）がそのままあてはまり，ここで特に論じることはない。故意の立証（間接事実からの故意の推認）をめぐっては，特に組織的な特殊詐欺への単発的な協力者について実務上の限界事例がしばしば生じる[87]。

詐欺罪においても，主観的要件として，故意に加えて不法領得の意思（→247 頁以下）が必要である。最高裁は，財産的利得を得るための手段として行ったときであっても，他人宛ての送達書類を廃棄するだけのために，他人を装ってその書類を郵便配達員から受領する行為には不法領得の意思が認められず，それは詐欺罪にならないとした[88]。領得目的の行為を（破壊目的の行為と比べて）より強く抑止するところに領得罪をより重く処罰する理由があるとすると（→234 頁以下），この事例では重く処罰する理由があるといえなくもない。しかし，財物罪たる一項詐欺罪としての処罰が問題となっている以上，（究極的には財産的利得を得る目的であったとしても）あくまでも当該の客体たる物自体

---

87)　たとえば，最判平成 30・12・11 刑集 72 巻 6 号 672 頁，最判平成 30・12・14 刑集 72 巻 6 号 737 頁などを参照。

88)　最決平成 16・11・30 刑集 58 巻 8 号 1005 頁。

に即して領得目的を論じるべきである（そこで問題となる，利得の取得ないし債務の免脱は，二項犯罪の成立が認められる限りで考慮すべきである）とすれば，領得罪たる詐欺罪の成立は否定すべきであろう[89]。

(7)　未遂と既遂

詐欺罪は，**未遂犯が処罰**される（250条）。**実行の着手**時期は，原則として欺く行為を開始した時点において認められる。ただし，この点については，2つの点に留意しなければならない。第1に，何らかの意味で人を騙す行為が開始されたというだけでは不十分であり，**処分行為に直接に導く働きかけ**が必要である（たとえば，現金の交付を求める文言が申し向けられなければならない）。第2に，行為者の計画を考慮したとき，結果発生の危険性（特に，結果発生の自動性ないし障害の不在性）が肯定できるのであれば，**構成要件該当行為（実行行為）の直前行為・密接行為の段階で着手を認めうる**とする最近の理解からすれば，事情により，欺く行為の開始以前に遡ることも不可能ではないことになる。最近の最高裁判例[90]は，一項詐欺の目的で被害者に対して電話をかけ，預金口座から預金の払戻しをするよう説得したが，それはあらかじめ現金を被害者宅に移動させた上で，間もなく被害者宅を訪問して警察官を装って現金の交付を求める予定であった被告人に対して現金を交付させるための計画の一環として行われたものであったというケース（したがって，いまだ被害者に対し現金の交付を求める文言を述べるに至っていないケース）について，実行の着手を否定した原判決を破棄し，詐欺罪の実行の着手を肯定できるとするに至ったが[91]，これは，当該事情の下

89）　ただ，そのように考えたときにも，**廃棄と利得とが裏腹の関係にある物**もある。たとえば，借金の返済を免れるため貸主の手元にある借用書等を廃棄する目的でこれを盗み出す行為などは窃盗にあたるとすべきではないか。借用証書については利得との関係が直接的であるとし，かろうじて不法領得の意思を認めうると解することも可能であろう。佐伯仁志・研修645号（2002年）11頁。

90）　最判平成30・3・22刑集72巻1号82頁。

91）　本件のケースでは，預金口座から現金を下ろすように求める1回目の電話があり，被害者が現金を被害者宅に移動させた後に，間もなく警察官が被害者宅を訪問することを予告する2回目の電話が行われているが，本判決に付された山口厚裁判官の補足意見は，「預金口座から下ろした現金の被害者宅への移動を挟んで2回の電話が一連のものとして行われた本件事案においては，1回目の電話の時点で未遂罪が成立し得るかどうかはともかく，2回目の電話によって，詐欺の実行行為に密接な行為がなされたと明らかにいえ，詐欺未遂罪の成立を肯定する

では，欺く行為の開始以前に実行の着手を認める趣旨のものと理解することができる[92]。もちろん，そのような「前倒し」の可能性を認めるとしても，たとえば，保険金詐欺のケースで，まだ建造物に放火しただけで，保険金支払の請求を行っていない段階では，一項詐欺罪の実行の着手を肯定できない[93]。

既遂の時点は，財物のうちの動産については，引渡しによる占有の移転の時点である。不動産（＝財物）が客体の場合には，被害者側の所有権の移転を認める意思表示があっただけでは十分ではなく，事実上の占有の移転または所有権移転登記の完了により一項詐欺罪の既遂となる[94]。ちなみに，振り込め詐欺の事例等で，自己の預金口座に振込送金させたとき，振込手続の完了により一**項詐欺罪が成立**し，既遂に達する。すでに行為者の事実上の支配領域内への移転が完了したといえるからである[95]。なお，ここでは，預金債権を得たにすぎないから二項詐欺でしかないとも考えられるが，判例は，これを一項詐欺罪とする。それは**現金の交付を受けたのと同視**できるという理由に基づくものであろう。これに対し，コンピュータに不正な指令を与えて，口座間の金銭の移動を生じさせた事例では，電子計算機使用詐欺罪（→344頁以下）になることはあっても，窃盗罪にはならない。このように，一項詐欺罪においては，窃盗罪と異なり（窃盗罪は，いわば古典的な，「物体の移動」というイメージが固着した犯罪なのである），占有の取得を（横領に準じて〔→358頁以下〕）観念化して把握することが可能とされているのである（そのことは，不動産の「窃取」は不可能であるのに，

ことができると解される」としている。

92）ただし，最高裁は，被告人はいまだ被害者に現金の交付を求める文言を述べるに至っていないものの，被害者に直接述べられた「嘘の内容は，その犯行計画上，被害者が現金を交付するか否かを判断する前提となるよう予定された事項に係る重要なものであったと認められる」としており，本件では「欺く行為」が開始されていたとする理解を排斥するものではない。

93）大判昭和7・6・15刑集11巻859頁。

94）かつての判例が，所有権移転の意思表示とともに既遂を認めていたことにつき，団藤・616頁以下を参照。

95）他人所有の不動産につき，その所有者に成り済まして融資を申し込み，被害者をして，他人名義であらかじめ開設していた銀行口座に現金約2700万円を振込送金させたというケースでは，銀行口座への振込送金の時点で，一項詐欺罪は既遂となる（大阪高判平成16・12・21判タ1183号333頁）。詳しくは，佐藤拓磨「詐欺罪における占有」『川端博先生古稀祝賀論文集・下巻』（2014年）239頁以下。

その「騙取」は可能であるとされていることにも示されている)。

口座への払込みと詐欺罪の既遂時期 たとえば，次のような事例について考えてみよう。甲は，A方に電話をかけ，電話に出たAに対し，その孫を装い，金銭の工面を依頼した。Aはそれを本当に孫からの電話と信じて，タンスに入れておいた現金の中から50万円を取り出し，近くの銀行支店の窓口において手続をとり，その50万円を甲の指定する預金口座に振り込んだとする。このケースをめぐっては，次の3つの考え方が可能であろう。

①甲の口座にAからの振込みがあった時点では，まだ一項詐欺罪の未遂にとどまる。ただ，甲は被害者の負担ですでに50万円の預金債権を得ていることから二項詐欺罪の既遂犯を認めることはできる。二項詐欺罪の既遂が成立し，一項詐欺未遂はこれに吸収される。

②甲は現金を銀行に持参し，その占有を犯人側に移転する手続をとったことで，その現金が犯人側の支配下に置かれるに至ったと見ることができるから，その限りで一項詐欺罪の既遂となる。これに対し，もしAが自己の口座から振込送金を行ったときには，そこにはいっさい有体物が登場しないことから，①と同じように二項詐欺罪の既遂しか認めることはできない。

③現金を振り込んだ場合か，口座からの送金かどうかで区別することなく，すでに行為者の口座に金銭の振込みが行われたという点で同じであり，その時点で一項詐欺罪の既遂を肯定すべきである。

かつては，②説をとるものと解される判例・裁判例や学説も見られたが，現在では，判例実務においても，学説においても，③説の立場をとるものが一般的になっているといえよう。その限りで，「預金の占有」を認める考え方をとるもの，ということもできる(→359頁以下)。

二項詐欺罪の既遂は，財産上の利益を取得したときに認められる。相手を騙して一定の債権(ないし請求権)を取得したことで直ちに同罪の既遂を肯定するとすれば，一項詐欺のケースにおいて，その未遂の段階で(たとえば，一定の財物について引渡しの請求権を得ただけで)直ちに二項詐欺の既遂を認めることになってしまう。ここでは，それ自体として被害(財産的損失として評価できる被害)が肯定できるかどうかを慎重に吟味する必要がある[96](→327頁)。

---

96) 伊東・190頁，中森・142頁を参照。

(8) 罪数，他罪との関係

詐欺罪の罪数は，侵害された財物の占有の数または財産上の利益の数を基準として決められる。1つの欺く行為を手段とするときでも，財産を侵害された被害者が複数いれば，数個の詐欺罪が成立し，観念的競合となる。

街頭募金詐欺　**個々の詐欺行為が個性を失う特別な形態の詐欺**について，不特定多数の被害者に向けて行われた一連・複数の詐欺行為を包括して1つの詐欺罪にあたるとした最高裁判例がある[97)]。同じ罪名の犯罪の包括一罪を認めることの**訴訟法上の意味**は，犯罪の始期や終期，行為の手段や回数，被害金額などをまとめて包括的に示せば足り，それぞれの被害者や被害額を特定する必要がないところにある。従来も，いわゆる**接続犯**の場合（たとえば，1つの倉庫から2時間余りの間に3回にわたって米俵を盗み出した場合には，3個の窃盗罪ではなく，1個の窃盗罪と評価される〔→264頁〕）などに，そのような意味での包括一罪が肯定されてきた（接続犯の場合においては，たとえば，それぞれの行為がどのような被害を生じさせたかの具体的特定は必要とされない）。最高裁は，このような考え方を，被害法益の単一性が認められない場合にも拡大し，**連続的包括一罪**とも呼ばれる新たな包括一罪の類型を肯定したのである。

1個の行為につき一項詐欺罪と二項詐欺罪の両者が競合的に成立する場合（すなわち，1個の行為により財物と財産上の利益の両方を得た場合）には，**包括して246条にあたる1個の詐欺罪**となる。無銭宿泊のように，役務の提供を中心とし

97）最決平成22・3・17刑集64巻2号111頁。すなわち，「この犯行は，偽装の募金活動を主宰する被告人が，約2か月間にわたり，アルバイトとして雇用した事情を知らない多数の募金活動員を関西一円の通行人の多い場所に配置し，募金の趣旨を立看板で掲示させるとともに，募金箱を持たせて寄付を勧誘する発言を連呼させ，これに応じた通行人から現金をだまし取ったというものであって，個々の被害者ごとに区別して個別に欺もう行為を行うものではなく，不特定多数の通行人一般に対し，一括して，適宜の日，場所において，連日のように，同一内容の定型的な働き掛けを行って寄付を募るという態様のものであり，かつ，被告人の1個の意思，企図に基づき継続して行われた活動であったと認められる。加えて，このような街頭募金においては，これに応じる被害者は，比較的少額の現金を募金箱に投入すると，そのまま名前も告げずに立ち去ってしまうのが通例であり，募金箱に投入された現金は直ちに他の被害者が投入したものと混和して特定性を失うものであって，個々に区別して受領するものではない。以上のような本件街頭募金詐欺の特徴にかんがみると，これを一体のものと評価して包括一罪と解した原判断は是認できる。そして，その罪となるべき事実は，募金に応じた多数人を被害者とした上，被告人の行った募金の方法，その方法により募金を行った期間，場所及びこれにより得た総金額を摘示することをもってその特定に欠けるところはないというべきである」。

ながら，飲食物等の財物の提供もあわせて受けるような形態の場合には，役務の提供に重点があることから，当初から支払う意思なくして役務および財物の提供を受けたときには，二項詐欺罪とすべきであろう。ひとまず複数の行為を観念できる場合でも，法的にも経済的にも被害が同一であるとき（すなわち，併合罪として評価すると二重評価となるとき）は，やはり包括した1個の詐欺罪の成立を認めるべきである。たとえば，無銭飲食の場合（→322頁注*37*)）で，当初から無銭飲食の意思で注文して目的物を取得し，さらに飲食後も詐欺により代金支払債務の履行を免れたというとき，一項詐欺罪と二項詐欺罪とを包括した1個の詐欺罪が成立すると解される。騙し取った財物についての代金支払債務を免れるために，被害者に暴行・脅迫を加えてその反抗を抑圧したとき，詐欺罪と強盗罪の**混合的包括一罪**となる（→285頁）。

消費者金融会社の係員を欺いて同社のローンカードを交付させた上，そのカードを利用して同社の現金自動入出機から現金を引き出せば，一項詐欺罪と窃盗罪がそれぞれ成立し，併合罪となる[98)]。

3　準詐欺罪

（準詐欺）
第248条　未成年者の知慮浅薄又は人の心神耗弱に乗じて，その財物を交付させ，又は財産上不法の利益を得，若しくは他人にこれを得させた者は，10年以下の拘禁刑に処する。

本罪は，詐欺罪（246条）と同視しうる所為を処罰するための**補充的な犯罪類型**である。通常の知識・判断力をもつ人であれば，財産的処分行為に出ることはないであろうと考えられる程度の偽り・誘惑により財物・財産上の利益を取得する行為を処罰の対象とする。知慮浅薄な未成年者や心神耗弱者が相手方であっても，人を欺く行為（→311頁）を用いて財産の処分を行わせたのであれば，本罪ではなく通常の詐欺罪となる。意思能力を欠く者から財物を取得するときは窃盗罪となり，知慮浅薄な未成年者や心神耗弱者を相手方とする場合でも，偽

98)　最決平成14・2・8刑集56巻2号71頁。

り・誘惑等を介さずに財物を取得したときは，本罪ではなく窃盗罪が成立する。

未成年者とは18歳に満たない者のことをいう（民4条。ただし，民法の一部を改正する法律〔2018（平成30）年6月20日法律第59号〕の施行日〔2022年4月1日〕以前は20歳であった）。**知慮浅薄**（ちりょせんぱく）とは，知識が乏しく，思慮の足りないことをいう。**心神耗弱**（しんしんこうじゃく）とは，一時的・継続的な精神状態の不十分さにより一般通常人程度の知識・物事の判断力を備えていないことをいう（39条2項の心神耗弱〔→総論399頁以下〕とイコールではない）[99]。**乗じて**とは，未成年者の知慮浅薄または人の心神耗弱という状態を利用してということである。

手段と相手方以外の点については，詐欺罪と同じであり，そこに妥当することを（その性質上，必要な修正を加えつつ）あてはめることが可能である[100]。

4　電子計算機使用詐欺罪

（電子計算機使用詐欺）
第246条の2　前条〔246条〕に規定するもののほか，人の事務処理に使用する電子計算機に虚偽の情報若しくは不正な指令を与えて財産権の得喪若しくは変更に係る不実の電磁的記録を作り，又は財産権の得喪若しくは変更に係る虚偽の電磁的記録を人の事務処理の用に供して，財産上不法の利益を得，又は他人にこれを得させた者は，10年以下の拘禁刑に処する。
第7条の2　この法律において「電磁的記録」とは，電子的方式，磁気的方式その他人の知覚によっては認識することができない方式で作られる記録であって，電子計算機による情報処理の用に供されるものをいう。

コンピュータ犯罪への対応をはかった1987（昭和62）年の刑法一部改正によって新設された犯罪類型であり，従来，詐欺罪（246条）として処罰すること

99）　神戸地判平成31・2・21 LLI/DB L07450292は，認知症の被害者（当時81歳ないし82歳）をして自己が経営する会社名義の口座へ現金の振込みをさせたという事案につき準詐欺罪の成立を認めるにあたり，本罪にいう心神耗弱とは，「精神の健全さを欠き，事物の判断を行うために十分な普通人の知能を備えていない状態にあることをいうのであって，その知能の減退は，交付行為に向けられた意思に瑕疵があったといえる程度であれば足り，刑法39条2項の心神耗弱者のような著しいといえるまでの能力の減退は必要ないと解すべきである」とした。

100）　**未遂犯が処罰**され（250条），**親族相盗例の規定**が準用され（251条・244条），**財物について**は，242条と245条の規定が準用される（251条）。

はできず，本質的には**利益窃盗**として不可罰とされざるをえなかった行為を処罰するものである[101]。なぜ詐欺罪の規定を適用できなかったかといえば，それは「人を欺く」場合にのみ成立し，コンピュータという「機械を騙す」ことはそれにあたらないからである（→312頁）。もっとも簡単な具体例を挙げると，他人のキャッシュカードを盗み，暗証番号も入手して，これを用いて銀行のATMコーナーに行き，自己の借金の弁済のために，債権者の口座に振込送金を行えば，現在では，246条の2前段の罪を構成する。もし盗んだ預金通帳と印鑑を用いて銀行の窓口で振込送金を行えば，二項詐欺となるが，ATMに対してこれを行うと，本条新設以前は（利益窃盗として）不可罰とならざるを得なかったのである[102]。本罪は，**詐欺罪（246条）を補充する犯罪類型**であるから，詐欺罪が成立する事案においては詐欺罪による処罰を認めれば足りる。

法文には「財産権の得喪若しくは変更に係る……電磁的記録」とあるが（電磁的記録の意義については，7条の2を参照），記録の作出・変更が直接に財産権の得喪・変更を（事実上）生じさせるようなものをいい，預金残高を記録した銀行の元帳ファイルや，金銭的利益に相当する記録がなされたプリペイドカードの磁気部分等がこれにあたる。これに対し，記録の作出・変更が直接に財産権の得喪・変更を生じさせることがないもの，たとえば，電磁的記録化された不動産登記ファイルや銀行のキャッシュカードの磁気ストライプ部分等は，「財産権の得喪若しくは変更に係る電磁的記録」にあたらない。

実行行為の態様として2つのものがある。**第1の態様**は，「人の事務処理に使用する電子計算機に虚偽の情報若しくは不正な指令を与えて財産権の得喪若しくは変更に係る不実の電磁的記録を作」ることである（**本条前段**）[103]。「虚偽の情

101） 詐欺罪と同様に，電子計算機使用詐欺罪についても，**未遂犯が処罰**され（250条），**親族間の犯罪**に対しては244条が準用される（251条）。

102） こうして，現在では，盗んだキャッシュカードを用いて① ATMから現金を引き出せば窃盗罪，②振込送金を行えば電子計算機使用詐欺罪，盗んだ預金通帳を用いて③銀行の窓口で現金を引き出せば一項詐欺罪，④振込送金を行えば二項詐欺罪となり，処罰の間隙はなくなったということになる。いずれもこれらは銀行を被害者とする犯罪であり，先行する窃盗罪とは被害者を異にするので，共罰的事後行為（→総論112頁）にはあたらない。

103） 裁判例において，**246条の2前段**の罪の成立が認められた事例としては，銀行員がオンラインシステムの端末機を操作して，自己の預金口座に振替入金があったとする虚偽の情報を与

報」を与えるとは，たとえば，銀行の元帳ファイルに架空のデータを入力するような場合のことをいい，「不正の指令」を与えるとは，プログラム自体を改変する場合のことをいう。虚偽・不実の意義が問題となるが，Aが甲に対し振込送金を行ったという事実がないのにそういうデータ（実体を反映しないデータ）が生じるところに虚偽性・不実性がある。コンピュータへの入力が権限の範囲内の入力であれば（たとえば，銀行の支店長による不良貸付は，権限の範囲内の濫用行為にすぎない），内容的に不当なものであっても，「虚偽の情報」を与えたとか「不実の電磁的記録」を作ったとかいうことはできず，せいぜい背任罪（247条）を構成するにすぎない（→377頁以下）。逆にいえば，**権限のない情報入力**が行われれば，「虚偽の情報を与えて」「不実の電磁的記録を作った」ことになるのである。**還付金詐欺**のケース（→319頁）では，錯誤に陥っている被害者を道具として利用して，実体にそわない虚偽の情報を人の事務処理に使用する電子計算機に与えさせ，自己の口座の残高を増加させた不実の電磁的記録を作らせ，財産上不法の利益を得たことになるから，電子計算機使用詐欺罪の間接正犯（錯誤利用による意思支配型の間接正犯〔→総論490頁〕）にあたる[104]）。

電子マネーの取得と電子計算機使用詐欺罪（246条の2前段）　最高裁は，次のような事案について，電子計算機使用詐欺罪（246条の2前段）の成立を肯定した[105]。被告人

え，磁気ディスクに記録された同口座の預金残高を書き換えたというケース（大阪地判昭和63・10・7判時1295号151頁），信用金庫の為替係が端末機を操作して，実際には振込みの依頼を受けた事実がないのに，振込みがあったとする虚偽の情報を与え，磁気ディスクに記録された共犯者の預金口座の残高を書き換えたというケース（東京地八王子支判平成2・4・23判時1351号158頁），被告人が，「ブルーボックス」と呼ばれるコンピュータソフトを用いて，国際電信電話株式会社（KDD）の電話料金課金システムに対して，料金着信払いの通話である旨の虚偽の通話情報を伝送させ，これに基づき電話料金課金システムにその旨の不実のファイルを作出させて，電話料金相当額の支払を免れたというケース（東京地判平成7・2・13判時1529号158頁）などがある。本条前段にあたる実行態様は，**積極利得型**と**債務免脱型**とに分けることができるが（西田・236頁以下），前の2つの裁判例のケースが積極利得型であり，最後の裁判例のケースが債務免脱型である。

104）　たとえば，岐阜地判平成24・4・12 LEX/DB 25481190，大阪高判平成28・7・13高刑速平成28年195頁，神戸地判平成29・9・21 LLI/DB L07250767，東京高判令和3・4・20高刑速令和3年157頁などを参照。

105）　最決平成18・2・14刑集60巻2号165頁。

は，窃取したクレジットカードの番号等を冒用し，いわゆる出会い系サイトの携帯電話によるメール情報受送信サービスを利用する際の決済手段として使用されるいわゆる電子マネーを不正に取得しようと企て，携帯電話機を使用して，インターネットを介し，クレジットカード決済代行業者が電子マネー販売等の事務処理に使用する電子計算機に，窃取したクレジットカードの名義人氏名，番号および有効期限を入力発信してそのカードで代金を支払う方法による電子マネーの購入を申し込み，当該電子計算機に接続されているハードディスクに，名義人がそのカードにより販売価格合計11万3000円相当の電子マネーを購入したとする電磁的記録を作り，同額相当の電子マネーの利用権を取得したのであった。最高裁は，被告人は，クレジットカードの名義人本人による電子マネーの購入の申込みがないにもかかわらず，電子計算機に同カードに係る番号等を入力送信して，名義人本人が電子マネーの購入を申し込んだという虚偽の情報を与え，名義人本人がこれを購入したとする財産権の得喪に係る不実の電磁的記録を作り，電子マネーの利用権を取得して財産上不法の利益を得たものというべきであるとした。

実行行為の**第2の態様**は，「財産権の得喪若しくは変更に係る虚偽の電磁的記録を人の事務処理の用に供」することであり，たとえば，虚偽のデータが入力されているプリペイドカードを使用するような場合である（**本条後段**[106]）。たとえば，残度数を改変したテレホンカードを公衆電話機に対し使用する行為がこれにあたる。ただし，他人所有の正規のテレホンカードを勝手に公衆電話機に対して使うという場合，「虚偽の」電磁的記録を事務処理の用に供したとはいえないので本罪にあたらない。

罪数について一言する。他人の管理する，アクセス制御機能を有するコンピュータ・システムに不正にアクセスし，それに虚偽の情報を与えて財産権の得喪または変更に係る不実の電磁的記録を作り，これにより財産上の利益を得た場合，不正アクセス行為の禁止等に関する法律（1999〔平成11〕年8月13日法律

---

106) 改札機が自動化されている場合の**キセル乗車**行為（→324頁）について，使用された乗車券・回数券の記録を「虚偽の電磁的記録」であるとして，**246条の2後段**の罪の成立を認めた高裁判例がある（東京高判平成24・10・30高刑速平成24年146頁，名古屋高判令和2・11・5高刑速令和2年522頁）。また，高速道路の**ETCシステムの不正利用**の事案で本罪の成立を認めた裁判例が複数存在する。

第128号）違反の罪と，本条前段の罪とは（牽連犯ではなく）併合罪となる。[107]

5 恐喝罪

（恐喝）
第249条① 人を恐喝して財物を交付させた者は，10年以下の拘禁刑に処する。
② 前項の方法により，財産上不法の利益を得，又は他人にこれを得させた者も，同項と同様とする。

(1) 意義，要件等

恐喝とは，暴行または脅迫を手段として相手方をその反抗を抑圧するに至らない程度に畏怖させ，畏怖した心理状態で財物[108]（→227頁以下）の交付またはその他の財産上の利益（→231頁以下）の処分を行わせることをいう（このような手段で財物の交付を受け，または財産上の利益を取得することを〔詐欺罪における「騙取」に対応する形で〕「**喝取**（かっしゅ）」という）。典型例としては，理由にならないことを口実にして語気強く相手を脅して金銭を出させるとか，被害者側が隠したい事実を暴露するぞと脅して口止め料を出させることなどがある。

脅迫は，脅迫罪や強要罪のそれと基本的に同様に理解することができるが（→155頁以下），**害悪が加えられるべき対象たる法益および人に制限はない点**（222条および223条と比較せよ）でより広い[109]。害悪を通知する手段・方法にも制限がない。**暴行**も相手方を畏怖させる手段となる（被害者は，さらに同じような暴行が加えられるかもしれないと思うから）。ここにいう暴行は，間接的にでも交付行為者・処分行為者に向けられていれば足り，直接には物や第三者に加えられたものでもかまわない。行為者が左右し，または何らかの影響を与えることができない害悪（天変地異や災いごと）の発生を通知することは恐喝とならない（→155頁）。告知される害悪は違法であることを要しない。犯罪事実を捜査機関に申

107） 山形地判平成27・3・25 LLI/DB L07050156，福井地判令和元・12・18 LLI/DB L07451395などを参照。

108） **財物**については，242条と245条の規定が準用される（251条）。

109） 恐喝行為が同時に脅迫罪や強要罪にあたるときは，恐喝罪の規定が優先的に適用される（法条競合）。

告する旨を告げて口止め料を要求すること，本当に起こった出来事に関してマスコミに情報を流す，民事訴訟を提起する，官庁に調査するよう促すなどと述べて脅す場合も恐喝にあたりうる。

恐喝罪は，**暴行・脅迫を手段**とするものであり，**強盗罪との区別**が問題となるが，被害者の反抗を抑圧する程度に至らない（およそ抵抗できないほどではない）暴行・脅迫[110]を手段とする点で強盗罪と異なる（→273頁）。とはいえ，恐喝といえるためには，人にふつう恐怖心を生じさせ，意思決定の自由を制約するに足る程度の強さのものでなければならない。判例の中には，困惑させたり嫌悪の念を生じさせることも恐喝にあたるとするものがあるが，通説は反対である[111]。

詐欺罪の要件について述べたことは，手段を「騙す」ことから「脅す」ことに変更するだけで，恐喝についても妥当する。すなわち，①恐喝行為，②畏怖状態の惹起，③被害者側の財産的処分行為，④行為者（または第三者）による財物の占有または財産上の利益の取得というそれぞれの**要件が因果的な流れとしてつながること**が必要である。**詐欺的手段と恐喝的手段とが併用**された場合，判例・通説によると，詐欺罪と恐喝罪との観念的競合になるとされる[112]。ただ，それは両手段がともに結果に作用した場合のことである。畏怖させる手段として虚偽の事実が申し向けられ被害者がこれに欺かれていたとしても，畏怖の結果として財物を交付する決意に至ったという場合であれば，恐喝罪のみが成立する[113]。このように，**交付意思・処分意思の形成に至った因果関係**を検討し，被害

110）**被害者の反抗を抑圧する程度に至らない暴行・脅迫**とは，脅して恐怖心を抱かせるに足りるものであるが，それに対して抵抗ができないほどではないもののことをいう。

111）大判昭和8・10・16刑集12巻1807頁の事案は，ある地方新聞社の経営者が，新聞紙上に医師の人気投票を掲載し，市の医師会を困惑させ，中止してほしいと申し入れた医師会に対し現金を要求してこれを交付させたというものであって，恐喝罪を認めた結論は妥当であったと思われる。この程度でも，やってほしくないことを行うと告げて被害者の意思決定の自由を制約し，それに基づいて金銭を交付させているのであるから，「恐怖心を抱かせた」といいうるのである。なお，改正刑法草案（→総論48頁）は，その346条において**準恐喝罪**の処罰を提案していた。その内容は，「人を威迫し又は人の私生活もしくは業務の平穏を害するような言動により，人を困惑させて，財物を交付させ，又は財産上不法の利益を得，もしくは第三者にこれを得させた者は，7年以下の懲役に処する」というものであった。

112）大判昭和5・5・17刑集9巻303頁。

113）最決昭和33・6・18集刑126号409頁を参照。

者が畏怖したからこそ交付ないし処分の決意に至ったというケースであれば，欺く行為も併用されたとしても，恐喝罪のみの成立を認めるべきである。

(2) 交付行為・処分行為

交付行為・処分行為の意義につき詐欺罪との関連で述べたことは，必要な変更を加えれば恐喝についてもあてはまる（**「三角恐喝」**の観念〔→322 頁〕も認めることができる[114]）。交付行為の典型例は，被害者が畏怖した結果，仕方ないと思って目的物を行為者に手渡す場合である。ただ，恐喝罪の場合には，詐欺罪とは異なり，被害者は事態を正しく認識していることから，犯人が**被害者の畏怖した状態に乗じて財物を取り上げた**というときでも，それを消極的に受忍したことにつき不作為かつ黙示の交付行為を肯定することは可能であろう。判例も，この点につき緩やかに考えている。たとえば，恐喝行為を開始し，被害者が畏怖してその財布から現金を出そうとした瞬間，行為者がその財布を奪って持ち逃げしたというケースでは，被害者の処分行為がまだ行われていない以上，恐喝未遂罪と窃盗罪とが成立するにとどまりそうであるが，これを恐喝既遂罪として処罰した高裁判例がある[115]。

二項恐喝罪（249 条 2 項）についても，**債務の履行を一時猶予**することも財産的処分行為にあたる（→327 頁）。飲食店側が飲食代金の支払を請求したのに対し，「俺の顔を汚す気か，なめたことういうな，こんな店をつぶすくらい簡単だ」などといって，支払を一時断念させることは，被害者をして，支払猶予という黙示的な処分行為を動機づけるものであり，二項恐喝罪を構成する[116]。

(3) 権利行使と恐喝罪

権利行使の手段として（特に，債権をもつ者がその実行の手段として）犯罪的方法を用いたときの取扱いは，恐喝罪の成否をめぐって議論されている（詐欺罪との関係でも問題とはなりうる）。自己の権利を実現するために恐喝的手段を用いた場合については，次の**3つのケース**を区別することができよう。まず，①金銭債権（たとえば，5 万円）を有する甲が，その債務者 A から債権額相当の財物

---

114) 山中・360 頁，山口・283 頁など。

115) 名古屋高判昭和 30・2・16 高刑集 8 巻 1 号 82 頁。この判決は，行為者が財物を奪うのを黙認せざるをえず，**不作為の交付行為を強制**したという意味で**任意の交付と同視**できるとした。

116) 最決昭和 43・12・11 刑集 22 巻 13 号 1469 頁。

(たとえば，5万円の時計) を喝取した場合については，甲はAから5万円を請求できる権利はあるとしても，その特定の財物 (その時計) を取得する権利をもたない以上，およそ権利の実行として財物を取得したことにはならず，その恐喝行為は違法性阻却事由を具備するものではないから，恐喝罪が成立する。

次に，②甲がAの占有する自分の財物を取り戻すために恐喝の手段を用いた場合については，**251条により準用される242条の解釈** (→241頁以下) により結論が異なる。基本的に自力救済を禁止し民事的手段を優先させるべきであるならば (→244頁以下)，被害者にとり受忍の限度を超えないと解される場合 (この場合には違法性阻却が認められよう) は別として，恐喝罪を構成することになろう。

さらに，③金銭債権 (たとえば，5万円) を有する債権者甲が，債務者Aにその債務を履行させる手段として恐喝的手段を用いた場合が問題となる。これが，一般に「権利行使と恐喝罪の成否」というテーマの下で議論される事例である。最高裁は，恐喝罪に関し，かつての大審院判例[117]を変更し，たとえ債権の範囲内でも，「社会通念上一般に忍容すべきものと認められる程度を逸脱したとき」には恐喝罪を構成するとし，また，債権を超える額を喝取した場合，債権額を含めた全体について恐喝罪が成立するとするに至った[118]。たしかに，上記②の場合に原則として恐喝罪の成立を認めるなら，より強い理由により，③の場合にも (自救行為が肯定される例外的場合を除いて) 恐喝罪が認められるべきであり，その結論は原則として自力救済を禁止し民事的手段を優先させるべきだとする

---

117) かつて大審院は，詐欺罪・恐喝罪の成否に関し，(イ)債権の範囲内で財物・利益を得たとき，詐欺・恐喝罪は成立しない，(ロ)権利の範囲を超えるときには，その財物・利益が法律上可分であれば超過部分についてのみ詐欺・恐喝罪が成立し，不可分であるときは全部について成立する，(ハ)債権を有するときでも，これを実行する意思なく，単に権利の実行に仮託した場合，または，領得の原因が正当に有する権利とはまったく異なる場合には，取得した財物・利益の全部について詐欺罪・恐喝罪が成立するとの一般原則を示していた。大連判大正2・12・23刑録19輯1502頁。

118) 最高裁の判例としては，最判昭和27・5・20集刑64号575頁，最判昭和30・10・14刑集9巻11号2173頁，最判昭和33・5・6刑集12巻7号1336頁などを参照。なお，大阪地判平成17・5・25判タ1202号285頁は，当該事案について恐喝罪の構成要件該当性が肯定されるとしつつ，「権利を行使する方法として社会通念上一般に忍容すべきものと認められる程度を逸脱していない」という理由で，正当行為として，恐喝罪の違法性は阻却されるとした。

法政策的な考慮によっても支持されるであろう[119]。

(4) 罪数，他罪との関係

恐喝罪の罪数は，暴行・脅迫を加えられた人の数ではなく，侵害された財物の占有の数または財産上の利益の数を基準として決められる。恐喝の手段として行われた暴行・脅迫は，本罪に吸収される。手段たる暴行から傷害の結果が生じたときは，恐喝罪と傷害罪の観念的競合となる。被害者に対し詐欺と恐喝の両手段を併用して財物を交付させた場合，はたして**どちらの手段が財物の交付との間で因果関係をもったか**を厳密に検討する必要がある（→349頁以下）。両手段の行使がともに財物交付の理由となったという事例では，それぞれの犯罪がもつ違法内容は一方が他方を含む関係にはないから，片方で他方の違法内容をすべて吸収することはできず，詐欺罪と恐喝罪の罰条がともに適用されて観念的競合となる[120]。

恐喝の手段として監禁が行われた場合，両罪は犯罪の通常の形態として手段または結果の関係にあるものとは認められないことから，両罪は併合罪であって，牽連犯の関係には立たない[121]（→総論595頁）。

---

119) 大谷・306頁以下，川端・287頁以下，高橋・377頁以下，前田・267頁以下，山口・284頁以下などを参照。これに対し，恐喝罪の成立は否定される（脅迫罪となるにすぎない）とするのは，浅田・263頁，小林・理論と実務529頁以下，曽根・164頁以下，中森・135頁以下，中山・195頁以上，西田・245頁以下，林・164頁以下，山中・408頁など。なお，恐喝罪についての考え方が詐欺罪についてもそのまま妥当するかどうかは明らかでない。騙して交付させるという方法が用いられるときは，恐喝の場合と比べれば少し緩やかに違法性阻却が認められると考えることは可能である。

120) 前掲注 *112)* 大判昭和5・5・17を参照。これに対し，恐喝罪を認めれば足りるとするのは，伊東・209頁，中森・146頁注84)，山口・287頁など。

121) 最判平成17・4・14刑集59巻3号283頁。

■ 第 *13* 章 ■

横領罪と背任罪

1 総　説

横領罪（252 条以下）は，**客体が物に限定**された財物罪であり（いわゆる「**利益横領**」は，後述の背任罪としてのみ処罰可能である），そして，**占有侵害の要素をもたない領得罪**である。前章までで説明してきた窃盗罪・強盗罪・詐欺罪・恐喝罪は，いずれも占有侵害を手段として所有権を害する犯罪（すなわち，奪取罪ないし移転罪）であったが，横領罪の保護法益は**所有権だけ**である（例外は，252 条 2 項）。

このような観点から見るとき，最も純粋な横領罪は，**遺失物等横領罪**（**占有離脱物横領罪**〔254 条〕）である[1]。ねこばば（＝拾った物を自分の物にしてしまうこと）が典型例であるが，それは，他人の占有の侵害をともなわず，所有権のみを害する最も単純な（いわば「裸の」）領得罪である。物を目の前にして誘惑に駆られてしまう人間の弱さを考慮して，刑も軽くなっている（→373 頁以下）。

もし横領罪の本質が領得による所有権侵害にあるとすれば，遺失物等横領罪を横領の基本類型（他はその加重類型）として理解するのが自然である[2]。しかし，判例・通説は，刑法典の第 2 編第 38 章「横領の罪」の規定の配列に示されているように，単純横領罪（252 条）こそが基本類型であり，業務上横領罪

---

1) 団藤・545 頁を参照。

2) ドイツ刑法典の横領罪（246 条）は，日本刑法におけるそれとは異なり，客体は動産に限定されるとともに，委託信任関係のない場合を基本類型とし（同条 1 項），委託物横領罪はその加重類型として規定されている（同条 2 項）。

(253条）がその加重類型であって，遺失物等横領罪は**本来の横領罪に含まれない異質の犯罪**であると理解する[3)]。横領罪の本質とは，単なる領得による所有権侵害ではなく，被害者が信頼して保管のために預けた物を信頼を裏切って領得するという**委託信任関係の違背を通しての所有権侵害**にある[4)]。このような性質をもつ単純横領罪と業務上横領罪とは，所有者との間の委託信任関係に基づいて預かり占有・保管している物を横領する罪であるところから**委託物横領罪**と呼ばれる。遺失物等横領罪はそのような性格をもたないので，本来の横領罪（すなわち委託物横領罪）とは異質な犯罪とされる。

３つの横領罪の相互関係　単純横領罪，業務上横領罪，遺失物等横領罪という３つの横領罪の関係をどのように把握するかをめぐり見解の対立がある。少数説ながら，遺失物等横領罪が基本類型で，単純横領罪がその加重類型，業務上横領罪がさらにその加重類型だとする見解もある[5)]。判例・通説は，既述の通り，単純横領罪が基本類型であり，業務上横領罪がその加重類型であって，遺失物等横領罪は本来の横領罪に含まれない異質の犯罪であるとする。判例・通説によるとき，単純横領罪は**真正身分犯**（構成的身分犯〔→総論113頁以下〕）であって，物の占有者以外の者（非身分者）が物の占有者（身分者）の犯罪に関与したときには65条１項が適用され，非占有者も単純横領罪の共犯となる〔→総論565頁以下〕。業務上横領罪は，業務者を主体とする点では**不真正身分犯**（加減的身分犯〔→総論113頁以下〕）であるから，共同して占有する者の１人が業務者（身分者）で，他が非業務者（非身分者）であるというときは，65条２項が適用され，業務者には業務上横領罪，非業務者には単純横領罪が成立する（単純横領罪の限度で共同正犯となる〔→総論565頁以下〕[6)]）。

3）団藤・627頁は，これを（「横領罪」の言葉を避けて）「占有離脱物領得罪」とでも呼ぶべきであったとする。

4）たしかに，252条にも253条にも，他人の物の占有が委託信任関係に基づくことは明記されていないが，それは記述されない（書かれざる）構成要件要素（→総論94頁）なのである（伊東・210頁）。

5）たとえば，木村・164頁，山口・289頁以下など。

6）それでは，非占有者かつ非業務者である者が，業務上の占有者の横領行為に関与した場合にはどうなるか。判例は従来から，非占有者かつ非業務者については，65条１項の適用を認めて業務上横領罪の共犯とし，その上で同条２項の適用により「通常の刑」としての単純横領罪の刑を科すという解釈をとってきた。犯罪の成立としては業務上横領罪の共犯であるが，刑としては単純横領罪のそれによるとするのである（最判昭和32・11・19刑集11巻12号3073頁，最判令和4・6・9刑集76巻5号613頁）。しかし，このように，犯罪としては重い罪が成立す

他方，**背任罪**（247 条）は，他人のためにその事務を処理する者が，自己または第三者の利益を図（はか）る目的（図利（とり）目的）または本人を害する目的（加害目的）で，任務に背く行為をし，本人に財産上の損害を加える犯罪である。典型例としては，株式会社の代表取締役が，リベートを受け取って会社にとり損になる取引を行い，会社に大きな損害を与えるケースや，銀行の支店長が融資先である会社の業績が悪化した後もそれまでの過剰融資が発覚するのをおそれてさらに融資を続けることにより，銀行に大きな損害を与えるケースなどがある[7)]。背任罪は，刑法典においては，詐欺罪・恐喝罪と同じ章（第 37 章「詐欺及び恐喝の罪」）に規定されているが，（背任罪にいう）他人の事務を処理することは（委託物横領罪にいう）委託に基づき他人の物を占有することを含み，背任罪と委託物横領罪は，被害者との間に信頼関係があるのにその信頼を裏切って財産的損害を与える点においてまさに共通する[8)]。現在では，**背任罪を横領罪と同じグループの犯罪として理解**する見解が一般的である[9)]。横領罪の実行行為（物の領得行為）も，背任罪の実行行為である背信行為（→380 頁以下）の特殊な一事例にほかな

るが，刑は軽い罪の刑によるというように，犯罪の成立と科刑とを分離することに対しては批判が強い。学説の多くは，非占有者かつ非業務者の共犯については，最初から単純横領罪の共犯が成立すると解する（→総論 568 頁以下）。なお，前掲最判令和 4・6・9 は，公訴時効期間（刑訴 250 条 2 項）を定めるにあたって基準となる刑は単純横領罪の刑であるとする。そうだとすると，単純横領罪が成立するというのと何ら変わりがないこととになろう（刑訴 252 条を参照）。

7) 注意すべきことは，株式会社の取締役等が背任を行えば，会社法に規定された**特別背任罪**となることである（会社 960 条・961 条）。刑法の背任罪と会社法の特別背任罪とは，一般法と特別法の関係にあり（法条競合の一種としての特別関係），特別背任罪の規定が優先的に適用されることになる。

8) 背任罪は，フランス刑法にないもので，現行刑法典の規定は，ドイツ刑法の背任罪規定をベースにしたものといわれている。ドイツの背任罪は，詐欺罪に近い「全体財産に対する罪」として把握され，詐欺罪の近くに規定されており，現行刑法典の位置づけはそれにならったものであろう。しかし，詐欺罪が全体財産に対する罪でない日本では（→237 頁），委託物横領罪が横領罪の基本であるという旧刑法（→総論 49 頁以下）からの考え方と相まって，むしろ委託物横領罪と背任罪との共通性・類似性が基本に置かれることになる。団藤・626 頁は，これを日本における独自の発展として高く評価する。

9) 改正刑法草案（→総論 48 頁）は，横領罪と背任罪とを同じ章の中にまとめた（第 2 編第 39 章「横領及び背任の罪」）。両罪の規定の制定史に関する研究として，林弘正『横領罪と背任罪の連関性』（2022 年）がある。

らず，その限りで，背任罪の成立要件は委託物横領罪の成立要件をすべて含んでいる。委託物横領罪の方が犯罪としてより重い（背任罪よりも委託物横領罪の方が法定刑がより重いといいうるし，罪質としても物を横領〔横取り〕する方がより違法性が重い行為と考えられる）ので，両罪は一般法（背任罪）と特別法（委託物横領罪）の関係にあるといえる。[10] そこで，**物に対する領得行為**が認められるときには，かりにそれが同時に背任罪の要件をすべて充たすとしても，横領罪で処罰されることになる。[11]

これに対し，横領罪は物のみを客体とするので，有体物以外のものが「横領」されたときには（利益横領），背任罪の成否だけが問題となる。[12] また，物や財産上の利益に対する**毀棄目的の行為**が行われたときも，領得罪たる横領罪は成立せず，背任罪による処罰のみが可能である（ただし，この点につき，367頁以下も参照）。

2　単純横領罪

（横領）
第252条①　自己の占有する他人の物を横領した者は，5年以下の拘禁刑に処する。
②　自己の物であっても，公務所から保管を命ぜられた場合において，これを横領した者も，前項と同様とする。

(1)　総　説

犯罪の主体は，他人の物の占有者に限定されているので，本罪は**身分犯**（**真正身分犯**）である（→354頁）。**保護法益**は，物に対する所有権である（252条2項の場合は，例外的に公務所による物の保管の安全が保護法益とされる〔→366頁〕）。本罪は占有侵害を内容としないから，占有の保護は問題にならない。客体は，「物」に限定され，財産上の利益に対する横領行為（利益横領）は本罪では処罰

10)　同時に，横領罪が成立するときには背任罪は成立しないともいわれ，その限りでは，択一関係（→総論581頁以下）に立つ。

11)　横領罪の方がより重い犯罪であるが，しかし横領罪については未遂が処罰されない（そもそも未遂を考えにくい）が，**背任罪では未遂も処罰**される（250条）という違いがある。

12)　このとき，背任罪は「二項横領罪」として機能する。西田・272頁を参照。

できない。電気を「財物」とみなす245条の規定が準用されておらず，しかも，窃盗罪等の規定と異なり，「財物」ではなく「物」が客体とされ，文言上区別されている（このことが**有体性説**の解釈論上の根拠にもなっている）。ここから，電気（およびその他のエネルギー）は横領罪の客体にならないと解される（→229頁）。

法定刑を見ると，単純横領罪のそれ（5年以下の拘禁刑）は窃盗罪のそれよりもかなり軽い。これは説明を必要とする事柄である。なぜなら，横領罪は，窃盗罪にはない，逆に**違法性を高める要素**を含んでいるからである。まず，横領罪は，「横領した」こと，すなわち，すでに不法領得の意思が実現された場合（→366頁以下）を処罰するのであるから，**領得罪の既遂を処罰**する類型であり，領得意思が実現される前の段階ですでに処罰の対象となる窃盗罪と比べて，横領罪の方が法益侵害の結果がより重大だともいえる。次に，委託物横領罪は，所有者との信頼関係（委託信任関係）を裏切って行われる。これも窃盗罪にはない，違法性を高める要素である。このように，横領罪には，**窃盗罪にない2つの違法要素**が含まれているにもかかわらず，それでも横領罪が軽く評価されるのは，①被害者の意思に反する占有侵害という「荒っぽい」手段が用いられないことと，②目の前にある物はついつい自分の物としたくなってしまうという意味で誘惑的であることが考慮されたものと考えられる[13]。これに加えて，信頼できない人に保管・管理をまかせた被害者の方にも落ち度があるともいえそうである[14]。

(2) 客　体

(a) 委託信任関係　　委託物横領罪（単純横領罪および業務上横領罪）の客体は，「**自己の占有する他人の物**」であり（ここには，**所有権**と**占有**という財産犯の重要概念の2つが一緒に登場する），「物」には（当然のことながら）動産だけでなく，不動産も含まれる（→232頁）。委託物横領罪が成立するためには，**行為者自身に占有**が認められなければならず，かつその占有は**委託信任関係に基づく**ものでな

---

13) このことを，瀧川幸辰（ゆきとき）は，「自己の支配内にある他人の財物の領得は，他人の支配を排斥して実行する領得に比べて，形態において平和的であり，動機において誘惑的である」という印象的な文章で表現した。瀧川幸辰『刑法講義〔改訂版〕』（1930年）230頁。

14) この点につき，団藤・629頁注(1)を参照。

ければならない。ここにいう「委託信任関係」は，広く理解されており，物の保管を内容とする民法上の契約関係（委任，寄託，賃貸借，使用貸借など）から生じるほか，法定代理人や法人の代表者，物の売主としての地位等からも生じるし，単なる事実上の関係でも足り，法律上の有効・無効も問わない。ただ，それは**物の所有者またはその他の権限ある者との間に存在**[15]しなければならない（そうでなければ，せいぜい占有離脱物横領罪が成立するにとどまることとなる〔→373 頁以下〕）。

(b) 占　有　**占有**とは，一般には「物に対する事実的支配」のことであるが（→257 頁），窃盗罪（等の奪取罪）における保護の客体（法益）としての占有（**被害者の側**に認められなければならない占有）と，横領罪の成立要件として重要な意味をもち，**行為者の側**に認められなければならない占有の概念との間には，おのずから若干の相違がある（**概念の相対性**〔→総論 58 頁〕が認められる一場面である）。窃盗罪等においては，刑法的保護の対象としての占有が問題となり，そこから事実的支配（被害者にとっての事実的利用可能性）が重要な意味をもつ。これに対し，横領罪においては，行為者がその物を「横取り」する手段として事実的支配を利用する場合に加えて，その物に対する**法的な支配力・処分権限**を利用するケース（法的支配力を用いて物を売却することなど）がその態様に含まれるため，占有の中に**法的支配関係**も含めて考えることが必要になる。そのことは，横領罪の占有においては，物に対する支配がかなり観念化・規範化したものとして理解されることを意味する[16]。不動産については，登記簿上名義人になっている者に占有が認められることになり（法人が名義人である場合には，**その代表者も占有者**となる[17]），また，たとえば，団体・組織の有する金銭の管理をまかされた者は，銀行預金口座の通帳と印鑑を所持していることで口座の中の

15）所有者ではないが所有者から権限を付与された者の委託があることから，委託信任関係が認められるとした判例として，最判令和 4・4・18 刑集 76 巻 4 号 191 頁がある。

16）したがって，横領罪における物の占有の有無の判定にあたっては，物について処分できる地位にあるかどうか，物の処分可能性があるかどうかが決定的な意味をもつことになる。

17）たとえば，**不動産の二重譲渡**のケース（→313 頁）では，第 1 譲受人との関係で本罪が成立しうることになる。ただ，第 1 譲受人について所有権を肯定するために，すでに代金（の多くの部分）が支払われており，かつ既遂になるためには，すでに第 2 譲受人に登記を移転したことが必要となるとされている（→363 頁以下，369 頁）。

預金に対する占有（いわゆる**預金の占有**）をもつ。

預金の占有　①　**基本的な考え方**　他人の金銭の保管者（たとえば，団体や組織の会計管理者，サークルの会計係等）がこれを銀行に預金しているとき，この預金管理者（通帳と印鑑をもつ）が銀行に預金されている金銭について刑法上占有を有するといえるか。判例・通説は，肯定説をとる[18]。預金管理者であることは，機能上，自ら現金を直接に支配・管理しているのと同視できるし（たしかに，法律上は債権にすぎないが，実際上預金者の立場は保護されており，債務者たる銀行に対する行政上の監督もあるので履行が確実である），何よりも，かりにこれを否定すると，払い戻してそれを自分の借金の弁済に充てると横領罪だが，自己の借金返済のためATMで他人口座に振込送金すると背任罪にしかならないということになってしまう。それはアンバランスであるので，**不特定物である金銭について預金額の限度で法的支配を肯定**し，預金債権のまま振込みをしても横領罪を認める[19]。したがって，かりにその者が一度も現金（銀行券）を手にすることなく，銀行に対し第三者の口座への振込送金を依頼して，これを自分の借金の返済のために使ったとしても，背任罪ではなく横領罪が成立する（他方，その者には，預金の管理者としての払戻し権限がある以上，銀行との関係での詐欺罪は成立しない）。

肯定説によるときも，**法的支配**（**法律上の支配**）が認められることが「預金の占有」を肯定しうることの前提であり，**払戻し権限**もないときには，預金の占有も認められない。たとえば，甲が，旅行に出るAから安全管理のために保管を頼まれた預金通帳・印鑑を銀行との関係で使用すれば，Aを被害者とする財産犯としては，有体物としての預金通帳・印鑑の横領罪しか成立しない（これにより口座内の預金は保護されない）。銀行との関係では，①窓口で預金の払戻しを受ければ一項詐欺罪が成立し，②もしキャッシュカードを使ってATMで現金を取り出せば窃盗罪が成立する。借金返済のため振込送金したときは，③窓口でこれを行えば二項詐欺罪，④ ATMでこれ

18）　学説として特に，高橋・385頁以下，西田・254頁以下，橋爪・悩みどころ358頁以下，山口・294頁以下などを参照。

19）　特に，本江威憙監修・須藤純正著『経済犯罪と民商事法の交錯Ⅰ』（2021年）6頁以下を参照。ただし，これは占有概念を拡張するものというより，およそ財物概念を拡張するものである。もともと客体は不特定物であり，財物性そのものを肯定できるかどうかが疑わしいのであって，実は「金額所有権」ないし「価値所有権」を認めるに等しいのである。なお，預金の占有が，横領罪における法的支配としての占有に関連して肯定されるものであるとすれば，たとえば，銀行の計算センターの電算機を操作して，他人の口座から自己の口座に振込みがあったようにデータを書き換えた場合，金銭の占有を移転させたことを理由として窃盗罪を認めることなどはできない（→319頁，340頁）。

を行えば電子計算機使用詐欺罪（→345頁注*102)*）が成立する。これらの場合に，口座内の預金の所有者は銀行であり，被害者はＡではなく，あくまでも銀行である。

横領罪における占有が規範化・観念化して考えられているとしても，法的な支配力が必要であり，事実上の支配関係だけで占有を肯定できない。ここに「法的支配力」とはすなわち払戻し権限のことであり，それがなければ支配しているとはいえないのである。同様に，カードを路上で拾得してATMで現金を引き出した場合でも銀行との関係では窃盗罪になるのであって，占有離脱物横領罪となるのではない。[20)]

② **誤振込み事例**　預金の占有との関係で，**預金口座への誤振込みのケース**の扱いが検討される必要がある。たとえば，自己の銀行口座に誤って振り込まれた一定金額を，自己の物として領得するために払い戻したとき，何罪が成立するか。かりに口座の中の金銭についての占有は常に口座の名義人にあるとすれば，このケースでは，誤って自分のところに配達された郵便物を領得した場合と同じように，占有離脱物横領罪が成立することになろう。しかし，銀行預金に対しては正当な**払戻し権限**がある限りで「法的な支配」が認められ，したがってその限りで預金の占有が肯定される。そこで，誤振込みの事例では占有離脱物横領罪を肯定することはできない。問題となるのは，銀行の側に**その現金についての所有と占有を保護されるべき法的地位**が認められるかどうかである。判例はこれを肯定する。[21)] その根拠として，銀行の側には「**組戻し**」という手続を行う正当な利益があるとする。すなわち，誤振込みがあったときには，銀行としては，当事者の申し出により振込み前の状態に戻す「組戻し」を行う。その措置は，銀行が紛争に巻き込まれないためにも必要なものであり，無用の紛争の発生を防止するという観点から社会的にも有意義だとする。このような手続を可能とするために，預金契約関係に立つ口座名義人の**無条件の払戻しは制約**される。口座名義人には**信義則に基づき，誤振込みがあった事実を銀行側に告知する義務**があり，銀行側にその事実を秘匿して，組戻しの機会を与えることなくただちに預金の払戻しをさせる行為からは，銀行はその現金につき所有と占有を保護されるべき法的地位を認められることになるのである。そこで，告知義務を果たさずに窓口で払い戻せば一項詐

---

20)　なお，「預金の占有」は，横領罪における特殊問題というだけでなく，一項詐欺罪や一項恐喝罪のような**財物罪の既遂の判断において**，占有取得の時期を決めるときにも問題となりうる。たとえば，甲が被害者Ａを恐喝して自己の口座に現金を振り込ませたとき，預金債権を取得したにすぎないから二項恐喝の既遂が成立するにとどまるというのではなく，金銭を客体とする一項恐喝の既遂を認めてよいとするのが裁判例の大勢である（被害者側が現金を銀行に持っていったかどうかで区別されるものではない〔→341頁〕）。

21)　最決平成15・3・12刑集57巻3号322頁。

欺罪となり[22]，ATMから引き出せば窃盗罪となり，ATMで振込送金をしたり，オンラインのサービスを利用してその預金口座から支払をさせたりすれば，電子計算機使用詐欺罪となる[23]（権限のない情報を入力することも「虚偽の情報を与え」たことになる〔→345頁以下〕）。

③　**振り込め詐欺事例**　　さらに，**振り込め詐欺**のケースにおいて被害者が指定された銀行預金口座に振り込んだ現金について，口座名義人である「出し子」（振り込め詐欺グループにおいて現金を口座から引き出すことを担当する者のこと）がその金額を払い戻そうとする場合にも同様の事態が生じる。銀行側は，各銀行の「普通預金規定」等および「犯罪利用預金口座等に係る資金による被害回復分配金の支払等に関する法律」（2007〔平成19〕年12月21日法律第133号）3条1項に基づき，警察からの情報提供により当該預金口座が犯罪に利用されているものであることを知れば，その口座を凍結して払戻しには応じないこととしている。すなわち，銀行としては，前記法律の「趣旨に反するとの非難を受けないためにも，また，振り込め詐欺等の被害者と振込金の受取人（預金口座の名義人）との間の紛争に巻き込まれないためにも，このような口座については当然口座凍結措置をとることになると考えられる。そうすると，詐欺等の犯罪行為に利用されている口座の預金債権は，債権としては存在しても，銀行がその事実を知れば口座凍結措置により払戻しを受けることができなくなる性質のものであり，その範囲で権利の行使に制約があるものということができる[24]」。

22）　前掲注*21*）最決平成15・3・12は，詐欺罪の成立を認めた。学説としては，大谷・312頁，西田・255頁以下，橋爪・悩みどころ363頁以下，山口・296頁以下など。反対，浅田・270頁以下，曽根・171頁，高橋・388頁以下，中森・137頁，林・282頁，松宮・189頁以下，254頁など。なお，最高裁の民事判例は，口座に誤って振り込まれた金額について口座名義人は銀行に対する預金債権をもつことを肯定しており（最判平成8・4・26民集50巻5号1267頁），そうであるとすれば，これを費消しても犯罪になりえないことになりそうである。しかし，この民事判例は，受取人の貸金債権者が誤振込みに係る預金を差し押さえたところ，これに対し振込み依頼人から第三者異議の訴えが提起されたケースに関わるものであり，最高裁は，「振込みは，銀行間及び銀行店舗間の送金手続を通して安全，安価，迅速に資金を移動する手段であって，多数かつ多額の資金移動を円滑に処理するため，その仲介に当たる銀行が各資金移動の原因となる法律関係の存否，内容等を関知することなくこれを遂行する仕組みが採られている」として，振込み依頼人と受取人以外の者の利害に関わることに注目して差押えの排除を認めなかった。そこで，ここから直ちに，（少なくとも取引の安全の保護が問題とならない刑法においては）受取人が銀行との関係において無条件の払戻し請求権を有することにはならないのである。

23）　山口地判令和5・2・28 LLI/DB L07850043も信義則上の告知義務違反を根拠として同罪の成立を認めた。

24）　東京高判平成25・9・4判時2218号134頁は，そのように述べて，**自己が代表取締役を務め**

口座名義人としても，自己の口座が詐欺等の犯罪行為に利用されていることを知った場合には，銀行に口座凍結等の措置を講じる機会を与えるため，その旨を銀行に告知すべき信義則上の義務があり，そのような事実を秘して預金の払戻しを受ける権限はない。出し子が銀行で払い戻す行為については，銀行との関係で詐欺罪（窓口で払い戻す場合），窃盗罪（ATMから引き出す場合）または電子計算機使用詐欺罪（ATMで振込送金をしたり，オンラインのサービスを利用してその預金口座から支払をさせたりした場合）の成立を認めうることになる。

(c) 他人の物　「**他人の物**」とは，他人の**所有**に属する物という意味である。他人との共有物もこれに含まれる（他人の有する所有権を侵害する限りで横領罪となる）。民法上の所有権の観念が基礎とされるが，必ずしもこれに拘束されず，民法上の所有権が認められない場合でも，刑法上は「他人の物」とされることもありうる。とりわけ，民法上の所有権が，物が帰属する者の保護という見地からではなく，「取引の安全」という見地から決せられる場合には，刑法上の所有権との分離が生じる。たとえば，**金銭**については，民法上は，取引の安全の見地から，常に所有と占有とが一致するとされているが，刑法においては同じように考えることはできない[25]。AがBに一定額の金銭を託したとき，その委託された金銭について見ると，次のように考えられる。①封金のような形で特定物として委託された金銭は問題なく横領罪の客体となる。預かったBがこれを費消すれば委託物横領罪が成立する。②封金とされておらず，一定の使途を決めて寄託された金銭については，たとえ民法上は所有権が受託者Bに移転すると解されているとしても，**刑法上は**（通常の動産と同じように）**所有権が寄託者Aに残る**と考えてよく，したがって，行為者に**確実な補塡**（ほてん）**の意思**と**能力**があるときに一時的にその現金を他に流用したにすぎない場合[26]を別にすれば，

る**会社の口座**から振り込め詐欺の被害金を払い戻す行為について一項詐欺罪および窃盗罪の成立を認めた。

25) 金銭については所有と占有が一致するというのであれば，路上に落ちている現金を「ねこばば」したとき，現金を拾い上げた時点でその人に所有権が発生することになり，それを領得したとしても，遺失物等横領罪にはあたらないことになってしまうであろう。

26) 補塡の意思と能力があるときに委託された金銭を流用したとしても不可罰になることをどのように説明するかが問題であるが，補塡の意思があるときには**不法領得の意思が欠ける**とすることができよう。

Bがその金銭を費消するとき委託物横領罪が成立する[27]。たとえば，AがBにパソコンの購入を依頼して一定額の金銭を預けたのに，Bがそれを他の目的のために使ってしまったというケースでは（背任罪ではなく）本罪となる[28]。さらに，③使途の具体的な定めがなく不特定物として金銭が寄託された場合については，当事者の合意の内容が一定の期間内に受け取った金額に相当する金額を返還すれば足りるとする趣旨である限りにおいて（消費寄託），この金銭を消費しても横領の問題は生じない（預金者Aが銀行Bに対し一定の額を預金として預けた場合，Bがこれを使ったとしてももちろん適法である）。このように，金銭については，刑法上は，民法におけるのとは異なり**原則的に通常の動産と同じように扱ってよい**のであるが，その**高度の代替性**のゆえに，一時流用のケースなどについては通常の動産とまったく同じに扱うこともまたできないのである[29]。

不動産の所有権移転時期　不動産の二重譲渡の事例（→313頁，358頁注*17*），369頁）においては，**第1譲受人を被害者とする横領罪が成立**すると考えるのが判例・通説である。ただ，第2譲受人への譲渡行為の時点で，土地の所有権がすでに第1譲受人に移転しており，行為者にとりもはや自己所有物ではなく「他人の物」といいうるのかどうかが問題となる。民法上は，特約のない限り，**売買契約成立の時点**で直ちに所有権が移転するというのが判例の見解であるが，これに対し，代金支払または登記移転や目的物の引渡しが行われたときにはじめて所有権が移転するという見解が学説においては支持を集めている。刑法上も，少なくとも代金の（相当部分の）支払があっ

27）最判昭和26・5・25刑集5巻6号1186頁。

28）もし②の事例について，横領罪ではなく，背任罪が問題になるにすぎないとすると，①と②のケースの扱いが異なったものとなってしまい不自然であるし，Bが背任罪の「事務処理」にあたらないような機械的な内容の仕事を依頼されたにすぎないような事例を想定すると，不可罰とするほかないことになってしまう。さらに，業務者による犯行の場合に，業務上横領として重く処罰することができなくなってしまうという問題もある。ちなみに，**借金の取立てを依頼されたケース**で問題となるが，BがAから委任された行為に基づいて第三者Cから受領した金銭についても，②と同様に考えることができる。一例を挙げると，債権者（たとえば，商店主A）の代わりに債務者のところに行き債務を履行させるように（債権を取り立てるように）依頼された人（たとえば，店員甲）が，債務の履行として支払われた金銭を領得したとき，判例・通説によれば委託物横領罪の罪責を負う。支払われた金銭の所有権は直接に債権者（A）に帰属するからである（→364頁）。

29）大塚・285頁以下，大谷・315頁以下，高橋・395頁以下，団藤・639頁以下，西田・256頁以下，前田・274頁，山口・301頁以下，山中・421頁以下などを参照。

てはじめて買主は所有権者としてのその利益を保護されうる（したがって，その時点ではじめて所有権の移転を肯定しうる）とする見解が通説である（もし民法上は判例のように契約成立時説をとるとすれば，刑法においては，それとは別の**刑法独自の所有権概念**を用いることになる）。たとえば，第1譲受人が代金の相当部分（たとえば8割）をすでに支払っており，所有権移転時期に関する特段の約定も存在しないというのであれば，（少なくとも刑法上はその時点ではじめて）所有権の移転を肯定できる[30]。

(d) 特に盗品の売却代金　**盗品の売却代金**に対する所有権は誰にあるか。窃盗犯人である甲が乙に対し，盗品である宝石の売却を依頼し，乙は情を知らないAに対しこの宝石を売却してその代金を得たが，それを不法に領得したとしよう。これが盗品ではない通常の物の売買に関わる場合であったとすれば，当事者（宝石の買主・売主）の意思により依頼者たる甲に物品の代金の所有権も直ちに帰属すると考えるのが一般的であろう。そうであるとすれば，盗品の代金についても同じと考えることができる[31]。甲に現金の所有権があると考えたときには，次に，窃盗犯人からの委託信任関係が法的保護に値するかどうかが問題となる。これを肯定すれば，委託物横領罪の成立が認められるであろうし，これを否定すれば，占有離脱物横領罪（254条）の成立が認められるにとどまることになろう[32]。

不法原因給付物と横領　不法の原因に基づいて給付された物（民708条）は横領罪の客体となるか。最近の有力説は，「不法原因給付」と「不法原因寄託（委託）」とを分ける[33]。まず，①給付者の**効果意思**が所有権の移転に向けられている場合，たとえば，金銭を賄賂として公務員に贈ったときや，婚姻外の性的関係をもつことの対価として

30）代金の大半が支払済みでも，代金支払完了の時に所有権が移転するとの特約がある場合には，まだ第1譲受人に所有権が移転していないとして横領罪の成立を否定した裁判例がある。東京高判平成2・9・27前掲注19）『経済犯罪と民商事法の交錯Ⅰ』39頁以下。

31）最判昭和36・10・10刑集15巻9号1580頁は，この種の事例について委託物横領罪の成立を肯定したが，盗品の売却代金につき本犯者甲に所有権があることを前提としているといえよう。

32）この事例に関し，盗品等関与罪（→400頁）のみにより評価すれば足りるとするのは，大塚・291頁以下，高橋・398頁以下，中森・169頁，西田・262頁以下，林・153頁，山口・303頁以下，松宮・286頁，山中・428頁など。

33）たとえば，伊東・218頁，大谷・317頁以下，斎藤・181頁以下，西田・261頁以下，林・149頁以下，堀内・171頁以下，山中・426頁以下など。

女性に金銭を与えたというような場合，民法上，不法原因給付にあたり給付者は返還の請求ができないが，民法上返還義務のない者に刑罰の制裁をもって返還を強制することは矛盾であるから，受給者がその金額を費消したとしても横領罪は成立しないとする[34)]。これに対し，②相手方に対し物の所有権を移転する意思がない場合，たとえば公務員 A に賄賂として贈るために B に金銭を託すとか，多数の選挙権者を買収させるために C に金銭を託したような場合については，物の所有者としては受寄者に対し所有権を移転する気はなく，その返還請求権はなお肯定しうるから，受寄者が物を領得すれば，委託物横領罪が成立するという[35)]。

しかし，かりに効果意思が所有権の移転に向けられているケースでも，いつまでたっても対価に見合う見返りがないので，給付者が金銭等の返還を求めることはありえよう。給付時点において所有権移転に向けられた効果意思が存在することを理由として，直ちに給付者の利益の保護を否定することはできない。問題は給付者の意思なのではなく，**給付者において法的な保護に値する利益があるかどうかという客観的な観点**である。殺人の実行のために拠出した現金の返還を求めるような場合に，本人の効果意思がどうあれ（それが貸したものであれ与えたものであれ），刑法上はそれは保護に値する財産であるということはできないと思われる。

ここでの問題は，給付者において法的な保護に値する利益があるかどうかであり，その判断は給付者の利益が国家的保護を頼りにできるかどうかの判断に帰着する。そうであるとすれば，給付行為の違法性に関わる判断として民法と刑法とでそごが生じてよいような性質のものではない（ここでは「法秩序の統一性」の要請が働く）。民法上の不法原因給付物にあたる限りで，横領罪の客体とはなりえないと解さなければならない[36)]。

34）　最高裁は，不倫の関係を維持するために，未登記の建物を愛人に贈与してこれを引き渡したという事案について，民法 708 条により所有権に基づく建物の返還請求はできず，その反射的効果として建物の所有権は受贈者に帰属するとした（最大判昭和 45・10・21 民集 24 巻 11 号 1560 頁）。もし受贈者に所有権が帰属するのであれば，民事上は「他人の物」ではないということになる。①の類型の事例についての横領罪不成立の結論は，この民事判例によりさらに説得力を増すこととなった。

35）　判例も，②の事案については，委託物横領罪の成立を肯定している。たとえば，最高裁は，他人から贈賄の委託を受けて金銭を預かり保管していた者が，その金銭を自己の用途に費消したという事例について，横領罪の成立を認めている（最判昭和 23・6・5 刑集 2 巻 7 号 641 頁）。

36）　否定説をとるのは，大塚・289 頁以下，佐伯・法教 375 号 132 頁以下，高橋・397 頁以下，団藤・636 頁以下，中森・149 頁以下，中山・205 頁，平野・概説 224 頁，松原・345 頁以下，山口・302 頁以下など。ちなみに，**譲渡担保**の場合，目的物の所有権が債権者に移転したとされる以上は，債務者が占有中にこれに対して領得行為を行えば，横領罪の成立を否定する理由

(e)　公務所から保管を命ぜられた自己の物（252条2項）　自己の物（自分の所有物）について自分に占有がある場合でも，「公務所から保管を命ぜられた」ときは本罪の客体となる。公務員が差押えをした上で所有者に保管を命じたとき，物の占有は公務員に属するから，保管者たる所有者がそれを領得する行為は窃盗罪となる。そこで，252条2項にあたりうるのは，差押えを受けずに保管を命じられた自己の物と，差押えを受けてもその占有がなお保管者に属する自己の物に限られる[37]。

(3)　横領の意義

横領の意義をめぐっては，領得行為説と越権行為説とが対立する。判例・通説の立場である**領得行為説**によると，横領とは，自己の占有する他人の物について不法領得の意思を実現する一切の行為をいう[38]。**越権行為説**によると，占有物に対し権限を越えた行為をすること，すなわち，権限を越えて使用・収益・処分することをいう。越権行為説によれば，横領の範囲はより広くなる。目的物を一時的に使用する場合や，毀棄・隠匿の行為に出る場合，とりわけ委託者本人のためにする意思で占有物を処分する場合も（これらは領得行為説によれば横領行為にあたらない）横領に含まれる。中を見ることを禁じられた封緘物の封を開けることも横領となりうる。しかし，**領得罪の処罰を中心**としている現行刑法の財産犯処罰規定の全体の中で（→226頁以下），横領罪を領得罪の1つとして位置づける以上は，このような広い横領概念を用いることはできず，領得行為説がとられるべきことになる。

はないと考えられる。また，**所有権留保**の事案で，代金完済前に買主が目的物を他に売却するなどすれば，横領罪となる。たとえば，被告人が，自動車販売会社から所有権留保の特約付割賦売買契約に基づき引渡しを受けた自動車を，金融業者に対し自己の借入金の担保として提供したというケースでは，横領罪が成立する（最決昭和55・7・15判時972号129頁）。

37）大塚・283頁以下を参照。

38）大判昭和8・7・5刑集12巻1101頁，最判昭和27・10・17集刑68号361頁など。学説としては，斎藤・172頁以下，高橋・399頁以下，団藤・629頁以下，西田・263頁以下，堀内・172頁以下，松原・335頁以下，山口・305頁以下，山中・429頁以下など。なお，伊東・218頁以下，大谷・321頁以下，林・291頁以下，前田・277頁以下は，横領とは権限逸脱行為を不法領得の意思をもって行うことをいうとする。領得行為説が不法領得の意思の内容としていた権限逸脱の点を行為の客観的側面として捉え，不法領得の意思という主観的問題とは切り離して，その前に検討しようとするものといえよう。

領得行為としての横領行為は，売却，質入れ，贈与，貸与等の法律行為はもちろん，費消や返還の拒絶等の事実行為であってもよい（判例によれば，隠匿もこれに含まれる）。たとえば，自己の占有する他人の不動産に勝手に**抵当権の設定**を行うことは，単に不動産の有する経済的価値（の一部）を領得した（利益横領であり，したがって背任となる）というにとどまらず，およそ所有者本人でなければできないことであり，不動産の担保価値を大きく損ない，換価処分の可能性を生じさせる行為であることから領得行為にあたる[39)]。自己が占有する他人の金銭を横領した者がその分の穴を埋めるためにさらに自己が占有する他人の金銭を順次充当する行為もまた横領となる（いわゆる**穴埋め横領**）。作為だけではなく，不作為による横領も考えられる。

横領罪における不法領得の意思　横領罪においてその実現（客観化）が問題となる不法領得の意思と，窃盗罪等の奪取罪における主観的違法要素としての不法領得の意思（→247頁以下）とは，その内容が異なったものとならざるをえない。奪取罪の場合と異なり，横領罪においては，占有を（単に一時的でなく）奪うことによる「権利者の排除」は問題とならないし[40)]，特に委託物横領罪においては，委託信任関係に違背することが本質的である（そこで，その物を「利用・処分」したとしても委託の趣旨に反しない限り不法領得とはいえない）。判例によれば，**横領罪における不法領得の意思**は，「他人の物の占有者が委託の任務に背いて，その物につき権限がないのに所有者でなければできないような処分をする意志」である[41)]。ここでは，物を「利用」する意思に言及されておらず，毀棄・隠匿の意思をもって行う場合が除外されていない。また，窃盗罪の場合は第三者に領得させる目的を含むかどうか（また，行為者と第三者の間にどのような関係が必要か）が明らかではないが，判例は横領罪についてははっきりとこれを含むとしている[42)]。

---

39)　判例もこれを横領にあたるとしている。最判昭和31・6・26刑集10巻6号874頁，後掲注*52)*最大判平成15・4・23など。

40)　遺失物横領罪についても，所有者は占有を失っているから，「権利者排除意思」を問題とすることは意味をなさないともいえようが（この点について，福岡高判令和3・3・29高刑速令和3年524頁を参照），使用窃盗と同じように，一時的な使用が行われたに過ぎないことから継続的な利用処分意思が否定され，不可罰とされるべき場合がありえよう。

41)　最判昭和24・3・8刑集3巻3号276頁。

42)　たとえば，大判大正12・12・1刑集2巻895頁，名古屋高金沢支判昭和26・10・15判特30号62頁を参照。ただし，いずれのケースも，実質的には自己領得といいうる場合であり，もし窃盗であったとしても，当然に不法領得の意思が認められるケースであった。

隠匿について見ると，大審院判例は業務者による隠匿の事例において，隠匿により自由に処分できる状態に置いたのであるから終局の目的のいかんを問わず業務上横領となるとしている[43]。ただ，売却等の処分を行う前段階において隠匿する行為は，領得意思の実現行為の一部であり，窃盗罪の場合でも，不法領得の意思が肯定されるべきであろう。そして，被害者としての所有者がその財物を使用できないように自己の支配下に置いて隠匿するが，その後の目的物の売却の可能性を排除していない（まだどうするか決めていない）という場合でも，その物について処分を含む利用が可能な立場を得たことを理由に利用処分意思を肯定することはできるように思われる（→251頁）。そうであるとすれば，窃盗罪と横領罪とで異なるものではない。そこで，問題となるのは，単に被害者を困らせるために管理を委託された物を隠匿する場合や，さらには損壊する場合なのである。

横領罪が**他人の所有物の不法領得行為を処罰**する犯罪として窃盗罪等と共通するものだとすれば，不法領得の意思も基本的に同じ内容のものとして理解しなければならない。たとえば，管理を委託された物を単に委託者を困らせるだけのために隠匿する行為や，それを損壊する行為は，そこに委託信任関係の違背という違法要素が認められるとしても，委託物横領罪ではなく，器物損壊罪とされるべきである[44]（ただし，それを背任罪〔→380頁以下〕に問う余地はある）。

領得行為説による限り，**委託者本人のためにする意思**でなされた行為[45]は，領得意思が欠けるので横領罪を構成しない[46]。以前は，いくら本人のためであっても，行為またはその目的が違法であるなどの理由により，本人でも行いえない行為を行うとき，不法領得の意思は否定されないと解される傾向にあったが，

43）大判大正2・12・16刑録19輯1440頁。

44）目的物を毀棄することも横領にあたるとするのは，団藤・630頁など。これに反対するのは，佐伯・法教376号108頁。

45）委託者本人のために物を処分する行為の具体例としては，会社の資金を会社のための贈賄の目的で使う場合がある。

46）大判大正15・4・20刑集5巻136頁（寺院の住職が寺院建設のために寺院の木像3体を売却し，代金を寺院建設費に充てた場合には横領罪は成立しない），最判昭和28・12・25刑集7巻13号2721頁（組合長が独断で組合名義により貨物自動車営業を経営し，そのために組合資金をほしいままに支出したとしても，その支出が組合自身のためになされたときは業務上横領罪にならない），最判昭和33・9・19刑集12巻13号3127頁（納金ストの際に，会社のために集金した現金を会社に納入せず，個人名義で預金しておく行為は，会社のためにする保管行為であり，業務上横領罪を構成しない）。

近時の判例は，「行為の客観的性質の問題と行為者の主観の問題は，本来，別異のものであ」るとして，「たとえ商法その他の法令に違反する行為であっても，行為者の主観において，それを専ら会社のためにするとの意識の下に行うことは，あり得ないことではない」とする[47]。自己の利益を図る意思と本人のためにする意思とが併存する場合には，主要な目的（決定的な目的）が本人のためであるという場合に限って不法領得の意思が否定されると考えるべきであろう[48]。

横領行為は，不法領得の意思を実現する行為が行われたとき，それで**既遂**に達する。実際上，未遂は考えにくく，また**未遂処罰の規定も存在しない**。たとえば，行為者が，預かった物を勝手に他人に売却する意思表示を行えば，それにより**被害者の法的立場は否定**されていることから，直ちに横領罪は既遂となる。これに対し，**不動産の二重譲渡**のケース（→358 頁注 *17*），363 頁以下）では，第 2 譲受人が対抗要件を備えたときにはじめて既遂に達するものと解されている（動産の二重売買の場合であれば意思表示のときに直ちに既遂に達する[49]）。これは，不動産譲渡における対抗要件のもつ機能に鑑みて，不法領得の意思の発現という行為の側面ばかりでなく，**登記を経由してはじめて第 1 譲受人の所有権の侵害が確定的**になるという結果の側面もあわせて考慮するものといえよう[50]。

なお，不動産の二重譲渡の場合において，第 2 譲受人について横領罪の共犯が成立するかどうかも問題となる。第 1 譲受人は所有権を得たとしても，民法上，第 2 譲受人との関係では，**対抗要件を備えない限り主張できない権利**を得たに

47） 最決平成 13・11・5 刑集 55 巻 6 号 546 頁。

48） この点は，背任罪において，本人図利目的と図利加害目的とが併存する場合と同じように考えることができよう（→381 頁以下）。

49） 大判大正 2・6・12 刑録 19 輯 714 頁。

50） また，最高裁は，すでに譲渡済みではあるが所有権移転登記が未了であった建物を保管していた被告人がその建物に虚偽の抵当権設定仮登記を了したというケースについて，「仮登記を了した場合，それに基づいて本登記を経由することによって仮登記の後に登記された権利の変動に対し，当該仮登記に係る権利を優先して主張することができるようになり，これを前提として，不動産取引の実務において，仮登記があった場合にはその権利が確保されているものとして扱われるのが通常である。以上の点にかんがみると，不実とはいえ，本件仮登記を了したことは，不法領得の意思を実現する行為として十分であ」るという理由で横領罪の成立を認めた（最決平成 21・3・26 刑集 63 巻 3 号 291 頁）。

すぎない。第2譲受人は（単純悪意にとどまる限りは）登記という対抗要件を備える限り，第1譲受人との関係でもその適法性を主張しうる所有権を得たことになる。そうであるとすれば，第2譲受人が背信的悪意者でない限り，悪意で譲受行為に関わっても横領罪の共犯としての刑事責任を問われえないという結論になる[51)]（なお，横領が登記の移転によりはじめて既遂に達するとすれば，第2譲受人が取得した物は取得しようとした時点ではまだ盗品でないから，盗品有償譲受け罪〔→400頁〕は問題とならない）。

横領後の横領　同一の行為者により同一の物（または実質的に同一の物）に対し領得行為がくり返されることがしばしばある。友人から預かった新品のパソコンを委託の趣旨に反して自己の物としてしばらく使用した（第1行為）後，さらに他人に売却した（第2行為）というとき，2つの横領罪の成立を認め，併合罪として処罰するとすれば，二重処罰となることであろう。それでは，第1行為のみが横領罪を構成し，第2行為は横領罪としては処罰できないというべきであろうか。

①　**最高裁判例**　最高裁は，他人の不動産を委託関係に基づき占有する者が，その不動産にほしいままに抵当権を設定・登記した後（第1行為），同一不動産につき，さらにこれを第三者に売却し，所有権移転登記を了した（第2行為）というケースに関し，後行の所有権移転行為（第2行為）のみが起訴されたとき，これについて横領罪の成立を肯定できるとした[52)]。従来の判例は，先行する抵当権設定行為のみが横領罪を構成し，その後の売却行為はさらに同罪を構成するものではないとしてきたが[53)]，これを変更したものである。

第2行為について横領罪を肯定する論理として，まず思いつくのは，抵当権設定行為は目的物の有する価値の一部を侵害する行為であるのに対し，第三者への売却行為は価値の全部を否定する行為であり，第1行為により第2行為は評価され尽くされるものでないという理由[54)]により，第2行為も横領罪として成立するという考え方であ

---

51)　前掲注*39)*最判昭和31・6・26を参照。これに対し，横領の共同正犯を認めた福岡高判昭和47・11・22刑月4巻11号1803頁のケースでは，被告人は第1譲受人に対し民法上も対抗できない関係にあったと解されることになる（この事案では，二重譲渡であることを知りつつ，法律知識に乏しい売主に対し，執拗かつ積極的に働きかけて，二重譲渡の決意をさせてこれを買い受けたのであった）。学説としては，大谷・327頁以下，林・288頁などを参照。

52)　最大判平成15・4・23刑集57巻4号467頁。

53)　前掲注*39)*最判昭和31・6・26。

54)「第1行為により第2行為は評価され尽くされるものでない」という論理は，たとえば，預金通帳を窃取し（第1行為），この通帳を用いて銀行の窓口で預金を引き出した（第2行為）

る[55]。しかし，その論理を認めることは，実質的に「利益横領」という，現行法が横領罪による処罰を予定していない行為の処罰を認めることに等しい。他人の不動産に抵当権を設定する行為も目的物そのものを領得する「全部横領行為」にほかならならず，単なる「部分横領行為」にすぎないものではない。

② **「犯罪の成立」の意味**　そもそも「**犯罪の成立**」とは，何を意味するのであろうか，それは，**刑罰法規の適用可能性があることを意味するにすぎない**と考えられよう。たとえば，窃盗罪が成立するというとき，それは窃盗罪の罰条の適用可能性があることを述べているだけである。したがって，それぞれの犯罪の要件を充足すると解される限りは，同じケースで，同時に遺失物等横領罪や器物損壊罪の「成立」を認めることに支障はない。そのことは，窃盗罪を立証することが可能であるかどうか，困難であるかどうかとは関係がない。より一般的にいえば，強盗罪が成立しているときでさえ，同時に，暴行罪や脅迫罪も「成立」しているといいうる。また，殺人既遂罪が認められるときには，同時に，殺人予備罪，殺人未遂罪，傷害罪，暴行罪も「成立」しているのである。強盗罪が成立する以上は，暴行罪の成立は論理的に排除されているなどと考えるのは，犯罪概念を実体視するものであり，混乱をもたらすものであろう[56]。

③ **共罰的事後行為としての第２行為**　このように，犯罪の成立とは刑罰法規の適用可能性のことにほかならないと考えるならば，抵当権設定行為についても売却行為についても横領罪の規定の適用可能性があり，その意味で第１行為と第２行為のいずれについても，委託物横領罪が「成立」している。売却行為は抵当権設定行為の**共罰的事後行為**（いわゆる不可罰的事後行為）であり（→総論 583 頁以下），どちらも横

という場合に関し，第２行為について銀行を被害者とする詐欺罪が成立し，それは共罰的（不可罰的）事後行為ではないことを理由づけるために用いられている（→254 頁）。

55）　前掲注 *52*）最大判平成 15・4・23 の事案について，第一審判決はそのように考えた。しかし，最高裁はそのような理論構成をとらなかった。

56）　訴訟法上，検察官が，殺人未遂で起訴するには殺意の立証に困難があるとして，同時に「成立」している傷害罪で起訴するとすれば，そのことにはまったく問題がない。これに対抗して，被告人側が，殺意の存在を示唆して傷害罪の成立を否定することができるというものではない。かりに，明らかに殺人未遂を立証できる証拠があるときに，検察官が傷害罪で起訴したとしても，その起訴が無効になるというものではない。たしかに，現行の刑事訴訟法の下では，裁判所が職権を行使して殺人の立証に資する証拠を法廷に顕出し殺人未遂罪の認定を行うことはできないとしても，それは実体法の問題ではなく，訴訟法上の問題にほかならない。最決昭和 59・1・27 刑集 38 巻 1 号 136 頁は，公職選挙法違反の事件について，金銭等の交付罪と供与罪の関係につき，交付罪は供与罪に吸収されるとする判例の見解を前提としつつ，交付罪で起訴されたとき，供与の疑いがあったとしても審理する等の義務はなく，交付罪を認めうるとしているが，上記のような理解からは当然のことである。

領として構成して立件することが可能であり，しかしそれぞれを独立に処罰する趣旨で起訴することはできないという関係にある（ただし，2つの横領の罪数関係は**包括一罪**であり，これを包括一罪として**同時に起訴**することは可能である[57]）。たしかに，第1行為により被告人と被害者との間の委託信任関係が否定され，第2行為が委託物横領罪の要件を充足しないような場合には別論であるが，第1行為と第2行為が時間的に接着して行われたり，第1行為が被害者に気づかれていない等の事情があり，委託信任関係が継続して認められる限りは，上のような関係を肯定できる。

他方，抵当権設定行為を理由として横領罪による立件と処罰を行うときにも，なお売却行為が行為の違法性をさらに高める量刑事情として考慮されなければならないことも当然である。売却行為を行ったかどうかは量刑において考慮され，最終的な刑量に影響すると考えることに何らの障害もない。その意味において，第2行為たる売却行為も，第1行為たる抵当権設定行為を理由とする量刑の中で「罰せられる」のである。

(4) 罪数，他罪との関係

本罪の個数は，侵害される委託信任関係の数によって決せられる[58]。すなわち，一度に預けられた複数の物を一回的に横領したというとき，それらの物にそれぞれ所有者がいても，委託関係が1つである限り，1個の横領罪が成立することになる。横領と背任の関係については，383頁以下を参照。委託された物の返還を免れて自己の物として領得する手段として，委託者（所有者）に対して虚偽の事実を申し向けたとき，欺く行為は横領の手段にすぎないことから，委託物横領罪のみが成立する[59]。

---

57) 大阪地判平成20・3・14判タ1279号337頁は，2つの横領罪が併合罪関係にあるとして起訴されたケースについて，先行する第1行為について包括一罪として横領罪の成立を認めれば足り，後行する第2行為は「いわゆる不可罰的ないし共罰的事後行為としてもはや処罰の対象にはならず，この点は，量刑事情として考慮すれば足」りるとした。両罪を併合罪として処断することは許されず，第1行為を主たる処罰の対象とし，第2行為は共罰的事後行為として（量刑事情として）考慮すべきだという趣旨であれば正当である。

58) 大谷・333頁，中森・154頁など。

59) この点につき，西田・267頁以下，山口・313頁を参照。

3　業務上横領罪

（業務上横領）
第253条　業務上自己の占有する他人の物を横領した者は，10年以下の拘禁刑に処する。

業務上横領罪は，行為者が業務上の占有者であることを理由として刑が加重される，単純横領罪の加重特別類型である。業務者（すなわち，委託を受けて他人の物を保管することを内容とする業務を行う者）には，非業務者たる占有者と比べて，不法領得行為がより強く禁じられ，法益保護がより強く命じられている。それらの者は，他人の物の保管・管理に関わる機会が多く，その反面において，不法領得の誘惑に駆られることも多いはずだから，所有権保護のために業務者には特別な義務が課されているのである（それは，一身的な違法身分〔→総論566頁〕である）。ただし，本罪は，いわば「二重の身分犯」であり，単純横領罪と同様に（→354頁），他人の物の占有者でなければおよそ犯しえない犯罪であるから，その限りでは**真正身分犯**である（業務者が一身的な身分であるのに対し，占有者という身分は，連帯可能な〔一身的でない〕違法身分である〔→総論565頁〕）。その上で，物の占有者が業務者という身分を有することにより刑が加重されており，その限りでは**不真正身分犯**でもある（→354頁）。**業務**は，法令，契約のほか慣例による場合も含む。物の保管に関してより強い信頼関係を生じさせるものであることを要するから，反復・継続して行われる事務であって，委託を受けて他人の物を保管することを内容とするものでなければならない。**本来の業務に付随する仕事**として物を保管する場合であってもよい。

4　遺失物等横領罪

（遺失物等横領）
第254条　遺失物，漂流物その他占有を離れた他人の物を横領した者は，1年以下の拘禁刑又は10万円以下の罰金若しくは科料に処する。

(a)　総説，客体　　遺失物等横領罪（占有離脱物横領罪）は，他人の占有の侵害をともなわず，信頼関係の違背も要素としない，最も単純な（いわば

「裸の」）領得罪であり，刑も軽い。保護法益は物に対する所有権であり，「他人の物」が客体であるから，誰の所有にも属さない物や放棄された物（無主物）を領得しても本罪にあたらない。遺失物だと誤信し，他人が占有する物を領得したという錯誤（抽象的事実の錯誤）のケースでは（→総論 204 頁），本罪の意思で窃盗の事実を実現したことになるが，重い刑で処罰することはできず（38 条 2 項），しかし「構成要件の実質的な重なり合い」が認められることから，軽い遺失物横領罪が成立する[60]。

委託物横領罪の客体は「自己の占有する他人の物」であり，行為者が他人の物を占有していなければならないのに対し，遺失物等横領罪の客体は「遺失物，漂流物その他占有を離れた他人の物」である。**遺失物**とは，「落とし物」のことであり，占有者（行為者とは別の者）の意思によらないでその占有を離れ，いまだ誰の占有にも属さない物のことであり，**漂流物**とは，その中でも特に水面または水中に存在するもののことをいう。ただ，これらはいずれも，**占有を離れた他人の物**の例示である。そこには，郵便配達人が郵便箱に間違って投げ入れた他人宛ての郵便物，店員が誤って手渡した過剰な釣り銭，風で飛んできた隣家の洗濯物等が含まれる。「誰も占有していない物」も客体となりうるが，行為者に物の占有がある場合であってもかまわない。委託物横領罪と遺失物等横領罪の相違は，行為者が占有を有するかどうかではなく，**行為者に委託信任関係に基づく占有があるかどうか**の点にある[61]。

客体たる物が「占有を離れた」物であるかどうかによって，**遺失物等横領罪**

60） 窃盗罪と遺失物等横領罪の間には，一方が他方を包含する関係はない（すなわち，窃盗罪が成立するときに，その同じ事実について遺失物等横領罪が成立するというようなことはない。その意味で，両罪は互いに排斥しあう関係にあり，両構成要件は形式的には重ならない）。しかし，**犯罪としての実質**を見ると，両罪は，領得罪として共通しており，ただ窃盗については，「占有の侵害」というプラスアルファの違法要素が付け加わることによって，より重い刑が規定されている。遺失物だと思って，他人が占有する物を領得したという錯誤のケースでは，占有侵害につき故意がない以上，窃盗罪の成立を認めるわけにはいかないが，**他人の物を不法に領得**したという限度では，主観面と客観面が符合しており，したがって軽い遺失物横領罪の限度では故意犯の成立を認めることは可能なのである。

61） 平野・概説 222 頁を参照。なお，他人の依頼を受けて物の保管を引き受けた場合でも，その**委託信任関係が法的保護に値しない**と考えられるときには，委託物横領罪ではなく，占有離脱物横領罪となりうる（→358 頁，364 頁）。

と窃盗罪とが区別される。所有者が携帯していた物を置き忘れたとしても，置き忘れたその場所を管理する者がその物を所有者の代わりに保管するという関係が成立する場合がある。たとえば，宿泊客がチェックアウトした後，ホテルの部屋に置き忘れた物については，ホテルの側に排他的支配性が認められ，ホテル（具体的には，支配人等の管理の責任者たる自然人〔→256頁〕）が事実上これを管理・支配していると解することができる[62]。したがって，その物を第三者が領得すれば，遺失物横領罪ではなく窃盗罪となる。これに対し，通勤途中の電車の中にスマートフォンを置き忘れたというケースでは，スマートフォンは鉄道会社（正確には，管理の責任者たる自然人〔→256頁〕）の占有に帰したと考えることはできない。乗客多数が不断に出入りする電車内の遺失物については，鉄道会社がその物をある程度排他的に支配するという関係が認められず，鉄道会社に事実的支配たる占有が存するとはいいえない（したがって，電車内の遺失物の領得行為については，遺失物横領罪が成立する）。なお，所有者が物を置き忘れ，その直後に行為者がその物を領得する行為を行ったケースにおいては，所有者の占有がまだ継続しているかどうかの難しい判断を迫られる（→258頁以下）。

(b)　実行行為　　遺失物等横領罪の実行行為である横領行為は，委託物横領罪と同じように，**領得行為**の意味で理解されなければならない。ただ，行為者が物の占有を有しない場合と，すでに物の占有を有する場合とで区別して理解すべきである。すでに行為者の占有下にある物については，委託物横領罪と同じように，不法領得の意思を実現する行為があった時点で本罪が成立する。これに対し，行為者が物の占有を有しないときは，不法領得の意思をもって占有離脱物を自己の事実上の支配内に置くことにより本罪は成立する。したがって，落とし物を発見し，これを最初から自分の物にしようと思えば，それを拾い上げ自己の支配下に置いただけで本罪を構成する。それが，領得の意思を実現する行為としての領得行為の定義に合致するかどうかの疑問が生じないでは

---

62)　なお，判例では，ゴルフ場内の人口池の底に沈んだロストボールを池から持ち出して領得した行為につき，窃盗罪の成立が肯定された（最決昭和62・4・10刑集41巻3号221頁）。ゴルフボールはゴルフ場側が早晩その回収と再利用を予定していたのであって，**ゴルフ場側の所有**に帰しており無主物ではなく，その**占有もゴルフ場の管理者にある**ので，窃盗罪の客体になるとする（→257頁注*12*)）。

ないが，遺失物を自己の物とする意思をもって自己の排他的支配の下に置くことそれ自体が，その物を拾得するとともに，物の回復を求める被害者から隠匿することになるのであり，領得の意思の発現行為の一部と理解することができる[63]（→368頁）。

横領後の物の処分は，何らかの犯罪にあたる場合であっても，**共罰的（不可罰的）事後行為**であり，あらためて別罪で処罰されない。後に行われる行為が詐欺罪や器物損壊罪にあたるときのように，本罪より重い罪が問題となるケースであっても，軽い本罪により包括的に評価される[64]。ただし，預金通帳と印鑑を拾得し，これを銀行の窓口で利用して現金をおろしたときなど，新たに他人（ここでは銀行）の法益を侵害する場合には，遺失物等横領罪に加えて別罪（ここでは一項詐欺罪）により処罰される（→254頁）。

5　横領罪と親族間の犯罪の特例

横領罪（252条・253条・254条）についても，**親族相盗例**の規定（244条〔→267頁以下〕）が準用される（255条）。委託物横領罪については，行為者と被害者（物の所有者）の間にだけ親族関係があればよいのか，行為者と委託者の間にも親族関係が必要かどうかをめぐり見解が対立するが，後者の見解が，学説上はより有力である。委託者自身は本罪の被害者ではないとしても，委託信任関係に違背することが本罪の重要な違法内容になっており，委託者との関係で親族関係がない場合，犯罪が純粋に家庭内において完結していないことになろう。**「法は家庭に入らず」という特則の根拠**（→268頁）に照らして準用が否定されることになる。

それでは，家庭裁判所により後見人として財産管理をまかされた親族が被後見人の財産を横領するケースについて，244条の準用を認めるべきであろうか。

63）遺失物については，その物を費消したり処分するまでは，それを交番等に届け出る可能性は排除されないから，実際問題として遺失物横領罪として発覚することはないが，それはまた別論である。

64）鉄道乗車券を拾得した者がこれを着服し，駅員に払戻しを請求したとして，遺失物横領罪と並んで詐欺罪に問われたケースで，詐欺行為は不可罰的事後行為にあたるとした裁判例がある（東京地判昭和36・6・14判タ120号115頁，浦和地判昭和37・9・24下刑集4巻9＝10号879頁）。

このような事例では，行為者と被害者との間には所定の親族関係があるとしても，財産管理を依頼した家庭裁判所との間には存在しない。家庭裁判所は，家庭の自主的な財産管理に障害があるために後見的に介入し，親族に財産管理を依頼したものであって，事件は家庭の内部にとどまらず，親族が公的な任務として被後見人の財産を管理していた際に横領が行われている（なお，後見人の活動は家庭裁判所の監督下に置かれる）。親族間の問題に国家刑罰権が干渉することはかえって親族関係を破壊するおそれさえあり，むしろ親族間の自主的規律に委ねる方がよいという親族相盗例の根拠に照らすとき，その準用を認めないという解釈が妥当である[65)]。

6 背任罪

（背任）
第 247 条 他人のためにその事務を処理する者が，自己若しくは第三者の利益を図り又は本人に損害を加える目的で，その任務に背く行為をし，本人に財産上の損害を加えたときは，5 年以下の拘禁刑又は 50 万円以下の罰金に処する。

(1) 総 説

背任罪は，横領罪と比べると，財物のみならず財産上の利益をも保護の対象とし[66)]，しかも，不法領得の意思がある場合だけでなく（しかも，本罪にいう「図

65) 最高裁は，家庭裁判所から選任された未成年後見人である被告人が，後見の事務として業務上預かり保管中の未成年被後見人の貯金を引き出して横領したというケースについて，家庭裁判所から選任された未成年後見人は，その権限の行使にあたっては，未成年被後見人と親族関係にあるか否かを問わず，善良な管理者の注意をもって事務を処理する義務を負い，家庭裁判所の監督を受けるのであり，その職権により解任されることもあるとし，**未成年後見人の後見の事務は公的性格を有する**ものであって，刑法 244 条 1 項を準用して刑法上の処罰を免れるものと解する余地はないとした（最決平成 20・2・18 刑集 62 巻 2 号 37 頁）。最決平成 24・10・9 刑集 66 巻 10 号 981 頁も，同様の理由で，家庭裁判所から選任された成年後見人が成年被後見人所有の財物を横領した場合について同項の準用を否定した。学説として，西田・250 頁以下などを参照。さらに，東京高判平成 25・10・18 高刑速平成 25 年 120 頁は，成年後見人以外の親族が，成年後見人が業務上占有する成年被後見人所有の財物を横領するのに加担したケースについて，成年後見人についてと同じく，加担した親族についても，244 条 2 項が準用される余地はないとした。

66) 背任罪は，現行刑法の財産犯の規定の中ではただ 1 つ，その客体を「財物」とも「財産上

利目的」は，領得目的よりもはるかに広い内容をもっている)，加害目的の場合にも成立する点において，より**限定性を欠いた成立範囲の広い犯罪**である[67]。現行刑法では原則として処罰の対象となっていない，**財産上の利益に対する毀棄罪**を含む。株式会社の取締役等については会社法に加重特別類型（**特別背任罪**）が設けられており（会社960条・961条)，実際にはこれがよく適用される（以下に引用する判例の多くも，特別背任罪に関するものである)。なお，前述355頁以下も参照。

(2)　要　件

(a)　主　体　　犯罪の主体は「他人のためにその事務を処理する者」である（**真正身分犯**[68])。**他人のためにその事務を処理する**とは，一定の信任関係に基づき，他人の事務をその他人のために処理することである。自己の事務の処理にあたって背信的義務違反があっても背任罪とはならない。したがって，**自己の事務か他人の事務かの区別**が重要な意味をもつ。

自己の事務と他人の事務　**他人の事務**といいうるためには，本人が第三者との関係で本来なすべき仕事を，行為者が本人に代わって担当する場合であることを要する。典型例としては，本人の代理人たる行為者が，本人に代わって第三者と契約を締結する場合である。これに対し，たとえば，患者の病気の治療にあたった医師が故意に治癒を遅らせて，患者に財産的な損害を与えたとしても，医師は自己の事務を行う者であり，他人の事務を処理する者ではないから背任にはあたらないことになろう[69]。

問題となるのは，不動産の所有者が抵当権者のため抵当権設定登記に協力すること

の利益」とも特定しておらず，247条の文言上明らかなように，「財産上の損害」を加えるだけで成立する。なお，背任罪にも，242条・244条・245条の規定が準用される（251条)。

67)　背任罪についての研究書として，上嶌一高『背任罪理解の再構成』(1997年）がある。

68)　刑法の背任罪は，事務処理者でなければ犯しえない真正身分犯（→総論114頁）であるが，会社法の特別背任罪は，会社の取締役等の身分があることにより刑法の背任罪より刑が加重される**不真正身分犯**である。ただ，事務処理者という身分も取締役等の身分もいずれもない者が特別背任行為に関与したときには，判例によれば，刑法65条1項の適用により，特別背任罪の共同正犯が成立し，さらに同条2項が適用されて，刑は刑法の背任罪のそれによることとなる。ここでも，業務上横領罪に業務者でも占有者でもない者が関与した場合と同じく，「罪名と刑の分離」が認められているのである（→354頁以下注*6*))。

69)　背任罪における事務が財産的事務に限られるかどうかにつき争いがある（→379頁)。医師がわざと患者の治癒を遅らせたというとき，「事務」を財産的事務に限るとすれば，その点でも本罪の要件を充たさないが，かりに財産的事務に限らないという解釈をとったとしても，「他人の事務」にはあたらないことから背任罪の成立は否定されるであろう。

（登記による財産保全を邪魔しないこと）は，他人の事務か，それとも自己の事務かである。判例・通説は，これを他人の事務とし，**二重抵当**[70]の事案については，最初に抵当権を設定した者を被害者とする背任罪が成立すると考える。抵当権設定登記への協力（具体的には，別の人が先に登記を備えるのを邪魔しないこと）を他人の事務と考えうるかどうか疑問がないではない（それは，契約に基づき義務づけられる自己の事務であるとも考えられる）。しかし，相手方が債務を履行した後においては，登記は実質的に財産権を取得した相手方の財産権保全のための行為にほかならず，登記への協力はその一部をなすとすれば，それを**もっぱら他人たる抵当権者のために行う他人の事務**と捉えることは不可能ではない[71]。

事務を財産的事務に限るべきかどうかについて見解の対立がある。本罪の成立範囲をできるだけ無限定なものとしないためには財産的事務（財産の管理や保管に関わる事務を含む）に限ると解すべきであろう[72]。また，背任罪における事務処理者は，代理権を有する者など本人の権利・義務を左右できる権限に基づいて他人の事務を処理するものに限られ，「事務の処理」というからには，裁量の余地のない機械的な仕事ではなく，ある程度包括的な内容でなければならないが，補助者として行う事務で，上位者の決済を要するものであってもよい。物の保管義務や運送義務の履行等は，単なる機械的な作業ではなく，種々の判断作用が要求される事務であり，財産管理の側面を有するとともに，他人がな

70）　二重抵当とは，甲が自己所有の不動産に債権者Aのために抵当権を設定し，いまだその登記がなされていない間に，事情を秘してBのために抵当権を設定し，Bに先順位の登記を得させた場合のことである。最判昭和31・12・7刑集10巻12号1592頁のケースでは，被告人は，Aに対し，登記権利証や白紙委任状，印鑑証明書等の必要書類を渡し，Aが登記を設定するのに必要なことはすべて行っていたが，ただ，Bに先に登記を得させることにより，Aとの関係での**抵当権設定登記に協力する義務を怠った**とされた。背任罪を認めるその結論に批判的なのは，山口・322頁以下。

71）　特に，香城敏麿・基本講座5巻253頁以下。上嶌・前掲注*67*）155頁以下も参照。前掲注*70*）最判昭和31・12・7は，「抵当権設定者はその登記に関し，これを完了するまでは，抵当権者に協力する任務を有することはいうまでもないところであり，右任務は主として他人である抵当権者のために負う」任務だとした。なお，最決平成15・3・18刑集57巻3号356頁は，株式を目的とする質権の設定者が，質入れした株券について虚偽の申立てにより除権判決を得て株券を失効させ，質権者に損害を加えた場合についても背任罪が成立するとしている。

72）　伊東・231頁，大塚・321頁，大谷・340頁，川端・428頁，団藤・653頁，中森・159頁，西田・274頁以下，平野・概説230頁など。

すべきことを代わりに行うという性質をもつものであるから，背任罪にいう事務にあたるというべきであろう（判例も，保管義務や運送義務に違反した場合でも背任罪を構成するとしている）。

(b) 実行行為　実行行為は「その任務に背く行為」であるが，この**任務違背行為**の意義と範囲をめぐっては，背信説（判例・通説）と少数説の権限濫用説とが対立している。**権限濫用説**によれば，背任行為は代理権濫用の法律行為に限られることになるが，それでは狭すぎるとして，事実行為を含めて信任関係を侵害する行為（背信行為）を広く含ませる**背信説**[73]が支配的見解となっている。

判例に見られる任務違背行為の代表例としては，市町村長や，公共組合（漁業協同組合，農業協同組合など）の理事長等が，公金を不当に貸し付けること，銀行の支配人等が回収の見込みがないのに不良貸付を行うこと，会社の取締役が架空の利益を計上して株主に利益金を配当すること（蛸(たこ)配当），不動産の売却を依頼された代理人が不当に安く売って本人に損害を与えること，会社における資材調達の担当者が，購入価格にリベート分を上乗せし，リベートを個人的に取得することなどがある。背信説によれば，信任関係に違背する事実行為も背任罪となる。ただ，商社における投機的な商品の買付けや，銀行における外国為替取引での冒険的な取引などは，担当者の裁量の範囲内にあると考えられる限りは，それによって損害が生じても（ただ加害目的がないというばかりでなく，そもそも）任務違背行為とはいえない。

---

73) 川端・424頁以下，高橋・419頁以下，団藤・648頁以下，西田・272頁以下など。背信説の欠点は，任務違背行為の範囲が無限定なものとなり，広範に及びすぎるおそれがあることである。そこで，財産的事務処理上有している一定の権限を濫用して行われた義務違反行為（ただし，代理権濫用の法律行為に限らない）のみを任務違背行為とする**背信的権限濫用説**ないし**新しい権限濫用説**も有力である（伊東・229頁，内田・344頁以下，大塚・315頁以下，大谷・337頁以下，前田・288頁以下など）。しかし，この見解は，権限逸脱のケースをカバーできないため，財産上の利益に対する権限逸脱行為が背任罪を構成しないことになり，不可罰となってしまうという難点がある。そのほか，財産処分について意思内容決定を委託された者の権限濫用による財産侵害という**意思内容決定説**（上嶌・前掲注*67*）238頁以下），信任関係違背による財産侵害としつつも信任関係を高度のものに限定しようとする**限定背信説**（浅田・287頁以下，佐伯・法教378号102頁以下，曽根・180頁以下，林・266頁以下，堀内・179頁以下，山中・450頁以下など）などが主張されている。

信任関係に違背する事実行為　背信説によるとき，信任関係に違背する行為は，事実行為を含めて広く任務違背行為に含まれる。預かった物の管理を怠る行為や，債権の取立てを怠る行為，自己の保管する財産的価値のある情報を不正に第三者に漏らす行為なども背任罪を構成しうることとなる。また，たとえば，コンピュータソフト開発会社のソフト開発部の管理職の立場にある者が，自己が管理する，開発中のコンピュータソフトのプログラムを競争関係にある会社に利用させるため，プログラムが保存されたUSBメモリを社外に持ち出しコピーするといった行為も任務違背行為にあたる（ただし，ライバル会社に渡した段階で，まだ財産的損害が生じていないのであれば，背任罪の未遂犯が成立するにとどまる[74]）。

(c)　主観的要件　　実行行為の**主観的要件**として，故意のほかに，**自己もしくは第三者の利益を図る目的**（**図利**(とり)**目的**）または**本人に損害を加える目的**（**加害目的**）がなければならない（**目的犯**）。もっぱら本人（たとえば，会社や銀行）の利益を図るために行われた行為は，財産的損害を生じさせたとしても，図利・加害の目的を欠くから背任罪を構成しない。本人図利目的と自己・第三者図利目的とが**併存**している場合については，どちらが主たる動機・目的であるかという**2つの動機・目的の主従**で決まることとなり[75]，決定的には自己・第三者図利の動機・目的で行われれば（したがって，それがなければ行為に出なかったであろうという場合），本罪が成立する[76]。逆にいえば，本人図利が**決定的な動機・目的**となって行われた行為であれば，背任罪は成立しないことになる[77]。

74)　会社の職員が機密資料を社外に持ち出しこれをコピーした事件（東洋レーヨン事件）に関する神戸地判昭和56・3・27判時1012号35頁は，被告人らにつき背任罪およびその共同正犯の成立を否定したが，当該行為者は，会社の機密資料につき保管秘匿の任務を有する地位にあったものではなく，当該の資料を担当事務の処理として入手したものでもないというケースであった。

75)　最判昭和29・11・5刑集8巻11号1675頁。

76)　最高裁は，商社の代表取締役が不正融資を行った場合において，融資実行の動機は会社の利益よりも自己らの利益を図ることにあり，また，会社に損害を加えることの認識・認容もあったとして図利加害目的を肯定した（最決平成17・10・7刑集59巻8号779頁〔イトマン事件〕）。

77)　最高裁は，銀行の役員らの融資行為に関し，本人たる銀行の利益を図るという動機があったとしても，それが融資の決定的動機でなかったときは，第三者図利目的を認めることができるとした（最決平成10・11・25刑集52巻8号570頁）。

なお，「利益を図る」というときの利益については，財産上の利益に限らず，会社における自分の地位や，信用・面目なども含まれ，**保身目的**による場合も目的要件を充たす（したがって，図利目的は**不法領得の意思よりもはるかに広い内容**をもっている）。

法文上，ことさらに主観的目的が要求されている趣旨からすれば，未必的目的では足りず，**図利の意欲**や，**損害発生の確定的認識**をもつことが必要とされるとも解されよう。とりわけ加害目的については，故意の要件として，少なくとも加害についての未必的認識はいずれにせよ必要とされるのであるから，損害発生についての確定的認識ないしは意欲を要求しない限りは，目的要件としての意味がなくなってしまうはずなのである。それにもかかわらず，最高裁判例は，図利加害の点につき，**意欲も確定的認識も**（**また積極的認容も**）**必要ではない**としている[78]。近年では，背任罪の目的要件は，本人の利益を図る動機・目的による場合（すなわち，本人図利が主たる動機であって，それがなかったならば行為に出ることはなかったであろうという場合）を不可罰にするための消極的要件であり，本人図利の動機・目的がなかった場合であれば，自己・第三者図利の意欲や損害発生の確定的認識がなくても，およそ図利加害の認識がある限りは，任務違背行為により本人に損害を加えることは許されるべきではないのであるから，目的要件を充足すると考える見解が有力である（**消極的動機説**）[79]。要するに，背任罪における目的要件は，**本人図利の動機・目的が存在しないことを裏側から規定したもの**ということになり，もし任務に違背して本人に損害を与えた場合でも，本人図利の動機・目的でされたときは，背任罪は成立しないことになる。こうした解釈によれば，主として本人の利益を図るための行為は，横領罪にもならないし（→368頁），また背任罪にもならないこととなり，両罪の間で統一的な

78）最高裁は，**図利加害の意欲ないし積極的認容までを要するものでない**とし，銀行の支店長が，それまで安易に行っていた過振り（当座預金に決済資金が不足した場合に，銀行が不足分を立替払いすること）の実態が本店に発覚して自己の面目信用が失墜しないように，回収不能のおそれのある過振りを長期間続けたというケースについて特別背任罪の成立を肯定した（最決昭和63・11・21刑集42巻9号1251頁〔東京相互銀行事件〕）。

79）たとえば，伊東・233頁，香城・前掲注71）264頁以下，高橋・427頁以下，中森・161頁，西田・259頁以下，山口・327頁など。最高裁判例として，前掲注76）最決平成17・10・7を参照。

解釈が実現されることとなろう。

(d) 構成要件的結果　背任罪が既遂となるためには，**財産的損害の発生**[80]が必要であるが，その判断は本人の財産の全体について[81]経済的見地からなされる。まず，本人の財産全体について減少が生じることが必要であり，一方において損害が生じても，他方においてこれに対応した反対給付[82]があったときには財産上の損害が否定されることになる。次に，財産状態の評価は，**経済的見地**からなされ，本条にいう「本人に財産上の損害を加えたとき」とは，犯人の行為により「本人の財産の価値が減少したとき又は増加すべかりし価値が増加しなかったとき[83]」のことをいう。したがって，任務違背行為により，法律上は本人に債権が生じても，その履行を受けることが不可能ないし困難であるというときには，経済的見地から財産的損害があったとされることになる[84]。

(3) 横領罪と背任罪の区別

一般的にいえば，有体物を不法領得する行為が横領であり，事務処理者によるその他の任務違背行為が背任を構成する。より厳密に見ると，**背信説**によるときは，横領行為は背任行為の特殊な一場合であり，背任罪の成立要件は横領罪の成立要件を含んでいるから（→356 頁），成立範囲が重なり合うときには（より重い〔→356 頁〕）横領罪の成立をまず検討し，成立しない場合にはじめて背任罪の成否を考えればよい[85]。まず，①**財産上の利益**については横領罪は成立せず，背任罪しか問題にならない。したがって，権限逸脱の場合でも，客体が

---

80) 任務違背というだけでは構成要件の内容が明らかとならないので，法益侵害の結果を明示することにより，構成要件の明確化をはかったものともいえよう。

81) 背任罪は，現行財産罪の中で唯一の**全体財産に対する罪**なのである（→237 頁）。

82) 反対給付としての，**損害に見合う経済的利益**が被害者に帰属したといえないとされた一事例として，最決平成 8・2・6 刑集 50 巻 2 号 129 頁。

83) 最決昭和 58・5・24 刑集 37 巻 4 号 437 頁。

84) 他方において，かりに経済的価値があるとしても，違法な財産的利益は，法的保護に値しないというべきである。経済的価値がある財産の中から違法な財産的利益を差し引いた，その残りが法的保護に値する財産であると理解するものを**法律的・経済的財産概念**と呼ぶ。詳しくは，林・140 頁，同『財産犯の保護法益』（1984 年）を参照。

85) 学説の中で，以下の説明と基本的に同旨であると思われるのは，伊東・235 頁以下，大谷・347 頁以下，曽根・181 頁以下，西田・285 頁以下，林・298 頁以下，前田・298 頁以下，山口・333 頁以下など。

財産上の利益であれば，背任罪にしかなりえない[86]。②**財物**に対する場合には，(イ)領得意思で行われる場合と，(ロ)毀棄・隠匿意思で行われる場合を区別することができる。**毀棄・隠匿意思**で行われる場合には横領にはならないと考えれば（→368 頁），背任罪の要件を充たす限りで背任罪が成立し，そうでなければ，器物損壊罪等の毀棄・隠匿罪の成立のみが認められることになる[87]。問題は，**利益・利得を図る意思**の場合であり，そのすべてが直ちに横領罪にあたるとすることはできないから，両罪の区別の基準が明らかにされなければならない（要するに，両罪の区別が真に問題となる場面とは，他人の事務を処理する者が信任関係に反して自己の占有する本人の所有物を処分したケースなのである）。学説では，権限逸脱（無権限を含む。要するに，およそやってはいけない行為であり，より重く評価される行為）の場合は横領罪であり，権限濫用にすぎない場合は背任罪になるとする見解が多い。判例は，基本的に**不法領得の意思**が認められれば横領罪となり，なければ背任罪に問われるにすぎないとしている[88]。「権限逸脱」か「権限濫用」かで区別するという学説による基準と，判例の基準との関係が問題となるが，それらはほぼ一致するものと考えられる。

すなわち，不法領得の意思があるというためには，財物を処分する権能を所有者から奪い，所有者でなければできない行為を行うことが必要であるが，それは，自己または第三者の名義（形式面）・計算（実質面）において他人の財産の処分が行われれば（たとえば，自分が登記簿の名義人になっている他人所有の不動産に，自己の債務の担保のために抵当権を設定するなどすれば），肯定することができる[89]。逆に，本人の名義を用い，または実質的に法的・経済的な効果を本人に帰属させる形式で財産的処分が行われれば背任罪となるであろう[90]。このよ

86）判例は，二重抵当の場合（前掲注 *70*）最判昭和 31・12・7）や，電話加入権を客体とする権限逸脱行為（横領的行為）の場合（大判昭和 7・10・31 刑集 11 巻 1541 頁）について背任罪の成立を認めている。

87）これに対し，本人に対する純然たる嫌がらせ，また本人を単に困らせるための隠匿の場合にも横領罪は成立すると考えると（→368 頁），横領罪と背任罪の両罪ともに成立しうる場合には，横領罪の規定が優先的に適用されることになるであろう。

88）たとえば，最判昭和 34・2・13 刑集 13 巻 2 号 101 頁。

89）大判昭和 10・7・3 刑集 14 巻 745 頁，最判昭和 33・10・10 刑集 12 巻 14 号 3246 頁。

90）大判大正 3・6・13 刑録 20 輯 1174 頁，大判昭和 9・7・19 刑集 13 巻 983 頁。

うに，不法領得の意思が認められるかどうかという基準は，権限を越えるかどうかという基準とほぼ一致する（他人の物を自己または第三者の名義・計算で処分するということはもはや権限を越えているといわざるをえない）。ただ，それ自体として権限逸脱の行為であっても，もっぱら**本人の利益のために行った**という場合には，不法領得の意思が認められないことから横領にはならず[91]，また図利加害目的が否定されるから背任罪にもならない（→381頁以下）。このようにして，横領罪と背任罪の区別は，不法領得の意思が認められるかどうかに求めつつも，**客観的な横領行為（領得行為）が肯定できるかどうかの判断基準**としては「権限逸脱」か「権限濫用」かという区別を用いるべきであろう[92]（→366頁注38)）。

なお，たとえ**形式的には本人たる金融機関の名義**で行われても（すなわち，**権限濫用的形式**をとっていても），内部的にそのような形での金銭の使用が絶対的に禁止されているとか，正規の手続を通さず利息等も自分がもらうとか，実質的に見て行為者個人の計算においてなされ，権限を逸脱しており，かつ不法領得の意思が認められる（本人の利益を図ろうとする意思もない）ときには横領罪を構成する[93]。

権限逸脱か権限濫用か　株式会社の代表取締役が，会社名義の手形を振り出して，個人的な債務の弁済に充てたというとき，会社名義の手形を振り出すことそれ自体は権限の範囲内の行為であり，その権限を不正に用いる権限濫用行為が行われたにすぎない。したがって，手形や現金に対する横領は問題とならない。権限逸脱（ないし無権限）の行為であってはじめて，横領罪となりうる[94]。上記の代表取締役は，会社の

91）前掲注46）最判昭和28・12・25，前掲注46）最判昭和33・9・19，最決平成13・11・5刑集55巻6号546頁などを参照。

92）林・291頁以下を参照。

93）最高裁は，森林組合の組合長が，組合員に造林資金として貸し付けるよう特定された政府貸付金を，第三者である町役場に組合名義で貸し付けた行為について，横領罪の成立を認めている（前掲注88）最判昭和34・2・13）。ただし，行為の客観的性質の問題と行為者の主観の問題とは別個のものであるから（→368頁以下），法令等に違反する行為であっても，それだけで直ちに不法領得の意思が肯定されると考えてはならない。

94）これに対し，**小切手**の振出し権限を有する者は，預金口座の中の金銭（当座預金口座に係る小切手資金）について自由にこれを処分できる関係にある。そこで，預金口座内の金銭につき，**預金の占有**（→359頁以下）が認められるのと同一の関係があるといえる。そこで，振出し権限があるにせよ，まったく個人的な債務の弁済のために小切手を振り出す行為は，自己の

事務を処理する者として任務違背行為を行い，会社に損害を与えたことになるから，背任罪（会社法上の特別背任罪）に問われる。

権限濫用にすぎないか，それとも権限逸脱となるかは必ずしも截然（せつぜん）たる区別ではないが，次のように判断される。まず，①権限濫用といいうるためには，一定の裁量的判断・決定を委ねられた者が，その範囲内で本来の使命に反する行為をすることが必要である[95]。また，②その権限の有無の判断にあたって決定的なのは，本人との**対内関係**においてその者に具体的にどのような**権限**が与えられていたかである。そして，③権限の有無について検討する際には，行為者の具体的な目的や意図は度外視し，**行為の客観的性質**を問題としなければならない。手形振出しの目的が個人的な債務の弁済に充てるところにあったとしても，手形の振出し行為そのものが権限内の行為であることに変わりはない。

横領罪と背任罪の関係について考える際には，横領罪については未遂処罰の規定がないが，背任罪については未遂が処罰される（250条を参照）点に注意が必要である。そこで，横領罪にあたる行為が行われたが未遂に終わったというケースで，これを背任罪の未遂犯として処罰しうるかどうかが問題となる場面が生じるであろう。横領に振り分けられるべき行為については未遂を罰しないとするのが立法者の判断であるとすれば，これを背任未遂として処罰するのはそうした立法者意思に反すると考えるべきではないかと思われる。

(4)　不正融資の借り手側の責任

融資担当者による融資が背任罪を構成するとき，借り手の側は，どのような要件があればその共同正犯となるのかが問題となる[96]。借り手側が背任罪の共同正犯となるか，教唆・幇助にとどまるかは，基本的には共同正犯と狭義の共犯の区別に関する一般理論（→総論514頁以下）をここにあてはめて結論を出す

占有する他人の金銭の横取りと捉えることが可能である。広島高判昭和56・6・15判タ447号152頁は，このような考え方に基づき，小切手の振出しとその使用につき，有価証券偽造罪・同行使罪の成立を否定しつつ，業務上横領罪が成立することを認めた（→534頁注*18*）も参照）。

95）　包括的な権限をもった者であればあるほど，権限濫用とされる範囲は広い。逆に，機械的な事務処理を託された者や，非独立的な補助者の地位にある者については権限濫用は問題にならない。

96）　研究書として，関哲夫『不正融資における借手の刑事責任』（2018年）がある（借り手の側には背任罪の共同正犯・教唆犯・幇助犯は成立しえないと説く）。

べき問題である。ただ，借り手側の刑事責任を検討する際には，「処罰範囲の限定」に留意しなければならないとする見解が有力である。たしかに，貸付けを行う側と借り手側とでは対向する立場にあって利害が対立しており，共謀して一定の犯罪をともに行うという関係にはない。借り手会社の役員は融資側会社の財産処分について責任をもたず，かえって自社の利害を最大限に追求することを許され，また義務づけられている。しかし，他方で，貸付け側に背任という犯罪にあたる行為を行わせることまでして自社の利益を追求することは正当化できることではなく，「経済活動の自由」は直ちに処罰を否定する根拠にならない（また，貸付け側においては違法な行為が，借り手にとっては適法になるというように「違法評価の相対性」〔→総論 485 頁〕が認められるわけでもない〔→369 頁以下〕）。

この種の事例においては，融資を行う側と借り手とは，利害の対立する緊張関係にあり，相互にそれぞれの会社の利益を守りこれを最大化することを期待され，また義務づけられている[97)]。そこから，法が貸付け側の財産の保護を期待しまた義務づけるのは，何よりも貸付け側の事務処理者である（さもなくば，借り手側を利益相反の関係におくことになってしまう）。借り手側を共謀共同正犯として評価することを可能とするためには，その者に融資側会社の財産侵害に対する（融資担当者と同等のレベルの）第一次的な責任主体性が肯定されなければならないが，そのためには，上記の考慮をくつがえすような特別の事情が存在することが必要である。

まず，借り手側が，融資担当者に対し「支配的な影響力を行使」した場合と，「社会通念上許されないような方法を用いるなどして積極的に働き掛け」た場

---

97) なお，この種の事例の特殊性は，**犯罪の主観面**にもある。背任罪が成立するためには，任務違背行為や財産的損害の発生に関し故意がなければならない（借り手側については，貸付け側行為者に図利加害目的があることの認識も必要である）。そして，不正融資のケースにおいては，背任の実行行為そのものは，貸付け側の役員等により行われるのであり，直接に関与できない非身分者たる被融資者には，任務違背行為や損害という複雑な事実について（故意と評価しうる程度の）具体的な認識をもちえないことがあろう。しかも，融資のプロである融資担当者とそうではない借り手との間には前提となる知識にも大きな差がありうる。これらのことが借り手側の刑事責任を問う上での１つのハードルとして働きうることは否定できないであろう。最判昭和 40・3・16 集刑 155 号 67 頁を参照。

合には，借り手側に共同正犯が成立しうる[98]。また，継続的に貸付けが行われて一体化ないし癒着の関係が生じ，融資先会社の存続が不正融資に依存する反面，会社が倒産すれば融資担当者の法的責任が表面化する状況に立ち至れば，利害対立関係・緊張関係は消滅し，両者は利害を共通にする「運命共同体」となったといえよう。こうした事態においては，融資側に生じた財産的損害につき，借り手の側も共同の主犯者性を獲得する事実的基盤ができたといいうる。そこで，貸付け側が「融資に応じざるを得ない状況にあることを利用しつつ」くり返し借入れを申し入れ，迂回融資の手順をとることに協力する程度の関与であったとしても（つまり，積極的に共同加功したとはいえないとしても），共同正犯となりうる[99]。さらに，利害対立関係・緊張関係が消滅した同様の状況の下で，借り手の側が，融資の前提となる再生スキームを銀行側に提案してこれに沿った行動をとり，融資の担保となる物件の担保価値を大幅に水増しした不動産鑑定書を作らせるなどして融資の実現に積極的に共同加功したというようなケース[100]では，もはや「融資に応じざるを得ない状況にあることを利用」したといいうるかどうかを問わず，共同正犯としての評価を受けるのは当然だということになる。

98） 最決平成 15・2・18 刑集 57 巻 2 号 161 頁は，そのことを前提としている。たしかに，そうした場合には，借り手側のせいで融資側の事務処理者による（通常事態では機能すべき）審査が機能不全に陥るのであるから，借り手の側に共同正犯性を肯定することが可能である。

99） 前掲注 *98*）最決平成 15・2・18 はそのようなケースであったといえよう。朝山芳史・最判解刑事篇平成 15 年度 79 頁は，本件事案を「背任罪の共同正犯の成立を認め得る一種の限界事例に近い事案」であるとする。

100） 最決平成 20・5・19 刑集 62 巻 6 号 1623 頁。

■ 第 *14* 章 ■

盗品等に関する罪

1 総　　説

盗品等に関する罪[1)]（以下，盗品等関与罪という）は，現行法上，独立の財産犯として規定されている（256条）が，本罪が**どのような意味で財産を害する罪であるのか**をめぐっては見解が対立する。従来の通説は**追求権説**と呼ばれ，本犯[2)]の被害者がその物について有する追求権，すなわち，その物に対する民法上の返還請求権が保護法益であると考えてきた。たとえば，甲が窃盗犯人乙から，乙が盗んできたA所有のフランス製高級ハンドバッグを安く買い受けるとすれば，被害者のAの立場から見ると，バッグは「より遠くに引き離される」ことになり，その**取戻しはより困難となりうる**のである[3)]。

判例も，基本的に追求権説にしたがってきた[4)]。ただ，判例は，本罪を単に

---

1) 1995（平成7）年には，刑法典の条文を平仮名書きとし，表現を平易化・現代用語化することを目的とする刑法改正が行われたが，それ以前は，「贓物(ぞうぶつ)ニ関スル罪」（贓物〔賍物〕罪）であった。

2) **本犯**とは，盗品等関与罪に先行する財産領得罪のことをいう（256条1項の文言を参照）。本犯の行為者が**本犯者**である。

3) 本罪にあたる行為により，物に対する追求はより困難とされるにとどまるから，本罪は追求権に対する侵害犯ではなく，**抽象的危険犯**とされるべきであろう。

4) たとえば，最決昭和34・2・9刑集13巻1号76頁は，「賍物に関する罪は，被害者の財産権の保護を目的とするものであり，被害者が民法の規定によりその物の回復を請求する権利を失わない以上，その物につき賍物罪の成立することあるは原判示のとおりである」とした。

被害者のもつ返還請求権に対する罪とのみ狭く解するのは妥当でないとして，**より複合的な性格をもつ犯罪類型**として捉えている[5)]。学説においても，返還請求権の保護を中核としつつも，処罰の理由をより広く捉える見解が有力となっている。盗品等関与罪の理解においては，その処罰対象を「民法上の返還請求権の保護」という根拠により説明し尽くせるのか，そして，いかなる限度において，それ以外の考慮を働かせるべきか（また，働かせうるのか）が問題となる。

盗品等関与罪の本質　追求権説を厳密に貫けば，被害者に物の返還を請求する権利がないとき，本罪は成立しないはずである。たとえば，その物が不法原因給付物（→327 頁，364 頁以下）や禁制品（→231 頁）の場合，民法上保護されるべき権利がないから（たとえ先行する財産罪〔本犯〕は成立するとしても）本罪の成立は否定されるはずである。また，本犯者が詐欺や恐喝により財物を取得したが，被害者が（いまだ）意思表示を取り消さないとき（民 96 条を参照），民法上契約は（ひとまず）有効で財物の所有権は本犯者に属するのであるから，物に対する追求権の保護を根拠に本罪の成立を認めることはできないはずなのである[6)]。また，目的物が不動産であるとき，場所的移動のない不動産については，追求権の行使が困難になったということはいえないであろう[7)]。

現在の多くの見解は，盗品関与罪の成否を民法上の返還請求権の有無に必ずしも依

---

5)　最判昭和 26・1・30 刑集 5 巻 1 号 117 頁は，「論旨は贓物牙保（がほ）〔有償処分あっせん〕罪は贓物に対する被害者の返還請求権の行使を不能，又は困難ならしめるおそれのある犯罪であると前提し被告人の無罪を主張するのであるが，贓物に関する罪を一概に所論の如く被害者の返還請求権に対する罪とのみ狭く解するのは妥当でない，（法が贓物牙保を罰するのはこれにより被害者の返還請求権の行使を困難ならしめるばかりでなく，一般に強窃盗の如き犯罪を助成し誘発せしめる危険があるからである）」とする。また，最決平成 14・7・1 刑集 56 巻 6 号 265 頁も，「盗品等の有償の処分のあっせんをする行為は，窃盗等の被害者を処分の相手方とする場合であっても，被害者による盗品等の正常な回復を困難にするばかりでなく，窃盗等の犯罪を助長し誘発するおそれのある行為であるから，刑法 256 条 2 項にいう盗品等の『有償の処分のあっせん』に当たると解するのが相当である」とする。

6)　さらに，本犯が外国人によって外国で実行され，日本の刑法が適用されない場合（刑法 1 条以下参照），本罪を特定の被害者の財産の保護のための犯罪類型と解するならば（外国の法益を保護する必要はないから）日本に持ち込まれた被害物件は本罪の客体とはなりえないとされることになろう。もっとも，この点については，肯定説が多数である。大塚・335 頁，大谷・353 頁，斎藤・201 頁以下，団藤・663 頁以下，中森・165 頁注 123），前田・306 頁など。反対，高橋・443 頁，西田・292 頁，林・308 頁，山口・341 頁など。

7)　平野・概説 234 頁。

存させるべきでないと考え，**追求権を広く理解**するか，追求権説を基本としつつも**違法状態維持説を加味**し，または**追求権説と違法状態維持説とを結合**させた立場から，本罪の本質を理解すべきだとする[8)]。すなわち，詐欺や恐喝の被害者がいまだ意思表示を取り消していないときでも，そこに「違法な財産状態」があることは否定できず，「取り消した場合の返還請求が困難にならないこと」が被害者にとっての財産的利益であることに変わりはないという。不法原因給付物の場合のように，被害者が民法上保護される立場にないときでも，「私法上の請求権と離れた刑法独自の観点」から見ると，本犯たる財産領得罪が成立するところでは「違法な財産状態」が生じているのであるから，その維持・存続に寄与する行為については本罪が成立するというのである。

しかしながら，こうした説明に十分の説得力があるかどうかに疑問があるばかりでなく，追求権の侵害といっても間接的な財産侵害であり，違法状態の維持といってもより曖昧な法益であって，そのことにより，本罪に対し重い刑が法定されていること（本罪の所為は横領に近いが，横領の罪に対するよりも重い刑が法定されている），そして，256条2項の罪に対しては罰金が（必要的に）併科されることを説明することは困難であろう。そこで，学説においては，財産犯的性格にあわせて，犯人庇護罪的性格[9)]をもあわせ考慮しようとする見解（**総合説**）がかなり有力に主張されている。すなわち，財産犯的側面に加えて，本犯者に事後に協力して盗品の処理等を助け，財産犯を広く誘発・助長するという側面をもつ犯罪[10)]として本罪を理解するのである[11)]。

---

8) たとえば，団藤・660頁以下，中森・164頁，福田・293頁以下など。

9) 犯行後における援助・協力行為を処罰の対象とする，現行刑法上の**犯人庇護罪**としては，犯人蔵匿等罪（103条）および証拠隠滅等罪（104条）がある（→628頁以下）。しかし，財産領得罪に関しては，これらの**人的庇護**の処罰規定のみでは十分でなく，一般予防的観点から，被害物件の処分や保管等に関する援助・協力行為，すなわち**物的庇護**行為まで強く禁止することが必要だと考えられるのである。

10) 財産犯的側面に加えて，犯人庇護罪的側面をあわせ考慮する見解によると，本罪は，本犯者への犯行後の協力・援助行為を禁止して本犯者を「孤立」させ，財産犯への誘因を除き，ひいては盗品の処理や売却のための非合法的な仕組み（たとえば，ブラックマーケット）の形成を阻止するところに（も）その処罰の根拠が求められることになる。たしかに，そのように考えれば，本罪に対する刑が重いことも理解できるし，また，拘禁刑と罰金刑とを併科することを規定していることも，犯罪の利欲犯的性格に対応しようとしたものとして説明可能となる。さらに，後に述べるように，257条（→403頁）の法的性格も正しく理解することが可能となるのである。

11) たとえば，大塚・331頁以下，大谷・351頁以下，斎藤・200頁，高橋・440頁以下，西田・289頁以下，林・304頁以下，前田・303頁以下，松原・369頁以下，山口・337頁以下，山中・469頁以下など。

判例も，このような**犯人庇護罪的側面ないし本犯助長的・事後従犯的側面をあわせ考慮する立場**にしたがっていると理解することができる[12]。盗品等に関する罪は，**犯罪による不正収益の保持・隠匿・利用の規制**という，より大きな刑事政策的施策の一環として位置づけうる内容をもつ[13]。

なお，本罪について注目すべきことは，**本条第2項の罪**において，法定刑に**罰金**が加えられていること，そして，それは拘禁刑に**必要的に併科**される（「又は」ではなく「及び」と規定されている）ことである（刑法典において，罰金を必要的に併科する規定は，他に存在しない）。これは本罪が利欲目的でくり返し（しばしば組織的・営業的に）実行され，しかも本犯者の庇護（ひいては財産犯の禁止規範の弱体化・無効化）の作用をもちうるところから，刑による感銘力を高めることを意図したものとして理解できる。ある高裁判例は，罰金刑併科の趣旨は，「利欲的動機により犯行に及んだ者に財産的苦痛を与え，この種の犯行が経済的に引き合わないことを感銘付けることにある」としている[14]。

2　盗品等関与罪

（盗品譲受け等）

第256条①　盗品その他財産に対する罪に当たる行為によって領得された物を無償で譲り受けた者は，3年以下の拘禁刑に処する。

②　前項に規定する物を運搬し，保管し，若しくは有償で譲り受け，又はその有償の処分のあっせんをした者は，10年以下の拘禁刑及び50万円以下の罰金に処する。

(1)　主　体

本犯たる財産罪の正犯者（共同正犯者も含む）については，本罪で処罰することはできない。たとえば，その物を盗んできた窃盗犯人自身は，物を運搬した

12）　前掲注5）に引用した判例を参照。

13）　そのような狙いをもった犯罪類型としてマネーロンダリング罪（不正資金の洗浄罪）がある。それは，犯罪によって取得した不法な利益の出所を隠して合法的な収入を偽装し，または，不正な収益を（金融機関等を利用して）合法的な資金に換える罪のことをいう。たとえば，薬物犯罪で得た不法な収益を架空名義で銀行に預け，口座から口座へ何度も移動することにより，出所や由来，真の所有者を不明にする行為がこれにあたる（麻薬特6条・7条，組織犯罪10条・11条参照）。

14）　東京高判平成19・7・4高刑速平成19年260頁。

り保管したりしても，本罪で処罰されることはない。このとき，本犯者は本罪の主体から除かれているのか（したがって，すでに盗品等関与罪の構成要件に該当しないのか）が問題となる。

1つの考え方は，本犯者のその行為は（本犯の処罰により一緒に罰せられる）**共罰的事後行為**にすぎず，盗品等関与罪の構成要件には該当するというものである[15]（→254 頁）。それによれば，本犯と関わりがない甲が，本犯の正犯者乙の盗品運搬行為（→398 頁）を幇助したというとき，甲は盗品運搬罪の従犯としては処罰されることとなろう[16]。しかし，本犯者に（たとえ一方的であっても）事後的に協力するところに盗品関与罪の違法性が生じる（→391 頁以下）と考えると，本犯1人だけでは，そもそも本罪として処罰すべき行為を行いえない（本罪としての違法性が生じえない）ということになる。実際的にも，本犯行為が過失で行われた場合や，本犯行為について違法性阻却事由ないし責任阻却事由が存在する場合（または，それらの可能性を排除できない場合）を考えると，そのときには後の行為を理由にして（たとえその行為が普通の盗品等関与罪の実行行為とまったく同様に，被害者の物に対する追求権を侵害するものであるとしても）本犯の行為者を盗品等関与罪（たとえば，運搬罪や保管罪）で処罰することはできないであろう。そうであるとすれば，本犯者は本犯者としてでしか処罰できず，**本犯者は盗品等関与罪の主体から除かれている**[17]（盗品等関与行為は，**純然たる不可罰的事後行為**といってもよいであろう）。したがって，たとえば，本犯者自身の行う盗品運搬行為に関与した第三者を盗品運搬罪の従犯として処罰することはできない（当然のことながら，正犯として処罰することはできる）という結論になる。

これに対し，本犯者を教唆ないし幇助したにすぎない者（狭義の共犯者）については，盗品等関与罪による処罰は可能である。たとえば，甲が乙に対し窃盗を教唆し，その後，窃盗を実行した乙から盗品を買い取ったというとき，甲

15）たとえば，山口・349 頁。

16）正犯者について構成要件に該当する違法行為が認められる限りは，これに対する共犯は成立しうる。もし乙の行為が盗品運搬罪の構成要件にも該当しないと考えるのであれば，これに対する共犯も成立しえない（**共犯従属性**の原則〔→総論 481 頁以下〕）。

17）団藤・668 頁，林・307 頁など。

は，窃盗教唆罪と盗品有償譲受け罪の刑事責任を負う[18]。それは次のような理論的根拠に基づく。すなわち，本犯たる財産犯（たとえば，窃盗罪）の正犯が成立するときには，それにより，本犯者の行った行為の違法性は（事後における運搬行為や保管行為等のそれを含めて）すべて評価されることになるが，本犯の共犯としての評価は，後に行った盗品関与行為の違法性までをカバーしうるものではない（したがって，あらためて盗品等関与罪により評価する必要がある）からである。

(2) 客　体

本罪の客体は，「盗品その他財産に対する罪に当たる行為によって領得された物」（256条1項）である。本犯は財産罪（盗品等関与罪を含む）に限られ，収賄罪や賭博罪等の犯罪によって得られた物は客体から除かれる。なお，本犯は犯罪として完全に成立する必要はなく，**構成要件に該当する違法な行為**であれば足りるという点で争いはない。**故意**をもって行われることも必要である。本犯が既遂の法的評価を受けることは必ずしも必要でなかろう。また，その客体につき被害者が民法上の返還請求権を有する場合であれば，本罪の客体となりうることに異論の余地はない。その盗品をさらにある人が善意・無過失で買い受けたことによりその人がこれを**即時取得**（民192条）したとしても，被害者は盗難の時より2年間，その物の回復を請求する権利を有する（民193条）から，その限りで本罪の客体たりうるのは当然である。

本犯者と盗品等関与罪の犯人との間に善意の第三者が介在する場合　たとえば，窃盗犯人甲からそれが盗品であることを知らずにAが善意・無過失で買った物について，Aの依頼を受けて乙がそれを盗品であることを知りつつその買い手を探し売却処分のあっせんを行ったというケースで，乙に盗品等関与罪（この場合には，有償処分あっせん罪〔256条2項〕）が成立するか。

追求権説によれば，被害者がその物について有する追求権（民法上の返還請求権）が本罪の保護法益であり，この事例では，Aは盗品を善意・無過失で買い受けたことにより即時取得したものであるが，盗難の時点から2年が経過していない限りで，

18）本犯たる窃盗の教唆者・幇助者が盗品等関与罪を犯したとき，窃盗教唆罪・幇助罪と盗品等関与罪との両罪が成立し，併合罪とするのが確立した判例である。たとえば，最判昭和24・7・30刑集3巻8号1418頁，最判昭和28・3・6集刑75号435頁など。

乙は被害者の有する返還請求権の行使を困難にしたものであり，有償処分あっせん罪の成立が認められることとなろう[19]。

これに対し，盗品等関与罪の犯人庇護罪的性格を強調するとき，本犯者への直接的な事後的協力・援助という要素を備えることが不可欠だと解するならば，そのような要素の認められない上記ケースでは，盗品等関与罪は成立しないとする結論も導かれることになろう。もっとも，犯人庇護の側面を重視しつつも，犯人庇護罪においては，犯人との合意は要件とされず，一方的・片面的に成立しうると考えれば（現に，犯人蔵匿等罪や証拠隠滅等罪のような犯人庇護罪〔→628頁以下〕は，一方的・片面的に成立する），盗品と知って行為が行われる限り，客観的に犯人庇護と本犯助長の効果が生じるとして，有償処分あっせん罪の成立を認めうるとすることも可能である[20]。

他方で，**民法上の規定により被害者がすでに所有権を失うに至った物は**，**判例・通説**によれば本罪の客体にならない。たとえば，

①即時取得により被害者の追求権が失われたとき，

②盗品に加工が施されることによって所有権が工作者に帰属したとき，

③換金や交換により別の物に姿を変えたとき（たとえば，売却により金銭化されたとき）

などには盗品性は失われる。これは，追求権説によるときに最も説明しやすいことであるが，追求権保護以外の観点を強調する見解も，このような盗品性の限定に反対しない。そのような限定を否定するとき本罪の成立範囲が広くなりすぎることもその理由であろうが，現行刑法の盗品関与罪が，あくまでも物に向けられた財物罪として規定されており，解釈にあたってはそのことを無視できないからである[21]。

19）類似のケースに関する前掲注*4*）最決昭和34・2・9は，贓物牙保（有償処分あっせん）罪の成立を認めた。

20）他方で，犯人庇護罪としての性格を重視するときは，民法上の返還請求権の有無は本質的ではなく，かりに盗難の時点から2年が経過した後でも，乙が本犯者に協力しこれを庇護する行為を行ったといいうる限りで，盗品等関与罪の成立を認めるべきだとする考え方も出てくるであろう。

21）目的物が同一性を失い**代替物**に形を変えたときにはもはや本罪の客体にはならない。たとえば，盗品たる宝石を売却して得た現金まで盗品にあたるとすることは，256条の解釈として困難であろう。

客体の同一性　民法上の**付合**（民 243 条）と**加工**（民 246 条）は，所有者の異なる2個以上の物が結合して社会通念上分離することが不可能となったときに，一定の者にその所有権を取得させ，その反面において従来の所有権の消滅を認める制度である。判例・通説によれば，民法上の規定により被害者がその物の所有権を失ったとき，その物はもはや盗品ではなくなる。付合や加工の要件を充たさず，既存の所有権がいまだ消滅するに至らない限りは盗品としての同一性を維持する。

たとえば，判例の事案では，甲が，乙の窃取してきた中古婦人用自転車から車輪とサドルを取り外し，これらを乙の持参した男子用自転車の車体に取り付けて，これをAに売却するあっせんをした。もしそれが付合または加工にあたるとすれば，盗品たる車輪・サドルと，できあがった新たな自転車との間にはもはや同一性がないと考えられることになるから，その盗品性は否定されることになる。この点に関し，車輪とサドルを取り付けることは「損傷しなければ分離することができなくなった」といえないから「付合」にあたらないし（民 243 条参照），「加工」は工作を加えることにより物にかなりの程度の価値の増加が生じることが前提となるが，容易に分離が可能な形で車輪とサドルを取り付ける程度のことではこれにあたるといえない（民 246 条）とすれば，既存の所有権を消滅させることが合理的と考えられるような事態が生じたとすることはできない。最高裁は，このケースについて，盗品としての同一性を肯定して，盗品等有償処分あっせん罪（当時の贓物牙保罪）の成立を認めた[22]。

判例によれば，そのほか，窃取または強取してきた貴金属の原形を変えて金塊とした場合の金塊[23]や，盗伐した木材を製材して搬出した場合の木材[24]などは盗品性を失わない。そればかりか，判例は，横領して得た紙幣・銀貨を両替して得た現金[25]や，詐欺で得た小切手を現金化して得た金銭[26]についても，盗品としての同一性を肯定して

22） 最判昭和 24・10・20 刑集 3 巻 10 号 1660 頁。この判決は，上記の事例については，「判示のごとく組替え取付けて男子用に変更したからといって両者は原形のまま容易に分離し得ること明らかであるから，これを以て両者が分離することできない状態において附合したともいえないし，また，もとより所論のように婦人用自転車の車輪及び『サドル』を用いて乙の男子用自転車の車体に工作を加えたものともいうことはできない。されば中古婦人用自転車の所有者たる窃盗の被害者は，依然としてその車輪及び『サドル』に対する所有権を失うべき理由はなく，従って，その賍物性〔盗品性〕を有するものであること明白である」とした。

23） 大判大正 4・6・2 刑録 21 輯 721 頁。

24） 大判大正 13・1・30 刑集 3 巻 38 頁。

25） 大判大正 2・3・25 刑録 19 輯 374 頁。

26） 大判大正 11・2・28 刑集 1 巻 82 頁。ただし，この判例について，大コンメ 13 巻 729 頁〔河上和雄＝渡辺咲子〕も参照。

いる。[27] **金銭や小切手**については，**高度の代替性**を有し，物体であるというより価値そのものといってよいことを理由として，その限度で代替物の盗品性を肯定することが可能であろう。[28]

問題は，**本犯者が取得した財物について被害者に法律上の追求権がない場合**である。追求権説を厳密に理解すると，たとえば，本犯の客体が禁制品（麻薬・覚せい剤や銃砲刀剣類等）であったとき，被害者の追求権は否定されることから，盗品性は否定されることになってしまうであろう。また，その物が不法原因給付物（民708条）の場合，被害者には民法上その物の返還を請求する権利がないから，盗品性は否定されると考えるのが追求権説の論理的帰結である（たとえば，甲が，Aを憎むBに対して「Aを殺してやる」と持ちかけて謝礼としての現金を騙し取った場合，また，乙がCに対し売春の約束をして現金を騙し取った場合など，それらの現金は本罪の客体にはならないことになる）。しかしながら，禁制品が財物罪の客体になりうることは争われておらず，不法原因給付物についても詐欺罪の客体となりうる[29]とするのが判例・通説である（→327頁，337頁）。ここにおいて，先行する財産領得罪が成立するケースなのであれば，犯罪実行後の物の保管や処分等に協力する行為をおよそ不可罰とするのは結論として疑問がある。もし本罪の成立を肯定しようとするならば，被害者の民法上の権利の保護を理由となしえない以上，**追求権の保護以外の観点**を考慮するよりほかはないことになる。[30]

(3)　行　為

(a)　実行行為　　盗品等関与罪の実行行為は，無償譲受け（1項），運搬，保管，有償譲受け，有償処分のあっせん（以上，2項）の5種類である。盗品等

---

27)　反対，内田・384頁，団藤・665頁以下など。

28)　これに対し，たとえば，盗品たる文書，電磁的記録，ビデオテープなどをコピーしたものについては，本罪の客体にあたるとすることはできないであろう。

29)　ただし，**不法原因給付物の横領**については，その可罰性をめぐり見解の対立がある（→364頁以下）。

30)　盗品等関与罪の処罰根拠として候補に挙がりうるのは，たとえば，先行する財産犯により形成された違法な財産状態の維持に関わることを禁止することの必要性や，本犯者の庇護ないし本犯者への事後的協力を禁止することの必要性といった理由である（→391頁以下）。

関与罪においては，**未遂は処罰されない**[31]。なお，盗品等に関する罪も，領得罪に分類され（間接領得罪），その実行行為は，破壊的動機に基づくものではなく，有体物をめぐり利益を得ようとするものである。そこで，不法領得の意思は基本的には要求されるべきだとはいえ，本犯者による領得行為への関与・協力を通じて本犯者に利益を得させ，場合により自分も有形・無形の利益を得るための行為であることから，その内容は相当に薄められたものになるといえよう。ちなみに，ドイツ刑法の贓物罪（259条）は，窃盗罪などで要求される不法領得の意思を要件としておらず，それとは別に「利益を得る目的または第三者に利益を得させる目的」を要件としている。

無償譲受け（収受）とは，盗品等を無償で取得することをいう。この無償譲受け罪に対しては，他と比べて特に軽い刑が法定されている（256条1項）。本犯者庇護の観点から見ると，無償譲受けは，本犯の所為を是認した上でその利益にあずかり，消極的な形で本犯者に協力しこれを（物理的・心理的に）援助する行為であって違法性も低く，また，誘惑的な行為であることから責任も軽いといえる。これに対し，運搬，保管や有償譲受け等（同条2項）は，積極的に本犯者の盗品利用を助ける行為が類型化されたものであり，特に本犯者庇護の禁止の観点からは重い処罰に値する。

運搬とは，委託を受けて盗品等を場所的に移転させることをいう。**保管（寄蔵（きぞう））**とは，委託を受けて本犯者のために盗品等を保管することをいう。保管罪が成立する場合，すでに保管の開始時において客体が盗品であることにつき故意が認められるのが普通であろうが，保管開始後，保管中に情を知るに至ることもありえよう。判例・通説は，このような場合でも盗品保管罪が成立すると解する。

保管罪における知情の時期　一般論として，故意が必要とされるのは，実行行為（構成要件該当行為）の時点においてである。したがって，行為を開始する時点にすでに故意がなければならないか，それとも途中から生じた場合でも足りるかは，それぞれの犯罪において**いかなる行為が構成要件該当行為とされているか**によって決まる。たとえば，窃盗罪については，財物の占有を移転させる行為の時点で故意がなければ

31）団藤・666頁は，立法論として再考を要するとする。

ならない。窃取行為，すなわち財物の占有を移転させる行為が構成要件該当行為だからである。占有取得後にも法益侵害状態は継続するが，それは構成要件該当行為の一部をなすものではない（**状態犯**〔→256 頁〕）。これに対し，監禁罪においては，自由の侵害が継続するその途中から故意を生じても，その時点以降は犯罪が成立しうる。行動の自由の侵害が継続する限り構成要件該当性を認めることが可能だからである（**継続犯**〔→163 頁〕）。

かくして，盗品保管罪がどちらのタイプの犯罪に属すると考えるか（状態犯か，それとも継続犯か）により結論が分かれることになる。判例[32)]および通説[33)]は，保管のための占有開始後に知情が生じた場合にも保管罪が成立すると解するが，これは保管をそのまま継続することが保管罪の構成要件の内容だと考えるからである（**継続犯説**）。これに対し，学説においては，保管のための占有開始の時点に故意がなければならないとする見解も有力である[34)]。それは物品を預かりその占有を開始する行為こそが構成要件該当行為にほかならないと解するからである（**状態犯説**）。

判例および通説によれば，保管罪の構成要件の内容は，保管のための占有移転ではなく**保管の継続そのもの**である。このような解釈は，保管の継続自体が被害者の追求権の行使を困難にし，また本犯者に協力しこれを庇護する意味をも有する点で，保管のための占有の移転と性質は変わらないということをその根拠としている[35)]。しかし，保管の継続そのものを処罰の対象とするならば，**盗品をそのまま返還しないという不作為を処罰**することになる点で疑問が生じる。刑罰をもって盗品の返還または占有の放棄を義務づけることは行き過ぎではないかと考えられる。さらに，追求権説の立場か

---

32) 最高裁は，「賍物であることを知らずに物品の保管を開始した後，賍物であることを知るに至ったのに，なおも本犯のためにその保管を継続するときは，賍物の寄蔵にあたるものというべきであり，原判決に法令違反はない」として，贓物寄蔵罪（盗品保管罪）の成立を肯定した（最決昭和 50・6・12 刑集 29 巻 6 号 365 頁）。なお，原判決（大阪高判昭和 49・4・9 刑集 29 巻 6 号 371 頁）は，次のように述べていた。「かかる場合においても，賍品の返還が不能であるとか，或いは賍品につき質権が効力を生ずる等賍品を留置し得る権利が生じた場合を除いては，賍物寄蔵罪が成立すると解するのが相当である。けだし，窃盗罪の事後従犯として，盗品に対する被害者の追及（ママ）権を保護し，かつ，窃盗本犯を助長する行為を禁ずる等の賍物罪の保護法益および立法理由に徴すれば，賍品の返還が可能であり，かつ，法律上これを拒否する理由がないのに拘らず，知情後においてもなお保管を継続する行為と，当初より賍物であることの情を知りながらこれを預り保管する行為とを区別する理由はないからである」。

33) 大塚・338 頁，大谷・358 頁，川端・444 頁，西田・295 頁，福田・297 頁，前田・309 頁，松宮・312 頁，山中・478 頁など。

34) 高橋・450 頁，中森・168 頁，林・311 頁，平野・概説 235 頁，松原・380 頁以下，中山・230 頁，山口・347 頁など。

35) たとえば，西田・295 頁など。

らは，有償譲受け等の場合と同様に[36]，**盗品の占有の移転こそが追求権行使を困難にする**と考えるべきであるし，また，犯人庇護の観点から見ても，情を知りつつあえて本犯者に協力して保管を引き受けるところに違法性が認められると考えるべきであり，その意味でも途中から事情を知った場合には保管罪の成立を否定する見解の方に説得力がある。

有償譲受け（**故買**（こばい））とは，盗品等を有償で取得することをいう。盗品等関与罪の実行行為のうち，最も代表的な類型といえよう。**有償処分のあっせん**（**牙保**（がほ））とは，盗品等についての有償的な法律上の処分を媒介・周旋（あっせん）することをいう。有償処分あっせん罪の**成立時期**[37]につき，判例は，あっせん行為をすればそれで足りると解する（**周旋行為説**）。その理由として，本罪の処罰理由は「被害者の返還請求権の行使を困難ならしめるばかりでなく，一般に強窃盗の如き犯罪を助成し誘発せしめる危険がある」ところに求めることができ，仲介あっせん行為が行われるだけでそのようなおそれが十分にあることが挙げられている[38]。

(**b**)　被害者による盗品等の正常な回復を困難にする行為　　特に，運搬罪と有償処分あっせん罪に共通する問題として，**盗品を被害者のところに運搬する行為や被害者に買い取らせるべくあっせんする行為**が構成要件に該当するかどう

36）保管以外の，無償ないし有償の譲受け等については，占有取得後に盗品であることに気がついたとしても，犯罪は成立しない。判例も，たとえば有償譲受け（故買）について「情を知りつつ盗品を受領すること」を要求している。これに対し，有償処分あっせんについては，盗品等であることの認識が，盗品等の占有移転時ではなく，処分の段階にあればよい。

37）なお，盗品等関与罪においては未遂は処罰されないので，**処分あっせんの未遂行為は不可罰**である。

38）前掲注5）最判昭和26・1・30は，周旋行為を行いさえすればよいとする周旋行為説をとるが（これに賛成するのは，伊東・243頁，前田・309頁以下，山中・479頁以下など），学説の中には，譲受け・運搬・保管がすべて**客体の移転を要件**としているところから，有償処分あっせん罪についても客体の移転を要求すべきであるとして**盗品移転説**をとるものがある（曽根・195頁，高橋・447頁以下，西田・296頁，中山・229頁など）。盗品の移転があれば本罪の成立を認めることに異論は生じないが，盗品の移動をともなわずに買い手を探して交渉の上，売買契約の成立に至ることもあるところから，常に盗品の移転まで要求するのは行き過ぎであり，そういう場合には，周旋行為を行ったことだけでなく，契約の成立まで要求すべきであろう（**契約成立説**）。たとえば，大塚・339頁，大谷・359頁，川端・444頁，福田・299頁以下などを参照。

かが問われる。判例はこれを肯定する。すなわち，窃盗の被害者から盗品の回復を依頼された者が，本犯者および被害者と交渉してこれを被害者にかなりの高額で買い戻させることにし，その金額を支払わせた上，盗品を被害者宅に運搬した行為について運搬罪の成立を認めており，その際，このケースの盗品の運搬は被害者のためになしたものではなく，窃盗犯人の利益のために行われたものであって，これにより被害者をして盗品の正常な回復をまったく困難ならしめたものであるとした原判決の判示を正当としている[39]。また，窃盗の被害者を相手方として盗品の有償処分のあっせんをする行為につき，「被害者による盗品等の正常な回復を困難にするばかりでなく，窃盗等の犯罪を助長し誘発するおそれのある行為であるから」という理由を示して，盗品等有償処分あっせん罪の成立を肯定している[40]。盗品等関与罪を，本犯者を庇護し窃盗等の犯罪を助長することを禁止する罪として把握するときには（→391頁以下）その結論を支持できるし，また，追求権という観点からも，**被害者にとり正常な回復（すなわち，無条件・無償の回復）が困難にされた**ときには，本罪による処罰を肯定することに理由があると考えることができよう[41]。

（c） 故 意　**盗品等関与罪の実行行為の主観面**として，客体が盗品であることについての故意（これを特に**知情**という）が要求される。少なくとも未必の故意があることが必要であり，かつそれで足りる。判例は，贓物故買罪（盗品等有償譲受け罪）に関し，「故意が成立する為めには必ずしも買受くべき物が賍物であることを確定的に知って居ることを必要」とせず「或は賍物であるかも知れないと思いながらしかも敢てこれを買受ける意思（いわゆる未必の故意）があれば足りる」としている[42]。これは，故意と過失の区別に関する**認容説**に立つものと一般に理解されている（→総論177頁以下）。

盗品性に関する未必的故意を訴訟上立証することは必ずしも容易なことではないことから，盗品等関与罪につき，訴訟法的に挙証責任の転換を認めること

39）　最決昭和27・7・10刑集6巻7号876頁。

40）　前掲注*5*）最決平成14・7・1。

41）　中森・167頁，西田・294頁以下，297頁，山口・346頁などを参照。反対，大谷・357頁，359頁，高橋・449頁，林・305頁以下，松原・376頁以下など。

42）　最判昭和23・3・16刑集2巻3号227頁。

や，故意の推定に関する規定，さらには過失処罰の規定を新設することが主張されたこともある。現行法の下では，**情況証拠から盗品性の知情を認定**するほかはない。これまでの判例には，①売渡人の属性・態度等から未必の故意を認めるもの，②物品の性質・数量・価格等から盗品性の知情を認定するもの，③取引の形態・その特殊性から故意を推定するもの，④前後における行為者の行動から故意を認めるものなどがある[43)]。現実には，これらの事情が総合されて未必的認識が認定される場合が多い。

(4) 罪数，他罪との関係

甲が乙に対し窃盗を教唆し，その後，これを実行した窃盗の正犯者乙から盗品を買い取ったというとき，甲は，窃盗教唆罪と盗品有償譲受け罪の罪責を負う（→393 頁以下）。判例によれば，両罪は併合罪の関係に立つ（しかし，学説においては，両罪は牽連犯であるとする見解もある）。

256 条 2 項にあたる異なった行為が，同一の盗品等について行われることがある。たとえば，盗品を有償で譲り受けた後，それを運搬したときは，運搬行為は共罰的事後行為となろう。有償処分のあっせんのために盗品を運搬したり保管したりしたというときは，有償処分のあっせん罪が成立し，運搬と保管はこれに吸収されると考えるべきであろう。

有償処分のあっせんの際，情を知らない人 A に対し盗品を売却することは，一項詐欺罪を構成しうる。それはあっせんの当然の結果であるからあっせん罪のみが成立するという判例があるが[44)]，本犯によるのとは異なる被害者 A に被害が生じており，それはあっせん罪により包括的に評価できないものであるか

---

43) 前掲注 *42)* 最判昭和 23・3・16 は，有償譲受け罪に関し，買受人が売渡人から盗品であることを明らかに告げられた事実がなくても，買受物品の性質，数量，売渡人の属性，態度等諸般の事情から「あるいは盗品ではないか」との疑いを持ちながらこれを買い受けた事実が認められれば未必の故意が認定できるとしている。なお，最判昭和 58・2・24 判時 1070 号 5 頁は，被告人甲が，高校生の A に現金 2 万円を貸すにあたり，A が持参した時価 6 万円を超える盗品としての宝石等を虫めがねで確認してからこれを担保として預かったことが盗品保管罪を構成するとして起訴されたケースについて，甲と A との従来の関係，A の人物や素行についての甲の認識，本件物品の性状およびその対価の額，この種の物の売買や収受に関する甲の従前の行動等の点においてさらに推認を強める特段の事情が認められない限り，情況証拠による知情の認定ができないとして，原判決を破棄し無罪とした。

44) 大判大正 8・11・19 刑録 25 輯 1133 頁。大谷・361 頁もこれを支持する。

ら，疑問であろう[45]。詐欺罪も成立し，観念的競合にすべきものと考える。

3　親族間の犯罪の特例

（親族等の間の犯罪に関する特例）
第257条①　配偶者との間又は直系血族，同居の親族若しくはこれらの者の配偶者との間で前条〔256条〕の罪を犯した者は，その刑を免除する。
②　前項の規定は，親族でない共犯については，適用しない。

盗品等に関する罪については，244条の**親族相盗例**（→267頁以下）が準用されず，親族間において本罪が犯された場合には，本条1項の規定により**刑が免除**される[46]。同項による刑の免除は，244条の場合と異なり「法は家庭に入らない」という政策的根拠によるものではなく（すぐ次に述べるように，行為者と本犯の被害者との間に親族関係が存在することは要求されない），親族間においては依頼・協力を容易に拒絶できないところから**適法行為の期待可能性が低減**することに基づき**責任減少**を理由とする寛大な扱いを認めたものである[47]。

判例・通説によれば，本条の定める親族関係は，**本犯者と盗品等関与罪の犯人との間**に存在することが必要である。これに対し，学説の中には，本犯の被害者と盗品等に関する罪の犯人とが親族でなければならないとする見解もある[48]。たしかに，財産犯としての理解を貫けば，244条の場合と同じく，本犯の被害者との間に親族関係を要求するのが論理的ではある。しかし，本罪が行われる場合に，本犯の被害者との間に親族関係が存在することは稀有ないし偶然的なことであるし，他方，本犯者と一定の親族関係にある者が親族から依頼を受け

45）　山口・350頁。

46）　257条2項は，1項の規定は「親族でない共犯については，適用しない」と定める。これは，現行刑法が，正犯における責任減少が共犯に影響しないことを認めたものであり，**共犯に関する制限従属性説**（→総論483頁）の実定法上の1つの根拠と考えることもできる。

47）　257条1項の適用のある場合にも，犯罪は成立するが，責任が大きく減少することに基づき刑が大幅に軽減され，ひいては刑の免除に至るのである。そのように考えるとすれば，本規定にあたる事実に関する錯誤については38条2項を適用（して直ちに刑の免除を肯定）することはできないと解される（→総論425頁）。

48）　植松・470頁，香川・592頁など。

これを助けるため256条にあたる行為をすることは現実にしばしば見られるところであり，257条はこのことに注目した規定と解しうるから，通説の結論の方が妥当といわざるをえないであろう[49]。

盗品等関与罪の犯人相互の間に親族関係がある場合　判例は，甲が窃盗犯人Aから，盗品であることを知りつつ炭坑用のローラシャフト等を買い受け，甲の夫である被告人乙が，盗品であることを知りつつこれを自動三輪車に載せて自宅からB金属株式会社の営業所まで運搬したという事例について，「刑法257条1項は，本犯と贓物に関する犯人との間に同条項所定の関係がある場合に，贓物に関する犯人の刑を免除する旨を規定したものであるから，原判決が，たとい贓物に関する犯人相互の間に右所定の配偶者たる関係があってもその刑を免除すべきでない旨を判示したのは正当である」とした[50]。

しかし，学説においては，判例に反対し，このケースのような場合にも，刑の免除を認めるべきだとする見解も有力である。すなわち，盗品等に関する罪もまた本犯たりうるのであり，しかも，親族からの依頼を容易に拒絶できないという点では，通常の財産犯の犯人からの場合と盗品等に関する罪の犯人からの場合とで同じであって，上のケースの場合でも責任減少は認めることができるというのである[51]。

49）むしろ，257条は，犯人庇護罪に関する105条（→640頁以下）と同趣旨の規定と解すべきであろう（→391頁注10)）。盗品関与罪の財産犯的側面のみに注目する限りは，257条を説明することは困難である。**本罪の犯人庇護罪的性格**に由来するものと考えるとき，同規定を正しく理解することも可能となろう。

50）最決昭和38・11・8刑集17巻11号2357頁。判例の結論を正当化するためには，次のような説明が考えられるであろう。すなわち，盗品等関与罪の違法性は，もともと盗品等関与罪を除く通常の財産領得罪の犯人を庇護するところに生じるのであり，そのような本犯者庇護は間接的に行われるものであっても足りる（したがって，盗品等関与罪も本犯たりうる）が，しかし，もともとの**盗品等関与罪を除く通常の財産領得罪の犯人の庇護の点につき責任の減少**が認められなければ257条の特例を適用することはできないと考えるのである。川端・447頁，佐久間・259頁，西田・299頁，前田・312頁，山中・484頁を参照。

51）伊東・244頁，中森・170頁，林・312頁以下，松原・383頁，山口・351頁など。なお，257条1項の規定そのものが立法論的に必ずしも合理的でないという指摘もある。すなわち，親族が関与する場合のすべてについて必ずしも責任減少が認められるとは限らず，行為者がもっぱら利欲的動機で行為することも多いとするのである（藤木・364頁）。ここから，規定の適用範囲をなるべく狭くするような限定的な解釈が要請されるとすれば，判例のような事案では本規定の適用が否定されるべきことにもなる。

■ 第15章 ■

毀棄・隠匿の罪

1 総　説

刑法は，領得目的による領得罪と，毀棄・隠匿目的による毀棄・隠匿罪とを区別し，前者の領得罪の処罰を中心にしている（→226頁，234頁）。刑法典の235条から257条まで（第2編第36章から第39章まで）の規定に含まれる処罰規定は，基本的に領得罪に関わるものであり，毀棄・隠匿罪の規定は，258条以下の数カ条（第40章）にすぎない。領得罪の方が処罰の範囲が広く，また刑もより重い。

毀棄・隠匿罪の中心的な規定である**器物損壊罪**（261条）を見ることにしよう[1]。実は，犯罪統計上は，刑法典の犯罪の中で，窃盗罪に次いで認知件数が多いのが器物損壊罪である[2]。そして，器物損壊罪は，窃盗罪と多くの点で共通点をもっている。まず，両罪とも財物を客体とする財物罪である。261条には，単に「物」とあるが，これが「財物」と同じ意味であることにつき異論はない（財産犯の客体としての「財物」については，227頁以下を参照）。次に，器物損壊罪

1）ちなみに，261条には，音読すると，3つの「もの」が登場する。そこで，専門家は，2つ目の「物」を「ブツ」，3つ目の「者」を「シャ」と読むことにより，この3つを区別することがある。なお，法文においては，「もの」は，より広い概念としての「物」または「者」を前提として，これをより限定するときに使うものとされている。この点について，道垣内弘人『プレップ法学を学ぶ前に〔第2版〕』（2017年）30頁以下を参照。

2）法務総合研究所編『令和4年版犯罪白書』（2022年）5頁を参照。

は，窃盗罪と同様に，所有権を原則的な保護法益とする点で共通する（ただし，262条〔→416頁〕）。ただ，窃盗罪においては占有も保護の客体となっているが，器物損壊罪は占有を保護するものではない。かりに占有侵害がなくても（たとえば，被害者が所持している所有物をその目の前で壊したときでも）器物損壊罪は成立する。逆に，占有侵害を手段として器物損壊が行われたとき（たとえば，犯人がAの所有する高価な陶磁器を破壊する目的で，これをA家から外に持ち出してきたというケース），占有侵害行為については「不法領得の意思」が欠けるために窃盗罪を構成せず，器物損壊罪の成否のみが問題となる。このように，通説の理解による限り，器物損壊罪にとり，**物の占有を侵害したかどうかは重要な意味をもたない**ということになる[3)]。

器物損壊罪と窃盗罪の本質的な相違　被害者に与えるダメージという点では，器物損壊罪の方が大きいこともあるが（愛犬を盗まれるより，愛犬を殺されてしまうことの方がより悲しい），刑法は窃盗罪の方を重い罪として扱っている（窃盗罪の法定刑の方がより重く規定されており，また，窃盗については未遂も処罰されるが，器物損壊については未遂は処罰されない。さらに，窃盗罪は非親告罪であるが，器物損壊罪は親告罪なのである[4)]〔264条〕）。それは，器物損壊罪が破壊目的の財産侵害行為としての**毀棄罪**であり，窃盗罪が利欲目的の財産侵害行為としての**領得罪**であることを理由とする。他人の物を自分の物にしたいという利欲目的の行動に出る衝動に駆られる人は，他人の物を壊してしまおうという破壊的衝動に駆られる人よりもずっと多く，領得行為こそを強く禁止しなければ，効果的な財産的法益の保護はおよそ不可能であると考えられるからである（→234頁以下）。

たとえば，次のようなケースを考えてみよう。甲は，会社の同僚のAとは犬猿の仲であったが，Aがいつも見せびらかしているスイス製の高級腕時計を机の上に置きっぱなしにしているのを見て，これをどこかに捨ててやろうと思い，ポケットに入れて社外に持ち出した。しかし，その後，捨てるよりこれを売却して儲けようと考え

---

3)　ただし，これに対しては，反対説もある。たとえば，大塚・200頁以下，川端・285頁以下は，**不法領得の意思不要説**の立場から通説を批判し，占有侵害がある限りは窃盗罪になるとする。これによれば，器物損壊罪が成立するのは，占有侵害がないケースに限られることになる。

4)　刑法は，器物損壊罪のほか，私用文書等毀棄罪（259条）および信書隠匿罪（263条）については，**親告罪**としている（264条）。これらは比較的軽微な犯罪であって，被害者に訴追・処罰を求める意思がないのに訴追・処罰するだけの公的利益が認められないと考えているのである。

るに至り，この時計を事情を秘してBに売り現金を得たとする。このケースでは，腕時計の占有を移転する時点では，甲には不法領得の意思（利用処分意思〔→250頁〕）がないため，判例・通説の見解による限り，窃盗罪の成立は否定される。**客観的な占有奪取行為**は文句なく存在するが，それが**領得目的をもって行われるところに窃盗罪の重罰の根拠がある**と考える限り，それをもたない甲の行為を窃盗として処罰することはできない[5)]。

ただ，甲を毀棄・隠匿罪で処罰できないかどうかが問題となる。たしかに，甲は，毀棄目的（捨ててしまう目的もこれに含まれる）で他人の財物の占有を奪ったが，いまだ毀棄行為に出ていない（器物損壊の実行に着手したものともいえないし，そもそも**器物損壊罪の未遂は処罰されない**）。しかし，判例と学説により，器物損壊にいう**損壊の中には「隠匿」も含まれる**と解釈されており（→410頁），そうであるとすれば，**腕時計を持ち去り，Aが発見できない状態にした段階ですでに器物損壊罪が成立**することとなりうる。

ただし，所有者の利用を妨げる隠匿行為が直ちに「損壊」にあたると解すべきではない。いいかえれば，窃盗罪の成立要件のうち，不法領得の意思のみを欠いたときには，直ちに器物損壊罪が成立する，ということにはならない。この点につき，ある高裁判例は次のように述べているが，正当であると思われる。すなわち，「利用を妨げる行為が物の本来の効用を失わしめ，『損壊』に該当するといっても，利用を妨げる行為がすべて『損壊』に当たるわけではなく，『損壊』と同様に評価できるほどの行為であることを要するものというべきである。この観点から，被害者からみて容易に発見することができない隠匿行為，占有奪取現場からの持出し行為や長時間にわたる未返還といった事情が考慮されることになる。換言すれば，利用を妨げる行為にも当然程度というものがあり，その程度によっては効用を失ったと同等には評価することができず，「損壊」には当たらない場合があるというべきである。……占有奪取行為があれば，多かれ少なかれ，事実上その物の利用を妨げることになるが，法は，そのうち『損壊』と同様に評価できるものは器物損害罪に当たるが，それに至らない場合は，たとえ社会的に非難されるべき行為ではあっても，刑法上，敢えてこれを不問に付す趣旨とするのが相当である[6)]」。

---

5) 甲が，占有取得後に，領得の意思を生じてBに時計を売却した点については，Aを被害者とする所有権侵害との関係での占有離脱物横領罪（254条〔→373頁以下〕）の成立を考えることができるだけである。別途，Bを被害者とする詐欺罪（246条1項）が成立し，両罪は観念的競合として処断される。

6) 大阪高判平成13・3・14高刑集54巻1号1頁。

ここで，**器物損壊罪以外の毀棄・隠匿罪**も見ておこう。刑法典の第40章（258条以下）は「毀棄及び隠匿の罪」を規定しているが，その中では，公用文書等毀棄罪（258条）と私用文書等毀棄罪（259条）という2つの**文書等毀棄罪**，他人の建造物等を損壊する罪である**建造物等損壊罪**（260条）が重要である。器物損壊罪は，**文書と建造物以外のすべての他人の物**を客体とする毀棄行為を一般的にカバーする，最も適用範囲の広い毀棄罪ということになる。いいかえれば，刑法は，広く他人の所有物のうちで，文書と建造物についてはその重要性に鑑みて特別扱いし，それらに対する毀棄行為は特に重く処罰しているのである。

2　器物損壊罪

（器物損壊等）
第261条　前3条〔258条～260条〕に規定するもののほか，他人の物を損壊し，又は傷害した者は，3年以下の拘禁刑又は30万円以下の罰金若しくは科料に処する。

器物損壊罪は，258条から260条に規定する客体以外のすべての**他人の物**を客体とする[7]。最も適用範囲の広い，毀棄罪の処罰規定である[8]。本罪は**親告罪**である（264条）。建造物を除く不動産，すなわち**土地**も，本罪の客体となる[9]。所有者の同意を得てその所有物に対して行われる器物損壊行為は，すでに構成要件に該当しない。所有者の同意があるとき，およそ法益侵害そのものが否定されるからである（→総論348頁）。

本条にいう**損壊**と**傷害**は，文書等毀棄罪の**毀棄**（258条・259条）と同じ意味をもち，**物の効用を害する一切の行為**のことをいう。文言の相違は，ただ**客体の違い**

7）　客体の「物」については，242条や245条の規定は準用されていない。ただし，242条の代わりに，262条の規定がある（→416頁）。

8）　暴力行為等処罰ニ関スル法律（1926〔大正15〕年4月10日法律第60号）には，器物損壊罪の加重類型が規定されている（1条・1条の3を参照）。

9）　大判昭和4・10・14刑集8巻477頁は，家屋を建設するための敷地を掘り起こして耕作物を植え付けた行為は器物損壊罪にあたるとし，最決昭和35・12・27刑集14巻14号2229頁は，高等学校の校庭に「アパート建築現場」と墨書した立札を掲げ，幅6間・長さ20間（1間は約1.8 m）の範囲で，2カ所にわたり地中に杭を打ち込み板付けをして，保健体育の授業その他生徒の課外活動に支障を生ぜしめる行為は，器物損壊罪を構成するとした。

によるものにすぎない。文書等毀棄罪においては，「文書を損壊する」とはいわないので，より包括的な「毀棄」の概念が用いられている[10)]。261 条後段では，動物を客体として想定し，「動物を損壊する」とはいわないので，「傷害」という概念が用いられている[11)]。損壊にしても傷害にしても（毀棄にしても），物を物質的に毀損する必要はなく，物の効用を失わせる行為（要するに，その物の所有者による使用を不可能にする行為）を広く含む（**効用侵害説**[12)]）。これは，刑法における**拡張解釈**（→総論 56 頁以下）の 1 つの代表例に数えることができよう。判例によれば，営業用のすき焼き鍋および徳利に放尿することは損壊にあたり[13)]，養魚池の鯉を流失させることは傷害にあたる[14)]。同様に，自動車のタイヤの空気をそっと抜いて走れなくすること[15)]，鳥等の動物を逃がすこと，ガスを放出させること，机上のコーヒーカップを引っくり返してコーヒーを飲めなくすること，小麦粉を地面にまくことなども本罪にあたりうることになろう[16)]。効用を回復することがごく容易であるときには損壊にあたるとはいえないが，（原状

---

10) 刑法典第 2 編第 40 章の標題に「毀棄……の罪」とあるように，**毀棄**の概念の方がより包括的であるといえよう。そこで，器物損壊罪のことを**器物毀棄罪**と呼ぶこともある。

11) 261 条後段が規定する，動物に向けられた犯罪を特に**動物傷害罪**と呼ぶことがある（→228 頁注 *9)*）。

12) 判例・通説における効用侵害の内容についての詳細な研究として，大塚雄祐『毀棄罪における効用侵害の内実』（2021 年）が示唆に富む。なお，通説たる効用侵害説に反対し，少数説ながら，客体の物質的な毀損を要求する見解（**物質的毀損説**）も主張されている。たとえば，浅田・309 頁以下，曽根・199 頁，松原・386 頁以下，松宮・319 頁以下など。

13) 大判明治 42・4・16 刑録 15 輯 452 頁。

14) 大判明治 44・2・27 刑録 17 輯 197 頁。

15) これに対し，大阪地判昭和 43・7・13 判時 545 号 27 頁は，タクシー会社の営業用自動車の空気を抜いた行為につき，それは「自動車自体の重要な外形，機械構造等には何んらの損傷を与えたものではなく，またその修復にあたっては新たな部品材料を付加する必要はなく，とくに，費用，労力，技術等を用いることなく自動車 1 両につき僅か数分という極めて短時間のうちに容易に空気を注入し，右空気注入完了後においては自動車に何らの有形的・物質的ないしは感情的損傷を残したものではないから，……器物の効用を滅却したということはできない」として器物損壊罪の成立を否定した。

16) なお，1987（昭和 62）年の刑法一部改正により，文書等毀棄罪（258 条・259 条）の客体として**電磁的記録**（7 条の 2 を参照）が加えられたが（→412 頁），この改正以前でも，効用侵害説にしたがう限りは，電磁的記録たるデータを消去するような行為を器物損壊罪で処罰することは可能であったと解される。それは，たとえば，レコード店にあるミュージックテープを強力な磁石によって使えないようにすれば，器物損壊罪が成立するのと同じである。

回復，たとえば，洗浄や組立てのために）相当の時間とコストがかかるというときには，これを損壊というに妨げないであろう。

電磁的記録（7条の2を参照〔→412頁，490頁以下〕）は「物」ではないから本罪の客体にあたらないが，電磁的記録を記録させた**媒体**は本罪の客体たりうるので，たとえば，パソコンに内蔵されたハードディスクの効用を害する行為を行えば，それは器物損壊罪を構成する。コンピュータウイルスファイルをファイル共有ソフトのネットワーク上に公開し，同ソフト利用者のパソコンでウイルスファイルを受信，実行させたことにより，パソコンに記録されているファイルを使用不能にさせることは，パソコン内蔵のハードディスクの効用を害する行為であり，器物損壊罪に該当する[17]。

なお，効用の大小は，被害者個人を基準にして定められるべきであるから（→337頁以下），壊れた自動車を勝手に修理するように，一般的にはよい方向への物理的変更も，それが権利者の意思に反する限り，器物損壊に該当すると解される。

毀棄・損壊・傷害には**隠匿**（263条を参照）も含まれるかどうかが問題となる。隠匿とは，物の発見を妨げる行為であり，それも，所有者にとってのその物の効用を害する行為にほかならない。そこで，判例・通説によると，「毀棄」（258条・259条）は，物の発見を不可能にしまたは著しく困難にすることによって物の効用を害する隠匿行為も含む[18]。そして，最高裁判例はないが，通説に

17） 東京高判平成24・3・26高刑速平成24年104頁。この判決は，ファイル初期化の操作を行った場合でも，ウイルス（通称「イカタコウイルス」）のせいで失われた書込み機能は復旧するが，保存していたファイルについてはウイルスで使用不能となったものを含めてすべて消失する（ウイルスが実行される以前の状態に戻るものではなく，原状回復が可能であるとは認められない）ことから，本件ウイルスによってハードディスクの効用が害されたことは明白である，とする。

18） 最高裁は，「刑法259条にいわゆる文書を毀棄したというためには，必ずしもこれを有形的に毀損することを要せず，隠匿その他の方法によって，その文書を利用することができない状態におくことをもって足り，その利用を妨げた期間が一時的であると永続的であると，また，犯人に後日返還の意思があったと否とを問わないものと解すべきである」として，被告人が，債権者から小切手と借用証書を示されて支払を請求されるや，これを取り上げて自己のポケットに入れ，そのまま返還しなかったというケースについて，私用文書毀棄罪の成立を認めた（最決昭和44・5・1刑集23巻6号907頁）。

よれば，261 条の「損壊」・「傷害」にも隠匿が含まれるということになる（→408 頁以下）。

器物損壊罪の**罪数**は，客体の個数により決められるのが原則であろうが，管理ないし占有の個数により包括的に評価することの方が適切と考えられることもあろう。殺人罪や傷害罪が実行されたときの衣服や装飾物，眼鏡等の損壊は，殺人罪または傷害罪により吸収的に評価される（法条競合とするか包括一罪とするかをめぐっては見解が分かれる）。

3　文書等毀棄罪

（公用文書等毀棄）
第 258 条　公務所の用に供する文書又は電磁的記録を毀棄した者は，3 月以上 7 年以下の拘禁刑に処する。
（私用文書等毀棄）
第 259 条　権利又は義務に関する他人の文書又は電磁的記録を毀棄した者は，5 年以下の拘禁刑に処する。

文書等毀棄罪は，文書偽造罪（→488 頁以下）のように証明手段としての文書の信用性の保護を目ざすものではなく，財産としての効用の保護の見地から毀棄・隠匿罪の一類型として規定されたものである。そこで，たとえば，公務所が使用する目的で保管する私文書に改変を加えることにより，その効用を害するとともに，本来とは異なった証明力を与えたという場合には，それぞれ別個の法益を侵害するので，公用文書等毀棄罪および私文書偽造罪ないし変造罪の両罪が成立する[19]。なお，公用文書等毀棄罪は，その法定刑の重さからも明らかなように，財産の保護に加えて，（**国家的法益**としての）**公務の保護**（→603 頁以下）の側面を有する。

公用文書等毀棄罪は，公務所の用に供する文書または電磁的記録を毀棄することにより成立する。**文書**とは，文字またはこれに代わるべき符号を用いてあ

---

19)　裁判例として，県の教育委員会の実施する学力検査において，試験後に，受験生の答案を改ざんし，検査成績を引き上げようとした行為につき，公用文書等毀棄罪と私文書偽造罪を認めたものがある（神戸地判平成 3・9・19 判タ 797 号 269 頁〔→498 頁注 *26*)，516 頁以下注 *67*)〕)。

る程度継続すべき状態で物体上に記載した人の意思または観念の表示のことである（→488頁以下）。黒板にチョークで書かれていても，文書にあたりうる。[20]「公務所の用に供する」文書とは，公務所が使用する目的で保管する文書のことをいい，所有者が誰であるか，名義や内容が正しいか間違っているか，作成名義人が公務員であるか私人であるかを問わない（したがって，私文書でも公用文書となりうる）。偽造文書であっても，公務所が使用する目的で保存しているものは，本罪の客体となる。未完成文書や，違法な手続で作成された文書も本罪の客体にあたりうる。[21] **電磁的記録**とは，「電子的方式，磁気的方式その他人の知覚によっては認識することができない方式で作られる記録であって，電子計算機による情報処理の用に供されるもの」のことをいう（7条の2〔→490頁以下〕）。「公務所の用に供する」電磁的記録とは，公務所が使用する目的で保管・管理する電磁的記録のことをいう。自動車登録ファイル，住民登録ファイル，不動産登記ファイル，公務所が構築・使用しているデータベースなどがこれにあたる。**毀棄**の概念については，408頁以下を参照。

私用文書等毀棄罪は，権利または義務に関する他人の文書または電磁的記録を毀棄する犯罪である（ただし，262条を参照〔→416頁〕）。本罪は**親告罪**である（264条）。「他人の文書」とは，他人の所有に属する文書のことである。公文書（155条以下を参照）でも，その客体となる。判例上，かかる文書として認められているのは，債務証書，公務員の退職届，約束手形，小切手等であり，いずれも文書と権利・義務の関連性とがかなり密接かつ直接的な場合である。そこで，たとえば，キャッシュカードやクレジットカードの明細を破棄したようなケースについては，私用文書毀棄罪ではなく，器物損壊罪にとどめるべきであろう。電磁的記録の例としては，銀行の口座残高ファイルや，プリペイドカードの磁気情報部分などがある（「他人の」電磁的記録とは，他人が管理・支配している電磁的記録のことをいう）。単なる事実証明に関する文書・電磁的記録（→516頁）を毀棄しても本罪にあたらず，器物損壊罪を構成するにすぎない（ただし，

---

20) 最判昭和38・12・24刑集17巻12号2485頁は，国鉄駅助役が白墨で列車案内等を記載した急告板が本罪の客体にあたるとした。

21) 最判昭和57・6・24刑集36巻5号646頁。

それが公用文書等にあたるときは公用文書等毀棄罪を構成する)。

文書等毀棄罪の**罪数**は，文書等の個数により定まる。文書とは，一定の表示主体による意思または観念の表示であるから（→488 頁以下），ひとまとまり（1つの単位）の意思・観念の表示として捉えうるものであれば，複数の紙に書かれていても，一個の文書である。逆に，一枚の紙に書かれていても，複数の文書と認められることもある（→490 頁）。

4　建造物等損壊罪

（建造物等損壊及び同致死傷）
第 260 条　他人の建造物又は艦船を損壊した者は，5 年以下の拘禁刑に処する。よって人を死傷させた者は，傷害の罪と比較して，重い刑により処断する。

建造物等損壊罪は，他人の建造物または艦船を損壊することにより成立する。死傷の結果が生じたときには刑が加重される（**結果的加重犯**〔→総論 241 頁以下〕）。客体は，他人の建造物または艦船である。**建造物**とは，家屋その他これに類似する建築物をいい，屋根があって壁または柱により支持されて土地に定着し，少なくともその内部に人が出入りできるものでなければならない[22]。屋根の瓦（かわら）は建造物の一部であるが，雨戸や板戸，窓ガラスなど，損壊しなくても自由に取り外すことのできるものは，建造物の構成部分ではない。したがって，それらを壊しても器物損壊罪となるにすぎない。**艦船**とは，軍艦および船舶のことをいう（→183 頁）。解体作業中の旧軍艦で，自力または他力による航行能力をまったく消失したものはこれに含まれない[23]。

建造物に取り付けられた物が本罪の客体にあたるかどうかの判断基準　最高裁は，「建造物に取り付けられた物が建造物損壊罪の客体に当たるか否かは，当該物と建造物との接合の程度のほか，当該物の建造物における機能上の重要性をも総合考慮して決すべきものである」とし，事案において問題となった住居の玄関ドアは，外壁と接続し，

22）単に棟上げを終わっただけで，屋根や周壁のないものは建造物とはいえない（前掲注 *9*）大判昭和 4・10・14）。

23）広島高判昭和 28・9・9 高刑集 6 巻 12 号 1642 頁（具体的事案についての判断としては，「建造物」にあたるとした）。

外界とのしゃ断，防犯，防風，防音等の重要な役割を果たしていることから，建造物損壊罪の客体にあたるとし，「適切な工具を使用すれば損壊せずに同ドアの取り外しが可能であるとしても，この結論は左右されない」とした[24)]。したがって，判例によれば，「適切な工具を使用すれば損壊せずに取り外せる」としても，建造物における機能上の重要性を有する限り，建造物損壊罪の客体となりうる。

本罪の解釈にあたっては，**個人の所有権保護**の見地から客体の一部かどうかを判断すべきであるから，**その部分のもつ機能上の重要性**を考慮すべきであるとする考え方は理解できるものといえよう。なお，建造物としての客体の一個性は，放火罪との関係でも問題となるが（→440 頁以下），上の趣旨は，社会的法益に対する罪である放火罪の解釈に直ちに及ぶものではない。

他人の建造物・艦船とは，他人の所有に属する建造物・艦船という意味であり，所有権の帰属は原則として民法にしたがって決せられる（なお，ここでも自己の物の特例に関する 262 条を参照〔→416 頁〕）。ただし，判例によれば，民事上，その建造物の所有権の帰属が争われており，将来，民事裁判により被害者に所有権があることが否定され，行為者側に所有権があることを確定される可能性があるという場合でも，民事法上の所有権の帰属を最終的に確定しないままで，刑法上は他人の建造物にあたることを認めることができる[25)]。すなわち，「他人の」建造物というためには，「他人の所有権が将来民事訴訟等において否定される可能性がないということまでは要しない」というのである。

---

24)　最決平成 19・3・20 刑集 61 巻 2 号 66 頁。

25)　最決昭和 61・7・18 刑集 40 巻 5 号 438 頁。その事案は，次のようなものであった。被告人甲は，A に対する売買代金債務を担保するため，A との間で，甲所有の建物に根抵当権を設定する契約を締結した。その後，上記債務の履行が滞ったため，A は，裁判所に同建物の競売の申立てをし，同建物を買い受けた。続いて，A が同建物に関する不動産引渡命令の申立てをし，同申立てを受けて執行官が現地に赴き，甲に同建物の引き渡しを求めたところ，甲は憤激し，建物の柱や床などの一部を手斧で壊すなどの損壊行為に及んだ。甲は，建造物損壊罪の罪名で起訴されたが，同建物に対する根抵当権設定の意思表示は，詐欺による意思表示（民 96 条 1 項）であると主張した。すなわち，A が甲に対し，根抵当権の設定は形式的なものにすぎず，その実行はありえないかのような言辞を用いたため，その旨，誤信してなしたものであるとした。その上で，甲は，意思表示の取消しをなしたことにより，すでに損壊行為の以前から甲に所有権があったことになり，自己の所有物を壊したものにすぎない，としたのであった。

従属説と独立説　これまで260条の解釈として（暗黙のうちに）当然視されてきた理解によれば，242条に関する本権説と同様に（→244頁），建造物の他人性は，民法上の権利関係の確定を前提とし，これに従属して決定されると考える。このように，物の他人性の判断にあたり，民法の解釈適用により所有権の帰属を確定すべきであるとする見解は**従属説**と呼ばれている[26)]。従属説によれば，民法の解釈として，行為者が所有者である可能性が残る限り（事実関係が明らかにならないのであれば，「疑わしきは被告人の利益に」の原則〔利益原則〕が適用される），建造物損壊罪の成立を肯定することはできない。しかし，従属説については，その実際的結論が妥当でないことが指摘されている。すなわち，民法上所有権の帰属が争われている（または争われる可能性のある）建造物については，民事上の権利保護の前提としてその物の現状を保護する必要があるが，従属説によれば，その要請に反する結果となってしまう。また，この見解によると，行為者が民法上の法律関係を誤解して自分に所有権があると考えるだけで故意の阻却が直ちに認められることになり，民事上の権利の刑法的保護がその限りで弱められるおそれが生じてしまう。

そこで，**独立説**は，民法上の法律関係から独立して物の他人性を判定しようとする。最高裁判例は，この独立説の立場をとったということになる[27)]。たしかに，242条のような処罰拡張規定が存在しない（特則〔262条〕があるが，これにあてはまらない）ところで，「他人の物」であるかどうか明らかでないのに「他人の物」にあたるとすることに対しては，解釈論上の疑義が生じないではない。しかし，「他人の物」の外延を，民事上その帰属が争われている（または争われる可能性のある）物にまで広げることは刑法解釈として許容限度内にあるといえる[28)]。ここでは，民法上の所有権概念が基本とされつつも，その保護の十全を期するため，その限りで刑法上の保護客体が拡大されることになる（ただ，このように，「他人の物」の外延を，民事上その帰属が争われている物にまで広げる解釈は，行為者の所有物であることが明白でないときに限るべきであるといえよう[29)]）。

---

26)　浅田和茂「建造物の他人性」芝原邦爾ほか編『刑法判例百選Ⅱ各論〔第5版〕』（2003年）146頁以下，斎藤・210頁以下，島田聡一郎・現代刑事法6巻6号（2004年）17頁以下，中山・234頁，松原・196頁以下など。

27)　これに賛成するのは，高橋・459頁，西田・304頁，山口・358頁など。

28)　それは，犯人蔵匿等罪（103条）における「罪を犯した者」の中には，真犯人でなくても嫌疑を受けて捜査の対象となっている者も含まれるとする判例の解釈を想起させるものである（→629頁）。

29)　このような限定を付すのは，前掲注 ***25)*** 最決昭和61・7・18における長島敦裁判官の補足意見である。

損壊とは，建造物・艦船の実質を毀損すること，またはその他の方法によって，それらの使用価値を滅却もしくは減損することをいう（損壊の程度としては，**一部損壊**でもよいということである）。建造物の外観の美しさ（美観）や立派さ（威容）も，その建造物がたとえ文化財等でない一般の建造物であっても，やはり所有権保護にとり重要な建造物の効用に含まれるのであり，それを原状回復が容易でない形で滅失・減損させる行為は建造物損壊にあたるというべきである。判例によれば，労働争議等の手段として**建造物にビラを貼り付けること**も，その枚数や貼付方法のいかんにより「建造物の効用を減損する」ものと認められれば本罪にあたる[30]。

5　自己の物に関する特例

（自己の物の損壊等）
第 262 条　自己の物であっても，差押えを受け，物権を負担し，賃貸し，又は配偶者居住権が設定されたものを損壊し，又は傷害したときは，前 3 条〔259 条～ 261 条〕の例による。

文書毀棄罪，建造物損壊罪，器物損壊罪の保護法益は基本的に所有権である。しかし，242 条（→241 頁以下）に対応する規定として 262 条があり，これにより，たとえ自己の所有物であっても，差押えを受け，物権を負担し，賃貸し，または配偶者居住権（民 1028 条以下を参照〔→449 頁〕）が設定されているときは，器物損壊罪等の客体となる。その限りで，**所有権以外の民法上の権利**も保護され

30）判例は，ケースによりこれを肯定し，または否定している。ビラ貼りが建造物の物質的毀損をともなう場合にはもちろん，ともなわなくても，窓ガラスの採光が妨げられたり，**建造物の美観ないし威容**が失われたりすれば，建造物の効用を減損させたことになる。その際，ビラの枚数や貼付の範囲，**原状回復の難易性**なども，効用侵害の程度の判断にあたり考慮される。最近の判例の中には，公園内の公衆便所の外壁にラッカースプレーでペンキを吹き付け「反戦」等を大書した行為につき，建造物の「効用」の中に「建物の外観ないし美観」が含まれることを正面から肯定し，「本件落書き行為は，本件建物の外観ないし美観を著しく汚損し，原状回復に相当の困難を生じさせたものであって，その効用を減損させたものというべきであるから，刑法 260 条前段にいう『損壊』に当たると解するのが相当であ」るとしたものがある（最決平成 18・1・17 刑集 60 巻 1 号 29 頁）。反対，中森・173 頁，西田・304 頁以下。

ることになる。なお，262 条は，242 条と比べると適用範囲がかなり限定された規定であることに注意すべきである。

6　境界損壊罪

(境界損壊)
第 262 条の 2　境界標を損壊し，移動し，若しくは除去し，又はその他の方法により，土地の境界を認識することができないようにした者は，5 年以下の拘禁刑又は 50 万円以下の罰金に処する。

本罪は，境界標を損壊・移動・除去し，またはその他の方法により，土地の境界を認識することができないようにしたときに成立する。かりに境界標を損壊する行為があっても，境界が不明にならない限り，器物損壊罪が成立することはあっても，本罪は成立しない。そうであるとすると，本罪の処罰根拠は，権利者を異にする土地の限界線を不明確にするところにあり，その保護法益は，境界標のもつ，土地に関する権利の範囲の証明作用にあるといえよう[31]。

境界の現状を変更することを処罰の対象とするのであるから，自分で正しいと信じる境界を設定するために現在の境界を認識できないようにすることも本罪にあたる[32]。不動産侵奪（→265 頁）の手段として境界を損壊等したときは，その態様の違いに応じて，不動産侵奪罪と本罪との観念的競合または牽連犯となる。

7　信書隠匿罪

(信書隠匿)
第 263 条　他人の信書を隠匿した者は，6 月以下の拘禁刑又は 10 万円以下の罰金若しくは科料に処する。

他人の信書を隠匿する行為を処罰する。本罪は**親告罪**である（264 条）。客体

31）伊東・249 頁，中森・175 頁，西田・306 頁，山口・362 頁，山中・496 頁など。
32）団藤・679 頁。

としての「他人の信書」は，特定人から特定人に宛てた意思・観念・事実を伝達する書面で，他人の所有に属するもののことをいう（→193頁）。ただし，信書開封罪の場合と異なり，封がされていることは要件ではない。葉書でも，ここにいう信書となりうる。

前述のように，毀棄（258条・259条）や損壊（261条）が隠匿行為を含むとするとき（→410頁），問題となるのは，信書隠匿罪が予定する信書の隠匿行為は，むしろ法定刑のより重い文書等毀棄罪（258条・259条）または器物損壊罪（261条）にあたることにならないか（そうであるなら，いかなる行為が信書隠匿罪の適用領域に残されることになるのか）ということである。学説の中には，毀棄・損壊に含まれる「隠匿」と，信書隠匿罪の「隠匿」とを区別し，前者は発見を不可能または著しく困難にする場合を捕捉し，後者は前者の程度に至らない比較的軽微な隠匿行為のみを意味するという見解もあるが[33]，その区別は不明確であるし，そのような軽微な隠匿行為まで処罰の対象とすることには疑問が生じよう。信書の隠匿行為は，一般的に違法性が軽いと考えられたため，もともと文書等毀棄罪や器物損壊罪にあたりうる行為であるが，軽い処罰規定（特別減軽類型）が設けられた（したがって，信書隠匿行為はすべて263条により処罰される）と解するほかはない[34]。そこで，信書を毀棄する行為も（文書毀棄罪にあたらないときは），器物損壊罪ではなく，本罪により処罰されるべきこととなろう。

33）　大塚・355頁，大谷・373頁，川端・463頁，佐久間・266頁，団藤・680頁など。

34）　西田・307頁，前田・321頁，山口・361頁など。信書を客体とする行為は一般的に違法性が軽いとはいいえないから，立法論としては疑問がある。

第2編　社会的法益に対する罪

第16章　社会的法益に対する罪・総説

第1部　公共の安全に対する罪

第17章　騒乱の罪　第18章　放火の罪およびその周辺の罪　第19章　往来を妨害する罪

第2部　公共の信用に対する罪

第20章　偽造の罪・総説　第21章　通貨偽造の罪　第22章　文書偽造の罪　第23章　有価証券偽造の罪　第24章　支払用カード電磁的記録に関する罪　第25章　印章偽造の罪　第26章　不正指令電磁的記録に関する罪

第3部　風俗に対する罪（風俗犯）

第27章　風俗犯・総説　第28章　わいせつの罪　第29章　賭博罪および富くじ罪　第30章　礼拝所および墳墓に関する罪

■ 第*16*章 ■

社会的法益に対する罪・総説

1 概　観

本編においては，社会的法益に対する罪を取り上げる。社会的法益とは，**社会の存立と維持**のためにその保護を必要とする法益のことをいう。ただ，社会的法益を個人的法益と截然（せつぜん）と切り離して無関係・没交渉のものとして捉えることはできない。社会的法益といっても究極的には**個人的法益に還元**されるはずのものである。なぜなら，個人は社会を離れては生きられず，社会の存立・維持の保障は，社会を構成する個人にとっても必要欠くべからざることであるというばかりではなく，むしろ社会は個人の生活条件の確保とその権利・利益の擁護のためにこそ存在していると考えるべきだからである[1]。とはいえ，社会的法益は，たとえば「文書のもつ公共的信用性」（→470頁以下）というように，**不可視的・観念的な法益**であるところに特色があり，しかも特定の個人に帰属するものではないから，無理に個人個人の利益に分解してしまうよりも，個人の集合体としての社会そのものにとっての利益ないし価値として把握する方がより適切である。

また，社会的法益のほかに，国家的法益も存在し，これらはまとめて公共的法益（公益）と呼ぶことができる（→7頁）。社会的法益とは，**国**（**および地方公共**

1）その意味において，「社会的法益というときも，個々の人間を越えた『社会』の利益ないし価値が問題になるわけではない」（内藤謙『刑法理論の史的展開』〔2007年〕123頁）。

団体）という統治機構を除いて考えることのできる社会の利益のことを指している。[2]
社会的法益を大きくグループ分けすれば，①公共の安全，②公衆の健康，③取引手段の信用性，④公の秩序と風俗という4つに分類することが可能である。[3]

公衆の健康に対する罪　本書においては説明を省略するが，刑法典には，**あへん煙に関する罪**（136条以下）と**飲料水に関する罪**（142条以下）とがある。前者は，あへん煙（あへん煙膏（えんこう））の乱用事例が少なく，またより刑の重いあへん法（1954〔昭和29〕年4月22日法律第71号）の処罰規定（51条以下）も存在しているので，**薬物犯罪**を規制する上での実際的な意味を失っている。薬物の不正取引や乱用行為を規制する取締法としては，麻薬及び向精神薬取締法[4]（1953〔昭和28〕年3月17日法律第14号）および覚醒剤取締法（1951〔昭和26〕年6月30日法律第252号）が特に重要である。そのほか，大麻取締法[5]（1948〔昭和23〕年7月10日法律第124号），毒物及び劇物取締法[6]（1950〔昭和25〕年12月28日法律第303号）もある。さらに，「国際的な協力の下に規制薬物に係る不正行為を助長する行為等の防止を図るための麻薬及び向精神薬取締法等の特例等に関する法律」（麻薬特例法）（1991〔平成3〕年10月5日法律第94号）や，組織的な犯罪の処罰及び犯罪収益の規制等に関する法律（組織的犯罪処罰法）（1999〔平成11〕年8月18日法律第136号）も参照。

後者の飲料水に関する罪は，公衆の飲料に供する浄水やその水源を汚染し，またはそれらに毒物等を混入する行為，水道を損壊する行為等を処罰するものである。これに関連して，**公害犯罪**および**環境犯罪**[7]に対しては，種々の行政刑罰法規（大気汚染防止法や水質汚濁防止法など）のほか，単行法として，人の健康に係る公害犯罪の処罰

2）ドイツ刑法学においては，公益のうちで，社会的法益と国家的法益との差異を強調しない傾向にある。たとえば，Gunther Arzt u. a., Strafrecht, Besonderer Teil, 3. Aufl. 2015, §1 Rdn. 26 f., S. 20 f.; Karl Heinz Gössel/Dieter Dölling, Strafrecht, Besonderer Teil 1, 2. Aufl. 2004, S. 430を参照。公的機能を営む種々の存在の中において国だけを特別視しないという基本思想に基づくものといえよう。

3）たとえば，大塚・357頁以下は，公共の平穏，公衆の健康，公共の信用，風俗の4つに分類する。

4）規制対象は，ヘロインやコカイン，LSDやMDMA等の麻薬，睡眠剤や鎮痛剤等の向精神薬。

5）規制対象は，大麻草およびその製品。

6）毒性の強い物質を規制するほか，シンナー・ボンド等の有機溶剤の乱用を防止する。

7）公害刑法・環境刑法についての重要な文献として，伊東研祐『環境刑法研究序説』（2003年），長井圓編著『未来世代の環境刑法1』および『同2』（2019年），町野朔編『環境刑法の総合的研究』（2003年）などがある。さらに，最近のドイツでは，気候保護のための気候刑法（Klimastrafrecht）がテーマとされるに至っている。

に関する法律（公害罪法）（1970〔昭和45〕年12月25日法律第142号）がある。

個人的法益に対する罪の中心にあるのは，殺人罪や傷害罪のように，現実に法益を侵害することを犯罪成立の要件とする**侵害犯**であった。これに対し，社会的法益に対する罪の中心は，法益侵害の危険があることを理由に処罰する**危険犯**である（→総論109頁以下）。しかもそこでは，不特定または多数の人々（→423頁）の法益に対する危険が処罰の根拠となる（これに対し，個人的法益に対する罪における危険犯〔たとえば，遺棄罪や名誉毀損罪など〕は，特定個人の法益に向けられた危険犯であった〔→101頁以下，201頁〕）。社会的法益については，法益が侵害されるに至れば，その被害はあまりにも重大なものとなるため，侵害結果が発生するまで「待つことができない」のである。

処罰の早期化と危険犯の重要性　現代社会においては，「処罰の早期化」が要請され，とりわけ社会的法益に対する罪としての危険犯の重要性が増していることが注目に値する。[8] その背景としては，次の3つの事情を指摘できよう。第1に，社会生活の科

8） 処罰の早期化という観点から重要な最近の刑事立法としては，次のものが挙げられよう。組織的犯罪処罰法（1999年），無差別大量殺人行為を行った団体の規制に関する法律（1999〔平成11〕年12月7日法律第147号），児童買春，児童ポルノに係る行為等の規制及び処罰並びに児童の保護等に関する法律（1999〔平成11〕年5月26日法律第52号），不正アクセス行為の禁止等に関する法律（不正アクセス禁止法）（1999〔平成11〕年8月13日法律第128号），ヒトに関するクローン技術等の規制に関する法律（2000〔平成12〕年12月6日法律第146号），ストーカー行為等の規制等に関する法律（2000〔平成12〕年5月24日法律第81号），児童虐待の防止等に関する法律（2000〔平成12〕年5月24日法律第82号），支払用カード電磁的記録に関する罪（第2編第18章の2）を新設した刑法の一部改正（2001年〔→537頁以下〕），配偶者からの暴力の防止及び被害者の保護等に関する法律（ドメスティック・バイオレンス〔DV〕防止法）（2001〔平成13〕年4月13日法律第31号），公衆等脅迫目的の犯罪行為のための資金等の提供等の処罰に関する法律（2002〔平成14〕年6月12日法律第67号），インターネット異性紹介事業を利用して児童を誘引する行為の規制等に関する法律（2003〔平成15〕年6月13日法律第83号），人身取引等の人身の自由に対する犯罪に対応するための刑法の一部改正（2005年〔→167頁〕），電子計算機損壊等業務妨害罪の未遂処罰を可能とし（234条の2第2項），コンピュータウイルスの問題に対処するために不正指令電磁的記録に関する罪の処罰規定（168条の2・168条の3）を新設した刑法の一部改正（2011年〔→222頁，549頁以下〕），不正アクセス禁止法の一部改正（2012年），児童買春・児童ポルノ禁止法の一部改正（2014年），組織的犯罪処罰法の一部改正によるテロ等準備罪の新設（2017年），2023年刑法一部改正による16歳未満の者に対する面会要求等罪の新設（182条〔→145頁以下〕）など。

学化・高度技術化（ハイテク化）にともない，個人の行動のもつ損害惹起の可能性・危険性が大幅に増加する（すなわち，個人のちょっとした動作・不動作により甚大な被害を生じさせうる）とともに，その反面において，結果が生じてからでは遅すぎることから，かなり早い段階での刑罰的介入が要請されている。第2に，社会のボーダレス化・価値観の多元化の進行とともに，刑法以外の手段による社会統制の力が弱まり，それだけ刑法による規制への期待が高まっている（1つの例を挙げれば，組織犯罪集団の存在と活動を踏まえた早期処罰の要請が強まっている）。第3に，具体的な実害に還元できない観念的・抽象的な価値・利益の保護の要求の高まりという事情もある（それは，代表的には，環境保護の領域と生命倫理の領域に見られる現象である）。

2　公共の安全に対する罪（公共危険犯）

社会的法益に対する罪の第1のグループは，**公共の安全**に対する罪である。公共の安全とは，**不特定または多数の人々**の生命・身体・財産が脅かされることなく保護されている状態のことをいい，この状態を害し生命・身体・財産に危険を生じさせる罪を**公共危険犯**（**公共危険罪**）と呼ぶ。それは，不特定または多数の人々の生命・身体・財産を脅かす罪のことである。「不特定または多数」という言葉に示されているように，特定者であっても数が多ければこれに含まれ，逆に，少数の人しか脅かされなくてもそれが不特定の人であれば，やはりこれに含まれる（特定かつ少数の人のみが被害者となるケースでは，むしろ個人的法益の保護が問題となるのであり，それは公共危険犯が予定している場面ではない）。

公共危険犯には，多数人の集団的な暴行または脅迫によって一地方の平穏を害する**騒乱の罪**（106条以下），建造物その他の物を燃やして人々の生命・身体・財産に対する危険を生じさせる**放火の罪**（108条以下），水の破壊力を利用して公共の危険を生じさせる**出水の罪**（119条以下），公共の交通機関または交通施設に対する侵害行為により人々を危険にさらす**往来を妨害する罪**（124条以下）がある。

■ 第17章 ■

騒乱の罪

1　総　　説

騒乱の罪[1]は，多数の者が集合して暴行・脅迫をなすことによって成立する騒乱罪（106条）と，その予備段階における一定の行為を独立の犯罪とした多衆不解散罪（107条）とからなる。国家的法益に対する罪である内乱の罪（77条以下〔→592頁以下〕）と並ぶ，**集団犯罪の典型**である。集合体そのものによる一定の行動があったとき，それが全体として構成要件に該当するものとされ，その事態について集合体を構成する個人個人の刑事責任が追及される。したがって，構成要件要素は，①集合体そのものについて備わるべき構成要件要素と，②それを構成する個人に備わるべき構成要件要素の2つに分かれることになる。

騒乱罪と多衆不解散罪のいずれも，構成要件が最初から複数の者の関与を予定していることから**必要的共犯**であり，そのうちの**集合犯**（ないし多衆犯）にあたる（→総論480頁）。したがって，ここでは**任意的共犯**に関する総則規定（60条以下）があわせて適用されうるかどうかが1つの論点となる（→429頁以下）。

内乱罪（77条）も，多数者による暴行・脅迫を実行行為の内容とし，関与者の関与形態により刑を区別している点では類似しているが（やはり必要的共犯としての集合犯である），騒乱罪の成立のためには，（**目的犯**である）内乱罪のように

1)　1995（平成7）年に，刑法典の規定を平仮名書きとし，表現を平易化する改正が行われたが，それ以前には，「騒擾（そうじょう）ノ罪」とされていた。

（→593 頁）国家の存立そのものを害しようとする目的（「憲法の定める統治の基本秩序を壊乱」する目的）を必要としない（そもそもおよそ特定の目的をもって実行されることを要しない[2]）。また，内乱罪は一定の目的の下に組織化された集団により実行されるのに対し，騒乱罪の規定は，組織化されていない集団による，群集心理に基づく偶発的な行動にも適用される（首謀者が存在することは必須の要件ではない。他方で，付和随行者の刑は軽い〔106 条 3 号を参照。→426 頁〕）。

適用事例　騒乱罪の処罰規定は，第二次世界大戦前には，小作争議や労働運動などに適用されたが，戦後は，過激な政治運動や学生運動を制圧するために用いられた。この犯罪により立件・訴追された事件としては，平事件（1949〔昭和 24〕年[3]），メーデー事件（1952〔昭和 27〕年[4]），吹田事件（1952 年[5]），大須事件（1952 年[6]）が有名である（これらは「四大騒擾事件」とも呼ばれる）。その後，新宿騒乱事件（1968〔昭和 43〕年[7]）を最後に騒乱罪の規定は適用されていない。そのことは，主として社会情勢・政治情勢が安定したことによるものであるが，1958（昭和 33）年に新設された**凶器準備集合罪**（208 条の 2〔→74 頁〕）が本罪に代替する「小型騒乱罪」として適用されるようになったこととも関係している[8]。また，本罪は，多数人が関与する犯罪であり，共同意思といった主観的要件が重要な意味をもつ（→428 頁）ことから立証が難しいという問題があり，さらに，本条のように適用範囲が包括的でかつ不明確な刑罰法規は，実務的にはかえって実際的適用が難しいことも実例の少なさに示されているといえよう[9]。

2）ただし，「政治上の主義若しくは施策を推進し，支持し，又はこれに反対する目的」をもってするときは，騒乱の予備や陰謀等を行っただけで可罰的とされる。破壊活動防止法（1952〔昭和 27〕年 7 月 21 日法律第 240 号）40 条 1 号を参照。

3）騒乱罪の成立が認められた（最判昭和 35・12・8 刑集 14 巻 13 号 1818 頁）。

4）控訴審判決・東京高判昭和 47・11・21 高刑集 25 巻 5 号 479 頁により騒乱罪の成立が否定された。

5）控訴審判決・大阪高判昭和 43・7・25 判タ 223 号 123 頁により騒乱罪の成立を否定した原審判決が維持された。

6）騒乱罪の成立が認められた（最決昭和 53・9・4 刑集 32 巻 6 号 1077 頁，最決昭和 53・9・4 刑集 32 巻 6 号 1652 頁）。

7）騒乱罪の成立が認められた（最決昭和 59・12・21 刑集 38 巻 12 号 3071 頁）。

8）また，集会やデモを規制するために，多くの地方公共団体が条例を制定しており（いわゆる**公安条例**），これが大きな意味をもっている。

9）騒乱罪規定の適用の歴史については，町野・178 頁以下が興味深い。

判例・通説は，本罪の**保護法益**を単に不特定または多数の人の生命・身体・財産というばかりでなく，**公共の平穏**ないし**社会の治安**そのもの（そして，法秩序によって保護されているという一般市民のもつ安心感）として理解してきたといえよう。[10] 放火罪や往来妨害罪など（それらは，単に不特定または多数の人の生命・身体・財産を保護法益とする）と比べてより大きな規模の犯行を想定し（→427 頁），またより観念的・抽象的な法益を保護する犯罪としてきたのである。これに対し，現在では，社会もまた個人の集合体にほかならないとする，個人主義的な社会の理解（→420 頁）に基づき，放火罪や往来妨害罪などとの共通性を強調する見解が有力化している。[11] ただ，そのような理解に立脚して，本罪を公共危険犯として理解するときにも，単に不特定または多数の人々の生命・身体・財産が脅かされればよい（場合によっては 1 人でもよい）というのではなく，それが**一地方における住民の全体が危害を受けることを心配する程度の規模**の行為であることを要する。[12] 本罪が抽象的危険犯か，それとも具体的危険犯かをめぐっては，学説の見解が対立している（公共の平穏や一地方の住民全体への危害を基準に考えれば，本罪は抽象的危険犯というべきであろう）。

2 騒乱罪

（騒乱）
第 106 条 多衆で集合して暴行又は脅迫をした者は，騒乱の罪とし，次の区別に従って処断する。
一 首謀者は，1 年以上 10 年以下の拘禁刑に処する。
二 他人を指揮し，又は他人に率先して勢いを助けた者は，6 月以上 7 年以下の拘禁刑に処する。
三 付和随行した者は，10 万円以下の罰金に処する。

10） 大塚・357 頁以下，大谷・377 頁以下，川端・467 頁，団藤・171 頁以下（「公共の平和」が保護法益であるとする）など。

11） たとえば，伊東・253 頁以下，曽根・209 頁，高橋・467 頁以下，中森・179 頁，西田・310 頁以下，林・322 頁以下，平野・概説 241 頁，山口・366 頁以下など。

12） この点につき，騒乱罪の成立を否定した福岡高那覇支判昭和 50・5・10 刑月 7 巻 5 号 586 頁を参照。

(1) 構成要件

(a) 実行行為　構成要件該当行為の内容は「多衆で集合して暴行又は脅迫」をすることであり，それにより本罪は成立するが，各関与者の関与の仕方（その者が首謀者か〔1号〕，指揮・率先助勢者か〔2号〕，付和随行者か〔3号〕）に応じて法定刑を区別している。文言上はかなり無限定な処罰規定であるといえ，適用範囲を明確化する解釈を心がけないと，憲法により保障された集団行動・団体行動の自由（憲法20条・21条・23条・28条を参照）との関係でも抵触の問題が生じることとなる。

(b) 多　衆　本条にいう**多衆**とは，本罪の保護法益が社会の治安そのものにあるとする理解に基づき，**一地方における公共の平和・静謐**（せいひつ）を害するに足りる程度の暴行・脅迫をするに適当な**多人数**でなければならず，また，同じ理由から，本条にいう**暴行**と**脅迫**は，一地方における公共の平和・静謐を害するに足りる程度のものでなければならないとされている[13]。治安とか秩序とかを強調しない本罪の基本的理解（→426頁）によるときにも，人数および暴行・脅迫の程度において一地方の住民の全体が危害を受けることを心配する規模のものであることが必要である[14]。

「一地方」の意義　一地方にあたるかどうかについては，暴行・脅迫が行われた地域の広狭や居住者の多寡などといった要素ばかりでなく，その地域が社会生活において占める重要性や同所を利用する一般市民の動き，同所を職域として勤務する者らの活動状況などといった要素をも総合し，さらに，その騒動の様相が当該の地域にとどまらず，その周辺地域の人心にまで不安・動揺を与えるに足りる程度のものであったかどうかといった観点からの検討もあわせて行うべきものとされる[15]。

13）前掲注3）最判昭和35・12・8。最判昭和28・5・21刑集7巻5号1053頁は，30名余についてこれを多衆と認めた。

14）西田・311頁以下，山口・267頁以下，山中・508頁以下などを参照。なお，平野・概説241頁は，「一地方」を基準とした「多衆」の定義は曖昧であり，多衆とは「これに属する個々の人の意思では支配できない程度の集団をいう」とする定義を提案している。中森・180頁はこれを支持する。

15）前掲注7）最決昭和59・12・21は，そこから，交通の一大要衝である（当時の国鉄）新宿駅の構内およびその周辺で敢行された学生・群衆らによる集団暴力行動は，一地方における公共の平和・静謐を害するに足りるものとした。

(c)　暴行・脅迫　暴行は，有形力を行使する対象が人であると物であるとを問わない。物を壊したりそれに火をつけたりすることも，ここにいう暴行にあたる（**最広義の暴行**〔→57 頁〕）。脅迫についても，人に害悪を告知することの一切をいい，その害悪の内容・性質，告知の方法のいかんを問わない（**広義の脅迫**〔→157 頁〕）。

(d)　共同意思　集団犯罪としての本罪に特有の要件が**共同意思**の要件である。構成要件要素としての暴行・脅迫は，集団により行われたものでなければならず，そのためには，集合した多衆の共同意思に基づいて行われたことを要するとされるのである。ここにいう共同意思は，①多衆の合同力をたのんで自ら暴行・脅迫をなす意思ないし多衆をしてこれを行わせる意思と，②かかる暴行・脅迫に同意を表し，その合同力に加わる意思とに分けることができる。集団が，①の意思を有する者と②の意思を有する者とによって構成されているとき，共同意思の要件が充足される[16)]。したがって，共同意思は共謀（→総論 514 頁以下）と同義ではなく，多衆の全員の間における意思の連絡（ないし相互的な認識の共有）まではなくてよい。なお，この意味における共同意思は，すでに多衆の集合の時点で存在したことを必ずしも要しない。平穏かつ合法的に集合した者たちにおいて，中途から共同意思が生じた場合でも本罪の成立を妨げない。

(e)　処　罰　以上の要件を充たしつつ暴行・脅迫が集団的に行われたとき，各人は，首謀者（本条 1 号），他人を指揮した者または他人に率先して勢いを助けた者（同 2 号），付和随行した者（同 3 号）のいずれかに該当する限りで処罰される（それに対する共犯の成否については，429 頁以下を参照）。**首謀者**とは，騒乱行為の主導者となり，多衆者をしてその合同力により暴行・脅迫させた者，**指揮者**とは，騒乱行為につき多衆の全部または一部を指揮した者，**率先助勢者**とは，衆に抜きん出て騒乱の勢いを増大させる行為をした者，**付和随行者**とは，付和雷同的な騒乱の参加者のことである。首謀者，指揮・率先助勢者は，必ずしも現場においてこれらの行為をする必要はない[17)]。また，本罪の成立にとり

16)　前掲注 3）最判昭和 35・12・8。この点について，町野・204 頁以下を参照。

17)　大塚・360 頁以下，大谷・383 頁，中森・181 頁，山口・370 頁以下などを参照。

首謀者の存在は不可欠ではない。付和随行者に対する刑（106条3号）が，暴行罪（208条）や脅迫罪（222条）の刑よりも軽いのは，群集心理に基づく行為であることが考慮されたものといわれている。

各個人は，**各自の行う行為について故意**を有するだけでなく，上記の**共同意思に加わる意思**がなければならない。そのためには，多数人の集合の結果として惹起される多数人の合同力による暴行・脅迫の事態の発生を（少なくとも未必的に）認識・予見しつつ，騒乱行為に加担する意思が必要である（必ずしも具体的な個々の暴行・脅迫に関する確定的認識を要するものではない）。[18]

なお，本罪については，未遂は（予備・陰謀等も）処罰されない（ただし，破壊活動防止法40条1号を参照〔→425頁注*2*)〕。また，騒乱罪もテロ等準備罪の対象犯罪である〔組織的犯罪処罰法6条の2を参照〕)。

(2) 共　犯

本罪は集合犯であり，本来的に複数者の関与を予定しその役割に応じて異なった処罰を予定しているところから，これに重ねて**刑法総則の共犯規定**（60条以下）を適用することができるのかどうかが問題となる。いいかえれば，首謀者，指揮・率先助勢者，付和随行者につき，さらにそれぞれ共同正犯・教唆犯・幇助犯の成立がありうるのかどうかが問われる。[19]

この点については，「多衆」を構成する，**集団内**の者については，本条がすでにその役割に応じて処罰を定めていることから，重ねて総則の共犯規定を適用することはできないというべきであろう（たとえば，付和随行者を指揮者の幇助犯として処罰することはできない）。また，前述のように，首謀者，指揮・率先助勢者は，必ずしも現場においてこれらの行為をする必要はないとすれば，集団の構成員であって，たとえば首謀者や指揮者を教唆した者であれば，それぞれ首謀者および指揮者そのものに該当する。

これに対し，**集団外**にあって本条に掲げられた行為に関与した者（集団の非構

18)　前掲注*3)*最判昭和35・12・8，前掲注*6)*最決昭和53・9・4。

19)　本文のように集団内と集団外とを区別するのは，大谷・384頁，中森・182頁，山口・371頁，山中・516頁など。これに対し，否定説として，大塚・361頁以下（多衆犯であることを根拠とする），団藤・181頁以下（106条の1号から3号までは構成要件を規定するものではなく，「処罰の区分」を規定するにすぎないことを根拠とする）など。

成員）については，刑法60条以下の共犯規定の適用を否定する理由は存しない。集団の外から（たとえば，謀議参与者として）指揮者や率先助勢者を幇助することなどは，幇助犯として可罰的と解することができる。

(3)　罪数，他罪との関係

騒乱罪が成立するとき，暴行罪（208条）および脅迫罪（222条）はこれに吸収される（法条競合の一種としての吸収関係〔→総論583頁〕）。公務執行妨害罪（95条1項），住居侵入罪（建造物侵入罪。130条），殺人罪（199条），恐喝罪（249条），建造物損壊罪（260条）等は，騒乱罪に吸収されるのではなく，ともに成立し，観念的競合となるとするのが判例である[20]。

3　多衆不解散罪

（多衆不解散）
第107条　暴行又は脅迫をするため多衆が集合した場合において，権限のある公務員から解散の命令を3回以上受けたにもかかわらず，なお解散しなかったときは，首謀者は3年以下の拘禁刑に処し，その他の者は10万円以下の罰金に処する。

多衆不解散罪は，騒乱罪の予備段階の行為の一部を独立に捕捉した罪である。「多衆」と「暴行・脅迫」は，騒乱罪におけるのと同じ意味である（「国家権力に対する反抗」を処罰の根拠とする犯罪ではない）。本罪は，権限のある公務員から解散の命令を3回以上受けながら，なお解散しなかったときに成立する。「首謀者」と「その他の者」とが区別され，異なった刑が定められている。「権限ある公務員」とは警察官のことであり，**解散命令権の法的根拠**は警察官職務執行

---

20)　大判大正3・2・24刑録20輯195頁，大判大正8・5・21刑録25輯666頁，大判大正8・5・23刑録25輯673頁，大判大正11・12・11刑集1巻741頁，前掲注*3)* 最判昭和35・12・8。これに対し，学説の中には，指揮者・率先助勢者の刑を基準として，これよりも軽い罪については吸収されるとするものもある（内田・427頁以下，川端・474頁，団藤・181頁など）。付和随行者が他罪にあたる行為をしたときにも，群集心理に基づいて行為したこと（したがって責任が軽いこと）を考慮して罰金刑のみですますべきだとするのである。しかし，多衆で公務執行妨害罪や建造物損壊罪等を行った者について，そのように刑を軽くする理由を群集心理ということだけで説明できるのかどうかは疑問であろう。

法（1948〔昭和23〕年7月12日法律第136号）5条にあるとされている[21]。「解散」とは集合状態を解くことであり，ただ場所を移動しただけでは足りない。多衆の一部のみが解散したときには，残りの者について本罪が成立する。多衆が解散せず，暴行・脅迫が開始されて騒乱罪が成立するに至ったときは，騒乱罪が成立して，本罪はそれに吸収される。

21）これを疑問とするのは，平野・概説242頁以下，町野・185頁以下。

■ 第*18*章 ■

放火の罪およびその周辺の罪

1 総　　説

(a) 公共危険犯　　刑法典第2編「罪」の第9章から第11章までに規定された犯罪は，**公共危険犯**と呼ばれる犯罪グループの中核である。**特別刑法の領域の公共危険犯**としては，古くから存在し，現行の法律としての効力を認められ，現在でもしばしば適用される爆発物取締罰則（1884〔明治17〕年12月27日太政官布告第32号）に規定された処罰規定のほか，一連の交通手段への侵害の罪がある（→461頁）。近年では，とりわけ組織犯罪集団によるテロ行為への対応が国内外において重要な刑事政策的課題となるにつれて，公共危険犯が再び注目を浴びるようになっている。化学兵器の禁止及び特定物質の規制等に関する法律（1995〔平成7〕年4月5日法律第65号），サリン等による人身被害の防止に関する法律（1995〔平成7〕年4月21日法律第78号），放射線を発散させて人の生命等に危険を生じさせる行為等の処罰に関する法律（2007〔平成19〕年5月11日法律第38号）等に規定された犯罪がその例である。

爆発物取締罰則　爆取（バクトリ）と略して呼ばれることもある。この単行法は，爆発物の使用に対し死刑を含む重刑で臨むとともに（1条），爆発物使用の教唆，せん動，共謀等にとどまる場合も独立して処罰の対象としており，最高で10年の拘禁刑を予定している（4条）。爆発物の製造や所持を行った者が，加害目的等の犯罪目的がなかったことを証明できない場合にも最高で5年の拘禁刑を科しうるとされている（6条）。他人が犯罪目的で爆発物を製造したり所持したりしているのを認知したのに警察に届け出ない不作為に対し5年以下の拘禁刑を科す規定（真正不作為犯の処罰規定）も存在する（8条）。ここには，すでに**処罰の早期化**（→422頁）の顕著な例が見られ，また，刑事裁判の原則の例外（被告人への挙証責任の転換）を認める規定も置かれている。

(b) 放火罪の処罰根拠　公共危険犯の代表は，**放火の罪**（108条以下）である[1]。火は燃え始めると制御不能となり，もはや人の手に負えない事態に発展するおそれがあることに注目し，刑法は放火に対し死刑を含む重い刑を法定し，予備行為も処罰の対象とするとともに，過失行為も可罰的としている（この点では，「水」もまた「火」と同様の危険性をもっているところから，刑法は，出水の罪〔119条以下〕を規定している。相互に比較すると，条文の書き方が類似している〔→460頁〕）。

より詳しくこれを見ると，放火罪は，火を用いて建造物またはその他の物を毀損することを直接的な行為の内容としている。したがって，放火罪が行われるとき，建造物（および艦船）との関係では建造物等損壊罪（260条），その他の物との関係では器物損壊罪（261条）という個人的法益に対する罪にあたる行為が同時に実現されることになる（これらの罪は，同時に成立する放火罪に吸収される〔法条競合の一種としての吸収関係。→総論583頁〕）。しかし，それがほかならぬ「火」を手段として行われるところに，通常の毀棄行為との決定的な違いがある。ここでは**建造物を客体**とする場合だけをクローズアップすると，建造物損壊罪の法定刑が「5年以下の拘禁刑」であるのに対し（260条前段），火が使われると，刑は格段に重くなる。すなわち，それが「現に人が住居に使用せず，かつ，現に人がいない建造物」（非現住建造物）であるときには「2年以上〔20年以下〕の有期拘禁刑」に（109条1項），それが「現に人が住居に使用し又は現に人がいる建造物」（現住建造物・現在建造物）であると，「死刑又は無期若しくは5年以上の拘禁刑」にまで引き上げられる（108条）。

このように（個人的法益に対する罪としての毀棄罪と比べてより）重い刑が科せ

---

1) 放火罪に関する研究として，佐藤輝幸・法協132巻5号（2015年）～133巻4号（2016年），武田誠『放火罪の研究』（2001年），星周一郎『放火罪の理論』（2004年）がある。

られるべき理由（したがって，放火罪の処罰根拠）は，特定の個人の財産が侵害されるところにあるのではなく（それのみでは，せいぜい5年の拘禁刑までの刑しか正当化できない），放火行為のもつ，**不特定または多数の人々の生命・身体・重要財産に対する危険性**に求められる。「火」が手段として用いられることにより，単に直接的な建造物へのダメージにとどまらず（それだけに尽きるのであれば，建造物の私的な所有権への侵害のみに注目した個人的法益に対する罪にとどまることになる），制御不能な形で燃え広がることによる社会公共への危険性が考慮された結果として，これだけ刑が重くなっている。この意味において，放火罪は社会的法益に対する罪であり，公共危険犯として性格づけられる[2)]。

ただし，ここで注意すべきことがある。たしかに，放火行為のもつ公共への危険こそが重罰の根拠になっているのであるが，規定の上では，「公共の危険」はごく例外的にしか登場しない（特に，109条2項および110条1項を参照）。そのことは，放火が**その行為の性質として一般的・類型的に公共への危険をもつこと**を理由に処罰されていること，したがって，放火罪が原則として**抽象的危険犯**であることを示している。

社会的法益に対する罪と被害者の同意　社会的法益に対する罪の1つの特色として，**被害者の同意が法的意味をもたない**（犯罪の成立を否定させる効果をもたない）いうことがある。個人的法益に対する罪である建造物損壊罪や器物損壊罪については，物の所有者が損壊に同意する限り，犯罪が成立することはない。個人的法益については，被害者の同意が犯罪の成立をブロックするのが原則である（→総論346頁以下）。これに対し，放火罪について見ると，そもそも誰が被害者であるかが問題であるが，それは，建造物等の燃焼により，危害を受ける不特定または多数の人々であるといえよう。これらの人々がみな同意するという事態は考えられないし，かりにそのようなことがあったとしても，そのときには同意が法的に有効であるかどうかに疑いが生じる。

ただ，放火罪は，副次的に個人の所有権の保護をも考慮している。刑法は，「建造物等」と「その他の物」のいずれの客体についても，それが他人の所有物である場合と，犯人自身の所有物である場合とで大きく区別している（→448頁，452頁）。たとえば，109条1項の場合が2項の場合よりも重く扱われている理由は，建造物等の所

2）なお，109条1項の罪に比べて，108条の罪がさらに重くなっている理由については，435頁以下を参照。

有権の保護に求めるほかはない。このような規定の下では，もし非現住建造物等の所有者が放火行為に同意しているときは，もはや所有権保護の必要はないから，1項ではなく，2項が適用されると考えるのが当然である。以上は一例にすぎないが，放火罪においては，物の所有者の同意が，適用法条を変化させるという効果をもつことに注意する必要がある。

108条以下の放火罪の規定を理解しようとするとき，いちばんのポイントは，刑法が行為の客体を，**建造物等**（108条・109条）と，**それ以外の物**（110条）とに分け，大きく区別して取り扱っているということである。前者の「建造物等」を燃やすことの方がずっと重く処罰されるし，しかも未遂も（さらには予備も）可罰的である。これに対し，後者の「建造物等以外の物」（110条1項にいう「前2条に規定する物以外の物」）については，焼損の結果として「公共の危険」を生じさせない限り，放火罪による処罰の対象にはならない[3]。このことを理解することが，放火罪規定の解釈論を学ぶにあたっての出発点であるといえよう。

2　現住建造物等放火罪

（現住建造物等放火）

第108条　放火して，現に人が住居に使用し又は現に人がいる建造物，汽車，電車，艦船又は鉱坑を焼損した者は，死刑又は無期若しくは5年以上の拘禁刑に処する。

(1)　重罰の根拠

本罪は抽象的危険犯であるが，「二重の意味で抽象的危険犯性をもつ[4]」といわれる。すなわち，①行為が周囲の建造物等に延焼するなどして不特定または多数の人々の生命・身体・財産を侵害する抽象的危険（**外に向けての危険性**）をもつ（→434頁）と同時に，それに加えて，②客体が現住または現在の建造物等であるからには，その内部にいる人の生命・身体に対する抽象的危険をもつ

---

3)　建造物等以外の物といっても，少量の紙くずやタバコのように，それ自体の焼損により公共の危険が発生することがない物については，そこから除外されるとする見解もある。このような限定的解釈は，公共の危険についての認識不要説（→453頁）をとるときに重要性をもつ。

4)　展開283頁〔西田典之〕，西田・319頁を参照。

（**内に向けての危険性**）[5]。①の危険性は，非現住建造物等放火罪（109条1項）にも共通するものであるが，②の危険性は**本罪に固有の危険性**ということになる。いずれの危険との関係でも本罪は抽象的危険犯である。それが現住の建造物である限り，かりに付近に建造物等の燃焼可能な物件がまったく存在せず，また，その建造物内部に人が現在しなかったとしても本罪の成立は否定されない。すなわち，現に人がいる建造物（現在建造物）等に放火する行為はもちろん，現に人が住居に使用する建造物（現住建造物）等に放火する行為も，人の生命・身体に重大な脅威を与える性質の行為として直ちに厳重な禁止・処罰に値するのであり，その行為が具体的な諸事情の下で人の生命・身体に対しいかなる意味で（またどの程度）危険であったかをいちいち認定することは不要とされるのである。

このような通説的見解に対し，学説の中には，①の関係でも，②の関係でも，具体的状況下における一定程度の現実的危険の発生を要求するものがある。これによれば，付近の建造物等への延焼可能性も，建造物内部の人の生命・身体への危険性も，いずれもまったく存在しないとき（危険の発生が排除されているとき）には，本罪としての重罰の根拠を欠く（①と②の二重の根拠のいずれをも欠く）ということになる（したがって，この見解によれば，そのときには，①と②を処罰根拠とする現住建造物等放火罪ばかりでなく，①を処罰根拠とする非現住建造物等放火罪〔→448頁以下〕の成立もまた否定され，ただ建造物損壊罪〔260条〕が認められるにとどまることになる[6]）。

しかし，このような考え方には疑問がある。まず，条文の解釈として無理があろう。108条においては，「現に人がいる」建造物等と区別する形で，「現に人が住居に使用」する建造物等が客体となっているのであるから（すなわち，現にそこに人がいなくても，人が住居として使用している建造物等であれば本罪の客体となるとするのが刑法の趣旨であるから），人の現在することを本罪成立の要件と

---

5) 本罪について，構成要件の内容に死亡結果の招来が含まれていないのに，法定刑として死刑が定められているのは（刑法典の罪としては，他に，77条・81条・82条を参照），まさにこの②の意味における危険に注目したものであると考えられる。

6) このような結論を認めるのは，内田・442頁以下，高橋・478頁，中山・255頁，林・330頁，松原・417頁以下，山口・376頁以下，379頁以下，山中・526頁以下など。

することはできない[7]。また，実質的に考えても，人が起居の場所として日常的に使用している場所（それが現住性の意味するところである）であれば，かりに留守と思われてもどこかに人が現在するかもしれず，またいつ何時，居住者や来訪者が建造物内に立ち入るかもしれない[8]。すでに，そのことだけでその種の放火行為を一般的に強く禁止する根拠たりうる[9]。

抽象的危険犯規定のメリット　抽象的危険犯は，処罰のためのハードルを低くし，処罰の早期化と処罰範囲の拡大をもたらすものではあるが，他方，法益の保護をより充実させることに加えて，次のようなメリットももっている。すなわち，侵害犯の処罰規定においては，犯罪が成立するかどうかが，法益侵害の発生・不発生という，多分に偶然的な要因に依存することになる。それは，行われた行為自体の評価から（ある程度）離れたところで，犯罪の成立・不成立が決まることへの不均衡感・不公平感を生み出すことになる。これに対し，抽象的危険犯においてはそれがないという側面がある。法益侵害結果の発生まで待つことは，処罰範囲の限定という大きな長所をもつことは事実である。しかし，他方において，処罰の不公平さ（偶然的な処罰），結果責任の傾向の助長，行動基準の不可視性というマイナス面をもたざるをえない。逆にいえば，このようなマイナス面を（ある程度）解消できるところに抽象的危険犯規定のメリットがある。

(2)　客体――概説

本罪の客体は，「現に人が住居に使用」し，または「現に人がいる」建造物，汽車，電車，艦船，鉱坑である。**建造物**とは，建造物損壊罪のそれと同じく

7)　西田・319頁を参照。

8)　これに対し，伊東・254頁は，加重処罰の根拠となる危険は，あくまでも建造物等内にいる人に対する危険でなければならず，来訪するかもしれない人等に対する危険は加重根拠としては不十分であるとする。

9)　もし客観的に危険が排除されている場合に違法な放火行為であることを否定するのであれば，客観的には危険であっても，行為者が危険を基礎づける事情（すなわち，内部にいる人の存在）を認識していなかったというケースでは，故意の阻却を認めざるをえないであろう。ここでは，建造物内や付近に人が存在するかもしれないという**状況的な不確実性を犯人側と被害者側のどちらのリスクとして負担**させるべきかが本質的な問題となっている。行為が一般的・類型的に高度の危険性を有する場合，このリスクを行為者の側に負担させることは決して不当ではない。現住建造物への放火は（およそ例外を許さず）強く禁止するという1つの政策的立場は十分の合理性をもちうるばかりか，反対説のそれと比べてより妥当なものである。

（→413頁），家屋その他これに類似する建築物をいい，屋根があって壁または柱により支持されて土地に定着し，少なくともその内部に人の出入りしうるものでなければならない。[10] **汽車**とは，蒸気機関車をもって列車を軌道上牽引させるものをいい，**電車**とは，電気を動力として列車を軌道上走らせるもののことをいう。**艦船**とは，軍艦および船舶のことをいう。**鉱坑**とは，鉱物採取のために設けられた坑道その他の地下設備のことをいう。

本罪の客体は，大きく「現に人が住居に使用」する建造物等と，「現に人がいる」建造物等に分かれる。前者の**現住建造物**等とは，人，すなわち犯人以外の人が[11]「起居（起臥寝食）の場所として日常使用」する建造物等のことをいい，後者の「現に人がいる」建造物等（**現在建造物**等）とは，犯人以外の人が放火の際に現在する建造物等のことをいう。解釈上，種々の問題が生じるのは現住建造物等の方である。[12] 現住と呼びうるためには，居住者の「生活の本拠」である必要はないし，建造物等の主たる目的が他に存在してもよく，また昼夜間断なく人の現在することまで要求されず，住居としての使用が断続的であってもかまわない。寝台列車に放火すれば，現住電車放火罪となりうるが，多くの場合，現在性も肯定されることであろう。大きな建造物の一部に現住部分があるというときは，全体が現住建造物となる。[13] 判例によれば，居住者を全員殺した上でその家屋に放火するのは非現住建造物放火にすぎない。居住者がすべて

10）中に人が入ろうと思えば入れないことはないが，人の起居や出入りが予定されていないものは，刑法にいう「建造物」とはいえない。物置小屋は建造物たりうるが，犬小屋は建造物ではない。

11）犯人が1人で住んでいる家に火をつける行為は，非現住建造物放火罪（→448頁）となる。同様に，他の居住者（全員）の同意を得て放火する行為も，非現住建造物放火罪になるとされている。他の居住者がその同意により**居住の意思を確定的に放棄**したと解することができる限りで，当該の建造物等については現住性が否定されると考えることができるであろう。

12）ちなみに，住居侵入罪の客体も住居であるが（→181頁），放火罪の場合と異なり，それが建造物である必要はない。したがって，建造物の中の区画された一部分（集合住宅の一部屋など）であっても独立の住居侵入罪の客体となるし，「建造物」の定義にあたらない場所を住居として用いているとき（たとえば，キャンピングカーを利用しているとき），それは現住建造物放火罪の客体にはならないが，そこに侵入すれば，住居侵入罪は成立するということになる。

13）判例により，たとえば，宿直室のある学校校舎，楽屋に人が寝泊まりしている劇場，待合業を営む家の離れ座敷，社務所や守衛詰所に人が寝泊まりする神社社殿などについて現住性が認められている。

死亡した後の家屋はもはや「現に人が住居に使用」する建造物とはいえないのであるから，その結論は正当である（そこで，行為者としては居住者がすでに死亡したと思っていたものの，放火時点でなお生きていたというときには，客体は現住建造物だということになる。ただ，行為者は非現住建造物と誤信していたことになるから，38条2項により非現住建造物放火罪の成立が認められることになる）。同様に，居住者が転居しすでに新しい家で生活をはじめたというとき，残したいくつかの家財道具を取りに元の住居に立ち入る可能性が大きいとしても，また転居のことを知らない知人が元の住居を訪れる可能性があるとしても，もはや元の住居の方を現住建造物と呼ぶことはできない。

現住性喪失の判断基準　この種のケースで現住性喪失の判断基準となるのは，抽象的には，**起居の場所としての使用形態にすでに変更が生じたかどうか**であり，具体的には，家財道具の重要部分が運び出されたかどうか等の客観的事情が重要である。最高裁は，次のような事案について，現住建造物放火罪の成立を肯定した。被告人は，その所有する本件家屋および敷地に対する競売手続の進行を妨害するため，自己の経営する会社の従業員5名に指示し，約1カ月半の間に十数回にわたり，日常生活に必要な設備をもつ本件家屋に交替で泊まり込ませていたが，本件家屋等を燃やして火災保険金を騙し取ろうと企てるに至り，従業員5名を2泊3日の沖縄旅行に連れ出すとともに，留守番役の従業員には宿泊は不要であることを伝えた上で，旅行中に放火して家屋を全焼させるに至った。なお，被告人は従業員らに対し旅行後は宿泊しなくてもよいとは指示しておらず，従業員らは旅行から帰れば再び交替の宿泊が継続されるものと認識していたというのである。最高裁は，沖縄旅行中の犯行時においても，起居の場所としての使用形態に変更はなかったとして，本件家屋は現住建造物にあたるとした[14]。

なお，現住性が失われたかどうかの判断の際には，その一要素として，居住者がその建造物をなお起居の場所として使用する可能性を残しているかどうかという意味での**居住の意思の有無**も考慮される[15]。

14）最決平成9・10・21刑集51巻9号755頁。

15）東京高判昭和54・12・13判タ410号140頁は，次のようなケースで**建造物の現住性を肯定**した。すなわち，被告人甲とその妻Aとは，緊迫した離別の危険をはらむ夫婦生活の破綻状態にあった。Aは，甲を逃れ，甲と同居していた住居から，Aと子供の衣類，調度品等の大半を運び出した。その数時間後，もうAが帰ってこないと思った甲は，自暴自棄になって住居に放火してこれを全焼させた。ただし，Aとしては，甲に愛想を尽かし，離婚のことを真

(3) 客体――その一個性

放火した箇所が**現住建造物等の一部**とされれば，それを焼損すれば直ちに現住建造物等放火罪の既遂となるのに対し，放火した箇所が現住建造物等の一部でない（たとえば，非現住建造物等〔→448 頁〕または建造物等以外の物〔→451 頁〕にすぎない）とされれば，現住建造物等に延焼させる意図があったとしてもせいぜい現住建造物等放火罪の未遂にすぎず，火が現住建造物等に燃え移ってはじめて同罪の既遂犯の成立が認められることになる。したがって，**建造物の一体性をどのような基準により判断**するかは重要な問題となる。たとえば，畳や雨戸，カーテンやカーペット，家財道具などは，建造物の構成部分ではなく，その箇所を焼損したとしても本罪の既遂にはならないことは明らかである（ただし，**未遂犯となる可能性**はある）。これに対し，ドアとか窓のように，はたして建造物の一部であるのかどうかにつき，疑問の生じるものがある。その際の判断基準は，従来，「毀損しなければ取り外すことのできない状態にある」かどうかというものであった（すなわち，壊さなくても取り外すことができれば，建造物の一部ではなく，壊さなければ取り外せないものは，建造物の構成部分であるとされた[16]）。しかし，近年では，技術の進歩により，複数の部分から組み立てられていて容易に取り外せないが，工具等を用いれば毀損しなくても取り外しが可能であるも

剣に考慮する反面において，甲が酒を慎しみ，乱暴をやめて，まじめに仕事をしてくれるならば，再び甲の下に戻ってもよいとする考えを気持ちの中に残していた。この事例では，数時間前まで衣類や調度品等があったこと，A が居住の意思を完全に放棄していなかったこと（また，甲もそのことを認識していたこと）を根拠として現住性およびそれについての故意が肯定された。京都地判令和 4・8・18 LEX/DB 25572356 の事案では，被告人が A の居宅に放火してこれを全焼させたことについて現住建造物等放火罪の成立が認められた。放火当時，A については，社会福祉協議会が一人暮らし継続は困難と判断し，A は病院に社会的入院をしていた。しかし，入院後も A 自身の帰宅意思は強く，認知症の認知度や要介護度からして，A 方で一人暮らしをすることは十分可能であったことから，A 方は，A の寝起きに使用される予定のない建物にはなっていなかったとされた。

16） たとえば，団藤・196 頁以下。なお，マンション内のエレベーターのかごについて，最決平成元・7・7 判時 1326 号 157 頁の原審判決である札幌高判昭和 63・9・8 高刑速昭和 63 年 214 頁は，収納部分から取り外すためには，最上階でかごから重りを外した後，最下階に移した上，解体してエレベーター扉から搬出するなど，作業員約 4 人がかりで 1 日の作業量を要するのであるから，「毀損しなければ取り外すことができない状態」にある場合に該当し，108 条の適用上も，建造物たるマンションの一部を構成するものというべきであるとした。

のがしばしば使われる。このようなものについては建造物の一部と認めてよいことから，少し基準を緩和して，「容易には取り外すことのできない状態にある」かどうかにより決めるべきものとされるようになっているといえよう（個人的法益に対する罪としての建造物損壊罪における客体の一個性については，413 頁以下を参照）。

しばしば難しい判断となるのは，それ自体として独立した複数の建造物が隣接して存在する場合である。たとえば，隣接する建造物のＡとＢとがあり，かりにＡは住居として用いられていない非現住建造物で，Ｂは住居として用いられている現住建造物だとしよう。放火犯人がＡに火をつけて焼損したが，まだ火はＢには燃え移っていないという場合，もしＡとＢとを一体の建造物（すなわち，1 個の現住建造物）として捉えることができれば，すでに現住建造物放火罪の既遂となるし，もしそれぞれが別個の建造物だとすれば，せいぜい現住建造物放火罪の未遂にすぎない（既遂に達した非現住建造物放火罪はそれに吸収される）[17]。このような場合においては，建造物の一体性をどのような基準により判断するかが問われることになる。

判例によれば，そのような場合の一体性の判断は，**物理的観点**と**機能的観点**という２つの観点から具体化される[18]。**物理的一体性**とは，延焼の可能性を考慮の要素としつつ，その一部に放火されることによって全体に危険が及ぶほどに物理的に一体の構造かどうかという基準であり[19]，機能的一体性とは，全体が一

17） 団藤・189 頁。

18） 最決平成元・7・14 刑集 43 巻 7 号 641 頁（**平安神宮事件**）は，被告人が平安神宮の本殿等を焼損しようと決意し，午前 3 時過ぎ頃，東西両本殿，祝詞殿，内拝殿，斎館，そして宿直員等が就寝していた社務所および守衛詰所等が，廻廊・歩廊によって接続している構造の平安神宮社殿の一部である祭具庫西側板壁付近にガソリン約 10 リットルを散布した上，これに点火して火を放ったというケースについて，「右社殿は，その一部に放火されることにより全体に危険が及ぶと考えられる一体の構造であり，また，全体が一体として日夜人の起居に利用されていたものと認められる。そうすると，右社殿は，物理的に見ても，機能的に見ても，その全体が 1 個の現住建造物であったと認めるのが相当であるから，これと同旨の見解に基づいて現住建造物放火罪の成立を認めた原判決の判断は正当である」とした。

19） 福岡地判平成 14・1・17 判タ 1097 号 305 頁は，難燃性建造物の一体性が問題となった事案に関し，非現住・非現在の建物から現在の建物へ**延焼する蓋然性が認められない**ことから，両者間に機能的連結性が相当に強く認められるとしても，それら複数の建物を 1 個の現在建造物と評価することはできないとした。

体として日夜人の起居に利用されているかどうかという判断である。なぜ，物理的一体性に加えて，機能的一体性も考慮されなければならないのか。それは，居住部分と一体として利用されることにより，人がそこに居合わせて火災の危険にさらされる可能性が増加するからである。しかし，本質的な基準は物理的一体性であり，機能的一体性はあくまでもそれを補完する，従たる判断要素にすぎないというべきである[20)]。たとえば，学校の宿直室が，校舎と隣接する別個の建造物の中にあり，その間を構造的につなぐ木造の渡り廊下などがないという場合に，夜間に校舎の方を焼損したというような事例では，現住建造物放火罪の未遂犯となるにとどまる（たとえ延焼の可能性があり，機能的一体性は強く認められるとしても，それだけでは建造物としての一体性を肯定することはできない[21)]）。

不燃性・難燃性建造物とその一体性　建造物の一体性をめぐる1つの問題として，いわゆる不燃性・難燃性建造物であるマンションの一室が，独立した建造物と認められるかどうかの問題がある。構造としては全体が1個の大きな建造物であり，居室のそれぞれは独立していないが，1つの居室に放火したときに，他に延焼する可能性がないのであれば，建造物放火罪との関係では，マンションのそれぞれの部屋を相互に独立した建造物として把握することも不可能ではない。そのように考えるとすれば，マンションの空き部屋に放火してその部屋を焼損したとしても，人が現住する他の部屋への延焼の可能性がないという限りにおいて現住建造物放火罪は成立しない（さらに焼損の可能性がないことから，非現住建造物放火罪の実行行為性を欠き，未遂にもならない）という結論を出すこともできそうである。

しかし，1つの区画に放火した際に，火が他の区画に及ぶ危険性をまったく排除できるのか（窓や換気扇等を通して，火の粉が飛ぶようなこともありうるであろう），さらに，有毒ガスや煙などによる他の区画への影響の可能性があるとき，そのことを考慮しなくてよいのかという問題がある。現在では，不燃性・難燃性建造物であるマ

20）　機能的一体性は，物理的一体性が弱いときに，それを補う形で考慮されるものであり，機能的一体性が強く認められても，およそ物理的一体性がないというのであれば，建造物としての一体性は否定されるべきである。同旨，伊東・268頁，高橋・489頁，西田・320頁，山口・381頁以下，山中・531頁以下など。

21）　そうであるとすれば，宿直室が裁判所庁舎とは別の独立の建物内にあるのに，宿直員が庁舎内を巡視するのが通例であるときには，その庁舎は現住建造物であるとした大審院判例（大判大正3・6・9刑録20輯1147頁）は妥当でない。大塚・375頁，大谷・394頁，塩見・206頁，中森・187頁，林・335頁，山口・382頁などを参照。

ンションについても，全体を１個の建造物として理解する見解が一般的である。

(4)　実行行為と結果

放火罪の構成要件においては，放火行為が実行行為（構成要件該当行為）であり，焼損が結果（構成要件的結果）である。放火罪は結果犯としてこれを把握することができる。放火行為とは，目的物の焼損に原因を与える行為である。媒介物に点火して目的物を燃焼させる行為や，目的物にガソリンをかけてそれに点火する行為などが放火行為にあたる（すでに発火した目的物の燃焼を助長させる行為，たとえば，油を注ぐことなどもこれに含まれる[22]）。放火行為には**不作為**によるそれも含まれるかという問題があるが，消火の義務を負う者が消火措置を講じないという不作為も，先行行為・排他的支配領域性・消火の容易性等の事情のあるときは，放火行為にあたる（不真正不作為犯としての放火罪が成立しうる）と解するのが判例・通説である（→総論 161 頁以下）。

本罪については**未遂も処罰される**（112 条[23]）。実行の着手時期は，放火行為を開始する時点である。条文の文言を基準とするならば（**形式的客観説**〔→総論 432 頁以下〕），目的物そのものまたは媒介物に対して現実に火を放つ行為（点火行為）が存在しない限り，これを着手と見ることはできないはずだが，自動発火装置や爆発物を準備した場合や，火をつける前に目的物にガソリンをかける場合などには，火がつく以前であっても危険性が高く，これらを直前行為・密接行為として捉えて実行の着手を認めうる場合もありえよう[24]。点火行為以前に実行の着手を肯定した下級審の裁判例もある[25]。もし予備行為から焼損の結果

22）　団藤・190 頁。

23）　本罪および他人所有非現住建造物等放火罪（109 条 1 項）についてのみ，未遂が処罰され（112 条），さらに**予備**（113 条）も犯罪となる（→456 頁）。

24）　西田・321 頁，山口・383 頁などを参照。

25）　木造家屋を焼損する目的でガソリンを散布したというケースで，実行の着手を肯定したものとして，横浜地判昭和 58・7・20 判時 1108 号 138 頁がある。これに対し，千葉地判平成 16・5・25 判タ 1188 号 347 頁は，居宅に放火する意図の下に，その玄関板張り床上等に灯油を散布した上，手に持った新聞紙にライターで点火した段階では，まだ現住建造物等放火罪の実行の着手は認められないとした。散布したのがガソリン等ではなく灯油であった点が重要であり，その時点では焼損の具体的危険性が認められないとする。なお，傍論であるが，同様に，横浜地判平成 18・11・14 判タ 1244 号 316 頁も，台所床面等に灯油を撒いただけでは現住建造

が発生したとされれば，放火予備罪（113条）と（重）失火罪（116条1項・117条の2後段）とが成立して観念的競合として処断されることになる。

客体を**焼損**（1995〔平成7〕年刑法改正前の「焼燬（しょうき）」）したとき**既遂**となる。[26] 判例は，大審院時代から一貫して**独立燃焼説**をとり，火が媒介物を離れ，**目的物**（したがって，**建造物等の一部**[27]）が独立に燃焼を継続しうる状態になれば焼損の段階に達したものであり，既遂になるとしてきた。[28] その根拠となっているのは，目的物が独立に燃焼を継続しうる段階になれば，（とりわけ木造家屋の多いわが国では）すでに公共の危険が生ずる段階に至ったと見ることができるとする考え方であろう。独立燃焼説に対しては，既遂になるのが早すぎるとする批判がある。中止未遂（43条ただし書〔→総論461頁以下〕）が認められる範囲が狭くなってしまい（既遂に到達して以降は，たとえ犯人が翻意して消火に努力したとしても，せいぜい量刑で考慮されるだけである），法定刑も重いので，処罰において過酷な場合が出てくるというのである。[29]

独立燃焼説に対する異説　独立燃焼説に対し，学説において，既遂時期をより遅らせようという趣旨で主張されてきたのが次の3つの説である。**効用喪失説**は，客体の重要部分が焼失し本来の効用が失われる時点まで既遂に達しないとし，[30] **重要部分燃焼開始説**は，目的物の重要な部分が燃焼を開始し容易に消し止めることができなくなっ

物等放火罪の実行に着手したとはいえないとしている。

26）焼損の意義に関する判例と学説については，佐藤・前掲注*1*）法協132巻5号19頁以下，星・前掲注*1*）が詳しい。

27）雨戸や畳，家具等の家財道具ではなく，**柱や天井，壁や床など建造物それ自体が焼損**されなければならない。

28）最判昭和25・5・25刑集4巻5号854頁など。学説としては，伊東・270頁以下，小林・理論と実務369頁以下，塩見・196頁以下，高橋・481頁以下，団藤・192頁以下，中森・184頁以下，西田・322頁以下，橋爪・悩みどころ452頁以下，堀内・212頁以下，前田・330頁以下，山口・384頁以下など。

29）刑の重さについていえば，戦後の刑法改正により，現住建造物等放火罪の既遂に対しても，酌量減軽（66条以下）を行えば，刑の執行を猶予すること（25条以下）が可能となったことから，批判のインパクトは失われたといってよい。ちなみに，外国の立法例の中には，**既遂に達した後**に行為者が消火行為をした場合について特別の扱いを規定するものがあり，立法論としては，わが国でも考慮に値する。

30）植松・97頁，香川・172頁以下，木村・189頁，曽根・218頁以下，日高・423頁以下，平野・概説248頁など。

た時点，いわゆる「燃え上がった」時点をもって焼損とし[31]，**毀棄説**は，目的物が建造物損壊罪にいう損壊の程度（一部損壊）に達した時点をもって既遂とする[32]。このうち，効用喪失説は，最も遅い段階で既遂を認めるものである。重要部分燃焼開始説と毀棄説とは，独立燃焼説と効用喪失説の中間的見解であり，両説の中間の時点で既遂を認める。このうち，効用喪失説は，客体の効用に注目するものであり，放火罪の公共危険罪としての性格にそぐわない。また，重要部分燃焼開始説は「重要部分」という基準が曖昧である。毀棄説は，独立燃焼説よりも既遂時期を遅らせることにより妥当な結論を導きうるものであり，また，「焼損」という文言にも合致する見解といえるであろう。

独立燃焼説にとっての深刻な問題は，**不燃性・難燃性建造物**が客体であるとき，素材の性質上，建造物そのものは独立燃焼に至ることなく，しかし火力によって建造物の効用が害されたり，有毒なガスや煙の発生により建造物内の人々が危険にさらされるという事態が生じた場合，それでも未遂にとどまることになるが，それでもよいかということである（なお，この点は，従来の効用喪失説，重要部分燃焼開始説，毀棄説にとっても同様に問題となることに注意すべきである。これらの学説は，独立燃焼という事態の発生を前提とし，それよりも遅い時点で既遂を認めようとする点で共通していた）。最高裁の判例は，不燃性・難燃性建造物との関係でも，独立燃焼説の基準が適用可能であるとしている[33]。ただ，もし独立燃焼説を維持したまま妥当な結論を得ようとするのであれば，**炎を上げて燃えなくて**

31） 浅田・336頁以下，小野・233頁，福田・67頁など。

32） 大塚・371頁以下，大谷・389頁以下，川端・479頁以下，斎藤・223頁以下，中山・253頁以下，山中・522頁以下など。

33） 前掲注 *16*）最決平成元・7・7。それは，12階建て集合住宅であるマンション内部に設置されたエレベーターのかごの中で火を放ち，その側壁として使用されている化粧鋼板の表面約0.3 m^2 を燃焼させたというケースにつき，焼損を認めた。ただ，可燃部分が燃焼を開始したとはいえ，放置すれば直ちに自然鎮火する状況にあったと見られ，従来の独立燃焼説の基準にいう「燃焼を継続・維持しうる段階」に至ったといえるかどうかについては疑問がないではない。反対に，東京地判昭和59・6・22刑月16巻5＝6号467頁は，被告人が，鉄骨・鉄筋コンクリート地下4階地上15階建ての東京交通会館の地下2階にある塵芥処理場において，集積されていた多量の紙屑等に火をつけ，これを全面にわたって燃え上がらせ，火力によって，塵芥処理場のコンクリート内壁表面のモルタルを剝離・脱落させ，コンクリート天井表面に吹き付けられてあった石綿を損傷・剝離させ，さらに，天井の蛍光灯等を溶融・損傷させ，吸排気ダクトの塗装を焼損させたという事案について，独立燃焼説の立場から未遂にとどまるとした。

も熱の作用で焼ければ足りるとし，その継続性も要求しないということろまでその**要件を緩和**することが必要となろう。

不燃性・難燃性建造物と焼損概念 独立燃焼説の基準によるとき，壁や天井や柱等には火が燃え移らず，その点では焼損を認めることはできないとしても，たとえば，窓枠の一部に（たとえば，デザイン上の理由から）可燃物が用いられており，その部分が燃焼するに至っているときには既遂を肯定することが可能となろう。しかし，放火罪が公共危険罪であり，「焼損」が公共危険の発生を類型的に示す基準たるべきであるとすれば，**たまたま建造物の一部に可燃部分があったかどうかで区別**するのは理由のないことであろう。

現実に即した解決は，上述の**毀棄説**を修正するときに得られるであろう。焼損となしうるためには，あくまでも**目的物自体が火力の影響で少なくとも一部損壊**の程度に達したことが必要であり，またガスや煙も媒介物の燃焼から発生したのでは足りない。しかし，火力による客体の損壊にともない発生した有毒ガスや煙などの影響で，もし付近に人がいたとすればその生命・身体に危険を生じさせる可能性ある段階に到達したときには焼損とすることができるであろう。[34)]

(5) 罪数，他罪との関係

現住建造物等放火罪の保護法益は公共の安全（→423頁）であることから，1個の放火行為により複数の現住建造物等を焼損したとき，1つの公共の危険を生じさせたものとして，本罪一罪が成立する（→総論577頁以下〔単純一罪〕）。本罪にあたる行為を行い，あわせて非現住建造物等も焼損したというとき，本罪のみで包括的に処罰され，非現住建造物等放火罪（109条）は独立には成立しない（包括一罪の一種としての吸収一罪〔→総論587頁〕）。[35)] 建造物等を燃やせば，同時に，建造物等の内外に存在する多くの物が火力により毀損されることであろう。そのときでも，本罪のみが成立し，器物損壊罪（261条〔→408頁以下〕）

---

34) 林・333頁以下もこれに近い。この種の問題が生じる真の原因は，刑法が，もともと放火罪の本質的構造を**客体たる建造物（それ自体）の燃焼に基づき公共の危険が発生するところ**に見ていたことに求められよう。ところが，現在の建築事情の下では，客体そのものが燃焼することなく，しかし公共の危険が発生するという事態が生じているのであり，これはもはや現行の放火罪規定が社会の現実に対応できなくなっていることの表れということができるのである。

35) 現住建造物等放火罪が未遂に終わったときでも（→440頁）変わらない。同罪の未遂罪のみで処罰すればそれで足りる。

や建造物等以外放火罪（110条〔→451頁〕）はそれに吸収される（吸収一罪）。現住建造物放火罪の実行により建造物損壊罪（260条）にあたる事実があわせて実現されても，別途，同罪の罰条が適用されることはない（法条競合の吸収関係と解される）。

放火を手段として被害者を故意に焼死させたとき，本罪と殺人罪（199条）の観念的競合となる。死亡について過失が認められるにすぎないときには，①現住建造物等放火罪と（重）過失致死罪の両罪が成立し観念的競合の関係に立つとする見解と，②過失致死は，重い現住建造物等放火罪に吸収されるとする見解[36]とが対立している。両説の違いは，①の見解によれば，死亡の事実との関係で行為者に過失があったことについて犯罪事実としての証明と認定が要求されることになるのに対し（稀な場合ではあろうが，行為者が内部に人がいないことを十分に確認したという事情があれば，過失が否定されることもありえよう），後者の②の見解によれば，量刑の場面における考慮であることから，厳密な意味での過失の存在の証明までは要求されず，死亡に至らせたという事実を量刑事情として考慮できるとするところにあるといえよう[37]。

この点につき，最高裁判例[38]は，現住建造物等放火罪にあたる行為を行うことにより，居住者２名を死亡させたという事案について，現住建造物等放火罪と別に過失致死罪による公訴提起が行われていないとしても，その事実を現住建造物等放火罪の量刑にあたって刑を重くする方向で考慮してよいとした。この判例は，上記の①と②のどちらかを妥当としているものではないが，過失致死の事実については，あえてこれを起訴して観念的競合としなくても，現住建造物等放火罪の量刑事情として考慮できるというのであるから，上記②の見解に承認ないし裏付けを与えるものとはいいえよう。

保険会社から保険金を騙し取る目的で本罪を犯し，さらに保険金を請求してこれを得たとき，本罪と一項詐欺罪とは併合罪となる[39]。

---

36) 裁判例として，熊本地判昭和44・10・28刑月1巻10号1031頁がある。

37) ただし，これに対しては，現住建造物放火罪のみが起訴されている場合には，およそ死亡の事実は考慮できないとする見解も一部で有力に主張されている。議論の状況について，詳しくは，蛭田円香・最判解刑事篇平成29年度282頁以下を参照。

38) 最決平成29・12・19刑集71巻10号606頁。

39) 大判昭和5・12・12刑集9巻893頁。

3　非現住建造物等放火罪

（非現住建造物等放火）
第109条①　放火して，現に人が住居に使用せず，かつ，現に人がいない建造物，艦船又は鉱坑を焼損した者は，2年以上の有期拘禁刑に処する。
②　前項の物が自己の所有に係るときは，6月以上7年以下の拘禁刑に処する。ただし，公共の危険を生じなかったときは，罰しない。
（差押え等に係る自己の物に関する特例）
第115条　第109条第1項……に規定する物が自己の所有に係るものであっても，差押えを受け，物権を負担し，賃貸し，配偶者居住権が設定され，又は保険に付したものである場合において，これを焼損したときは，他人の物を焼損した者の例による。

(1)　客　体

本罪は，「現に人が住居に使用せず」，かつ「現に人がいない」建造物，艦船または鉱坑（**非現住建造物等**）を焼損することにより成立する**抽象的危険犯**（→435頁）である。たとえば，夜中で誰もいない倉庫や工場，犯人のみが居住する建造物などが本罪の客体の例である（前述のように，犯人がその家の居住者を全員殺した上で，その家屋に放火するというケースでも本罪となる〔→438頁以下〕）。客体としての**建造物**，**艦船**，**鉱坑**の意義については，現住建造物等放火罪（108条）におけるのと同じである（→437頁以下）。ただし，汽車と電車は，客体に含まれない。

刑法は，客体としての非現住建造物等について，他人の所有物である場合（109条1項）と，犯人自身の所有物である場合（109条2項）とで取扱いを大きく異にしている。後者を特に**自己所有非現住建造物等放火罪**と呼ぶ（また，前者を**他人所有非現住建造物等放火罪**と呼ぶことがある）。両者を比較すると，法定刑の重さが大きく違うばかりでなく，自己所有非現住建造物等放火罪については，具体的事情の下で**公共の危険**が生じなかったときは罰しないとしているところが重要である[40]。その客体が**自己の所有に係るもの**であったとしても，「差押えを受

40)　他人の所有物である場合と，犯人自身の所有物である場合との取扱いの違いは，物の所有者の受けた財産的利益の侵害を根拠とするものであり，ここに**放火罪のもつ財産侵害犯的側面**があるといわれる（西田・316頁，326頁，山口・375頁などを参照）。ただ，放火罪の重罰根拠は放火行為のもつ公共的危険性にあり（→433頁以下），109条2項の罪も，110条2項の罪も，

け，物権を負担し，賃貸し，配偶者居住権が設定され，又は保険に付したもの」であるときは，他人の物を焼損したとして扱われる（115条）。民法及び家事事件手続法の一部を改正する法律（2018〔平成30〕年7月13日法律第72号）により加えられた「配偶者居住権」については，民法1028条以下を参照。109条1項と2項の区別は，他人の所有権侵害の有無を理由とするものであることから，**無主物に対する放火**についても，2項を適用してよいとするのが有力な見解である[41]。したがって，焼損の結果，公共の危険を生じさせれば，本条2項の刑で処罰されるべきこととなる。

他人所有非現住建造物等放火罪に限り，その**未遂も処罰**される（112条[42]）。実行行為および結果，実行の着手時期および既遂時期に関しては，現住建造物等放火罪について述べたことがそのままあてはまる（→443頁以下）。自己所有非現住建造物等放火罪については未遂は処罰されず，焼損に至ったとしても，公共の危険の発生がなければ不可罰である。

(2) 公共の危険

自己所有非現住建造物等放火罪については（さらに，建造物等以外放火罪〔110条〕についても〔→451頁〕），公共の危険の発生が処罰の要件となる（しかも，未遂は処罰されない[43]）。学説は，これを**構成要件要素**として位置づけ，既遂成立のために焼損に加えて要求される，もう1つの構成要件的結果であると理解している。そのように考える限りにおいて本罪は**具体的危険犯**であり，公共の危険の発生も**故意の対象**になる（→総論111頁）。もし行為者において，公共の危険の発生

「公共の危険」が発生してはじめて処罰されるのであるから，それにもかかわらず，それぞれ1項の罪と比較して，これだけ刑を大幅に軽くすることに合理性があるのかどうかは立法論として疑問であるといえよう。

41） 植松・103頁，大塚・378頁，大谷・398頁，西田・326頁，前田・335頁以下など。

42） さらに，113条により，他人所有非現住建造物等放火罪の予備も可罰的である（→454頁）。

43） 109条2項における**公共の危険の発生を否定した判例**として，広島高岡山支判昭和30・11・15裁特2巻22号1173頁がある（自己所有の炭焼小屋を焼損したというケースで，その所在地は人家から雑木林等を隔てて直線距離にして300m以上ある山腹であり，また，周辺の雑木はすべて切り払われ，引火延焼の危険のある物は存在せず，さらに，前夜からの雨は小降りながらも放火当時降り続いており，被告人も付近に延焼することのないよう監視しつつ焼損したものであって，付近の住民の中にも延焼の危険を感じたという者がいなかったという状況であった）。

の認識を欠くときには，失火罪（116条2項・117条の2）が成立するにとどまることになる（**公共の危険の発生についての故意の要否**の問題については，建造物等以外放火罪〔110条〕との関係で詳しく論じる。→452頁以下）。

判例の解釈　判例は，このような考え方をとらず，本条における公共の危険の発生は構成要件要素ではなく，**犯罪の成否とは無関係な客観的処罰条件**（→総論77頁，169頁）にすぎないとするようである[44]（特に，他人所有建造物等以外放火罪〔110条1項〕につき，公共の危険の発生を行為者が認識することは必要でないとしている。→453頁）。このようにして，公共の危険を構成要件要素として位置づけ，109条2項の罪（および110条の罪）を具体的危険犯として把握するのは，あくまでも学説の解釈にすぎないということに注意しなければならない。

公共の危険とは，不特定または多数の人々の生命・身体・財産に対する危険のことであるが（→423頁），より具体的には，**108条および109条1項に規定する客体に対する延焼の危険**に限定されるのではないかが論点となる。かつての判例および実務においてはそのような限定的理解も有力だったが，最高裁は，**110条1項の公共の危険**に関し，108条および109条1項に規定する建造物等に対する延焼の危険に限定されるとする見解（**限定説**）を斥け，不特定または多数の人の生命，身体または建造物等（108条・109条1項の客体）以外の財産に対する危険も含まれるとしている[45]（**非限定説**）。たしかに，たとえば，自己所有非現住建造物を燃やしたところ，それにより付近を通りかかった人が火傷を負う危険が生じた事例（109条2項の場合）や，多数の乗客が乗車中のバスを燃やし，乗客が火傷を負ったり一酸化炭素中毒となる危険を生じさせた事例（110条1項の

---

44)　このような解釈には，文理上の根拠がある。すなわち，刑法は，具体的危険犯としての公共危険犯を条文化するにあたっては，たとえば，**往来危険罪**（125条）のような規定の仕方を選んでいる（→463頁）。これと比べると，109条2項は，「ただし……」という書き方をしており（また，110条1項は，「よって」という文言〔結果的加重犯の場合に使われる文言〕を挿入している），かなり異なっている。そこには，「公共の危険」を処罰条件にすぎないものとする趣旨がうかがわれるのである。

45)　最決平成15・4・14刑集57巻4号445頁。これに対して批判的なのは，西田・327頁以下，330頁以下。

場合）でも公共の危険の発生を肯定して，放火罪の成立を認めるべきであろう[46]。

公共の危険の**判断方法**に関し，危険とは実害発生の物理的・客観的可能性のことをいうのか，それとも，放火現場における一般通常人（通常の判断力を備えた人）が感じるであろう危険のことをいうのかも問題となる。この点に関する最高裁判例はないが，かりに延焼の物理的可能性がなくても，放火の現場に置かれた一般通常人が退避し，または消火の措置をとることを強く動機づけられるような状況があれば，そこから退避や消火活動などにともなう生命・身体への現実的危険も発生しうる以上，公共の危険を肯定する理由はあるとしなければならないであろう[47]。

(3)　罪数，他罪との関係

1個の放火行為により複数の非現住建造物等を焼損したとき，本罪一罪が成立する。本罪にあたる行為を行い，建造物等の内外に存在する建造物等以外の物を火力により毀損したとき，器物損壊罪や建造物等以外放火罪は本罪に吸収される（→446頁以下）。

4　建造物等以外放火罪

（建造物等以外放火）

第110条①　放火して，前2条〔108条・109条〕に規定する物以外の物を焼損し，よって公共の危険を生じさせた者は，1年以上10年以下の拘禁刑に処する。

②　前項の物が自己の所有に係るときは，1年以下の拘禁刑又は10万円以下の罰金に処する。

（差押え等に係る自己の物に関する特例）

第115条　……第110条第1項に規定する物が自己の所有に係るものであっても，差押えを受け，物権を負担し，賃貸し，配偶者居住権が設定され，又は保険に付したものである場合において，これを焼損したときは，他人の物を焼損した者の例による。

46）　建造物等以外放火罪を肯定した東京地判昭和59・4・24刑月16巻3＝4号313頁のケースを参照。非限定説を妥当とするのは，佐藤・前掲注1）法協133巻4号42頁，高橋・475頁以下，松原・418頁以下など。

47）　たとえば，大塚・379頁，大谷・399頁，佐久間・283頁などを参照。

(1)　客　体

本罪の客体は，108 条と 109 条に規定する物（建造物等）以外のすべての物である。人の現在しない汽車・電車などもこれにあたる。刑法が**「建造物等」と「その他の物」とを大きく区別**している理由は，前者の社会的重要性と，規模の大きさに基づく燃焼の際の高度の危険性に求められるべきであろう。このような区別には合理性が感じられる。ただし，非現住建造物等放火罪の場合と同じく，客体が**他人の物かどうか**により刑の重さがかなり異なる（ここでも**115 条の特例**に注意されたい[48]）。同じように公共の危険が発生しているのに，これだけ刑に差を設ける理由があるかどうかはここでも疑問である（→448 頁以下注 *40*））。

判例のように，公共の危険の発生につき故意が及ぶ必要がないとする見解をとるとき，**客体に何らかの限定**を加えないと，不当に重い刑が科される可能性が生じる（たとえば，自分のタバコの火の不始末から火を出したときにも，本罪や延焼罪〔→455 頁以下〕が成立することになってしまう[49]）。これに対し，公共の危険の発生について故意を要求する学説にしたがうときには，客体を限定する必要はないし，故意をもって公共の危険を生じさせておきながら本罪が成立しない場合を肯定することはかえって不当であろう[50]。

(2)　公共の危険とその認識

本条の罪は，客体が他人所有物であれ（本条 1 項），自己所有物であれ（本条 2 項），物を焼損した上で，公共の危険（→450 頁）を生じさせてはじめて可罰的となる[51]。学説の理解によれば，建造物等以外放火罪も，自己所有非現住建造物放火罪と同様に，公共の危険の発生が構成要件要素とされる**具体的危険犯**

48）　また，自己所有物に関する本条 2 項の罪を犯し，よって 108 条または 109 条 1 項に規定する建造物等に延焼させたとき（111 条 1 項），または 110 条 1 項に規定する物に延焼させたとき（111 条 2 項）には，**結果的加重犯としての延焼罪**として処罰される（→455 頁以下）。

49）　西田・331 頁。

50）　中森・189 頁を参照。

51）　浦和地判平成 2・11・22 判時 1374 号 141 頁は，アパートの駐車場に駐車中の他人所有の普通乗用自動車を覆ったポリエステル製ボディカバーにガスライターで火をつけ，ボディカバーの一部を焼損したというケースにつき，一般通常人をして危惧させるに相当かどうかという見地から判断した上で（→451 頁），公共の危険の発生を否定し，110 条 1 項の罪の成立を認めず，器物損壊罪で有罪とした。

である（→449 頁）。公共の危険の発生に関し，行為者の**故意**が及んでいなければならないとすることはその帰結である（いわゆる**認識必要説**[52]）。これに対し，判例は公共の危険について故意が及ぶ必要はないとする（**認識不要説**[53]）。

判例による認識不要説 最高裁が，その立場を明らかにした判例のケースは次のようなものであった[54]。被告人甲は，暴走族集団のリーダー格であったが，仲間のA・Bらがグループを離脱し，別のグループを形成したことに立腹し，A・Bらのグループのオートバイを焼損するなどして破壊しようと企て，乙に対し，「Aらの単車を潰せ」「燃やせ」「俺が許可する」「Bの単車でもかまわない」「皆に言っておけ」などといい，乙もこれを承諾し，乙は，その後，丙らに対し甲の指示を伝え，これを承諾させた。乙および丙らは，Bのオートバイのガソリンタンクからガソリンを流出させ，これに点火してオートバイを燃やそうと謀議し，丙らは，C方南側の庭に赴き，同所において，C方1階応接間南側のガラス窓から約30 cm 離れた軒下に置かれたB所有の自動二輪車に火をつけ，同車のサドルシートなどを順次炎上させた上，C方家屋に延焼させたのであった。

ここでは，本条1項の罪の成否が問題となるが，建造物等以外の物（自動二輪車）を焼損し，C方家屋に延焼させているのであるから，108 条の客体に延焼させる危険が生じていたことになり，公共の危険は肯定できる。その上で，認識不要説によれば，甲には器物損壊の故意しかなく，オートバイがどこで燃やされるかを知らず，公共の危険が発生するであろうことについて認識がまったくなかったとしても，甲は本罪の刑事責任（本条1項の罪の共謀共同正犯）を負うことになるのである。

しかしながら，公共の危険の発生につき故意が及ぶことを要求する見解（認識必要説）の方が妥当である。109 条2項および 110 条2項の罪について見ると，焼損の対象は自己所有物であり，自己所有物を毀損する意思そのものは犯罪的

---

52) たとえば，浅田・347 頁以下，内田・453 頁以下，460 頁，大塚・379 頁以下，大谷・399 頁以下，401 頁以下，川端・483 頁以下，佐久間・283 頁以下，曽根・221 頁以下，高橋・479 頁以下，団藤・199 頁，200 頁以下，中森・188 頁以下，林・331 頁以下，平野・概説 249 頁，堀内・214 頁以下，松原・420 頁以下，松宮・352 頁，山口・389 頁以下，392 頁以下，山中・534 頁以下，538 頁以下など。

53) 判例を支持するのは，西田・327 頁以下，330 頁以下，前田・336 頁以下，339 頁以下など。

54) 最判昭和 60・3・28 刑集 39 巻 2 号 75 頁（「刑法 110 条1項の放火罪が成立するためには，火を放って同条所定の物を焼燬する認識のあることが必要であるが，焼燬の結果公共の危険を発生させることまでを認識する必要はないものと解すべきである」）。

意思ではありえない[55]。同様に，110 条 1 項の罪においても，もし公共の危険の認識を不要とすれば，故意の内容は器物損壊の意思にすぎない[56]。これらの意思内容は，**放火罪の故意として重い違法・責任を基礎づけうるものとはいえない**。危険発生についての故意を欠く場合には失火罪とすべきであろう。

公共の危険の発生についての故意の内実　ただ，このような解釈を前提にしたとき，公共の危険の発生について故意があるということは，とりもなおさず 108 条または 109 条 1 項の客体に延焼することについて故意があるということにほかならないのではないか，そうであるとすると，延焼する客体についての（少なくとも未必の）故意があることになるから，むしろ直ちに 108 条または 109 条 1 項の罪の未遂罪が成立することにならないかという問題がある。逆にいえば，認識必要説によれば，109 条 2 項の罪や 110 条の罪が成立するケースが実際上，なくなってしまうのではないかということが問われるのである。

しかしながら，まず，公共の危険が 108 条および 109 条 1 項に規定する客体に対する延焼の危険に限定されない（**非限定説**〔→450 頁〕）とすれば，108 条および 109 条に規定する客体への延焼についての故意がなくても，公共の危険についての故意が認められるケースがありうる。たとえば，有毒ガスや煙の発生による危険，火力による火傷の危険，付近の人々が出火を見て退避しようとして受ける種々の危険，消火行為に出た者が火傷を負う危険などは，108 条および 109 条 1 項の客体への延焼の危険とは別個の危険であり，延焼の物理的可能性がなくとも十分に生じうる危険である。たとえ 108 条および 109 条 1 項の客体への延焼についての故意がなくとも，通りかかった人が火傷を負う危険のある状態や，付近の人々が退避しまたは消火活動を開始することを強く動機づけられるような状態が生じることを認識して行為に出ることはありうるであろう。109 条 2 項や 110 条は，このような場合の処罰をも予想した規定だということになる。また，かりに 108 条や 109 条の客体との関係に限って見ても，108 条や 109 条 1 項の客体への延焼の危険の発生について故意があっても，延焼それ自体は容認しない（または延焼についてまでの故意があることを証明できない）心理状態

55）判例のような認識不要説を前提とするとき，自分のタバコに火をつけ，その不始末から自宅を燃やしたときにも，失火罪ではなく延焼罪（111 条 1 項〔→455 頁以下〕）となってしまいかねない（→452 頁）。

56）前掲注 *54*）最判昭和 60・3・28 のケースにおける甲には，器物損壊の意思があったにすぎないのであり，それは公共危険犯としての放火罪の違法・責任を基礎づけうるものではありえないであろう。

は存在しうる。[57]

5 延焼罪

（延焼）
第111条① 第109条第2項又は前条〔110条〕第2項の罪を犯し，よって第108条又は第109条第1項に規定する物に延焼させたときは，3月以上10年以下の拘禁刑に処する。
② 前条〔110条〕第2項の罪を犯し，よって同条〔110条〕第1項に規定する物に延焼させたときは，3年以下の拘禁刑に処する。

本罪は，自己所有物を客体とする放火罪を既遂に至らせ，さらにそれ以外の客体[58]を焼損した場合を捕捉する**結果的加重犯**である。自己所有非現住建造物等放火罪（109条2項）を犯し，よって（故意なしに）108条または109条1項に規定する客体に延焼させたとき，または，自己所有建造物等以外放火罪（110条2項）を犯し，よって（故意なしに）108条または109条1項に規定する客体に延焼させたときには，111条1項の延焼罪となる。自己所有建造物等以外放火罪（110条2項）を犯し，よって（故意なしに）110条1項に規定する物に延焼させたときには，111条2項の延焼罪となる。延焼罪は，往来妨害致死傷罪（124条2項〔→462頁〕）と同じように，**基本犯の既遂結果から重い結果が発生**しなければならない（すなわち，公共危険の現実化として重い結果が発生しなければならない）形の結果的加重犯である。そこで，延焼罪が成立するためには，基本犯の犯罪はいずれも既遂となることが前提となる（公共の危険が発生し，その点について故意がなければならない〔認識必要説〕）。もし重い結果が公共の危険を経由せずに発生したときには失火罪となるにすぎない（116条・117条の2）。たとえば，

57） 往来危険罪（125条）との関係でも，往来危険の発生についての故意はあるが，実害の発生についての故意はない（その未必の故意もない）という心理状態が可能であるかどうかが問題となる（→463頁）。しかし，判例も，この規定との関係では，危険の発生についての認識を要求しているのである。

58） それには，自己所有物であっても，115条により他人所有と同様に扱われる物を含むと解するのが通説である。反対，大塚・381頁，大谷・403頁。

109 条 2 項の行為者が，自己所有の建造物にガソリンを撒いて火をつけたら，108 条・109 条 1 項物件にもかかったガソリンに引火して焼損に至ったというときは，失火罪となるにすぎない。

ちなみに，111 条 1 項の罪の法定刑の下限が 3 月の拘禁刑であり，基本犯である 109 条 2 項の罪の法定刑の下限（6 月の拘禁刑）よりも軽くなっているのは不可解なことである（立法の過誤というべきであろう）。

6　放火予備罪

（予備）
第 113 条　第 108 条又は第 109 条第 1 項の罪を犯す目的で，その予備をした者は，2 年以下の拘禁刑に処する。ただし，情状により，その刑を免除することができる。

現住建造物等放火罪（108 条）および他人所有非現住建造物等放火罪（109 条 1 項）については，未遂が処罰されるばかりでなく（112 条），実行の着手（→443 頁）以前の予備も処罰される。自己所有非現住建造物等放火罪（109 条 2 項）および建造物等以外放火罪（110 条）については，予備も未遂も処罰されない。

本条にいう**予備**とは，108 条または 109 条 1 項の罪を自ら犯す目的で行われる，その物的準備行為のことをいう。予備罪は**目的犯**の構造をもつ（→総論 427 頁以下）。所定の目的で現場において灯油とライターを携えて居住者が寝静まるのを待つことや，火炎瓶を用いて現住建造物を焼損する目的で現場に向かうことなどがその例である。着手以前の予備段階の行為から客体を焼損する結果を生じさせたときは，本罪と失火罪（→457 頁）の観念的競合となる。

7　消火妨害罪

（消火妨害）
第 114 条　火災の際に，消火用の物を隠匿し，若しくは損壊し，又はその他の方法により，消火を妨害した者は，1 年以上 10 年以下の拘禁刑に処する。

本罪は，火災の際に消火活動を妨害する罪であり，法定刑が比較的重いの

[59]は，それが**公共の危険**を生じさせるおそれのある行為だからである。火災は，その原因を問わないが，公共の危険を生じさせうる程度の規模のものであることを要するであろう。ただし，消火活動が具体的に妨害される結果が生じたこと（そのために鎮火が遅れたことなど）や，公共の危険が発生したことまでは要件にならない（**抽象的危険犯**）。「隠匿」とは消火用の物件の所在を不明にして発見を不可能ないし困難にする行為，「損壊」とはそれを物質的に毀損することにより効用の全部または一部を失わせる行為のことをいう（器物損壊罪にいう「損壊」とは異なり〔→408 頁以下〕，物質的に毀損することをいうと解されている）。「その他の方法」としては，消火活動を行っている者に暴行・脅迫を加えることなどが考えられる。万一起こりうる将来の火災を見越してその消火を妨害するために消火用の物件を隠匿・損壊しても，本罪にならない[60]。

放火犯人が，本条にあたる行為をしたとき，本罪は先行する放火罪に吸収される[61]（109 条 2 項の罪や 110 条 2 項の罪については，それらが刑のより重い本罪を吸収することになる）。失火罪を犯した者が本罪を行ったときには，両罪は併合罪となる。なお，火災発生時における他人の消火活動を意図的に妨害することが，本罪にとどまらず，現住建造物等放火罪等を構成する場合も考えられるであろう。

8 失火罪

（失火）
第 116 条① 失火により，第 108 条に規定する物又は他人の所有に係る第 109 条に規定する物を焼損した者は，50 万円以下の罰金に処する。
② 失火により，第 109 条に規定する物であって自己の所有に係るもの又は第 110 条に規定する物を焼損し，よって公共の危険を生じさせた者も，前項と同様とする。

---

59) ほかに，消防隊による消火活動を妨害する行為を処罰する規定（法定刑は 2 年以下の拘禁刑または 100 万円以下の罰金）が消防法（1948〔昭和 23〕年 7 月 24 日法律第 186 号）の中に存在する（40 条）。なお，軽犯罪法（1948〔昭和 23〕年 5 月 1 日法律第 39 号）1 条 8 号も参照。

60) 団藤・203 頁。

61) 松江地判昭和 52・9・20 刑月 9 巻 9 = 10 号 744 頁。

（業務上失火等）
第 117 条の 2　第 116 条……の行為が業務上必要な注意を怠ったことによるとき，又は重大な過失によるときは，3 年以下の拘禁刑又は 150 万円以下の罰金に処する。

放火罪については，過失犯も処罰される。業務上必要な注意を怠ったことによるとき（**業務上失火罪**），または重大な過失（→45 頁）によるとき（**重失火罪**）には，刑が重くなる。過失（業務上過失・重過失）の意義については，総論 220 頁以下を参照。自己所有非現住建造物等（109 条 2 項）および建造物等以外の物（110 条）に対する失火行為については，焼損に加えて公共の危険が発生しない限り処罰されない[62]。公共の危険につき認識不要説をとる判例の立場からは，その発生は客観的処罰条件にすぎないことになるから（→450 頁，453 頁以下），公共の危険の発生について行為者に過失があることも不要ということになろう。これに対し，認識必要説をとる学説によれば，公共の危険の発生は構成要件要素であり，少なくともその予見可能性が肯定されなければならない。

業務上失火罪（117 条の 2 前段）にいう**業務**とは，職務として火気の安全に配慮すべき社会生活上の地位をいい[63]，①失火の原因となった火を直接取り扱うことを業務内容の全部または一部とする場合だけでなく，②引火性の高い危険物（物質，器具，設備等）を取り扱う業者[64]や，③火災の発見防止を義務内容とする夜警[65]などの仕事もこれに含まれる。

9　激発物破裂罪，ガス漏出罪等

（激発物破裂）
第 117 条①　火薬，ボイラーその他の激発すべき物を破裂させて，第 108 条に規定する物又は他人の所有に係る第 109 条に規定する物を損壊した者は，放火の例による。第 109 条に規定する物であって自己の所有に係るもの又は第 110 条に規定する

62）なお，115 条に基づき，他人所有と同様に扱われる自己所有物（→448 頁以下，452 頁）については，失火罪規定の適用にあたっても他人所有物と見なされるとするのが通説である。
63）最決昭和 60・10・21 刑集 39 巻 6 号 362 頁。
64）前掲注 63）最決昭和 60・10・21。
65）最判昭和 33・7・25 刑集 12 巻 12 号 2746 頁。

物を損壊し，よって公共の危険を生じさせた者も，同様とする。
② 前項の行為が過失によるときは，失火の例による。
（業務上失火等）
第117条の2 ……前条〔117条〕第1項の行為が業務上必要な注意を怠ったことによるとき，又は重大な過失によるときは，3年以下の拘禁刑又は150万円以下の罰金に処する。
（ガス漏出等及び同致死傷）
第118条① ガス，電気又は蒸気を漏出させ，流出させ，又は遮断し，よって人の生命，身体又は財産に危険を生じさせた者は，3年以下の拘禁刑又は10万円以下の罰金に処する。
② ガス，電気又は蒸気を漏出させ，流出させ，又は遮断し，よって人を死傷させた者は，傷害の罪と比較して，重い刑により処断する。

刑法典第2編第9章「放火及び失火の罪」の章には，放火罪と同様に処罰されるべき公共危険犯としての激発物破裂罪とガス漏出等罪の処罰規定も含まれている。**激発物**とは，急激に破裂して周囲に被害を与えうるものをいう[66]。火薬とボイラーはその例示である。そのほかにガスボンベなどもこれにあたるし，部屋に充満したガスも本条の激発物である[67]。損壊の客体の違いに対応して「放火の例による」ものとされている。放火罪の規定に定められた刑が法定刑となるということである（115条は適用されるが，延焼罪の規定〔111条〕の適用は無理であろう）。過失による場合も可罰的である（117条2項・117条の2）。現住建造物等（108条）または他人所有非現住建造物等（109条1項）を客体とする場合において，未遂と予備も処罰可能かどうかについて議論があるが，117条1項前段の「……した者は」という規定の文言上，これを否定すべきである[68]。

ガス漏出等罪における「人の生命，身体又は財産に危険を生じさせ」る（118条1項）とは，公共に対する危険を生じさせることではなく，およそ誰か

66） 激発物については，行政的規制のための火薬類取締法（1950〔昭和25〕年5月4日法律第149号）があるほか，爆発物取締罰則（→432頁）の適用がある。また，軽犯罪法1条10号も参照。

67） 横浜地判昭和54・3・29判時940号126頁，東京高判昭和54・5・30判時940号125頁。

68） たとえば，団藤・207頁を参照。ただし，刑法3条1号は，本罪の未遂犯を予定しているように読める。

人または誰かの物に具体的な危険を生じさせることをいう。ガス・電気・蒸気の漏出・流出および遮断はそれぞれ類型的には（抽象的には）不特定または多数の人の法益を侵害しうる危険をもった行為であるが，それが特定人の法益を（具体的に）危険にさらしたり侵害したときに可罰的となるのである。危険の発生についての認識も必要と解すべきである。[69] ガス漏出等致死傷罪（118条2項）は，その結果的加重犯である。「傷害の罪と比較して，重い刑により処断する」の意義については，100頁以下を参照。

10　その他の犯罪

刑法典第2編第10章（119条～123条）には，**出水および水利に関する罪**の処罰規定が置かれている。このうちの出水（かつては溢水（いっすい）と呼ばれた）に関する罪は，水のもつ破壊力により不特定または多数の人々の生命・身体・財産に危険をもたらす公共危険犯（→423頁）である。制御不能となりかねないという点で火と同様の危険性を有することに注目し，放火罪に類似した構造をもった規定を設けたのである。浸害の客体を「現住建造物等」と「それ以外の物」とに区別し，後者については公共の危険の発生を付加的要件としている（119条・120条）。公共の危険の発生についての認識も必要と解すべきである（→452頁以下）。過失犯も処罰の対象となる（122条）。水防妨害罪（121条）は，消火妨害罪（→456頁）に類似する犯罪である。

水利に関する罪（水利妨害罪。123条前段）は，個人の水利権を保護法益とする犯罪であり，公共危険犯たる出水罪とは性格を異にする。これらが同一の章において規定されたのは，水に関係があり，また行為態様が類似していること（123条前段の水利妨害罪は，その同じ手段が出水のおそれある行為であれば，出水危険罪〔123条後段〕となる）がその理由であるとされている。

69） 大塚・388頁，団藤・208頁など。これに対し，東京高判昭和51・1・23判時818号107頁は認識を不要とする。

■ 第19章 ■

往来を妨害する罪

1 総　　説

往来を妨害する罪（現在の用語では，**交通妨害および交通危険の罪**ということになるであろう）は，公の交通機関または交通施設に対する侵害行為を通じて不特定または多数人の生命・身体・財産に危険をもたらす公共危険犯（→423頁）である。交通の安全といえば，まずは道路交通の安全を思い起こすであろうが，刑法制定当時の交通事情を前提として，ここでは主として**鉄道および船舶の交通**[1]が保護の対象とされている（ただし，124条の往来妨害罪は，道路交通も保護する）。刑法制定後に高度に発達した自動車交通および航空交通の安全をはかるためには多数の特別（刑）法が存在する。[2]

---

1) 鉄道の安全については，「鉄道営業法」(1900〔明治33〕年3月16日法律第65号)，「新幹線鉄道における列車運行の安全を妨げる行為の処罰に関する特例法」(1964〔昭和39〕年6月22日法律第111号）もある。

2) たとえば，**道路交通**に関し，道路運送車両法（1951〔昭和26〕年6月1日法律第185号)，道路法（1952〔昭和27〕年6月10日法律第180号)，高速自動車国道法（1957〔昭和32〕年4月25日法律第79号)，道路交通法（1960〔昭和35〕年6月25日法律第105号)，自動車の運転により人を死傷させる行為等の処罰に関する法律（2013〔平成25〕年11月27日法律第86号)，**航空交通**に関し，航空法（1952〔昭和27〕年7月15日法律第231号)，航空機の強取等の処罰に関する法律（1970〔昭和45〕年5月18日法律第68号)，航空の危険を生じさせる行為等の処罰に関する法律（1974〔昭和49〕年6月19日法律第87号）などがある。

2 往来妨害罪

（往来妨害及び同致死傷）
第124条① 陸路，水路又は橋を損壊し，又は閉塞して往来の妨害を生じさせた者は，2年以下の拘禁刑又は20万円以下の罰金に処する。
② 前項の罪を犯し，よって人を死傷させた者は，傷害の罪と比較して，重い刑により処断する。

往来妨害罪（本条1項）は，陸路（鉄道を除く陸上の通路），水路（河川や運河等），橋を損壊し，または閉塞（へいそく）することにより成立する。**損壊**とは，ここでは物理的に破壊して効用を害することをいうとされている。**閉塞**とはふせぎとめることをいい，有形の障害物によって遮断することが必要であるが，完全にふさがなくとも部分的遮断で足り，車両や船舶や人等が通ることが不可能でなくとも通行困難の状態が生じれば足りる[3)]。本罪にあたる行為から**妨害の結果**が発生する必要はなく，通行が具体的に困難になれば足りる（**具体的危険犯**。現実にはその時点には車両等の通行がなかったとしても本罪の成立を認めるに妨げない）。本罪については**未遂も処罰**される（128条）。

往来妨害致死傷罪（本条2項）は，1項の罪の**結果的加重犯**である。本罪が成立するためには，往来妨害の結果として人の死傷が生じたことを要する（たとえば，橋が損壊されたため通行者が途中で川に落下してケガをした場合や，通行できないことに気づいた自動車運転者が急ブレーキをかけたため車どうしの衝突が引き起こされて運転者が負傷した場合などには本罪が成立する）。往来妨害の結果としてではなく，損壊行為ないし閉塞行為そのものから重い結果が生じた場合には往来妨害致傷罪にはならない（たとえば，そのときは往来妨害罪と過失傷害罪とが成立して観念的競合となる[4)]）。「傷害の罪と比較して，重い刑により処断する」の意義について

---

3) 最決昭和59・4・12刑集38巻6号2107頁（幅員約5.9メートルの県道上の側端から中央部分にかけて車体の長さ約4.26メートルの普通乗用自動車をやや斜め横向きに置き，車両の内外にガソリンを振りまいた上，火炎びんを投げ込んでこの車両を炎上させ，これにより爆発するおそれを生じさせたとき，たとえ道路の片側に遮断されていない部分が約2メートル余り残されたとしても「陸路の閉塞」にあたる）。

4) 大塚・398頁，大谷・416頁，川端・504頁，佐久間・295頁，団藤・224頁，高橋・502頁，西田・339頁，山口・405頁以下，山中・554頁以下など。このような解釈が正当であることは，

は，101 頁以下を参照。

3　往来危険罪，過失往来危険罪

（往来危険）

第 125 条①　鉄道若しくはその標識を損壊し，又はその他の方法により，汽車又は電車の往来の危険を生じさせた者は，2 年以上の有期拘禁刑に処する。

②　灯台若しくは浮標を損壊し，又はその他の方法により，艦船の往来の危険を生じさせた者も，前項と同様とする。

（過失往来危険）

第 129 条①　過失により，汽車，電車若しくは艦船の往来の危険を生じさせ……た者は，30 万円以下の罰金に処する。

②　その業務に従事する者が前項の罪を犯したときは，3 年以下の拘禁刑又は 50 万円以下の罰金に処する。

往来危険罪（125 条）は，汽車・電車・船舶の往来に危険を生じさせる罪である。**未遂も処罰**される（128 条）。**汽車**とは，蒸気機関車をもって列車を軌道上牽引させるものをいい[5)]，**電車**とは，電気を動力として列車を軌道上走らせるもののことをいう。軌道上を走行するモノレールやケーブルカーも含まれるが，ロープウェイやトロリーバスは含まれない。**艦船**とは，軍艦および船舶のことをいう。船舶は，汽車や電車に相当するような規模のものでなければならないと解される（これに対し，判例・通説はこのような限定に反対である）。

鉄道には，線路のほか，枕木やトンネルなど，走行のために直接必要な施設のすべてを含む。その**標識**とは，信号機その他の標示物のことを指す。**灯台**とは，航行中の船舶のために灯光を用いてその所在を示す施設であり，**浮標**とは，

本条 2 項と，**不同意わいせつ等致死傷罪を規定する 181 条**とを比較しながら読むときに明らかとなろう。すなわち，181 条を見ると，**基本犯には未遂罪も含まれている**から，既遂結果を経由することなく重い結果が発生した場合にも結果的加重犯が成立しうると解するのが当然である。これに対し，124 条 2 項は往来妨害罪の未遂犯を基本犯に含めていないから，往来妨害罪の既遂結果を経由して重い結果が発生しなければ，結果的加重犯の成立を認めることはできないと解されるのである。反対，前田・351 頁。

5)　過失往来危険罪（129 条）に関し，ガソリンを燃焼させて軌道上を走行する**ガソリンカー**が汽車にあたるとした大審院判例がある（大判昭和 15・8・22 刑集 19 巻 540 頁〔→総論 62 頁〕）。

航行中の船舶のために水面に浮かべる標識のことである。**損壊**の意義については，462頁を参照。**その他の方法**の中では，置き石行為がすぐに思いつくところであろうが，判例では，無人電車を走らせること[6]，正規の運転計画にしたがわない電車を走らせること[7]，鉄製ゴミ箱を軌道上に投げ込んで放置すること[8]，鉄道用地と境界を接する自己所有地上をパワーショベルで掘削すること[9]などがこれにあたるとされている。

本罪は，文言上，**往来の危険**が発生してはじめて構成要件該当性が充足され，既遂となる（**具体的危険犯**）。往来の危険（すなわち交通の危険）の意義が問題となるが，本条の罪を犯した結果として，「汽車若しくは電車を転覆させ，若しくは破壊し，又は艦船を転覆させ，沈没させ，若しくは破壊した」場合について結果的加重犯が予定されている（127条を参照〔→467頁〕）ことからすれば，衝突・転覆・沈没のほか，さらには脱線等の危険のある事態が生じたときに往来の危険が生じたと考えることができる[10]。現実には（客観的には），その物理的可能性がなかったとしても，現場に置かれた一般通常人の認識を基礎として危険な事態が発生したときには，その場にいる人が危険や恐怖を感じたり，それに応じた種々の対応を迫られたりする以上，往来の危険の結果が生じたと理解しなければならない。

往来の危険の意義　往来の危険の意義に関し，最高裁判例[11]は，それは「汽車又は電車の脱線，転覆，衝突，破壊など，これらの交通機関の往来に危険な結果を生ずるおそれのある状態をいい，単に交通の妨害を生じさせただけでは足りないが，上記脱線等の実害の発生が必然的ないし蓋然的であることまで必要とするものではなく，上記

6）最大判昭和30・6・22刑集9巻8号1189頁（三鷹事件）。

7）最判昭和36・12・1刑集15巻11号1807頁（人民電車事件）。

8）東京高判昭和62・7・28東高刑時報38巻7～9号56頁。

9）最決平成15・6・2刑集57巻6号749頁。

10）1つの問題は，**無人電車**をして電車の軌道上を走らせたというケースにおいて，当該の**無人電車自身に転覆や脱線等の危険を生じ**させたときにも，往来の危険を発生させたと認めることができるかどうかである（他の電車に対する交通の危険を生じさせたとき，それが往来危険罪にあたることは当然である）。判例はこれを肯定している。そうであるとすれば，その無人電車を転覆させるに至ったときには，結果的加重犯としての往来危険による電車転覆罪（127条）の成立が認められることになる（→467頁以下）。

11）前掲注9）最決平成15・6・2。

実害の発生する可能性があれば足りる」とするとともに，本件当時，国鉄職員および工事関係者らがきわめて危険な状態にあると一致して認識しており，その認識は現場の状況からして相当な理由があり合理的なものであったといえることなどに照らすと，実害の発生する可能性があったと認められる，とした。

原審の高等裁判所[12]は，物理的な実害発生の可能性の有無を問わず，一般通常人が実害発生の可能性があると認識し，かつそのように認識するにつき相当な理由があるときには，往来の危険が発生したものと認められるという解釈をとった。これに対し，この最高裁決定は，本件事案においては現実に実害発生の可能性があったと認められるということから，往来の危険の発生を肯定したのである。したがって，最高裁が，実害発生の客観的・物理的可能性がないケースで，一般通常人の認識を基準にすると危険が肯定できる場合につき，どのように判断するかは明らかではない。

故意犯である以上，往来の危険を生じさせることについての**故意**が必要である。ただし，もし人の現在する電車等を転覆させたり，破壊したりすることまでの故意があれば，たとえその結果が生じなくても，より重い汽車転覆等罪の未遂罪（128条・126条〔→466頁〕）となる。そこで，往来危険罪が成立するためには，**往来の危険についての故意はあるが，実害発生についての故意はない**（その未必の故意もない）という心理状態がなければならない[13]。もし，汽車等の転覆・破壊・沈没の結果が発生し，その点につき故意を欠くときは，本罪の結果的加重犯である往来危険による汽車転覆等罪（127条）が成立する（→467頁）。なお，**過失往来危険罪も可罰的**である（129条）。

4　汽車転覆等罪，過失汽車転覆等罪

（汽車転覆等及び同致死）
第126条①　現に人がいる汽車又は電車を転覆させ，又は破壊した者は，無期又は3年以上の拘禁刑に処する。

12）広島高判平成11・3・11高刑速平成11年131頁。

13）前掲注7）最判昭和36・12・1。なお，これと類似の心理内容は，放火罪の故意についても要求される。すなわち，学説は，109条2項の罪および110条の罪の故意に関し，公共の危険の発生との関係では故意がなければならないが，延焼については故意があってはならないとするのである（→454頁以下）。

② 現に人がいる艦船を転覆させ，沈没させ，又は破壊した者も，前項と同様とする。
③ 前2項の罪を犯し，よって人を死亡させた者は，死刑又は無期拘禁刑に処する。
（過失往来危険）
第129条① 過失により，……汽車若しくは電車を転覆させ，若しくは破壊し，若しくは艦船を転覆させ，沈没させ，若しくは破壊した者は，30万円以下の罰金に処する。
② その業務に従事する者が前項の罪を犯したときは，3年以下の拘禁刑又は50万円以下の罰金に処する。

汽車転覆等罪（126条1項・2項）は，現に人がいる汽車もしくは電車を転覆させ，もしくは破壊し，または現に人がいる艦船を転覆させ，沈没させ，もしくは破壊した場合に成立する。**未遂も処罰**される（128条）。**転覆**とは，転倒ないし横転のことを意味するから，汽車や電車を単に脱線させただけでは足りない。**破壊**とは，汽車・電車・艦船の実質を害して，その交通機関としての機能の全部または一部を失わせる程度の損壊のことをいう[14)]。**沈没**とは，艦船の主要部分を水中に没した状態に至らせることをいう。

現に人がいる汽車・電車・艦船（**有人の車船**）というためには，転覆等の結果発生時に車内・船内に人がいた場合だけでなく，実行の着手時点において人が現在した場合も含むと考えるべきである。本罪については，**過失犯も処罰**される（129条）。

汽車転覆等致死罪（126条3項）は，**結果的加重犯**である。車船の転覆・破壊等（その未遂では足りない）の結果として人の死亡が生じることを要する。そこで，たとえば，電車のレールに工作を施し，通りかかった電車を横転させようとしたが，電車は脱線したのみで横転するには至らなかったものの，乗客が車内で

14） 最判昭和46・4・22刑集25巻3号530頁。なお，艦船の破壊に関しては，「人の現在する本件漁船の船底部約3分の1を厳寒の千島列島ウルップ島海岸の砂利原に乗り上げさせて坐礁させたうえ，同船機関室内の海水取入れパイプのバルブを開放して同室内に約19.4トンの海水を取り入れ，自力離礁を不可能ならしめて，同船の航行能力を失わせた等，本件の事実関係のもとにおいては，船体自体に破損が生じていなくても，本件所為は刑法126条2項にいう艦船の『破壊』にあたると認めるのが相当である」とした判例がある（最決昭和55・12・9刑集34巻7号513頁）。

転倒し，うち1人が死亡するに至ったというとき，電車の転覆や破壊の結果として死亡の結果が生じていない以上，本罪にはあたらない[15]。客体は有人の車船に限られるから，被害者としては車内の人のみが予定されていると考えることもできそうだが，判例・多数説によれば，被害者は車内にいた人であることを要せず，事故現場の付近にいた人でも足りる[16]。**行為者に殺意のあった場合**の法適用をめぐっては見解が分かれる。本罪は，その法定刑の重さからして，殺意のある場合も含むと解すべきであろう（ただし，殺人が未遂に終わったときは，126条1項または2項の罪と殺人未遂罪との観念的競合となる[17]）。

5　往来危険による汽車転覆等罪

（往来危険による汽車転覆等）
第127条　第125条の罪を犯し，よって汽車若しくは電車を転覆させ，若しくは破壊し，又は艦船を転覆させ，沈没させ，若しくは破壊した者も，前条〔126条〕の例による。

本罪は，往来危険罪（→463頁）の**結果的加重犯**であり，結果について故意のある126条の罪と同じ刑で処罰される。すなわち，転覆等の結果について故意があれば，126条の罪となり，無期または3年以上の拘禁刑に処せられるが，故意がなくても，往来危険罪の実行行為から転覆等の結果が発生したのであれば，本罪が成立し，同じように無期または3年以上の拘禁刑に処される。このようにして，本罪の処罰規定は，**結果について故意のある場合と故意のない場合に対し同じ刑を予定**する異例の規定である。

本罪の（重い）結果としての汽車・電車・艦船の転覆等は，126条におけるのと同じように**有人の車船**の転覆等のみを意味するのか，それとも無人の車船

15)　反対，大コンメ7巻234頁〔渡邉一弘〕。
16)　反対，曽根・230頁，中森・199頁，山口・410頁など。
17)　大谷・422頁以下，川端・508頁以下，佐久間・298頁，高橋・506頁以下，中森・199頁，西田・342頁，林・346頁，山口・410頁以下，山中・561頁など。これに対し，大判大正7・11・25刑録24輯1425頁，東京高判昭和45・8・11高刑集23巻3号524頁は，死亡結果が発生したときでも，本罪（126条3項の罪）と殺人罪の両方が成立し，観念的競合になるとする。同旨，団藤・232頁，藤木・115頁，福田・80頁，前田・354頁。

の転覆等でもよいのか（→464頁注*10*））が問題となる。本罪は，126条の故意がないのにこれと同様に扱うのであるから，少なくとも客観面においては126条と同様に有人の車船の転覆等があった場合に限定されるべきではないかと考えられるが[18]，判例は（すぐ次に見るように）無人の車船でもよいとしている。

人を死亡させたときに126条3項が適用されるかどうかについては見解の対立があるが，これを肯定するのが判例[19]である[20]。それにしたがうと，たとえ行為者が，客体が転覆・破壊等されることを想定しておらず，まして人が死ぬとは思っていなかったという場合でも，126条3項が適用されることとなり，刑が重くなりすぎるきらいがある。しかし，他方，127条の文言上，前条の3項が除外されておらず，そこからは致死結果が生じたときには126条3項の適用が予定されていることがうかがわれる。また，反対説[21]によるときは，過失致死罪の刑は軽いので処断刑を決めるときに致死の結果がまったく評価されないことになってしまうという問題もある[22]。

三鷹事件　最高裁判例は，軌道上を無人電車を暴走させたケースについて，往来危険による電車転覆致死罪（127条・126条3項）の成立を肯定した[23]。この事案では，鉄道会社にうらみがあった被告人が，無人の電車を走らせ，他の電車の運転士や車掌等を狼狽させて電車の行き来を妨害しようと考え，無人電車を発進させたところ，電車は予期しない方向にしばらく走って脱線し，破壊されるとともに，付近の民家に突っ込んで多数の死傷者を出した。ただ，被告人は，無人電車を脱線させることは意図していたが，転覆・破壊は意図しておらず，人が死ぬとも思っていなかった。最高裁は，まず，「127条にいわゆる汽車又は電車とは，125条の犯行に供用されたものを含

18）伊東・289頁，高橋・507頁，団藤・230頁，中森・200頁，西田・343頁，林・346頁，平野・概説244頁，堀内・227頁，山口・411頁以下など参照。

19）前掲注*6*）最大判昭和30・6・22。ただし，5人の裁判官が反対意見を述べた。

20）学説の中で，本条の罪の適用を有人車船を転覆等させた場合に限定するという解釈を前提とせずに，肯定説をとるのは，大谷・423頁以下。

21）たとえば，大塚・405頁以下，川端・511頁，佐久間・299頁，曽根・232頁，山中・562頁以下など。

22）本条の罪の適用を有人車船を転覆等させた場合に限定することを前提に，肯定説をとるのは，伊東・289頁以下，高橋・507頁以下，団藤・229頁以下，中森・200頁，西田・343頁，林・346頁，平野・概説244頁以下，堀内・227頁，山口・411頁以下など。

23）前掲注*6*）最大判昭和30・6・22。

まないと解すべき理由は存しない」とした（→464 頁注 ***10***)）。また，「126 条は人の現在する汽車電車の顚覆又は破壊の結果の発生につき故意ある場合を規定するものであるのに反し，127 条は広く 125 条の罪の結果犯について規定するものであるのにかかわらず，その処断については 126 条 127 条の間に差異がないことになるのであるが，このことは，125 条の汽車又は電車の往来に危険を生ぜしめる所為は，本質上汽車又は電車の顚覆若しくは破壊，延いては人の致死の結果等の惨害を惹き起す危険を充分に包蔵しているものであるから，右各重大な結果が発生した以上は，126 条各項の場合に準じそれと同様に処断することを相当とする法意と解すべきである」とし，127 条が 126 条 3 項の適用を除外していないことは「文理上当然に，126 条各項所定の結果の発生した場合には，すべて同条項と同様処断すべきものであることを示している」とした。さらに，「126 条 3 項にいう人とは，必ずしも同条 1 項 2 項の車中船中に現在した人に限定すべきにあらず，いやしくも汽車又は電車の顚覆若しくは破壊に因って死に致された人をすべて包含するの法意と解するを相当とする。けだし人の現在する汽車又は電車を顚覆又は破壊せしめ，若しくは汽車又は電車の往来の危険を犯しもって右と同様の結果が発生するときは，人命に対する危害の及ぶところは，独り当該車中の人に局限せられるわけのものではないからである」としたのである（→467 頁）。

■ 第20章 ■

偽造の罪・総説

海外旅行をしようとする人は，空港の航空会社のカウンターで，プリントアウトしたｅチケットを見せて搭乗券（ボーディングカード）をもらい，パスポート（旅券）を示して出国手続に進むことであろう。また，企業への就職を希望する人は，履歴書を提出したり，大学の在学証明書や成績証明書，健康診断書，資格試験の合格証などを提出したりすることであろう。これらは刑法上の「文書」であり，いずれも自分についてのさまざまな情報に関する「証拠」にほかならず，一定の事項を簡易に証明するために用いられるものである（証明主体が公務所ないし公務員であれば公文書（こうぶんしょ）であり，そうでなければ私文書（しぶんしょ）である）。

社会生活においては，経済取引を中心とする人間相互の交渉や関わり合いを迅速・円滑に進展させるため，**社会的信用性をもった技術的手段**が頻繁に使用される。そうした**証明手段**（**証拠**）の１つが**文書**にほかならない[1]。もし，これらの証明手段がもはや信用できないということになったらどうなるであろうか。それぞれの事項を証明するために多くの時間と労力を費やさなければならないこととなり，取引や交渉の迅速性・円滑性は決定的に損なわれるであろう。このような事態が生じることを避けるため，刑法は文書の証明力に対する信頼を害するおそれのある行為（すなわち，その抽象的危険性を有する行為）を処罰する

1)　この点について，川端博『新版 文書偽造罪の理論』（1999年）40頁以下を参照。

ことにより，**文書のもつ公共の信用**（という**社会的法益**[2]）を保護しようとしているのである。

この種の証明手段（すなわち，社会的信用性を有する技術的手段）は，文書だけではない。刑法典の第2編第16章（148条以下）から第19章（164条以下）に規定された犯罪類型は，こうしたさまざまな証明手段のもつ公共の信用を刑法により保護しようとするものである（これらの犯罪を偽造罪と総称する[3]）。保護される証明手段には，文書（および電磁的記録）のほか，**通貨**，**有価証券**，**支払用カード電磁的記録**，**印章・署名**がある。刑法は，これらの証明手段の信用を害する一般的な危険性をもつ行為を抽出して処罰の対象としており，その行為により現実に信用性が失われたり，失われる危険が発生したことは犯罪成立の要件にならない。その意味で，偽造罪はすべて**抽象的危険犯**（→総論109頁以下）である。

偽造罪の概観　最も強力に保護されているのは**通貨**である。刑法は，通貨偽造行為に対し無期拘禁刑を含む重い刑で臨むとともに，その信用性を害する行為を幅広く処罰の対象とする（148条以下）。これに次いで処罰の範囲が広く，また刑が重いのは，**支払用カード電磁的記録**に関する罪である（163条の2以下）。現代社会において通貨に代替する機能を果たしている支払用カード（クレジットカード等）の電磁的記録[4]の部分がこれにより保護される。有価証券偽造の罪も重要である（162条以下）。**有価証券**は，文書の一種であるが，通貨に近い実際的機能を果たしていることから，その偽造・変造に対し一般の私文書（159条）以上に重い刑が規定され，また偽造・変造有価証券の交付や輸入（とその未遂）まで処罰される。文書偽造の罪（154条以下）は，**文書**および**電磁的記録**（→488頁以下）の公共的信用性を害する行為を処罰している。印章偽造の罪（164条以下）は，社会生活において人の同一性を証明する

2）伊東・302頁は，文書偽造罪の保護法益を，文書への信頼やその証拠としての能力に基づいて成立している諸々の制度の機能の円滑性・適正性として把握すべきだとする。

3）148条以下の条文をざっとながめればわかるように，処罰の対象となる行為の中心は「偽造」であるが，偽造は「行使の目的」をもって行われた場合にのみ犯罪となる（**目的犯**）。たとえば，商法の教授が教材として学生に見せるために架空の手形（有価証券）を作成する行為は，いくらそれが本物の手形に見えるものであったとしても，有価証券偽造罪（162条1項）の構成要件に該当しない（→総論116頁以下）。

4）それは，記録の媒体（たる物体）のことではなく，**不可視的な記録そのもの**のことを指す。法律上の定義については，7条の2を参照。

手段として重要な働きをする**印章**や**署名**の偽造や不正な使用行為を処罰する[5]。なお，2011（平成23）年の刑法一部改正により，**不正指令電磁的記録**に関する罪の処罰規定が新設された（第19章の2。168条の2以下）。これは，**コンピュータウイルス**の作成や供用，取得や保管等の行為を処罰するものであり，上記のような証明手段の信用性を保護するための処罰規定とは少し性格を異にするものであるが，「電子計算機のプログラムに対する社会一般の人の信頼」を保護目的とするものであり，信頼性の保護という点では共通することから，一連の偽造罪に準ずるものとして位置づけられた（→549頁以下）。

5） ちなみに，国際的規模で行われることがしばしばある通貨偽造罪をはじめとして，偽造罪の主要なもの（私文書偽造罪等・私印偽造罪等を除く）については，犯人の国籍を問わず，外国で行われた行為も処罰される（2条4号～8号）。これはわが国の法益の保護の見地から日本刑法による処罰を可能とするためのものであり，**保護主義**（→総論70頁以下）に基づく取扱いである。

■ 第21章 ■

通貨偽造の罪

1 総　　説

各種の偽造罪の処罰規定は，社会生活において，経済取引を中心とする人間相互の関わり合いや交渉を迅速・円滑に進めるために利用される，さまざまな証明手段の社会的信用性を保護することを目的としている（→470頁以下）。そして，刑法典第2編第16章「通貨偽造の罪」の処罰範囲の広さ，そして法定刑の重さに示されているように，通貨はその中で最も強力に保護されている[1]。なお，通貨の保護を目的とする刑罰法規として，刑法典以外にも重要な特別法が存在する。たとえば，通貨及証券模造取締法（1895〔明治28〕年4月5日法律28号），外国ニ於テ流通スル貨幣紙幣銀行券証券偽造変造及模造ニ関スル法律（1905〔明治38〕年3月20日法律第66号），貨幣損傷等取締法（1947〔昭和22〕年12月4日法律第148号）がそれである（そのほか，紙幣類似証券取締法〔1906（明治39）年5月8日法律第51号〕も存在する）。

偽造の通貨が使用されることにより，一定の個人に財産的被害が生じるのが普通であるが，通貨偽造の罪の保護法益は，個人の財産ではなく，通貨に対する公共の信用であり，ひいては通貨を手段として行われる取引の安全である（**社会的法益に対する罪**[2]）。ただし，通貨偽造の罪の保護法益をめぐっては，それ

1）　通貨偽造罪の歴史については，佐伯仁志・金融研究23巻（2004年）118頁以下が詳しい。

2）　そこで，偽造通貨の行使（148条2項）により個人が財産的被害を受けたとき，詐欺罪（246

が通貨に対する公共の信用と並び，**国の通貨発行権（通貨高権）という国家的法益**をもあわせて保護の対象とするものかどうかをめぐり見解の対立がある。通説は，通貨発行権は保護法益としての独自の意味をもたないとするが[3)]，最高裁は，「通貨偽造罪は通貨発行権者の発行権を保障することによって通貨に対する社会の信用を確保しようとする」ものと述べており[4)]，国の通貨発行権の法益性を認めているように見える[5)]。

保護法益としての国の通貨発行権？ 議論の実益は，通貨の信用性を害さない行為であっても，国の通貨発行権を侵害したことを理由として本罪の成立を認めることが可能かどうかというところにある。前記最高裁判決の事案は次のようなものであった。第二次世界大戦後，日本銀行券の旧券から新券への切替えにあたっての応急措置として，国民に一定額分の証紙を交付し，これを旧券に貼付することにより，新券とみなされるものとしたのであるが，被告人は，不正に入手した証紙を旧券に貼り付け，許された額を超えて新券とみなされるものを作った（それは外見上，有効なものとの判別が不可能であることから，有効なものとして扱わざるをえなかった）というものである。最高裁は，この事案において通貨偽造罪の成立を認めるにあたり，通貨の信用性を害したことを根拠にできないことから，「通貨発行権者の発行権の保障」を理由としたのであった[6)]。しかし，かりに真貨とまったく区別できない偽貨を作出したというとき，事実上偽貨を無効にできない事態が生じたとしても，その**偽造行為が通貨の信用性を侵害する抽象的危険性をもつことは否定されない**であろう。最高裁判決の事案についても，処罰の根拠を国の通貨発行権の侵害に求めなければならない必然性はない[7)]。

条）の適用も考えられる。しかし，成立する詐欺罪は，偽造通貨行使罪に吸収され，別罪を構成しないと考えられている（法条競合の一種としての吸収関係〔→総論 587 頁〕）。

3) 詳しくは，大コンメ 8 巻 4 頁以下〔江藤正也〕。

4) 最判昭和 22・12・17 刑集 1 巻 94 頁。たしかに，歴史的には，通貨の信用性と国家の権利との間に深い関連性があったのは事実であろう。ローマ法においては，通貨の信用性を保証するのは皇帝であり，したがって，通貨偽造は皇帝の権威に対する反逆として捉えられ，重罰に処せられたのであった。Karl Binding, Lehrbuch des gemeinen deutschen Strafrechts, Besonderer Teil, Zweiter Band, 2. Aufl. 1904, S. 305 ff. を参照。

5) これを肯定するのは，大塚・410 頁以下。

6) この点につき，西田・350 頁以下を参照。

7) 佐伯・前掲注 *1)* 145 頁以下を参照。これに対し，大谷・436 頁，中森・206 頁，平野・概説 255 頁以下，町野・329 頁以下，松宮・401 頁以下，405 頁，山口・421 頁以下，山中・577 頁

刑法は，通貨の偽造・変造や，偽造・変造された通貨の行使などの行為そのものが，通貨の信用性を害する一般的な危険性をもつことに着目して処罰している。したがって，それらの行為によって現実に通貨に対する信用が失われたり，失われる危険が発生したりしたことは，犯罪成立の要件にならない。その意味で，本章の罪は，**抽象的危険犯**である[8]。

通貨偽造の罪は，各種偽造罪の中でも，最も法定刑が重く，また処罰の範囲も広い。今日の経済秩序は，何よりも通貨に対する公共の信用を確保することなくしては維持されえないからである。刑法は，通貨の信用を害することに向けられた行為に対し，無期拘禁刑を含む重い刑で臨むとともに，行使の目的をもってする通貨の偽造・変造，偽造・変造された通貨の行使・交付・輸入，およびそれらの未遂ばかりでなく，行使目的による偽造・変造の通貨の収得やその未遂，さらには，通貨偽造の準備行為に至るまで，広く処罰の対象としている[9]。

2　通貨偽造罪・偽造通貨行使罪

（通貨偽造及び行使等）
第148条①　行使の目的で，通用する貨幣，紙幣又は銀行券を偽造し，又は変造した者は，無期又は3年以上の拘禁刑に処する。
②　偽造又は変造の貨幣，紙幣又は銀行券を行使し，又は行使の目的で人に交付し，若しくは輸入した者も，前項と同様とする。

(1)　総説，客体

本罪は，日本において通用する（すなわち，強制通用力を認められた）通貨の偽造と変造，そして偽造・変造の通貨の行使，交付，輸入の各行為を処罰する。

以下は，通貨高権を保護法益としない立場から，最高裁判決の事案では通貨偽造罪は成立しないとする。

8)　これに対し，山口・424頁は，偽造通貨行使罪につき，通貨に対する公共的信用を害する侵害犯であるとする。

9)　なお，改正刑法草案（→総論48頁）218条は，偽造通貨が現実に流通に置かれることのもつ重大な危険性に鑑み，政策的見地から，自首による刑の必要的減免を提案していた。

未遂も可罰的である（151条）。重大犯罪の典型としてイメージされている犯罪の1つであろう。それは，大規模に行われるとき，一国の経済秩序そのものに深刻なダメージを与えることさえ可能である。このような高度の法益侵害性に鑑みて，法定刑には無期拘禁刑も含まれている。

貨幣とは，いわゆる硬貨（金属貨幣）のことであり（通貨の単位及び貨幣の発行等に関する法律〔1987（昭和62）年6月1日法律第42号〕4条以下を参照），**紙幣**とは，紙を原料とする通貨のことで，いずれも政府の発行するものをいう。現在，通用の「紙幣」は存在せず，一般に紙幣と呼ばれているのは本条にいう「銀行券」のことである。**銀行券**とは，現在では，日本銀行法（1997〔平成9〕年6月18日法律第89号）の規定に基づき日本銀行が発行する証券のことを指す（日銀1条1項・46条以下を参照）。**通貨**とは，これらの支払手段を総称する用語である。[10] **通用する**とは，事実上「流通している」（149条1項を参照）のとは異なり，日本において**強制通用力**（法律が貨幣や銀行券に与えた支払手段としての通用力）があることをいう。[11] 強制通用力があれば，もはや鋳造・発行の停止されたものでも本罪の客体となる。通用期限後で引換期間中のものについては，強制通用力がない以上，本罪の客体とはならないとされている。

(2) 偽造と変造

(a) 意　義　**偽造**とは，通貨の発行権者（政府または日本銀行）でない者が，普通の人が真正の通貨であると誤信するほど外観の類似したものを新たに作り出すことをいう。偽造の方法は問わないから，古銭・廃貨を利用してもよいし，また筆写・写真製版，カラーコピー機，パソコン・スキャナー・カラープリンタ[12]による場合でもよい。**変造**とは，真正の通貨に加工して変更を加え，真貨の外観をもつものを作り出すことである。変造とは，名価を異にするものを作り出す（たとえば，5000円札に加工して1万円札に見せかけることまたはそ

---

10) 改正刑法草案212条以下は，単に「通貨」と規定し，貨幣・紙幣・銀行券を区別していない。

11) 貨幣については，通貨の単位及び貨幣の発行等に関する法律7条，日本銀行券については，日本銀行法46条2項を参照。ただし，この点につき，佐伯・前掲注 *1)* 149頁以下の指摘が重要である。

12) 名古屋地判平成9・10・16判タ974号260頁，東京高判平成19・10・19高刑速平成19年340頁など。

の逆）のが普通であるが，名価は変更せずに貨幣の実質を削減したり，銀行券の一部を切除したりする場合もこれに含まれる。既存の通貨に対し，強制通用力を害さない程度の変更を加えても変造とはならないが，硬貨の中味をくりぬくなどして，もはや強制通用力をもたない程度に加工し，これに真貨のような外観を与えたときには変造にあたる[13]。

（b）偽造・変造の程度　**偽造・変造の程度**については，普通の人が不用意に一見したときに真貨と勘違いしかねないものであれば，これを偽造通貨ないし変造通貨というに妨げない[14]。普通の人なら一見して簡単に真貨でないとわかる程度のものを作り出すことは，偽造にも変造にもならない。ただし，通貨及証券模造取締法が，真正な通貨と紛らわしい外観をもつ類似品を作ることである「模造」を処罰しているので，これにあたることになる[15]。

偽造と変造との区別　偽造と変造の区別が問題となることがある[16]。判例は，①真正な1000円札の表と裏をはがし，これを各2片に切断した後，印刷のない片面を内側にして，間に厚紙を挿入し，二つ折りないし四つ折りにして糊付けするなどして，折りたたまれた真正の1000円札のように見せかけて使用できるものを作ることは**変造**にあたるとし[17]，②真正な1000円札を表裏にはがして2片とし，それぞれ印刷のない片面に白地の和紙を糊で貼り付けるなどして1000円札を作成した行為を**変造**とし[18]，また，③真正の銀行券の中間の一部を縦に切り取り，残りの両端の部分を継ぎ合わせ

13）なお，強制通用力を害さない程度の貨幣の毀損行為は変造にはならないが，貨幣損傷等取締法による処罰の対象となる。ちなみに，同法は，貨幣の損傷と鋳つぶしを処罰の対象とする。現行法上，紙幣や日本銀行券の損傷等は処罰されない。

14）たとえば，東京高判平成18・2・14高刑速平成18年65頁は，「紙幣を偽造したというには，通常人が不用意にこれを一見した場合に真正の紙幣と誤認する程度の外観を備えたものを作出することをもって足りる。……本件紙片は，印刷された片面のみを呈示するなど，用い方によっては，通常人が不用意に一見した場合に真正の紙幣と誤認させる程度の外観を備えているといえるから，本件紙片を作出したことをもって紙幣を偽造したということができる」とする。

15）最決昭和62・7・16刑集41巻5号237頁の事案では，飲食店の宣伝のため100円札に類似するサービス券を作ったことが「模造」にあたるとして処罰された。

16）ただし，偽造と変造とは，同一の条文の中に規定された行為態様の違いにすぎず，両者の区別の実益は少ない。その点の判断に誤りがあったとしても，上訴審における判決破棄の理由にもならない。

17）最判昭和50・6・13刑集29巻6号375頁。

18）東京地判平成8・3・27判時1600号158頁。

て，一見完全なる１枚の銀行券のような外観を呈するものを作り出す行為は**偽造**であるとした[19]。

通説は，真正の通貨を材料にしてこれに手を加える場合でも，**その同一性を害する程度の本質的な変更**を加えた場合には偽造になるとし，既存の真貨の同一性を害しない程度の変更を加える場合は変造にとどまるとする。したがって，真貨を破壊・溶解し，その材料を用いて偽貨を作るのは，もはや単なる変造でなく偽造である。通説のように，加工が既存の真貨の本質的部分の変更に及び，その程度が通貨の同一性を害するほどのものであるかどうかを基準とするならば，①と②の判例の場合はこれを変造と解すべきであるが，③についても，加工の程度が既存の銀行券の同一性を否定する程度のものとはいえないから，偽造ではなく変造と考えるべきである[20]。

(**c**)　真貨の要否　　偽造・変造といえるためには，**偽造・変造の通貨**（**偽貨**）**に相当する真貨の存在**が必要かどうかについて見解の対立がある。通説は，一般通常人がそのような真貨が存在すると誤信するに足りる程度のものを作り出す限り，相当する真貨の存在は必ずしも要件とはならないとする[21]。たしかに，本条によって保護される通貨の中に普通の人にはなじみの薄いもの（特に，記念硬貨の類）もあり，その形態・名称について一般通常人が必ずしも正確なイメージをもっていない場合もありうることから，その見解にも相当の理由がある。しかし，「通用する貨幣，紙幣又は銀行券」と条文には明記されているのであるから，解釈上それに相当する真貨の存在が前提になるというべきであろう。実際問題として，架空の通貨の偽造通貨（たとえば，「5万円玉」や「10万円札」。通貨の単位及び貨幣の発行等に関する法律5条を参照）が実在通貨と信じられて流通することがあるかどうかは疑問である。理論的に考えても，相当する真貨が存在しないようなものを作っても実在の通貨に対する公共の信用は害されないから，国家の通貨発行権をも本罪の保護の対象とする見解をとるのでない限りは（→474頁），架空の通貨の偽造は本罪にあたらないと解さなければな

19）　広島高松江支判昭和30・9・28高刑集8巻8号1056頁。

20）　団藤・249頁以下，注釈(4)13頁〔福田平〕など。

21）　たとえば，大塚・412頁以下，大谷・438頁，木村・234頁，福田・83頁，山中・580頁など。

らない。[22)]

(**d**) 行使の目的　偽造・変造は，**行使の目的**をもって行われることを要する（**目的犯**）。行使の目的とは，偽造・変造の通貨を，真正の通貨として流通に置こうとする目的をいう（行使の概念については，後述(**3**)を参照）。学校の教材として，または演劇用の小道具として使用する目的で通貨を偽造する行為は，行使の目的を欠き，通貨偽造罪とならない。[23)] 行使の目的は，自ら偽貨を流通に置く目的であるか，他人を介してそれを流通に置く目的であるかを問わない。確定的なものであることを要せず，現実に流通に置かれることにつき未必的なものであってもよい。なお，通貨及証券模造取締法による「模造」は行使の目的をもって行われることを要件としないので，通貨の偽造・変造が行使の目的なしに行われた場合には模造として処罰されうる。

(**3**) 行使・交付・輸入

行使とは，偽造・変造の通貨を真正な通貨として流通に置くことをいう。たとえば，物品の購入，債務の弁済，両替のために使用したり，贈与したり，また，公衆電話機や自動販売機に投入したりすること[24)]などである（ただし，機械には真偽が識別不可能でも，人が見れば容易に偽物であることがわかるようなものを投入することは行使罪にあたらない）。対価を得るかどうかを問わず，使用方法が違法であってもよい（たとえば，賭博の賭け金に使用すること）。偽貨であることを知らない使者に買物をさせるため偽貨を手渡す行為もそれ自体が行使にあたる（手渡せば直ちに行使罪の既遂となる）とするのが多数説である。[25)] これに対し，自己の信用能力を証明するために，債権者に偽貨を示すだけの行為は行使にあた

---

22) 植松・133頁，内田・544頁など。なお，たとえば，その金額の日銀券は存在しないが，色彩や図柄は実在の日銀券にきわめて類似しているという場合には，その類似した日銀券が対応する真貨だと解すべきであるから，真貨必要説によっても本罪の成立が認められる。また，将来発行が具体的に予定されている通貨についてその発行を見越して，発行前にそれに対応した偽貨を作る場合も，その発行が予定されている通貨が対応する真貨なのであるから，「架空の通貨」を偽造したということにはならず，必要説の立場からも本条の偽造罪の成立が認められるであろう。

23) 山中・581頁。

24) 東京高判昭和53・3・22刑月10巻3号217頁。

25) 大塚・415頁以下，大谷・440頁以下，川端・521頁，佐久間・313頁，高橋・517頁以下，団藤・252頁，西田・352頁，前田・368頁，山口・425頁など。

らない[26]。自分が偽造したものではなく他人が偽造したものであっても，これを行使すれば行使罪を構成する。また，行使の目的をもって偽造されたものでなくても，行使罪の客体となりうる。

交付とは，偽造・変造の通貨であることを知った他人に渡すことをいう（前述したように，事情を知らない者に渡すことは「行使」となる）。相手方がはじめから事情を知っていた場合と，行為者が相手方に事情を明かして手渡す場合とがある。有償・無償の別を問わない。交付を受けた者が偽貨の行使に及んだ場合でも，交付者は交付罪として処罰され，行使罪の教唆・幇助にはならない[27]。偽造・変造された通貨の行使を共謀した者の間で，当該通貨を授受する行為については，①行使の準備的行為にすぎず交付罪にはあたらないとする見解[28]と，②交付罪が成立する（受け取る行為は収得罪〔150条〕にあたる）とする見解[29]とが対立している。交付罪と収得罪とが，行使の予備段階の行為を独立に処罰する趣旨のものである以上，たとえ行使を共謀した者の間での占有移転行為であるとしても，その可罰性を否定する理由はないと思われる。

輸入とは，日本国外より国内に持ち込むことをいう。通説・判例によると，船舶や航空機による場合，既遂となるためには，国境を越えただけではなく，船舶の場合であれば陸揚げすること，航空機の場合は着陸後に航空機から荷卸しすることを要する[30]。交付も輸入も，行使の目的（他人に行使させ，または自ら行使する目的）をもって行われることを要する。

(4)　未遂と既遂

本条の罪（偽造罪・変造罪・行使罪・交付罪・輸入罪）については，**未遂犯も処罰**

26)　なお，文書や有価証券の行使（158条・161条・163条）については，流通に置くことが要件にならないから，その種の行為も行使にあたる。

27)　団藤・252頁。

28)　東京高判昭和31・6・26高刑集9巻7号659頁。

29)　大谷・441頁，ポケ註338頁〔中野次雄〕，山口・424頁以下など。

30)　植松・137頁，196頁以下，大塚・416頁は，領海内・領空内に搬入すれば足りるとする。なお，**判例**は，規制薬物の輸入罪（たとえば，覚醒剤取締法〔1951（昭和26）年6月30日法律第252号〕13条・41条の覚醒剤輸入罪など）の既遂時期についても，船舶による搬入の場合には陸揚げ，航空機による場合には着陸後の航空機からの取卸しが必要だと解している（最判昭和58・9・29刑集37巻7号1110頁，最決平成13・11・14刑集55巻6号763頁を参照）。

される（151条）。文書や有価証券の場合と異なり，偽造・変造行為についてもその未遂が処罰される（さらに，**一定の形態の準備行為**も処罰の対象となる〔153条。→486頁以下〕）。偽造罪・変造罪の未遂は，通貨を偽造・変造するに足りる器械や原料などを準備し，偽造または変造の行為を開始したが，何らかの事情でその完成に至らなかったような場合（ただし，普通の人が不用意に見たときに誤認しかねない程度の偽貨を1つでも完成させれば既遂である）や，通貨を偽造する意思で実行したが，技術的に未熟であったため，模造（→477頁）の程度にしか至らなかったような場合に成立する。

行使罪も交付罪も，当該通貨の占有を移した時点ですでに既遂に達する。そこで，その未遂は，実際上想定しにくいが，たとえば，代金の支払のために，偽造通貨を真貨として相手方に渡そうとしたが，相手方が怪しんでそれを受け取ろうとしなかったような場合や，相手方がその場で偽貨であることを見破り，それでもそれを受け取った場合[31]は行使罪の未遂となろう。

(5)　罪数，他罪との関係

同一の機会に同種の多数の通貨を偽造・変造した場合は，1項の罪の**包括一罪**である。偽造・変造の罪の犯人が自ら行使したとき，1項の通貨偽造罪と2項の偽造通貨行使罪の両罪が成立し，牽連犯として処断される。偽造・変造の通貨の行使を手段として詐欺が行われることはきわめて多いが，行使罪（その刑は詐欺罪のそれに比べて格段に重い）の規定が当然そのような事態を予定していると見られるから，詐欺罪は行使罪に吸収され，行使罪のみにより処罰される（→473頁以下注*2*)）。文書や有価証券の場合（行使罪と詐欺罪とが両方とも成立し，両罪は牽連犯とされる〔→514頁，536頁〕）とは異なることに注意すべきである。

3　外国通貨偽造罪・偽造外国通貨行使罪

（外国通貨偽造及び行使等）

第149条①　行使の目的で，日本国内に流通している外国の貨幣，紙幣又は銀行券を偽造し，又は変造した者は，2年以上の有期拘禁刑に処する。

---

31)　裁判例コンメ2巻180頁〔眞田寿彦〕。偽造有価証券行使に関する東京高判昭和53・2・8高刑集31巻1号1頁を参照。

② 偽造又は変造の外国の貨幣，紙幣又は銀行券を行使し，又は行使の目的で人に交付し，若しくは輸入した者も，前項と同様とする。

国際間の経済取引の進展のため，一国の通貨の公共的信用性の確保はもはやその国のみの問題ではなくなっている。しかし，本条は，外国通貨が日本国内（日本の主権の及ぶ範囲内）に事実上流通している場合に，その公共的信用性を保護しようとする規定であって，日本国内における取引の安全の確保を目的としており，外国の法益を保護する趣旨の規定ではない[32)]。法定刑は，2年以上（20年以下）の有期拘禁刑であり，日本国の通貨と比較すると軽くなっている。本罪については**未遂も処罰**される（151条）。

日本国内に流通しているとは，日本国内で事実上（ただし合法的に）通貨として使用されていることをいう。外国通貨が日本国内の銀行において円に両替することが可能であっても，そのことを指して「流通している」とはいわない。日本国の全土にわたって流通していることは必要でなく，流通が地域的・人的に制限されていてもかまわない。連合国軍による占領中，日本に駐留する米軍施設内で使用されていたドル表示軍票は，その流通が制限的であるとはいえ，なお日本国内に流通しているということができるから，本罪の客体にあたるとされた[33)]。**外国の貨幣・紙幣・銀行券**とは，外国の通貨発行権に基づいて発行された（すなわち，外国政府またはそれが認許した機関が発行した）通貨のことをいう。なお，ここにいう「外国」は，国際法上承認された国であるかどうかを問わない。

「偽造」「変造」「行使」「交付」「輸入」の意義については，476頁以下を参照。

---

32) もっぱら外国においてのみ流通する通貨については，「外国ニ於テ流通スル貨幣紙幣銀行券証券偽造変造及模造ニ関スル法律」がある。なお，改正刑法草案212条以下は，日本の通貨と外国の通貨とを同様に扱うこととし，世界主義的立場（→総論71頁）を推し進めている。

33) 最決昭和28・5・25刑集7巻5号1128頁など。

4　偽造通貨等収得罪

（偽造通貨等収得）
第 150 条　行使の目的で，偽造又は変造の貨幣，紙幣又は銀行券を収得した者は，3 年以下の拘禁刑に処する。

偽造・変造の通貨は，偽造・変造した犯人自らがこれを行使する場合のほか，偽貨であることを知りつつ他人から入手した者がこれを行使する場合もある。本条にいう**収得行為**は，偽造通貨行使罪（148 条 2 項・149 条 2 項）の準備段階の行為であるが，犯行の危険性に鑑み，行使の目的で偽造・変造の通貨を入手したとき，その収得行為だけで独立にこれを処罰できるようにしたのである。行使の準備段階を捕捉するものであり，それだけ刑も軽くなっているが，本罪の**未遂も処罰**される（151 条）。

本罪の客体は，148 条・149 条との対比から，日本国の通貨については強制通用力のあるもの，外国通貨については事実上国内に流通しているものの偽貨に限られる。行使の目的をもって偽造または変造されたものであることを要しない。

収得とは，どのような手段・方法・原因であれ，自己の所持に移す一切の行為をいう。有償・無償を問わず，他人から手に入れる行為のすべてをいう。贈与を受けること，別の物と交換すること，買い受けること，拾得すること，さらに，窃取したり，騙し取ったり，脅し取ったりすることなど，いずれも収得にあたる。[34)] ただし，152 条の「収得」とは異なり，**偽貨であることを知りながら自己の所持に移す**ことを要する。しかも，収得の時点で，**行使の目的**（未必的でも足りる）がなければならない。収得の後，偽貨であることを知って，行使の目的をもつに至っても，本罪を構成せず，152 条（→484 頁）の問題となるにすぎない。

偽造通貨行使罪を共謀した者の間で偽貨の授受があった場合に，これを手渡

34)　なお，すでに自己が占有する偽貨を横領することが「収得」にあたるかどうかをめぐっては見解が対立している。収得といえないとするのが通説である。たとえば，大塚・419 頁，大谷・444 頁，山中・586 頁など。

す行為が交付罪（148条2項または149条2項）にあたり，これを受け取る行為が本条の収得罪にあたるかどうかをめぐっては見解の対立がある（→480頁）。

収得した後，現実にこれを行使すれば，収得罪と行使罪の両罪が成立し，両罪は牽連犯の関係に立つ。

5　収得後知情行使等罪

（収得後知情行使等）
第152条　貨幣，紙幣又は銀行券を収得した後に，それが偽造又は変造のものであることを知って，これを行使し，又は行使の目的で人に交付した者は，その額面価格の3倍以下の罰金又は科料に処する。ただし，2千円以下にすることはできない。

(1)　総　説

本罪の行為は，もともと148条2項または149条2項の行使罪または交付罪にあたるべき行為であるが，偽貨と知らずに受け取ってから後，それと知った者が，他人に損害を転嫁しようとして行使・交付した点で，同情の余地があるので，一種の減軽類型を設けたものである。**類型的に適法行為の期待可能性が低い場合**と考えられるが[35]，それにしても刑が軽すぎるとする批判もある[36]。なお，本罪の未遂は処罰されない。

(2)　客体・行為

本条にいう**収得**とは，入手のときに偽造・変造された通貨と知らずに自己の所持に移すことをいう（150条の収得は，偽貨であることを知りつつ自己の所持に移すことを要する点でこれと異なる[37]〔→483頁〕）。本罪の収得は適法行為に限られるか，それとも違法行為もこれに含まれるかをめぐっては，見解の対立がある。適法行為に限られるとする多数説によれば，窃盗や詐欺等の違法な収得の後の行使や交付については本条の適用はなく，行使罪・交付罪（148条2項または

35）　団藤・255頁。

36）　改正刑法草案216条は刑を重くしている。なお，立法論として，藤木・134頁を参照。

37）　行為者が偽貨であることを知りつつ行使の目的でこれを収得すれば，本罪ではなく，偽造通貨等収得罪（150条）が成立し（→483頁），さらにこれを行使すれば偽造通貨等行使罪（148条2項または149条2項）が成立する。

149条2項）が成立することになる。[38] その根拠は，違法に収得した者は同情に値せず，本条による寛大な取扱いの理由がないというところにある。たしかに，本条の法定刑はきわめて軽いから，立法趣旨に照らして適用範囲を限定することにも理由があろう。しかし，法文上は「収得」の態様に関し何らの限定もないのであるから，罪刑法定主義の要請に基づく厳格解釈という見地からは，そのような限定解釈には慎重にならざるをえない。本罪の収得については違法・適法を問わないとする見解もなお有力である。[39]

「行使」「交付」の意義については，479頁以下を参照。[40]

(3)　罪数，他罪との関係

本罪の行為を手段として財物を騙し取ったとしても，本条の規定が当初から予定するところであり，詐欺罪は本罪に吸収され，別罪を構成しない。もし詐欺罪で処罰されるとすれば，実際上，本条が軽い刑を規定している趣旨が没却されることとなろう。

(4)　処　罰

刑は，偽貨の額面価格（1000円札であれば1000円）の3倍以下の罰金または科料である。外国通貨の場合には，行為当時の為替相場の取引価額により換算する。罰金の寡額が1万円（15条），科料の上限が1万円未満（17条）であるから，額面価格の3倍が1万円以上であれば，その額を多額とする罰金の刑となり，3倍して1万円に達しなければ，その額を多額とする科料の刑となる。たとえば，1万円のニセ札を3枚収得後，事情を知って行使した場合には，9万円以下の罰金刑で処断される。本条ただし書には「2千円以下にすることはできない」とあるが，法律上の減軽または酌量減軽（→総論620頁以下）を行うときには，2000円以下とすることも可能である。

---

38)　大塚・420頁，大谷・445頁，川端・524頁，高橋・520頁，中森・211頁，西田・354頁，山中・587頁以下など。

39)　内田・550頁，新注釈(2)365頁〔佐伯仁志〕，中山・267頁，松宮・404頁など。大コンメ8巻42頁〔江藤〕は，遺失物として収得した場合（254条を参照）に通常の行使罪として処罰するのは重きに失することもこの見解の根拠となるとする。

40)　なお，教唆者に65条2項の適用があるとするのは，西田・355頁である。

6　通貨偽造等準備罪

（通貨偽造等準備）
第153条　貨幣，紙幣又は銀行券の偽造又は変造の用に供する目的で，器械又は原料を準備した者は，3月以上5年以下の拘禁刑に処する。

通貨の偽造・変造には，各種の準備が必要であるが，本条は，それらの行為のうち，**特定の形態の準備行為のみ**を処罰しようとするものである[41]。準備段階の行為を独立の犯罪としたものであるが，殺人予備罪（201条）や強盗予備罪（237条）と比較しても，かなり重い刑が法定されている。本罪の構成要件にあたらない準備行為はそれだけでは処罰されない[42]。本条の罪を犯した者は，さらに進んで偽造・変造に着手する段階に至れば，偽造・変造の正犯または共犯として処罰され，準備罪はそれに吸収されて，別に本条は適用されない。

判例および従来の通説の理解によれば，本条は，通貨偽造・変造罪（148条1項または149条1項）の予備行為の一部を独立の犯罪としたものである。これに対し，最近の多数説は，予備行為に加えて，**通貨偽造・変造行為に対する（予備段階の）幇助の一形態**を含めて犯罪としたものと考える[43]。普通の予備罪は，行為者が自ら実行する目的である場合にのみ成立し，他人が実行するのを助ける目的で行われる行為（**他人予備行為**）は予備罪の正犯としては処罰されないが（→総論428頁），本条の「偽造又は変造の用に供する目的」とは，犯人自身の偽造・変造の用に供する目的と，他人の偽造・変造の用に供する目的（したがって，他人予備行為の場合）とのいずれをも含む。他人の実行を助ける場合はもはや「予備」ではなく，予備段階の幇助の一形態にほかならないから，最近の多数説のいうように，本罪は普通の予備罪を超える内容をもつ。そのことは，本条に「予備」でなく「準備」と規定されているところにも示されている。

本条にいう**器械**とは，偽造・変造のために利用しうる客観的な可能性のある一切の物である。毛筆のような単純な道具ではなく，鋳造機や印刷機のような

---

41)　なお，支払用カード電磁的記録不正作出等罪に関する類似の規定として，163条の4参照（→541頁）。

42)　これに対し，改正刑法草案217条は，より一般的に通貨偽造の予備行為を罰している。

43)　大塚・421頁以下，大谷・446頁，川端・524頁以下，団藤・255頁など。

物のことをいう。**原料**とは，偽造・変造のために用いうる材料のことをいい，地金，用紙，印刷用インクなどがこれにあたる。**準備**とは，器械または原料を利用して偽造・変造行為ができる状態におく一切の行為であって，実行の着手に至らない段階のものをいう。技術的にみて偽造のために十分なものであることを要しない。準備した時点で本罪は既遂に達する。

本罪が成立するためには，**偽造又は変造の用に供する目的**が必要であるが，①犯人自身の（行使のための）偽造・変造の用に供する目的か，または②他人が行使の目的をもって偽造・変造するであろうことの認識があればよい。複数の者が本条にあたる行為を行ったとき，偽造行為の実行の意思がない者についても，他の者に実行の意思があることを知りながらこれに協力したのであれば，本罪が成立する[44)]。

本罪について，総則の共犯規定（60条以下）の適用があり，共同正犯はもちろん，教唆犯および幇助犯の成立の可能性も肯定すべきであるとするのが判例・通説である[45)]。本罪自体が，前述のように，通貨偽造・変造罪の幇助の一部をもあわせて処罰するものだとすれば，本罪の幇助犯をさらに処罰することにすれば，通貨偽造・変造行為の**幇助の幇助**（間接幇助）をも処罰することになる（→総論547頁）。判例として，通貨偽造の目的で器械・原料を準備しようとしている人に対して，そのための資金を提供した行為を，本罪の幇助犯として処罰したものがある[46)]。ただし，器械や原料を準備した者が，それを用いてさらに偽造に及んだ場合，準備段階でこれを幇助した者には，本罪の幇助犯ではなく，偽造罪（148条1項または149条1項）の幇助犯が成立する[47)]。

---

44) 大判大正5・12・21刑録22輯1925頁，大判昭和7・11・24刑集11巻1720頁を参照。

45) たとえば，新注釈(2)367頁〔佐伯〕，西田・355頁以下など。幇助犯の成立を否定するのは，浅田・442頁，大塚・422頁など。

46) 大判昭和4・2・19刑集8巻84頁。

47) 東京高判昭和29・3・26高刑集7巻7号965頁を参照。

■ 第22章 ■

文書偽造の罪

1　文書偽造罪——基礎理論

(1)　文書の意義

(a)　文書・図画　　一連の偽造罪を理解する上で，最も重要な意味をもつのは文書偽造の罪である。犯罪に関する統計を見ると，文書偽造罪は，各種偽造罪の中でも，認知件数・検挙人員ともに際立って多い[1]。解釈論上も，文書偽造罪の理解が，偽造罪全体の理解の鍵となる。文書以外の通貨，有価証券，電磁的記録，印章・署名はいずれも，最広義における文書に含まれるものないしは文書に準ずるものと位置づけることができる[2]。

文書とは，文字等[3]を用いて，人の意思または観念を確定的かつ多少とも継続的に表示したもので，法律関係または社会生活上重要な事実関係に関する証拠となりうるものをいう。この定義の**本質的・中核的な部分**は「人の意思または観念の表示」というところであり，その表示の主体（これを**作成名義人**という）が誰かを特定できることも，刑法による文書保護のための重要な要件となる。

1)　警察統計（→215頁注*51*））によると，2022（令和4）年の認知件数（検挙人員）は，通貨偽造の罪251件（33人），文書偽造の罪1447件（861人），支払用カード電磁的記録不正作出の罪1件（0人），有価証券偽造の罪57件（17人），印章・署名偽造の罪34件（18人）であった。

2)　この点につき，平野・概説253頁以下を参照。

3)　文字でなくても，これに代わるべき可読的・発音的符号（点字，電信符号，速記符号など）により人の意思または観念を表示したものも文書である。

なお，**図画**（とが）も文書と同様に保護される。それは，文字などの可読的・発音的符号ではなく，地図や絵や写真のように，象形的表現方法を用いて人の意思・観念を表示したものを指す。広義で文書というときには，図画をも含ませる。

(b) 証明手段としての文書　　文書の**証明手段としての特色**とは何か。いうまでもなく証明手段（証拠）の中には，文書でないものがいくらでも存在する。文書の特色は，それが**人の意思または観念**を表示したものというところにある。ある人（＝作成名義人）が思っていること・考えていること・知っていることを，文字などを用いて表示したものが文書であり，まさにそこに文書の文書たるゆえんがある。たとえば，大学の学長名義の成績証明書は，学長が当該学生についてその者が一定の科目を履修しその単位を取得したこと等の（学長の頭の中の）観念内容を表示するものである（→491頁以下）。また，パスポートや履歴書なども，人の思想内容・観念内容を表示したものにほかならないから，文書である[4]。

(c) 意思・観念の表示　　文書というためには，**特定の人が一定のまとまった意思内容・思想内容を表示**したものとして客観的に理解できるものでなければならない。印章・署名・記号（164条以下を参照）は，主体の同一性を表示する（すなわち，表示者が甲野一郎や乙山花子自身であることを表示する）ものにすぎず，一定の意思内容・思想内容を表示するものではないので文書にはあたらない[5]。ただ，表示内容が簡略化されていること自体は，文書性を否定する理由にはならない（**省略文書**）。たとえば，判例・通説によれば，郵便局で切手のところに押す消印（日付印）も，一定の郵便局が一定の郵便物を引き受けたことを表示内容とするものであることから[6]，文書（かつては公文書，現在は私文書）である[7]（→543頁以下注1)）。

表示された内容は，必ずしも紙の上に書かれている必要はない。黒板に白墨で書かれたものも文書となりうる。しかし，少なくとも，それが**物体上に書か**

---

4) これに対し，殺人犯人が現場に残した指紋や足跡は証拠ではあるが，人の意思内容・思想内容を表示したものではないので，それらは文書にはあたらない。

5) 印章偽造の罪の処罰規定（164条以下）により保護される（→543頁以下）。

6) ポケ註356頁〔中野次雄〕。

7) これに対して懐疑的なのは，大塚・438頁，495頁，団藤・272頁，301頁，福田・90頁。

れ，または記載される形で固定されたものでなければこれを文書と呼ぶことはできない。したがって，パソコンのモニターに表示されたものは文書ではない。**表示内容の可視性・可読性**も要件となるから，表示内容を「読む」ことのできない録音テープや電磁的記録は文書にあたらない。表示内容を読むときに装置や機器を用いなければならないとしても，可視性・可読性は否定されない（マイクロフィルムも文書となりうる）。

1枚の紙だから1個の文書であると考えるのは明白な誤りである（このことは，罪数の判断にとり，きわめて重要である〔→505頁，523頁以下〕）。1枚の紙の上に，相互に区別された内容の意思・観念が表示されているとき，そこには複数の文書の存在が認められる。1枚の運転免許証が5種類の運転免許を証明しているとき，これを偽造すれば，5個の有印公文書偽造罪が成立する[8)]。1枚の紙の上で，複数の人が相互に区別された内容の意思・観念を表示するとき，そこには複数の文書があると考えるべきである[9)]。典型例として，郵便貯金通帳の受入れ・払戻しの各欄の記載はそれぞれ独立した私文書である。また，**1枚の用紙に公文書と私文書とが併存**することもある。たとえば，交通事件原票という公文書（作成名義人は公務員）の一部に，違反者による供述書部分があるとき，その部分は私文書（作成名義人は私人たる違反者）である（→522頁以下）。

電磁的記録　コンピュータおよび通信技術の発展により，それまでは文書が果たしてきた情報の利用・保存・管理・伝達という機能を，今では磁気テープ，磁気ディ

---

8)　東京高判昭和52・5・23高刑集30巻2号226頁は，次のように述べる。「所論は，本件免許証は，物体としては，……1枚のカードに過ぎず，公安委員会の記名，押印もカードの表面に各1個存在するのみであり，……免許取得者が数種の免許を取得していることを内容とする1個の証明を形成するに過ぎないと認めるのが相当であるという。……しかしながら，……もともと免許の異なるごとに各別の免許証を作成交付すべきものを，免許証の携帯の便宜，免許証作成手続の簡素化，複数の免許に係る免許証の有効期間の統一，更新手続の一元化，免許の停止，取消等の処分の明確化等の政策上の要請からなされたものである……免許証に存する免許に係る事項の記載は，免許の種類の異なるごとにそれぞれ1個の公文書をなしているものと解するのが相当である」「被告人が原判示のとおり，5個の有印公文書を偽造し，かつ行使した旨事実を認定し，5個の有印公文書偽造罪と5個の同行使罪が成立し，各偽造罪相互間および各行使罪相互間には観念的競合の関係があるものとして該当法令を適用処断した原判決には，事実の誤認も法令適用の誤りも存しない」。

9)　以下の点について，大塚・468頁以下，ポケ註355頁以下〔中野〕を参照。

スク，CD-ROM，USB メモリ等に保存・蓄積された電磁的記録が果たすようになっている。そこで，コンピュータ犯罪に対応するための 1987（昭和 62）年の刑法一部改正により，**電磁的記録にも文書と同様の刑法的保護を与える**ための規定の補充・追加が行われた（157 条 1 項・158 条 1 項・161 条の 2 を参照）。電磁的記録とは，「電子的方式，磁気的方式その他人の知覚によっては認識することができない方式で作られる記録であって，電子計算機による情報処理の用に供されるもの」をいう（7 条の 2)。注意すべきことは，そこでは，磁気ディスクや CD-ROM 等の記録媒体ではなく，そこに保存・蓄積された無形の記録そのものが考えられていることである。なお，パソコンに組み込まれたハードディスク等に記録されたものも含まれる。文書については「偽造・変造」であるが，電磁的記録については「不正に作る」という用語（不正作出）が使われ，文書についての「行使」に代えて，「用に供する」という文言（供用）が用いられている（→525 頁以下)。

また，2001（平成 13）年の刑法一部改正により，現代の社会生活において支払手段としてますます重要な機能を営んでおり，またそれだけに不正使用のケースも急増している支払用カード（クレジットカード，プリペイドカード，デビットカードおよびキャッシュカード)，とりわけその電磁的記録の部分が，通貨に次ぐ手厚い刑法的保護を受けるようになった（163 条の 2 以下〔→537 頁以下〕)。これらの処罰規定の保護法益は，支払用カードを構成する電磁的記録の真正に対する公共の信用，ひいては支払用カードを用いた支払システムに対する社会的信頼である。

さらに，電磁的記録を客体とする犯罪として，2011（平成 23）年の刑法一部改正により，コンピュータウイルス（不正指令電磁的記録）作成罪などの処罰規定が追加された（168 条の 2 および 168 条の 3)。保護法益は「電子計算機のプログラムに対する社会一般の人の信頼」とされる（→549 頁)。

(2) 保護法益

(a) 2つの異なった信頼　刑法が文書偽造罪の処罰規定により，具体的に文書のどの部分に向けられた社会の信頼を保護しようとしているかが問題となる。ここで重要なのは，**人々が文書に寄せる信頼には 2 つの異なった種類のものがあること**を踏まえて，現行刑法がいかなる種類の信頼の保護をより本質的なものと考えているかを見極めることである。

たとえば，大学の成績証明書は大学（の教学部門）を代表する学長が表示の主体（作成名義人）となり，特定の学生の科目履修についての情報を（内容の正確性について責任を負いつつ）公に表示する文書であり，いいかえれば，大学という学校法人がその学生が一定の科目を履修し単位を取得したという事実を証明する文書である[10]。この種の文書への信頼には，まず，**表示された内容が真実に合致していることへの信頼**がある（たとえば，その成績証明書に記載されているように，当該の学生が本当に刑法について評点Aを得たこと，全体として3分の2の科目でAの成績を取ったことなどへの信頼である）。これを**内容的真実（実体的真実）に対する信頼**と呼ぶことができよう。記載内容が事実に合致しないとき，その意味における，文書に向けられた信頼は裏切られる。次に，これとは区別されたものとして，**文書に表示された意思・思想・観念の主体（作成名義人）が記載などからうかがわれる通りであるという点についての信頼**がある。そこに示された大学長がその内容を表示したその人である（したがって，その内容の正確性について責任を負ってくれる）という点に対する信頼である。それは，内容的真実とは別個の問題として，人々がその文書を見たときに，表示の主体として理解するであろう特定人としての**作成名義人**（上の例では当該の大学長）が本当に表示の主体として間違いがないということに対する信頼であり，文書の内容がその表示主体に帰せられる外観をもっているという，文書の形式面に関わる信頼である。これを**形式的真正（作成名義の真正）に対する信頼**と呼ぶ。

(b) 現行刑法の立場　現行刑法は，内容的真実と形式的真正（それぞれに対する信頼）のうちの片方だけというのではなく，その両方を保護しているが，重点ははっきりと後者の保護に置かれており，それが基本であると考えられる。立法論として，内容的真実の保護を基本方針とするものを**実質主義**の立場といい，形式的真正の保護を基本方針とするものを**形式主義**の立場と呼ぶが，現行刑法は，**形式主義を基本としつつ実質主義により補充**を行っている[11]。

ここで，刑法典の規定を見ると，行為の結果として内容的真実性が害されること，したがって内容虚偽の文書（または図画）が作られることを構成要件の内容としていると解されるものは，156条・157条・160条だけである。これらは**作成名義人自身による虚偽文書の作成**（ただし，157条については，作成名義人を

---

10) 作成名義人が国公立大学法人（またはその代表）であれば公文書（155条・156条など），私立大学（またはその代表）であれば私文書（159条など）である。

11) 山口・435頁は，「限定的な実質主義の併用」という言い方をする。

して虚偽文書を作成させること）を処罰の対象とする（実質主義に立脚する）規定である。これに対し，それ以外の条文，たとえば155条や159条は，できあがった文書の内容が虚偽であるかどうかを問題とせず，文書（または図画）を偽造・変造する限り，それを処罰の対象としている。判例・学説は，ここにいう偽造と変造を**文書の形式的真正を害する行為**として理解し（→496頁以下），これらの規定は，**文書の形式的真正（への信頼）を保護**するもの（形式主義に立脚する規定）と考える。もし内容が真実に合致する文書が作成されたとしても，作成名義が偽られる限り，処罰の対象となる。

(c)　公文書の保護と私文書の保護　　文書偽造罪に関する現行刑法の規定を理解するためには，もう1つの重要な区別をわきまえる必要がある。刑法は，文書（への信頼）を保護するにあたり，**公文書と私文書とを区別**している。この区別は，文書からうかがわれる表示主体，すなわち作成名義人が公務所または公務員（それぞれの意義については，7条を参照〔→499頁，604頁以下〕）であれば公文書であり，そうでなければ私文書であるというものである。公と私の区別が流動化している時代において（キーワードとしての「民営化」〔→606頁〕），公文書と私文書の区別についても根本的な見直しが必要になっているはずであるが，現行刑法は，公文書については私文書と比べてより手厚い保護を図っており，公文書の信用を害する行為については処罰の範囲が広く，かつ刑もより重くなっている[12)]。しかし，公文書と私文書の扱いの違いがより明確になるのは，**文書の内容的真実の保護の場面**である。すなわち，公務員自身による虚偽文書の作成を処罰する156条は，保護する公文書の範囲に制限を設けず，あらゆる公文書について虚偽文書の作成を処罰の対象としている。これに対し，160

---

12)　たとえば，155条と159条を比較すると，前者は公文書・公図画の偽造および変造を処罰し，後者は私文書・私図画の偽造および変造を処罰しており，いずれも**文書の形式的真正を保護**するための規定である。これらは，条文として類似した構造をもつが，**2つの点で違い**がある。1つは，公文書偽造罪の方がその法定刑がずっと重いことである（たとえば，国公立大学法人の成績証明書を偽造すれば，私立大学の成績証明書を偽造するよりも重い刑が適用されるということになる）。もう1つは，私文書については「権利，義務若しくは事実証明に関する」文書または図画でなければ保護されないが（159条を参照），公文書についてはそのような限定がなく，刑法はおよそ公文書であれば直ちに刑法的保護に値すると考えているように読めることである。

条（虚偽診断書等作成罪）は，私人による虚偽文書の作成を処罰するが，特殊な文書についてのきわめて例外的規定であり，そこから，**私文書については内容的真実への信頼は原則として保護されていない**といいうるのである（作成名義人自身が文書を用いてウソをついても原則として犯罪にはならないということになる）。

形式主義の根拠　なぜ，現行刑法は形式主義を基本とし，何よりもまず文書の形式的真正を保護すべきであると考えているのか。その理由についての定説はない。すぐに思いつくのは，文書の記載からその作成者を間違いなく特定できれば（いいかえれば，文書の記載を頼りにして，記載をなした人に間違いなく到達できれば），かりに表示内容が虚偽であっても，その人に責任を追及できることから，私文書については不可罰を原則としてよい（これに対し，作成名義に偽りがあれば，責任を追及する手がかりさえも得られず，文書を信頼した人は途方に暮れることになる）とするものである。[13)]

しかしながら，現在の判例は，そのような考え方をとっていない。最高裁は，行為者が指名手配中の真の人格を隠し，そうでない別人格に成り済まして履歴書を作成したというケースで私文書の有形偽造を肯定して処罰の対象とした。[14)] そこでは，行為者は文書から生じる法的効果・責任をむしろ引き受けたいと考えており，「特定可能性・到達可能性」は文句なく存在しているが，社会生活上「別人格」を装った（そこに現出したのは虚無人）ことにより，**人格の分裂**が生じている。このように，最高裁判例は，**作成者の特定ないし作成者への到達の可能性**が文句なく存在するときであっても（いいかえれば，作成者がその文書から生じる責任を進んで受け止めつつ，しかし，その属性ないし資格についてウソをついたにすぎない場合でも），**文書の作成者が真の人格を隠し，別の人格に成り済ますケース**においては，有形偽造として処罰の対象としている。判例の形式主義は，文書を見る者をして**作成者の人格とは別人格を認識させるところに処罰根拠を認める**ものといえよう（すなわち，法的に重要な属性を偽ることにより，別人格を観念させれば，別人への成り済ましが行われたことになり，したがって処罰に値すると考えることになる）。

---

13) たとえば，町野・316頁，サブノート380頁〔安田拓人〕，山中・592頁を参照。

14) 最決平成11・12・20刑集53巻9号1495頁。このケースでは，作成者の特定可能性・作成者への到達可能性は文句なく存在しているが，行為者は社会生活上，別人格を装っており，他人格への成り済ましが行われている。

(3) 作成名義人

形式的真正の保護とは，文書からうかがわれる表示の主体，すなわち作成名義人に間違いがないことの保護であり，作成名義人が存在し，それが文書を見る人に認識可能であることは，刑法による文書の保護の大前提である。ただ，作成名義人は，必ずしも実在者・実在の機関である必要はなく，一般人をして実在すると誤信させうるものである限り，**死亡者・架空人**（**虚無人**）・**架空の機関**でもよい（名義を勝手に使われた人の保護などは問題とならないから）。この点をめぐっては，特に私文書について，かつては見解の対立があったが，現在では異論のないところである[15]（→517頁）。

また，その文書を見たときに，表示の主体たる作成名義人が誰であるのかが明らかでないもの，したがって責任の所在が明らかでない文書（いわゆる**怪文書**）は，証拠としての信用性の根拠を欠き，刑法による文書保護の対象とはならない。この意味において，**作成名義人の認識可能性**は刑法上の文書として保護されるための前提となる。ただ，作成名義人は，文面上に明記されていることは必ずしも必要ではない[16]。付属物とか周囲の状況から明らかになれば足りるとされている[17]。

このようにして，文書の形式的真正を害する行為とは，文書を見たときにAが表示の主体であると認識できるのに，現実にはそれをBが作成したという場合のように，**作成名義人と作成者とが一致しない文書を作成**する行為であるとすることができる。ただ，作成名義人と，現実に文書の内容を物体上に記載した作成者とが異なっていても，名義人が作成者に作成権限を与え，作成者がその作成権限に基づいて文書を作成したのであれば，それは実質的には作成名義人自身が作成した文書といえ，形式的真正を害する行為ではない。たとえば，社長（作成名義人）が秘書に口述筆記をさせ，秘書がこれをワープロ文書として完成させたという場合，文書の実質的な作成者は社長自身であり，作成名義人と作成者は一致する（作成者の意義に関する意思説）。むしろ作成名義人と実質

15) この点について詳しくは，大塚・439頁以下を参照。

16) そうでなければ，**無印文書**（→500頁）なるものはおよそ存在しえないことにもなろう。

17) 斎藤・243頁，西田・377頁，山口・431頁など参照。

的な作成者とが一致しない文書，すなわち**不真正文書**こそが問題である。不真正文書を作成することが文書偽造であるといえる。ここから文書偽造とは，作成権限がないのに他人名義の文書を作ること（**作成名義の冒用**。従来からの定義）として，または，**作成名義人と実質的な作成者との間で人格の同一性にそごを生じさせること**（近年の判例がしばしば用いる定義）として理解することができる。

作成者の判定方法　作成者を決めるための基準については，現実に文書の内容を物体上に記載した人であるとする見解（**事実説**〔または行為説〕）もあるが，これによると，社長（作成名義人）が秘書に口述筆記をさせ，秘書がこれをワープロ文書として完成させたという場合には秘書が作成者ということになる。しかし，この場合には，社長（作成名義人）の表示意思にしたがって文書の記載が決定されているのであるから社長の方を作成者と考えるべきであろう（**意思説**〔または観念説〕）。後者の見解（意思説）の中にも，背後者の事実上の意思に合致していればそれで背後者が作成者になるとする考え方（**事実的意思説**[18]）と，それが法的にも背後者の表示と承認される場合でなければならないとする見解（**規範的意思説**[19]）とが存在する。基準となる背後者の事実的意思なるものが確認できない場合（たとえば，年少者のために代理人により文書が作られるとき）や，事実的意思に合致していても（つまり，背後者の事実上の同意があるとしても）人格の同一性にそごが生じるといわざるをえない場合があることから（→521頁以下），規範的意思説が正当であり，それは判例の立場とも整合的である。ただし，その判断は，私法上の意思表示の有効性と必ずしもリンクするものではないであろう（→534頁）。

(4)　偽造，変造，行使

「偽造」の語は多義的である[20]。最も狭義には，155条や159条に「偽造」と書かれている場合のそれを指し，「変造」と区別する。ただ，この「偽造」と「変造」とをあわせて偽造という用語を使う場合が多い（あえてその趣旨を明確にするために「偽変造」という用語を使うこともある）。この意味における**偽造**は，

18）　たとえば，伊東・311頁，曽根・242頁，林・354頁以下，山中・602頁以下など。

19）　新注釈(2)399頁以下〔今井猛嘉〕，高橋・528頁以下，西田・380頁，平野・概説255頁など。山口・436頁以下は，意思・観念の帰属主体を作成者だとする**帰属説**を主張する。

20）　大塚・444頁以下は，「偽造」について最広義，広義，狭義，最狭義の4つの意義を区別する。

文書の形式的真正を害する行為，**不真正文書を作成する行為**であり，作成権限がないのに他人名義の文書を作り出すこと[21]，または作成名義人と作成者との間で人格の同一性にそごを生じさせることとして定義される（詳しくは，私文書偽造に関する517頁以下を参照）。それは**形式面における偽り**がある文書（不真正文書）を作る行為であり，作成名義人自らが文書の内容的真実を害する行為である**虚偽文書の作成**（156条・160条など）と区別される。そこで，前者を**有形偽造**といい，後者を**無形偽造**という。有形偽造は，前述の形式主義が処罰対象とする偽造であり，無形偽造は実質主義が処罰対象とする偽造である[22]。有形偽造にせよ，無形偽造にせよ，**行使の目的**をもって行われることを要する。

偽造と変造　この意味における偽造の中で，最狭義の偽造と変造とが区別される。この区別は，権限のない者が他人名義の文書を新たに作り出すか（偽造），それとも，他人名義の既存文書の非本質的部分に権限なく改変を加え，証明力に変更を生じさせるか（変造）の区別である。ゼロから新たに作り出すか，それとも既存文書に手を加えるかの違いであるが，とはいえ，いったん無効となった文書に手を加えて有効であるかのように改めることはもちろんとして，既存文書の本質的部分に変更を加えて，実質的には新たな文書を作り出すことも，もはや変造ではなく，偽造にあたる。たとえば，他人宛てに発行された自動車の運転免許証（公文書）の氏名・生年月日・住所等の欄に自分の名前や生年月日・住所等を記載すれば，それは本質的部分を改ざんするものであり，当然に偽造であるが[23]，写真のみを自分の写真と貼り換えて使用する場合でも，免許証の機能上，写真もまた本質的部分であると解すれば，偽造とされるべきこととなろう[24]。伝統的には，既存の銀行預金通帳や郵便貯金通帳の額を改ざんして増加させる行為が変造の典型例とされてきたが[25]，かなり額が違うときにはもは

21） 作成権限（たとえば，代理権や代表権）がある限り，その権限を濫用し，自己または第三者の利益を図るために行為したとしても，ここにいう偽造にはならない（ただし，背任罪が成立する可能性はある）。**権限なく，または権限の範囲を越えて**他人名義の文書を作成すれば偽造となる。

22） 現行刑法が形式主義を基本としているというとき，そのことは，有形偽造については公文書と私文書を通じてこれを処罰の対象とするが，無形偽造については私文書に関する限りこれを原則として不可罰としているということを意味する。

23） 最決昭和39・6・11集刑151号391頁。

24） 神戸地判昭和43・7・9下刑集10巻7号749頁。写真を貼りかえた上，生年月日をも改ざんした場合に偽造とした最決昭和35・1・12刑集14巻1号9頁も参照。

25） なお，同様に，小切手の金額を改ざんする行為は，有価証券の変造と解されている（→531

や変造ではなく偽造にあたるという理解も有力となっている[26)]。ただ，偽造と変造は，どちらにしても刑の重さが変わるわけではなく，その区別に本質的な重要性はない（→477 頁注 *16*））。

行使とは，不真正文書または虚偽文書を，真正な文書または内容の正しい文書のように見せかけて呈示・交付し，または閲覧に供し，事情を知らない他人がその内容を認識できる状態に置くことをいう。文書は，それが現実に使用されてはじめて，公共の信用が害されるおそれが生じる。その意味では，文書の行使こそが，もっとも法益侵害に近いところにある危険な行為なのであり，行使を目的とした文書の偽造は，その準備段階の行為であるといえよう。刑法が，文書については，行使罪の未遂を処罰しながら（158 条 2 項・161 条 2 項を参照），偽造罪の未遂までは処罰しないのは，偽造の未遂まで処罰すると処罰の開始が早くなりすぎるという考慮に基づくものである。

2 詔書偽造罪

（詔書偽造等）
第 154 条① 行使の目的で，御璽，国璽若しくは御名を使用して詔書その他の文書を偽造し，又は偽造した御璽，国璽若しくは御名を使用して詔書その他の文書を偽造した者は，無期又は 3 年以上の拘禁刑に処する。
② 御璽若しくは国璽を押し又は御名を署した詔書その他の文書を変造した者も，前項と同様とする。

天皇名義で作成される文書は，通常の公文書と比べてより重要な意味をもつので，その偽造・変造（本罪では有形偽造・有形変造）は特に重く処罰される。**御璽**（ぎょじ）とは天皇の印章をいい，**国璽**（こくじ）とは日本国の印章のことをいう。**御名**（ぎょめい）とは天

頁）。ただし，郵便貯金通帳や銀行預金通帳における 1 回の預入れ・払戻しの記載のそれぞれを独立の文書として把握するのであれば（→490 頁），架空の入金等を記載して残額を増加させることは，それだけで**偽造**と評価されるべきこととなるであろう。

26） 神戸地判平成 3・9・19 判タ 797 号 269 頁は，県の教育委員会の実施する学力検査において，試験後に，受験生の答案の誤答部分を正解に書き改めたり，空欄部分に正解を書き込んだりした行為につき，私文書**変造**ではなく，私文書**偽造**にあたるとした。

皇の署名のことである。**詔書**とは天皇の国事に関する意思表示を内容とする文書であって，一般に公示されるものをいう（たとえば，国会召集の詔書)。**その他の文書**とは，天皇名義の文書であって，たとえば，法律や政令に付される公布文，条約批准書，内閣総理大臣・最高裁長官を任命する文書，国務大臣等の任免の認証文書などをいう。天皇の私信は，この中に含まれない。「偽造」「変造」の意義については，496 頁以下を参照。

3 公文書偽造罪

（公文書偽造等）

第 155 条① 行使の目的で，公務所若しくは公務員の印章若しくは署名を使用して公務所若しくは公務員の作成すべき文書若しくは図画を偽造し，又は偽造した公務所若しくは公務員の印章若しくは署名を使用して公務所若しくは公務員の作成すべき文書若しくは図画を偽造した者は，1 年以上 10 年以下の拘禁刑に処する。

② 公務所又は公務員が押印し又は署名した文書又は図画を変造した者も，前項と同様とする。

③ 前 2 項に規定するもののほか，公務所若しくは公務員の作成すべき文書若しくは図画を偽造し，又は公務所若しくは公務員が作成した文書若しくは図画を変造した者は，3 年以下の拘禁刑又は 20 万円以下の罰金に処する。

(1) 総 説

本罪は，天皇名義の文書以外の公文書の有形偽造・有形変造を処罰の対象とする犯罪類型である。公文書は，公務所・公務員が法令や内規・慣例等に基づいて作成する文書であって，一般の私文書と比較して，証拠手段としてより強力でありその信用性も高い。そこで，本条の罪は，私文書偽造罪（159 条）よりも重く処罰されている。本条の罪の未遂は不可罰である[27)]。

(2) 客 体

(a) 意 義 客体は，**公務所または公務員の作成すべき文書または図画**（公

27) 文書偽造の未遂は（157 条の場合を除いて）処罰されていないが，その過程で行われた印章や署名の偽造が既遂に達していれば，**印章・署名偽造罪**（165 条・167 条）の罪責は問われることになる。その意味で，同罪は，文書偽造（および有価証券偽造）の未遂を捕捉する機能を有する（→543 頁)。

文書または**公図画**）であり，公務所または公務員が，その名義をもって，法令や内規・慣例に基づき職務の範囲内において作成する文書または図画である。**公務所**とは，「官公庁その他公務員が職務を行う所」のことである（7条2項）。ただし，ここでは場所や建物ではなく，組織・機関が重要である（そうでなければ，「公務所の作成すべき文書」というのが意味不明であろう）。**公務員**とは，「国又は地方公共団体の職員その他法令により公務に従事する議員，委員その他の職員」（7条1項）のことである（→604頁以下）。

刑法は（私文書の場合と同様に〔→517頁〕）作成名義人の印章または署名を用いたかどうかにより，**有印文書**と**無印文書**とに分け，それぞれに異なった刑を規定している[28]。すなわち，真正の印章・署名を権限なく用いるか，または偽造の印章・署名を用いて，文書を偽造・変造すると，有印公文書偽造・変造罪（本条1項および2項）として重く罰せられ，印章も署名もない公文書・公図画を偽造・変造すると，無印公文書偽造・変造罪（本条3項）としてより軽く罰せられる。**印章**とは，公務所・公務員の人格を示すために物体上に顕出された文字等や符号等の影蹟（えいせき），すなわち印影のことをいう。**署名**には，自署のみならず，**記名**（代筆や印刷などによる場合）も含まれるとするのが判例・通説である[29]。

(**b**)　コピー書面の文書性　　原本たる公文書の正確なコピー（フォト・コピー）に見せかけて使用する目的で，内容虚偽のコピー書面を作成した場合，それも本罪の客体にあたりうるか（なお，原本の写し・謄本としての認証文言が付されている公文書については，写しの部分の内容が公的証明の対象となることから，認証文言の部分と一体となって1つの公文書とされる。ここで問題とされているのは，原本たる公文書のコピーを，認証文言のない単なるコピーとして使用する場合に，これを

28）　有印文書の偽造については，印章・署名の偽造・不正使用の評価も加わることにより重い処罰が必要と考えたのであろう。なお，改正刑法草案（→総論48頁）は，公文書についても私文書についても，有印と無印の区別を設けないことにした。改正刑法草案226条・230条を参照。

29）　記名を含ませることについては反対の学説もある。たとえば，大塚・469頁，大谷・467頁，団藤・301頁など。判例・通説のように，もし署名に記名も含ませるとすると，記名もない公文書としての無印公文書などほとんど考えられないことになる（「文書」といいうるためには，少なくとも作成名義人の認識可能性が必要だからである〔→495頁〕）。旧国鉄が手荷物の発送に使用した駅名札を無印公文書とした判例がある（大判明治42・6・28刑録15輯877頁）。

公文書と解しうるかどうかである)。従来の解釈によれば，文書は**原本的なものであることを要する**から，手書きの写しは文書ではないとされた。手書きの写しにおいては，現実に筆写した人が直接的な意思・観念の表示主体，すなわち作成名義人となり，原本とは別の文書ということになる（もし誰が写したのかが明らかでないとすれば，作成名義人が不明ということで，写しとしても文書性を否定される)。これに対し，複写機によるコピーは原本の機械的に正確な再現を可能にし，社会生活においては原本の代用ないし原本に準ずるものとして用いられている。そこで，刑法上も，これを，原本そのものと同視する形で文書の概念の中に含める（したがって，原本の作成名義人を作成名義人とする文書として認める）ことが可能ではないかが問題となる。[30)]

判例は，**積極説**をとり，原本の写しであっても，原本と同一の意識内容を保有し，証明文書として原本と同様の社会的機能と信用性を有するものは文書に含まれるとし，コピー書面は，原本の内容のみならず，筆跡，形状まで機械的かつ正確に再現するという点で，原本がコピー通りに存在していることについてきわめて強力な証明力をもちうるのであり，それゆえに，公文書のコピー書面が実生活上原本と同程度の社会的機能と信用性を有するものとされている場合が多いという理由から，有印公文書のコピーも，原本作成名義人作成名義の有印公文書（155条1項）と解すべきだとする。[31)] これに対し，学説では，**消極説**

30) ここでは，あくまでも**コピー書面を原本のコピーとして用いる目的**で内容虚偽のコピー書面を作成する場合が問題とされており，原本のコピーを利用して原本そのものに見せかける場合が文書偽造にあたることは当然であり，異論が生じる余地はない。さらに，原本そのものを偽造することなく，原本の内容虚偽のコピーを作成してこれをコピーとして用いる場合（本文で問題としている場合）と，原本を偽造した上で，そのコピーを原本のコピーとして用いる場合とは区別しなければならない。後者は，行使概念の問題であり（→514頁），**原本そのものの偽造が行われている**以上，文書偽造と偽造文書の行使を認めることに問題は少ないのである。この点について，福島地判昭和61・1・31刑月18巻1＝2号57頁を参照。

31) 最判昭和51・4・30刑集30巻3号453頁（被告人が，公務員である供託官がその職務上作成すべき供託金受領証〔供託官の職名および記名押印のあるもの〕を電子複写機で原形通り正確に複写した形式・外観を有するコピー書面〔ただし，虚偽の事実が記載されたもの〕を作成し，これを使用したというケース)。さらに，最決昭和54・5・30刑集33巻4号324頁などを参照。なお，ここでは，国立大学の成績証明書，公認の技師の免状，パスポートなどの**公文書**の偽のコピーを作った場合が主として問題となるが，**私文書**（たとえば，私立大学の成績証明書や各種検定試験の合格証など）についても異なって理解する理由はない。たとえば，東京地

も有力に主張されている[32]。公文書のコピーを作成することは誰にでも許されており，コピー書面それ自体は「公務所若しくは公務員の作成すべき文書」とはいいえないとか，コピーといえども精巧な写しにすぎず，コピー書面が証明しているのは原本の存在という事実であって原本の内容そのものではないとする。

両説の対立は，コピー書面の社会的機能と信用性に関する基本的な認識の相違に基づくものといえよう。積極説は，コピー書面が原本と同様の社会的機能を営んでいることを重く見て[33]，文書概念の解釈としては原本と同一視してその刑法的保護をはかるべきだと主張する。これに対し，消極説は，コピーが社会生活上多用されている事実は認めつつも，簡易・軽便に複写がなされ，濫用のおそれがあること，コピーといえども精巧な写しにすぎず，その証明力にも限界があり，認証文言のない単なるコピーに対する信頼を保護することは，かえって不相当な慣行を是認することになる，とするのである[34]。

ファクス書面の文書性 原本たる公文書をファクスにより相手側に送信するに際してこれに手を加え，受信側において虚偽の内容が現出するように細工して，相手方にはその内容の文書が現存するかのように誤信させた場合，これを公文書偽造・偽造公

判昭和55・7・24刑月12巻7号538頁は，架空の契約書のコピーを作成したケースについて私文書偽造罪の成立を認めている。

32) たとえば，浅田・392頁以下，伊東・306頁以下，大谷・452頁以下，斎藤・247頁，曽根・243頁，高橋・527頁，団藤・273頁以下，中森・214頁以下，西田・378頁，林・351頁以下，平野・諸問題（下）409頁以下，堀内・237頁以下，町野・317頁以下，山口・432頁以下，山中・598頁以下など。これに対し，判例を支持するのは，川端・542頁以下，佐久間・338頁以下，前田・386頁以下。なお，注*34*）も参照。

33) コピーを原本に代えて用いる場合の具体例として，海外渡航の事実を証明するためにパスポートの一部をコピーして相手方（たとえば，渡航資金の提供者）に渡すことがある。このような場合には，原本のやりとりを行うことは双方にとり負担が大きいといえよう。

34) なお，積極説としては，**もう１つの異なった理論構成**も可能であろう。たしかに，消極説の主張するように，当事者間においてコピー書面はあくまでも原本の写しとして認識されているのであって，原本とそのコピーとを同一視することは困難である。しかし，公務所が負担軽減のため，私人が文書をそのままコピーするところまでは**包括的に許諾**していると見ることは可能である。その限りで，コピー書面は公務所が記載内容につき間接的な保証を与えた文書であり，認証文言を省略した写し文書である。このように考えれば，内容虚偽のコピーを作成することは（原本が有印公文書でも）無印公文書偽造罪（155条3項）を構成することになる。藤木英雄・警察研究45巻10号（1974年）3頁以下を参照。

文書行使となしうるかどうかが問題となる。これは，コピー書面の文書性の延長線上にある問題である。

コピー書面の文書性に関する消極説によれば，ファクス書面を原本と同じ文書と解することはできない[35]。積極説によるときも，ファクス書面については，写しとしての精度およびその社会的機能と信用性においてコピーとは質的に異なる[36]と解することにより，受信側に送られたものの文書性を否定することも不可能ではない。しかし，現在の技術的水準においては，ファクス書面と通常のコピー書面との相違がはたして質的に異なるほどのものといえるかどうかには疑問があるといえよう[37]。コピー書面の文書性に関する積極説によれば，有印公文書に改ざんを加えてファクス機により相手方に送信したというケースでも，有印公文書偽造罪・偽造有印公文書行使罪が成立することになろう。相手方のファクス機において紙の上に印字が行われた時点で有印公文書偽造が完成し，同時に行使罪も成立するが，観念的には区別される2つの行為が連続して行われたと解されるから，両罪は観念的競合ではなく，牽連犯の関係に立つものといえよう。詐欺罪が成立するときには，さらに手段としての偽造有印公文書行使罪と結果としての詐欺罪とが牽連犯となる。

(3) 行　為

本条の偽造・変造は，作成権限のない者が作成名義を偽って不真正文書を作成する，いわゆる**有形偽造**および**有形変造**のことである（私文書の有形偽造・有形変造に関する517頁以下も参照）。偽造・変造の結果，作成されたものが公文書としての形式を完全に備えている必要はない。**偽造・変造の程度**に関しては，普通の人が（それほど注意しないで）それを見たときに公務所・公務員の作成した文書と信じうる程度の外形をもった文書が作出されることが必要であり，かつそれで十分である。進んで，通常に想定される行使形態（たとえば，スキャナー

35）ただし，送信者が，原本の作成名義人からのファクスの送付であるかのように装って送信したときは，ファクス書面自体が本人の意思または観念を直接的に表示する形態で送られているのであるから，これを有印文書と捉えることが可能である。

36）ファクス書面においては，類似の文字の見分けがつきにくく，改変のあとが容易に判明しないから，改ざんもしやすく，それに応じてその信頼性も低いと考えるのである。

37）広島高岡山支判平成8・5・22判時1572号150頁は，「ファクシミリによる文書の写しは，一般には，同一内容の原本が存在することを信用させ，原本作成者の意識内容が表示されているものと受け取られて，証明用文書としての社会的機能と信用性があることは否定でき」ないとして，有印公文書偽造・同行使罪の成立を肯定した。

を通じての運転免許証の相手方への呈示や，ビニール製ケースに入れたままでの駐車券の係員への呈示など）を考慮して，それを直接に見れば改ざんの形跡がはっきりとしていても，そのような形態の行使の際には見破られる可能性は乏しく十分に使用可能であることを理由に偽造文書たりうるとする裁判例も少なくない[38]。これは，**必要とされる偽造の程度を相対的に理解**し，行為者が目的とした行使態様との関係において，最低限必要な偽造の程度に到達したかどうかを判断しようとするものである。ただ，これは，**客体を直接に認識させない態様での行使を認めるかどうか**という行使概念の問題でもあることに注意しなければならない（→514 頁）。

偽造・変造は，**行使の目的**をもって行われることを要するが，行使の目的とは，偽造・変造された文書を真正な文書として使用する目的のことであって，呈示・交付などの方法により，その内容を，多少とも利害関係のある（かつ，情を知らない）相手方に認識させ，または相手方が認識しうる状態に置く目的を意味する（→514 頁以下）。

補助公務員の文書作成権限　行政事務の実際においては，作成権者である上司を補

38）たとえば，大阪地判平成 8・7・8 判タ 960 号 293 頁の事案は，被告人が，金融会社の無人店舗において他人に成り済まして融資金入出用カードを騙し取ろうと計画し，自動契約受付機のイメージスキャナー（画像情報入力装置）に読み取らせる目的で，大阪府公安委員会の記名・公印のある自分の運転免許証（公文書）の上に，他人の運転免許証の写しから氏名，生年月日，本籍，住所，交付の各欄等を切り取ってこれを該当箇所に重なるようにして置くなどし，上からメンディングテープを全体に貼り付けて固定したものを作出したというケースであった。大阪地裁は，「これを直接手に取って見れば，……誰にでも改ざんされたものであることは容易に見破られるものであるとみる余地がないではないが，電子機器を通しての呈示・使用を含め，運転免許証について通常想定される前述のような様々な行使の形態を考えてみると，一応形式は整っている上，表面がメンディングテープで一様に覆われており，真上から見る限りでは，表面の切り貼り等も必ずしもすぐ気付くとはいえないのであって，そうすると，このようなものでもあっても，一般人をして真正に作成された文書であると誤認させるに足りる程度であると認められるというべきである」とした。そのほか，札幌高判平成 17・5・17 高刑速平成 17 年 343 頁，東京地判平成 22・9・6 判タ 1368 号 251 頁などを参照。これに対し，反対趣旨の高裁判例もある。東京高判平成 20・7・18 高刑速平成 20 年 138 頁は，国民健康保険被保険者証の白黒コピーを改ざんしたものをファクス送信した事例について，「本件改ざん物の色合いや大きさ等の客観的形状からみて，これを本件のように電子機器を介するのでなく肉眼等で観察する限り，本件保険証の原本であると一般人が認識することは通常は考え難いから，これを作出したことをもって本件保険証の原本の偽造を遂げたとみることはできない」とした。

助する公務員が，現実には文書の起案・作成を担当し，作成権者（それが代決者であることもある）がこれに形式的な事後決裁を与えるようになっている場合が多い。この場合に，その補助公務員が，申請書の提出や手数料の納付等の手続を省略し決裁を求めることなく，しかし内容は正確な文書を作成したとき，本罪を構成するかどうかが問題となる。

たとえ公務員であっても，当該の文書を作成する権限をもたない者が公文書を作成すれば，記載内容の真偽を問わず，公文書偽造罪が成立するはずである。しかし，事後決裁であっても真正文書と認められるということは，**一定限度では作成権限を与えられている**ことを意味する。そうであるとすれば，その権限の範囲内と認められれば，たとえ手続を省略したとはいえ，内部規律違反の問題にすぎず，作成した文書を直ちに偽造文書と考えるべきではないともいえる。判例は，補助公務員（市長の代決者である市民課長を補佐する市民課調査係長）も，**内容の正確性を確保することなど，その者への授権を基礎づける一定の基本的な条件にしたがう限度**で，公文書の作成権限を有するとし，内容を虚偽のものとしなければ，たとえ決裁（1日分を一括し翌朝行われることになっていた）等を省略して文書を作成したとしても，権限内の文書作成として公文書偽造罪を構成しないとした[39]。すなわち，補助公務員は，文書の内容が正確であることなど基本的ルールを逸脱しない限りで作成権限を有することとなり偽造罪に問われないが，文書の内容を虚偽のものとすれば，そのことによって権限を逸脱し，無権限の者が公文書を偽造したものとして155条により処罰されるのである[40]。

(4) 罪数，他罪との関係

文書偽造罪の罪数は，偽造・変造された公文書の数，したがって意思・観念の表示をひとまとまりとして捉えた場合のその個数（それは享受する公共の信用の数でもある）を標準として決められるとすべきであろう（→490頁。これに対し，作成名義の数にしたがうべきだとする考え方もある）。行使罪とは牽連犯の関係に立つ（→514頁）。

39）最判昭和51・5・6刑集30巻4号591頁。

40）これに対し，**代決者**，すなわち名義人ではないが，法令上または授権により作成権限を与えられたと認められる公務員については，権限を濫用して，虚偽の公文書を作成すれば，156条の虚偽公文書作成罪に問われることになる。

4 虚偽公文書作成等罪

（虚偽公文書作成等）
第156条　公務員が，その職務に関し，行使の目的で，虚偽の文書若しくは図画を作成し，又は文書若しくは図画を変造したときは，印章又は署名の有無により区別して，前2条〔154条・155条〕の例による。

(1) 総　説

本罪においては，公文書の無形偽造行為が処罰の対象となる。私文書の場合のように客体を限定することなく（160条を参照〔→523頁〕），作成権限者による虚偽文書の作成が包括的にカバーされる。「前2条の例による」とは，詔書等の偽造の場合には，154条と同一の刑が法定刑となり，客体が普通の公文書であれば（有印か無印かを区別して）155条と同一の刑が法定刑となるということである。本条の罪の未遂は不可罰である（→499頁注*27*））。

(2) 構成要件

(a) 主体・行為　　本罪は，公文書・公図画を作成する権限を有する公務員が，文書に虚偽の内容を記載する行為を処罰の対象とする。それは真正身分犯（65条1項）であり，公務員でない者や，たとえ公務員であっても当該の文書を作成する権限をもたない者は，本条の罪の正犯とならない[41)]。ただし，判例は，後述のように（→(b)），作成権限者たる公務員の職務を補佐して公文書の起案を担当する公務員が，内容虚偽のものを起案し，情を知らない作成権限者に署名・押印させ，内容虚偽の公文書を作成させた場合には，虚偽公文書作成罪の間接正犯になるとしている。その限りで，**本罪の主体の範囲を拡大**し，当該文書の作成権限がなくても，その作成過程に関与する公務員であれば，間接正犯の形態においては本罪を犯しうることが肯定されている。

虚偽の文書・図画の作成（本条前段）とは，作成権限のある者が，内容が真実に合致しない文書・図画を作成すること，すなわち**無形偽造**のことをいう。**文**

---

41)　それらの者が作成名義を冒用して公文書を作成したときは，詔書偽造罪・公文書偽造罪（154条または155条）となる。ただ，身分者による犯行に加功することによって156条の罪の共犯として処罰されることはありうる（65条1項〔→総論565頁以下〕）。

書・図画の変造（本条後段）とは，作成権限のある公務員が，その権限を濫用して，すでに存在する文書に不当な変更を加え，その内容を虚偽にすることをいう（いわゆる**無形変造**）。有形変造（155条2項・3項）の場合と異なり，**内容を虚偽のものとすることが必要**である。[42]

(b) 間接正犯　**虚偽公文書作成罪の間接正犯**は，いかなる場合に成立するかが問題となる。作成権限を有する公務員が複数いて，そのうちの1人が他の者の不知に乗じてその者に虚偽の公文書を作成させるような場合に，虚偽公文書作成罪の間接正犯が成立しうることは当然である。これに対し，議論されるのは，まず，①公務員でない者が虚偽の申告を行い，情を知らない公務員をして証明書に虚偽の記載をなさしめたような場合に本罪が成立するかどうかである。この場合について，判例は，157条にあたる場合には同条により処罰されるが，それにあたらないときは不可罰とする。[43] たしかに，公正証書原本不実記載等罪を処罰する157条は（→508頁），同条に特に規定された特定の公文書を客体とする，**虚偽公文書作成罪の間接正犯的な実行態様の場合**について（公務員でない者は，本罪の主体にはなりえないのであるから，あくまで間接正犯的態様であるにすぎないことに注意する必要がある），虚偽公文書作成罪に対するよりも軽い刑をもって臨んでいる。もし，157条にあたる場合や，さらには同条に特に規定された特定の公文書以外の文書に関わる場合にも156条を適用して重く処罰するとすれば，何のためにわざわざ157条の規定を設けたのかわからなくなってしまうであろう。[44] こうして，私人の虚偽申告に基づく，157条の客体以外の公文書に関する，156条の罪の間接正犯的な遂行形態については，これを不可罰とするのが刑法の趣旨だと考えなければならない。

これに対し，②職務上公文書の作成に関与しこれを補助する公務員が，事情

42） **虚偽有印公文書変造罪**（156条後段）の成立が認められた実例として，大阪地判平成26・6・17 LEX/DB 25504385がある。

43） 最判昭和27・12・25刑集6巻12号1387頁。

44） ただ，①のケースでは，行為者は非公務員であるから，最初から156条により処罰することはできない。虚偽公文書作成罪が公務員に主体を限定した身分犯である限り，非公務員につき構成要件該当性を認めることはできない。その意味では，①のケースで行為者を156条により処罰できないことは，156条そのものの解釈として導かれることであり，157条との関係はむしろ二次的なことである。

を知らない作成権者を利用し，署名・押印などさせて虚偽公文書を完成させた場合はどうであろうか。判例は，虚偽公文書作成罪の間接正犯の成立を認めている。すなわち，作成権限者たる公務員Aの職務を補佐して公文書の起案を担当する職員甲が，内容虚偽のものを起案し，情を知らない上司Aに署名・押印させ，内容虚偽の公文書を作成させたという場合，甲は虚偽公文書作成罪の間接正犯になるとする[45]。この場合，作成権限者Aが内容を認めて正規に署名等している以上，完成した文書を偽造文書（不真正文書）と呼ぶことはできない[46]。結果的には，権限ある公務員により（ただし内容虚偽の）公文書が作成されている（すなわち，155条ではなく**156条にあたる客観的事実が実現**されている）。他方，職務上その文書の作成に関与する補助公務員にすぎない甲については，公文書の作成権限を認めることができないから（補助公務員に作成権限が認められるのは，内容の正確性を確保するなど一定の要件を充たす場合に限られる〔→504頁以下〕），156条の罪の主体にあたらないとも考えられようが，しかし，甲は，文書の作成権限を欠くとはいえ，職務上，文書作成に関与する公務員ではあり，公務員が「その職務に関し」て虚偽文書を（情を知らない上司を利用して）作成したことが認められるところから，虚偽公文書作成罪の間接正犯の成立を肯定することができるのである[47]。

5　公正証書原本不実記載罪・免状等不実記載罪

（公正証書原本不実記載等）
第157条①　公務員に対し虚偽の申立てをして，登記簿，戸籍簿その他の権利若しくは義務に関する公正証書の原本に不実の記載をさせ，又は権利若しくは義務に関する公正証書の原本として用いられる電磁的記録に不実の記録をさせた者は，5年以下の拘禁刑又は50万円以下の罰金に処する。
②　公務員に対し虚偽の申立てをして，免状，鑑札又は旅券に不実の記載をさせた

45）　最判昭和32・10・4刑集11巻10号2464頁。
46）　植松・168頁，大塚・450頁，平野・諸問題（下）401頁，山口・449頁などを参照。
47）　大谷・470頁以下，高橋・541頁以下，団藤・296頁，中森・223頁以下，山口・447頁以下など。これに対し，背後者が非公務員である場合にも，156条の罪の間接正犯を認めうると考えるのは，西田・386頁以下。しかし，それは，身分犯による主体限定機能を否定するものであろう。

者は，1年以下の拘禁刑又は20万円以下の罰金に処する。
③　前2項の罪の未遂は，罰する。

(1)　総説，客体

私人の申告に基づいて作成される特定の種類の公文書および公電磁的記録について，その内容の正確性を確保することを処罰の目的とする[48]。本罪については，**未遂も処罰**される（157条3項）。本罪は，公文書偽造罪（155条）や偽造公文書作成等罪（156条）と比べても軽い刑を規定している。しかし，これは，**客体としての公正証書原本等**が，通常の公文書等よりもより価値が低い（保護価値が低い）ことを意味しない。本罪は，作成権限を有する公務員に対し虚偽の申立てを行うことにより間接的に偽造公文書を作成させるものである点で（**間接無形偽造**と呼ぶ），その行為態様に注目したときに，違法性・有責性がより軽いと考えられるところに法定刑が軽いことの根拠があるといえよう。

他方，虚偽の申立てを行い，虚偽公文書を作成させる種々の場合の，そのすべてが処罰の対象となっているのではない。その中で，特定の種類の公文書（157条1項では，登記簿・戸籍簿が例示されている）だけについて，間接無形偽造の処罰規定が設けられている。ということは，157条においては，通常の公文書とは異なり，**特別な保護価値がある客体**がそこに予定されていることを意味する。一般にそう定義されているように，公正証書原本等とは，公文書の中で，関係者のために**権利・義務に関わる**一定の事実を公的に証明する効力を有するものである（単なる事実証明に関わる文書はそこには含まれない）。作成する主体である公務所・公務員の側に注目すれば，公証の機関として社会的に認知されたものであることを必要とし，それが作成する公正証書原本等とは，権利・義務に関わる事項の確認の目的でそれを参照し，それと照らし合わせて一定の事項を確認する情報の源となるもののことである。

登記簿や戸籍簿がその典型例とされるのは，公的証明の役割を担った機関が

48)　1987（昭和62）年の刑法一部改正（→491頁）により，公正証書の原本にあたるものとして**電磁的記録**が用いられている場合に，これに**不実の記録**をなさしめたときにも本罪が成立しうることが明確にされた。

作成して一定の場所に備え付け，そこに関係者がアクセスすることにより証明機能を発揮する公的存在として，上のような性格がきわめて明確だからである。一定の場所に備え付けられていることは必須の要件ではないが，広い証明機能を発揮する客観的・公的存在といいうるためには，一定の場所に備え付けられており，閲覧に供せられていることが重要な意味をもつのも事実である。また，一般に公開されていることや，誰でもがそこにアクセスできることは必須の要件ではない。個人情報保護等との関係で，アクセスが制限されていること自体は，公正証書性を否定する意味をもつものではない。他方で，単に部内資料ないし部内で用いられるデータベースというのではなく，関係者がそれにアクセスし照らし合わせることにより一定の権利・義務に関わる事項を確認することができる，**公証の機能をもった客観的・公的存在**であるということが重要である。

権利・義務に関する公正証書の原本とは，公務員がその職務上作成する文書であって，権利・義務に関する事実を公的に証明する効力をもつものを広く含む。判例によってこれにあたるとされたのは，例示として条文に挙げられている登記簿と戸籍簿のほか，公証人の作成する公正証書，土地台帳，住民票，外国人登録原票，船籍簿などである[49]。公正証書の原本として用いられる電磁的記録（**電磁的公正証書原本**）としては，磁気テープや磁気ディスク等をもって調製された自動車登録ファイル，特許原簿ファイル，不動産登記ファイル，住民基本台帳ファイルなどがある（電磁的記録の意義については，490頁以下を参照）。

157条2項では，私人が申立てをして交付を受ける形態の特定の公文書につき，虚偽の申立てをして不実の記載をさせた場合に，同条1項より軽い刑を規定している。これを特に**免状等不実記載罪**と呼ぶ。**免状**とは，特定の者に対して一定の行為をする権能を与える公的な証明書のことをいい，医師免許証，狩猟免状，自動車運転免許証などがその例である。**鑑札**とは，犬の鑑札や，質屋・古物商の営業許可証のように，公務所の許可や登録があったという事実を証明するもので，その下付を受けた者が，備付けまたは携帯する必要のあるものをいう。**旅券**とは，外国渡航を認許する文書（パスポート）であって，旅券法

49）**権利・義務に関するものでなければならないから**，単に事実証明に関するにすぎないもの（たとえば，印鑑登録原票）はこれにあたらない。

（1951〔昭和26〕年11月28日法律第267号）に定められたものをいう。

(2) 行　為

申立ては，口頭であるか，書面であるかを問わないし，自ら申し立てた場合でも，また，情を知らない代理人を介して申立てをさせた場合でもよい。官公署をして不動産移転登記の嘱託手続（不登116条・117条参照）を行わせることも「申立て」にあたる[50]。**不実の記載・不実の記録**をさせるとは，客観的事実に反する記載・記録をさせることをいう。不動産に関する中間省略登記が本罪を構成するとするのが判例であったが，現在ではこれを否定するのが通説であり，判例も事実上変更されていると解されている。不実の記載の例として，非上場会社の一人株主である者が，会社の債務の担保として債権者に全株式を譲渡担保に供したが，その後，議決権等の株主共益権については自己に留保されているとして，債権者に断りなく臨時株主総会を開催して取締役等の解任・選任を行った旨の議事録等を作成し，役員が変更されたという内容の株式会社変更登記申請書を提出して商業登記簿の原本にその旨の記載をさせたという事案につき，その者には株主共益権はなく変更登記申請は無権限で行われたとして公正証書原本不実記載罪が成立するとされた[51]。

また，不実の記録の例として，株式会社の役員が，新株の発行による増資の際に，会社の資金を第三者を経由して会社の実質的支配下にあった別会社に移動させ，これを新株申込証拠金として払い込ませた上，商業登記簿の原本である電磁的記録に増資の記録をさせた行為につき，申込証拠金の払込みが無効であるとして，電磁的公正証書原本不実記録罪の成立が認められたものがある[52]。最近では，被告人が暴力団幹部に土地の所有権を取得させるという合意をし，その土地の真実の買主はその暴力団幹部であるのにこれを隠すため，被告人が代表取締役を務める会社を買主として売主との間で売買契約を締結した上，登記官に対し，その会社を買主とする登記申請をして，登記簿（磁気ディスク）に所有権移転の記録をさせたというケースについて，売買契約の締結に際し当

50） 最決平成元・2・17刑集43巻2号81頁。

51） 最決平成17・11・15刑集59巻9号1476頁。

52） 最決平成17・12・13刑集59巻10号1938頁。

該暴力団幹部のためにする旨の顕名が一切なく，売主は買主が当該会社であると認識していた等の事情の下では，その登記等は**民事実体法上の物権変動の過程を忠実に反映したもの**であり，これに係る申請は「虚偽の申立て」であるとはいえず，当該登記が「不実の記録」であるともいえないとした最高裁判例がある。[53]

公務員に虚偽であることの認識があったとき　申立てを受けた公務員が，申告に係る事実が虚偽であることを知って，それでも不実の記載をなしたときはどうなるか。**2つの場合**に分けて考察する必要がある。①申立人が，情を知らない公務員をして不実の記載をさせようとしたが，公務員は虚偽の申告であることを見破り，それにもかかわらず不実の記載を行った場合と，②申立人が，公務員に対し，申告の事実が虚偽であることを打ち明けて不実の記載をさせた場合である。まず，**不実記載を行った公務員の罪責**を考えると，①の場合についても，②の場合についても，その者が当該文書の作成権限を有する限りは，虚偽公文書作成罪[54]が成立しうる。もっとも，学説は，当事者の届出に基づいて記載される文書について，(a)公務員が記載内容について実質的審査権を有する場合と，(b)戸籍簿・登記簿のように形式的審査権をもつにすぎない場合とを区別する。そして，(a)の場合については，文書の記載内容が真実に合致すべきことが強く要請されていることから，公務員がおよそ虚偽であることを知りつつ記載したときは虚偽公文書作成罪が成立するが，(b)の場合は，届出人・申請人と共謀し職務上の義務を不法に利用したような場合は別にして，公務員が偶然に届出事項が虚偽であることに気づきながらそれをそのまま文書に記載しても同罪は成立しないとする。[55]そのように考えると，(b)の場合でも，②のように，申立人から申告事項の

---

53)　最判平成28・12・5刑集70巻8号749頁。なお，中国人女性が，在留資格取得目的のため日本人男性との間で偽装結婚をして虚偽の婚姻届を提出し，さらに，別の中国人男性との間に生まれた子を日本人男性の嫡出子として出生届を提出したというケースについて，婚姻届の提出と虚偽の出生届の提出のいずれも「虚偽の申立て」に該当するとして，電磁的公正証書原本不実記録罪および不実記録電磁的公正証書原本供用罪の成立を認めた高裁判例もある。大阪高判平成30・4・12高刑速平成30年278頁。

54)　公正証書の原本たる**文書**に不実の記載を行ったときは虚偽公文書作成罪（→506頁以下）が成立するが，**電磁的記録**に不実の記録をなした場合は，公電磁的記録不正作出罪（161条の2第2項〔→525頁以下〕）となる（→525頁注*93*)）。

55)　大塚・473頁，477頁以下，高橋・546頁，福田・105頁，ポケ註361頁以下〔中野〕など。これに対し，大谷・470頁，中森・223頁注32)，西田・390頁，山口・454頁などは，形式的審査権をもつにすぎない場合であっても，虚偽の申立てを受理しなければならない義務はないことから，届出事項が虚偽であることを知って記載する限り，156条の罪が成立すると解すべ

虚偽であることを打ち明けられ，不実の記載をすることを依頼されて，共謀の上でこれを行ったようなときには，虚偽公文書作成罪が成立することになろう。

虚偽の申告をなした申立人（私人）の罪責についてみると，②の場合には，65条1項の適用により虚偽公文書作成罪の共同正犯となる[56]。①の場合には，申立人としては，公正証書原本不実記載罪を犯す意図で，結果として，虚偽公文書作成罪の教唆を行ったことになるので，錯誤の問題が生じる。157条の罪は，私人の行う，156条の罪の間接正犯的な形態であるから（→507頁），間接正犯の意思で教唆にあたる事実を生じさせた場合の解決方法を応用することができる。通説は，間接正犯と教唆犯との間でも故意の符合を肯定し，軽い犯罪の限度で刑事責任が生じるとする（→総論557頁以下）。そこで，①の場合には，客観的には重い虚偽公文書作成罪の教唆犯の事実が実現されているが，38条2項にしたがい，より軽い公正証書原本不実記載罪の教唆犯の成立[57]を認めることになろう[58]。

(3) 罪数，他罪との関係

1項の罪とその行使罪・供用罪（158条）とは牽連犯の関係に立つ。公務員に対し虚偽の申立てを行い，免状や旅券の下付を受ける行為は本条2項により処罰され，別に詐欺罪を構成しない（→310頁）。

6 偽造公文書行使等罪

（偽造公文書行使等）
第158条① 第154条から前条〔157条〕までの文書若しくは図画を行使し，又は前条第1項の電磁的記録を公正証書の原本としての用に供した者は，その文書若しくは図画を偽造し，若しくは変造し，虚偽の文書若しくは図画を作成し，又は不実の記載若しくは記録をさせた者と同一の刑に処する。

きだとする。

56） これに対し，私人については，申請者に特に軽い刑を予定した157条の罪が成立するという考え方もあろう。

57） これに対し，山口・154頁は，公正証書原本不実記載罪の未遂にとどまるとする。

58） ただし，①の場合で，公務員に実質的審査権限がなければ，公務員が偶然に情を知って不実の記載をしても虚偽公文書作成罪は成立しないとする見解にしたがえば，(b)のケースでは申立人は虚偽公文書作成罪の教唆罪を実現したことにならない。たとえ公務員が情を知って不実の記載をなしても，申立人について公正証書原本不実記載罪の成立を認めるべきことになる。

② 前項の罪の未遂は，罰する。

本罪は，偽造公文書・公図画，虚偽公文書・公図画，または不実の記載ないし記録のある公正証書原本等を行使または供用することにより成立する。154条から157条に規定された文書・図画・電磁的記録が本罪の客体である。行使者本人により偽造・変造等されたものかどうかを問わないし，また，行使または供用の目的をもって作成されたものでなくてもよい。行使罪（供用罪）については，**未遂も可罰的**である（158条2項〔→498頁〕）。「同一の刑に処する」とあるのは，その客体に応じて，前4条（154条〜157条）のそれぞれの刑と同じ刑が法定刑となるという意味である。

行使とは，真正な文書または内容の正しい文書のように見せかけて呈示・交付し，または閲覧に供し，多少とも利害関係を有する（かつ，情を知らない）他人がその内容を認識しうる状態に置くことをいう。行使は，必ずしも，文書そのものを直接に見せるのでなくても，コピーをとってそれを見せたり，スキャナーを用いてモニター上に示して見せたり，写真に撮りメールに添付して相手方に送ったりという形でも行使にあたりうると考えられている（そのような拡張解釈は，偽造の理解にも影響を与えることになる〔→503頁以下〕）。公正証書の原本（→508頁以下）については，不実の事項の記載された原本の備付けにより，人が閲覧しうる状態に置かれるから，備付けの時点で行使罪の既遂となる。偽造した運転免許証（有印公文書）の行使については，偽造された運転免許証をただ携帯しているにとどまり，まだ警察官に呈示していない段階では，行使の未遂にもならない[59)]。用に供する（**供用**）とは，不実の記録がなされた電磁的記録を，公正証書の原本と同様の機能を有するものとして使用可能な状態に置くことをいう。

偽造罪と行使罪とは，同一人により引き続き行われた場合でも，別罪を構成し，**牽連犯**の関係に立つ（これは，住居侵入罪と窃盗罪の場合と並び，牽連犯の代表例である）。偽造文書の行使を手段として財物を騙し取った場合，行使罪と詐欺

59）　最大判昭和44・6・18刑集23巻7号950頁。

罪とが牽連犯となる。[60]

行使の相手方に限定はあるか 判例は，交際中の相手方である女性から将来のために貯金してくれるように懇請されたため，偽造した郵便貯金通帳（当時，郵便貯金は国の事業だったので公文書）を同女に交付したという事案について行使罪の成立を認め，[61]また，共犯者の父親を満足させるだけの目的で，公立高校の卒業証書を偽造し，父親に見せたという事案でも，偽造公文書の行使にあたるとした。[62]学説は，行使の相手方に関し何らかの限定を設けるかどうかをめぐって対立し，**限定説**と**無限定説**とに分かれている。限定説[63]はその文書について何らかの利害関係を有する者でなければならないとし，無限定説[64]は，偽造文書の内容が流布されて，文書の信用性が害される可能性を指摘して，利害関係は必要がないとする。

たしかに，法文上は，行使の相手方に関し特別の制限はない。しかし，本罪の保護法益との関係から，その人に見せることによって証明手段としての文書のもつ公共的信用性に何らの悪影響も生じえないような場合には，行使罪は成立しないはずであり，行使の相手方もまったく無限定であってはならないと考えられる。行使の直接的な相手方以外にも文書の内容が流布される可能性まで考慮することは，行使の概念を曖昧なものとし，行使罪の成立範囲を無限定なものとすることになる。もっとも，上記2つの判例の事案においては，相手方はいずれも文書に関して社会生活上高度の利害関係をもち，文書を信頼して何らかの具体的な行為に出ることが考えられるから，判例が行使罪の成立を肯定したのは正当である。

近年の最高裁判例は，私文書についてではあるが，ほしいままに内容虚偽の金銭消費貸借契約証書1通を偽造し，司法書士に対して，同証書に基づく公正証書の作成の代理嘱託を依頼する際に，これをあたかも真正に成立したもののように装って交付したというケースについて，「同証書の内容，交付の目的とその相手方等にかんがみ，文書に対する公共の信用を害するおそれがあると認められるから」偽造私文書の行使にあたるとした。[65]最高裁は，利害関係の要否について何も触れていないが，司法書

60） もし1つの文書を偽造し，後にその文書を数回にわたって数人に対して行使しそれぞれから財物を騙取（へんしゅ）すれば，当初の文書偽造罪を「かすがい」として，全体が牽連犯として科刑上一罪となる（かすがい現象〔→総論598頁〕）。

61） 大判昭和7・6・8刑集11巻773頁。

62） 最決昭和42・3・30刑集21巻2号447頁。

63） 大塚・458頁以下，佐久間・353頁；福田・99頁など。

64） 大谷・462頁以下，前田・407頁以下，411頁以下など。

65） 最決平成15・12・18刑集57巻11号1167頁。ただし，大判大正9・12・1刑録26輯855頁は，不動産の所有権を取得する目的で仮登記仮処分命令申請書を作成するため，司法書士の

士にとり，当該文書の真正性と内容はどうでもよいものではありえず，利害関係を肯定するのが当然である。限定説からも，行使罪の成立は肯定される。

7 私文書偽造罪

（私文書偽造等）
第159条① 行使の目的で，他人の印章若しくは署名を使用して権利，義務若しくは事実証明に関する文書若しくは図画を偽造し，又は偽造した他人の印章若しくは署名を使用して権利，義務若しくは事実証明に関する文書若しくは図画を偽造した者は，3月以上5年以下の拘禁刑に処する。
② 他人が押印し又は署名した権利，義務又は事実証明に関する文書又は図画を変造した者も，前項と同様とする。
③ 前2項に規定するもののほか，権利，義務又は事実証明に関する文書又は図画を偽造し，又は変造した者は，1年以下の拘禁刑又は10万円以下の罰金に処する。

(1) 総説，客体

私文書については，原則として有形偽造および有形変造のみが処罰の対象とされている（作成権者による虚偽私文書の作成〔無形偽造〕を罰する例外的な規定が160条の処罰規定である〔→523頁〕）。しかも，さまざまな私文書のすべてが刑法的保護に値するとはいえないので，公文書偽造罪とは異なり，客体は，「権利・義務に関する文書・図画」と「事実証明に関する文書・図画」とに限定されている。**権利・義務に関する文書・図画**とは，権利・義務の発生，変更または消滅の要件となるもの，またはその原因となる事実について証明力をもつものをいい，たとえば，売買契約書，借用証書，銀行預金通帳，婚姻届出書などを挙げることができる[66)]。**事実証明に関する文書・図画**とは，権利・義務に準じて考えることのできる程度に社会生活上重要な事実の証明に関する文書・図画であり，たとえば，私立大学の成績証明書がこれにあたる[67)]。公文書の場合と同じ

前身である司法代書人に対し，偽造の不動産売買予約証書を交付したというケースにつき，司法代書人は利害関係人ではないという理由で偽造私文書行使罪の成立を否定していた。

66) 判例によって認められたものとしては，辞令書，送金を依頼する内容の電報頼信紙，遺言書，白紙委任状などがある。

67) 判例は，これを「社会生活に交渉を有する事項を証明する」文書と定義する。判例によっ

く，**有印私文書の偽造・変造はより重く**（159条1項・2項），**無印私文書の偽造・変造はより軽く**（同条3項）処罰される。

作成名義人の実在性　判例は，**公文書**については，作成名義人たる公務所・公務員が実在することを要しないとする見解を以前からとってきたが，**私文書**については，その実在性を要求していたことがあった。しかし，最高裁の時代に至って，架空人・虚無人名義の文書であっても，相手方のみならず一般人をして実在者がそれを真正に作成したものと誤信せしめる危険があるときは，私文書偽造罪を構成すると解している。最高裁は，まず，私文書の名義人が実在の法人である場合には，表示された代表者が実在することまでは必要でないとした[68]。また，法人の機関ではない，一般の個人名義の文書についても，偽造文書作成当時すでに名義人が死亡していたとしても本罪の成立を妨げないとし[69]，さらに，架空人名義の保険申込書を作成した場合に，簡易保険局のみならず一般人をして実在者がそれを真正に作成したものと誤信せしめるおそれが十分にあるときは，本罪を構成すると解するに至った[70]。

(2) 行　為

(a) 有形偽造の意義　本罪における偽造・変造とは，**有形偽造・有形変造**のことである（→497頁。偽造・変造の行為は，**行使の目的**をもってなされる必要がある）。伝統的には，それは，公文書偽造・変造の場合と同様に，「作成権限を

て認められたものとしては，郵便局に対する転居届，広告依頼書，衆議院議員候補者推薦状，履歴書，自動車登録事項等証明書の交付のために作成された請求書，大学入学試験の答案などがある。大学入試試験の答案についての最決平成6・11・29刑集48巻7号453頁は，159条1項の「事実証明のための文書」とは「社会生活に交渉を有する事項」を証明する文書であるとする判例の解釈を前提として，入学試験の答案は，「試験問題に対し，志願者が正解と判断した内容を所定の用紙の解答欄に記載する文書であり，それ自体で志願者の学力が明らかになるものではないが，それが採点されて，その結果が志願者学力を示す資料となり，これを基に合否の判定が行われ，合格の判定を受けた志願者が入学を許可されるのであるから，志願者の学力の証明に関するものであ」り，「社会生活に交渉を有する事項」を証明する文書にあたるとした。なお，入試答案につき，前掲注*26*）神戸地判平成3・9・19は，試験を受けた者が「いかなる解答を記載したかを客観的に証明するもの」とするが，そのように解するとすれば，事実証明に関する文書があまりに無限定なものとなるおそれがある。

68）最判昭和23・10・26刑集2巻11号1408頁。

69）最判昭和26・5・11刑集5巻6号1102頁。

70）最判昭和28・11・13刑集7巻11号2096頁。なお，公文書については，最判昭和36・3・30刑集15巻3号667頁を参照。

欠く者が，作成名義を冒用して，他人名義の文書・図画を作る」こととして理解されてきた。作成権限（たとえば，代理権や代表権）がある限り，その権限を濫用し，自己または第三者の利益を図るために行為したとしても本罪は成立しない（ただし，背任罪が成立する可能性はある）。権限なく，または権限の範囲を越えて他人名義の文書を作成すれば，本罪が成立することになる[71]。

しかし，近年の判例は，有形偽造かどうかの判断にあたり，**作成権限の有無**に注目するのではなく，作成名義人と作成者との間に**人格の同一性のそご**が認められるかどうかという基準を採用するようになっている[72]。結論の違いが生じるわけではないが，前者の基準によれば「誰がどの限度で権限をもつ」かという困難な問題が生じるのに対し，後者の判断は，とりわけ私文書との関係ではより明快であり，本質に即していると考えられる。私文書の有形偽造において本質的なことは，**人格主体の同一性を偽ること**（すなわち，真の人格を隠し，別の人格を現出させること）だからである[73]。

(b) 代理名義の冒用　有形偽造かどうかが争われる古典的な事例が，代理名義の冒用のケース，すなわち，代理権のない甲が「A 代理人甲」という名義の文書を作成したケースである。甲としてはただその資格ないし肩書を偽ったにすぎず，甲という自己の名義で文書を作成しているのであるから，私文書の無形偽造（不可罰）にすぎないとも考えられるが，それでよいのかが問題となる。

ここでは，その場合の**作成名義人を誰と解するのか**が決定的である。判例・通説は，それは A 名義の文書であり，したがって，作成名義人（A）と作成者（甲）との間に人格の同一性のそごが生じることから有形偽造（159 条により可罰的）になるとする[74]。文書内容の表示主体は表面的には甲であるが，**法律効果が**

71） この点は，私文書偽造罪の場合ばかりでなく，有価証券偽造罪の場合でも問題となる。詳しくは，532 頁以下を参照。

72） 「人格の同一性にそごを生じさせる」という定義は，最判昭和 59・2・17 刑集 38 巻 3 号 336 頁ではじめて明示的に採用されたとされる。判例実務においては，完全にこの基準に移行したといえないとしても，優勢になっているといえよう。

73） 伊東・310 頁は，後者の定義の方が「思考パターンないし過程としての明確性・検証可能性が高い」とする。

74） 大判明治 42・6・10 刑録 15 輯 738 頁，最決昭和 45・9・4 刑集 24 巻 10 号 1319 頁。学説と

本人Aに帰属する形式の文書なのであり，その文書に社会的な信頼が寄せられる根拠は本人Aの名前が出ており，Aが責任を引き受けてくれると信じられるところにあるから，作成名義人は（実質的・機能的には）本人Aと考えられる。なお，行為者が権限なく法人の代表者名義を用いた場合も，まったく同じ理由で有形偽造となる[75)]。代理権・代表権を有する者が，その権限の範囲内で権限を濫用して，本人名義または代理名義・代表名義の文書を作成した場合には，人格の同一性のそごは生じず，有形偽造ではないから，私文書偽造罪を構成しない。

(**c**)　偽名の使用　　有形偽造となるかどうかは，人格の同一性にそごを生じさせる文書を作ったかどうか，いいかえれば，別人格に由来する意思・観念の表示であると思わせるような文書を作ったかどうかによって決まる。最高裁は　指名手配中の真の人格を隠し，そうでない別人格に成り済まして履歴書を作成したというケースで，これを私文書の有形偽造として処罰の対象とし

して，大塚・447頁以下，大谷・479頁以下，川端・558頁，斎藤・253頁，高橋・556頁以下，団藤・278頁以下，中森・218頁，橋爪・悩みどころ463頁以下，林・358頁以下，平野・概説261頁以下，山口・460頁以下など。さらに，学説の中には，「A代理人甲」を一体的な作成名義として捉え，「Aを代理する権利をもった甲なる人」は存在しないことから，そこに別人格への成り済ましが認められるとする見解も有力に主張されている（なお，もし「A代理人甲」を一体的な作成名義として捉えるときは，Aの名前が文書に表示されておらず甲の名前だけが現れている場合でも**有印文書**とされることになる。判例・通説の見解ではそのような場合には**無印文書**しか認められない。次注 ***75***）を参照）。植松・155頁，新注釈(2)447頁以下〔今井〕，西田・395頁以下，日高・507頁以下，福田・96頁など。なお，坂本武志・最判解刑事篇昭和45年度201頁も参照。説得力のある見解であるが，このような形で人の資格・属性を人格の中に正面から取り込むときには，有形偽造が認められる範囲が相当に拡大することに注意する必要があろう。この点に関し，523頁注 ***91***）を参照。

75）　前掲注 ***74***）最決昭和45・9・4。それは，次のようなケースにつき，無印私文書偽造罪を認めた。すなわち，学校法人Aの理事会は，議案のうち，理事任免および理事長選任に関する件については結論が出ないまま解散したが，同理事会のメンバーであった理事甲は，「理事会決議録」と題し，理事会において甲を理事長に選任し，かつ甲を「理事会議事録署名人」とすることを可決したなどと記載して，その末尾に，単に「理事録署名人甲」と書き，甲自身の印を押したというのである。最高裁は，この理事会議事録の作成名義人はA理事会であるとし，甲は署名人としての権限なくしてその名義を用いたものとした。なお，本件では，文書上には，学校法人Aの名前が書かれておらず，印章も使われていないので，無印私文書偽造罪とされた。

た。[76] すなわち，甲は，ある刑事事件の被疑者として指名手配を受けて潜伏中，生活費に窮したことから，Aという偽名で就職して生活費を得ようと考え，履歴書にAという偽名と虚偽の現住所，生年月日等を書いて自分の顔写真を貼り付け，これをある会社に送って面接を受け，採用されたのであった。ここでは，履歴書の記載からうかがわれる作成者（すなわち，作成名義人）が甲とは別人格であるかどうかにより，有形偽造となるかどうかが決せられる。履歴書の記載からは，たとえ自分の顔写真を貼付しているとはいえ，作成名義人A（＝指名手配を受けていない人）と作成者甲（＝指名手配中の人）との間に人格の同一性のそごが生じている（文書の作成者が真の人格を隠し，別の人格に成り済ましている）ということができよう。甲とは別人格の（架空の）Aが文書の作成主体として観念されざるをえないのである。[77] このように，有形偽造になるかどうかの基準は，そこに**2つの人格を観念できるかどうか**（すなわち，作成名義人と作成者が分裂するかどうか）という点に帰着することになる。[78]

通称名の使用　普段から，偽名ないし他人の氏名Aを自己の通称として広く使用している場合であっても，通称名Aを用いて文書を作ることが有形偽造となることもある。たとえば，入国管理事務所における再入国許可の申請の際のように，当局による外国人把握・入国管理との関係では，本名甲を用いることが要求されており，通称名Aが表示されることによりそれが本人とは別人格として認識されることになり，人格の同一性にそごないし偽りが生じるのである。[79] このように，別人格がそこに示されたかどうかは，**文書の証明目的との関係**で決まる。クリーニング店に洗濯物を預

76）　前掲注14）最決平成11・12・20。

77）　前掲注14）最判平成11・12・20は，被告人が作成した「文書の性質，機能等に照らすと，たとえ被告人の顔写真がはり付けられ，あるいは被告人が……文書から生ずる責任を免れようとする意思を有していなかったとしても，……文書に表示された名義人は，被告人とは別人格の者であることが明らかであるから，名義人と作成者との人格の同一性にそごを生じさせたものというべきである」として，私文書偽造罪および偽造私文書行使罪の成立を肯定した。

78）　別人格への成り済ましが認められる限りは有形偽造として処罰する理由があるとする前提に立つ限り，作成名義人は**架空人・虚無人**であってもよいとされ，その別人格が実在のものである必要はないことから（→495頁，517頁），**有形偽造と無形偽造の区別は相対的**なものとならざるをえない。人格の同一性にそごを生じさせるといっても，結局，それは文書の証明目的との関係で見たときに本質的に重要な属性（ないし資格）を偽ったかどうかであり，文書の証明目的との関係で別人格と評価される人格を表示した場合は有形偽造とされることになる。

79）　前掲注72）最判昭和59・2・17。

けるという場面では，通称が定着していて別人格が現出されないとしても，当局による外国人把握・入国管理という関係では通称を用いることは許されず，用いれば別人格として認識されるというのであれば，有形偽造となる。

(d)　資格・肩書きの偽り　　単に資格・肩書きを偽ったにすぎないのであれば無形偽造であるが[80)]，資格・肩書きを偽ることにより，別人格に成り済ましたのであれば，それは有形偽造である。最高裁は，大阪に住む甲が，別人である弁護士（東京在住）と同姓同名であることを利用して，弁護士甲名義の文書を作成し，これをＡやＢに交付したというケースにつき，「名義人と作成者との人格の同一性にそごを生じさせた」ということを理由に私文書偽造・同行使罪の成立を肯定した[81)]。単に肩書を偽ったにすぎないと解されれば，弁護士法（1949〔昭和24〕年6月10日法律第205号）違反の罪（弁護77条の2・74条）に問われるのは別論として，私文書の無形偽造となり私文書偽造罪は成立しないことになるが，このケースのように，肩書を偽ったことの結果，**別の人格に由来する意思・観念の表示であると思わせるような文書**を作れば，それは有形偽造である。たとえば，Ａ大学教授でない甲が「Ａ大学教授甲」を名乗ってその名義で文書を作成したという場合でも，甲とは別人が作成した文書であるとの誤解を引き起こし，その結果，作成者の人格が隠され，文書の証明目的との関係では別人格と評価される人格が現出するに至ったとき（成り済ましが行われたと評価できるとき）には，有形偽造とされることになる[82)]。

(e)　名義人の同意と有形偽造　　私文書の作成に関し，作成名義人の同意があるときには，作成者による表示は名義人自身の表示ということになり

---

80)　法学博士でない者が法学博士と称して文書を作成した場合は，文書の無形偽造にすぎない。

81)　最決平成5・10・5刑集47巻8号7頁。

82)　最高裁判例は，ジュネーブ条約に基づく正規の国際運転免許証に酷似する文書を，その発給権限のない国際旅行連盟なる団体名義で作成したというケースにつき，文書の作成名義人は「ジュネーブ条約に基づく国際運転免許証の発給権限を有する団体である国際旅行連盟」であるが，しかし，国際旅行連盟が同条約に基づきその締約国等から国際運転免許証の発給権限を与えられた事実はなく，作成者は発給権限のない国際旅行連盟なる団体であることから，本件文書作成行為は，「文書の名義人と作成者との間の人格の同一性を偽るもの」であり，有印私文書偽造罪となるとしている（最決平成15・10・6刑集57巻9号987頁）。

(作成者の意義に関する**規範的意思説**〔→496頁〕によれば，作成者は作成名義人自身ということになる)，人格の同一性のそご（見かけの表示主体と事実上の表示主体のずれ）という事態が生じないことから（被害者の同意により違法性が阻却されるというのではない)，有形偽造は否定される[83]。しかし，判例・裁判例においては，**文書の性質上，作成名義人以外の者がこれを作成することが許されないもの**（すなわち，**自署性**が要求される文書）が認められている。たとえば，運転免許申請書[84]，交通事件原票（交通反則切符）の供述書部分[85]，一般旅券発給申請書[86]，私立大学の入試答案[87]，消費者金融業者が設置する自動契約機を利用して極度借入基本契約締結等を申し込む際の申込書[88]等がある。

このうち，**交通事件原票（交通反則切符）の供述書部分**が問題とされたケースについて見てみよう。ここでは，道路交通法（1960〔昭和35〕年6月25日法律第105号）違反を犯した自動車運転者甲が，警察官により違反を現認されたその現場で，あらかじめ**同意**を得ていた（違反者ではない）乙の名前を使い，「違反したことは相違ありません」という内容の供述書（**違反者乙名義の私文書**〔→490頁〕）を作成する行為が有形偽造となるか（したがって，私文書偽造罪を構成するか）が問題となる。その文書を見た人が認識する表示主体は「乙」であり，現実の作成者は「甲」であるから，そこに人格の不一致が生じている。ただ，乙という名義の使用については，乙が甲に対し同意を与えている。そこで，作成者を「乙」と解して（→496頁），有形偽造であることを否定する学説も有力である[89]。これに対し，判例は，文書の性質上，その名義人自身による作成だけが予定され，他人が代わって作成することのできない文書も存在するとし，交

83）農業協同組合の口座開設申込書および印鑑届は，作成名義人本人でなければ作成行使できない文書にはあたらず，他人がこれを作成・提出したとしても，作成名義人の同意があるときは私文書偽造罪が成立しない，とした裁判例として，横浜地判平成29・3・24 LEX/DB 25545645がある。

84）大阪地判昭和54・8・15刑月11巻7＝8号816頁。

85）最決昭和56・4・8刑集35巻3号57頁，最決昭和56・4・16刑集35巻3号107頁，最決昭和56・12・22刑集35巻9号953頁など。

86）大阪高判平成2・4・26高刑速平成2年195頁。

87）東京高判平成5・4・5判タ828号275頁。

88）仙台高判平成18・9・12高刑速平成18年329頁。

89）たとえば，伊東・312頁，曽根・253頁，林・354頁以下，360頁など。

通事件原票中の供述書部分は，たとえ事前に本人が同意していても，「その文書の性質上，作成名義人以外の者がこれを作成することは法令上許されない」形態のものであるから，私文書偽造罪が成立するとしている[90]。その見解によれば，違反者自身以外の名前を書き込むことは法令上予定されておらず，違反者でない乙に文書の予定する効果を帰することが法的に認められていないところから，「乙」（作成名義人）と「甲」（作成者）との間で人格の同一性のそごが生じている（したがって，有形偽造となる）と理解することになるのである[91]。

(3) 罪数，他罪との関係

文書偽造罪の罪数は，偽造・変造された私文書の数，したがって意思・観念の表示をひとまとまりとして捉えた場合のその個数を標準として決められるとすべきである（→490 頁。これに対し，作成名義の数にしたがうべきだとする考え方もある）。**行使罪とは牽連犯**の関係に立つ（→514 頁）。

8 虚偽診断書等作成罪

（虚偽診断書等作成）
第 160 条　医師が公務所に提出すべき診断書，検案書又は死亡証書に虚偽の記載をしたときは，3 年以下の拘禁刑又は 30 万円以下の罰金に処する。

本罪は，医師が公務所に提出する診断書，検案書または死亡証書に虚偽の記載をすることによって成立する。刑法は，私文書の無形偽造については，公文書におけるような包括的な処罰規定（156 条）を設けず，本罪の客体のように

---

90) 前掲注 *85)* 最決昭和 56・4・8。同旨，前掲注 *85)* 最決昭和 56・4・16 など。

91) 大谷・482 頁以下，高橋・560 頁以下，中森・217 頁，前田・380 頁以下など。なお，有形偽造を肯定するための理論構成として，もう 1 つの考え方もありうる。この種の文書では，違反者として現認された者による作成のみが予定されていることから，ここでは「違反者として現認された甲」（作成者）という真の人格が隠され，「違反者として現認された乙」（作成名義人）という別人格が現出させられており，そこに人格の同一性のそごが生じている（また，「違反者として現認された乙」はこの世に存在せず，その同意も問題とならない）と解するのである。新注釈(2)453 頁以下〔今井〕，西田・396 頁以下（なお，山口・465 頁以下もこれに近い）。説得力のある見解であるが，このように解するときには，**有形偽造とされる範囲は相当に拡大**しうることとなる。518 頁以下注 *74)* も参照。また，判例実務もそのように考えるところまでには至っていないことに注意する必要がある。

特別に刑法上の保護に値すると考えられる私文書についてのみ，作成権者による虚偽記載を罰する規定を設けた（ただし，特別法には，私文書の無形偽造を罰する規定も少なくない）。

主体たる**医師**は，自己名義で診断書等を作成する医師に限られる（公務員としての資格と名義で文書を作成する医師については，156条の罪が成立し，本条は適用されない）。客体たる**診断書**とは，診察の結果に関する判断を表示し，健康状態を証明するために作成される文書をいい，**検案書**とは，死亡後にはじめて死体に接した医師が，死亡に関する事実を医学的に確認した結果を記載した文書をいい，**死亡証書**は，生前から診察していた医師が，患者の死亡について事実を確認して作成する診断書の一種である。**虚偽の記載**とは，客観的に事実に反することを記載することをいう（医師が虚偽と思っただけでは足りない）。

本罪は，公務所に提出することを予定された診断書等が作成されたときに既遂に達し，現実にそれが公務所に提出されたかどうかを問わない。

9　偽造私文書等行使罪

（偽造私文書等行使）
第161条①　前2条〔159条・160条〕の文書又は図画を行使した者は，その文書若しくは図画を偽造し，若しくは変造し，又は虚偽の記載をした者と同一の刑に処する。
②　前項の罪の未遂は，罰する。

偽造・変造の私文書および虚偽診断書等の行使とその未遂を処罰する。**同一の刑に処する**とは，その客体に応じて，159条1項・3項・160条所定の刑が法定刑となるということである。客体は，行使者本人により偽造・変造等されたものかどうかを問わないし，また，行使の目的をもって偽造・変造等されたものでなくてもよい。**行使**とは，真正文書または内容の正しい文書のように見せかけて呈示，交付するなどして，利害関係を有する（情を知らない）他人がその内容を認識しうる状態におくことをいう[92]。行使の意義は，偽造公文書行

92)　司法書士に対し，金銭消費貸借契約証書に基づく公正証書作成の代理嘱託を依頼する際に，

使等罪（158条）のそれと同じである（→514頁）。ただし，虚偽診断書等行使罪については，公務所に提出することが行使である。

10　電磁的記録不正作出罪・不正電磁的記録供用罪

（電磁的記録不正作出及び供用）
第161条の2 ①　人の事務処理を誤らせる目的で，その事務処理の用に供する権利，義務又は事実証明に関する電磁的記録を不正に作った者は，5年以下の拘禁刑又は50万円以下の罰金に処する。
②　前項の罪が公務所又は公務員により作られるべき電磁的記録に係るときは，10年以下の拘禁刑又は100万円以下の罰金に処する。
③　不正に作られた権利，義務又は事実証明に関する電磁的記録を，第1項の目的で，人の事務処理の用に供した者は，その電磁的記録を不正に作った者と同一の刑に処する。
④　前項の罪の未遂は，罰する。

それ自体は可視的・可読的ではないが，文書と実質的に同じ機能を果たしている電磁的記録（→490頁以下）に，文書と同様の刑法的保護を与えようとするものである。公文書と私文書の区別に対応して，公（こう）電磁的記録（本条2項）と，その他の私（し）電磁的記録（本条1項）とを区別して法定刑に差を設けている[93]。ただし，本規定によって保護される電磁的記録は，**権利，義務または事実証明に関するもの**であることを要し（コンピュータ・プログラムはこれに含まれない），かつ，他人の**事務処理**の用に供せられるものでなければならない[94]。事務処理とは，社

偽造の契約書を真正な文書として交付することも，偽造有印私文書行使罪にあたる（→515頁）。

93）　当然のことであるが，公正証書の原本として用いられる電磁的記録（157条1項）も，本条2項の公電磁的記録に含まれる。したがって，私人が虚偽の申立てをして，公正証書の原本として用いられる電磁的記録に不実の記録をさせたとき，その者は157条1項により処罰されるが，これに対し，担当の公務員自身がそのような電磁的記録に不実の記録を行ったとき，その者は本条2項の罪を構成する（→526頁注*95*））。

94）　これまでの裁判例により，1項にあたる私電磁的記録とされたものには，キャッシュカードの磁気ストライプ部分（東京地判平成元・2・22判時1308号161頁），馬券（勝馬投票券）裏の磁気情報部分（甲府地判平成元・3・31判時1311号160頁），パソコン通信会社のホストコンピュータ内のデータベースファイル（京都地判平成9・5・9判時1613号157頁）などが

会生活上意味のある事項，すなわち，財産上，身分上，そのほか人の生活関係に影響を与えるような事項を取り扱う一切の仕事を含む。なお，支払用カード（クレジットカード，プリペイドカード，デビットカート，キャッシュカード）の磁気情報の部分は，支払用カード電磁的記録に関する罪（163条の2以下）により保護される（→537頁以下）。

不正に作る（**不正作出**）とは，違法に電磁的記録を存在するに至らしめることをいう。記録の作出過程（入力・処理の過程）に対する関与の仕方に違法があることである。たとえば，記録の作出に関与する権限がまったくないにもかかわらず勝手に記録を作り出すことや，補助者として記録の作出に関与する者でも，虚偽のデータを入力しまたはプログラムを改変するなどして，記録の内容につき決定権限を有する者の意図に反する記録を作出することが不正作出である。オペレータ等による銀行預金データの不正な付替えなどがこれにあたる。なお，自営業者が脱税の目的で虚偽の帳簿等の記録を作り出すことは，記録の作出権者によるものである以上，記録を「不正に」作り出すことにはならないから，私電磁的記録不正作出罪にはあたらないが，これに対し，作出権限を有する公務員が，職務に反しほしいままに虚偽の記録を作り出すような場合には，実質的に権限の範囲を逸脱しており，公電磁的記録不正作出罪を構成する[95]。権限なく電磁的記録の内容を消去・攪乱するような行為は，文書等毀棄罪（258条または259条〔→411頁以下〕）にあたる。

用に供する（**供用**）とは，不正に作出された電磁的記録を人の事務処理において使用可能な状態に置くことをいう。不正作出と異なり，**未遂も処罰**される（本条4項）。

不正作出も，供用も，**人の事務処理を誤らせる目的**をもって行われることが必要である（**目的犯**）。したがって，処罰の対象は，電磁的記録の証明作用に実害

ある。

95） 私電磁的記録不正作出については，作出権者により不実の記録が行われても不可罰となるが，これは私文書の無形偽造（原則として不可罰）に対応している。これに対し，公電磁的記録の不正作出については，作出権者による不実の記録でも処罰の対象となりうる。これは，公文書の無形偽造（可罰的）に対応するものである。要するに，不正作出は，文書の有形偽造に対応する行為を捕捉する概念であると同時に，公電磁的記録については無形偽造に対応する行為をも含みうる概念なのである。

を生じさせることを目的とする行為に限定される。たとえば，不正入手の目的で，他人の事務処理の用に供されている電磁的記録を権限なくコピーし，これを使用する行為は，本罪にあたらない[96]。

96) なお，罪数に関し，不正アクセス行為の禁止等に関する法律（1999〔平成11〕年8月13日法律第128号）3条（現2条4項）所定の不正アクセス行為を手段として私電磁的記録不正作出の行為が行われた場合であっても，同法8条1号（現11条）の罪と私電磁的記録不正作出罪とは，犯罪の通常の形態として手段または結果の関係にあるものとは認められず，牽連犯の関係にはないとした最高裁判例がある（最決平成19・8・8刑集61巻5号576頁）。

■ 第23章 ■

有価証券偽造の罪

1 総 説

有価証券偽造の罪の保護法益は，**有価証券に対する公共の信用**という社会的法益である。有価証券は，もともと権利・義務に関する文書の一種にほかならないが，現代社会においては，**通貨に近い機能**を果たしており，刑法上も，その偽造に対して一般の私文書以上に重い刑が規定され，また偽造・変造有価証券の交付・輸入なども処罰される（文書については，偽造・変造文書の交付・輸入は処罰されない）。立法論としては，通貨に準ずる機能をもつという有価証券の性格に注目し，これを通貨と一般の文書との間に位置づける（すなわち，有価証券偽造の罪の諸規定を，通貨偽造の罪の諸規定の後，文書偽造の罪の諸規定の前に置く）ことも可能である[1]（現行法では，文書偽造の罪の後ろに置かれている）。

2 有価証券の意義

客体は，わが国内で発行され，または流通する「公債証書，官庁の証券，会社の株券その他の有価証券」である（162条1項）。このうち，**公債証書**とは，国または地方公共団体がその負担する債務（国債，地方債）を証明するため発行する証券をいう。**官庁の証券**とは，官庁の名義で発行される有価証券であり，

1） 改正刑法草案（→総論48頁）は，有価証券を通貨と一般の文書との間に位置づけて保護しようとしている（刑法草案219条以下）。

財務省証券などがその例である。**株券**とは，株式会社の発行した，株主たる地位を表章する証券である。公債証書，官庁の証券，会社の株券の3つは有価証券の**例示**にすぎないから，「その他の有価証券」としていかなるものが含まれるかが問題となる。

判例によれば，**有価証券**とは，財産上の権利が証券に表示され，その表示された財産上の権利の行使または移転につき証券の占有を必要とするものをいい，取引上の流通性を有するかどうかを問わない[2]。手形，小切手，貨物引換証，船荷証券等の商法上の有価証券は当然これにあたる。**流通性は刑法上の有価証券の要件とされない**から，鉄道やバスの乗車券や定期券，商品券，ギフトカード，(以前発行されていた) 図書券，クーポン券，宝くじ，勝馬投票券 (馬券) 等も有価証券である[3]。

証券によらずとも，自分が正当な権利者であることを証明すれば権利を行使できる単なる免責証券 (たとえば，手荷物預り証やクロークの番号札など) は有価証券ではない。単なる証明証書・証拠証券 (たとえば，借用証書，受領証，銀行預金通帳など) も有価証券にあたらない[4]。郵便切手や収入印紙は，有価証券の機能を有するが，私法上財産権を化体するものではなく，有価証券にあたらないとされ，その偽造・変造は，郵便法 (1947〔昭和22〕年12月12日法律第165号)，印紙犯罪処罰法 (1909〔明治42〕年4月28日法律第39号) に含まれる規定によって処罰される。

---

2) 最判昭和32・7・25刑集11巻7号2037頁，最判昭和34・12・4刑集13巻12号3127頁など参照。

3) 有価証券としての実体をもつものであっても，電磁的記録を含むプリペイドカードとなっているもの (たとえば，テレホンカードや全国共通図書カードなど) は，支払用カードとして保護される (163条の2以下を参照〔→537頁以下〕)。

4) ゴルフクラブの入会保証金預託証書について，証券上から会員権の内容が明らかでなく，地位の譲渡にクラブの承認が必要との制限が券面に示されていることなどを理由として，有価証券性を否定した判例がある (最決昭和55・12・22刑集34巻7号747頁)。また，パチンコ店が景品交換に応ずるパチンコ玉数を自動玉数計算機により計算打刻し客に交付した紙片につき，いかなる権利を表章しているのか判然としないこと，使用上の制約があること，パチンコ店によって形式・体裁が不統一であること，取引の客体とされておらず流通性がないことなどを考慮して**有価証券ではなく，有印私文書にとどまる**とした裁判例がある (東京地判昭和58・9・12判時1118号222頁)。

テレホンカードは有価証券か　**テレホンカードやその他のプリペイドカード**が刑法上の有価証券にあたるかどうかをめぐり見解の対立があった。有価証券も文書の一種でなければならないとするのが伝統的な理解であり，そうであるとすれば，表示された権利の内容が可視的・可読的であることが必要となる。しかし，テレホンカード等のプリペイドカードは電磁的記録の部分を含んでおり，その部分については直接的な見読が不可能であることから，有価証券の概念にあたるかどうかが疑問とされたのである。

判例は，テレホンカードが有価証券にあたることを肯定したが，それは，①カード券面上の記載が可読的であることと，②磁気記録の部分を機械で読み取ることによって権利内容が明らかになることとの両方を重視し，「磁気情報部分並びにその券面上の記載及び外観を一体としてみれば」，有価証券にあたると解しうるとしたのであった。[5)]

しかし，このような取扱いは，**支払用カード電磁的記録不正作出罪の新設**（→537 頁以下）**により大幅に変更**されることになった。すなわち，163 条の 2 第 1 項は，テレホンカード等のプリペイドカードにつき，その電磁的記録の部分が機械に対して使用されうることを本質的なことと見て，機械に対して使用可能な形状の不正カードが作られる限り可罰的としている（→540 頁）。したがって，**券面の外観のいかんは重要ではなく**，もし外観が一見して異常であるものを作出しても，外観が正常なものを作った場合と同様に，電磁的記録不正作出罪（161 条の 2 第 1 項）ではなく，支払用カード電磁的記録不正作出罪（163 条の 2 第 1 項）により処罰されることになった。[6)]

---

5)　最決平成 3・4・5 刑集 45 巻 4 号 171 頁。このように，①券面上の概観と，②磁気情報の部分の両方に注目してテレホンカードの有価証券性を肯定するのであれば（いわゆる**一体説**），同種のプリペイドカード（たとえば，高速道路用のハイウェイカードや鉄道用のパスネットカードなど〔ただし，いずれも現在では使用されていない〕）についても，機械に対して正常に使用できるとともに，作出されたカードの外観がほぼ正常なものである限りで有価証券性が肯定されうることになる。これに対し，機械に対しては普通に使用できるとしても，たとえば 2 枚のカードがガムテープで貼り合わされているなど，**外観が一見して異常**であるものは，①の要件を欠き，電磁的記録不正作出罪（161 条の 2〔→525 頁以下〕）の客体にあたるにすぎないとされた。

6)　**プリペイドカード**については，電磁的記録部分の不正作出の未遂（163 条の 5），さらには，不正作出の準備（163 条の 4），不正カードの所持（163 条の 3）などの行為も可罰的ということになる。

3　有価証券偽造罪

（有価証券偽造等）
第162条①　行使の目的で，公債証書，官庁の証券，会社の株券その他の有価証券を偽造し，又は変造した者は，3月以上10年以下の拘禁刑に処する。
②　行使の目的で，有価証券に虚偽の記入をした者も，前項と同様とする。

（1）　総　説

本罪は，行使（→536頁）の目的をもって行われる有価証券の偽造・変造および有価証券への虚偽記入を処罰の対象とする。文書の偽造等と同様に，未遂は処罰されない。

（2）　行　為

（a）　偽造・変造　　**偽造**とは，作成の権限なく，他人の名義を冒用して有価証券を作成することをいい，**変造**とは，権限なく，真正に成立した他人名義の有価証券に不正に変更を加えること（たとえば，小切手の券面金額を改ざんすること[7]）をいう。本質的部分に変更を加えるに至れば，もはや変造ではなく偽造になる。したがって，いったん無効となった有価証券に手を加えて有効なもののように装うのは偽造である。偽造・変造された有価証券は，普通の人が注意せずに見たとき真正な有価証券であると誤信しうる程度の外観・体裁のものであれば足り（その程度にも至らなければ「模造」にすぎない。公債証書の模造は，通貨及証券模造取締法〔1895（明治28）年4月5日法律第28号〕により処罰される），有価証券としての完全な様式を備えている必要はない。有価証券は，その記載から作成名義人が誰かを知りうることが必要であるが，それが実在の者でなくてもよい[8]。「行使の目的」には，他人をして行使させる目的を含む。

（b）　虚偽記入　　**虚偽記入**の意義をめぐっては見解の対立がある[9]。**判例**

7）　最判昭和36・9・26刑集15巻8号1525頁。
8）　最大判昭和30・5・25刑集9巻6号1080頁（「元来，手形のような流通性を持つ有価証券の偽造は，その証券が，一般取引の信頼を害する危険性に鑑み，いやしくも，行使の目的を以て外形上一般人をして真正に成立した有価証券と誤信せしめるに足りる程度に作成されていれば，たとえ，その名義人が実在しない仮空（ママ）の者であり，また，その記載事項の一部が真実に合致しないものであっても，その偽造罪の成立を妨げないものと解するを相当とする」とする）。
9）　偽造・変造とするか虚偽記入とするかは，同じ条文に規定された行為態様の違いにすぎず，

によると，有価証券に不実の記載をすることをいい，自己の名義を用いて記載する場合であると他人の名義を用いて記載する場合であるとを問わない。ただし，有価証券の発行または振出しのような「基本的証券行為」において，他人の名義を冒用して虚偽の記入をすることは偽造または変造となるから，結局，虚偽記入とは，①自己の名義で新たに有価証券を作成する者がそれに不実の事項を記入する場合（たとえば，物の引渡しがないのに貨物引換証を発行すること[10]）と，②自己の名義であるか他人の名義であるかを問わず，裏書・引受・保証等の「付随的証券行為」に際して不実の記載をする場合のすべてを含む（したがって，他人の名義を偽る場合も含む）ことになる[11]。これに対し，**学説**の多くは，虚偽記入とは，文書偽造罪における「虚偽文書の作成」に対応するもので，作成権限を有する者が有価証券に内容虚偽の記載をすること，すなわち無形偽造を意味し，基本的証券行為についても付随的証券行為についても，作成権限のある者が内容虚偽の記載をする場合のみが虚偽記入となり，他人名義を冒用する場合はすべて偽造ないし変造になると解する[12]。

(c) 作成権限の有無　虚偽記入をどのように理解するにせよ，本罪による処罰の対象には，有形偽造のみでなく無形偽造も含まれるが，**手形や小切手**などの設権証券・文言証券について見ると，**券面に記載された通りの権利・義**

法定刑も同一であり，区別の実益は少ない。その点を間違えたとしても，上訴審における判決破棄の理由にならない。

10) 東京高判昭和 37・4・24 下刑集 4 巻 3＝4 号 200 頁は，倉庫業者が，荷受人よりの貨物引換証の回収ないし運送人の荷渡指図書の呈示前に荷受人を寄託者とする倉荷証券を発行した場合に有価証券虚偽記入罪を認めた。

11) たとえば，最決昭和 32・1・17 刑集 11 巻 1 号 23 頁は，虚偽の記入とは「既成の有価証券に対すると否とを問わず（すなわち手形にあっては先ず振出行為があると否とを問わず），有価証券に真実に反する記載をするすべての行為を指すものであって，手形にあっては基本的な振出行為を除いたいわゆる附属的手形行為の偽造等をいうものと解するを相当とする」とする。

12) たとえば，大塚・430 頁以下，大谷・502 頁，川端・574 頁，曽根・259 頁，団藤・263 頁，中森・232 頁，平野・概説 259 頁，福田・113 頁以下，山口・482 頁以下，山中・656 頁など。学説の見解は，作成権限の有無により有形偽造と無形偽造とを区別する文書偽造罪の基本的な考え方をそのまま適用して，虚偽記入を無形偽造に対応させるのであるからより明快である。ただ，それによれば，手形や小切手のような代表的な有価証券については，作成権限を有する者が券面に記載した通りの権利・義務関係が発生するから，無形偽造を観念する余地がなく，虚偽記入はほとんど考えられないことになってしまうという難点が指摘されている。

務関係が発生するから，作成権限を有する者による内容虚偽の証券の作成が同罪を構成する余地はない。すなわち，手形・小切手を振り出した者に作成権限が肯定される限り有価証券偽造罪は成立せず，**作成権限の有無が犯罪の成否を決する**ことになる。問題となるのは，本人を代理（または代表）して一定の限度内において手形・小切手の振出しを行うことを認められている者が，本人との関係での**権限の内部的制限**に反してこれを行うとき，有形偽造（可罰的）とされるか，それとも無形偽造（有価証券偽造罪としては不可罰であるが，背任罪〔→377 頁以下〕に問われうる）にとどまるかである。

大審院は，個人経営の銀行において営業の一切を担当していた支配人が，自己の取引に用いるため，銀行支配人名義で小切手を振り出し，また銀行名義の私文書たる為替取引報告書を作成したという事案につき，権限内における行為だという理由で，有価証券偽造罪および私文書偽造罪の成立を**否定**した[13]。この判決は，権限濫用の事例についても有形偽造を認めていたそれまでの判例の立場を改めたものである。これ以降の判例は，権限内の行為であれば**権限の濫用**があっても無形偽造にすぎず，**無権限または権限逸脱**の場合にはじめて偽造罪で処罰しうるとして事案を解決してきた。最高裁も，漁業協同組合の参事が，組合内部の定めに反して，決裁権者の決裁・承認を受けることなく，融通手形として約束手形を振り出したという事案について，手形作成権限の行使方法につき内部的制約が加えられていたにとどまらず，作成権限そのものがなかった事例であるから有価証券偽造罪が成立するとした[14]。学説においても，権限濫

13）大連判大正 11・10・20 刑集 1 巻 558 頁。

14）最決昭和 43・6・25 刑集 22 巻 6 号 490 頁は，「記録によれば，被告人は……神奈川県鰹鮪漁業協同組合の参事であったが，当時同組合内部の定めとしては，同組合が組合員または准組合員のために融通手形として振り出す組合長振出名義の約束手形の作成権限はすべて専務理事 A に属するものとされ，被告人は単なる起案者，補佐役として右手形作成に関与していたにすぎないものであることが，明らかである。もっとも，同人は，水産業協同組合法 46 条 3 項〔現 45 条 3 項〕により準用されている商法 38 条 1 項〔現会社法 11 条 1 項〕の支配人としての地位にあった者であるけれども，右のような本件の事実関係のもとにおいては，単に同人の手形作成権限の行使方法について内部的制約があったというにとどまるものではなく，実質的には同人に右手形の作成権限そのものがなかったものとみるべきであるから，同人が組合長または専務理事の決裁・承認を受けることなく准組合員のため融通手形として組合長振出名義の約束手形を作成した本件行為が有価証券偽造罪にあたるとした原審の判断は，その結論において

用か，それとも無権限ないし権限逸脱かという区別の基準は一般に支持されている。

権限の濫用と逸脱　手形や小切手の振出しについては，それが権限内の行為であれば権限の濫用があっても無形偽造として不可罰であり，無権限または権限逸脱の場合に有形偽造となり，はじめて有価証券偽造罪で処罰しうる。

権限濫用となるか，無権限ないし権限逸脱とされるかは必ずしも截然（せつぜん）たる区別ではない。判断基準の要点は次のようなものであろう。まず，①作成権限の有無の判断にあたって決定的なのは，本人との対内関係において作成者に具体的にどのような権限が与えられていたかである。これに対し，第三者との関係でいかなる私法上の効果が生じるかは偽造の成否の判断に直結しない。判例は，株式会社の取締役が，辞任後その登記前に（したがって，私法上，終任の事実をもって善意の第三者に対抗できない時点で）常務取締役名義で約束手形を作成したという場合でも有価証券偽造罪の成立を認めている[15)]。すなわち，当該の文書や有価証券を信頼した者が私法上の善意者保護の規定により救済されうるにすぎないというのであれば，そのことは刑法上の偽造罪の成立を否定する根拠にはなりえないのである[16)]。

次に，②行為者の目的や意図は度外視し，行為の客観的性質を問題としなければならない。会社の代表取締役の手形振出しの目的や，銀行支配人の小切手振出しの目的が自己の利益を図るところにあったとしても，振出し行為そのものが権限内の行為であることに変わりはない[17)]。株式会社の代表取締役である者が，愛人のため高級バッグを購入する目的で，会社名義の手形を振り出すような行為は，有価証券偽造罪を構成するものではなく，せいぜい背任罪（会社法上の特別背任罪）に問われうるものにすぎないであろう[18)]（→385 頁以下）。

相当である」とした。本判例は，民事法上は善意の第三者保護の規定により有価証券の無効を主張できない（その結果として有価証券が有効とされる）ときでも，刑法上は作成権限を否定され，偽造罪が成立することを肯定したのである。

15)　大判大正 15・2・24 刑集 5 巻 56 頁。

16)　この点について，西田・360 頁を参照。

17)　前掲注 *13)* 大連判大正 11・10・20。

18)　これに対し，手形とは異なり，**小切手の振出し**を行った者については，預金口座の中の金銭（当座預金口座に係る小切手資金）を処分したと見ることが可能である。そこで，振出し権限があるにせよ，まったく個人的な債務の弁済のための小切手を振り出す行為は，自己の占有する他人の金銭の横領として把握することができ，その限りで業務上横領罪の成立を肯定することができる。広島高判昭和 56・6・15 判タ 447 号 152 頁は，このような考え方に基づき，小切手の振出しとその使用につき，有価証券偽造罪・同行使罪の成立を否定しつつ，業務上横領が

また，③権限の濫用といいうるためには，一定の裁量的判断・決定を委ねられた者が，その範囲内で本来の使命に反する行為をすることが必要である。包括的な権限をもった者であればあるほど，権限濫用とされる範囲は広い[19]。逆に，機械的な事務処理を託された者や非独立的な補助者の地位にある者については権限濫用は問題にならない[20]。一定範囲の限られた権限を認められた上級のまたは中間的な管理職員については，具体的な事例に即した判断が必要とされるが，裁量的判断の余地のない形式的な枠がはめられているにもかかわらずこれを無視するときは権限逸脱となろう。

(3) 罪数，他罪との関係

偽造罪・変造罪・虚偽記入罪については，有価証券1通ごとに一罪が成立する。行使の目的をもって振出人欄において他人の名義を冒用して約束手形を偽造し，かつ裏書人欄に他人名義を冒用して虚偽の記入をなし，その表裏の記入を相合して裏書担保のある約束手形を作成した場合，包括して162条1項の有価証券偽造罪一罪を構成する[21]。

4 偽造有価証券行使等罪

（偽造有価証券行使等）
第163条① 偽造若しくは変造の有価証券又は虚偽の記入がある有価証券を行使し，又は行使の目的で人に交付し，若しくは輸入した者は，3月以上10年以下の拘禁刑に処する。
② 前項の罪の未遂は，罰する。

偽造・変造の有価証券については，その行使（とその未遂）のほか，行使の目的で行われる限り，交付と輸入（およびそれらの未遂）も処罰される。

成立することを認めた。ここでは，**権限濫用の評価と権限逸脱の評価が併存**していることになるのである。

19) たとえば，会社の代表取締役・支配人などが有する営業上の包括的権限に関しては，内部的な制約があっても，「権限そのものの限定」ではなく，むしろ「権限の行使方法の制約」にすぎず，その違背は権限濫用にすぎないとされることになる。

20) 大判昭和4・12・14刑集8巻654頁などを参照。

21) 最決昭和38・5・30刑集17巻4号492頁（「162条2項の有価証券虚偽記入罪の規定は，同条1項の偽造又は変造に対し補充的性質を有するに過ぎない」ことを理由とする）。

行使とは，偽造・変造の有価証券を真正のもののごとく装って使用すること，または虚偽記入された有価証券を内容真実のものとして使用することをいう。有価証券は必ずしも流通性を有することを必要とせず，通貨偽造の場合とは異なり，流通に置くことは行使の要件とはならない（この点において，偽造・変造文書の行使の場合と同じである)。たとえば，自己の資産状態について誤信させるため，「見せ手形」として示すことや，財産浪費を隠すために偽造の手形を近親者に呈示すること[22]なども行使にあたる（偽造通貨行使罪の場合と異なる〔→479頁以下〕)。**交付**とは，偽造・変造されまたは虚偽記入された有価証券であることを知った他人に手渡すことをいう[23]。**輸入**とは，日本国外から国内に持ち込むことをいう[24]。交付罪と輸入罪が成立するためには，行使の目的が要件となる。行使罪・交付罪・輸入罪については，その**未遂も処罰**される。

有価証券偽造罪を犯した者が，本条の行為を手段として詐欺罪に及んだ場合，162条・163条・246条の罪がそれぞれ成立し，3つの罪は牽連犯となる。

22） 大判明治44・3・31刑録17輯482頁。

23） 相手方がはじめから事情を知っていた場合と，行為者が相手方に事情を明らかにして手渡す場合とがある。

24） 通貨偽造罪の場合におけるのと同様に，船舶や航空機による場合，既遂となるためには，国境を越えただけではなく，船舶の場合であれば陸揚げすること，航空機の場合は着陸後に航空機から荷卸しすることを要する（→480頁）。

■ 第24章 ■

支払用カード電磁的記録に関する罪

1 総　　説

2001（平成13）年の刑法一部改正により，現代の社会生活において支払手段としてますます重要な機能を営んでおり，またそれだけに不正使用のケースも急増している支払用カード（クレジットカード，プリペイドカード，デビットカードおよびキャッシュカード），とりわけその電磁的記録の部分が，通貨に次ぐ手厚い刑法的保護を受けるようになった。保護法益は，**支払用カードを構成する電磁的記録の真正に対する公共の信用**，ひいては**支払用カードを用いた支払システムに対する社会的信頼**である。

従来は，クレジットカードやキャッシュカードの可読部分は私文書として，電磁的記録の部分は私電磁的記録（161条の2第1項）として，プリペイドカードは（正常な外観を有する限り）有価証券としてそれぞれ保護される（→530頁）など，扱いがばらばらであった（それぞれ処罰の範囲や刑の重さが異なる）。また，不正カードの作出行為については，カードがまだ未完成の段階では処罰はできず（文書偽造罪，電磁的記録不正作出罪，有価証券偽造罪の未遂はいずれも処罰されない），ましてや，不正カードの輸入[1]や所持，カード情報の不正取得（カード情報

1）外国から不正カードやその前段階の生カードを国内に持ち込もうとする行為に対しては，有価証券輸入罪を構成する例外的場合を除き，関税法（1954〔昭和29〕年4月2日法律第61号）の無許可輸入の処罰規定により対処するほかはなかった。

の不正取得のことを「スキミング」という），カード情報の提供・保管，不正作出の目的での器械または原料の準備などは処罰の対象とされていなかった。

しかし，電磁的記録は比較的簡単な技術的方法により迅速・大量に不正作出が可能であり，ひとたび不正作出が行われると，内容が不可視的であることから不正を発見することが困難である。しかも，とりわけクレジットカードやキャッシュカードの不正作出は，大きな財産的損害を生じさせることが可能であり，現に発生させている。このようなことから，予防的見地に立って，**かなり早い段階における刑法の介入**が要請されることとなったのである[2]。

2 支払用カードの意義

支払用カードには，「代金又は料金の支払用のカード」と「預貯金の引出用のカード」とがある（163条の2第1項）。前者には，クレジットカードとプリペイドカードとが含まれ，後者はキャッシュカードのことである。電車の乗車券のうち，「PASMO（パスモ）」や「Suica（スイカ）」のようなプリペイドカードは支払用カードに含まれるが（1回1回の使用が「支払」として観念できる），通常の切符はすでに支払が済んでいるのでこれに含まれない（有価証券となる）。デビットカード[3]は，性質上は「代金又は料金の支払用のカード」にあたるカードであるが，通常はキャッシュカードの機能の1つとしてデビット機能が加えられているところから，その限りで「預貯金の引出用のカード」にあたると解すれば足りる。これに対し，いわゆるポイントカードは「代金又は料金の支払用のカード」とはいえず，ローンカードは「預貯金の引出用のカード」とはいえない。なお，刑法が保護の対象としているのは，これらの支払用カードそのものではなく，**支払用カードを構成する電磁的記録**であることに注意すべきで

2）処罰されるに至った行為の多くは，主要先進国の刑法においては処罰の対象とされており，国境を越えて組織的に行われることの多いこの種の犯罪に対し，各国が共同に対処する必要性があることから，日本に対し犯罪化の要請が向けられていたという背景もある。なお，保護主義の見地から，すべての者の国外犯が処罰される（2条7号）。

3）ゆうちょ銀行または銀行等の金融機関の預貯金者が，商品の購入や役務の提供等の取引の対価をカード上の電磁的記録を用いて即時に支払・決済するとき，このカードのことを**デビットカード**という。デビットカードとは通常はキャッシュカードだが，クレジットカードに預貯金引出用の電磁的記録を搭載していることもある。

ある（→490 頁以下）。

3　支払用カード電磁的記録不正作出等罪

（支払用カード電磁的記録不正作出等）
第 163 条の 2 ①　人の財産上の事務処理を誤らせる目的で，その事務処理の用に供する電磁的記録であって，クレジットカードその他の代金又は料金の支払用のカードを構成するものを不正に作った者は，10 年以下の拘禁刑又は 100 万円以下の罰金に処する。預貯金の引出用のカードを構成する電磁的記録を不正に作った者も，同様とする。
②　不正に作られた前項の電磁的記録を，同項の目的で，人の財産上の事務処理の用に供した者も，同項と同様とする。
③　不正に作られた第 1 項の電磁的記録をその構成部分とするカードを，同項の目的で，譲り渡し，貸し渡し，又は輸入した者も，同項と同様とする。

本条が処罰の対象としているのは，①支払用カード電磁的記録の不正作出（1 項），②不正作出支払用カード電磁的記録の供用（2 項），③不正電磁的記録カードの譲渡し，貸渡し，輸入（3 項）である。それぞれの行為の**未遂も可罰的**である（163 条の 5）。これらの行為は，「人の財産上の事務処理を誤らせる目的」で行われなければならない（**目的犯**）。これは，文書における「行使の目的」に対応する要件であり，すでに電磁的記録不正作出罪の処罰規定においても，「財産上の」という限定が外された上で，必要とされている要件である（161 条の 2 第 1 項を参照〔→526 頁以下〕）。「人の財産上の事務処理を誤らせる目的」とは，当該のカードを用いた支払決済のシステムにおいて電子計算機を用いて行われる事務処理を誤らせる目的のことをいう[4)]。

不正作出（本条 1 項）とは，違法に（すなわち，権限なくまたは権限を濫用して）電磁的記録を存在するに至らしめることをいう[5)]。注意すべきことは，支払用

4)　支払に関わる事務処理に限られる，というように狭く理解する必要はなく，たとえば，不正なクレジットカードを用いてキャッシングの手続で現金を取得することを目的とする場合にも，この要件を充足する。
5)　新たに全部作り出す場合（偽造に対応する）のほか，既存の記録に手を加える場合（変造に対応する）がある。

カードを構成する電磁的記録を不正に作ることが必要であることから，機械処理が可能な形状を有するカード板と一体になった状態の電磁的記録を作らなければならないことである。できあがったカードは，機械に対して使用可能な形状であれば足り，真正なカードの外観を示している必要はない。人が見て即座に不正なカードであると見破れる外観を呈していても，本罪の成立を肯定する上で妨げとならない。なお，カード上の外観のみに関わる偽変造行為は，せいぜい私文書偽造や有価証券偽造にあたるにすぎない。

供用（本条2項）とは，不正に作出された支払用カード電磁的記録を，人の財産上の事務処理の用に供することをいう。人に向けられた使用ではなく，支払システムで用いられる機械に対する使用が予定されている[6]。

不正電磁的記録カードを，人の財産上の事務処理を誤らせる目的で，譲り渡し，貸し渡し，または輸入することも処罰される（本条3項）。客体たる不正電磁的記録カードは，前述したように，機械に対して使用可能なものであれば足り，真正のカードのような外観を示していることは要求されない。**譲渡し**とは，不正なカードの人への引渡し行為のうち，処分権の付与をともなうものであり，**貸渡し**とはこれをともなわないものである。偽変造通貨や偽変造有価証券の交付罪においては，相手方が偽変造の事実について知っていることが必要であるが（相手方が偽変造の事実を知らないときには，相手方への占有移転行為自体が行使にあたる），本罪の譲渡しと貸渡しについては，相手方が不正の事実について知っていると否とを問わない。**輸入**の意義は，通貨偽造の罪や有価証券偽造の罪におけるのと同じである（→480頁，536頁）。

罪数・犯罪競合についていえば，2枚の不正電磁的記録カードを供用目的で作成すれば，2罪が成立すると考えられるが，同一の機会にまとめて作れば**包括一罪**とする見解もありえよう。不正作出と，供用・譲渡し・貸渡しとは牽連犯である。供用罪とそれを手段として行われた詐欺罪も牽連犯の関係に立つ。不正作出の準備のために磁気情報を不正取得したとき，支払用カード電磁的記録不正作出準備罪（カード情報の不正取得罪）が成立するが（163条4第1項前段），

---

6) たとえば，不正に作られたクレジットカードを加盟店の店員に渡し，情を知らない店員をして加盟店の決済用の端末にカードの磁気情報を読み取らせることが供用にあたる。

後に支払用カード電磁的記録不正作出罪（本条1項）が実行されれば，それに吸収され，独立の犯罪として処罰の対象とはならない。

4　その他の犯罪類型

（不正電磁的記録カード所持）

第163条の3　前条〔163条の2〕第1項の目的で，同条第3項のカードを所持した者は，5年以下の拘禁刑又は50万円以下の罰金に処する。

（支払用カード電磁的記録不正作出準備）

第163条の4 ①　第163条の2第1項の犯罪行為の用に供する目的で，同項の電磁的記録の情報を取得した者は，3年以下の拘禁刑又は50万円以下の罰金に処する。情を知って，その情報を提供した者も，同様とする。

②　不正に取得された第163条の2第1項の電磁的記録の情報を，前項の目的で保管した者も，同項と同様とする。

③　第1項の目的で，器械又は原料を準備した者も，同項と同様とする。

不正電磁的記録カードについては，人の財産上の事務処理を誤らせる目的をもってこれを**所持**するだけで犯罪となる[7]（163条の3）。所持罪と供用罪（163条の2第2項）とは牽連犯となる。

支払用カード電磁的記録については，通貨偽造の罪の場合と同じく（153条），**予備罪（準備罪）処罰**の規定がある（163条の4）。「第163条の2第1項の犯罪行為の用に供する目的」とは，犯人自身の不正作出の用に供する目的と，他人の不正作出の用に供する目的（したがって，他人予備行為の場合）とのいずれをも含む（→487頁）。準備行為はさらに2つに分かれ，①**カード情報の取得，提供，保管**[8]（163条の4第1項・2項）と，②**器械または原料の準備**（163条の4第3項）である。特にカード情報の取得等が処罰されるに至ったのは，現在，クレジット

7）現行刑法典の罪において**所持**が処罰されるものとして，本罪のほかに，たとえば，有償頒布目的によるわいせつ物の所持の罪（175条2項）がある（→569頁）。

8）東京高判平成16・6・17東高刑時報55巻1〜12号48頁は，1個のスキマーに，それぞれクレジットカードを不正に作出することが可能な，複数の電磁的情報が保管されているとき，電磁的情報の1件ごとに本罪が成立するのではなく，保管されている電磁的情報全部について，包括して1個の本罪が成立するとした。

カード偽造の方法として，他人のカードの磁気ストライプの部分の磁気情報[9]を盗み取り（スキミング），このデータを用意したカードに印磁して，真正のカードのように使用するというやり方が広く行われるようになっているからである。カード情報の取得と提供については，その**未遂も処罰**される（163条の5）。「予備の未遂」まで処罰されるということになる。

9) そこには，カード会員の氏名，カード会員番号，有効期限，偽造防止コード等が印磁されている。

■ 第25章 ■

印章偽造の罪

1 総 説

社会生活において，人の同一性を証明する（すなわち，甲野一郎や乙山花子が自分自身がほかならぬ甲野または乙山であることを証明する）手段として重要な機能を果たす印章・署名（および公務所の記号）に対する公共の信用も保護される（164条以下）。印章や署名の偽造は，文書や有価証券の偽造の手段として行われることが多いが，文書偽造または有価証券偽造が未遂に終わったときに（これらの偽造未遂行為は，157条の場合を除いて〔→509頁〕，処罰されていない），印章・署名偽造罪の規定が適用されるという関係になる。その意味で，本罪は，**文書偽造・有価証券偽造の未遂罪**としての側面を有する。印章・署名偽造罪は，文書偽造罪と同じように規定されており，印章・署名を，公務所または公務員によるものとそれ以外のものとに分けている。また，偽造については未遂を処罰しないが，行使に対応する使用罪については未遂も処罰している。

2 印章と署名の意義

印章とは，人の同一性を証明するために使用される，氏名等を表示する文字や符号等のことであり，図形を用いる場合でもよく，拇印（ぼいん）もこれに含まれる。1)

1) 一定の意思・観念を表示したものとして理解しうる限りは，表示内容が省略されていても，印章・署名ではなく，**文書**である（→489頁）。たとえば，郵便局の日付印は「公務所の印章」

印章の意義をめぐっては，印影に限るとする通説[2]と，印顆（いんか）と印影の両方を含むとする判例の見解[3]とが対立している。印影とは，紙その他の物体の上に顕出された影蹟（えいせき）（押印）のことであり，印顆とは，印影を作成する手段としての印形（いんぎょう）（ハンコそのもの）のことをいう。実際に証明手段として用いられるのは印影であるから，印影を保護することで十分と考えられ，また，刑法は印章と並んで署名をも保護しているが，署名は明らかに物体上に表記されたもののみをいうから，これとの均衡上，印章についても印影のみを意味するものと解すべきであろう。さらに，印章の「使用」とは，印影を他人に対して使用することにほかならないとされることからも，印影に保護の対象を限定する学説の方がより説得力がある。

署名とは，一定の主体が自己を示す文字によって氏名その他の呼称を表記したものをいう。署名の意義をめぐっては，自署でなくとも，**代筆や印刷等による記名**でもよいとするのが判例である（→500頁）。記名そのものの保護の必要性もあり，また，刑法自体が「公務所の署名」という観念を認めている（165条等。この場合には，自署ということはありえない）ことから，自署のみならず記名をも含むとする判例の解釈は妥当であろう[4]。

にあたるとした古い判例もあるが，むしろ今では，郵便物の受付とその時刻を証明する機能をもつものとして文書であり，民営化以降は私文書にあたると解されるに至っている。なお，名古屋高判平成19・10・4判タ1270号440頁は，「クレジットカード売上票は，加盟店において作成する文書であるとはいえ，その署名欄の部分は，売り上げた商品の内容や金額の記載と相まって，カード名義人により購入を確認する書面，確認書としてカード名義人作成名義の私文書であるものと解される。したがって，クレジットカード売上票のご署名欄に他人がカード名義人の名を冒書する行為は，単なる署名偽造に留まらず，上記確認書の偽造として有印私文書偽造罪に該当するものであり，偽造された文書を含むクレジットカード売上票を提出する行為は，偽造有印私文書行使罪に該当する」とした。

2) 大塚・494頁，大谷・515頁，団藤・302頁，中森・238頁，西田・406頁以下，平野・概説265頁，福田・118頁，山口・496頁，山中・668頁以下など。

3) 大判明治43・11・21刑録16輯2093頁。

4) これに対し，自署に限るとするのは，浅田・425頁以下，大塚・496頁，大谷・516頁以下，川端・589頁，曽根・266頁以下，団藤・302頁，松宮・413頁など。

3　各犯罪類型

(1)　御璽偽造罪，同不正使用罪

（御璽偽造及び不正使用等）
第164条①　行使の目的で，御璽，国璽又は御名を偽造した者は，2年以上の有期拘禁刑に処する。
②　御璽，国璽若しくは御名を不正に使用し，又は偽造した御璽，国璽若しくは御名を使用した者も，前項と同様とする。

御璽（ぎょじ），国璽（こくじ），御名（ぎょめい）を通常の公印等（165条）に比べ特に厚く保護するための犯罪類型である。154条（詔書偽造等）の罪の未遂の一部は本条により処罰されることになる。御璽，国璽，御名のそれぞれの意義については，498頁を参照。

(2)　公印偽造罪，同不正使用罪

（公印偽造及び不正使用等）
第165条①　行使の目的で，公務所又は公務員の印章又は署名を偽造した者は，3月以上5年以下の拘禁刑に処する。
②　公務所若しくは公務員の印章若しくは署名を不正に使用し，又は偽造した公務所若しくは公務員の印章若しくは署名を使用した者も，前項と同様とする。

公印偽造罪（本条1項）は，公印・公署名（すなわち，公務所または公務員がその公務において用いる印章・署名）を偽造する行為を処罰の対象とする。印章には，職印のみならず，公務で使用されるものである限り，私印・認印も含まれる。**偽造**とは，ここでは有形偽造のことであり，権限がないのに，文書等の物体上に不真正な印影を表示し，または他人の署名を記載することをいう[5)]。行使の目的をもって行われることを要する。公印不正使用罪（本条2項）は，**不正使用**，すなわち，真正な印章・署名を権限なしに（または権限を越えて）その用法にしたがって使用する行為（他人が閲覧可能な状態に置く行為）か（前段），偽造の印章・署名を用法にしたがい真正なものとして使用する行為（後段）を

5）　印章には印顆が含まれるとする判例（前掲注3）大判明治43・11・21）の見解によれば，印顆を用いる場合には，その作成によって偽造はすでに既遂に達することとなろう。

処罰する。**未遂も処罰**される（168条）。

公文書偽造罪（155条）や有価証券偽造罪（162条1項）が成立するとき，その手段として行われた公印・公署名の偽造はこれに吸収され，別罪を構成しない（法条競合）。公印等を偽造した上，これを使用したとき，偽造罪と不正使用罪とは牽連犯の関係に立つ。

(3)　公記号偽造罪，同不正使用罪

（公記号偽造及び不正使用等）
第166条①　行使の目的で，公務所の記号を偽造した者は，3年以下の拘禁刑に処する。
②　公務所の記号を不正に使用し，又は偽造した公務所の記号を使用した者も，前項と同様とする。

偽造・不正使用の意義については，165条の公印偽造罪と同じである。ここでは，客体たる**公務所の記号**の意義が問題となる。学説上の通説によると，人の同一性以外の事項を表示する目的で顕出されたものが記号であり，人の同一性を証明するために用いられる影蹟は印章である（**表示内容標準説**または**使用目的標準説**[6]）。そこで，公務所の記号とは，一定の事実を表示・証明するなど，公務所の同一性を表示する目的以外に用いられるもの（たとえば，検査印とか訂正印など）を指すことになる。これに対し，判例は，押捺される物体が文書である場合には公務所の印章であり，それ以外の物体（たとえば，産物，商品，書籍など）の場合が公務所の記号だとする（**押捺物体標準説**または**使用目的物標準説**[7]）。しかし，印章は，主体の同一性を表示する点に本質があり，そのために社会的に高い信用を得ているのであるから，押捺される目的物のいかんによって区別をすることは理由がなく，通説の見解が妥当である（もっとも，この見解によるときには，記号と文書の区別が曖昧なものとならざるをえない）。

公記号偽造罪の成立が認められた一事例　東京地判平成14・2・8判時1821号160頁

6）たとえば，大塚・500頁以下，大谷・520頁，団藤・303頁，西田・408頁，平野・概説265頁，福田・119頁，山口・497頁以下など。

7）最判昭和30・1・11刑集9巻1号25頁。

は，被告人が，警察手帳に酷似したものを作成してこれを販売しようと思い立ち，家庭用印刷機，金色インクを用いて，無地の手帳の表紙に，日章の記号および「千葉県警察」の文字を金色で表示するなどして，真正の警察手帳に酷似したもの1冊を作成し，これをインターネットオークションに出品したというケースにつき，**公記号偽造罪**の成立を認めた。学説の見解では，これは同一性を表示するものであるから公印（165条）にあたるが，判例の見解によれば，文書以外のものに用いられていることから公記号となる。なお，この事例では，被告人は，真正のものではないとしてオークションに出品しているのであって，はたして行使の目的があるといいうるかどうかが問題になろう。

(4) 私印偽造罪，同不正使用罪

（私印偽造及び不正使用等）
第167条① 行使の目的で，他人の印章又は署名を偽造した者は，3年以下の拘禁刑に処する。
② 他人の印章若しくは署名を不正に使用し，又は偽造した印章若しくは署名を使用した者も，前項と同様とする。

本罪は，公印等を客体とする165条の罪と対応する犯罪である。印章・署名は，権利・義務に関するものであることを要しないが，法律上または取引上重要なものに限られるべきであろう[8]。私人の記号（私記号）は，印章に含まれず，刑法上保護されないとするのが通説である（ただし，私記号も印章に含まれるとする趣旨の古い判例がある）。いわゆる三文判も印章に含まれるから，行使の目的で他人の姓の三文判を購入して押印すれば，私印偽造罪にあたり，また，記名も印章に含まれるので，行使の目的で他人の名刺を作成すれば，署名偽造罪を構成することとなろう。

警察官または検察官から，被疑者（または参考人）として取調べを受けた者が，他人の名前または架空の名前を名乗り，一定の供述を行った上，取調官が作成した**供述調書の供述録取欄の末尾の署名欄**に他人の名前または架空の名前を署名することがある。こうした場合，供述調書中の被疑者の供述を記録した部

8) 大塚・495頁，団藤・303頁，注釈(4)218頁，220頁以下〔福田平〕など。

分は，供述内容が（一人称の形式で）記されており，私人たる供述者が被疑事実等について有する主観的観念を表示したものとして，これを私文書（159条）と見ることもできそうである[9]。しかし，高裁判例は，捜査官作成の供述調書に供述者が他人の名前ないし架空の名前を署名することは私署名偽造罪となる（これを提出すれば，167条2項の不正使用罪も成立する）としている[10]。その理由は明らかでないが，別の高裁判例が，警察官が作成する捜査報告書末尾の被疑者署名欄を私文書ではないとするにあたり，私文書というためには，交通事件原票の供述欄のように「その外形上公文書から独立性を有する一個の文書」であることを要するとしている点が参考になろう[11]。交通事件原票中の供述書欄は，「供述書」という見出しをもつ枠囲みの部分として形式的に他の部分と区別されているが，供述調書における供述録取部分はそうではなく，供述者独自の意思・観念の表示としての性格が弱い。こうしたことから**文書性が否定**されているのである。

なお，私文書偽造罪（159条）や有価証券偽造罪（162条1項）が成立するとき，その手段として行われた私印・私署名の偽造はこれに吸収され，別罪を構成しない（法条競合）。私印等を偽造した上，これを使用したとき，偽造罪と不正使用罪とは牽連犯の関係に立つ。

9）なお，1枚の紙の上に複数個の文書が存在することはありうるし，公文書と私文書とが併存することもある（→490頁）。現に，道交法違反を現認した際に警察官が作成する交通事件原票中に含まれる供述書（「上記違反をしたことは相違ありません」という不動文字が印刷された部分に違反者が署名するようになっている）は私文書であり，違反者が架空の氏名ないし他人の氏名を署名することは私文書偽造にあたるとされている（→522頁以下）。

10）東京高判平成7・5・22東高刑時報46巻1～12号30頁，東京高判平成13・7・16高刑速平成13年118頁など。

11）福岡高判平成15・2・13高刑速平成15年137頁。

■ 第26章 ■

不正指令電磁的記録に関する罪

1 総　説

2011（平成23）年の刑法一部改正により，本罪の処罰規定が新設された（第19章の2)。これにより，コンピュータウイルスの作成や供用，取得や保管等の行為が処罰されるようになった（168条の2および168条の3)。これは，情報処理の高度化にともなう犯罪に適切に対処するため，また，**サイバー犯罪に関する条約**（2012年〔平成24〕年7月4日条約第7号）の締結のための国内法整備の一環として行われた法改正であった[1)]。保護法益は，**電子計算機による情報処理のためのプログラムに対する社会一般の人の信頼**とそれに基づく電子計算機の社会的機能

1) これにより，サイバー犯罪に関する条約は，2012（平成24）年11月1日，日本についても効力を発生するに至った。なお，サイバー犯罪（コンピュータ犯罪とかネットワーク犯罪とも呼ばれる）とは，コンピュータを用いた情報処理技術や情報通信技術を不正に利用した犯罪およびこれらに向けられた犯罪の総称である。実態の概要については，国家公安委員会＝警察庁編『令和4年版警察白書』(2022年）1頁以下，108頁以下を参照。刑法典の罪としては，157条1項，158条，161条の2，163条の2以下，168条の2以下，175条，234条の2，246条の2，258条以下等の処罰規定，特別法としては，不正アクセス禁止法（→422頁），児童買春・児童ポルノ禁止法（→422頁），著作権法（1970〔昭和45〕年5月6日法律第48号）等の処罰規定による対応が問題となる。研究書として，河村博＝上冨敏伸＝島田健一編『概説サイバー犯罪』(2018年），鎮目征樹ほか編『情報刑法Ⅰ』(2022年），西貝吉晃『サイバーセキュリティと刑法』(2020年），渡邊卓也『電脳空間における刑事的規制』(2006年），同『ネットワーク犯罪と刑法理論』(2018年）などがある。

である。[2] コンピュータウイルスのせいで被害を受けた個人の法益を保護する個人的法益に対する罪（たとえば，234条の2〔→222頁〕や258条・259条の罪〔→411頁以下〕の予備段階をカバーする犯罪類型）としてではなく，社会的法益に対する罪たる**一連の偽造罪に準ずる犯罪**として位置づけられている。

2 客　体

本罪の客体は，まず，「人が電子計算機を使用するに際してその意図に沿うべき動作をさせず，又はその意図に反する動作をさせるべき不正な指令を与える電磁的記録」（168条の2第1項1号）である。これが刑法による**コンピュータウイルスの定義**ということになる。この定義において重要なのは**反意図性**と**不正性**という2つの要素である。反意図性は，当該プログラムについて一般の使用者が認識すべき動作と実際の動作が異なる場合に肯定され，不正性は，電子計算機による情報処理に対する社会一般の信頼を保護し，電子計算機の社会的機能を保護するという観点から，社会的に許容しえないプログラムについて肯定されるものとされる。[3] 他のプログラムに寄生して自己の複製を作成し感染する形態のものばかりでなく，上記の定義にあたりうる限り，トロイの木馬，ワーム，スパイウェア等と呼ばれるものをすべて含む。動作するためにアイコンのダブルクリック等の使用者の行為が必要であるかどうかを問わない。[4] 電子

---

2)　最判令和4・1・20刑集76巻1号1頁は，本罪の保護法益および本規定の趣旨について，「不正指令電磁的記録に関する罪は，電子計算機において使用者の意図に反して実行される不正プログラムが社会に被害を与え深刻な問題となっていることを受け，電子計算機による情報処理のためのプログラムが，『意図に沿うべき動作をさせず，又はその意図に反する動作をさせるべき不正な指令』を与えるものではないという社会一般の信頼を保護し，ひいては電子計算機の社会的機能を保護するために，反意図性があり，社会的に許容し得ない不正性のある指令を与えるプログラムの作成，提供，保管等を，一定の要件の下に処罰するものである」と述べる。

3)　前掲注2）最判令和4・1・20。この判例は，ウェブサイトの閲覧者の同意を得ることなくその電子計算機を使用して仮想通貨のマイニングを行わせるプログラムコードについては，「反意図性」は認められるが，プログラムコードの動作の内容，その動作が電子計算機の機能や電子計算機による情報処理に与える影響，その利用方法等を考慮すると，社会的に許容し得ないものとはいえないことから「不正性」は認められず，不正指令電磁的記録にはあたらないとした。

4)　たとえば，ハードディスク内のファイルをすべて消去するプログラムが，その機能を適切に

計算機には，パソコン等のほか，携帯電話等も含まれうる。

本罪の客体は，168条の2第1項2号により**拡張**されており，「前号に掲げるもののほか，同号の不正な指令を記述した電磁的記録その他の記録」も客体となる。同項1号の客体は，**そのままの状態で電子計算機において動作させることのできるもの**であるが，これに対し，2号の「不正な指令を記述した電磁的記録その他の記録」とは，内容的には「人が電子計算機を使用するに際してその意図に沿うべき動作をさせず，又はその意図に反する動作をさせるべき不正な指令を与える」ものとして実質的に完成しているものの，**そのままでは電子計算機において動作させうる状態にないもの**のことをいう。たとえば，そのような不正な指令を与えるプログラムのソースコード（機械語に変換すれば，電子計算機で実行できる状態にあるプログラムのコード）を記録した電磁的記録や，これを紙媒体に印刷したものがこれにあたる。

3　各犯罪類型

(1)　不正指令電磁的記録作成等罪

（不正指令電磁的記録作成等）
第168条の2 ①　正当な理由がないのに，人の電子計算機における実行の用に供する目的で，次に掲げる電磁的記録その他の記録を作成し，又は提供した者は，3年以下の拘禁刑又は50万円以下の罰金に処する。
一　人が電子計算機を使用するに際してその意図に沿うべき動作をさせず，又はその意図に反する動作をさせるべき不正な指令を与える電磁的記録
二　前号に掲げるもののほか，同号の不正な指令を記述した電磁的記録その他の記録
②　正当な理由がないのに，前項第1号に掲げる電磁的記録を人の電子計算機における実行の用に供した者も，同項と同様とする。
③　前項の罪の未遂は，罰する。

説明した上で公開されているとき，ハードディスク内のファイルをすべて消去するという動作は使用者の「意図に反する」ものとはならず，処罰対象にはならない。他方，そのプログラムを，虚偽の説明とともに電子メールで第三者に送り付け，これを実行させ，ハードディスク内のファイルをすべて消去させたという場合には，そのプログラムは，使用者の「意図に反する動作をさせるべき不正な指令を与える電磁的記録」となりうる。

不正指令電磁的記録作成罪・提供罪（本条1項）は，本罪の客体を，正当な理由がないのに，人の電子計算機における**実行の用に供する目的**で作成し，または提供することにより成立する。実行の用に供する目的とは，不正指令電磁的記録を，電子計算機の使用者にはこれを実行しようとする意思がないのに実行されうる状態に置く目的のことをいう。不正指令電磁的記録であることを知らない第三者のコンピュータで実行されうる状態に置く目的であることを要し，不正指令電磁的記録が動作することとなる電子計算機の使用者において，それが不正指令電磁的記録であることを認識していないことが前提となる[5)]。

作成とは，不正指令電磁的記録等を新たに記録媒体上に存在するに至らしめることをいう。

提供とは，不正指令電磁的記録等であることの情を知った上でこれを自己の支配下に移そうとする者に対し，これをその支配下に移して事実上利用できる状態に置くことをいう。

不正指令電磁的記録供用罪（本条2項）は，正当な理由がないのに，上記の記録を人の電子計算機における実行の用に供すること（**供用**）により成立する。人の電子計算機における実行の用に供するとは，不正指令電磁的記録であることの情を知らない第三者のコンピュータで実行されうる状態に置くことをいう。供用罪は**未遂も処罰**される（本条3項）。

不正指令電磁的記録作成罪とその供用罪とは，牽連犯の関係に立つ。供用罪と電子計算機損壊等業務妨害罪（234条の2〔→222頁以下〕）とは観念的競合となろう。

(2) 不正指令電磁的記録取得罪・保管罪

（不正指令電磁的記録取得等）
第168条の3　正当な理由がないのに，前条〔168条の2〕第1項の目的で，同項各号に掲げる電磁的記録その他の記録を取得し，又は保管した者は，2年以下の拘禁刑又は30万円以下の罰金に処する。

---

5) ウイルス対策ソフトを作成・製造する目的で，その過程においてウイルスを作成・提供する行為は，「人の電子計算機における実行の用に供する目的」に欠けるため，本罪にあたらない。「正当な理由がないのに」という要件は，この種の場合が不可罰であることを一層明確にするために，念のために加えられたものとされている。

本罪は，正当な理由がないのに，人の電子計算機における実行の用に供する目的で，本罪の客体を取得し，または保管することにより成立する。**取得**とは，不正指令電磁的記録等であることの情を知った上でこれを自己の支配下に移す一切の行為をいう。**保管**とは，不正指令電磁的記録等を自己の実力支配内に置いておくことをいう[6)]。

6) 千葉地判平成 25・11・8 LEX/DB 25446233 は，アンドロイド OS が稼働する携帯電話機（これも電子計算機である）に記録された電話帳データを米国内に設置されたサーバコンピュータに送信する指令を与える電磁的記録であるウイルス・プログラムを，同サーバコンピュータの記憶装置にアップロードしてアクセスおよびダウンロード可能な状態で蔵置した行為について，不正指令電磁的記録保管罪の成立を認めた。

■ 第27章 ■

風俗犯・総説

風俗に対する罪に属する犯罪類型については，そもそもその処罰を正当化できるのかどうかをめぐり盛んな議論が展開されてきた。風俗とは，結局のところ，道徳（モラル）や倫理と呼ばれているものに帰着し，刑法による保護の対象とするのにふさわしくないのではないかという強い疑問が出されてきたのである[1)]。

風俗とは，その社会において健全なもの・善良なものとして広く承認されている行動様式や生活秩序のことを指す言葉である[2)]。しかし，それは，定義というにはあまりに曖昧模糊としている。「その社会において」という限定は，風俗が場所と時間を超えた普遍的なものではないことを示している（これに対し，個人の生命や身体，財産などは普遍的価値をもつといえ，これを刑法的保護の対象としない社会の存在はおよそ考えにくい)。「健全なもの・善良なもの」というのもきわめて漠然とした表現であるし，「広く承認されている」行動様式や生活秩

1) 現在までの問題状況を概観するものとして，嘉門優・刑ジャ75号（2023年）4頁以下がある。刑法による風俗やモラルの保護（ないし強制）が許されるべきかどうかの問題についての現在でもなお必読の文献は，平野龍一『刑法の基礎』（1966年）に収録された論文，とりわけ「現代における刑法の機能」である。

2) なお，風俗は，「公序良俗」の構成部分として民法の規定に登場する実定法上の概念である（民90条)。民法の教科書を見ると，これを「社会的妥当性」という言葉で説明した上で，違反事例を類型化してしている。たとえば，内田貴『民法Ⅰ〔第4版〕』（2008年）281頁以下，四宮和夫＝能見善久『民法総則〔第9版〕』（2018年）306頁以下などを参照。

序という部分は，別の意見をもつ少数者の存在を前提とした上で，多数者が承認してきた既存の社会のあり方を優先させる保守的な思想を含むものといえよう。

ただ，ここで，現行刑法典の個々の犯罪類型が保護しようとする，**風俗と呼ばれるものの特殊な局面のそれぞれ**を見ると，単なるモラルの保護のために刑罰を用いるものであって正当化されないという一言で片付けられるほど，事柄は単純でないことがわかる。これまで，風俗に対する罪に分類されてきたのは，とりわけ，①わいせつの罪（174条以下），②賭博および富くじに関する罪（185条以下），③礼拝所および墳墓（ふんぼ）に関する罪（188条以下）という3つのグループであるが，これらについての個別的な検討が必要である。

これらの処罰規定は，**秩序維持の観点から最低限のルール**を示す（踏み越えてはならない一線を明らかにする）ものといえよう。そういう言い方をすれば，いかにも道徳・倫理の違反を処罰するもののように理解されるかもしれないが，しかし，問題とされている行為のそれぞれを見ると，いずれも**社会に対して一定の実害を及ぼしうるものであることが確認**できる。

まず，**礼拝所および墳墓に関する罪**にあたる行為の例としては，公然と，礼拝所に置かれた崇拝の対象物につばを吐きかけたり，墓地の墓石に放尿したりする行為（188条1項），礼拝やミサや葬儀などを妨害する行為（188条2項），死体を傷つけたり捨て去る行為（190条）がある。これらの行為が行われると，宗教者であれば信仰を否定され，宗教活動を害されたと受け取るであろうし，普通の人であっても，強い嫌悪感・不快感を抱くに違いない。それらの罪は特定人の感情を害することを成立の要件としてはいないが（特に，死体損壊・遺棄罪については，それが公然と行われなくても，犯罪が成立する），そこでは，宗教活動ないし信仰に基づく活動を害し，また，一般通常人の宗教的感情（とりわけ死者への敬虔（けいけん）の念・その安息を願う気持ち）を傷つけるおそれある行為（少なくともその抽象的危険性ある行為）が処罰の対象とされていると考えることができる。この種の行為の処罰の正当性に対しては，おそらく異論は生じないであろう。

わいせつの罪（174条と175条の罪）についても，公道上で性器を露出する行為（174条）を典型例とするように，そこに居合わせた通行人に「見たくないもの」を見せつけて嫌悪感・羞恥心を抱かせることは，**性的自由に対する侵害**であり，処罰に値する行為である。ただ，現行刑法典のわいせつの罪の規定は，このようなケースに処罰の対象を限定してはおらず，性的自由[3)]の侵害の認められない場合にも犯罪の成立を認めている。たとえば，わいせつなショーを期待する観客を相手にストリップショーを行うこと（174条）や，わいせつな動画を記録したDVDを希望者に販売すること（175条）は，成人の間において[4)]お互いに納得の上で行われれば，何人の性的自由も侵害するものではないが，それでもこれらの罪は成立するとされ，ここにおいては「性道徳」の意味における風俗に反することが処罰の理由となっているように見える[5)]。

しかし，その種の行為が，本当に社会的実害をもたらすものでないと言い切れるかどうかは1つの問題である。とりわけ，性表現を自由化したとき（すなわち，成人の間でその同意の下に行われる限りは許容することとしたとき），それが性に関する商業主義と結びついて，「見たくない人」の権利が脅かされたり，青少年（18歳未満の男女）がそれらに容易にアクセスできる**環境**が形成されることが危惧される。現行法のように一律に規制するか，それとも，刑法を改正し原則的に自由化した上で，そのような環境が形成されないようにきめ細かな規制を行うか（こちらの方がずっと手間とコストがかかるであろう）のどちらがよいかは，そう簡単に答えを出すことのできない問題なのである[6)]。

---

3) ここにいう性的自由（性的自己決定権）には，①意思に反して性的表現に接することを強制され，性的羞恥心ないし性的嫌悪感を抱かせられない自由と，②意思に反して身体的内密領域に踏み込まれ性的行為を強制されない自由の両方が含まれる。前者は174条・175条の規定により保護され，後者は176条から181条の規定により保護される（→115頁以下）。

4) 性的自由（性的自己決定）の思想を強調する見解によっても，青少年（18歳未満の男女）については，青少年保護ないし青少年の健全育成の見地から刑法による介入を認めうる余地がある。

5) これらのケースでは，誰の法益も具体的に侵害されておらず，したがって被害者は存在しないとも考えられる。「法益の保護のための刑法」という考え方を徹底するとき，この種の**被害者のない犯罪**は，処罰の対象から外すべきだ，すなわち**非犯罪化**すべきだということにもなる（→総論22頁以下）。

6) なお，日本の現行法における「性的逸脱行動」の処罰は，必ずしも過剰なものとまではいえない。日本では，姦通，同性性交，獣姦などは処罰の対象とされていない。売春については，売春防止法（1956〔昭和31〕年5月24日法律第118号）にこれを禁止する規定（3条）があるが，売春行為そのものは（法により禁止されているものの）処罰の対象とはされていない。最近の研究として，宮川基・東北学院法学75号（2014年）63頁以下，同「買春不処罰の立法

賭博・富くじに関する罪は，経済活動ないし労働の場面における健全な生活観念（勤労の美風）の維持を狙いとしているといわれるが，はたしてそのようなものを刑法の任務とすべきであるかどうかについては疑問も生じる。しかし，賭博・富くじにより，射幸心をあおられ，一攫千金を夢見て，結局は搾取される人々がいることを考えると，それらの行為には（薬物のもつ中毒作用にも似た）**社会的な有害性**があるといえよう[7]。そうした現実を踏まえると，刑法による原則的禁止は，「より大なる悪を避ける」ところに，すなわち，賭博や富くじ販売にあたる行為を公的な監督の下で行わせることにより，人々の射幸心を過度にあおったり，詐欺的な運営が行われるなどの弊害が生じたり，暴力団の資金源になることを防ぐところに真の意味があるとも考えられよう[8]。

ここまで見てきたところからすれば，いわゆる風俗犯に属する犯罪の処罰の根拠については，個別的な吟味が必要であり，抽象的な風俗の観念を理由に処罰を正当化することも，また逆に，それは刑法上の保護に値する法益ではなく，それを根拠とした処罰は正当化されないと単純に決めつけてしまうことも，いずれも正しくないといえる。以下では，これまで述べてきたことを前提として，3つのグループの犯罪類型について，その基本的な内容を見ていくことにしたい。

史」陶久利彦編著『性風俗と法秩序』（2017年）67頁以下がある。ただし，青少年保護の見地から，児童福祉法（1947〔昭和22〕年12月12日法律第164号）や，「児童買春，児童ポルノに係る行為等の規制及び処罰並びに児童の保護等に関する法律」（1999〔平成11〕年5月26日法律第52号）に処罰規定がある（→135頁）。

7） 賭博罪・富くじ罪の問題は，そのような処罰根拠の説明が，いわゆる公営ギャンブル等の存在により説得力を失っているところにある。競馬にハマって借金をくり返したあげくに夜逃げしたというような話はよく聞くところであろう。ちなみに，競馬の勝馬投票券や宝くじは，刑法上の**富くじ**（187条）にあたる（→578頁以下）。

8） これが日本だけの問題ではなく，外国刑法においてもまったくパラレルな状況があることについては，Gunther Arzt u. a., Strafrecht, Besonderer Teil, 3. Aufl. 2015, § 24 Rdn. 38, S. 821 f. を参照。なお，賭博についての非犯罪化の主張として，浅田・474頁以下，西原春夫『刑法の根底にあるもの〔増補版〕』（2003年）87頁以下，吉岡一男『日本における犯罪現象』（2006年）190頁以下がある。

■ 第28章 ■

わいせつの罪

1 わいせつの意義

(a) わいせつ概念の3つの要素　刑法は，第2編第22章（174条から184条）において性的事柄に関わる犯罪をひとまとめにして規定しているが，このうちの176条から181条までの罪は，個人的法益としての性的自由に対する罪であり，風俗犯ではない[1]。風俗犯としての「わいせつの罪」としては，公然わいせつ罪（174条）とわいせつ物頒布（はんぷ）等罪（175条）とがある。2つの犯罪に共通するのは，「わいせつな」という要件である。**わいせつ**とは，判例の定義によると，「いたずらに性欲を興奮または刺激させ，かつ，普通人の正常な性的羞恥心を害し，善良な性的道義観念に反するもの」とされる[2]。この定義は3つの要素からなるが（すなわち，①いたずらに性欲を興奮または刺激させること，②普通人の正常な性的羞恥心を害すること，③善良な性的道義観念に反すること），いずれの要素も規範的評価ないし価値判断を本質的な内容としており，この定義により文言の意味内容がそれほど客観化・明確化されるわけではない（ただ，この定義の下で多くの事例を集めて類型化することにより，具体的判断のためのガイドラインを作ることは可能であろう）。この定義を手がかりとして，個別の

1) 個人的法益としての身体的内密領域を侵す罪としての不同意わいせつ罪（176条）および不同意性交等罪（177条）等，そしてその結果的加重犯（181条）については，115頁以下を参照。

2) 最判昭和26・5・10刑集5巻6号1026頁，最大判昭和32・3・13刑集11巻3号997頁（チャタレー事件）などを参照。

ケースでわいせつ性が肯定されるかどうかの結論を予測することは困難であって，刑罰法規の明確性の要請に反するという批判もある[3]。また，その評価と判断は，時の流れの中でも大きく変化するものであり，上の抽象的な定義は長い間そのまま維持されているものの，その具体的適用は，かりに10年の単位で見たとしても，以前と同列に論じることはできないであろう[4]。

(b) 芸術作品・文学作品とそのわいせつ性　とりわけ大きな争点となるのは，175条によるわいせつ物の規制と，**表現の自由，特に芸術や文学の分野の表現の自由**との関係をどのように調整するかである。この点をめぐり，最高裁判例に変遷が見られる。**チャタレー事件**判決は，性行為の非公然性の原則を宣言し，かつ高度の芸術性も作品のわいせつ性を解消するものとは限らないと述べていたが[5]，**悪徳の栄え事件**判決では，文書のもつ芸術性・思想性が性的描写による性的刺激を減少・緩和させ，文書のわいせつ性を解消させる場合があることを認め，また，文書の個々の章句の部分は，全体としての文書の一部として意味をもつものであるから，その章句の部分のわいせつ性の有無は，文書全体との関連において判断されなければならないとして，**全体的考察方法**をとることを明らかにした[6]。さらに，**四畳半襖の下張事件**判決では，全体的考察方法にあたってのより具体的な基準を示し，「当該文書の性に関する露骨で詳細な描写叙述の程度とその手法，右描写叙述の文書全体に占める比重，文書に表現された思想等と右描写叙述との関連性，文書の構成や展開，さらには芸術性・

3）とりわけ175条（→564頁以下）については，憲法で保障された表現の自由（憲21条）および学問の自由（憲23条）との関係で，また，刑罰法規の明確性の原則（憲31条〔→総論38頁以下〕）との関係で合憲性が問題とされてきた。ただ，判例は，**175条の規定は憲法に違反するものでない**とくり返し判示してきた。団藤・316頁以下，中山研一『わいせつ罪の可罰性』（1994年），町野・214頁以下などを参照。

4）D・H・ロレンスの小説である『チャタレー夫人の恋人』の翻訳は，1950年代にわいせつ文書とされた。いま武藤浩史による新訳（筑摩書房，2004年）を読むとき，この本を出版することが犯罪として禁止されなければならなかった，当時の日本社会の「風俗」のレベルを具体的に想像することは決して容易なことではなかろう。なお，刑法175条によるわいせつ物規制の実態（とりわけ，わいせつとそうでないものとの間に境界線を引くことの実際的な困難性）について参考となる本は，園田寿＝臺宏士『エロスと「わいせつ」のあいだ——表現と規制の戦後攻防史』（2016年）である。

5）前掲注*2*）最大判昭和32・3・13。

6）最大判昭和44・10・15刑集23巻10号1239頁。

思想性等による性的刺激の緩和の程度」等の観点からその文書を全体として見たときに，「主として，読者の好色的興味にうったえるものと認められるか否かなどの諸点を検討することが必要」であるとした[7]。性的表現のわいせつ性の検討にあたり，**芸術性・思想性等による性的刺激の緩和の有無・程度**が重要な意味をもちうることは，最近の最高裁判例においても当然の前提とされ，重要な争点となっている[8]。

わいせつ性と表現の自由　かつての学説においては，「侵害される利益」と「実現される利益」との比較衡量を行い，わいせつ性のために侵害される利益よりもその表現物を公にすることにより社会の側が受ける利益の方が大きいときは，これを許容すべき物とする**利益衡量説**も有力に主張された。しかしながら，法律家が文学作品の価値を決めた上で，それをわいせつ性と比較衡量するというのは妥当な考え方とはいえないであろう。チャタレー事件判決が述べたように，芸術性とわいせつ性とは別異の次元に属するというべきである。他方，芸術作品や学問的著作物の一部を全体から切り離してそのわいせつ性を判断すべきものではない[9]。悪徳の栄え事件判決以降の判例の**全体的考察方法**に基づき，文書が全体としてもつ芸術性・科学性が個々の部分のわいせつ性を稀薄なものとし，さらには処罰の対象とするのに適さない程度に解消させうることを認めるべきであろう。具体的な判断基準としては，四畳半襖の下張事件判決において示されたものが参考になる[10]。

7）　最判昭和 55・11・28 刑集 34 巻 6 号 433 頁。

8）　最判令和 2・7・16 刑集 74 巻 4 号 343 頁（女性器 3D データ事件）は，電磁的記録および電磁的記録に係る記録媒体のわいせつ性が問題となったケースについて，芸術性・思想性等による性的刺激の緩和の有無・程度の検討を含めたわいせつ性の判断にあたっては，当該の電磁的記録をコンピュータにより画面に映し出した画像やプリントアウトしたものなど同記録を視覚化したもののみを見て，これを判断すべきであるとし，資金提供により作品制作に参加する機会を与えるものであることに芸術性・思想性が認められ，また，本件データを加工して創作をする機会を与えるものであることに芸術性・思想性が認められるとしても，そのことは考慮すべきでないとした。

9）　団藤・323 頁を参照。

10）　東京高判昭和 57・6・8 刑月 14 巻 5＝6 号 315 頁（愛のコリーダ事件）は，四畳半襖の下張事件判決（前掲注 7）最判昭和 55・11・28）の全体的考察方法を前提に，「わいせつ性の有無の判断方法並びに基準については，過度に性欲を興奮，刺戟させるに足る煽情的な手法によって，性器，性交ないし性戯に関する露骨，詳細，かつ，具体的な描写叙述のなされている文書・図画であって，その文書・図画の構成や描写方法，その性的描写叙述の全体に占める比重や思想性・芸術性・学術性等との関連性を，その時代の健全な社会通念に照らして全体的に考

また，**領布・販売等の相手方や方法のいかんというような付随事情**によって，わいせつ性の評価が異なりうるとすべきかどうかも問題となる。これを肯定する**相対的わいせつ文書**の理論も，かつては有力に主張された[11)]。この考え方は，売り方が悪いためにわいせつでないものがわいせつ物になる（逆に，売り方がよいから，わいせつなものがそうでなくなる）というのはおかしいという理由で，現在では一般に否定されている[12)]。ただ，「見たくない人」の性的自由の保護や青少年の健全育成の見地から，相手方の意思に反する場合や相手方が青少年である場合には，より性的刺激の少ないものでも禁止の対象とし，見ることを望む成人のためにはかなりの程度に自由化することが考えられるとすれば，行為の付随事情の違いに応じてわいせつの判断を相対化することはなお説得力をもつように思われる[13)]。

さらに，現在では，埋め合わせとなる社会的価値のない**端的な春画・春本類（ハード・コア・ポルノ）のみ**がわいせつ物であるとする見解も有力である[14)]。これは性的表現の自由を保障する上で最も進んだ見解であるが，芸術性・思想性を装う限りは，どのようなものでも許容されることになりかねない点に問題を残しているといえよう。

(c) 故　意　構成要件の客観面における不明確さは，その主観面の要件（故意）における不明確さに対応している。「わいせつ」を含む構成要件要

察したときに，主として受け手の好色的興味にうったえ，普通人の正常な性的羞恥心を害し，善良な性的道義観念に反すると認められるか否かによって，わいせつ性の有無を判断すべきものと考える」とし，当該単行本についてわいせつ性を否定した。また，東京地判平成16・1・13判タ1150号291頁も，四畳半襖の下張事件判決に依拠しつつ，「本件漫画本は，性に関する露骨で詳細な描写の程度とその手法，性に関する描写の漫画全体に占める比重，漫画に表現された思想等とその描写との関連性，漫画の構成や展開，芸術性・思想性等による性的刺激の緩和の程度，そして，これらの観点から本件漫画本を全体としてみたときに，専ら読者の好色的興味に訴えるものと認められることなどの諸事情を総合すると，今日の健全な社会通念に照らしても，いたずらに性欲を興奮又は刺激せしめ，かつ，普通人の正常な性的羞恥心を害し，善良な性的道義観念に反するところの，刑法175条にいう『わいせつ図画』に該当すると認めるのが相当である」とした。

11)　大塚・520頁以下，団藤・325頁以下を参照。

12)　最高裁の判例も，相対的わいせつ文書の理論を否定している。前掲注*2)*最大判昭和32・3・13，最判昭和48・4・12刑集27巻3号351頁。

13)　西田・417頁以下を参照。

14)　大谷・528頁以下，斎藤・277頁，中森・246頁，平野・概説270頁以下，山口・504頁以下など。なお，この見解をはじめ，日本におけるわいせつの定義・判断基準をめぐる議論に大きな影響を与えたアメリカ合衆国における理論展開を詳細に紹介・検討した研究書として，三島聡『性表現の刑事規制』（2008年）がある。

素（「わいせつな行為」や「わいせつな物」）は，**規範的構成要件要素**の典型例であるが，これについての**故意の内容**が問題となる（→総論171頁以下）。公然わいせつ罪もわいせつ物頒布等罪も故意犯であるが，行為や物のわいせつ性につき，判例の定義を踏まえた正確な認識などは要求されず，「卑わいな行為」の類いであるとか「性的刺激のある写真集」であるという，行為や客体の**意味ないし性質に関する素人的理解**があればそれで十分とされている（これを**意味の認識**という）。したがって，行為者が，この程度の（世にありふれた）いやらしさでは，条文にある「わいせつ」とまでいえず，処罰の対象にならないと信じていたとしても（このような錯誤のことを**あてはめの錯誤**という），故意は阻却されない[15]（→総論172頁）。まったく性質の異なる書物（たとえば，純粋の医学書）と思い込んでいたとか，書物中のわいせつな記載部分の存在自体を知らなかったとかいう場合に限り，故意が否定されることになる。

2　公然わいせつ罪

（公然わいせつ）
第174条　公然とわいせつな行為をした者は，6月以下の拘禁刑若しくは30万円以下の罰金又は拘留若しくは科料に処する。

(a)　構成要件　　本罪は，公然と，わいせつな行為をすることによって成立する[16]。**公然**とは，刑法典の他の規定における用語法と共通であり，不特定または多数の人が認識できる状態のことをいう。認識できる状態があればよいから，現に誰かが見ていることは要件とならない[17]。解釈上，最も問題となるのは**わいせつな行為**の意義であるが，「わいせつ」については（→558頁以下），わいせつ物頒布等罪（175条）におけると同様に，「いたずらに性欲を興奮また

15）　前掲注2）最大判昭和32・3・13。

16）　本罪の法定刑はもともと科料のみであったが，戦後の1947（昭和22）年の改正により重罰化され，懲役（当時）と罰金と拘留が法定刑に加えられた。

17）　判例の中には，わいせつ行為が海水浴場近くの海岸で行われ，現実には通行人がなく，海上約300mの地点を遊覧船1隻が通過したにすぎないとしても，公然性が認められるとしたものがある（東京高判昭和32・10・1東高刑時報8巻10号352頁）。礼拝所不敬罪に関して後述するところも参照（→581頁）。

は刺激させ，かつ，普通人の正常な性的羞恥心を害し，善良な性的道義観念に反する」ことをいうと解されている[18]。わいせつな行為の典型例は，性行為や，性器の露出行為である[19]。動作をともなわずもっぱら言葉を用いることは，これにあたらないと解すべきであろう[20]。公然とわいせつな内容の話（いわゆる「わい談」）をすることは，「わいせつな行為」とはいいにくいし，その話の内容のわいせつ性に注目するとしても，一回的であることから影響が限定され，わいせつ文書頒布等の行為と比べても格段に当罰性が低いといえよう。もちろん，半裸の女性が卑わいな言葉を発しながらあえぐというように動作をともなう場合，発せられた言葉の内容と相まって行為がわいせつ行為とされることがありうるのは当然である。

（b）174条と175条の関係　**公然わいせつ罪とわいせつ物頒布等罪**（→564頁以下）**の区別**は，「人の行為」と「物」の区別に対応するだけのように見えるが，刑法は，公然わいせつ罪よりもわいせつ物頒布等罪の方をずっと重く処罰している。なぜそのような差をつけているのかの根拠が明らかにされなければならない。その理由として，公然わいせつ罪においては，主として個人による露出症的な行為が想定されているのに対し，わいせつ物頒布等罪においては，利欲目的・営利目的のケースが想定されている（そのことは，175条の罪の法定刑

18）東京高判昭和27・12・18高刑集5巻12号2314頁は，本条にいう「わいせつな行為」とは「その行為者又はその他の者の性慾を刺戟興奮又は満足させる動作であって，普通人の正常な性的羞恥心を害し善良な性的道義観念に反するものと解するのを相当とする。即ち行為者が自己の性慾を刺戟興奮又は満足させる目的でその動作に出る場合が前記猥褻（わいせつ）の行為に該当することはいうまでもないのであるが，この場合のみに限定すべきものではないであって，たとえその動作により行為者自身の性慾は刺戟興奮又は満足させられなくとも，その動作により行為者以外の者の性慾が刺戟興奮又は満足させられるのであれば，この場合も亦（また）刑法第174条にいわゆる猥褻の行為に該当するものと認めるべきである」とする。また，大阪高判昭和30・6・10高刑集8巻5号649頁は，公然わいせつ行為とは「性欲の刺げき満足を目的とする行為であって，他人に羞恥の情を懐かしめる行為を云う」とする。

19）不同意わいせつ罪（176条）における「わいせつ」（→124頁以下）と，公然わいせつ罪における「わいせつ」とは，両罪の保護法益が違うため，意味が異なる。たとえば，着衣の中に手を入れ女性の胸に無理やり触れる行為は不同意わいせつ罪となりうるが，公然と，男性が女性の胸をはだけて乳房に触れる行為をしても，直ちに公然わいせつ罪にはならないであろう。

20）浅田・464頁，伊東・351頁，川端・610頁，高橋・594頁，山口・507頁など。反対，大塚・516頁，大谷・532頁，中森・246頁，山中・688頁など。

の中に，多額250万円という高額の罰金が含まれていることにも表れている）ことを指摘できそうである。しかし，もしそれが立法者の狙いであったとすると，そこには見込み違いも含まれていたといわざるをえない。なぜなら，公然わいせつ行為の中にも，**ストリップショー**のような利欲犯・営利犯の性格を強くもったものが存在するからである[21]。写真や動画の形でわいせつな内容の表現物を公然と示せば175条でより重く，ストリップショーなどにおいて「実物」を直接に公然と示すと174条でより軽く処罰されるというのは，評価において逆転しているという批判も不可能ではない[22]。むしろ**両罪の区別の根拠**は，公然わいせつ行為はその場の一過的な出来事であるのに対し，わいせつ物頒布等罪にあっては，客体にわいせつ性が固定され，広く伝播（でんぱ）される可能性があり，その意味で法益侵害性が強い[23]というところに求めるべきであろう。ただ，それにしても，一過的なものか，それを再現可能とする何らかのものが残るかという区別は，それほど本質的な区別であるかどうかは疑問である（インターネットを通じて行う生中継と録画放送とを区別する理由がどれだけあるかは明らかでない）。

3　わいせつ物頒布等罪

（わいせつ物頒布等）
第175条①　わいせつな文書，図画，電磁的記録に係る記録媒体その他の物を頒布し，又は公然と陳列した者は，2年以下の拘禁刑若しくは250万円以下の罰金若しくは科料に処し，又は拘禁刑及び罰金を併科する。電気通信の送信によりわいせつな電磁的記録その他の記録を頒布した者も，同様とする。
②　有償で頒布する目的で，前項の物を所持し，又は同項の電磁的記録を保管した者も，同項と同様とする。

21）　わいせつなストリップショーが行われたとき，舞台に立ったストリッパーは公然わいせつ罪の実行正犯であり，興行主はその共謀共同正犯となる（最判昭和25・11・21刑集4巻11号2355頁，最決昭和30・7・1刑集9巻9号1769頁など）。また，ショーの内容を知りつつ，公演のための劇場を提供した者には，公然わいせつ罪の幇助犯が成立する（最判昭和29・3・2集刑93号59頁，福岡高判昭和27・9・17高刑集5巻8号1398頁）。

22）　そこで，ストリップショーについて，これをわいせつ物公然陳列罪（175条1項）で処罰すべきだとする見解もあった（植松・206頁以下）。

23）　山口・508頁。

(a)　概要，客体　**わいせつ物頒布等罪**を規定する175条は，2011（平成23）年の刑法一部改正により，大きく書き改められた。新規定によれば，①わいせつな文書，図画，電磁的記録に係る記録媒体その他の物を頒布し，または公然と陳列した者，②電気通信の送信によりわいせつな電磁的記録その他の記録を頒布した者，③有償で頒布する目的で，これらの物を所持しまたは電磁的記録を保管した者が処罰される[24)]。**わいせつ**の意義については，558頁以下を参照。

客体は，有体物であるところの，わいせつな(イ)**文書**，(ロ)**図画**（とが），(ハ)**電磁的記録に係る記録媒体**，(ニ)**その他の物**（わいせつ文書，わいせつ図画，わいせつな記録媒体は，わいせつ物の例示ということになる）と，無体物であるところの，わいせつな(ホ)**電磁的記録**および(ヘ)**その他の記録**である。

(イ)**文書**とは，文字やその他の発音的符号によって表示されたものをいう。文字で書かれた本や冊子がこれにあたる。英語その他の外国語で書かれた文書であっても「わいせつな文書」にあたりうる[25)]。(ロ)**図画**とは，象形的方法によって表示されたものをいい，そこには，写真や写真集，写真のネガフィルムやポジフィルム，未現像の映画フィルム等が含まれる。(ハ)**電磁的記録に係る記録媒体**には，（従来は図画とされた）ビデオテープやDVD，コンピュータのハードディスク等が含まれる。(ニ)**その他の物**としては，性器をかたどった模型やレコードなどが含まれる[26)]。本条1項後段に規定された無体物としての(ホ)**電磁的記録**（その意義については，7条の2を参照〔→490頁以下〕）とは，わいせつな画像や動画のデータそのもののことであり，(ヘ)**その他の記録**の例としては，ファクス機による送信記号等がある[27)]。

---

24)　本罪の法定刑の中で，多額250万円という罰金は，現行刑法典の罪としては最高額であったが，2011（平成23）年の刑法一部改正により新設された加重封印等破棄等罪（96条の5。→620頁）は，多額500万円の罰金を法定するに至った。

25)　最高裁は，日本で販売された英文書籍のわいせつ性の判断に関し，その読者たりうる人（すなわち，英語の読める日本人および在日外国人）の普通人・平均人を基準としてこれを判断すべきだとした原審の判断を是認した（最判昭和45・4・7刑集24巻4号105頁）。

26)　わいせつ物といえるためには，物の物理的な外形そのものを直接に見たときにわいせつさを感じさせるものである必要はない。

27)　前掲注*8*）最判令和2・7・16は，自己の女性器をスキャンした3Dデータファイル（**電磁**

(b) 頒　布　本罪にあたる行為態様について見ると，頒布，公然陳列，所持，保管がある。**頒布**とは，有体物の占有の移転（交付）のことをいうのが普通であるが，ここでは，電気通信の送信という方法による，**無体物**としての電磁的記録やその他の記録についての支配の移転（**送信頒布**）を含むものとされている（175条1項後段を参照）。たとえば，画像や動画のデータ（電磁的記録）を電子メールの添付ファイルとして送付すること（電磁的記録の送信頒布）や，ファクス送信の方法でわいせつな内容の文書を相手方に送ること（「その他の記録」の送信頒布）がこれにあたることになる。判例は，175条1項後段にいう「頒布」とは，「不特定又は多数の者の記録媒体上に電磁的記録その他の記録を存在するに至らしめることをいう」とし，被告人がその運営する動画配信サイトに，インターネットを介したダウンロード操作に応じて自動的にデータを送信する機能を備え付け，不特定の者である顧客によるダウンロード操作を介してわいせつな動画等のデータファイルを顧客の記録媒体上に記録・保存させることを可能としたというケースについて，その行為は頒布にあたるとした[28]。たしかに，頒布とは，不特定または多数の者をして占有ないし支配を取得させる行為をいうのであり，頒布行為を完了するために相手方の一定の行為が必要であっても，これを頒布と呼ぶことを妨げないであろう。175条1項前段の頒布においても，取得する側がわいせつ物の占有を取得するために一定の行為を行うこと（たとえば，一定の場所に赴くことなど）が予定されているケースが考えられるのである。頒布には，**無償の頒布**のみならず，**有償の頒布**（したがって，販売や賃貸）も含まれる（175条2項の文言を参照）。頒布といいうるためには，売買契約等の合意がなされたというだけでは足らず，客体に関する占有ないし支配の移転が必要である。

刑法一部改正による175条のリニューアル　2011（平成23）年の刑法一部改正前の規定は，電磁的記録を客体に含めていなかった。そこで，わいせつな画像や動画のデ

的記録）をインターネットを通じて送信して頒布し，また，そのデータが記録されたCD-R（**電磁的記録に係る記録媒体**）を郵送して頒布したというケースについて，わいせつ電磁的記録送信頒布罪およびわいせつ電磁的記録記録媒体頒布罪の成立が肯定されるとした。

28）　最決平成26・11・25刑集68巻9号1053頁。

ータそのもの（電磁的記録）をわいせつ物等の概念に含ませることが可能かどうかが議論の対象となり，判例・通説は，**無体物を有体物に含めて理解することは無理**であることから，現行法の解釈論としてこれを否定していたのである[29]。そこで，ファクス送信の方法でわいせつな内容の文書等を相手方に送ることや，電子メールの添付ファイルとしてわいせつなデータを送信することは，旧規定の下では，わいせつ文書や図画の販売として捉えることができず，処罰は困難とされたのであった。2011 年の改正により，これらの行為も処罰することが可能になった。

なお，従来は，**領布**を無償の場合に限定するという解釈が多数説であり，それによれば，有償の交付，たとえば賃貸の場合（わいせつビデオや DVD のレンタルなど）を処罰できないという問題があった。そこで，改正にあたり，**領布は有償か無償かを問わない**こととし，同時に，旧規定にあった「販売」の文言を削ったのであった。

(c)　公然陳列　　本罪の行為態様のうち，特に重要な意味をもつのが**公然陳列**である。陳列とは，日常的な意味としては，人に見せるために並べて置くことをいう。しかし，このような文理解釈によると，わいせつな写真を目の前に並べて置いて見せると処罰され，スライドにしてスクリーンに映し出して見せると処罰されないことになるが，それは合理的な区別とはいえないであろう。そこで，判例・通説は，以前から，「公然と陳列した」の語を**拡張解釈**して，「**不特定または多数の者が認識できる状態に置くこと**」を意味するとしてきた[30]（そうすると，映画フィルムの上映も公然陳列にあたることになる。ここでは，陳列という言葉のもつ「並べる」という要素は軽視されることになる）。2011（平成 23）年の刑法一部改正による新規定は，公然陳列とは，「不特定または多数の者が認識できる状態に置くこと」を意味するという，これまでの判例・通説の解釈論を前提としている。たとえば，インターネット・サービスを提供するプロバイダーが，会員に対し，サーバーコンピュータのハードディスク装置に記憶・蔵置された，わいせつ動画のデータにアクセスすることを可能とすれば，それは，画像データが記憶・蔵置されている媒体，すなわち，普通はハードディスク装

29）2011 年改正前の議論の状況については，永井善之『サイバー・ポルノの刑事規制』（2003 年）を参照。

30）大判大正 15・6・19 刑集 5 巻 267 頁，最決昭和 32・5・22 刑集 11 巻 5 号 1526 頁，最決昭和 33・9・5 刑集 12 巻 13 号 2844 頁など。

置（またはそれを内蔵するコンピュータそのもの）というわいせつ物を公然と陳列したと解する点で，改正前と変更はない[31]（ただし，新規定の下では，ハードディスクは「電磁的記録に係る記録媒体」にあたると解釈することになろう[32]）。

サイバーポルノ　たとえば，次のようなケースについて考えてみよう。甲は，インターネット・サービスを提供するプロバイダーであったが，アメリカ合衆国のプロバイダー乙と提携し，アメリカにあるコンピュータのハードディスク装置に記憶・蔵置された，わいせつ動画のデータに多数の会員がアクセスすることを可能としたとする。このケースにおいて，本罪の成立を認めるためには，何が本罪の客体にあたるのかを確認する必要がある。判例・通説の見解によれば，画像データが記憶・蔵置されている媒体，すなわち，普通はハードディスク装置（またはそれを内蔵するコンピュータそのもの）が電磁的記録に係る記録媒体として客体となる。次に，通信回線を通じて不特定または多数の人にわいせつ画像を見せる行為が，公然陳列にあたるかどうかが問題となる。それを「不特定または多数の者が認識できる状態に置くこと」として理解するとすれば，甲と乙の行為も公然陳列にあたるといえる[33]。

最高裁判所は，インターネットのホームページが問題となったケースではないが，パソコンネットを開設し運営していた被告人が，ホストコンピュータのハードディスクにわいせつな画像データを記憶，蔵置させて，不特定多数の会員がこのわいせつな

31）なお，「児童買春，児童ポルノに係る行為等の規制及び処罰並びに児童の保護等に関する法律」（1999〔平成11〕年5月26日法律第52号）7条4項（現6項）に規定された児童ポルノ公然陳列罪に関し，第三者がウェブページ上に掲載し公然陳列していた児童ポルノ画像について，自分が管理運営するウェブページ上でそのURLを多少改変して示すことにより，不特定または多数の者がそれを介して児童ポルノ画像を閲覧できるようにしたというケースについて，その行為が公然陳列にあたるとした最高裁判例がある（最決平成24・7・9判時2166号140頁〔ただし，2人の裁判官の反対意見が付されている〕）。また，大阪高判平成29・6・30判時2386号109頁は，被告人が，元交際相手が撮影された私事性的画像記録をオンライン・ストレージサービスにアップロードし，同画像記録を「公開設定」としたが，これにアクセスするために必要な公開URLを被害者以外の第三者に明らかにしなかったというケースについて，わいせつ電磁的記録記録媒体陳列罪および私事性的画像記録の提供等による被害の防止に関する法律（→204頁）3条2項後段の「公然と陳列した」にあたらないとした。

32）この点について，西田・420頁，前田・429頁を参照。

33）たとえば，不特定または多数の人を一室に集めてコンピュータのディスプレイを示し，そこにハードディスク内に記憶されたわいせつ画像を映して閲覧させれば，ハードディスク装置（またはそれを含むコンピュータ）というわいせつ物（電磁的記録に係る記録媒体）の公然陳列にあたることに疑問は生じないであろうが，回線を通じて個人個人に閲覧させることはこれと本質的に異なる行為ではないと解されるのである。

画像を閲覧することを可能な状態を設定したという事案について，ハードディスクというわいせつ物を公然と陳列したことにあたるとする結論を示した。[34)]

なお，上のケースでは，甲と乙が共同正犯（60条）として実行した公然陳列行為について日本の刑法を適用して処罰できるかどうかも問題となる。**属地主義**の原則により，日本国内で罪を犯したすべての者（外国国籍の者を含む）に日本刑法が適用されるが（1条），犯罪地の決定に関する**遍在説**（→総論72頁）によれば，構成要件該当事実の一部が日本国内で生じれば日本が犯罪地となる。厳密な意味の構成要件該当事実に限られず，未遂犯において結果が生じるはずであった場所や，抽象的危険犯において危険行為が向けられた場所，具体的危険や実害が生じた場所も，犯罪地となると解される。わいせつ物公然陳列罪についていえば，インターネットを通じて日本国内において国外にあるわいせつ物たるハードディスク装置を閲覧できるのであり，犯罪から生じる危険や実害が日本国内で発生することになるから，犯罪地は日本（でもある）ということになる。[35)]

(d)　所持・保管　　**有償頒布目的での所持・保管**も処罰の対象となる（175条2項）。**所持**も**保管**も，自己の支配下に置くことをいうが，前者はわいせつ物等の有体物を客体とする場合，後者は無体物である電磁的記録を客体とする場合のことである。なお，本罪は日本の法益を保護するため，日本国内で有償頒布の行為が行われることを阻止しようとするものであるから（国外犯処罰を規定する2条・3条にも，175条は挙げられていない），日本国外で有償頒布する目的で所持・保管する場合には，本罪にあたらない。[36)]

---

34)　最決平成13・7・16刑集55巻5号317頁。実は，この種のケースにおいて公然陳列を肯定することには，違和感が生じないではない。会員たちは，サーバーのハードディスクの画像を直接に閲覧しているのではなく，画像データを自己のパソコンを取り込んだ上で，それを自分で再生して閲覧するのだからである。厳密には，そこにはサーバーのハードディスクというわいせつ物を直接に「見せている」という関係はないといえるかもしれない。この点につき，最高裁は，会員が行う操作は「ホストコンピュータのハードディスクに記憶，蔵置された画像データを再生閲覧するために通常必要とされる簡単な操作にすぎず，会員は，比較的容易にわいせつな画像を再生閲覧することが可能であった」ことを理由として，ハードディスクに記憶，蔵置された画像データを不特定または多数の者が認識できる状態に置いたといいうるとした。

35)　西田・421頁，堀内・284頁，山口・513頁など。なお，遍在説によれば，日本から外国のプロバイダーのサーバーコンピュータにわいせつなデータ画像データをアップロードする行為（それも構成要件該当行為の一部である）についても，本罪の処罰規定を適用することが可能である。

36)　最判昭和52・12・22刑集31巻7号1176頁。

(e) 故意，共犯，罪数　本罪は故意犯であり，客体のわいせつ性についても故意があることが必要である。この点については，561 頁以下を参照。共犯との関係では，わいせつ動画の投稿・配信サイトの管理・運営を行う者と，そのサイトに動画を投稿・配信する者との間に共同正犯が成立するかどうかが問題とされることがある[37]。

本罪の各行為（頒布，公然陳列，有償頒布目的所持・保管）は，その保護法益は社会的法益であり，行為の性質上も反復・継続する行為を予想するものであることから，それぞれにあたる数個の行為が行われても，それらが同一の意思の下に行われる限りにおいて，**包括一罪**として処断される。

特別法による性表現の規制　まず，「児童買春，児童ポルノに係る行為等の規制及び処罰並びに児童の保護等に関する法律」（児童買春・児童ポルノ禁止法）による**児童ポルノの規制**が重要である[38]。この法律は，国際社会からのプレッシャーも受けて，1999（平成 11）年に制定・施行されたものであるが，児童ポルノ（同法 2 条 3 項）の提供や，提供目的の製造，運搬，所持等の行為をきわめて広範囲に処罰の対象としている（7 条を参照）。2014（平成 26）年の同法一部改正により，他者に提供する目的のない，単純所持行為も処罰の対象とされるに至った。ここにいう児童ポルノは，刑法 175 条とは異なり，**製造過程における児童（18 歳未満の者）への性的虐待とそれが記録として残ることによるダメージ**を防止するという観点からその内容が定められるものであり，刑法のわいせつ物と比較すると，実在の児童をモデルとしない CG 等は含まれないものの，他方でそれよりもずっと広い概念である（児童買春・児童ポルノ禁止法 2 条 3 項を参照。もちろん，一部において重なる部分がある。すなわち，児童ポ

37) 東京高判平成 30・2・6 高刑速平成 30 年 93 頁は，インターネット上に画像共有の機能を有するデータ保管庫を開設して運営・管理していた被告人らの行為につき，被告人らとわいせつ画像等の投稿者らとの間には，わいせつ画像等を公然と陳列することについての意思の連絡が欠けるとして投稿者らとの共同正犯を否定したものの，被告人らの行為は，それ自体，わいせつ画像等の公然陳列の作為による正犯行為にあたるとし，児童ポルノ公然陳列罪とともに，わいせつ電磁的記録記録媒体陳列罪の成立を認めた。これに対し，最決令和 3・2・1 刑集 75 巻 2 号 123 頁は，管理者・運営者と各投稿者との間に，無修正わいせつ動画を投稿・配信することについて黙示の意思連絡があったと評価することができるとして，わいせつ電磁的記録記録媒体陳列罪および公然わいせつ罪の各共同正犯が成立するとした。

38) 詳しくは，園田寿『情報社会と刑法』（2011 年）136 頁以下，167 頁以下，園田寿＝曽我部真裕編著『改正児童ポルノ禁止法を考える』（2014 年）を参照。

ルノであると同時に刑法175条のわいせつ物であるものも存在する[39])。

また，都道府県の条例による規制もある。これは，**青少年保護**の見地から**有害図書を指定**し，18歳未満の者への販売・頒布，貸付け等を禁止するものである[40]。これにより18歳以上の者への提供等は規制されない。刑法175条による禁止の外にあるものを対象とするものということになる[41]。

4　その他の犯罪類型

（淫行勧誘）
第183条　営利の目的で，淫行の常習のない女子を勧誘して姦淫させた者は，3年以下の拘禁刑又は30万円以下の罰金に処する。
（重婚）
第184条　配偶者のある者が重ねて婚姻をしたときは，2年以下の拘禁刑に処する。その相手方となって婚姻をした者も，同様とする。

(a)　淫行勧誘罪　　**淫行勧誘罪**は，営利の目的で，淫行の常習のない女子を勧誘して姦淫させる犯罪である。「淫行の常習」とは，愛情の有無に関係なく（たとえば，金銭を対価として）不特定の相手と性行為を行う習慣のことをいうのであろう。姦淫とは，性交のことである（→126頁）。本罪は，一般に社会的法益に対する罪とされるが，性格は曖昧である。性風俗を乱す行為を禁圧したいのであれば，「淫行の常習のない女子」に客体を限定する理由はない。また，もし「淫行の常習のない女子」を「堕落」させることを禁止しようとする趣旨なのであれば（被害者たる女性の性的情操を保護するための**個人的法益に対する罪**ということになる[42]），そもそも成人の女性をそこまで保護する必要があるのかどうかが疑問となるし，しかも，「営利の目的」がある場合のみに処罰を限定することも根拠に乏しい[43]。かつて公娼制度が存在し合法的に売春が行われ

39）　最決平成18・5・16刑集60巻5号413頁，最決平成21・7・7刑集63巻6号507頁を参照。

40）　たとえば，東京都青少年の健全な育成に関する条例（1964〔昭和39〕年8月1日条例第181号）8条以下を参照。

41）　この点についても，園田・前掲注38）122頁以下を参照。

42）　大谷・137頁，団藤・489頁以下，中森・71頁，山中・177頁などを参照。

43）　現在では，そのような目的のために，売春防止法（1956〔昭和31〕年5月24日法律第118号），特に18歳未満の者については，児童福祉法（1947〔昭和22〕年12月12日法律第164号）や児童買春・児童ポルノ禁止法等の諸規定がそれぞれ一定の役割を担っている。

ていた頃は，売春婦と「淫行の常習のない」女性とを区別し，後者まで「堕落」させるべきではないと考えられたのかもしれない。

(b) 重婚罪　**重婚罪**は，配偶者のある者が重ねて婚姻をしたときに成立する。保護法益は，一夫一婦制をとる日本の婚姻制度そのものである。婚姻とは**法律婚**のことであり，事実婚を含まない。すでに婚姻関係にある者が重ねて婚姻届を出そうとしても手続上不可能であるから，実際上きわめて稀な場合（たとえば，前婚について偽造の離婚届を出し戸籍上の婚姻の記載を抹消してから，さらに別人との婚姻届を出した場合など）にしか本罪は成立しないことになる。

姦通罪　かつて刑法は，婚姻外の性交を行った妻とその相手方を処罰する**姦通罪**の規定を設けていた（旧183条）。夫が婚姻外の性交を行った場合には（相手の女性が「有夫ノ婦」でない限り）罪にならなかったのであるから，明らかに男女の平等に反する規定であった。第二次世界大戦後，日本国憲法14条の平等条項との関係が問題とされ，妻のみならず夫による姦通も処罰すべきだとする「両罰論」と，いずれも不可罰とする「削除論」が出されて議論が起こったが，結局，1947（昭和22）年の刑法一部改正（昭和22年10月26日法律第124号〔→591頁〕）により旧183条は削除されるに至った。

■ 第29章 ■

賭博罪および富くじ罪

1 総　　説

刑法典第2編第23章（185条以下）は，賭博罪と富くじ罪を処罰している[1]。賭博（とばく）を開催（賭場を開張）する行為および富くじを販売する行為を拘禁刑を用いて重く処罰し，賭博を行う者（185条）・富くじを購入する者（187条3項）の方は，罰金・科料により軽く処罰している。前者は「搾取する」側の行為であり，後者は「搾取される」側の行為なのである。そうであるとすると，搾取される側（いわば被害者）を処罰することが正当化されるかどうかは問題となりうる。ただ，本罪は個人的法益に対する罪としての財産犯ではなく，偶然的方法による財産の得喪（とくそう）を原則的に禁止するところに狙いをもつ社会的法益に対する罪であるとすれば（→554頁以下），単純な賭博行為者や富くじ購入者もそのようなルールを害した者として処罰される理由があるといえよう[2]。

1）賭博罪をめぐる最新の諸問題を取り上げた論稿として，橋爪隆・刑ジャ75巻（2023年）18頁以下が参考になる。

2）そればかりでなく，現実のケースにおいては，「加害者側」と「被害者側」の区別は決して容易ではない。また，単純な賭博行為者や富くじ購入者を処罰しないとすれば，賭博開催行為と富くじ販売行為の処罰もそれだけ説得力を欠いたものとなるおそれがあろう。

2 単純賭博罪

(賭博)
第185条　賭博をした者は，50万円以下の罰金又は科料に処する。ただし，一時の娯楽に供する物を賭けたにとどまるときは，この限りでない。

本条の罪は，賭博を行うことを処罰の対象とする基本的犯罪類型であり，**単純賭博罪**と呼ばれる。本罪は，賭博行為が開始されれば既遂に達する（挙動犯）。

賭博とは，偶然の勝ち負けによって財産の得喪を争うことをいう[3)]。「偶然の勝ち負け」というとき，将来において結果が明らかになる，現在のところ不確実な事実について賭(か)けをする場合だけでなく，すでに客観的には結果がいずれかに決まっていても，**当事者の両方にとってそれが不明**であれば，その限りで「偶然」といえるので賭博となりうる（当事者の一方が結果を知っているときには〔いわゆる片面的賭博〕，賭博にはならず，詐欺罪となりうる）。なお，勝敗が当事者の力や技量の差のために最初からはっきりしているときには賭けにならないが，多少とも偶然性が認められる限りは賭博にあたる。

賭博は，財産（したがって，財物または財産上の利益）の得喪を争う場合のことをいう[4)]。また，参加者は自分の財産を提供することが必要である（他人が提供した財産の分配をめぐって争うことも賭博になるとすると，賞金を争ってプレーするテニスやゴルフの選手も犯罪者ということになってしまうであろう）。自分の財産を失うリスクと引き換えに，大きな利益が得られるチャンスが出てくるところに，誘惑的な作用が生じ，そこに社会的実害が生じる理由がある。

一時の娯楽に供する物を賭けたにとどまるときは，賭博罪は成立しない（本条ただし書）。「一時の娯楽に供する物」とは，すぐに飲食するなどして消費するもので，価格も低いもののことをいう（たとえば，負けた人は勝った人にカツ丼を

---

3) 現在の185条には，単に「賭博をした」としか書かれていないが，規定を平仮名書きとし表現を平易化することを目的とした1995（平成7）年の刑法一部改正以前の賭博罪規定には，「偶然ノ輸贏(ゆえい)ニ関シ財物ヲ以テ博戯又ハ賭事ヲ為シタル者ハ」とあり，博戯(はくぎ)と賭事(とじ)を区別していた。なお，「輸贏」とは勝ち負けのことである。

4) 1995年の刑法一部改正以前の規定には，「財物ヲ以テ」と明記されていた（前掲注*3)*を参照)。ただし，その解釈として，そこには財産上の利益も含まれるとされていたのであった。

おごることを約束してトランプゲームをしたという場合がこれにあたるであろう)。**金銭**については，判例は金額の多寡にかかわらずこれにあたらないとするが，学説上は，その場での飲食物の代金程度の少額であればこれに含めて差し支えないとする見解が多数である[5]。この規定の法的性質が問題となるが，ただし書が適用される場合でも，形式的には賭博の概念には該当するものの，実質的違法性が皆無であるか，または軽微であることを理由に，**構成要件の範囲を制限**したものと解することができよう[6]。

なお，2018（平成30）年7月，カジノを含む統合型リゾート施設（IR）実施法（「特定複合観光施設区域整備法」平成30年7月27日法律第80号）が成立し，免許を受けた民間事業者がカジノ施設を運営することが認められることとなった。これに基づき実際にカジノが開設されれば，そこで行われる刑法185条・186条の構成要件に該当する行為は，法令行為（35条前段）として違法性を阻却されることになる（特に，IR実施法39条を参照）。

犯罪の成立と犯人の訴追・処罰　賭けマージャンをして，飲食物の代金以上の金銭のやりとりをしたとしても，直ちにそれが犯罪として捜査の対象になったり，事件として立件されたりすることはなかろう。しかし，そのことは，それらの行為が賭博罪にあたらない（犯罪として成立していない）ことを意味しない。現在の法制度の下では，**実体法と手続法とが区別**されており，（観念的な）犯罪の成立と，（現実的な）犯人の訴追と処罰とはひとまず別の次元の問題である。**軽微犯罪**（→総論266頁以下）といわれるものの中には，犯罪にあたる行為があっても，せいぜい誰かに厳しくとがめられるだけで，警察に届けられる以前に解決されることもきわめて多い。警察による捜査が行われ，検察官が裁判所に起訴し，そこで有罪判決を言い渡される行為のみが犯罪というのではなく，逆にそれは犯罪のごく一部である。

たとえば，朝の電車の中でトラブルが起こり，乗客の間で乱暴な行為が行われたと

5）高橋・606頁，中森・251頁，西田・426頁，平野・概説252頁，堀内・287頁，松原・527頁以下，松宮・424頁以下，山口・518頁など。

6）学説の中には，可罰的違法性を阻却するものという見解もあるが（大塚・530頁，大谷・529頁），そうすると，一時の娯楽に供する物を賭けたときでも，常に一般的違法性は具備するということになりかねない。185条ただし書にあたる場合の中には，①およそ行為が適法である場合と，②違法ではあるが可罰的違法性を否定されるにとどまる場合の2つがあるというべきであろう。両方の場合を含めて，構成要件該当性が否定されると理解することが最も簡明である。

き，それは明白に暴行罪（208条）に該当する行為であるが，そのすべてについて直ちに警察の捜査が始まったり，事件として立件されるようなことはない。賭けマージャンについても，基本的にはこれと同じことである。そして，そのことは，まさに正当なことである。刑事司法機関による犯罪への対応には大きなコストがかかり，また，公権力の介入はさまざまなマイナス効果をともなう。軽微な法律違反にいちいち対応していたら，警察も裁判所もパンクしてしまうであろうし，それはまた，一般市民たる法違反者に対して，犯罪行為に見合わない，行き過ぎた制裁をもたらすものでもあろう。

とはいえ，事件として立件され，起訴に至るか，それともそれ以前の段階で刑事手続から解放されるかの間の区別の基準が恣意的で，不公平であるとすれば，大きな問題である。一般市民の目に「上級国民の優遇」として映ずるような扱いは，法秩序への信頼を失わせ，犯罪行為と同様に，刑法規範の効力を動揺させるものといわなければならない。

3　常習賭博罪，賭博場開張等図利罪

（常習賭博及び賭博場開張等図利）
第186条①　常習として賭博をした者は，3年以下の拘禁刑に処する。
②　賭博場を開張し，又は博徒を結合して利益を図った者は，3月以上5年以下の拘禁刑に処する。

常習賭博罪（本条1項）は，賭博を反履累行する習癖[7]のある者が賭博をすることにより成立する犯罪であり，刑法典においては，犯人が**常習者**であることに注目して，通常より重く処罰する唯一の規定である。判例は，行為者が常習者であることが明らかにされる限り，かりに反復して賭博行為を行ったという事実がなくても，回数にかかわらず（かりに1個の賭博行為であっても）常習賭博罪にあたるとする[8]（他方，常習性の表れと認められる限り，数回の賭博行為が行われても，1個の常習賭博罪が成立する[9]）。これは，常習性を行為の属性ではなく，

7）　最判昭和23・7・29刑集2巻9号1067頁。
8）　大判大正4・9・16刑録21輯1315頁，大阪高判昭和49・9・27刑月6巻9号958頁などを参照。
9）　最判昭和26・4・10刑集5巻5号825頁など。

行為者の属性として把握するものである[10]。常習性の認定のためには，必ずしも賭博の前科のあることを要するものではなく，現に行われた賭博の種類，賭け金の多寡，賭博の行われた期間・回数，前科の有無等，諸般の事情を総合的に考慮するものとされる[11]。

賭博場開張図利罪（本条2項前段）と**博徒結合図利罪**（同項後段）は，「搾取する側」による賭博罪の類型である。前者は，賭博の場所を開設・主宰して利益を図る犯罪であり，後者は，博徒（すなわち，常習的・職業的に賭博を行う者）の集団を組織して利益を図る犯罪である。「利益を図った」とあり，それは利益を得る目的で（いいかえれば，図利の意思で）行為することをいい，現実に利益を得たことまでを犯罪成立の要件とするものではない。たとえば，寺銭や手数料などの名目で金銭等を得ようとすることをいう。なお，賭博場の開張といいうるためには，一定の場所を設けてそこに賭博を行う者を集合させる必要はなく，たとえば，事務所において野球賭博を行う客からの電話による申込みを受け付け，それらを整理し，集計するなどして客たちに賭博を行わせれば，事務所を本拠として客たちとの間で野球賭博が行われたのであり，賭博場開張の場所を欠くものではない[12]。さらに，同じ野球賭博のケースで，携帯電話のアプリであるLINEを用いて，各所に所在する賭客から申込みを受け，結果を集計して整理し，勝者に支払うべき金員等を集計するという方法をとった事例につき，申込みを受け集計をする者の所在地，賭客の居所等を含んだその全体が1つの

10）川端・623頁，佐久間・385頁，団藤・355頁，中森・251頁以下，西田・427頁，堀内・288頁，ポケ註428頁以下〔植松正〕，など。これに対し，学説においては，本罪における常習性を「行為の属性」として理解する見解もある（高橋・608頁，平野・概説252頁，山中・712頁など）。それによれば，行為者が反復して賭博行為を行ったときにはじめて，その全体が本罪を構成すると解することになろう。なお，判例のような本罪の理解は，65条の適用にも影響する（→総論575頁）。

11）最判昭和25・3・10集刑16号767頁。なお，最決昭和54・10・26刑集33巻6号665頁は，被告人が長期間営業を継続する意思の下に，5200万円という多額の資金を投下して，賭博遊技機34台を設置した遊技場の営業を開始し，警察による摘発を受けて廃業するまでの3日間，これを継続し，その間延べ約140名の客が来場して合計約70万円の売上げ利益をあげたというケースについて常習賭博罪の成立を認めた（ただし，反対意見がある）。

12）最決昭和48・2・28刑集27巻1号68頁。

場所として賭博場を構成する，とした高裁判例もある[13]。たしかに，「本拠」としての一定の物理的場所の存在を要求する理由はなく，純粋に仮想空間である「オンライン・カジノ」のケースでも，賭博場の開張を認めない理由はもはや存在しないであろう[14]。ただし，これに対し，胴元と賭客との間で携帯電話機による電子メールを用いて野球賭博を行ったというケースについて，電子通信機器で結ばれた「電子空間」は賭博場とはいえないとした裁判例もある[15]。

4 富くじ販売等罪

（富くじ発売等）
第187条① 富くじを発売した者は，2年以下の拘禁刑又は150万円以下の罰金に処する。
② 富くじ発売の取次ぎをした者は，1年以下の拘禁刑又は100万円以下の罰金に処する。
③ 前2項に規定するもののほか，富くじを授受した者は，20万円以下の罰金又は科料に処する。

富くじとは，発売者が番号等を記した札を発売し，購買者から金銭その他の財産を集め，抽せんまたはこれに準ずる偶然的方法により，購買者に不平等な金額等を分配することをいう。判例によると，賭博と比較したときの富くじの特色は，①抽せんの方法が用いられること，②集められた財物等が提供と同時に発売者の所有に帰属すること，③購買者だけがその危険を負担し発売者は危険を負担しないことにある[16]。

富くじ罪には，**富くじ発売罪**（187条1項），**富くじ取次ぎ罪**（同条2項），**富くじ授受罪**（同条3項）があり，その順番に刑が軽くなっている。

特別法には，富くじの発売等を許容するものがある。宝くじ，競馬における勝馬投票券（馬券）や競輪における勝者投票券（車券）等は，富くじにほかならない。特別法である当せん金付証票法（宝くじ法）（1948〔昭和23〕年7月12

13） 大阪高判平成29・2・9高刑速平成29年238頁。

14） この点につき，橋爪・前掲注1）19頁以下を参照。

15） 福岡地判平成27・10・28 LEX/DB 25541477。

16） 大判大正3・7・28刑録20輯1548頁。

日法律第144号），競馬法（1948〔昭和23〕年7月13日法律第158号），自転車競技法（1948〔昭和23〕年8月1日法律第209号），モーターボート競走法（1951〔昭和26〕年6月18日法律第242号），スポーツ振興投票の実施等に関する法律（サッカーくじ法）（1998〔平成10〕年5月20日法律第63号）などにより，富くじの販売や授受等にあたる行為は，富くじ罪の構成要件に該当するとしても，**法令による行為**（35条前段）として違法性が阻却されることになる（→総論284頁以下）。

■ 第*30*章 ■

礼拝所および墳墓に関する罪

1 総　　説

礼拝所および墳墓（ふんぼ）に関する罪（188条以下）は，風俗（その宗教的側面）ないし宗教的平穏に対する罪というように抽象的に捉えられることも多いが，より具体的には，**一般通常人の有する宗教的感情，特に死者に対する敬虔（けいけん）感情**を害する行為を処罰の対象とするものとして理解することができる（→555頁）。

2 礼拝所不敬罪・説教等妨害罪・墳墓発掘罪

（礼拝所不敬及び説教等妨害）
第188条①　神祠，仏堂，墓所その他の礼拝所に対し，公然と不敬な行為をした者は，6月以下の拘禁刑又は10万円以下の罰金に処する。
②　説教，礼拝又は葬式を妨害した者は，1年以下の拘禁刑又は10万円以下の罰金に処する。
（墳墓発掘）
第189条　墳墓を発掘した者は，2年以下の拘禁刑に処する。

礼拝所不敬罪（188条1項）は，神祠（しんし），仏堂，墓所その他の礼拝所に対し，公然と不敬な行為をすることにより成立する。**神祠**とは，神道の形式にしたがい神を祭った場所のことをいう。**仏堂**とは，仏像を安置した建造物のことをいう。**墓所**とは，死体や遺骨，遺品を埋葬・安置して死者を追悼する場所のことをいう。**その他の礼拝所**とは，神祠・仏堂・墓所以外で，宗教的信仰の対象たる神仏等を拝む儀式を行う場所のことをいう。キリスト教の教会がその例である。**不敬な行為**とは，礼拝所の尊厳または神聖を害する行為のことをいう。たとえば，墓所において「小便でもひっかけてやれ」と言いながら放尿のふりをすることや[1]，墓地内で次々と墓碑を押し倒したり，引き倒して転倒させること[2]などがこれにあたる。**公然**といえるためには，行為当時，不特定または多数の人がその場に居合わせたことは必要でなく，「不特定または多数の人の覚知しうる状態のもとにおける行為」であればよい[3]。不敬な行為が同時に器物損壊罪にあたるときには，本罪と器物損壊罪（261条）の観念的競合となる（ちなみに，器物損壊罪の方が法定刑は重い）。

説教等妨害罪（188条2項）は，説教，礼拝または葬式の妨害をすることを処罰の対象とする犯罪である。**説教**とは，宗旨や教義を解説する行為のことをいう。**礼拝**とは，宗教的信仰の対象たる神仏等に崇拝の気持ちを捧げる行為のことをいう。**葬式**とは，死者を葬る儀式のことである。**妨害**とは，説教・礼拝・葬式の遂行の障害になる一切の行為のことをいう。現実にその遂行が阻止されたことは必要ではない。

墳墓発掘罪（189条）は，墳墓を発掘することで成立する。一般通常人が有する，死者に対する敬虔感情とその安息を願う気持ちを害する罪である。**墳墓**とは，死体や遺骨，遺品を埋葬・安置して死者を追悼する場所のことをいう[4]。祭祀礼拝の対象とならない古墳は，本罪の客体に含まれない。**発掘**とは，墳墓の覆土の全部または一部を除去し，もしくは墓石等を破壊解体して，墳墓を損壊する行為をいう。必ずしも，墳墓内の棺桶・遺骨・死体等を外部に露出させ

1）　東京高判昭和27・8・5高刑集5巻8号1364頁。

2）　東京地判昭和63・7・11判タ694号168頁。

3）　最決昭和43・6・5刑集22巻6号427頁によれば，墓地において墓碑を押し倒した行為が，真夜中の午前2時頃に行われ，当時通行人などがなかったとしても，その共同墓地が，県道につながる村道に近接した場所にあり，他人の住家も遠からぬ位置に散在するという状況にあったというときには公然性は肯定される。行為の時点で，誰かがその様子を認識する可能性はあったといえるというのである。この判例について，平野・諸問題（下）417頁以下を参照。

4）　墓地，埋葬等に関する法律（1948〔昭和23〕年5月31日法律第48号）2条1項は，妊娠4カ月以上の死胎も「死体」に含むものとしているので，妊娠4カ月以上の死胎を葬る場所も墳墓に含まれる（→582頁）。

ることを要しないとされている[5]。公然性の要件を充たせば，墓所に対する不敬罪（188条1項）も成立し，両罪は観念的競合となろう。

3　死体損壊等罪

（死体損壊等）
第190条　死体，遺骨，遺髪又は棺に納めてある物を損壊し，遺棄し，又は領得した者は，3年以下の拘禁刑に処する。
（墳墓発掘死体損壊等）
第191条　第189条の罪を犯して，死体，遺骨，遺髪又は棺に納めてある物を損壊し，遺棄し，又は領得した者は，3月以上5年以下の拘禁刑に処する。

死体損壊等罪（190条）は，死体，遺骨，遺髪または棺（ひつぎ）に納めてある物（棺内蔵置物）を損壊，遺棄，領得する行為を処罰の対象とする。典型的事例としては，犯人が被害者を殺害した後，事件の発覚を困難にするため，死体を山中に投棄したり（死体遺棄），バラバラにしたり焼却したりする場合（死体損壊）がある。**保護法益**は，一般通常人の有する**死者に対する敬虔感情と死者の安息を願う宗教的感情**である。個人の死後の身体に関する自己決定権を保護法益として理解しようとする見解もあるが，個人に，自分の死後の身体の処理に関する決定権ないし処分権があるとまではいえないと思われる[6]。

死体とは，死亡した人の身体またはその一部のことであり，臓器もこれに含まれる。死胎（母体内で死んだ子）も，人の形体を備えるに至り，これを葬祭する程度に達したときは，これを尊敬すべきことは普通の死体と異なるところはないとして，妊娠4カ月以上の死胎も，本罪の「死体」にあたるとした大審院判例がある[7]。**遺骨**とは，死者の祭祀・記念のために保存し，または保存すべき死者の骨のこと，**遺髪**とは，同じくその毛髪のことである。**棺に納めてある物**

5）　最決昭和39・3・11刑集18巻3号99頁。

6）　たしかに，普通の人がもつ合理的意思に反する死体の取扱い（いいかえれば，普通の人が見て，自分は死後にあのように取り扱われたくないと考えるような死体の取扱い）は，死体損壊・遺棄罪を成立させるとはいえよう。したがって，その限りで（弱い意味において）自己決定権があるといえないわけではない。

7）　大判昭和6・11・13刑集10巻597頁。なお，581頁注4）を参照。

とは，死体・遺骨とともに棺に納めた一切の物のことをいう。

本罪にいう**損壊**とは，物理的に損傷・破壊することのみをいう。**遺棄**とは，習俗上の埋葬等とは認められない態様で死体等を放棄しまたは隠匿する行為をいう[8)]。しばしば問題となるのは，後者の遺棄である。（生体に対する）遺棄罪の場合（→101頁以下）とは異なり生命・身体に対する危険というようなことは問題とならず，**死者に対する敬虔感情・その安息を願う宗教的感情を害する行為**を捕捉するものであるから，場所的に移動したり隠匿したりして，通常の葬祭や埋葬を困難ないし不可能にする行為はこれにあたるであろうし，葬祭の義務ある者（→584頁）による場合であれば，これを放棄する行為や，葬祭や埋葬とはいえない，死体等を著しく粗野・粗末に扱う行為が行われれば，それは遺棄となるであろう。最近の裁判例の中には，被害者を殺害した後，スモモの木付近に倒れていた被害者の上に，その頭まで隠れるようにビニールシートをかぶせ，さらにシートの上に木片を数本置き，そのことを誰にも話さなかったというケースにつき，死体遺棄は成立しないとしたものがある[9)]。行為者には葬祭義務はなく，その行為は，被害者をただその場に放置したのと変わらず，「隠匿」の意味ももたなかったというのであるから，その判断は正当であろう。また，行為者らが自動車内で死亡した被害者を自動車にそのまま乗せたまま約1時間後に119番通報をするまで運搬した（死体に関する事件性が発覚する前に関係者間で警察への説明方法等につき口裏を合わせるための時間稼ぎが目的であった）という事例につき，「隠匿による死体遺棄罪が成立するには，当該行為により，それ以前の状態に比較して単に死体発見が容易でなくなったというだけでは足りず，死体発見の困難さが，その程度においても，時間的にも，死者を悼み，適時適切な埋葬を妨げるに足りるものであることが必要である」として，死体遺棄罪

---

8) 最判令和5・3・24刑集77巻3号41頁。問題となった事案では，外国人であった被告人が，自室で出産し，死亡後間もないえい児2名の死体をタオルに包んで段ボール箱に入れ，その段ボール箱を棚の上に置き続けたのであったが，最高裁は，「このような被告人の行為は，死体を隠匿し，他者が死体を発見することが困難な状況を作出したものであるが，それが行われた場所，死体のこん包及び設置の方法等に照らすと，その態様自体がいまだ習俗上の埋葬等と相いれない処置とは認められない」として，死体遺棄にあたらないとした。

9) 岡山地判令和3・2・10 LEX/DB 25569153。

の成立を否定したものもある[10]。本件の行為もまた，葬祭義務のある者によるものではなく，死体をただ放置したのと変わらない行為であって，そこには隠匿のための積極的な作為も見られず，それを死体遺棄とするのは無理であったと考えられる。

遺棄は作為のみならず**不作為により実行**することも可能である。葬祭をなすべき義務のある者が，死体をそのまま放置するときには，不真正不作為犯としての死体遺棄罪となりうる[11]。葬祭義務を負う者が作為による死体遺棄行為を行った後に，その死体をそのまま放置したことについて不作為の遺棄行為が行われたと見ることができるときには，作為による遺棄罪と不作為による遺棄罪の両罪が成立し，**先行する作為の遺棄が後行する不作為の遺棄（一種の共罰的事後行為である）を吸収して包括一罪**になると考えることができる。したがって，作為の遺棄について立証が困難なときに後者の不作為の遺棄のみを立件・処罰することは可能であるし，また，前者の作為の遺棄について公訴時効が完成しても，後者の不作為について完成していない限りは，これを起訴・処罰することができる[12]（→371 頁以下）。

領得とは，占有を不法に取得することをいう。財産犯の場合のような不法領得の意思（→247 頁以下）は不要とされている。本罪の客体（死体，遺骨，遺髪，棺内蔵置物）については，これを領得したとしても本罪のみが成立し，あわせて財産犯（たとえば，窃盗罪）は成立しないと解すべきである（→231 頁注 *19*)）。

死体遺棄の故意でいまだ生きていた被害者を死亡させた場合　行為者が，いまだ生きている被害者をすでに死亡したものと誤信し，被害者を遺棄し，またはこれに傷害を与え，さらには死亡させたときには（〔重〕過失致死傷罪の罪責以外に）どのような刑事責任を問いうるであろうか。そこでは抽象的事実の錯誤の問題が生じるが（→総論 195 頁注 *59*)），学説のほとんどは，死体遺棄等罪と，遺棄罪・傷害罪・殺人罪との間

10）　福岡高判令和 3・6・25 高刑集 73 巻 1 号 6 頁，福岡高判令和 3・12・3 高刑速令和 3 年 553 頁。

11）　判例には，葬祭の義務のある者（死者の母親）について不真正不作為犯としての死体遺棄罪の成立を認めたもの（大判大正 6・11・24 刑録 23 輯 1302 頁），葬祭の義務または死体を監護する義務のない者につきこれを否定したもの（大判大正 13・3・14 刑集 3 巻 285 頁）がある。

12）　大阪地判平成 29・3・3 LEX/DB 25545976 は，こうした事案につき，公訴時効の起算点を警察官が死体を発見した時点に求められるとしたが，正当である。

の構成要件の実質的重なり合いを否定している。

そこで，このような場合，被害者が行為により死亡し，結果として，死体が遺棄・損壊された状態が惹起された点を捉えて死体遺棄・損壊罪の成立を認めることが考えられる。しかし，そのように考えると，たとえば，殺意をもって被害者を崖から突き落として殺害したというような事例では，結果として，常に死体が遺棄された状態が生じることから，必ず死体遺棄罪が成立するということになってしまう。ある裁判例は，被告人の（生きている人に対する）遺棄行為の完了する以前に被害者が死亡したという事実を認定した上で，「遺棄行為の最終段階においては，意図したとおり，死体遺棄の結果を生ぜしめるに至っている」という理由で死体遺棄罪の成立を認めた[13]。たしかに，遺棄行為の完了以前に被害者が死亡したのであれば，死亡後に（一部の）遺棄行為が行われたことを認定しうる限りにおいて，死体遺棄罪を論じることは可能であろう。

死体損壊罪についてみると，損壊行為の終了以前に被害者が死亡すれば，死亡後に損壊行為が行われる限りにおいて，死体損壊罪の成立が認められるのは当然である。いわゆるバラバラ殺人事件の場合が適例であるが，かりに犯人が身体の切断を開始した時点では犯人の認識に反して被害者がまだ生きていたとしても，それが死体に変化してからの行為者の行為が「損壊」にあたる行為として評価できる限りにおいて，死体損壊罪の構成要件該当性はこれを肯定できる。この点については，おそらく異論は生じえないであろう[14]。

死体からの**移植用臓器の摘出**は，死体損壊罪の構成要件に該当する行為である。しかし，臓器の移植に関する法律（臓器移植法）（→20 頁）に則って行われる限り，法令行為（35 条前段）としてその違法性を阻却される。同様に，**死体**

13） 横浜地判平成 28・5・25 LEX/DB 25543379。被告人が意識喪失状態にあった被害者をすでに死亡したものと誤信し，被害者を海中深くに沈めることを意図し，被害者の身体をコンクリート塊付きロープで結束し，カヌーに乗せて海上を運んだ後，海中に押し込み，海中に沈んでいくのを見ていたというケースであった。

14） このことを正面から認める判例と学説もすでに存在する。東京高判昭和 62・7・30 判時 1246 号 143 頁は，被告人が被害者はすでに死亡したものと考え，その身元の判別を困難にして犯跡を隠蔽すべく被害者の顔面等にダンボール等を積み重ねて点火し，顔面等を焼いたが，その時点で生きていた可能性があったというケースについて死体損壊罪の成立を認めた。町野・74 頁以下はこれに賛成する。

解剖保存法に基づき監察医により行われる解剖[15]も違法性を阻却される。

殺人が行われた後には，しばしば死体遺棄・死体損壊が行われる[16]。しかし，罪数の問題としては，死体遺棄罪ないし死体損壊罪とこれに先行する殺人罪とは，牽連犯ではなく，**併合罪**とされるのが実務の確立した扱いであることに注意が必要である（→総論 595 頁）。

墳墓発掘死体損壊等罪（191 条）は，墳墓発掘罪と死体損壊等罪の**結合犯**（→238 頁注 *31*)，総論 474 頁注 *41*)）であり，墳墓を発掘し，さらに死体，遺骨，遺髪または棺内蔵置物を損壊，遺棄，領得する犯罪である。

4　変死者密葬罪

（変死者密葬）
第 192 条　検視を経ないで変死者を葬った者は，10 万円以下の罰金又は科料に処する。

本罪は，礼拝所および墳墓に対する罪の中で特殊な位置を占める。それは，検視を経ないで変死者を葬ることにより成立する。**変死者**，すなわち不自然な死をとげ，死因が不明である者については，なぜ，どのように死んだのかをはっきりさせることが必要となるが，そのための**検視**を妨害する行為を処罰の対象とする[17]。その趣旨からすれば，犯罪死であることが明白な死体であれば，死因が明らかなものであっても本罪の客体に含まれると解さなければならない（刑訴 229 条を参照）。

15）死体解剖保存法（1949〔昭和 24〕年 6 月 10 日法律第 204 号）に基づき，伝染病や中毒，災害により死亡した疑いのある死体や死因不明の死体につき，死因を明らかにするために，検案・解剖が認められることがある。都道府県知事が「監察医」を置いて，これにあたらせており，東京 23 区と大阪，横浜，名古屋，神戸の各都市で実施されている。死体解剖保存法に基づく解剖は原則として遺族の同意を必要とするが，監察医の解剖は，刑事訴訟法による司法解剖と同じく，同意なしに実施することができると定められている。なお，死因調査のあり方についての詳細な研究書として，川端博『死因究明の制度設計』（2023 年）がある。

16）犯罪捜査にあたっても，まずは死体遺棄・死体損壊の捜査から始まって，その後に本来目ざすところの殺人の捜査に移行するというのが常道である。

17）関連する犯罪として，軽犯罪法（1948〔昭和 23〕年 5 月 1 日法律第 39 号）1 条 19 号の罪がある。

検視には，司法検視と行政検視がある。**司法検視**は，犯罪死の疑いのある死体（変死体）につき死亡の原因・態様の究明，死亡者の身元の確認のために行われ，犯罪捜査のきっかけ（端緒）になるべきものである（刑訴229条を参照）。**行政検視**とは，犯罪による疑いのない不自然死の死体につき，公衆衛生，感染病予防，身元確認等の目的で行われるものである（たとえば，食品衛生法〔1947（昭和22）年12月24日法律第233号〕59条を参照）。検視にあたり必要が生じれば医師による検死・解剖が行われる（検察官等による「検視」と医師による「検死」とは区別しなければならない）。本罪の処罰規定は，これらの検視を妨害し，犯罪の発見等を妨げるおそれのある行為を処罰する**行政犯的性格**の規定である[18]。したがって，宗教的感情の保護とは無関係であり，死体損壊罪等とは立法理由が異なる。死体に関係するため便宜上ここに置かれたといわれることもある。

18）変死者密葬罪の処罰が，捜査機関に犯罪捜査のためのきっかけを失わせないようにするためのものだとすれば，本罪の検視とはもっぱら刑事訴訟法229条の検視のみを意味すると解すべきことになる（西田・433頁，山口・526頁など）。この見解にしたがえば，犯罪による死亡でないことが明らかな不自然死の死体は本罪の客体にならないということになろう。

第3編　国家的法益に対する罪

第31章　国家的法益に対する罪・総説

第1部　国家の存立に対する罪

第32章　内乱に関する罪　第33章　外患に関する罪　第34章　国交に関する罪

第2部　国家の作用に対する罪

第35章　公務の執行を妨害する罪　第36章　逃走の罪　第37章　犯人蔵匿および証拠隠滅の罪　第38章　偽証の罪　第39章　虚偽告訴の罪　第40章　職権濫用の罪　第41章　賄賂の罪

■ 第31章 ■

国家的法益に対する罪・総説

国家とは，一般に，「固有の領域を基礎に組織され，その構成員（国民）に対し支配権をもつところの集団」として定義され[1]，領土，国民，統治権（主権）が国家を構成する3要素とされる。刑法が国家をその保護の対象とするとき，守られるべき国家固有の利益には，「国家の存立」そのものと「国家の作用」とがあり，そこから，国家的法益に対する罪は，**国家の存立に対する罪**と，**国家の作用に対する罪**とに分けられることになる。

国家の存立に対する罪には，国の内部からの攻撃である内乱に関する罪（第2編第2章77条以下）と，外部から存立を危うくする外患に関する罪（第3章81条以下）がある[2]。国交に関する罪（第4章92条〜94条）については，その保護法益と犯罪の位置づけをめぐり見解の対立がある（→599頁）。国家の存立に向けられた罪は，刑法典各則の冒頭に置かれている。このような位置づけは，個人の保護をさておいて，国の保護を最優先にしようとする「国家優位の考え方」の表れとして批判を受けているところでもある（個人主義を基調とする日本国憲法の下では，個人的法益に対する罪を刑法各則のはじめに規定すべきだとする[3]〔→8頁〕）。

1) 野中俊彦ほか『憲法I〔第5版〕』（2012年）4頁。

2) 内乱に関する罪と外患に関する罪については，国籍を問わず，国外犯を処罰の対象としている（2条2号・3号）。保護主義（→総論70頁以下）に基づくものである。

3) 代表的なものとして，平野龍一『刑法の基礎』（1966年）98頁以下を参照。

1947（昭和 22）年の刑法一部改正　日本国憲法の制定（1946〔昭和 21〕年公布・1947 年施行）にともない，これと矛盾する（またはその精神に合致しない）と考えられる刑法の規定が削除された（1947〔昭和 22〕年 10 月 26 日法律第 124 号〔→205 頁以下，562 頁注 *16*），572 頁，640 頁注 *30*）〕）。まず，刑法典各則の冒頭には，第 1 章として「皇室ニ対スル罪」が置かれ（73 条〜76 条），天皇および皇族に危害を与える行為およびこれらに対する不敬の行為を処罰していたが[4)]，これらが削除された。現在では，これらの行為は，通常の殺人罪・傷害罪・暴行罪・名誉毀損罪・礼拝所不敬罪等の規定により処罰される。また，第 3 章「外患ニ関スル罪」の中に規定された，国内の軍用施設等を損壊する行為等の種々の利敵行為を罰する規定（83 条〜86 条），そして，第 4 章「国交ニ関スル罪」の中に規定された，日本に滞在する外国の君主・大統領等に対する暴行・脅迫および侮辱の罪を処罰する規定（90 条・91 条）が削除された。

国家の作用に対する罪については，国家組織の外部からその作用を妨害する犯罪と，国家作用を担う公務員自身がその適正を内部から侵害する犯罪とに二分することができる。前者には，公務の執行を妨害する罪（95 条以下），逃走の罪（97 条以下），犯人蔵匿（ぞうとく）および証拠隠滅の罪（103 条以下），偽証の罪（169 条以下），虚偽告訴の罪（172 条以下）がある。後者は，公務員がその職を汚す汚職（瀆職（とくしょく））の罪であり，その中には，職権濫用の罪（193 条以下）と賄賂（わいろ）の罪（197 条以下）とがある。刑法各論を学ぶ上で重要な国家の作用に対する罪は，大きく，①公務の執行を妨害する罪，②司法作用に対する罪，③汚職の罪の 3 つのグループに分類することが可能である。

4)　たとえば，73 条（大逆罪）は，「天皇，太皇太后，皇太后，皇后，皇太子又ハ皇太孫ニ対シ危害ヲ加ヘ又ハ加ヘントシタル者ハ死刑ニ処ス」，74 条（不敬罪）は，「天皇，太皇太后，皇太后，皇后，皇太子又ハ皇太孫ニ対シ不敬ノ行為アリタル者ハ 3 月以上 5 年以下ノ懲役ニ処ス」（1 項），「神宮又ハ皇陵ニ対シ不敬ノ行為アリタル者亦同シ」（2 項）と規定していた。

■ 第32章 ■

内乱に関する罪

1 総　説

内乱に関する罪（77条以下）は，いわば国の内部から国家を攻撃し，暴力により基本的な統治組織・体制を破壊しようとするものである（また，外患に関する罪〔81条以下〕は外部から日本国に対し武力攻撃させ，その存立を危うくするものである）。その行為が「成功」するに至れば，それは革命やクーデター，外国による占領・国家併合として正当化されることとなり，もはやその実行者が罪に問われることはない（むしろ，それらの者たちはヒーローとなる）であろう。そこには，これらの犯罪の**政治的性格**（すなわち，政治体制のあり方・その変化によりその法的評価が大きく異なってくるという性格）が明確に示されている[1]。

2 内乱罪

（内乱）
第77条①　国の統治機構を破壊し，又はその領土において国権を排除して権力を行使し，その他憲法の定める統治の基本秩序を壊乱することを目的として暴動をした者は，内乱の罪とし，次の区別に従って処断する。
一　首謀者は，死刑又は無期拘禁刑に処する。

1) 以上の点につき，団藤・12頁以下を参照。なお，内乱に関する罪（77条～79条）を第一審裁判所として管轄するのは高等裁判所である（裁16条4号）。

二　謀議に参与し，又は群衆を指揮した者は無期又は3年以上の拘禁刑に処し，その他諸般の職務に従事した者は1年以上10年以下の拘禁刑に処する。
三　付和随行し，その他単に暴動に参加した者は，3年以下の拘禁刑に処する。
②　前項の罪の未遂は，罰する。ただし，同項第3号に規定する者については，この限りでない。

内乱罪は**目的犯**である。同じように集合犯である**騒乱罪**（106条）も，多数者による暴行を実行行為の内容とし，関与者の関与形態により刑を区別している点では類似しているものの（→427頁以下），内乱罪においては，国家の存立そのものを害しようとする目的（**憲法の定める統治の基本秩序を壊乱する目的**）が本質的に重要であり，その目的実現のために組織化された集団により実行される点において特色がある（たとえば，首謀者の存在は，騒乱罪にあっては不可欠ではないが，内乱罪においては不可欠である）。目的の内容である「国の統治機構を破壊」することと，「その領土において国権を排除して権力を行使」することは，「憲法の定める統治の基本秩序を壊乱すること」の**例示**である[2)]。このうち，「国の統治機構を破壊」する目的とは，内閣総理大臣や閣僚メンバーを殺害するなど，個々の具体的な政府ないし内閣を倒す目的では足らず，たとえば，代表民主制のような憲法の予定する統治の基本制度そのものを否定する目的でなければならない[3)]。

意図された目的実現との関係では，本罪は常に危険犯にとどまる（→592頁）。具体的危険の発生も要件とされず**抽象的危険犯**にすぎない（それでも，本罪については，未遂，さらには予備・陰謀も処罰される）。

暴動とは，多数人が集団的に暴行・脅迫を行うことで，少なくとも一地方の

2）　なお，刑法典の全規定を平仮名書きとし，表現を平易化した1995（平成7）年の刑法一部改正以前における77条の規定は，「政府ヲ顚覆（てんぷく）シ又ハ邦土ヲ僭窃（せんせつ）シ其他朝憲ヲ紊乱（びんらん）スルコトヲ目的トシテ暴動ヲ為シタル者ハ……」というものであった。なお，日本における内乱罪の規定の制定過程および改正案における条文の内容と変遷等については，新井勉『大逆罪・内乱罪の研究』（2016年）がある。

3）　大判昭和10・10・24刑集14巻1267頁（五・一五事件）は，「政府ノ顚覆」とは「朝憲ヲ紊乱スルコト」の例示であり（前掲注2）を参照），したがって個々の内閣を倒すことではなく，行政組織の中枢たる内閣制度を不法に破壊するようなことをいうとした。

平穏を害する程度のものであることを要するとの見解が一般的であるが[4]，それでは不十分であるとし，国家の基本組織に動揺を与える程度の強力なものでなければならないとする学説も有力である[5]。暴行は，有形力を行使する対象が人であると物であるとを問わない（**最広義の暴行**〔→57頁〕）。脅迫についても，人に害悪を告知することの一切をいい，その害悪の内容・性質，告知の方法のいかんを問わない（**広義の脅迫**〔→157頁〕）。

本罪においては，構成要件上，多数人の関与が予定されている。必要的共犯のうちの**集合犯**（ないし多衆犯）の一種である（→総論480頁）。関与者は，①**首謀者**（77条1項1号），②**謀議参与者**，**群衆指揮者**，その他の**職務従事者**（1項2号），③**付和随行者**，その他の単なる**暴動参加者**（1項3号）の3つに区別され，それぞれ異なった刑により処断される。首謀者とは，内乱を主唱・画策し，暴動を主導する者のことであり，謀議参与者とは，内乱を主導するグループにいて首謀者の参謀役を務める者のことである。群衆指揮者とは，暴動にあたり多衆の全部または一部を指揮した者，その他の職務従事者とは，一定の責任ある地位にあり兵站（へいたん）（前線の部隊のための物資の供給・補充等の後方支援活動）等の任務を行う者，付和随行者とは，付和雷同的な暴動への参加者のことである。これらの行為者は，それぞれが「憲法の定める統治の基本秩序を壊乱する目的」をもたなければならない。内乱罪が成立するためには，これら各種の関与者のすべてが存在する必要はないが，首謀者は必ずいなければならない。

付和随行者等の単なる暴動参加者を除き，**未遂も可罰的**である（77条2項）。集団に担われた暴動が実際に開始された時点で実行の着手があり，地域の平穏を害する程度に至ったとき既遂となると考えられる。暴動の内容として行われた殺人・傷害・放火などは，内乱罪に吸収され別罪を構成しない[6]。

内乱罪とその共犯　内乱罪規定について，総則の共犯規定（60条以下）の適用があ

4）大塚・550頁，団藤・17頁，福田・6頁など。

5）大谷・559頁，中森・260頁，堀内・364頁以下など。

6）法文には，「内乱の罪とし」とあるが，これは，他の規定（78条）でも言及されている「内乱」の意味を明らかにするためであると同時に，内乱罪以外の罰条（たとえば，殺人罪のそれ）を適用しない趣旨だといわれることもある。

るかどうかをめぐっては見解が対立する[7]。ここでは，同じ集合犯である騒乱罪と同様に考えることができよう（→429頁）。すなわち，集団内の者については，本条自体がすでにその役割に応じて処罰を定めていることから，重ねて総則の共犯規定を適用することはできない（たとえば，付和随行者を群衆指揮者の幇助犯として処罰することはできない）。これに対し，**集団の外**にあって本条に掲げられた行為に関与した者（集団の非構成員）については，一般的な共犯規定の適用を否定する理由は存在しない。たとえば，集団の外部から内乱への参加を教唆したり，首謀者や職務従事者などを幇助することなどは可能であり，それらは幇助犯として可罰的であるといえよう[8]。

ただし，**破壊活動防止法**（1952〔昭和27〕年7月21日法律第240号）38条は，内乱を実行させる目的をもってせん動することのほか，これを教唆する行為を独立の犯罪として処罰の対象としている[9]。また，刑法79条は，次に見るように，一定の形態における内乱の幇助を処罰の対象としている。したがって，総則の共犯規定を適用することが必要となる事例はそれほど多くないといえよう。

3 内乱予備・陰謀罪，内乱等幇助罪

（予備及び陰謀）
第78条　内乱の予備又は陰謀をした者は，1年以上10年以下の拘禁刑に処する。
（内乱等幇助）
第79条　兵器，資金若しくは食糧を供給し，又はその他の行為により，前2条〔77条・78条〕の罪を幇助した者は，7年以下の拘禁刑に処する。
（自首による刑の免除）
第80条　前2条〔78条・79条〕の罪を犯した者であっても，暴動に至る前に自首したときは，その刑を免除する。

内乱の予備・陰謀（78条）や，内乱または内乱予備・陰謀の幇助（79条）も

7）否定説として，内田・600頁，大塚・552頁，川端・639頁，曽根・281頁，団藤・18頁以下，福田・7頁など。

8）大谷・561頁以下，高橋・623頁，中森・261頁，西田・436頁，山口・531頁以下，山中・732頁など。

9）しかも，被教唆者がそれらの犯罪を行うに至らなくても，教唆犯として処罰される（**独立教唆罪**〔→総論481頁以下〕）。

処罰される。ここに**予備**とは，内乱を行う目的で行われる（物理的）準備行為のことであり，**陰謀**とは，2人以上の者が内乱の実行を協議・計画し，かつ合意することをいう（→総論427頁）。その犯罪としての性格が明らかでないのは，**内乱等幇助罪**（79条）である。それは，内乱等の罪の実行を幇助する行為のうちの一定のものについて特別な扱いを規定する。暴動に直接に役立つ物理的幇助行為のみを取り上げて職務従事者（77条1項2号）に準ずる重い刑を定めたものといえよう（したがって，この規定の存在が，内乱罪について総則の共犯規定の適用が予定されていないことの根拠にはならないと解する〔→595頁〕）。独立幇助罪を規定したもの（したがって，正犯の実行を待たずに独立に処罰される）とする学説もあるが[10]，この種の幇助行為のみ，処罰時期を早めて独立に処罰する理由はないから，通常の幇助犯と同様に，正犯の実行がある場合にはじめて可罰的とされるべきである[11]。

78条・79条の罪については，暴動に至る前に自首すれば，その刑が免除される（必要的免除〔80条〕）。暴動を未然に防ぐための政策的規定である。

10）植松・9頁，大谷・562頁以下，中森・262頁など。

11）大塚・554頁，川端・641頁，高橋・624頁，団藤・20頁，西田・437頁，山中・733頁など。ただし，破壊活動防止法38条が，77条から79条までの罪の教唆・せん動を独立の犯罪として，正犯の実行を待たずに処罰していることに注意する必要がある。ちなみに，同条は，内乱の正当性・必要性の主張をも広く可罰的としている。

■ 第33章 ■

外患に関する罪

1 外患誘致罪・外患援助罪

（外患誘致）
第81条　外国と通謀して日本国に対し武力を行使させた者は，死刑に処する。
（外患援助）
第82条　日本国に対して外国から武力の行使があったときに，これに加担して，その軍務に服し，その他これに軍事上の利益を与えた者は，死刑又は無期若しくは2年以上の拘禁刑に処する。

外患に関する罪は，外部から日本国の安全を脅かす罪であり，外患誘致罪（81条）と外患援助罪（82条）とがある。前者の**外患誘致罪**は，外国と通謀して日本国に対し武力を行使させる罪である。**通謀**とは，外国政府と（単なる私人ではなく，外国の国家機関と）連絡をとることであり，その結果として（因果関係が必要である），その国からの武力行使が行われることにより既遂となる。通謀によりはじめて武力行使を決意させた場合に限らず，既存の決意を具体的に促進させたという程度でも足りる。後者の**外患援助罪**は，日本国に対して外国から武力の行使があったときに，これに加担して，その軍務に服し，その他これに軍事上の利益を与えることにより成立する。外国による武力の行使以前に，外国に軍事上の利益を与える行為が行われたとしても，本罪の未遂にもならない。[1]

外患誘致罪と外患援助罪のいずれの罪についても，**未遂が処罰**される（87条）[2]。外患誘致罪の未遂は，通謀そのものが未完成の場合と，通謀はしたが武力行使に至らなかった場合の2つの場合がある[3]。外患誘致罪は，死刑のみが法定刑とされている唯一の例である（いわゆる絶対的法定刑）。

2　外患予備・陰謀罪

（予備及び陰謀）
第88条　第81条又は第82条の罪の予備又は陰謀をした者は，1年以上10年以下の拘禁刑に処する。

外患誘致罪・外患援助罪については，予備および陰謀も可罰的である。予備・陰謀の意義については，内乱予備・陰謀罪についての説明を参照（→596頁）。

1）　団藤・23頁。

2）　なお，ここでも，破壊活動防止法（1952〔昭和27〕年7月21日法律第240号）38条が，81条・82条の罪の教唆・せん動を独立の犯罪として処罰していること，そして，同条が，外患誘致・外患援助の正当性・必要性の主張をも広く可罰的としていることが注目される（→596頁注*11*））。

3）　大塚・555頁，ポケ註224頁〔中野次雄〕。

■ 第34章 ■

国交に関する罪

1 保護法益

国交に関する罪（刑法典第2編第4章92条以下）については，その保護法益とその位置づけをめぐり見解の対立がある。まず，これを国際法上の義務として要請された，**外国の法益の保護**のための処罰規定と考える見解も有力である[1]。これによれば，本章の諸犯罪は，国家の存立に対する罪とも，国家の作用に対する罪とも区別された，独自の犯罪類型ということになる。たしかに，刑法が外国の法益の保護としての役割を担うことはありうるし，以下の各罪がそのような意味をもちうることを否定すべきではないであろう。しかし，本章の罪は，「国際社会に対する罪[2]」と呼ぶにはあまりに断片的で貧弱なものであり（また，刑も軽い），むしろ規定の位置からすると，**外患に関する罪の延長線上にある犯罪**として理解するのが（現段階では）より自然であろう[3]。それは，外国との関係（外交関係）を悪化させ，日本国の基本的な国益を害し，ひいてはその国家としての存立を危うくするものである。そこでこれらの罪も，国家の存立に対する罪のグループの一角に属する犯罪ということになる。

---

1) 大塚・648頁，川端・765頁，団藤・163頁以下，福田・58頁など。

2) 団藤・163頁以下。

3) 内田・692頁，大谷・565頁，高橋・627頁，中森・265頁，西田・439頁，平野・概説292頁以下，堀内・335頁，山口・535頁など。

2　外国国章損壊等罪

（外国国章損壊等）
第92条① 外国に対して侮辱を加える目的で，その国の国旗その他の国章を損壊し，除去し，又は汚損した者は，2年以下の拘禁刑又は20万円以下の罰金に処する。
② 前項の罪は，外国政府の請求がなければ公訴を提起することができない。

本罪の客体は，**外国の国旗その他の国章**である。**外国**とは，国際法上承認された日本以外の独立国をいい，日本と外交関係があるかどうかを問わない。**国章**とは，その国を象徴する物であり，**国旗**はその例示である。国旗以外の国章としては，軍旗や大使館の徽(き)章などがある。本罪の客体となるためには，外国の国家機関が公的に掲揚しているものに限るとする見解が通説であるが[4]，私人の掲揚する国旗等や，さらには行為者の所有物である国旗等についても，それが外国を侮辱する趣旨で，したがって公共の場所において示威的に行われるときは，本罪を構成すると考えるべきであろう[5]（たとえば，特定の外国を侮辱する趣旨で，自己の所有するその国の国旗を，公共の場所において公然と汚し，焼却するような行為は，本罪により可罰的であるといえよう）。

本罪の行為は，損壊，除去，汚損である。**損壊**とは，ここでは物理的毀損のことをいい，**除去**には，場所的移転のほか，遮蔽により効用を失わせること[6]を含む。**汚損**とは，ペンキや汚物等を用いて汚し，不潔にすることをいう。行為は，外国に対して侮辱を加える**目的**で行われることを要する。行為と結果が，その外国に対する侮蔑の意思を表示する態様のものであり，そのようなものとして現に受け取られ，かつそのことを行為者自らも認識していることが必要であろう（その意味で，この目的要件は，客観面と主観面にまたがるものである）。

本罪が成立するときには，同時に器物損壊罪が成立することが多いと考えられるが，法益が異なることから，いずれの処罰規定も，行為のもつ違法内容を

4) 浅田・501頁以下，伊東・372頁，大谷・566頁，川端・766頁以下，団藤・167頁，中森・266頁，日髙・633頁，平野・概説293頁，堀内・335頁以下，前田・515頁，山口・536頁，山中・737頁など。
5) 植松・15頁以下，大塚・649頁，高橋・628頁，西田・440頁，松宮・447頁など。
6) 最決昭和40・4・16刑集19巻3号143頁。

完全に評価し尽くすことができない。したがって，両罪の観念的競合になると考えなければならない（→総論592頁）。

本罪については，**外国政府の請求**がなければ公訴を提起することができない（92条2項）。請求が訴訟条件になるということである（それが欠けたときの効果について，刑訴338条4号を参照）。請求とは，告訴と同じく処罰を求める意思表示のことであるが，告訴のような厳格な方式を必要としない。その処罰要求が明らかになれば足りる。告訴期間や告訴の方式に関する規定の準用はないが（刑訴235条・241条を参照），その効力に関する規定は準用される（刑訴237条3項・238条2項を参照）。

3　私戦予備・陰謀罪

（私戦予備及び陰謀）
第93条　外国に対して私的に戦闘行為をする目的で，その予備又は陰謀をした者は，3月以上5年以下の拘禁刑に処する。ただし，自首した者は，その刑を免除する。

外国に対して私的に（すなわち，日本の国家意思によらずに）戦闘行為をする目的で，その予備または陰謀をすることにより成立する。予備・陰謀の意義については，内乱予備・陰謀罪についての説明を参照（→596頁）。外国に対して戦闘行為をする目的というからには，ある程度，組織された集団的な武力行使を行う目的でなければならない。

日本において93条にあたる行為を行った後に，現実に外国において戦闘行為の実行に至った場合に，これを処罰する独立の規定は（そのような現実的可能性が想定されていないせいか）置かれていない。日本人が外国でこれを行ったときには，殺人・傷害・放火等に関する日本刑法の規定が適用できるが（3条を参照），本罪とそれらの罪とは法益が異なるので，牽連犯を認めることはできず（違法評価の重なり合いを認めることができないからである〔→総論592頁以下〕），併合罪となる[7]。

7）　たとえば，大谷・568頁，斎藤・285頁など。牽連犯とするのは，中森・266頁。

4　中立命令違反罪

（中立命令違反）
第94条　外国が交戦している際に，局外中立に関する命令に違反した者は，3年以下の拘禁刑又は50万円以下の罰金に処する。

複数の外国の間で戦争が行われている際に，日本が中立の立場を宣言したときには，条約に基づき[8)]国際法上，一定の義務を負う。この義務の履行を確保するために，自国内の者に対し一定の作為・不作為を命じることがある。これが**局外中立命令**である（ただし，現行刑法の下では発せられたことがない）。本罪は，これに違反する行為を行うことを処罰の対象とする。刑のみを法律に定め，犯罪行為の要件の全部または一部を，他の法令や行政機関の処分において定めることとしたものを**白地**（しらじ）**刑罰法規**というが，本条はその具体例（現行刑法典においては唯一の例）である（→総論37頁）。本条にいう局外中立命令は，狭義の命令（政令）の形式をとるものに限られないとされている。

8)　「陸戦ノ場合ニ於ケル中立国及中立人ノ権利義務ニ関スル条約」（1912〔明治45〕年1月13日条約第5号），「海戦ノ場合ニ於ケル中立国ノ権利義務ニ関スル条約」（1912〔明治45〕年1月13日条約第12号）を参照。

■ 第35章 ■

公務の執行を妨害する罪

1　総　　説

現行刑法は，刑法典第2編第5章「公務の執行を妨害する罪」として，公務執行妨害罪（95条1項），職務強要罪（95条2項），封印等破棄罪（96条），強制執行妨害目的財産損壊等罪（96条の2），強制執行行為妨害等罪（96条の3），強制執行関係売却妨害罪（96条の4），加重封印等破棄等罪（96条の5），公契約関係競売（けいばい）等妨害罪（96条の6）の各罪を規定している。このうち，公務執行妨害罪と職務強要罪（特に，前者）は，一般的に（すなわち，人的に・内容的に限定されない形で）国および地方公共団体の作用を保護するための犯罪類型として重要である。それ以外のもの（96条以下）は，強制執行および競売や入札という特殊な場面の公務の執行を保護の対象とするものである。

2　公務執行妨害罪（狭義）

（公務執行妨害及び職務強要）
第95条①　公務員が職務を執行するに当たり，これに対して暴行又は脅迫を加えた者は，3年以下の拘禁刑又は50万円以下の罰金に処する。

(1)　総説，公務員の意義

公務執行妨害罪は，職務執行中の警察官に暴行を加えるケースが典型的なものであり，日々のニュースでもしばしば登場する犯罪である。それは，現行刑法の公務保護のための犯罪類型のうち，保護の範囲が人的に・内容的に限定されず，最も一般的に適用されるものである[1]。**保護法益**は，公務員たる個人の身体や意思決定の自由（という個人的法益）ではなく，公務，すなわち国または公共団体の事務（立法，行政，司法の統治作用を中心とするが，必ずしもそれに限られない）の適正・円滑・公正な遂行である。ただし，本罪は**抽象的危険犯**であり，現実に妨害の結果が生じたことは犯罪成立の要件にはならない（たとえば，警察官に対しただ1回の投石行為が行われ，職務執行には何らの実害が生じなかったとしても，それでも本罪は成立しうる）。

公務員の意義は，公務執行妨害罪との関係だけでなく，公務員が何らかの形で登場するすべての犯罪において問題となるので重要である（155条以下・193条以下・197条以下・230条の2第3項などを参照）。**刑法7条1項**は，公務員を定義し，「国又は地方公共団体の職員その他法令により公務に従事する議員，委員その他の職員」をいうとしている[2]。**議員**とは，衆参両議院の議員，地方公共団体の議会の議員などのことをいう。**委員**とは，法令に基づき一定の公務を委任された非常勤の者をいい，政府の各審議会の委員，司法試験考査委員などがこれにあたる。たとえば，司法試験考査委員は，法律に基づき法務大臣から任命される非常勤の公務員であるから（司試15条を参照），「委員」にあたる。そこで，試験の内容を漏らすことの見返りに金銭を受け取るなどすれば，収賄罪（197条・197条の3などを参照）および国家公務員法（1947〔昭和22〕年10月21日法律第120号）違反の罪（国公109条12号・100条1項）に問われる[3]。**職員**とは法

1)　公務執行妨害罪についての総合的な研究書として，村井敏邦『公務執行妨害罪の研究』（1984年）が重要である。なお，2006（平成18）年の刑法一部改正により，窃盗罪（235条）とあわせて，本条についても，法定刑に罰金刑を加えた。これは，量刑にあたっての裁判所の刑の選択の幅を広げたものであるが，しかし，主として，これまで起訴猶予とされていた比較的軽い事案についても金銭的制裁をもって対処することができるようにすることを意図したものである。その意味においては，一見したところとは異なり，従来よりも厳しい制裁を加えることができるようにしたものである（→264頁）。

2)　なお，1995（平成7）年に平易化（→389頁注*1)*）される前の7条1項は，国について「官吏」，地方公共団体について「公吏」という，戦前の旧憲法下の用語を用いていた。

3)　私立大学教授で司法試験考査委員であった者が，試験問題を事前に学生に教えたことにつき，国家公務員法違反に問われた実例として，東京地判平成27・12・24 LLI/DB L07031245がある。

令上の根拠に基づき国または地方公共団体の機関として公務に従事する者をいう。任命・嘱託・選挙その他いずれの方法によるとを問わず，公務に従事する資格の根拠が法令に存することを（職名等が通達まで含む広い意味の法令に規定されていることも）必要とせず，法令に基づき任命権を有する者により任用されて公務に従事していれば足りる[4)]。法令に究極的な根拠[5)]があれば足りるということになる。なお，公務員でなくても，法律の規定により，刑法等の罰則の適用との関係では公務員として扱われるものがある。これを**みなし公務員**と呼ぶ。たとえば，非特定独立行政法人の役員や職員は，非公務員であるが，刑法等の罰則の適用については，公務に従事する職員として扱われる[6)]。

過去の判例は，さらに**公法人**（公共組合，公団，金庫，公庫など）の職員についても，一般的に公務員に含ませる傾向にあった。しかし，公法人といっても業務の性格はきわめて多様であるから，その職員を直ちに公務員とすることはできない。公務員とみなす旨の規定（**みなし公務員規定**）が法律に置かれている限りにおいてこれを肯定すべきだとする見解が今日では広くとられている[7)]。他方で，判例は，公務員の中の「職員」につき，一定程度，精神的・知能的仕事（一般事務等）を担当する者でなくてはならず，**単純な機械的・肉体的労働**に従事する者は除かれるとする[8)]。これに対しては，機関として公務を担当する以上

---

4) 最決昭和30・12・3刑集9巻13号2596頁は，当該職制等の上で「職員」と呼ばれている身分をもつかどうかはあえて問うところではないとする。

5) 大塚・558頁，団藤・41頁。

6) これらの者については，職権濫用の罪や賄賂の罪のような，公務員を主体とする犯罪が成立しうることになり，また同時に，その業務は，公務執行妨害罪のような，公務保護のための処罰規定により保護されることになる。さらに，その者が作成する文書は公文書（155条以下を参照）とされることになる。みなし公務員については，宇賀克也『行政法概説Ⅲ〔第5版〕』(2019年）354頁以下を参照。

7) 大谷・573頁，新注釈(2)23頁〔橋爪隆〕，高橋・632頁，中森・269頁，西田・445頁，平野・概説276頁以下，山口・541頁，山中・741頁以下など。たとえば，国立大学法人法19条は，「国立大学法人の役員及び職員は，刑法……その他の罰則の適用については，法令により公務に従事する職員とみなす」と規定している。なお，県立大学等の公立大学法人は，地方独立行政法人であり，その役員・職員については，地方独立行政法人法58条にみなし公務員規定がある。

8) たとえば，最判昭和25・2・28刑集4巻2号268頁，前掲注*4)*最決昭和30・12・3，最決昭和39・6・30刑集18巻5号236頁など。ただ，最判昭和35・3・1刑集14巻3号209頁は，

は，機械的・肉体的労務に従事する者でも公務員と解すべきだとする見解も有力である。特に公務執行妨害罪について，現場での作業担当者をその対象から除外すべきではないとするのである。[9)]

いわゆる民営化と国家の作用に対する罪 現代社会においては，それまで国または地方公共団体が行っていた事務や仕事を一般民間企業が担うようになる傾向が見られる。それとともに，従来，国家の作用に対する罪として処罰の対象とされていた行為がそこから外され，より軽い罪となったり，さらにはおよそ不可罰となるという現象も生じている。たとえば，相手が公務員であれば，その職務の対価となる物や利益が提供されると贈収賄の罪（197条以下）を構成するが，その者が公務員でなくなれば，贈収賄の罪にはならない。また，公務員の職務執行にあたり暴行・脅迫をもってこれを妨害すれば，公務執行妨害罪（95条1項）が成立するが，それが公務員でなくなければ，暴行罪・脅迫罪のほか，威力業務妨害罪（234条）が成立するにとどまる。刑法は，公務ないし公務員の行う職務を特別扱いし，それを民間の事務や仕事と比較してより手厚く保護しているが，公務ないし公務員の行う職務の中にも民間の行っていることと同質のものがある（逆に，民間の仕事の中にも公共性の高いものがある）。現在なお進行中の民営化の傾向は，刑法が公務員の行う職務を一律の形で特別扱いしていることの適切さを疑わせる結果ともなっている。

(2) 保護される公務とその要件

(a) 私企業的・現業的公務を含むか　公務執行妨害罪にいう**職務**には，広く公務員が取り扱う事務のすべてが含まれ，権力的であろうと，非権力的であろうとを問わず，**公務の一切が本罪により保護**されるとするのが判例，[10)] そして

郵便集配人も，郵便物の集配という，単純な機械的・肉体的労働にとどまらず，民事訴訟法，郵便法，郵便取扱規程等の諸規定に基づく精神的労務に属する事務をもあわせ担当しているので公務員であり，したがって郵便集配人に対して暴行を加えることは公務執行妨害罪にあたりうるとした。もちろん，その後，郵政民営化により，郵便事業に携わる職員はみな非公務員となっている（ただし，例外として，「郵便認証司，内容証明の業務に従事する者及び特別送達の業務に従事する者」は，刑法その他の罰則の適用については法令により公務に従事する職員とみなされる〔郵便法74条〕)。

9) 大谷・574頁，中森・269頁，平野・概説277頁。ただし，これに対し，西田・445頁以下は，判例の立場からも，現場での作業担当者は「単純な」機械的・肉体的労務担当者とはいえないとする。

10) 最判昭和53・6・29刑集32巻4号816頁（「職務には，ひろく公務員が取り扱う各種各様

通説である[11]。そこで，同じく業務保護のための犯罪類型である**業務妨害罪**（233条以下）との関係が問題となる（→216頁以下）。業務妨害罪は，暴行に至らない威力等を手段とする妨害からも業務を保護するものであるが，もし公務のすべてが同時に公務執行妨害罪によっても保護されるとすると，**公務のみ両罪による二重の保護**を受けることになる。そのことの是非が問題とされるのである。

公務執行妨害罪については，一切の公務が保護の対象となるから，官庁における公務員のデスクワーク，国公立病院（現在では，独立行政法人国立病院機構ないし地方独立行政法人病院機構〔ただし，公立病院の中には法人化されていないものもある〕）の業務，国公立大学（現在では，国公立大学法人〔ただし，公立大学の中には法人化されていないものもある〕）の入試事務や講義も，本罪により保護されることになる（民営化される以前の旧国鉄の業務や郵便業務なども保護の対象とされた）。他方，業務妨害罪については，公務のうち，(1)非権力的公務（上に挙げたものはこれにあたる）と，(2)権力的公務であっても，強制力ないし妨害排除力のないものに限り，「業務」として保護されることになる（**限定積極説**〔→216頁以下〕）。

公務執行妨害罪の保護の対象たる公務を限定すべきでないことの根拠としては，①95条1項の「職務」には文言上の限定がないこと，②公務員の職務は公共的性格をもち，かつ税金によりまかなわれていること，③公務員の職務の全般について，収賄罪規定によりその不可買収性および公正さの維持が刑法的義務とされる反面において，手厚い刑法的保護に値することを挙げうるであろう。

公務振り分け説　反対説は，たとえば，国立大学法人の入試業務や講義が公務執行妨害罪によって（も）保護され，私立大学のそれが業務妨害罪でしか保護されないのは理由のある区別ではないとし，民間の業務と実質的に異ならないものは公務執行妨害罪の保護の対象から外し（それらは業務妨害罪により保護すれば足りる），公務執行妨害罪により保護される公務は，権力的公務・非現業的公務・民間類似性のない非私企業的公務に限るとする[12]。これを公務振り分け説という。

の事務のすべてが含まれる」とする），最決昭和59・5・8刑集38巻7号2621頁などを参照。

11）　大塚・562頁以下，大谷・576頁以下，斎藤・312頁以下，佐久間・405頁，新注釈(2)23頁以下〔橋爪〕，高橋・633頁，西田・446頁，平野・概説275頁，山口・542頁など。

12）　浅田・171頁以下，506頁以下，伊東・377頁，川端・649頁以下，曽根・286頁，団藤・

(b)　職務執行の適法性　　条文には明記されていないが，保護されるべき職務執行は**適法**なものに限られる[13]。本罪は，国・地方公共団体の適正な作用を妨害から保護するためのものであり，公務員の行う違法な行為についてまで，刑法的保護を与える理由はないからである。そこで，公務員の違法な職務行為に対し，実力をもって対抗したとしても，公務執行妨害罪の構成要件には該当しない。その行為が，暴行罪（208条）や傷害罪（204条）の構成要件には該当するとき，正当防衛（36条〔→総論291頁以下〕）の要件を充足すれば，その違法性が阻却される。

職務の執行が適法とされるための要件（したがって，公務としての要保護性が認められるための要件）は，①その行為が当該公務員の一般的（抽象的）職務権限に属すること[14]，②当該公務員がその職務行為を行う具体的職務権限を有すること，③その行為が職務行為の有効要件である法律上の重要な条件・方式を履践していることである。ただし，③の要件については，必要な条件・方式がすべて完全に履践されていることまでは必ずしも要求されない。要保護性を否定されるに至る程度の方式違背がどのようなものかについては見解の対立があるが，職務行為の対象者の利益保護に影響するような種類・態様の方式違背が重要だと考えるべきであろう[15]。

48頁以下，中森・270頁以下など。

13）　大判昭和7・3・24刑集11巻296頁など。本罪における「職務執行の適法性」の要件のように，条文に明記されていない構成要件要素のことを「記述されない構成要件要素」ないし「書かれざる構成要件要素」と呼ぶ（→総論94頁）。

14）　その種の公務員として，およそそのようなことをする法令上の権限はないという場合には，そもそも職務行為とはいえず，本条により保護されないということになる。東京高判平成27・7・7高刑速平成27年141頁は，生活保護を受給するため区役所の保護課に来ていた被告人が，保護課職員を恫喝するような言動をくり返していたことから，別の係の係長が被告人に暴言を謝罪するよう求めたところ，被告人がこれを聞き入れず，その場から立ち去ろうとしたため，被告人に注意内容を伝えるべく，他の保護課職員らと被告人の後をついて回った際に暴行を加えて同係長にケガをさせたという事案について公務執行妨害罪の成立を認めるにあたり，保護課係長としての職務は，生活保護世帯に関係する分掌事務に直接該当するものに限られず，当該事務を円滑に遂行するため，これを阻害する要因を排除ないし是正することも，相当な範囲にとどまる限り，本来の職務に付随するものとして，その適正な職務に含まれる，とした。

15）　大塚・565頁以下，大谷・579頁以下，西田・449頁，山口・545頁などを参照。たとえば，福岡高判昭和27・1・19高刑集5巻1号12頁は，逮捕状の緊急執行（刑訴201条2項・73条

職務の適法性の判断方法については，(イ)裁判所が法令を解釈して客観的に定めるべきだとする客観説，(ロ)当該公務員が適法と信じたかどうかによって定めるべきだとする主観説，(ハ)一般人の見解を標準として定めるべきだとする折衷説がある。職務の適法性の要件は，職務執行を行う公務員を保護するための要件ではなく，公務を保護するための要件なのであるから，裁判所が法令を解釈して適法かどうかを客観的に決めるべきであろう。主観説によれば，公務員が勝手にそう信じていれば職務執行が保護されるということになって，公務員の専横を許すことになり，職務の適法性を要件とする意味がなくなる。折衷説については，一般人の見解という基準が曖昧であり，法令上は明らかに違法な行為が一般人には適法と見られるということで要保護性を認めるのは妥当でないという問題がある。現在の判例・通説も，客観説の立場をとっているといってよい[16]。

この客観説の内部で，**判断の基準時点**をめぐり，(i)事後的見地から純客観的に判断すべきだとする見解[17]と，(ii)行為当時の状況において法令の要求を客観的に充たすものであれば要保護性が肯定されるべきであるとする見解[18]とが対立する。(ii)が現在の判例・通説の立場であり，それが妥当である。(i)によると，**およそ無実の者を逮捕**することは違法であるということになりかねないが，刑事訴訟法は，一定の要件が充足される限り，令状発付を原則的要件として，真犯人であるかどうかにかかわらず逮捕を許している[19]。もし事後的見地から

3項）について，単に窃盗の嫌疑で逮捕状が発せられている旨を告げた程度では，被疑事実の要旨を告げたことにならず，手続要件を欠如することから適法な逮捕とはいえないとしつつも，その違法の程度は強度のものとはいえず，一応その行為が形式的に公務員の適法な執行行為と認められる以上，これに対して暴行を加えれば，公務執行妨害罪にあたるとした。

16) 浅田・512頁，伊東・378頁以下，大塚・567頁，新注釈(2)38頁以下〔橋爪〕，曽根・288頁以下，高橋・639頁，団藤・52頁以下，中森・271頁以下，西田・450頁，平野・概説277頁以下，福田・14頁，前田・453頁以下，松宮・454頁，山口・546頁など。判例として，最決昭和41・4・14判タ191号146頁がある。これに対し，折衷説をとるのは，大谷・580頁以下，川端・568頁など。

17) 浅田・512頁以下，大塚・567頁，曽根・289頁，高橋・639頁，福田・14頁など。

18) 伊東・378頁以下，大谷・581頁，佐久間・406頁，団藤・52頁以下，中森・271頁以下，西田・450頁，平野・概説277頁以下，前田・453頁以下，松宮・454頁以下，山口・546頁など。判例として，前掲注*16)* 最決昭和41・4・14。

19) 逮捕には，通常逮捕，現行犯逮捕，緊急逮捕の3種類があるが，通常逮捕は，①被疑者が

純客観的に見て適法でなければならないとすれば，現行法の下で適法な逮捕として許容されている行為を刑法が保護しないという，矛盾が生じてしまう。

職務の適法性に関する錯誤をめぐっては，(イ)違法性の錯誤（法律の錯誤）にすぎないとする見解[20]，(ロ)事実の錯誤であり，行為者がその職務行為を違法だと思えば直ちに故意が阻却されるとする見解[21]，(ハ)事実面での誤信と適法性の法的要件に関わる誤解とを区別し，前者は事実の錯誤であり，後者は法律の錯誤だとする見解（**二分説**）[22]が対立しているが，(ハ)二分説が学説における多数説である。この問題は，正当防衛の要件である「不正の侵害」に関する錯誤（すなわち，誤想防衛が問題となる場合）と同じように解決されるべきであろう（→総論 378 頁以下）。正当防衛の要件に関して**事実面での誤信**があれば[23]，それは事実の錯誤とされ，通説によれば故意が阻却される。これに対し，事実については正しく認識していたが，その事実が適法とされるための**法的要件を誤解**していた場合には違法性の錯誤にすぎない[24]。職務の適法性という規範的要素が構成要件要素とされるときにも，その錯誤については同様の解決がなされるべきである。構成要件要素と違法性阻却事由という法的性格の相違があるとしても，いずれも行為の違法性を判断するための要件（規範的要素と事実的要素が一体化した要件）なのであるから，同じ判断が妥当しなければならないのである（ちなみに，やはり構成要件のレベルで問題となる不真正不作為犯における作為義務〔保証義務〕に関する錯誤についてもまったく同様に二分説が妥当する〔→総論 420 頁〕)。

犯罪を犯したと疑うに足りる相当な理由（逮捕の理由）があり，かつ，②被疑者が逃亡したり証拠の隠滅をはかるおそれがあるなど逮捕が必要であるときに，裁判官による逮捕状の発付を要件として認められるものである（憲 33 条，刑訴 199 条以下，刑訴規 143 条の 3 などを参照)。

20）藤木・26 頁など。

21）浅田・513 頁以下，植松・25 頁など。

22）大塚・571 頁以下，佐久間・408 頁，曽根・289 頁，高橋・639 頁以下，西田・450 頁以下，山口・546 頁など。**判例**の立場は明らかでないが，これまでに現れた事例については，いずれも違法性の錯誤にすぎないとしている。

23）たとえば，甲が，自分の家の敷地内に入ってこようとする A を，理由なく住居に侵入してくると思って，これを阻止するため A に対し暴行を加えたが，実は，A は強盗に追われていたという場合などがそうである。

24）たとえば，注 *23*）のケースの甲が，A が強盗に追われていたことは認識していたが，緊急避難に関する刑法の規定（37 条）のことをまったく知らず，A の行為は違法だと信じたときがそうである。

そのように考えれば，学説の多数が支持する(ハ)二分説が妥当だということになる。

二分説から導かれる結論　二分説によれば，行為者が，事実を正しく認識しつつも，法令の不知・誤解に基づき，公務員の行う職務執行を違法なものと誤信してこれを妨害したというケースは，違法性の錯誤の事例であり，故意が阻却されることはない。たとえば，緊急逮捕（刑訴210条）の要件を充足する逮捕行為が行われた際に，行為者が，緊急逮捕のことを知らず，逮捕状のない逮捕はおよそ違法だと思い込んで，これを妨害したという場合がその一例である。これに対し，行為者が，警察官の呈示した逮捕状を偽造文書だと信じ込み，その結果，逮捕を違法だと考えて抵抗したという場合であれば，それは事実の錯誤であり，故意は阻却されよう。

(3)「職務を執行するに当たり」の意義

公務執行妨害罪は，公務員が職務を執行するにあたり，これに対し暴行・脅迫を加えることにより成立する。「**職務を執行するに当たり**」とは，「職務を執行するに際して」という意味であり，判例により，その場合の職務の執行は，抽象的・包括的に捉えられるべきでなく，**具体的・個別的に特定された職務の執行**として理解されるべきだとされている。そこで，①特定の職務の執行を開始してからこれを終了するまで，そして，②特定の職務の執行を開始しようとしている場合のように，職務執行と時間的に接着しこれと切り離しえない一体的関係にあると見ることができる範囲内の行為に限り，本罪による保護の対象となる。[25]

したがって，休憩中や待機中（ただし，職務の性質上，待機していること自体が公務の執行と捉えられうることもある），職務を行う場所に赴く途中などに暴行・脅迫を加えることは，本罪にあたらない（それが職務強要罪〔95条2項〕を構成することはありうる〔→614頁以下〕）。

ただし，執行の一時中断中でも，前後の事情により一連の職務の執行中と見るべき場合には，本罪が成立しうる。たとえば，行為者の不法な目的をもった行動により，職務の執行を一時中断せざるをえなくなった場合には，職務の執

25）リーディングケースとして，最判昭和45・12・22刑集24巻13号1812頁が重要である。

行が一見，中断ないし停止されているかのような外観を呈したとしても，それが任意・自発的なものでない以上，職務執行が終了したものと解することはできない。[26)]

熊本県議会事件 熊本県議会の公害対策特別委員会においては，懸案の問題をめぐって激しい議論が戦わされ，議事が紛糾したため，委員長がいったん審議を中断して休憩を宣言し，退席しようとした。そのとき，打切りに抗議した多数の者たちが，室内や廊下などで委員長に対し暴行を加えた。このケースでは，休憩を宣言して退席しようとしている委員長に対して暴行を加えたことが，「職務を執行するに当たり」暴行を加えたことになるのかどうかが問題となる。1つの考え方は，委員長の行為は職務の終了の際の行為であり，それまで継続していた職務行為と時間的に接着しこれと切り離しえない一体的関係にあることを理由として，公務執行妨害罪による保護の余地を認めるものであろう。

これに対し，このケースでは，委員長は，休憩宣言後も，なお職務行為を継続中であったと捉えることも可能である。すなわち，この種の委員会における委員長の職責は，委員会の議事を整理し，秩序を保持するところにあるとすれば，このような事態の下では，休憩宣言により職務をすでに終了したものではなく，なお委員長としての職責に基づき，委員会の秩序を保持し，紛議に対処するための職務を執行中であったと解しうるのである。最高裁は，このケースにつき，「委員長は，休憩宣言により職務の執行を終えたものではなく，休憩宣言後も……職責に基づき，委員会の秩序を保持し……紛議に対処するための職務を現に執行していたものと認めるのが相当である」とした。[27)]

(4) 暴行・脅迫

本罪の要件としての**暴行**は，公務員の身体に対し直接加えられる必要はなく（暴行罪〔208条〕の暴行と異なる），公務員に向けられた有形力の行使であれば足り，直接には一定の物に対して加えられた場合もこれに含まれる[28)]（いわゆる**広義**

26) 前掲注 10) 最判昭和 53・6・29。

27) 最決平成元・3・10 刑集 43 巻 3 号 188 頁。

28) すでに，初期の最高裁判例である最判昭和 26・3・20 刑集 5 巻 5 号 794 頁が，「公務員の職務の執行に当りその執行を妨害するに足る暴行を加えるものである以上，それが直接公務員の身体に対するものであると否とは問うところではない。本件において……被告人はＡ事務官等が適法な令状により押収した煙草を，街路上に投げ捨ててその公務の執行を不能ならしめたというのであるから，その暴行は間接には同事務官等に対するものと」いいうるとした。

の暴行〔→58頁〕)。物に対して加えられても，それが公務員に向けられた暴行と認められうる限りは，本罪の暴行に含まれることになるが，これを**間接暴行**と呼ぶ（すなわち，間接暴行が認められるだけ，暴行が肯定される範囲が広がっている)[29]。

本罪の暴行に間接暴行が含められることから，直接に当該公務員の身体に対して加えなくても，当該公務員の指揮にしたがい，その手足となり，その職務の執行に密接不可分の関係において関与する**補助者**に対して加えられた場合でも，本罪の要件を充足することになる[30]。このように，間接暴行にまで暴行概念を拡張することは，公務の執行が現実に妨害されているのに本罪が成立しない事態が生じることをできるだけ避けることにより，公務を広く保護するための**目的論的解釈**（→総論57頁以下）にほかならない。

しかし，他方で，95条1項が公務の執行を妨害した場合のすべてを処罰しているのではなく（たとえば，偽計や威力を手段とする場合には，本罪は成立しない），公務員に対して暴行または脅迫が加えられた場合のみに処罰範囲を限定していることも考慮しなければならない[31]。このような処罰の限定を無意味なものとしないためには，条文の文言から離れないように注意する必要がある。1つの歯止めとなるのは，間接暴行とはいえ，**公務員自身に対し何らかの物理的なインパクト**を与える暴行であることを要求することである。学説では，この趣旨で，少なくとも公務員の身体に「物理的に感応する態様のもの」ないし「何

29）たとえば，酒税法違反の嫌疑により，税務署係官Aらによる適法な捜索・差押え許可状の執行を受けた行為者が，Aらが差押えの目的で運び出し，税務署使用の小型自動車に積載した，密造の疑いのある焼酎の入ったかめを鉈（なた）をもって破壊し，中味を流失させたという事例について，最高裁は，「直接右公務員の身体に対するものでなくても刑法95条1項にいう公務員に対して加えられた暴行と解すべきである」とした（最判昭和33・10・14刑集12巻14号3264頁）。同様に，最高裁は，司法巡査が覚醒剤取締法違反の現行犯人を逮捕する際，証拠物として適法に差し押さえた上で，整理のためその場に置いた覚せい剤注射液入りアンプル30本を足で踏み付け，そのうちの21本を損壊してその公務の執行を妨害したというケースにつき，「その暴行は間接に同司法巡査に対するものというべきである」として，公務執行妨害罪の成立があるとした（最決昭和34・8・27刑集13巻10号2769頁）。

30）最判昭和41・3・24刑集20巻3号129頁。

31）ちなみに，本罪における暴行は積極的態様のものでなければならない。たとえば，警察官に腕をつかまれ，やむなくその腕を振り放して逃走したというとき，それは本罪にいう暴行にはあたらない。

らかの物理的影響力をもつもの」でなければならないとし，ここから，その行為が**公務員の面前で行われる**ことを要求する見解が有力に主張されている[32)]。ただし，判例がこのような限定を認めているかどうかは明らかではない。

本罪の要件としての**脅迫**は，脅迫罪の脅迫より広く，加害の対象は限定されず，およそ公務員を畏怖させるに足りる害悪の告知を行うことをいう（**広義の脅迫**〔→157 頁〕）。

暴行・脅迫は，公務の執行を妨害しうる程度のものであることを要するが[33)]，本罪は**抽象的危険犯**であり，現実に妨害の結果が生じたことを要しない（→604 頁）。

（**5**）　罪数，他罪との関係

罪数は，被害を受けた公務員の数ではなく，妨害行為が向けられた**公務の数**を標準として決められる。本罪が成立するとき，暴行罪や脅迫罪は本罪に吸収されるが（法条競合の一種としての吸収関係），傷害罪や殺人罪，逮捕監禁罪，強盗罪などは別個に成立し，本罪とは観念的競合となる。本罪と威力業務妨害罪の両罪の適用が問題となるとき（→607 頁），本罪の規定のみが適用される（法条競合の一種としての特別関係ないし吸収関係）とする見解が有力である[34)]。

3　職務強要罪

（公務執行妨害及び職務強要）
第 95 条②　公務員に，ある処分をさせ，若しくはさせないため，又はその職を辞させるために，暴行又は脅迫を加えた者も，前項〔95 条 1 項〕と同様とする。

32）　たとえば，大塚・569 頁以下，大谷・582 頁以下，川端・659 頁，新注釈(2)42 頁以下〔橋爪〕，曽根・289 頁，高橋・641 頁，中森・273 頁以下，西田・451 頁，平野・概説 279 頁以下，堀内・301 頁，山口・547 頁などを参照。このような理解に基づき間接暴行を否定した仙台高判昭和 30・1・18 高刑集 8 巻 1 号 1 頁がある。

33）　裁判例の中には，公務員の身体に物理的に感応するものであったとしても，それだけでは十分でなく，「自分のなす有形力の行使が公務員の職務執行の妨害となるべきものであること（公務員の職務執行継続の意思を挫くものであること）を意識したうえで有形力を行使」する必要があるとして，交通違反を警察官に現認された際，警察官から点数切符をつかみ取って握りつぶし切り裂いた行為につき，公務執行妨害罪の成立を否定したものがある（秋田地判平成 9・9・2 判時 1635 号 158 頁）。

34）　平野・概説 275 頁。これに対し，林・131 頁は，包括一罪であるとする。

職務強要罪は，公務執行妨害罪（狭義）とは異なり，公務員の将来の職務行為に向けられた犯罪であり，公務執行妨害罪を補充し，同罪の成立範囲の周辺領域をカバーする意味をもつ。本罪の**保護法益**は，公務員の地位の安全ではなく，公務員による**適法な職務の執行**である。[35)]

目的犯の構造をもつ。目的の内容は，「公務員に，ある処分をさせ，若しくはさせない」こと，または「その職を辞させる」ことである。前者についていえば，保護される職務は適法なものであるべきだから，公務員に**処分の不作為**を強要しようとする場合には，その処分は適法なものであることを要する（違法な処分の不作為を強要することを処罰するとすれば，違法な職務執行を保護することになってしまう）。一定の作為の処分を強要しようとするときは，処分の適法・違法を問わない（かりにそれが適法な処分であっても，これを暴行・脅迫により強制することは許されない）。

判例は，ここにいう**処分**の意義につき，当該公務員の職務に関係ある処分であれば足り，職務権限内の処分であると，その職務権限外の処分であるとを問わないとする。[36)] しかし，本罪が公務員の地位の安全を保護法益とするものではなく，適法な公務を保護するためのものであるとすれば，処分は当該公務員の一般的職務権限内（→608 頁）の行為に限られなければならないであろう。[37)] もし，ある公務員に対し，その職務とはおよそ無関係な行為，たとえば，職場における公然わいせつ行為や，職場での横領行為を強要しても，それは職務強要罪ではありえないであろう。

「その職を辞させる」ことを目的として暴行・脅迫を加える場合のことを**辞職強要罪**ということがある。この場合も，その公務員の将来における職務の執行をおよそ不可能とするのであるから，処罰根拠は適法な公務の保護にあるといいうる。

暴行と脅迫の意義については，612 頁以下を参照。

---

35) ただし，最判昭和 28・1・22 刑集 7 巻 1 号 8 頁は，95 条 2 項は，「公務員の正当な職務の執行を保護するばかりでなく，広くその職務上の地位の安全をも保護」しようとするものであるという。

36) 前掲注 *35)* 最判昭和 28・1・22。これに賛成するのは，西田・453 頁。

37) 高橋・643 頁以下，平野・概説 280 頁，山口・548 頁以下など。

4　その他の犯罪類型

(1)　総　説

2011（平成23）年の刑法一部改正により，強制執行および競売・入札関係の処罰規定が大幅に拡充・整備・強化された（96条〜96条の6）。バブル経済の崩壊後，債権回収のための強制執行が盛んに行われるようになると，強制執行妨害事案も増加し，それにともない，刑法典の処罰規定の不十分さが指摘されていたのである。この改正は，①構成要件の拡充による処罰範囲の拡大をはかり（96条・96条の2・96条の3・96条の4），②法定刑を引き上げ，懲役（当時）と罰金の併科を可能とし，③加重処罰規定を設けた（96条の5，組織犯罪3条1項1号〜4号）ものである。

(2)　封印等破棄罪

（封印等破棄）
第96条　公務員が施した封印若しくは差押えの表示を損壊し，又はその他の方法によりその封印若しくは差押えの表示に係る命令若しくは処分を無効にした者は，3年以下の拘禁刑若しくは250万円以下の罰金に処し，又はこれを併科する。

本罪の客体は，公務員が施した封印または差押えの表示に係る命令または処分の効力である。ここにいう**命令**とは，裁判所による命令（たとえば，民執55条を参照）をいい，**処分**とは，執行官その他の公務員（たとえば，徴税職員）による差押えの処分などをいう。本罪の保護法益は，封印または差押えの表示により達成される公務としての執行の効力（たとえば，強制執行の効力）である[38]。2011年の刑法一部改正以前の旧規定では，客体は公務員が施した封印または差押えの表示そのものであり，行為当時，その表示は有効に存在していなければならないとされたため[39]，すでに第三者がこれを損壊していた場合や，行為当時において表示の存否が不明であった場合に，命令・処分の効力を無効にする行為を処罰できないという不都合があった[40]。新規定の下では，封印または

38）　西田・454頁。

39）　ただし，差押えの表示としての効用が「一部減殺」されていた事例について旧96条の罪の成立を認めた判例として，最決昭和62・9・30刑集41巻6号297頁がある。

40）　新注釈(2)52頁以下〔西田典之〕，大谷・588頁，西田・454頁以下を参照。

差押えの表示が存在することは本罪成立の要件にならず，封印または差押えの表示に係る命令または処分を無効にする行為があれば，本罪は成立する。

封印とは，現状の変更を禁止するために施された封緘（ふうかん）その他の物的設備をいい（強制執行において執行官がなすものや，国税徴収官がなすものなど），**差押えの表示**とは，物を公務員の占有に移す強制処分があったときに，それにより取得した占有を明白にするために特に施した表示（封印以外のもの）のことをいう。封印または差押えの表示に係る命令または処分は**適法**なものであることを要する（→608 頁以下）。適法な封印・差押えの表示を違法なものと誤信したケースについての判例の中には，これを事実の錯誤[41]としたものと，違法性の錯誤[42]としたものとが存在する。

(3)　強制執行妨害目的財産損壊等罪

（強制執行妨害目的財産損壊等）
第 96 条の 2　強制執行を妨害する目的で，次の各号のいずれかに該当する行為をした者は，3 年以下の拘禁刑若しくは 250 万円以下の罰金に処し，又はこれを併科する。情を知って，第 3 号に規定する譲渡又は権利の設定の相手方となった者も，同様とする。
一　強制執行を受け，若しくは受けるべき財産を隠匿し，損壊し，若しくはその譲渡を仮装し，又は債務の負担を仮装する行為
二　強制執行を受け，又は受けるべき財産について，その現状を改変して，価格を減損し，又は強制執行の費用を増大させる行為
三　金銭執行を受けるべき財産について，無償その他の不利益な条件で，譲渡をし，又は権利の設定をする行為

本罪は，**対物的妨害行為**により強制執行手続の進行を妨害する行為を捕捉する犯罪類型である。ここにいう**強制執行**とは，民事執行法（1979〔昭和 54〕年 3 月 30 日法律第 4 号）所定の民事執行，民事保全法（1989〔平成元〕年 12 月 22 日法律第 91 号）所定の保全執行およびこれらに準ずる手続のことである[43]。民事執

41）大決大正 15・2・22 刑集 5 巻 97 頁。

42）最判昭和 32・10・3 刑集 11 巻 10 号 2413 頁。

43）山口・553 頁以下。西田・458 頁は，「本罪にいう強制執行とは，私人の権利の実現を目的とするが，民事執行法または同法を準用する強制執行のほか，国税徴収法による滞納処分も含

行法1条所定の「担保権の実行としての競売」もこれに含まれる。[44] 旧規定の下では，国税徴収法（1959〔昭和34〕年4月20日法律第147号）に基づく滞納処分たる差押えを含まないとする判例もあったが，[45] 2011年の刑法一部改正にあたり新規定はこれを含むという前提で立案された。

本罪の**保護法益**に関して，改正前は，債権者の財産的利益の保護を主眼とする犯罪類型として理解する判例があり，[46] これを支持する見解も強かった。[47] その解釈を支えていた1つの根拠は，旧規定では目的要件の内容が「強制執行を免れる目的」となっており，主体が執行を受ける債務者等に限定されていたことであった。2011年の刑法一部改正にあたり，「強制執行を妨害する目的」という文言に変更され，主体の限定が外されるとともに，公務妨害を本質とする犯罪の性格が明確化された。ここから，国家作用としての強制執行の適正・円滑な運用が主たる保護法益であるとする見解が一般化するに至っている。[48] そこで，本罪の成立を認めるためには，基本となっている債権の存在を確定する必要はなく，行為時に債権の存在する合理的可能性があれば足りるとされてい

まれる」とする。

44) 最決平成21・7・14刑集63巻6号613頁。

45) 最決昭和29・4・28刑集8巻4号596頁。

46) 最判昭和35・6・24刑集14巻8号1103頁（2011年改正前の刑法96条の2の罪は「国家行為たる強制執行の適正に行われることを担保する趣意をもってもうけられたものであることは疑のないところであるけれども，強制執行は要するに債権の実行のための手段であって，同条は究極するところ債権者の債権保護をその主眼とする規定であると解すべきである。同条は『強制執行ヲ免ルル目的ヲ以テ』と規定しているのであるが，その目的たるや，単に犯人の主観的認識若しくは意図だけでは足らず，客観的に，その目的実現の可能性の存することが必要であって，同条の罪の成立するがためには現実に強制執行を受けるおそれのある客観的な状態の下において，強制執行を免れる目的をもって同条所定の行為を為すことを要するものと解すべきである。そして，いかなる場合に強制執行を受けるおそれありとみとめるべきかは具体的な事案について個々に決するの外はないのであるが，本件のように，何らの執行名義も存在せず単に債権者がその債権の履行請求の訴訟を提起したというだけの事実をもっては足らず，かくのごとき場合に本条の罪の成立を肯定するがためには，かならず，刑事訴訟の審理過程において，その基本たる債権の存在が肯定されなければならないものと解すべきである。従って，右刑事訴訟の審理過程において債権の存在が否定されたときは，保護法益の存在を欠くものとして本条の罪の成立は否定されなければならない」とした。ただし，反対意見があった）。

47) たとえば，平野・概説281頁。

48) 大谷・590頁以下，西田・459頁以下，山口・552頁以下など。

る。[49]

本罪による処罰の対象となるのは，強制執行を妨害する目的で，①強制執行を受け，もしくは受けるべき財産を隠匿し，損壊し，もしくはその譲渡を仮装し，または債権の負担を仮装する行為，②強制執行を受け，または受けるべき財産について，その現状を改変して，価格を減損し，または強制執行の費用を増大させる行為，③金銭執行を受けるべき財産について，無償その他の不利益な条件で，譲渡をし，または権利の設定をする行為，さらに，④情を知りつつ，③の譲渡または権利の設定の相手方となる行為である。

(4) 強制執行行為妨害等罪

（強制執行行為妨害等）
第96条の3① 偽計又は威力を用いて，立入り，占有者の確認その他の強制執行の行為を妨害した者は，3年以下の拘禁刑若しくは250万円以下の罰金に処し，又はこれを併科する。
② 強制執行の申立てをさせず又はその申立てを取り下げさせる目的で，申立権者又はその代理人に対して暴行又は脅迫を加えた者も，前項と同様とする。

本罪は，強制執行手続の進行を妨害する行為のうち，執行官や債権者等に向けられた**対人的妨害行為**を捕捉する。偽計または威力を用いて，立入り，占有者の確認その他の強制執行の行為を妨害する行為と，強制執行の申立てをさせず，またはその申立てを取り下げさせる目的で，申立権者またはその代理人に対して暴行または脅迫を加える行為とを処罰の対象とする。

(5) 強制執行関係売却妨害罪

（強制執行関係売却妨害）
第96条の4 偽計又は威力を用いて，強制執行において行われ，又は行われるべき売却の公正を害すべき行為をした者は，3年以下の拘禁刑若しくは250万円以下の罰金に処し，又はこれを併科する。

偽計または威力を用いて，強制執行において行われ，または行われるべき売

49) 大塚・579頁，新注釈(2)58頁〔西田〕，中森・278頁以下，西田・459頁，山口・555頁など。

却の公正を害すべき行為を処罰の対象とする。2011年改正前の96条の3（競売等妨害罪）の「公の競売又は入札」から，強制執行において行われる売却手続を分離し，これを独立した保護の対象としたものである。同時に，競売開始決定前の妨害行為にまでその処罰範囲を広げるため，強制執行において「行われるべき売却」も客体に加えた。

(6) 加重封印等破棄等罪

（加重封印等破棄等）
第96条の5　報酬を得，又は得させる目的で，人の債務に関して，第96条から前条〔96条の4〕までの罪を犯した者は，5年以下の拘禁刑若しくは500万円以下の罰金に処し，又はこれを併科する。

報酬を得，または得させる目的で，人の債務に関して，96条から96条の4までの罪を犯したときには，刑が加重される。それらの罪が「報酬を得，または得させる目的」で行われ（**目的犯**），かつそれが他人の債務に関して行われた場合（したがって，債務者自身により行われた場合を含まない）に適用される加重特別類型である。

(7) 公契約関係競売等妨害罪

（公契約関係競売等妨害）
第96条の6①　偽計又は威力を用いて，公の競売又は入札で契約を締結するためのものの公正を害すべき行為をした者は，3年以下の拘禁刑若しくは250万円以下の罰金に処し，又はこれを併科する。
②　公正な価格を害し又は不正な利益を得る目的で，談合した者も，前項と同様とする。

前述のように，96条の4は，2011年改正前の96条の3（競売等妨害罪）が客体としていた「公の競売又は入札」の中から，強制執行において行われる売却手続を分離して独立の保護の対象とした。そこで，**公契約関係競売等妨害罪**（本条1項）は，残った部分である「公の競売又は入札で契約を締結するためのもの」（たとえば，公共工事の入札）の公正を保護しようとするものである（なお，公のものでなければ，偽計・威力業務妨害罪〔233条・234条〕により保護されることになる）。偽計または威力を用いて，競売・入札の公正を害すべき行為をすることによって成立する。実際に公正が害されることを要せず，その危険があれば足りる（抽象的危険犯）。一例を挙げれば，ある公務所が運営する施設の改修工事のために競争入札を行った際，公務所側の事務担当者が特定の業者に受注させるため，公募に関する競合他社の情報を漏らしたというようなケースにおいて本罪が成立する。裁判例の中には，市長であった被告人が，公共工事の指名競争入札に関し，特定の業者に工事を落札させようと企て，その業者のみを入札に参加する業者として指名する手続を行うとともに，工事の設計金額等の入札等に関する秘密を教示するなどしたケースについて，偽計を用いて公の入札等の公正を害すべき行為をしたものとして，公契約関係競売入札妨害罪（本条1項）の成立を認めたものがある[50)]。

談合罪（本条2項）は，公正な価格を害しまたは不正な利益を得る目的で談合することによって成立する。構成要件上，複数の関与者を予定するものであり，必要的共犯のうちの集合犯である（→総論480頁）。「談合」とは，公の競売または競争入札において，競売人または入札参加者が通謀して，ある特定の者を競落者ないし落札者とするために，一定の価格以下または以上に付け値ないし入札をしないことをいう[51)]。ここに「公正な価格」とは，入札を離れて客観的に測定されるべき価格のことではなく，その入札において公正な自由競争が行われたならば成立したであろうところの価格をいい[52)]，「不正な利益」とは，業者らがはじめから工事を施行する意思なく，金銭その他の経済上の利益（たとえば，談合金）を得ることのみを目的として談合した場合におけるその利益はもちろん，はじめは工事施行の意思があっても，後に利益の提供を受けることによりその工事施行の意思を放棄し，他の業者との協定（談合）に応じたときも，その利益が社会通念上いわゆる「祝儀」の程度を超え，不当に高額な場合にもこれにあたる[53)]とされている。

---

50)　福岡高判平成27・9・30 LEX/DB 25541330。

51)　なお，談合は，私的独占の禁止及び公正取引の確保に関する法律（独占禁止法。1947〔昭和22〕年4月14日法律第54号）の不当な取引制限罪（同法2条6項・3条・89条・95条を参照）にもあたりうることから，両罪の関係が問題となる。大山徹・刑ジャ65号（2020年）21頁を参照。

52)　最決昭和28・12・10刑集7巻12号2418頁，最判昭和32・1・22刑集11巻1号50頁。

53)　前掲注*52)*最判昭和32・1・22。

■ 第36章 ■

逃走の罪

1 司法作用に対する罪の概要

国家の統治作用のうちで司法作用の保護，いいかえれば，**司法手続の適正な実現の保護**を目的とする処罰規定としては，逃走の罪（第2編第6章97条以下），犯人蔵匿および証拠隠滅の罪（第7章103条以下），偽証の罪（第20章169条以下），虚偽告訴の罪（誣告（ぶこく）の罪。第21章172条以下）という4つの犯罪グループがある。ただ，これ以外にも，司法作用の保護のために（も）役立ちうる一連の処罰規定が存在する。とりわけ，文書を保護する犯罪としての文書偽造の罪（第17章154条～161条の2〔→488頁以下〕）および文書等毀棄罪（258条・259条〔→411頁以下〕），財産犯として位置づけられている事後強盗罪（238条〔→286頁以下〕）および盗品等に関する罪（256条・257条〔→389頁以下〕），刑法典の外にある特別法上の規定であるが，「組織的な犯罪の処罰及び犯罪収益の規制等に関する法律」（組織的犯罪処罰法。1999〔平成11〕年8月18日法律第136号）に規定された犯人蔵匿および証拠隠滅の罪の加重類型（同法7条）や，犯罪収益等隠匿・収受罪（マネーロンダリング罪[1]。同法10条・11条），そして，2017年の同法一部改

1) マネーロンダリング罪（不正資金の洗浄罪）については，392頁注13）を参照。一般の犯罪については，組織的犯罪処罰法10条・11条に規定があるほか，特に薬物犯罪については，「国際的な協力の下に規制薬物に係る不正行為を助長する行為等の防止を図るための麻薬及び向精神薬取締法等の特例等に関する法律」（麻薬特例法。平成3年10月5日法律第94号）の6条・7条に処罰規定がある。

正により新設された証人等買収罪（同法7条の2）などである。これらの犯罪の中には，司法作用に対する直接的な攻撃というより，犯人庇護（ひご）の側面を強くもつものが含まれるが，**司法作用の侵害と犯人庇護とはコインの両面**ともいうべき関係にある。

刑法による司法作用の保護の重要性　現代社会においては，国の機能としての刑事司法作用の迅速・適正な行使を保障し，これを確保することが，とりわけ重要な刑事政策的課題の1つとなっている。そのことは，薬物犯罪を含む組織犯罪への対応にあたり，実体法上・手続法上の諸規定・諸制度がきちんと整備されたとしても，もし組織犯罪集団により犯人庇護行為が行われ，また犯罪の立件と犯人の訴追・処罰に向けられた司法作用が妨害されて機能不全に陥るならば，そうした規定等が無意味なものとなってしまうことを考えても明らかなことであろう。司法作用に対する罪とその解釈論が重要視されていることの背景にはそのような事情が存在する。

2　逃走の罪 —— 総説

逃走の罪（97条以下）の**保護法益**は，国の拘禁作用であり，それは適法なものでなければならない[2)]。逃走の罪には，①被拘禁者自身が逃走する場合（97条・98条[3)]）と，②他の者が被拘禁者を逃走させる場合（99条・100条・101条）とがある。もともと2023（令和5）年の刑法一部改正（刑事訴訟法等の一部を改正する法律〔令和5年5月17日法律第28号〕による〔以下，「2023年改正」という〕）以前は，前者①の単純逃走罪（97条）と加重逃走罪（98条）については，犯罪の主体も制限されており，単純逃走罪の主体は「既決又は未決の者」で最も狭く，加重逃走罪の主体には，既決または未決の者に加えて，「勾引状の執行を受けた者」（たとえば逮捕された被疑者）だけが含まれるものとされていたのに対し，99条・100条・101条の客体は，「法令により拘禁された者」で，最も広くなっていた。**2023年改正により，単純逃走罪および加重逃走罪の主体が広げられ，**

2)　ただ，刑事訴訟法にしたがって有罪の判決が確定した以上は，かりにその人が本当は無実であるとしても，刑の執行は適法であって，その場合の国の拘禁作用も，本罪による保護の対象となる。

3)　ちなみに，ドイツ刑法などは，自ら単純に逃走する場合を処罰の対象とはしていない。

「法令により拘禁された者」となり，全体がそろえられた。ちなみに，2023年改正は，改正前の規定の下では処罰の対象とならなかった逃亡事案が目立つようになり，とりわけ保釈中の被告人が逃走するケースが生じたことから，刑法の逃走の罪の規定（97条および98条）の適用範囲を拡大するとともに（なお，97条の単純逃走罪については法定刑を引き上げた），刑事訴訟法において，保釈された被告人らの逃亡防止のために，その不出頭や制限住居からの離脱等を犯罪とし，かつ衛星利用測位システム（GPS）搭載端末の装着を命令できる制度（位置測定端末装着命令制度）を新設したものである（刑訴95条の2等）。

①逃走する罪と，②逃走させる罪とでは，それぞれ他の罪の共犯にあたりうる場合がある。たとえば，拘禁刑の言渡しを受け，刑務所において刑の執行を受けている甲が，刑務所職員乙（受刑者の看守をその任務とする者）に依頼し，刑務所から逃走することを可能としてもらったというケースを考えてみよう。甲には単純逃走罪（97条），乙には看守者等による逃走援助罪（101条）が成立するが，甲はあくまでも単純逃走罪のみで処罰され，看守者等による逃走援助罪の教唆犯として重く処罰されることはない。これは，贈賄者が収賄罪の共犯として処罰されることがないのと同じである（→662頁以下）。なお，逃走する罪も逃走させる罪も，すなわち，本章に規定された犯罪のすべて（97条～101条）について**未遂が処罰**される（102条）。

3　単純逃走罪

（逃走）
第97条　法令により拘禁された者が逃走したときは，3年以下の拘禁刑に処する。

主体は，法令によって拘禁された者を広く含む（→623頁以下）。2023年改正以前は，「裁判の執行により拘禁された既決又は未決の者」（改正前の97条）に主体が限定されており，確定判決または勾留状（勾留状発付も裁判である）の執行により刑事施設等に収容された被疑者・被告人または刑確定者（および法廷等の秩序の維持に関する法律の規定により監置に処せられて監置場に留置されている者）のみが主体となるとされていた。2023年改正は，これに加えて，①勾留状，勾引状または収容状（かつての収監状）の執行を受けたが，刑事施設等に収容される前の被疑者，被告人または刑確定者，②逮捕状により逮捕され，または緊急逮捕されて（逮捕状の発付後），刑事施設等に留置される前の被疑者と，留置中の被疑者，③勾引状の執行を受けた証人，④更生保護法の引致状の執行を受けたが，刑事施設等に留置される前の者，⑤少年法の同行状の執行を受けたが，少年院または少年鑑別所に収容される前の者，⑥現行犯逮捕され，または緊急逮捕されて（逮捕状の発付前），刑事施設等に留置される前の被疑者と，留置中の被疑者，⑦更生保護法の規定により刑事施設等に留置中の者も主体に含める趣旨で「法令により拘禁された者」という広い文言を採用することとした。

これに対し，「精神保健及び精神障害者福祉に関する法律」（精神保健福祉法。1950〔昭和 25〕年 5 月 1 日法律第 123 号）による入院措置を受けた者（同法 29 条以下参照）は，これにあたらない[4)]。また，少年院や少年鑑別所に収容中の少年がこれにあたるかどうかをめぐっては見解が分かれる。そこにおける自由の拘束は少年保護の趣旨で認められたものであるから，それを「拘禁」に含めるのは法の趣旨にそぐわないとする見解も有力である。しかし，多数説は積極説をとる[5)]。

心神喪失等の状態で重大な他害行為を行った者の医療及び観察等に関する法律（心神喪失者等医療観察法〔→総論 608 頁〕）による裁判所の決定に基づく入院については，犯罪行為を理由とする司法機関による施設収容であることから，本条にいう「拘禁」にあたると解される。

保釈された被告人が逃走した場合には，本罪にあたらない。ただし，2023 年改正により，刑事訴訟法の規定に基づき，保釈された被告人の公判期日への出頭を確保するため，その者の不出頭，制限住居からの離脱等の行為を新たに犯罪とするとともに，特に国外に逃亡することを防止するため，位置測定端末（GPS 端末）をその者の身体に装着することを命じることができるようになり（→624 頁），そのときには，不出頭，制限住居からの離脱，端末の取り外し，所在禁止区域内の所在を別途，処罰の対象とすることとした（刑訴 95 条の 2 以

---

4) 精神保健福祉法上の措置入院は，保護と治療のために認められるものであり，拘禁することが主目的ではないことがその理由である。

5) 福岡高宮崎支判昭和 30・6・24 裁特 2 巻 12 号 628 頁も，100 条の罪における「法令により拘禁された者」について，少年院被収容者を含むとする。なお，661 頁注 *15)* も参照。

下・98条の3・98条の24などを参照)。

逃走したとは，看守者の実力支配を脱することをいうから，いまだ追跡されている途中であれば，既遂にならない[6)]。2023年改正により，本罪の法定刑が3年以下の拘禁刑（それ以前は，期待可能性が低いことを考慮して1年以下の懲役であった）に引き上げられた。

4 加重逃走罪

（加重逃走）
第98条 前条〔97条〕に規定する者が拘禁場若しくは拘束のための器具を損壊し，暴行若しくは脅迫をし，又は2人以上通謀して，逃走したときは，3月以上5年以下の拘禁刑に処する。

本罪は，97条に規定された者（→624頁以下）が，拘禁場もしくは拘束のための器具を損壊し，暴行もしくは脅迫をし，または2人以上通謀して逃走することを処罰の対象とする。暴行・脅迫は，看守者またはその協力者に対してなされるものに限られる。暴行・脅迫の意義は，公務執行妨害罪（95条1項）のそれと同じと考えられよう（→612頁以下）。公務執行妨害罪が成立するときは，より重い本罪に吸収される（法条競合の一種としての吸収関係）。**損壊**は，器物損壊罪にいう損壊とは異なり，物の効用を害する行為を広く含むというのではなく，物理的損壊だけを意味するから，手錠を捨てて逃げるというような場合はこれに含まれない[7)]。なお，その際に器物損壊罪や建造物損壊罪にあたる事実が生じても，本罪に吸収されるであろう[8)]。

本罪の実行の着手時期（102条を参照）は，手段としての損壊行為または暴行・脅迫行為の開始時点に認められる[9)]。

---

6) 未遂罪を認めたものとして，福岡高判昭和29・1・12高刑集7巻1号1頁。

7) 広島高判昭和31・12・25高刑集9巻12号1336頁。

8) 建造物損壊につき，金沢地判昭和57・1・13刑月14巻1＝2号185頁を参照。

9) 最判昭和54・12・25刑集33巻7号1105頁。

5　被拘禁者奪取罪

（被拘禁者奪取）
第99条　法令により拘禁された者を奪取した者は，3月以上5年以下の拘禁刑に処する。

本罪は，法令によって拘禁された者を奪取する行為を処罰の対象とする。主体に限定はない。客体は，**法令によって拘禁された者**（→624頁以下）である。**奪取**とは，被拘禁者を現在の実力支配下から離脱させて自己または第三者の実力支配下に置くことをいう。被拘禁者をただ看守者等の実力支配から離脱させ，その者が自ら逃走できるようにしたときは，本罪ではなく，逃走援助罪（100条）または逃走罪（97条・98条）の幇助犯が成立する。

6　逃走援助罪

（逃走援助）
第100条①　法令により拘禁された者を逃走させる目的で，器具を提供し，その他逃走を容易にすべき行為をした者は，3年以下の拘禁刑に処する。
②　前項の目的で，暴行又は脅迫をした者は，3月以上5年以下の拘禁刑に処する。
（看守者等による逃走援助）
第101条　法令により拘禁された者を看守し又は護送する者がその拘禁された者を逃走させたときは，1年以上10年以下の拘禁刑に処する。

逃走援助罪（100条）は，法令によって拘禁された者を逃走させる目的で，器具を提供するなど逃走を容易にすべき行為をすること（1項），または同じ目的で暴行もしくは脅迫をすること（2項）によって成立する。逃走罪の幇助または教唆にあたる行為を独立の罪にしたものである。被拘禁者の逃走が要件とされておらず，処罰範囲が広すぎるとの批判もある。

看守者等による逃走援助罪（101条）は，法令によって拘禁された者を，看守または護送する者が逃走させる罪である。国の拘禁作用を国の内部から侵害する罪であり，汚職の罪としての性格をもつ（ただし，主体は必ずしも公務員である必要はない）。本条の規定は，日本国外において罪を犯した日本国の公務員（日本国民でなくてもよい）にも適用される（4条1号）。

■ 第*37*章 ■

犯人蔵匿および証拠隠滅の罪

1 総　説

犯人蔵匿(ぞうとく)等罪（103条）は，犯人や逃走者をかくまう罪であり，証拠隠滅等罪（104条）は，刑事事件の証拠の利用を妨げる罪である（関連する罪として，証人等威迫罪がある〔105条の2〕)。**人的庇護(ひご)罪**とも呼ばれるが，特に証拠隠滅等罪は，無実の人を陥れようとする行為についても成立する（105条〔→640頁〕は，犯人蔵匿等罪・証拠隠滅等罪が，犯人の不利益になる方向で行われうることを予定している)。**保護法益は，国の刑事司法作用の適正な実現**である。これらの行為が，犯罪者の適正な処罰を目的とする刑事司法作用の実現を妨げる一般的・類型的危険性をもつところにその処罰の根拠がある（抽象的危険犯)。せっかく刑法の規定を充実させても，それを適用して処罰できなければ何の意味もない。本章で見る犯罪のもたらす被害の重大性はもっと強調されてよい。この趣旨で，**2016（平成28）の刑法一部改正**により，犯人蔵匿等罪・証拠隠滅等罪・証人等威迫罪それぞれの法定刑が重くされた（なお，622頁以下も参照)。

2 犯人蔵匿等罪

（犯人蔵匿等）
第103条　罰金以上の刑に当たる罪を犯した者又は拘禁中に逃走した者を蔵匿し，又は隠避させた者は，3年以下の拘禁刑又は30万円以下の罰金に処する。

(1) 客　体

客体は，「罰金以上の刑に当たる罪を犯した者」および「拘禁中に逃走した者」である。罰金以上の刑に当たる罪とは，その法定刑が罰金以上の刑を含む罪のことである。**罪を犯した者**の意義をめぐっては見解の対立がある。判例は，真犯人に限らず犯罪の嫌疑によって捜査・訴追中の者をも含むとする[1]。これに対し，学説の多数は真犯人に限るとするが[2]，これは「罪を犯した者」という条文の文言がその根拠であり[3]，また真犯人でない者の蔵匿・隠避は違法性・有責性が低いことも理由とされる。さらに，判例の見解によると，真犯人が捜査機関に出頭して自首することも，別に嫌疑を受けた者が存在する限りで，犯人隠避にあたることになってしまい不都合であるとも批判される。

罪を犯した者の意義　判例の見解の方が妥当であろう。客体となった人が後になって真犯人と確定されなければ本罪による処罰もできないというのは不都合である，むしろ，犯人かどうかを確かめるために刑事手続があり，その適正な遂行を保護すべきなのである[4]。また，蔵匿・隠避に完全に成功すれば真犯人であるかどうかの確定も

1）　最判昭和24・8・9刑集3巻9号1440頁など。判例の見解に賛成するのは，伊東・390頁，高橋・673頁以下，中森・289頁以下，西田・482頁以下，藤木・212頁，堀内・315頁，前田・476頁以下など。新注釈(2)105頁以下〔島田聡一郎〕は，旧刑法からの沿革や立法者意思をも理由として，この見解を支持する。なお，判例によれば，本罪における蔵匿・隠避行為が行われるのは，捜査段階でなければならないものではなく，捜査開始前であってもよいし（→630頁注*5*）），起訴後，裁判所における審理中であってもよいとされる。さらに，有罪の確定判決後であっても，本罪は成立しうる。他方，公訴時効の完成，刑の廃止，恩赦等のためにもはや訴追・処罰の可能性がなくなった者は，かりに真犯人であったとしても，本罪の客体にあたらないことは当然である。

2）　たとえば，浅田・541頁，大谷・611頁以下，川端・691頁以下，斎藤・316頁，曽根・300頁，団藤・80頁以下，中山・341頁，日髙・678頁以下，平野・概説285頁，福田・27頁以下，松原・574頁以下，山口・577頁など。

3）　103条には「罪を犯した者」とあり，これに「罪を犯してはいないがそう疑われる者」まで含ませることはできないとする。これに対し，刑訴89条1号・3号なども参照。

4）　刑事手続においては，嫌疑のある者の身柄をひとまず確保する必要があり，また，それを妨害させないようにする必要がある。司法作用の保護という見地からは客体を真犯人に限る理由はない。ちなみに，札幌高判平成17・8・18判時1923号160頁は，捜査機関に誰が犯人かわかっていない段階では，犯人がすでに死亡していたとしても，捜査機関に対して自ら犯人である旨虚偽の事実を申告する行為は犯人隠避罪にあたるとした。捜査機関に誰が犯人かわかっていないという前提の下で，死者も「罪を犯した者」に含まれるということになる。

できず，したがって本罪で処罰できないことになってしまうというのも不合理である。さらに，真犯人に限るとすれば，行為者がその者を真犯人ではないと思えば，本罪の**故意が否定**されることになり，錯誤による故意阻却を広く認めなければならないことになるなどの問題があろう。

それでは，捜査が開始される前（すなわち，まだ被疑者になる前）においても本罪は成立するか。真犯人については，判例・学説は一致して本罪の客体となりうるとする[5]。真犯人でない場合については疑問がある。もし真犯人に限らないという解釈をとるのであれば，少なくとも嫌疑が生じていることが必要であり，その者は被疑者となっていなくてはならないということになるであろう。

拘禁中逃走した者とは，法令により拘禁されている間に逃走した者をいう。逃走の罪（97条以下〔→624頁〕）の「法令による拘禁」と同じで，国による身体の自由の拘束を広く含む。逃走した者ばかりでなく，奪取された者も含まれる。

(2)　行　為

蔵匿とは，場所を提供してかくまうことという。**隠避**とは，蔵匿以外の方法で，官憲による発見・逮捕を免れさせる一切の行為をいい，**有形的方法**による隠避（たとえば，変装用の道具を貸すとか，逃走資金を提供するとかの行為）と**無形的方法**による隠避（たとえば，犯人に捜査に関する情報を与えるとか，目撃者を説得して捜査機関への申し出をやめさせるとかの行為）とがある。なお，蔵匿も隠避も，「罪を犯した者」等とは別の人が行うことが予定されており，犯罪の嫌疑により捜査の対象となっている人等が自ら姿を隠すこと（自己隠避行為）は処罰の対象とならない（→636頁以下）。

身代わりとなって警察に出頭し，犯人の発見・逮捕を妨害することも隠避にあたるとされる（したがって，ある人を身代わり犯人として出頭させれば，犯人隠避罪の教唆となる）。捜査機関に向けられた行為であり，隠避という文言から少し外れるが，なお隠避行為に含めることは可能であろう。

それでは，すでに逮捕・勾留されている者を釈放させるために，身代わり犯

5）　最判昭和28・10・2刑集7巻10号1879頁は，真犯人については，捜査が開始されているかどうかを問わず，本罪の客体になるとする。

人となって出頭する行為は隠避となしうるであろうか。**消極説**は，①103条の行為客体を見ると，いずれも身柄を拘束されていない者が予定されており[6]，本罪の保護法益は，これから逮捕・勾留しようとする国の作用，その意味における「身柄の拘束に向けられた司法作用」の適正にあると考えられるから，すでに身柄を拘束されている者を釈放させようとする行為は処罰の対象とならないと解すべきである，②身柄を拘束されていない者の発見・逮捕を妨害する行為（これは私人にも容易にできることであって防圧の必要性が高い）と，すでに身柄を拘束されている者を釈放させようとする行為とでは禁止・処罰の必要性に格段の差がある，③身柄を拘束されている者を釈放させる行為をすべて処罰することになると，処罰範囲が広がりすぎ，目撃者として出頭して虚偽の内容を陳述したり，参考人として事情聴取を受けて不実の内容を述べる行為も本罪として処罰され，さらには弁護人の活動もこれにあたりうることとなり，結局，犯人隠避罪の処罰規定は**捜査妨害行為を包括的に処罰する規定**となってしまうといった理由を挙げる。

これに対し，判例は**積極説**をとり，本罪の保護法益を広く解し，現になされている身柄の拘束を免れさせるような性質の行為も「隠避」にあたるとする[7]。本罪が広く**身柄の拘束に向けられた刑事司法作用の適正を害する抽象的危険**をもつ行為を処罰する規定であるとする理解を前提にすれば，身代わり犯人として出頭することも隠避にあたるとする前記の解釈の延長線上で，この結論が引き出されることになろう（身代わり犯人の出頭の結果，真犯人が釈放されてしまう可能性もあるからである）。

最近の判例は，このような考え方をさらに一歩進めて，被告人が，すでに逮

---

6) 103条には，犯罪の客体として，「罰金以上の刑に当たる罪を犯した者」と並んで，「拘禁中に逃走した者」が挙げられているが，後者が身柄を拘束されていない状態にあることは明らかであり，それとの均衡で，前者についても身柄を拘束されていない者のみが予定されていると解することは自然ともいえる。

7) 最決平成元・5・1刑集43巻5号405頁。「103条は，捜査，審判及び刑の執行等広義における刑事司法の作用を妨害する者を処罰しようとする趣旨の規定であって……同条にいう『罪を犯した者』には，犯人として逮捕勾留されている者も含まれ，かかる者をして現になされている身柄の拘束を免れさせるような性質の行為も同条にいう『隠避』に当たると解すべきである」。

捕・勾留されている犯人が起こしたひき逃げ事件について参考人としての取調べを受けるにあたり，犯人と口裏合わせをした上で，犯人性に疑念を生じさせる内容の虚偽の供述をすることも犯人隠避にあたる，とするに至った[8)]。逮捕・勾留されている者についてその**身柄の拘束を免れさせるような性質の行為**である限りは，身代わりとなって出頭するという積極的な行為ばかりでなく，取調べを受けて犯人性を否定する供述をするという，やや消極的な行為も本罪にあたるとしたのである。

(3) 故　意

「罰金以上の刑に当たる」ことの認識が必要かどうかが問題となる。条文に明記されていることから，これを肯定する見解が通説となっているが，法律専門家でもない一般通常人に法定刑についての認識を要求することはできないであろう。判例によれば，殺人犯人とか，窃盗犯人（またはその種の犯罪を行った犯人）とかという認識があれば足りる[9)]。犯罪の具体的内容を認識していなかったり，その点に関する錯誤があったとしても故意は阻却されない。これに対し，法定刑として拘留や科料のみが予定された軽微な罪（たとえば，軽犯罪法違反の罪）を犯した者と誤信していたとき，故意が阻却されるのは当然である。

3　証拠隠滅等罪

（証拠隠滅等）
第 104 条　他人の刑事事件に関する証拠を隠滅し，偽造し，若しくは変造し，又は偽造若しくは変造の証拠を使用した者は，3 年以下の拘禁刑又は 30 万円以下の罰金に処する。

---

8)　最決平成 29・3・27 刑集 71 巻 3 号 183 頁。すなわち，「被告人は，……道路交通法違反及び自動車運転過失致死の各罪の犯人がＡであると知りながら，同人との間で，Ａ車が盗まれたことにするという，Ａを前記各罪の犯人として身柄の拘束を継続することに疑念を生じさせる内容の口裏合わせをした上，参考人として警察官に対して前記口裏合わせに基づいた虚偽の供述をしたものである。このような被告人の行為は，刑法 103 条にいう『罪を犯した者』をして現にされている身柄の拘束を免れさせるような性質の行為と認められるのであって，同条にいう『隠避させた』に当たると解するのが相当である」。詳しくは，石田寿一・最判解刑事篇平成 29 年度 68 頁以下を参照。

9)　最決昭和 29・9・30 刑集 8 巻 9 号 1575 頁を参照。

(1) 客　体

客体たる**証拠**には，物証，書証，人証のすべてが含まれる[10]。ただ，本条にいう証拠は，**物理的存在としての証拠**（**証拠方法**）に限定される。証人の証言や参考人の供述それ自体まで本条にいう証拠にあたるとすれば，たとえば，取調べにあたり捜査官にウソを言うだけで，すべて直ちに本罪にあたることになってしまうであろう（→635 頁）。これに対し，目撃者等（証人や参考人となるべき人）をわざと外国に行かせたり，さらには殺害することは本罪を構成する[11]。**他人の刑事事件に関する証拠**でなければならないから，民事事件の証拠を含まない（これに対し，少年事件は含む）。また，刑事事件の犯人自身が自ら証拠隠滅にあたる行為を行っても構成要件に該当しない。犯人自身が証拠を隠滅等しても，同じように刑事裁判における適正な証拠の利用は妨げられるが[12]，犯人にそうしないことを期待できない（類型的に期待可能性がなく，したがって一般的に責任を問いえない）ことを考慮して，犯罪の主体から除かれていると解されている（ただし，総論 100 頁注 *18*）を参照）。現に裁判所に係属している事件のほか，将来において刑事事件となりうるものも含む。すなわち，被疑事件や，いまだ被疑事件に至らないものもこれにあたる（もっとも，後に捜査も開始されなかった事件まで含めることに対しては反対もある）。

「他人の」刑事事件　自己の刑事事件に関する証拠が，同時に，他人の刑事事件に関する証拠でもあった場合，特に共犯事件において，その証拠を隠滅する行為は証拠隠滅罪を構成するか。多数説[13]によれば，①証拠がもっぱら共犯者のみに関係する場

10）証拠とは，一定の事実の存在の推認の資料ないし根拠となるものをいう。それには，①物の存在や状態が推認の資料となる場合（物証），②書類の記載内容が推認の資料となる場合（書証），③人の供述が推認の資料となる場合（人証）があり，それぞれによって証拠調べの方法が異なる。なお，人証は，「にんしょう」とも「じんしょう」とも読む。

11）判例は，捜査段階における参考人（実は，犯人として疑われている者）を隠匿した場合に本罪の成立を認めている（最決昭和 36・8・17 刑集 15 巻 7 号 1293 頁）。

12）本罪の保護法益は，国の刑事司法作用の適正な実現である。証拠を隠滅したり，偽造・変造したりする行為は，刑事司法作用の適正な実現を妨げる（抽象的）危険をもつことから処罰の対象とされる。犯人自身が自己の事件についてこれを行う場合でも，そのような危険性があることにまったく変わりはないのである。

13）大塚・597 頁，大谷・616 頁，斎藤・318 頁，新注釈(2)127 頁以下〔島田〕，福田・30 頁，山口・584 頁など。判例の立場は必ずしも明らかではないが（新注釈(2)127 頁以下を参照），

合には当然に本罪が成立する，また，②たとえ自分の事件にも関係する場合であっても，もっぱら共犯者の利益のために行われた場合には本罪の成立が認められる，しかし，③それ以外の場合には本罪は成立しないとされる。このような考え方は妥当であろう。もっぱら共犯者の利益のために行われた証拠隠滅が，たまたま自己の事件の証拠隠滅の側面をもつからといって不可罰となるのはおかしいし，逆に，単独犯なら不可罰とされる証拠隠滅行為が，共犯がいるというだけで有罪になってしまうのもおかしいからである[14)]（なお，共犯事件ではないが証拠が共通する場合についても，同じように考えられるべきであろう）。

同様に，共犯者を蔵匿または隠避させる行為（103条）が自己の事件の証拠隠滅（104条）の意味ももつ場合にも，もっぱら共犯者の利益のために行われたのであれば，犯人蔵匿・隠避罪が成立すると解するべきであろう[15)]。

(2) 行　為

証拠を隠滅すること，偽造もしくは変造すること，偽造変造の証拠を使用することである。隠滅は，証拠の全部または一部を使えなくすることを広く含む。偽造・変造は，真実に合致しないものとする場合を広く含む（155条や159条などに「偽造」「変造」とある場合より広く，作成権限をもつ者の虚偽文書の作成もこれに含まれる）。

戦後の下級審判例は，基本的にこれと同じ見解に立っているものと解される。これに対し，②の場合にも本罪の成立を否定すべきだとするのは，高橋・681頁，中森・291頁以下，西田・486頁，山中・802頁など。

14)　これに対し，福岡高宮崎支判平成17・3・24高刑速平成17年325頁は，他人の刑事事件の証拠が同時に自己の刑事事件の証拠であるとき，自らの事件の証拠を隠滅しようという認識がありさえすれば，同罪は成立しないと解するべきであるとした。自己の証拠であるか，他人の証拠であるかの「認識の主従」を問題にする見解に対しては，「その基準自体は不明確である上，認識の主従という主観の程度によって，当該証拠が『自己』あるいは『他人』に変容するというのは不合理である」というのである。しかしながら，「もっぱら共犯者の利益のために行われたかどうか」は，決して曖昧な基準であるとは思われない。しかも，それは単に行為者の主観を問題としているのではなく，それぞれの要証事実との関係で証拠のもつ客観的な価値の大小によって決まるものである。

15)　旭川地判昭和57・9・29判時1070号157頁は，犯人蔵匿等罪の成立を肯定するにあたり，防御として放任される範囲を逸脱し，期待可能性が失われることにならないことを理由として挙げている。

参考人の虚偽供述と証拠の偽造　参考人として取調べを受けた際に虚偽の供述をすることが証拠偽造にあたるかどうかが問題となる。供述自体は無形であるが，それが証拠となるものであるから，これを本罪の証拠に含めることは不可能ではない[16)]。ただ，そうなると，宣誓しない証人による偽証（→645頁）も犯罪となり，また，捜査機関による参考人の取調べ（刑訴223条）の際の参考人の虚偽供述も犯罪となり，他人の刑事事件に意味をもちうる供述を行うにあたっては**真実を述べることが一般的に刑法上強制**される（真実義務の一般化）こととなってしまう。刑法が供述について真実義務を認めているのは証人として宣誓をした場合に限られるのである。そこで，通説は，前述のように（→633頁），本罪の客体たる証拠は，物理的存在としての証拠（証拠方法）に限定すべきだとする（従来の判例も，参考人の虚偽供述自体は証拠偽造にあたらないとする見解をとってきた[17)]）。

ただ，そのように解したとしても，虚偽の供述が捜査官によって録取され，**供述調書が作成**されたとき，それに署名することにより，**供述調書という証拠を偽造**したと見ることは可能である[18)]。しかし，事情聴取における供述が書面に転化したことにより証拠偽造罪としての可罰性を肯定すると，実際上，事情聴取において真実を述べることを強制することに帰することとなる。やはりこのような行き過ぎた帰結は回避されなければならない[19)]。**最近の最高裁判例**も，この趣旨を明言している。すなわち，「他人の刑事事件に関し，被疑者以外の者が捜査機関から参考人として取調べ（刑訴法223条1項）を受けた際，虚偽の供述をしたとしても，刑法104条の証拠を偽造した罪に当たるものではないと解されるところ……，その虚偽の供述内容が供述調書に録取される（刑訴法223条2項，198条3項ないし5項）などして，書面を含む記録媒体上に記録された場合であっても，そのことだけをもって，同罪に当たるということはできない」というのである。ただし，当該の具体的事案は，その供述調書が，参考人たる被告人が取調べの際に巡査部長に対して行った供述を録取して作成されたもの

---

16)　堀内・320頁を参照。

17)　最決昭和28・10・19刑集7巻10号1945頁を参照。

18)　大谷・618頁，曽根・303頁，高橋・685頁，西田・488頁，山口・588頁，山中・805頁以下など。捜査機関に対し虚偽内容の上申書（供述書）を作成して提出したときには証拠偽造罪ないし偽造証拠使用罪の成立が認められるのが一般であるが（東京高判昭和40・3・29高刑集18巻2号126頁など），それとの間に本質的な相違を見出すことはできないともいえよう。

19)　千葉地判平成7・6・2判時1535号144頁は，犯人隠避罪にあたりうることは別として，証拠偽造罪にはあたらないとした。供述調書の供述部分は，供述内容をそのまま録取したものにすぎず，「参考人が捜査官に対して虚偽の供述をすることそれ自体が，証憑偽造罪に当たらないと同様に，供述調書が作成されるに至った場合であっても，やはり，それが証憑偽造罪を構成することはあり得ないものと解すべきである」という。

という形式をとっているものの，実質的には，被告人らと巡査部長らが，別のある人の覚せい剤所持という架空の事実に関する令状請求のための証拠を作り出す意図で，各人が相談しながら虚偽の供述内容を創作，具体化させて書面にしたものであった。最高裁は，それは単に参考人が捜査官に対して虚偽の供述をし，それが供述調書に録取されたという事案とは異なるとし，作成名義人である巡査部長を含む被告人らが共同して虚偽の内容が記載された証拠を新たに作り出したものといえるので証拠偽造罪にあたるとしたのである[20]。

こうして判例の立場は次のように要約することができる。まず，① 104 条の罪の客体たる「証拠」は，物理的存在としての証拠（証拠方法）に限定すべきであり，たとえば，取調べの際の虚偽供述それ自体は証拠偽造にならない。また，②取調官によりその虚偽供述が録取され，供述調書が作成されたとしても，それでも証拠偽造にはならない。供述が書面に転化したことにより証拠偽造罪としての可罰性を肯定するならば，実際上，事情聴取において真実を述べることを刑罰の威嚇の下に強制することになってしまい，それは行き過ぎだからである。これに対し，③消極的・受動的ではなく，積極的に虚偽の文書を作成したとき，たとえば，上申書という形であれ，取調官が供述を録取して作成する供述調書という形であれ，虚偽の内容が記載された文書を新たに作り出したといいうる場合には，証拠偽造罪が成立するのである。

4　犯人自身による犯人蔵匿・証拠隠滅等の教唆

犯人自身が自ら犯人蔵匿や証拠隠滅にあたる行為を行っても構成要件に該当しない（→630 頁，633 頁）。たとえば，犯人自身が，凶器として使用したナイフを隠したり捨てたりしても，それはやむをえないことであり，それを刑罰をもって処罰することは適当でない。しかし，**犯人が第三者を教唆して自己を蔵匿等させ，または証拠を隠滅等させた場合**，それを教唆犯として処罰しうるかどうかが問題とされている。判例は，大審院時代から一貫してこれを肯定するが[21]，学

20）　最決平成 28・3・31 刑集 70 巻 3 号 406 頁。

21）　近年の判例として，最決平成 18・11・21 刑集 60 巻 9 号 770 頁は，被告人甲が，自己の刑事事件に関する証拠の偽造を乙に依頼した行為は，それに先立って乙がその具体的な方法を考案して甲に対し積極的に提案をしていたという事情があっても，証拠偽造教唆罪にあたるとした。すなわち，乙は，被告人の意向に関わりなく証拠偽造行為を行うまでの意思を形成していたわけではないことから，乙の証拠偽造の提案に対し，被告人がこれを承諾して提案に係る工作の実行を依頼したことによって，その提案通りに証拠偽造行為を遂行しようという乙の意思

説は判例を支持する積極説[22]と，期待可能性がないという理由で不可罰とする消極説[23]とに分かれている。

積極説は，自分ひとりで行う場合と異なり，**他人を罪に陥れる行為**であるから，そこまでして処罰を免れようとするときはまったくやむをえない行為とまではいえない（もはや罪を犯した人の心情に対して譲歩できる限界を超える）とする。なお，積極説の理由づけとして「**防御権の濫用**」ということがいわれ，それが判例の見解であるように語られることがあるが，犯人蔵匿・犯人隠避を教唆する場合に限っては，なお理解可能であるものの，証拠偽造等の教唆のケースをも含めた理由づけとしては不当であろう。たとえば，犯人自身による証拠の偽造や変造が防御権の行使として正当化されるものではありえない（したがって，それを他人に教唆したときに「防御権の濫用」とすることも意味をなさないことである）。防御の自由と権利を語りうるのは，単純な自己隠避行為に限られるのである[24]。そこで，積極説としては，他人を犯罪に陥れてまで処罰を免れようとすることはもはや期待可能性のない行為とはいえない，とするものが唯一，適切であるといえよう。しかし，**消極説**によれば，それは，証拠隠滅等を自分ひとりで行う場合と，それを人に行わせる場合とで違法性の内容が異なることを前提とするものである。共犯の処罰根拠に関する**因果的共犯論**（→総論533頁以下）によると，正犯と共犯とでは違法性の実質（処罰根拠）は同じであり，し

を確定させたものと認められ，被告人甲の行為は，人に特定の犯罪を実行する決意を生じさせたものとして，教唆にあたるというべきであるとした（→総論541頁）。また，最決令和3・6・9集刑329号85頁は，犯人が他人に対し自己の蔵匿・隠避を教唆したケースについて，刑法103条の罪の教唆犯が成立することを肯定した（ただし，山口厚裁判官の反対意見が付せられている）。

22）伊東・394頁，内田・652頁，大塚・601頁以下，斎藤・321頁，佐久間・428頁以下，団藤・90頁，福田・34頁，前田・478頁以下，482頁以下など。

23）浅田・543頁，546頁，大谷・614頁以下，川端・689頁以下，曽根・301頁以下，高橋・678頁以下，686頁以下，西田・484頁以下，日高・682頁，687頁以下，堀内・318頁，321頁，松原・590頁以下，山口・582頁，589頁など。

24）判例が「防御の濫用」に言及したのは，犯人自身による犯人隠避の教唆のケースであり，次のように述べたにすぎないのである。「犯人自身ノ単ナル隠避行為ハ法律ノ罪トシテ問フ所ニ非ス（あら）所謂（いわゆる）防御ノ自由ニ属スト雖（いえども）他人ヲ教唆シテ自己ヲ隠避セシメ刑法第103条ノ犯罪ヲ実行セシムルニ至リテハ防御ノ濫用ニ属シ法律ノ放任行為トシテ干渉セサル防御ノ範囲ヲ逸脱シタルモノト謂（い）ハサルヲ得サルニヨリ」（大判昭和8・10・18刑集12巻1820頁）。

かも他人に行わせること（共犯）は，自ら行うこと（正犯）より程度の軽い違法行為なのであるから[25]，重い違法行為について期待可能性がないとされる以上，より軽い違法行為についてはますます期待可能性がないはずなのである[26]。また，犯人自身も一緒に協力し共同して行った場合や，情を知らない者を利用して間接正犯として行った場合には処罰されないのに，より消極的に行えば共犯として可罰的になるとするのは不当だということも，消極説の論拠とされている。さらに，特に犯人蔵匿については，当然に予定される，犯人自身の関与行為が構成要件上不問に付されているのであるから，共犯としても不可罰と解すべきであり（必要的共犯の中の**対向犯**〔→総論 480 頁以下，538 頁以下〕の一場合），それとの均衡で証拠隠滅も同じように理解すべきであるとされる。以上のような消極説の論拠には説得力があるといえよう[27]。なお，被告人が自己の刑事事件について他人に**偽証を教唆**したとき，偽証教唆罪が成立するかどうかの問題については，644 頁以下を参照。

積極説の可能性　とはいえ，積極説は，大審院時代からの確立した判例の立場であり，これが消極説に変更される見込みは薄いといえよう。しかも，積極説の立場は立法により裏付けを得たともいえる。2017（平成 29）年の組織的犯罪処罰法一部改正により（→622 頁），**証人等買収罪**の規定（同法 7 条の 2）が新設されたからである。同規定は次のように定める。「次に掲げる罪〔＝死刑又は無期若しくは長期 4 年以上の拘禁刑が規定されている犯罪〕に係る自己又は他人の刑事事件に関し，証言をしないこと，若しくは虚偽の証言をすること，又は証拠を隠滅し，偽造し，若しくは変造すること，若しくは偽造若しくは変造の証拠を使用することの報酬として，金銭その

25）解釈上そのことは，63 条および 64 条から明らかである。

26）正犯と共犯とでは違法性の実質（処罰根拠）が基本的に同じだとすれば，自ら行為するときには責任を問えない（期待可能性がない）が，他人を引きずり込んだときには非難できる（期待可能性がある）とか，「他人を犯罪に引きずり込んだ」犯人が処罰されないのは不公平だから処罰されるべきだとかいうことはできないし，また，正犯者は構成要件に該当する違法な行為をしているのであるから，教唆者はこれに従属して処罰されるべきだと考えることもできない。消極説は，積極説が教唆犯の成立を認めることは，教唆犯の違法性（処罰根拠）を，正犯者に犯行の意思決定をさせてこれを犯罪に陥らせ，社会の中に 1 人の犯罪者を生み出した点に求める立場（責任共犯論〔→総論 534 頁〕）に立脚するものであると批判する。

27）積極説は，被教唆者が親族のときは，教唆者にも刑の免除が認められうるとする（105 条を参照）。しかし，それは解釈論として不徹底な結論であろう。

他の利益を供与し，又はその申込み若しくは約束をした者は，2年以下の拘禁刑又は30万円以下の罰金に処する」。これは，自己の刑事事件についても，報酬をともなう依頼等を行うだけで（依頼された人が何もしなくても）可罰的とするものである[28]。もし自己の刑事事件についての証拠隠滅等の他人への依頼行為が期待可能性のない行為というのであれば，これらの行為を犯罪とすることはそもそもできないはずであろう。

他方で，判例がとる積極説は，まったく不当だというものでもない。自分ひとりで行われる自己隠匿行為や自己の刑事事件に関する証拠隠滅・偽造行為に限ってこれを不問に付すが，他の者と協力し合って行われる（とりわけ組織的犯罪集団による）司法妨害行為についてはこれを処罰するという法的規制は法政策的には合理性がないとはいえない。犯人自らが単独で行う行為と，事件について種々の情報をもつ犯人が他の者に情報を与えて他人とともに行う行為とは，司法作用に対する侵害性の程度が異なるとも考えうる。犯人として事件との関係では（情報の保持や場所的近接性等）特権的立場を有するといえるが，それを第三者に提供しつつ，ともに司法妨害を行うところに，**単独行為の場合とは異なった独自の違法性**を見ることは不可能ではない。刑法は単独で行われることを限度として犯人の行為の可罰的違法性を否定したのであり，その限りで司法作用の保護を後退させたと考えるのである。

なお，判例は，これまで教唆犯を認めてきているが，それは規定の文言上，**犯人自身を正犯として処罰することはできない**という考慮に基づくものであろう（間接正犯の形態における実行はおよそ不可能であり，共同正犯についても同じだと考えるのである）。これに対し，犯人自身が他の者と協力し合って行う司法妨害行為は違法性がより重いと考えるのであれば，「犯人自身ではないこと」を消極的な身分（違法身分）として理解して，**65条1項の適用により共同正犯として処罰**することもまた不可能ではないと解される。

5　罪数，他罪との関係

犯人蔵匿等罪の個数は，客体たる人の数によって決まる。1人を蔵匿し，かつ隠避させたときは103条にあたる一罪（包括一罪）であり，同一事件であっ

28）東京地判令和3・9・7 LEX/DB 25591213は，国土交通副大臣および内閣府副大臣だった被告人が，自己の収賄事件に関し，証人予定者に対して虚偽の証言をすることの報酬として現金の供与の申込みをしたという事案について，単純収賄罪のほか，証人等買収罪の成立を認めた。

ても数人の犯人を1個の行為で蔵匿または隠避させたときは観念的競合となる。[29] 証拠隠滅等罪については，証拠の数を基準として罪数を決する。証拠を偽造・変造し，さらにその証拠を使用したときは，104条にあたる一罪（包括一罪）である。犯人隠避の構成要件は広く解釈されているので（→630頁以下），証拠隠滅等の行為が同時に犯人隠避にもあたると考えられる事態が生じる。両罪の観念的競合とする見解もありえようが，証拠隠滅等罪が犯人隠避罪を吸収する（法条競合）と考えるべきであろう。公務執行妨害罪（95条1項），威力業務妨害罪（234条），文書毀棄罪（258条）が成立するとき，犯人隠避罪・証拠隠滅等罪とは観念的競合となろう。これに対し，偽計業務妨害罪（233条）については，犯人隠避罪や証拠隠滅等罪を司法妨害行為を処罰する特別法として理解できるところから，一般法の関係にある偽計業務妨害罪の規定は適用されないと考えるべきである（そう考えないと，多くの場合に，刑がより重い業務妨害罪が成立し，その適用が優先するということにもなりかねない）。

6　親族による犯罪に関する特例

（親族による犯罪に関する特例）
第105条　前2条〔103条・104条〕の罪については，犯人又は逃走した者の親族がこれらの者の利益のために犯したときは，その刑を免除することができる。

親族の利益のために犯人蔵匿罪または証拠隠滅罪が行われたとき，その刑を免除することができる（任意的な刑の免除）。たとえ罪を犯した人とはいえ，自分の親族であればそれを助けようと思うことは人情からしてやむをえないというところから，期待可能性が少ないことを理由として，寛大な扱い[30]を規定したものと理解することができる。親族の意義については，268頁を参照。他人が親族を教唆して犯罪を行わせた場合，犯人・逃走者の親族ではない教唆者の刑は免除されない。

29）　最判昭和35・3・17刑集14巻3号351頁。

30）　現行規定では，親族の利益のために行っても犯罪は成立し，裁量によりその刑を免除しうるにとどまるが，1947（昭和22）年の刑法一部改正以前は，「之ヲ罰セス」とされており，犯罪は成立せず不可罰であった。

犯人・逃走者の親族が第三者を教唆し，犯人・逃走者の利益のために本罪を犯させた場合については，犯人・逃走者自身が第三者を教唆して犯罪を行わせた場合（→636 頁以下）と基本的に同じことが問題となり，その場合の解決に準じた解決がなされる。すなわち，そこでの積極説によれば，この場合にも刑の免除の可能性は否定されるし，消極説によれば，任意的な刑の免除の可能性が認められるであろう。

7　証人等威迫罪

（証人等威迫）
第 105 条の 2　自己若しくは他人の刑事事件の捜査若しくは審判に必要な知識を有すると認められる者又はその親族に対し，当該事件に関して，正当な理由がないのに面会を強請し，又は強談威迫の行為をした者は，2 年以下の拘禁刑又は 30 万円以下の罰金に処する。

本罪は，自己もしくは他人の刑事事件の捜査もしくは審判に必要な知識を有すると認められる者またはその親族に対し，当該事件に関して，正当な理由がないのに面会を強請（きょうせい）し，または強談威迫（ごうだんいはく）の行為に及ぶことを処罰の対象とする。暴力団の「お礼参り」行為[31]を抑止する意図で，1958（昭和 33）年の刑法一部改正の際に，208 条の 2 の凶器準備集合罪の処罰規定（→74 頁）とともに新設された。保護法益は，国家の刑事司法作用の安全とともに，関係者の私生活の平穏である。本罪も抽象的危険犯であり，その人が，現実に公判審理の段階において証人として証言を行う可能性があることを要しない。明文上，自己の刑事被告事件についても成立する[32]。

面会の強請とは，相手方に面会の意思がないのに面会を強く求めることをいい，**強談威迫の行為**とは，言葉を用いて自己の要求に応じるよう迫ること（強

31）「お礼参り」とは，暴力団員等が逮捕・勾留され，さらに身柄の拘束を解かれた後などに，被害者や自己に不利な事実を捜査機関に対し述べた者，密告者などを脅したり，危害を加えたりする行為のことである。

32）なお，刑事手続における証人の保護および証人への配慮については，酒巻匡『刑事訴訟法〔第 2 版〕』（2020 年）426 頁以下を参照。

談)，そして，言葉や動作をもって威力を示して相手方に不安・困惑の気持ちを抱かせること（威迫）をいう。これらの行為は直接に相手方の面前で行われる必要があると解する見解も以前は有力であったが，現在では，面会の強請についても，強談威迫についても，手紙や電話によるもののほか，メール等を手段とするものでもよいとする見解が多数である[33]。

面会を強請した上で，強談威迫の行為をしたときには，本罪にあたる一罪となる。その行為が相手方に恐怖心を抱かせる程度のものであるときは，脅迫罪や強要罪との観念的競合となる。

33）詳しくは，新注釈(2)157頁以下〔島田〕を参照。最決平成19・11・13刑集61巻8号743頁は，威迫には「不安，困惑の念を生じさせる文言を記載した文書を送付して相手にその内容を了知させる方法による場合が含まれ，直接相手と相対する場合に限られるものではないと解するのが相当であ」るとした。

■ 第38章 ■

偽証の罪

1 総　説

偽証の罪には，法律により宣誓した証人が虚偽の陳述をすることにより成立する**偽証罪**（狭義。169条）と，法律により宣誓した鑑定人，通訳人，翻訳人が虚偽の鑑定，通訳，翻訳をすることにより成立する**虚偽鑑定等罪**（171条）とがある。偽証の罪は，刑事裁判の場面に限られず，民事裁判や行政事件の裁判，国家公務員の懲戒手続等の場面でも問題となる（なお，特別法上も，数多くの偽証罪処罰規定が存在する）。その**保護法益**は，広く国家の審判作用の安全である。本罪も**抽象的危険犯**である。法律による宣誓を要求しているのは，その宗教的意味によるものではなく，宣誓に基づく良心の緊張状態の下での虚偽陳述行為のみに処罰の対象を限定しようとするものである。法定刑はかなり重い[1]。

2 偽証罪（狭義）

（偽証）
第169条　法律により宣誓した証人が虚偽の陳述をしたときは，3月以上10年以下の拘禁刑に処する。

1）偽証罪は，暗数の多い犯罪とされ，かなり多く行われていると推測されるが，そのうちのわずかしか立件・訴追されないといわれる。この点について，原田國男『裁判の非情と人情』（2017年）9頁以下を参照。

(a) 憲法との関係　偽証罪については，**憲法38条1項**との関係が問題となる。同条項は，「自己に不利益な供述」を強要されないことを保障している（黙秘権[2]または自己負罪拒否権）。すなわち，各人は，それを言えば犯罪者として訴追されるおそれのあることについての供述を強制されない権利をもつのである。そこで，証人は，**証言拒否権**を認められており（たとえば，刑訴146条を参照），それに答えれば犯罪者として訴追されるおそれのあることを聞かれたときには証言を拒否できる。しかし，それにもかかわらず，証言して積極的に虚偽の陳述をすれば，偽証罪の成立が認められるし，それは憲法に反するものではない。黙秘権は「ウソをいう権利」ではないのである。なお，現行の刑事訴訟法は，（被告人には黙秘権があることから）被告人自身が証人になることを認めていないため，自己の事件について被告人自身が偽証罪の正犯となることはない。

被告人による偽証教唆の可罰性　被告人が証人を教唆して虚偽の証言をさせたとき，偽証教唆罪が成立するか。この点をめぐっても，犯人自身による犯人蔵匿等教唆・証拠隠滅等教唆の可罰性の問題についてと同様に（→636頁以下），積極説と消極説とが対立する。**積極説**[3]は，他人に偽証させることまで期待可能性を欠くとはいえないことを根拠とし，**消極説**[4]は，期待可能性の欠如を理由に教唆犯としても不可罰だとする。判例は，ここでも積極説をとっている[5]。

かりに犯人による犯人蔵匿等教唆・証拠隠滅等教唆の可罰性は否定するとしても，偽証教唆との関係では可罰性を肯定しなければならないであろう。自己の事件について被告人自身に偽証罪が成立することがないのは，現行刑事訴訟法上，被告人に黙秘

---

2) 憲法38条1項は，「自己に不利益な供述」を強要されないことを保障しているだけだが，刑事訴訟法は，より広く，不利益かどうかにかかわらず，いっさい供述の義務がないことを定めている（刑訴198条2項・291条4項・311条1項など）。いいかえれば，**包括的な黙秘権**を保障している。

3) 伊東・398頁，内田・665頁，大塚・610頁以下，佐久間・441頁，高橋・696頁以下，団藤・104頁以下，中森・297頁，福田・36頁以下，前田・490頁，松原・598頁，山口・597頁など。

4) 浅田・555頁以下，大谷・630頁以下，川端・712頁，西田・498頁以下，日高・695頁以下，堀内・327頁，山中・818頁など。

5) 最決昭和28・10・19刑集7巻10号1945頁，最決昭和32・4・30刑集11巻4号1502頁など。

権があるため自己の事件について証人になることが認められていないからであり，偽証を思いとどまることが期待できないからではない。この点で，犯人蔵匿等罪や証拠隠滅等罪の場合とは異なる。法は，証言拒否の限度でしか期待不可能による免責を認めていないのである[6]。そうであるとすれば，自己の刑事事件において証人に対し積極的に虚偽の陳述をするように唆すことに期待可能性がないということもできない。犯人による証拠隠滅等教唆と被告人による偽証教唆の両方とも不可罰とする見解もあるが，以上のような理由から，偽証教唆を不可罰とするのは妥当でない[7]。

(b) 構成要件　偽証罪は，「法律により宣誓した証人」のみがその主体となりうる**真正身分犯**であり，また，間接正犯の態様では犯しえない**自手犯**（じしゅはん）（→総論 493 頁）である[8]。民事事件の当事者が，宣誓の上，陳述することがあるが，これは「証人」にあたらない。宣誓は陳述の前になされると（事前宣誓），後でなされると（事後宣誓）を問わない[9]（ただし，刑訴規則 117 条を参照）。宣誓と虚偽の陳述とがともに本罪の構成要件該当行為に属するとする見解もある[10]。

虚偽の陳述の意義については見解が分かれる。判例は，虚偽の陳述とは証人の主観的記憶に反する陳述のことをいうとし，**主観説**[11]をとる。これに対し，学説上は，陳述の内容をなす事実が客観的真実に反するときに虚偽の陳述になる

---

6) たとえば，P を被告人とする刑事裁判において，証人として喚問された Q が，Q 自身の犯罪に関わる質問を受けて，正直に答えると刑事訴追を受けるおそれがあるという場合でも（憲 38 条 1 項参照），もし Q が虚偽の陳述をすれば偽証罪に問われる。黙秘権の保障は，積極的にウソをつく権利まで含まない。Q としては，証言拒否権を行使して証言を拒否すべきなのである。

7) 条文上，証拠隠滅等罪については「他人の」という限定があるが，偽証罪についてはそのような限定がないことも，区別した取扱いの 1 つの根拠となろう。

8) たとえば，証人になることが予定されている他人を巧妙に騙して法廷で虚偽の証言をさせることに成功したとしても，本罪では処罰できないということになる。これに対し，**(共謀) 共同正犯**については **65 条 1 項の適用**の下に当然に可能である。最近の判例として，たとえば，大阪高判平成 30・8・21 LLI/DB L07320523 を参照。

9) 通説。これに対し，宣誓は必ず陳述前になされることを要するとするのは，大塚・608 頁。

10) 団藤・98 頁。

11) たとえば，大判大正 3・4・29 刑録 20 輯 654 頁，東京高判昭和 34・6・29 東高刑時報 10 巻 6 号 294 頁など。学説としては，伊東・397 頁，大塚・608 頁，大谷・627 頁以下，川端・706 頁以下，団藤・100 頁以下，福田・37 頁，前田・488 頁以下など。

とする**客観説**[12)]も有力である。問題の焦点となっているのは，自己の記憶に反する陳述をしたが，それがたまたま客観的真実に合致した場合に偽証罪が成立するかどうかである。

虚偽の陳述の意義に関する主観説と客観説　判例の立場である主観説は，虚偽の陳述とは，証人の主観的記憶に反する陳述のことをいうとし，客観説は，陳述の内容をなす事実が客観的真実に反することをいうとする。主観説は，主観的記憶に反する陳述は審判を誤らせる抽象的危険があるとするのに対し，客観説は，客観的真実に合致する限り，審判作用を害する危険性は存在しないとする[13)]。

たとえば，証人甲は，犯行当時，たまたまその現場に居合わせたが，実はAの顔を見ていないのに，Aの犯行を目撃したと述べたとしよう。**主観説**によれば，証人甲は自己の記憶に反することを述べているところから，虚偽の陳述を行ったことになる。かりに，本当にAが犯人であることが確認されたとしても，甲は偽証罪により処罰されなければならない[14)]。これに対し，**客観説**によるとき，現場において犯行を行ったのがAである限り，甲の供述内容は客観的真実に合致するものであったことになる。そこで，証人甲に偽証罪の刑事責任は生じないことになる（なお，最近では，客観説の立場から，この種のケースでも，証人がAの犯行を目撃してはいない以上，Aの犯行を目撃したという証人の供述は客観的に虚偽であるとする主張も展開されている[15)]。しかし，そのように解するならば，証人が記憶に反することを述べる限り，その証言内容に整合する客観的事実が存在したとしても，客観的に虚偽とされることになり，客観説と主観説の対立自体が解消されてしまうことになろう[16)]）。

---

12)　たとえば，浅田・554頁以下，内田・662頁以下，中森・296頁以下，西田・496頁以下，日髙・693頁以下，平野・概説289頁，山口・595頁以下，山中・815頁以下など。

13)　この対立は，義務違反の面に注目する行為無価値論と，結果の側面に力点を置く結果無価値論の対立を正確に反映している。主観説をとるとき，行為の違法性を客観面だけでは判断できないことになるので，主観的違法要素を認めざるをえなくなる。

14)　なお，証人がひとまず現場でAを見たと思ったが，後にそれは勘違いであり本当はBであったと考え直したとき，証言当時の記憶の内容はBであり，Bを見たと証言する限りは主観説によっても虚偽の陳述とはいえない（すなわち，証言時の知識が基準となる）というべきであろう。

15)　植松・57頁以下，中森・297頁，西田・498頁，平野・最終巻130頁，堀内・327頁，松原・595頁，山口・596頁など。

16)　これまで，客観説がそのような見解として理解されてこなかったことは，そのような見解によるとき，所為の**違法性を客観面だけでは判断できなくなってしまう**ことにも示されている。証人が犯行の現場で目を向けた人を「A」として認識していたのかどうかは証人の主観的認識

以上のように見てくると，**判例のとる主観説の方が妥当**である（なお，虚偽告訴罪について，651 頁を参照）。証人は，客観的真実を述べることを義務づけられるのではなく，記憶にしたがってそのまま述べることを義務づけられる。客観説によると，証人は客観的事実を述べる義務を負わされることになるが，それは人間の能力を超えることであろう（しかも，記憶に反してなされた証言は，たまたま客観的事実に合致しているとしても，裁判所はこれを有罪認定の基礎とすることはできない）。さらに，客観説によると，①同じように義務に反して記憶に反する陳述をしても，たまたま客観的真実に合致していたときは偽証罪にならないというばかりでなく[17]，②証人が自己の記憶に反する事実を，むしろ真実に合致すると思って述べたときには常に故意が阻却されて不可罰となり[18]，逆に，③証人が本当は真実に合致しないと思いつつも，記憶通りに正直に述べたが，やはりそれが真実に合致しなかったというときには偽証罪となる。これらの結論はいずれも不当である。

虚偽の陳述が行われることにより，本罪は既遂に達する（挙動犯）。裁判にあたりそれが証拠として用いられたかどうかを問わない。1 回の尋問手続が全体として終了する以前に，行った陳述の内容を訂正したときには偽証は未遂にとどまっており，**未遂犯は処罰されない**以上，本罪は成立しないと解される[19]。

3　自白による刑の減免

（自白による刑の減免）
第 170 条　前条〔169 条〕の罪を犯した者が，その証言をした事件について，その

に依存している。客観的事実として，証人の目が A の立っていた方向に向いていたということから，証人がその人を A として認識していたということが導かれるものではない。上記の新説は，客観説の修正にとどまるものではなく，客観説の放棄であり，主観説そのものにほかならないであろう。

17）　客観説によると，証人の記憶に反する証言が客観的に正しい事実を内容として含んでいる限り，それが偽証罪により禁止されることなく，被告人の有罪判決のために用いられることになってしまうが，そのような証拠により有罪とされる被告人の権利保障という見地からは（かりにその者が真犯人であったとしても）きわめて疑問であろう。

18）　たとえば，犯行の現場で A を目撃したというのが記憶の内容であり客観的事実に合致していたのであるが，B が逮捕されたことを知り B が犯人だと思い込み，目撃したのは B であると述べることは偽証罪の故意を阻却することになろう。

19）　団藤・103 頁，平野・概説 289 頁。

裁判が確定する前又は懲戒処分が行われる前に自白したときは，その刑を減軽し，又は免除することができる。

偽証の罪については，誤った裁判や懲戒処分を未然に防止するため，自白についての特例が認められている（170条・171条）。既遂後の特例であるから中止犯ではない（また，刑の任意的減免の効果は一身専属的であり，自白しない共犯者には及ばない）。自白の相手方は，裁判所・懲戒権者・捜査機関に限られる。

4　虚偽鑑定等罪

（虚偽鑑定等）
第171条　法律により宣誓した鑑定人，通訳人又は翻訳人が虚偽の鑑定，通訳又は翻訳をしたときは，前2条〔169条・170条〕の例による。

これまで偽証罪について述べてきたことは，本罪についてもそのままあてはまる。証人が過去に経験した事実について報告する者であるのに対し，**鑑定人**とは，特別の知識・経験を有する者が一定の事項（たとえば，刑事裁判の場合であれば，「犯行時および現在における被告人の精神状態」といった鑑定事項）について意見を述べる者である（たとえば，刑訴165条以下を参照）。**通訳人**[20]とは，日本語を理解できない者または耳の聞こえない者もしくは口のきけない者のための口頭の訳述者のことであり，**翻訳人**とは書面の翻訳者のことである。

虚偽の鑑定とは，自己の所信に反する意見・判断を述べることをいう。**虚偽の通訳・翻訳**とは，自己の所信に反する訳を伝えることをいう。ここでも主観説がとられるべきことになる。鑑定または通訳・翻訳の結果が審判機関に伝えられれば本罪は既遂となる（挙動犯）。裁判にあたりそれが証拠として用いられたかどうかを問わない。

20）　法廷通訳を含む司法通訳を担う人々とその仕事については，小林裕子『司法通訳人という仕事――知られざる現場』（2019年）が参考になる。

■ 第39章 ■

虚偽告訴の罪

（虚偽告訴等）
第172条　人に刑事又は懲戒の処分を受けさせる目的で，虚偽の告訴，告発その他の申告をした者は，３月以上10年以下の拘禁刑に処する。

1　保護法益

虚偽告訴等罪は，1995（平成7）年の刑法一部改正（→389頁注*1)*）以前は，誣告（ぶこく）罪であった。それは，他人に刑事または懲戒の処分を受けさせる目的で虚偽の告訴等の申告を行うこと，簡単にいえば，事実の虚構により他人を無実の罪に陥れ，または不当な懲戒処分を受けさせようとする行為を処罰の対象とするものである。

本罪の保護法益をめぐっては見解が対立する。すなわち，①国家作用の適正という国家的法益に向けられた罪であるのか[1]，②虚偽申告された者の個人的法益に対する罪であるのか[2]，それとも，③第一次的には前者を保護し，第二次的には後者をも保護するものか[3]に関し理解が分かれる。

---

1)　団藤・109頁。

2)　浅田・558頁，平野・概説290頁，山口・599頁以下。

3)　大判大正元・12・20刑録18輯1566頁。学説として，大塚・613頁，大谷・633頁，川端・716頁，佐久間・441頁，高橋・699頁以下，西田・501頁，福田・39頁，堀内・312頁，前田・492頁，山中・820頁など。両法益が同等に保護されているとするのは，内田・667頁以下，

見解の対立が結論の違いとなって現れるのは，国家的法益に対する罪の面を重視すると，**被申告者の同意**がある場合の虚偽申告（同意申告ないし同意誣告）も可罰的となりうるが，逆に，個人的法益の侵害が不可欠の要素だと解すると不可罰となるという点においてである[4)]。この場合にも，誤った刑事または懲戒の処分が行われる可能性はあり，特に，それが真犯人を隠避させる手段として用いられうることを考慮すると，直ちに可罰性を否定すべきではないと思われる。他方，国家的法益の保護を強調すると，**自己に対する虚偽申告**や，**非実在者（架空人・虚無人）に向けられた虚偽申告**も処罰すべきことになろうが，前者については，172条は行為が他人に向けられた場合に処罰を限定していると解しうるし（ちなみに，その行為は犯人隠避罪を構成しうる），非実在者に向けられた虚偽申告の場合には，同条の「人に刑事又は懲戒の処分を受けさせる目的」の要件が充足されないであろう[5)]。172条においては，その限りで被申告者の個人的法益の侵害の可能性も考慮されているといえる。

このようにして，判例・通説のいうように，本罪は，第一次的には，刑事事件または懲戒事件についての国家の捜査権，または懲戒のための調査権の適正な行使という国家的法益に向けられた罪である。ただ，第二次的には，個人的法益をも保護するものとして理解されるべきであろう[6)]。

2 目　的

本罪が成立するためには，人に刑事の処分または懲戒の処分を受けさせる目的で行為が行われる必要がある（**目的犯**）。**刑事の処分**は，刑罰に限らず，少年に対する保護処分などを含む。**懲戒の処分**とは，公法上の監督関係に基づき

中森・299頁，松原・599頁以下。重点はむしろ個人的法益の保護にあるとするのは，曽根・311頁，日高・699頁，平川・189頁。

4) 判例は，被申告者の同意のある虚偽申告につき，本罪は個人の権利侵害をもたらすとともに，公益上当該官憲の職務を誤らせる危険があるため処罰されるのであるから，被申告者の同意があっても，その成立に影響しないとしている（前掲注*3)* 大判大正元・12・20）。

5) さらに，これらの場合については，別に軽犯罪法（1948〔昭和23〕年5月1日法律第39号）1条16号において処罰が予定されている。

6) 虚偽告訴等罪の保護法益をめぐる議論の現状について詳しくは，新注釈(2)581頁以下〔鎮目征樹〕を参照。

（私法上のものは含まない）職務規律維持のために科される制裁のことをいい，国家公務員・地方公務員に対する懲戒，議員や裁判官に対する懲戒のほか，弁護士や公認会計士等への懲戒，受刑者に対する懲罰等がこれにあたる。過料も本条にいう「懲戒の処分」にあたるかをめぐっては見解の対立があるが，これも含まれると解すべきであろう[7)]。

3　虚偽の告訴，告発その他の申告

告訴とは，犯罪の被害者その他一定の者が，捜査機関に対し犯罪事実を申告してその訴追を求める意思表示のことである（刑訴 230 条以下）。**告発**とは，犯人または告訴権者以外の第三者が，捜査機関に対し犯罪事実を申告してその訴追を求める意思表示のことをいう（刑訴 239 条・241 条以下）。**その他の申告**とは，告訴・告発以外の方法により，捜査機関や懲戒権者（または懲戒権の発動を促す機関）に対し刑事の処分または懲戒の処分を求める意思表示のことである。**虚偽の申告**の意義については，判例も学説も一致して，客観的真実に反する事実を申告することと理解する[8)]。偽証罪における「虚偽の陳述」について主観説をとるときは（→646 頁以下），虚偽告訴罪についてはこれと異なって解釈することになる。本罪の場合に，偽証罪の場合と異なって解釈する理由は，告訴・告発は「捜査のきっかけ」となるものであるが，真実に合致する事実の申告があったときには，捜査にとり正しい端緒が与えられることになり，国家の捜査権の行使が不当に侵害される危険性はないと解されるからである。これに対し，裁判官の心証に直接に影響を与える証言については，自己の記憶に反する証人の陳述は裁判を誤らせる抽象的危険性を有する（記憶に反してなされた証言はたまたま客観的事実に合致しているとしても，これを有罪認定の基礎とすることはできない）のである。

7）反対，大塚・617 頁，団藤・111 頁。

8）判例としては，最決昭和 33・7・31 刑集 12 巻 12 号 2805 頁。学説としては，大塚・614 頁，大谷・633 頁，高橋・701 頁，団藤・113 頁，西田・502 頁，平野・概説 291 頁，福田・41 頁，前田・493 頁以下など。

4 主観的要件

本罪の故意については，申告の虚偽性についての認識が未必的でも足りるか，それともそれが確実なものとして認識されることを必要とするかが問題となる。判例は未必的なものでも足りるとする[9]。しかし，未必的認識で足りるとすると，告訴権・告発権を不当に制約することになるおそれがあるから，虚偽であることは確実なものとして認識されていることを要するとすべきであろう[10]。

また，本罪は，「人に刑事又は懲戒の処分を受けさせる目的」で実行されることを要するが，目的の内容につき，①他人が処分を受けることを意欲することを要するとする理解[11]と，②処分の結果が生じることの未必的認識で足りるとする理解[12]がある。訴追・処罰等は国の機関の行うことであり，その点について確定的認識とか意欲まで要求することはできないであろうし，最終的な処分が下されることについては未必的認識しかなくても，たとえば捜査を開始させその対象となる立場に陥れる意図があるときには処罰に値するであろうから，後説が妥当であろう[13]。

5 自白による刑の減免

（自白による刑の減免）
第 173 条　前条〔172 条〕の罪を犯した者が，その申告をした事件について，その裁判が確定する前又は懲戒処分が行われる前に自白したときは，その刑を減軽し，又は免除することができる。

9）最判昭和 28・1・23 刑集 7 巻 1 号 46 頁。

10）たとえば，大塚・616 頁，大谷・634 頁以下，川端・718 頁，佐久間・442 頁，高橋・702 頁，団藤・112 頁以下，曽根・312 頁，中森・300 頁，西田・503 頁以下，福田・41 頁，松宮・481 頁，山口・602 頁以下，山中・822 頁以下など。反対，平川・191 頁，堀内・313 頁，前田・494 頁。

11）曽根・312 頁，団藤・111 頁，平川・190 頁，福田・40 頁など。

12）大塚・617 頁以下，大谷・635 頁以下，川端・720 頁，佐久間・443 頁，高橋・702 頁以下，中森・300 頁，西田・504 頁，山口・603 頁，山中・824 頁など。大判昭和 8・2・14 刑集 12 巻 114 頁は，これによるものと考えられる。

13）背任罪（247 条）の目的については，これを未必的でも足りるとすれば，故意に付加して必要とされる独立の要件としては無意味となってしまうが（→382 頁），本罪の場合はそのようなこともない。

偽証の罪についての170条（171条も参照）と同趣旨の政策的規定である（→647頁以下）。

■ 第40章 ■

職権濫用の罪

1 総　　説

職権濫用の罪（193条以下）とは，公務員が，職権を濫用して（193条・194条），またはその職務を行うにあたり（195条），違法な行為を行うことを内容とする犯罪である。193条および194条の罪は**権限濫用**の場合であり，195条の罪は**権限逸脱**の場合である[1]。国家の作用を担う公務員自身が公務の適正を内部から害する点で，賄賂の罪（197条以下）と共通の性格をもち，現行刑法典は，これらを「汚職の罪」として1つの章にまとめている（刑法典第2編第25章[2]）。**保護法益**は，第一次的には，国家の司法作用と行政作用の適正であるが，第二次的には，相手方となる個人の身体・自由その他の個人的法益も考慮されている[3]。

1） 193条と194条の罪が予定する行為は，公務員の一般的職務権限に属する事項について行われる具体的に不当で違法な行為であり，まさに職権を濫用する行為である（狭義の職権濫用罪）。これに対し，195条の暴行・陵虐の行為は，公務員の一般的職務権限に属する行為ではありえず，職務権限を逸脱する行為である。ただ，その場合の暴行・陵虐の行為は，職務を行うにあたり実行されなければならず，職務執行と無関係に行われるものはそれに該当しない。

2） 戦後になって，憲法の趣旨を受けて職権濫用罪の法定刑が重くされた。

3） 犯人が公務員であることから，検察官による訴追の判断が甘くなることも考えられる。不当な不起訴処分に対応するため，付審判請求手続（準起訴手続）が設けられている。刑事訴訟法262条以下を参照。

2　公務員職権濫用罪

（公務員職権濫用）
第193条　公務員がその職権を濫用して，人に義務のないことを行わせ，又は権利の行使を妨害したときは，2年以下の拘禁刑に処する。

(1)　総　説

公務員職権濫用罪は，公務員がその職権を濫用して，人に義務のないことを行わせ，または権利の行使を妨害することによって成立する。文言上はきわめて包括的な構成要件であるが，反面，結果の発生が要件とされており，未遂処罰規定はない。本罪は，「人に義務のないことを行わせ，又は権利の行使を妨害」する罪である点で強要罪（223条）と共通するが，本罪においては，暴行や脅迫を用いることを要しない。

(2)　職権濫用の意義

判例によれば，**職権を濫用する**とは，「公務員が，その一般的職務権限に属する事項につき，職権の行使に仮託（かたく）して実質的，具体的に違法，不当な行為をすること」をいい，この「一般的職務権限は，必ずしも法律上の強制力を伴うものであることを要せず，それが濫用された場合，職権行使の相手方をして事実上義務なきことを行わせ又は行うべき権利を妨害するに足りる権限であれば，これに含まれる」とされる[4)]。そこで，職権濫用を肯定するためには，まず，(a) 行為者たる公務員の側に**一般的（抽象的）職務権限**がなければならない。その職務権限は必ずしも明文の規定を必要とするものではないが，現行法上の根拠に基づくものでなければならない。また，(b) その職務権限は，法律上の強制力をともなうものには限られないが，相手方にこれに応ずべき**事実上の負担ないし不利益**を生じさせるものであることが必要である。そして，(c) 職権濫用といいうるためには，当該公務員の具体的な意図や目的を捨象して観察したとき権限の範囲内といいうる事項について，「**実質的，具体的に違法，不当な行為**」を行うものでなければならない。

4)　最決昭和57・1・28刑集36巻1号1頁（宮本身分帳閲覧事件）。

2つの最高裁判例のケース　最高裁判例の事案では，①判事補が，裁判官としての仕事とまったく関係がないのに，職務上必要な調査であるかのように装い，刑務所においてかつての受刑者の身分帳簿を閲覧し，その撮影等をすること，そして，②裁判官が，自己の担当する事件の女性被告人と私的な交際をする意図で，午後8時40分頃，電話で被害弁償のことで会いたいなどとウソを言って喫茶店に呼び出し，そこに約30分とどまらせることが本罪にあたるかどうかが問題となった。①については，裁判官が刑務所長らに対し資料の閲覧，提供等を求めることは，一般的職務権限の範囲内の行為であり，法律上の強制力をともなうものではないが，刑務所側に事実上の負担を生ぜしめる効果を有するものである[5)]。また，②についても，裁判官が夜，喫茶店に被告人を呼び出す行為は，具体的に見る限り，通常の職務行為から大きく外れたものであるが，およそ裁判官が被告人に対し事件に関して任意に出頭を求めること自体は，現行法が認めた，裁判官の職務権限の範囲内に属する行為といいうるし，また，その職権は法律上の強制力をもつものではないが，事実上の負担を与えるものであることは明らかである[6)]。そして，これらの行為は，「実質的，具体的に違法，不当な行為」であり，公務員職権濫用罪を構成することになる。

重要な解釈上の争点は，職権濫用といいうるために，**相手方の意思を強制することを要するかどうか**である。まず，**第1説**として，本罪を強要罪と共通する犯罪として捉え，暴行や脅迫の代わりに公務員であることを示して意思を強制す

5)　①のケースについて，前掲注*4)*最決昭和57・1・28は，「裁判官が刑務所長らに対し資料の閲覧，提供等を求めることは……法律上の強制力を伴ってはいないにしても，刑務所長らに対し行刑上特段の支障がない限りこれに応ずべき事実上の負担を生ぜしめる効果を有するものである」とし，「裁判官が，司法研究その他職務上の参考に資するための調査・研究という正当な目的ではなく，これとかかわりのない目的であるのに，正当な目的による調査行為であるかのように仮装して身分帳簿の閲覧，その写しの交付等を求め，刑務所長らをしてこれに応じさせた場合は，職権を濫用して義務なきことを行わせたことになるといわなければならない」とした。

6)　②のケースについて，最決昭和60・7・16刑集39巻5号245頁は，「刑事事件の被告人に出頭を求めることは裁判官の一般的職務権限に属するところ，裁判官がその担当する刑事事件の被告人を右時刻〔午後8時40分頃〕に電話で喫茶店に呼び出す行為は，その職権行使の方法としては異常なことであるとしても，当該刑事事件の審理が右状況にあるもとで，弁償の件で会いたいと言っていることにかんがみると，所論のいうように職権行使としての外形を備えていないものとはいえず，右呼出しを受けた刑事事件の被告人をして，裁判官がその権限を行使して自己に出頭を求めてきたと信じさせるに足りる行為であると認めるのが相当である」とした。

るものと理解する考え方がありえよう。これによれば，行動の自由の侵害が要件となり，強要行為とならない行為は本罪を構成しないことになる。これに対し，**第2説**として，本罪の独自性を強調し，強要罪を構成しないような行為であっても，職権行使の過程において不法な行為を行い，国民の自由・権利を侵害する限り広く本罪を構成すると考えることも可能であろう。言い方を換えれば，前掲の最高裁判例の事案のような，職権の行使に仮託してその外形を装って行われる場合（**職務仮託型**のケース）ばかりでなく，職務遂行の過程で権利侵害が行われる場合に広く職権濫用を肯定してよいとするのである。

このうちの第1説は，公務員職権濫用罪の構成要件が強要罪のそれと類似していることに鑑みれば，相当に理由のある見解である[7)]。これによれば，相手方が職権の行使であることを認識できる外観を備え，相手方の意思に働きかけて一定の作為・不作為を強いることが要求されるのであるから，犯罪の輪郭も明確なものとなるというメリットがある。しかし，常に相手方の意思に働きかけ，心理的影響を与えて無抵抗を余儀なくさせることが必要であると考えると，あまりにも本罪の成立範囲が狭まってしまう。判例・裁判例は，**相手方の意思に働きかけ，これに影響を与えて一定の作為・不作為を強いることを不要**としている。たとえば，執行吏が，和解調書には執行吏保管の記載がないのに，土地上に「本職これを占有保管する」という虚偽の記載をした公示札を立てたが，その土地が無関係の第三者所有の土地であったというケース[8)]や，入札の責任者が，競争入札に際し，入札価格が下位であった業者に落札させるため，その入札価格を増額訂正して公表し，かつその業者と当該訂正額で契約を締結したというケース[9)]で本罪の成立を認めている[10)]。

7) 内田・675頁，斎藤・288頁以下など。

8) 最決昭和38・5・13刑集17巻4号279頁。ただし，このケースでは，誤って公示札を立てられ，立入禁止の外形が生じた土地の所有者たちにとり行うべき権利の妨害が生じた，と考えられたようであり，そうであるとすれば，相手方の意思への働きかけの要素は認められることになろう。

9) 甲府地判昭和43・12・18下刑集10巻12号1239頁。

10) 別の事例として，市役所の係官が，納税者の気づかないうちに過大な納税義務を負担させた場合や，ある人に支払われるべき給付金の支払をわざと行わなかったというような場合が考えられよう。これらのケースにおいては，強要罪におけるような「被害者の意思決定へのプレ

これに対し，第2説は，意思に働きかけることを不可欠の要件とはしない点では妥当であるが，およそ職務執行の過程で不法な行為が行われ（いわゆる**職務遂行型**のケースにおいて），国民の自由・権利を侵害する限りは広く本罪の成立を認めるというのでは，あまりに無限定ではないかという疑問が生じる[11]。たとえば，警察官が，捜査情報の入手のため，ひそかに建造物に侵入して窃盗を行ったというようなケースにおいては，職権濫用罪の成立を認めることはできないであろう。

そこで，判例の立場である**第3説**は，職権の範囲内の行為であることを確保するために，当該公務員であるからこそできる**特別の権限を利用**して相手方に対して事実上の負担ないし不利益を生じさせることを要求する。そのような事情がなければ，一般的権限の範囲内における権限濫用行為ではなく，権限行使とは別個・無関係の行為にすぎないとする[12]。

以上の見解の対立は，警察官が職務として情報を収集するため対象者の自宅の電話機にひそかに盗聴機を取り付けて違法な電話盗聴を行ったというケースにおいて，結論の相違をもたらすことになる。

警察官による違法な電話盗聴と公務員職権濫用罪　上記の**第1説**のように，193条の意味において職権を濫用したといいうるためには，公務員が職務行為に仮託して行為したことを要すると解し，公務員の職務行為であることを示して相手方の意思に働きかけ，心理的影響を与えて無抵抗を余儀なくさせることが必要であると考えると，この

ッシャー」は生じていないが，本罪の成立を否定するのは不当である。

11）浅田・564頁以下，大谷・639頁以下，曽根・314頁以下，中森・302頁以下，西田・507頁以下，福田・44頁，堀内・339頁以下，山中・828頁以下などは，このような第2説の立場に近い。

12）最決平成元・3・14刑集43巻3号283頁（共産党幹部宅盗聴事件）は，次のように述べる。「刑法193条の公務員職権濫用罪における『職権』とは，公務員の一般的職務権限のすべてをいうのではなく，そのうち，職権行使の相手方に対し法律上，事実上の負担ないし不利益を生ぜしめるに足りる特別の職務権限をいい……，同罪が成立するには，公務員の不法な行為が右の性質をもつ職務権限を濫用して行われたことを要するものというべきである。すなわち，公務員の不法な行為が職務としてなされたとしても，職権を濫用して行われていないときは同罪が成立する余地はなく，その反面，公務員の不法な行為が職務とかかわりなくなされたとしても，職権を濫用して行われたときには同罪が成立することがあるのである」。

ケースでは公務員職権濫用罪の成立は否定される[13)]。これに対し，**第2説**のように，公務員職権濫用罪は，強要罪と異なり，相手方の意思に対して働きかけ行動の自由を侵害する必要はなく，職務として不法な行為が行われ，国民の自由・権利（秘密・プライバシーの権利もこれに含まれる）を侵害する限り広く成立すると解すれば，公務員による盗聴も公務員職権濫用罪を構成することになる。

最高裁は，意思に働きかけることは不可欠の要件にはならないとして，この点では第1説を斥けながら，「盗聴行為の全般を通じて終始何人に対しても警察官による行為でないことを装う行動をとっていたというのであるから，そこに，警察官に認められている職権の濫用があったとみることはできない」として，第2説から生じる無限定さにも歯止めをかけたのである[14)]。これは，前記の2つの説と区別される**第3説**の立場である。意思に働きかけることは不可欠の要件にはならないとしつつ，しかし，一般的職務権限の範囲内における職権濫用行為であることを厳格に要求して処罰範囲の拡大を制限しようとするものであり，支持に値する見解であるといえよう。

なお，この盗聴事件は，通信傍受法（犯罪捜査のための通信傍受に関する法律〔1999（平成11）年8月18日法律第137号〕）の制定・施行以前の事件であったが，施行後は，同種の行為につき，**同法37条の罪が成立**する（法定刑は，職権濫用罪のそれよりも重い）。理論上は，同法による通信傍受の外形を装って，実質的にその要件を充たさない盗聴行為が意図的に行われたというのであれば，最高裁判例の立場からも職権濫用罪が成立するであろう。

(3) 罪数，他罪との関係

暴行または脅迫を用いて意思に働きかける形で本罪の行為が行われれば，本罪のみによっても，また強要罪のみによっても，片方だけでは行為の違法性のすべてをカバーできないことから，本罪と強要罪の両罪が成立し，観念的競合となると解される。

---

13) 前掲注 *12)* 最決平成元・3・14の原決定は，警察官による違法な盗聴の事例につき，第1説の立場から，公務員職権濫用罪の成立を否定した。すなわち，本罪が成立するためには，「行為の相手方の意思に働きかけ，これに影響を与えて，義務のないことを行わせ，又は行うべき権利について不行使を余儀なくさせるに足りる性質のものであることを要する」というのである（東京高決昭和63・8・3高刑集41巻2号327頁）。

14) 前掲注 *12)* 最決平成元・3・14。

3　特別公務員職権濫用罪

（特別公務員職権濫用）
第 194 条　裁判，検察若しくは警察の職務を行う者又はこれらの職務を補助する者がその職権を濫用して，人を逮捕し，又は監禁したときは，6 月以上 10 年以下の拘禁刑に処する。

裁判，検察，警察の職務を行う者とは，具体的には，裁判官，検察官，司法警察員（巡査部長以上）等のことである。**これらの職務を補助する者**とは，具体的には，裁判所書記官，検察事務官，司法巡査等のことである。ただし，検察事務官や司法巡査については，独立の職務権限を有することから，これを「職務を行う者」に含める見解が最近では有力である。**逮捕**と**監禁**の意義については，160 頁以下を参照。本罪は，逮捕罪・監禁罪（220 条）の加重類型であると同時に，公務員職権濫用罪（193 条）の特別な場合でもある。成立する逮捕罪・監禁罪は，本罪に吸収される。本罪が行われた結果，死傷の結果が生じたときは，結果的加重犯である 196 条の罪となる（→661 頁）。

4　特別公務員暴行陵虐罪

（特別公務員暴行陵虐）
第 195 条①　裁判，検察若しくは警察の職務を行う者又はこれらの職務を補助する者が，その職務を行うに当たり，被告人，被疑者その他の者に対して暴行又は陵辱若しくは加虐の行為をしたときは，7 年以下の拘禁刑に処する。
②　法令により拘禁された者を看守し又は護送する者がその拘禁された者に対して暴行又は陵辱若しくは加虐の行為をしたときも，前項と同様とする。

本罪は，裁判，検察，警察の職務を行う者またはこれらの職務を補助する者が，その職権を行うにあたり，被告人，被疑者その他の者に対して暴行または陵辱（りょうじょく）もしくは加虐（かぎゃく）の行為をしたとき（本条 1 項），あるいは，法令により拘禁された者を看守しまたは護送する者が，被拘禁者に対して暴行または陵辱もしくは加虐の行為をしたとき（本条 2 項）に成立する。**暴行**は，暴行罪（208 条）の暴行（狭義の暴行）を意味すると解すべきであろう。**陵辱または加虐の行為**とは，精神的・身体的に辱(はずかし)める行為または苦痛を与える行為のことをいう[15]。

194条の特別公務員職権濫用罪よりも刑は軽い（そもそも，暴行罪〔208条〕よりも，逮捕罪・監禁罪〔220条〕の方が刑が重い）。本罪の行為により，人の死傷の結果を生じさせたときは，刑が加重される（196条）。本罪にあたる行為が，同時に不同意わいせつ罪・不同意性交等の罪をも構成するときには，観念的競合となる。

5 特別公務員職権濫用等致死傷罪

（特別公務員職権濫用等致死傷）
第196条 前2条〔194条・195条〕の罪を犯し，よって人を死傷させた者は，傷害の罪と比較して，重い刑により処断する。

194条および195条にあたる行為が行われた結果，人の死傷という重い結果が生じたときは，**結果的加重犯**である本罪が成立し，刑がさらに加重される（なお，221条も参照〔→163頁〕）。

---

15) 広島高判平成23・6・30 LEX/DB 25443594は，「法令により拘禁された者」には少年院在院者も含まれるとする解釈（→624頁以下）を前提に，少年院の法務教官である被告人が，少年院在院者たる少年の頸部にシーツを巻き付けた上で「絞めたら死ねるぞ」などと自ら頸部を絞め付けるように言うとともに，同人に「遺書を書け」などと遺書を作成するよう言うなどの行為につき，暴行および陵虐の行為にあたるとした。また，東京高判平成15・1・29判時1835号157頁は，留置場の看守が被留置者と性交を行ったときは，たとえ被留置者の同意を得ていても，特別公務員暴行陵虐罪にいう「陵辱若しくは加虐の行為」にあたるとしたが，真に同意があるときには成立しないとする学説（西田・512頁）もある。

■ 第41章 ■

賄賂の罪

1 総　説

賄賂（わいろ）の罪（贈収賄の罪）は，収賄罪（197条～197条の4）[1]と贈賄罪（198条）からなる。このうち収賄罪は，公務員に主体が限定された**真正身分犯**[2]である。たとえば，国公立大学の教員が，学生から成績評価に関し賄賂を受け取れば収賄罪であるが，私立大学の教員であれば処罰されない[3]。公務員でない者も，**65条1項**により共犯としては処罰されうる（→総論565頁以下）。賄賂罪における贈賄者と収賄者とは，2人以上の者が互いに向き合った方向で行為する**対向犯**の場合であり（→総論538頁以下），任意的共犯に関する総則規定（60条以下）の適用が制限される。非公務員による公務員の収賄への関与行為が共犯として可罰的であることは当然であるが[4]，そのうちの贈賄行為だけは贈賄罪として処

1） 枝番号がついていることからもわかるように，現行刑法の収賄罪の規定は，これまで何回かの改正を経ており，複雑な様相を呈している。

2） 公務員でなくても，法令により，刑法その他の罰則の適用については公務員とみなされる者も存在する（→605頁）。たとえば，自動車教習所で技能検定を行う者は，道路交通法（1960〔昭和35〕年6月25日法律第105号）99条の2第3項により公務員とみなされる。他方，特別法上の収賄罪の中には，主体を私人にまで拡張しているものもある。

3） 国公立大学の教員（国大法人19条を参照）は，収賄罪処罰に関しては厳しい扱いを受けるが，反面，公務執行妨害罪（95条）による保護を受ける。

4） たとえば，友人の公務員に対し収賄を教唆した者（非公務員）も収賄罪の教唆犯となり，公務員の夫による収賄行為を助けた妻も収賄罪の幇助犯となりうる（65条1項も参照）。

罰するのが法の趣旨であり，これに総則規定を適用して収賄罪の共犯として処罰することはできない（ちなみに，旧刑法〔→総論 50 頁〕の下では，贈賄行為は犯罪とはならなかった〔→総論 539 頁注 *15*)〕)。なお，**贈賄罪は一方的に成立しうる**のであって，公務員に賄賂であることの認識が欠け，したがって収賄罪が成立しないときでも，贈賄罪の方は成立する。

本罪の**保護法益**をめぐっては学説において見解の対立がある。**第 1 説**は，**公務の不可買収性**に注目し，公務員の職務と何らかの利益とが対価関係に立つこと自体が避けられるべきだとする。**第 2 説**は，職務の公正ないし「純粋性」，すなわち，公務員の職務が賄賂の影響を受けて不正なものとなること（またはその危険が生じること）を防止するところに処罰の理由があるとする**純粋性説**である。

ここで刑法の規定を見ると，まず最初に読むべき規定は，**単純収賄罪**（197 条 1 項前段），**受託収賄罪**（197 条 1 項後段），**加重収賄罪**（197 条の 3。特に 1 項）という 3 つの処罰規定である。これらの犯罪類型を理解することが，賄賂の罪を理解するための基本となる。

まず，単純収賄罪は，公務員が，その職務に関し，賄賂を収受し，またはその要求もしくは約束をすることによって成立しする。ここで注意すべきことは，単純収賄罪は，**賄賂が職務行為の内容に何ら影響を与えなくても**（したがって，まったく正当な職務行為に対しても）成立するということである[5)]。受託収賄罪は，請託を受けたことに基づく単純収賄罪の加重類型である。**請託**とは，将来一定の（ある程度特定した）職務行為を行うように公務員に対して依頼することであり，その依頼を承諾することが「請託を受けた」ということである。加重収賄罪（または枉法（おうほう）収賄罪。197 条の 3 第 1 項・2 項）は，公務員が，197 条および 197 条の 2 の罪を犯し，よって不正な行為をし，または相当の行為をしなかったとき（1 項），あるいは不正な行為をし，または相当の行為をしなかったことに関し

---

5) たとえば，公立高校の入学試験に合格した受験生の父親が，校長に対し合格後に謝礼としての現金を贈り，校長がこれを受け取ったとき，その受験生が文句なく合格点を取っていたとしても単純収賄罪が成立する。また，国立大学法人の教員が答案を正しく採点して成績評価が確定してから，その半年後にお礼として賄賂を受け取ったというときでも，単純収賄罪は成立する。

て，賄賂を収受，要求もしくは約束し，または第三者にこれを供与させ，その供与の要求もしくは約束をしたとき（2項）に成立する。[6)]

単純化していえば，刑法は，①単に賄賂を受け取ると単純収賄罪，②それに加えて具体的職務行為の依頼（請託）があると受託収賄罪，さらに，③それに基づいて不正な職務行為が行われると加重収賄罪というように，順次に（3段階に分けて）刑を重くしている。このうちの①と②は，職務の不可買収性（前記の第1説）を保護法益とするものとして説明が可能であり，また③は，職務の公正ないし純粋性（前記の第2説）を害したことを考慮して刑を加重していると理解することができる。要するに，刑法は，賄賂の授受があった場合には，職務行為の正・不正にかかわらず処罰することを原則とし（197条および197条の2を参照），それに加えて，不正な職務行為が行われた場合に刑を加重している（197条の3を参照）のである。

ここから，判例・通説は，現行法の解釈として，賄賂の罪の保護法益は，**職務の不可買収性と職務の公正（純粋性）の両方**であるとし，これをまとめて，**職務の公正とそれに対する社会一般の信頼**と解している。「それに対する社会一般の信頼の保護」という表現で，職務の不可買収性の保護を基本的な処罰目的にすること（すなわち，最低限そのことだけを理由として賄賂の罪としての可罰性を肯定することができること）を明らかにしている。この見解を**信頼保護説**と呼ぶ。[7)]

純粋性説　純粋性説は，信頼保護説は賄賂罪の処罰範囲の輪郭を不明確にするものだと批判し，職務の公正さが保護法益であり，贈収賄行為はその侵害に向けられた

6）1項は，収賄行為が先行する場合であり，2項は，最初に不正行為が行われ，後に収賄行為が行われる場合である。

7）判例は，賄賂罪の保護法益に関し信頼保護説をとる。たとえば，最大判平成7・2・22刑集49巻2号1頁（ロッキード事件〔丸紅ルート〕）は，次のように述べる。「賄賂罪は，公務員の職務の公正とこれに対する社会一般の信頼を保護法益とするものであるから，賄賂と対価関係に立つ行為は，法令上公務員の一般的職務権限に属する行為であれば足り，公務員が具体的事情の下においてその行為を適法に行うことができたかどうかは，問うところではない。けだし，公務員が右のような行為の対価として金品を収受することは，それ自体，職務の公正に対する社会一般の信頼を害するからである」。学説においては，たとえば，大塚・626頁以下，大谷・645頁以下，川端・733頁，佐久間・449頁，塩見・229頁以下，斎藤・291頁以下，高橋・711頁以下，団藤・129頁，中森・305頁以下，西田・515頁以下，日高・711頁以下，平野・概説294頁以下，福田・46頁，堀内・344頁，前田・500頁，山中・834頁以下など。

行為だとする[8]。この見解によると，単純収賄罪は，**職務の公正さに対する危険犯**として捉えられることになる。しかし，そうであるとすれば，適正な（または少なくとも当該公務員の裁量の範囲内の）職務行為が行われ，その後に賄賂の授受が行われたとき（たとえ職務行為との関連性が明らかであっても）不可罰となってしまうであろう。この場合には，職務の適正が害されることの危険性が認められないからである（663頁注*5*）に掲げた2つのケースを参照）。これに対し，純粋性説の立場を貫き，「具体的な職務の公正さ」を保護法益とする立場から，不可罰の結論でかまわないとするものもある[9]。その立場を徹底すれば，具体的な職務権限のない行為（→667頁以下）との関係で金銭等を受け取ることは一切，収賄罪にはあたらないと考えるべきことになるであろう。

2　賄賂の意義

(1)　意　義

賄賂とは，**公務員の職務に関する不正な報酬としての利益**である。有形のものであると無形のものであるとを問わず，財産的と非財産的とを問わない。人の需要または欲望を充たすに足りる一切の利益を含むから，就職のあっせんや，非経済的利益たる異性間の情交なども含む。普通は公開価格では入手できない株式をその価格で入手させることなどもこれにあたる[10]。また，土地を早期に売却して売買代金を得たいと考えている者に対して，土地を買い取ってやりその代金を振込送金することは，たとえその土地の売買代金が時価相当額であったとしても，土地の売買による換金の利益が賄賂にあたるとした判例がある[11]。

賄賂としての**利益と職務との間には対価関係が認められること**を要する。ただし，公務員の職務に対する反対給付であれば足り，個々の職務行為との間に個別的

8）　曽根・317頁，林・440頁以下，展開348頁以下〔町野朔〕，山口・610頁以下など。

9）　町野・前掲注*8*）353頁。

10）　最決昭和63・7・18刑集42巻6号861頁。

11）　公務員（県知事）が，その職務の対価として，実弟（共犯者）が代表取締役を務める会社所有の土地を工事受注業者の下請業者に買い取ってもらい代金の支払を受けたという事案で，土地を早期に売却して売買代金を会社再建の費用等に充てる必要性があったにもかかわらず，思うようにこれを売却できずにいる状況にあったというとき，売買代金が時価相当額であったとしても，土地の売買による換金の利益は賄賂となる（最決平成24・10・15刑集66巻10号990頁）。

な対価関係が存在することまでは必要でない。職務行為は作為でも不作為でもよく，違法行為でも適法行為でもよい。すなわち，**適法な職務行為に対して対価として利益が提供**されるときであってもそれは賄賂となる。なぜなら，信頼保護説の立場からは，その場合にも，公正さに対する国民の信頼は害されるからである。

(2) 故　意

収賄罪が成立するためには，賄賂であることについて故意が必要である。それは，職務行為への対価としての不正な利益であることの認識を含むものでなければならない。ただし，故意ありといえるためには，刑罰法規の概念にあてはめて正確に認識することまで要求されるものではない（そこまで要求されるとすれば，規定の趣旨について熟知する法律家しか処罰されないことになってしまい不当である）。規定の趣旨を勘違いして，自己の行為が刑罰法規のある条項には該当しないと考えても（**あてはめの錯誤**），故意の成立は否定されない[12]（→総論 171 頁）。通説は，故意の成立のためには，条文にあてはめて事実を認識することは重要ではなく，構成要件該当事実の**意味ないし性質に関する素人的理解**，すなわち**意味の認識**が必要であり，かつそれで十分と考える。そうであるとすれば，賄賂にあたるかあたらないかというレベルでの「法的あてはめ」に関する誤解があっても故意の成否とは無関係であり，「理由のない報酬」「ひそかに便宜を図ってやったことへの見返り」という程度の素人的な認識があれば足りるということになる。

3 「職務に関し」の意義

(1) 一般的職務権限

(a) 職務関連性　　賄賂は，**職務に関する**報酬でなければならない[13]。**職務**とは，公務員がその地位にともない公務として取り扱うべき一切の仕事をい

12) 他方において，行為者が正確な法律上の概念を知っていても，故意があるといえないこともある（→総論 171 頁以下）。

13) あっせん収賄罪（197 条の 4）においては，例外的に，自己の職務行為との関連性が要求されず，この点で要件が緩和されている（→678 頁）。

う。[14] 公務員が職務に関し賄賂を得たといいうるためには（すなわち，**職務関連性**を肯定しうるためには），**賄賂としての一定の利益と公務員の職務行為とが対価関係**に立つことが必要である。[15] 職務関連性を肯定するにあたり重要な判断のファクターは，①公務員のもつ事実的影響力（具体的職務行為を左右しうる事実的可能性），②職務の公正に対する社会一般の信頼を害するおそれ，③行為の公務的性格（単なる私的行為ではないこと）の3つであろう。

もし公務員が具体的に担当する職務行為に対して報酬が提供されれば，そのような対価関係は明白である。ここで異論の余地がないのは，**違法な行為**が職務行為として行われたとしても職務関連性は肯定されることである（そのことは，加重収賄罪〔197条の3〕の規定の存在そのものが示している）。「公務員に違法な行為を行う職務権限はない」から職務関連性は否定されるなどと考えてはならない。

そして，職務といいうるためには，公務員の一般的（抽象的）職務権限に含まれることを要し，**内部的な事務分配**に基づいて具体的にその職務を担当している必要はない。いいかえれば，具体的職務権限を有し，具体的に担当している事務に関して報酬たる利益を受けることを要しないが，しかし，およそできないようなこと，すなわち無権限ないし権限逸脱の事項（たとえば，公務員が行う窃盗や横領等の行為）に対する報酬として利益の授受が行われても，贈収賄に

14） 職務といいうるためには，法令上に明文の根拠がある必要はない。内閣総理大臣が運輸大臣（現在の国土交通大臣）に対し，民間航空会社に特定機種の航空機を選定購入することを勧めるように働きかけることは，法令上そのような権限があることが明記されていないとしても，内閣総理大臣の職務行為といえる（前掲注7）最大判平成7・2・22）。運輸大臣は行政指導としてこれを勧めることができるし，内閣総理大臣は，運輸大臣に対しそれを指示する権限をもつ。なぜなら，内閣総理大臣は，その地位・職責に照らし，内閣の明示の意思に反しない限り，行政各部の所管事項につき一定の方向で処理を進めるよう働きかける権限を有するからである。

15） ただ，「職務に関し」の意義につき，これとは異なった有力な解釈もあり，実務家の間で支持されているので注意が必要である。すなわち，対価関係は「賄賂」の要素であるとし，「職務に関し」とは「職務との関連において」という意味であり，**職務行為そのものに限らず，職務と関連する行為との間に対価関係**があれば賄賂罪を認めうるというのである（裁判例コンメ2巻371頁以下〔小川新二〕）。たしかに，こちらの解釈の方が，後述の職務密接関連行為の理論（→671頁以下）を認めるにあたっては，文理上の無理が少ないであろう（通説的解釈によると，厳密には職務行為でない行為も規定上の「職務行為」にあたる，と解さざるをえなくなってしまう）。

ならないということになる。

社交儀礼と賄賂　社交儀礼と賄賂性との関係については，２つの見解がある。**第１説**は，公務員の職務行為との間に対価関係がある限りは必ず賄賂となるのであり，純然たる社交儀礼（中元，歳暮，見舞いなど）について賄賂性が否定されるのは，職務行為との間に対価関係がないからであるとする。**第２説**は，かりに職務行為との関係で対価関係があっても，なお社交儀礼の範囲を超えないと認められる場合には賄賂性が否定されることもあるとする。判例の主流は，職務行為との間に対価関係がある限りは必ず賄賂となり，社交儀礼について賄賂性が否定されるのは，職務行為との間に対価関係がないからであるとする第１説をとっている[16]。学説上は第２説が多数である[17]。たしかに，職務行為との間に対価関係がある限り必ず賄賂となるとする堅い考え方は妥当ではないであろう。職務行為と対価的給付との具体的結びつきが，職務の公正またはそれに対する社会一般の信頼を害するようなものであるかどうかの検討が必要である。

(**b**)　一般的職務権限をめぐる諸問題　　判例によれば，任期満了前の市長が，再選された後に担当すべき具体的職務に関し請託を受けて賄賂を収受するときにも，収受時における一般的職務権限に属する事項に関し賄賂を受けたことになり，事前収賄罪ではなく，受託収賄罪が成立する[18]。これに対し，市長の任期はすぐに満了するのであるから，将来の請託事項との関係では市長は非公務員であり，事前収賄罪が成立するにすぎないとする反対説もある。しかし，任期満了前の時点でも，その具体的職務行為がおよそ市長の権限に属する事項に関するものである限りは，それは現在の市長の職務権限に含まれているといえる。対価関係の存在が要求される職務行為は当該公務員の一般的職務権限に含まれていれば足りる，とする一般論を前提にする限り，判例の結論は正

---

16)　たとえば，最判昭和 50・4・24 判時 774 号 119 頁は，公立中学校教諭であった被告人が特別な指導を行った児童の保護者から贈り物を受け取ったことが単純収賄罪（197 条 1 項前段）に問われたケースについて，本件の供与が教諭としての公的職務への対価として行われたとは断定できないとして，原審の有罪判決を破棄した。

17)　大谷・651 頁以下，斎藤・302 頁，高橋・722 頁以下，団藤・139 頁，西田・516 頁以下など。

18)　最決昭和 61・6・27 刑集 40 巻 4 号 369 頁（「市長が，任期満了の前に，現に市長としての一般的職務権限に属する事項に関し，再選された場合に担当すべき具体的職務の執行につき請託を受けて賄賂を収受したときは，受託収賄罪が成立すると解すべきである」とした）。

しいであろう。

また，最高裁は，次のようなケースにつき，単純収賄罪の成立を認めた[19]。被告人は，警視庁警部補として警視庁調布警察署地域課に勤務し，犯罪の捜査等の職務に従事していたが，ある刑事事件につき警視庁多摩中央警察署長に対し告発状を提出していた者から現金の供与を受けたのであった。その者は，その刑事事件に関し，告発状の検討，助言，捜査情報の提供，捜査関係者への働きかけなどの有利かつ便宜な取り計らいを受けたいとの趣旨でその現金を供与したのであるが，被告人がそのことを知りながら現金を受け取ったというのである。最高裁は，警察法等の関係法令に基づき，警視庁警察官の犯罪捜査に関する一般的職務権限は，警視庁の管轄区域である東京都の全域に及ぶことを理由として，職務関連性を肯定した[20]。最高裁は，**法令を基準として**一般的職務権限の範囲を広く認めたのである（ただ，一般論としていえば，法令は1つの目安でしかない[21]）。

なぜ，公務員の一般的職務権限に含まれる職務行為との間で対価関係が認められれば足りるとされるのか。1つの答えは，一般的職務権限があれば，公務員がその具体的職務行為（賄賂の提供により影響を与えることが期待された具体的職務行為）に現実に影響を与えたり，それを左右する可能性があるからだというものである。しかし，そのような可能性が低くても，**職務の公正に対する社会一般の信頼を害する**という理由に基づき（すなわち，現実に職務を左右できるかどうかはともかく，「外部からは職務を左右するように見える」ことから）収賄罪の成立を肯定することも可能であり，判例はそのような基本的考え方によるものと見られる。

19）　最決平成17・3・11刑集59巻2号1頁。

20）　すなわち，「警察法64条等の関係法令によれば，同庁警察官の犯罪捜査に関する職務権限は，同庁の管轄区域である東京都の全域に及ぶと解されることなどに照らすと，被告人が，調布警察署管内の交番に勤務しており，多摩中央警察署刑事課の担当する上記事件の捜査に関与していなかったとしても，被告人の上記行為は，その職務に関し賄賂を収受したものであるというべきである」。

21）　この点について，667頁注*14*）を参照。もっとも，最決平成11・10・20刑集53巻7号641頁（リクルート事件・政界ルート判決）も法令を基準とする。

転職後の賄賂の授受　公務員甲が一般的職務権限を異にする他の職務（職務B）に転じた後に，職務に変更が生じる以前の職務（職務A）に対する対価としての利益の授受が行われたときの刑事責任が問題となる。このような場合に，甲の転職の前後を通じて，およそ公務員であることに変わりはないとし，甲が転職前の職務Aに関して賄賂を収受すれば，収受の時点において，もはや職務Aの担当を離れており，それまで有していた一般的職務権限の外にある職務Bに従事しているときであっても，収賄罪（事情により，単純収賄罪〔197条1項前段〕，受託収賄罪〔197条1項後段〕，加重収賄罪〔197条の3第1項・2項〕のいずれか）が成立すると考えるか（**積極説**），それとも，公務員の一般的職務権限に含まれる職務行為と，提供された利益（賄賂）との間での対価関係が賄賂授受の時点においても認められなければならないとし，そのような関係がないここでは，もはや事後収賄罪（197条の3第3項）の要件を充足する限りでしか処罰できないと考えるのか（**消極説**）が問題となる[22]。もし消極説をとるならば，甲は，あらかじめ請託を受けて現金を収受したときにのみ可罰的であり，請託がなければ不可罰ということになる。

この見解の対立においては，197条1項前段にいう「その職務」の意義について，積極説がこれを（過去の）職務Aとして理解するのに対し，消極説がこれを（現在の）職務Bとして理解するという点に解釈論上の違いが生じている。

消極説[23]は，①積極説の立場は賄賂が公務員の担当する「その職務」に関するものでなければならないとしている刑法の趣旨をゆがめ，処罰範囲を不当に拡張するものであること，②甲は，以前の職務Aとの関係で「公務員であった者」といいうるから事後収賄罪の成立を認めることには問題はないことなどを主張している。しかし，判例は，甲が現在公務員である限りは，たとえ一般的職務権限を異にする，以前の職務に関しても，現在の職務に関するのと同様に贈収賄罪が成立するとしている[24]。たしかに，事後収賄罪の規定の適用しかないとするのはいささか形式的であり，公務員の世界ではこの種の転職が頻繁にあるとすれば，その結論は不当でもある。判例を支

22）　たとえば，国立大学法学部教授から裁判官に転じた者が，裁判官就任後に，大学教授時代の成績評価に関して学生から賄賂を受け取った場合に，単純収賄罪となるのか，それとも事後収賄罪としてのみ可罰的であるのかが問題となる。

23）　浅田・583頁以下，大塚・631頁，大谷・649頁以下，曽根・320頁以下，団藤・135頁以下，福田・49頁など。

24）　最決昭和58・3・25刑集37巻2号170頁は，「贈賄罪は，公務員に対し，その職務に関し賄賂を供与することによって成立するものであり，公務員が一般的職務権限を異にする他の職務に転じた後に前の職務に関して賄賂を供与した場合であっても，右供与の当時受供与者が公務員である以上，贈賄罪が成立するものと解すべきである」とする積極説の立場から，贈賄罪の成立を認めた。

持する積極説[25]の論拠としては，①一般的職務権限の変更のいかんにかかわらず，賄賂を受ければ職務Aの公正さに対する社会の信頼は同じように害されること，②197条1項等にいう「その職務」とは「自己の職務（自分が過去に担当していた職務も含む)」と解することが可能であるから法文に反することにはならないこと，③かえって消極説のように事後収賄罪を認めようとすると「公務員であった者」という文言との関係で問題が生じること，④たとえ事後収賄罪を認めうるとしても，請託を受け不正行為があったことが要件となるから，一般的職務権限の変更のいかんにより処罰の不均衡が生じること[26]などが挙げられる。現在の職務Bとの関係で対価関係を肯定するとすれば，一般的職務権限の限度を賄賂罪成立の限界とする判例・通説の解釈論と正面から衝突するが，あくまで職務Aとの関係で対価関係を肯定するのであれば矛盾はしない（いまだに公務員の身分を維持する者が，賄賂を受けることにより，職務Aの公正さに対する社会の信頼は害されると考えることになる)。

(2) 職務密接関連行為

判例により，たとえ一般的職務権限が認められない場合でも，**職務と密接な関係を有する行為**（**職務密接関連行為**）に対し報酬としての利益が与えられれば，贈収賄罪が成立するとされてきた[27]。このような拡張の根拠となっているのも，保護法益に関する信頼保護説（→664頁）であり，職務の公正に対する社会一般の信頼が害されるからという理由づけである[28]。たとえば，国立大学音楽学部の教授が学生にバイオリンの指導をしている場合，楽器の選定につきこのメーカーのものが優れているなどと学生に指導助言することがあるが，そのこととの関係で楽器を売る業者から請託を受けて金品を受け取る行為もまた受託収

25） 斎藤・295頁以下，川端・739頁以下，高橋・718頁以下，中森・308頁，西田・523頁以下，平野・概説296頁，堀内・357頁，前田・503頁，山口・618頁以下など。

26） 積極説によれば，請託や不正行為の有無にかかわらず処罰が可能であり，また，請託や不正行為があったときには刑をより重くできるのである。

27） なお，前掲注19）最決平成17・3・11のケースで，警視庁警部補として警視庁調布警察署地域課に勤務し，犯罪の捜査等の職務に従事していた被告人に期待されていた「有利かつ便宜な取り計らい」のうち，捜査関係者への働きかけは，職務密接関連行為であるといえよう。なお，告発状の検討と告発事件に関する助言は，一般的職務権限に属する行為であり，捜査情報の提供については，一般的職務権限に属する行為とも見られるし，職務密接関連行為と見ることもできる。

28） 団藤・131頁以下を参照。職務密接関連行為の観念に対し批判的であり，「妥当でなくまた必要でもない」とするのは，中森・309頁。

賄罪（197条1項後段）にあたる。[29] 職務密接関連行為の例としては，ⓐあっせん行為，ⓑ同僚や他の公務員に働きかける行為，ⓒ意見具申行為，ⓓ指導助言行為，ⓔ情報を漏らす行為[30]などがある。

職務密接関連行為の類型化　最高裁判例の中には，職務密接関連行為を「準職務行為」または「事実上所管する職務行為」といいかえたものがある。[31] これに基づき，職務密接関連行為を類型化する試み[32]によれば，①**準職務行為**（本来の職務との関連に基づくもの）とは，「職務権限を定める法令上当然類推されるべき職務行為として，本来の職務行為に準ずる公務的性格をもつ行為」（単なる私的行為ではない行為）をいい，②**事実上所管する職務行為**（慣習上・事実上の位置づけを受けるもの）とは，「法令上管掌する職務に付随して慣習上もしくは事実上分担する公務的性格をもつ行為」をいうとされる。ただ，これ以外に，「本来の職務行為を利用して単発的に行われる行為の類型であって，……自己の職務に基づく事実上の影響力を利用する場合」があり，これが③**狭義の職務密接関連行為**であるとされる。

このような類型化は示唆に富むものといえよう。たとえば，前述したような，国立大学音楽学部の教授がバイオリンの選定に関する学生への指導助言との関係で金品を受け取る行為[33]や，大学設置審議会の委員であるとともに，同審議会内の歯学専門委員会の委員もしていた被告人が，歯科大学設置の認可申請をしていた大学関係者らに対し，各教員予定者の適否を専門委員会における審査基準にしたがってあらかじめ判定してやる行為[34]などは，①の準職務行為に含まれるものといえよう。また，薬品の購入に関し何ら権限がなかった市立病院の薬剤科部長が，医薬品に関する専門的知識を有していたことから，卸業者と折衝し，各科の要求をとりまとめて要求伝票を庶務課に提出し，ほとんどその通りに注文がなされていたという場合に，その部長が業者から医薬品購入に関する便宜の取り計らいへの謝礼等の趣旨で株券を受け取る行為[35]や，県立医科大学教授兼同大学附属病院救急科部長が，自分の医局に属する医師を関

29）　東京地判昭和60・4・8判時1171号16頁。

30）　たとえば，官庁の委員会の委員が，事前に委員会の審査結果を外部に知らせる行為などがこれにあたるとされている。

31）　最決昭和31・7・12刑集10巻7号1058頁，最判昭和32・2・26刑集11巻2号929頁。

32）　裁判例コンメ2巻387頁以下〔小川〕。

33）　前掲注29）東京地判昭和60・4・8。

34）　最決昭和59・5・30刑集38巻7号2682頁。

35）　前掲注31）最判昭和32・2・26。

連病院に派遣する行為[36]などは，②の事実上所管する職務行為にあたるといえよう。さらに，しばしば見られるケースであるが，同僚や他の公務員に働きかける行為は，③の狭義の職務密接関連行為として分類できる場合が多いといえよう。[37]

職務密接関連行為の観念に対しては，贈収賄罪の成立範囲を曖昧にするものであるとする批判もあるが，上記の類型化にあてはまる行為で，当該公務員の職務の公正に対する社会一般の信頼を害するおそれがあり，その行為の公務的性格（単なる私的行為ではないこと）を肯定できるのであれば，たとえ公務員の一般的職務権限外の行為であっても，職務関連性を肯定して，贈収賄罪の成立ありとすべきである。ただ，あっせん行為や，同僚や他の公務員に働きかける行為については，当該公務員のもつ事実的影響力（職務行為を左右しうる事実的可能性）が重要な意味をもつであろう。

判例における職務密接関連行為　ここでは，判例に現れたケースの中からいくつかのものを示してみよう。

(a) 国会議員甲が，ある法案の審議に関し，自分の所属しない委員会に属する議員に働きかけてその法案が廃案となるか，一定の方向での修正が行われるようにこれを説得・勧誘する行為は，一般的職務権限内の行為か，それとも職務密接関連行為にあたるのかが問題となる事案で，結論として「職務に関して」現金が授受されたことを肯定したが，一般的職務権限内の行為か，それとも職務密接関連行為かについては断定を避けた。[38] 甲が自分の所属しない委員会に属する議員に働きかける行為は，職務密接関連行為というべきであろう。

これに対し，(b) 県立医科大学教授兼同大学附属病院救急科部長乙が，自分の医局に属する医師を関連病院に派遣する行為は，これらの医師を教育指導するというその職務に密接な関係のある行為であると明言して，金員の供与者に贈賄罪の成立を認めた。[39] 本件では，「医局に属する医師を関連病院に派遣すること」が乙の職務行為にあたるかどうかが問われた。「医局」は法的根拠があってできあがっているものではな

36）　最決平成 18・1・23 刑集 60 巻 1 号 67 頁。

37）　なお，職務密接関連行為についての従来の判例および学説によるその類型化については，新注釈(2)752 頁以下〔上嶌一高〕を参照。

38）　最決昭和 63・4・11 刑集 42 巻 4 号 419 頁。

39）　前掲注 *36*）最決平成 18・1・23。

く，医局員の関連病院への派遣も，関連病院にとっての利益，医局員の教育・養成と収入維持等のために存在するもので，それを公務員の職務行為と正面からはいいにくい。そこで，最高裁は，乙が「その教育指導する医師を関連病院に派遣することは，奈良医大の救急医学教室教授兼附属病院救急科部長として，これらの医師を教育指導するというその職務に密接な関係のある行為というべきである」とした。

また，(c) 参議院議員であった丙らが，職人を育成するための大学の設置を目ざすAから，設置を国が支援するように，これを参議院本会議における代表質問で取り上げたり，他の国会議員に働きかけてもらいたい旨の請託を受け，報酬として現金を収受したケースにつき，その職務に関し賄賂を収受したものとして，受託収賄罪の成立を認めた[40]。①本会議における代表質問で自ら取り上げることは職務行為であり，②いまだ法案になっていない段階で，他の国会議員に働きかけることは職務密接関連行為ということができよう。

さらに，(d) 北海道開発庁長官である丁が，港湾工事の受注に関し特定業者の便宜をはかるように北海道開発局港湾部長に働きかける行為について，それは「職員に対する服務統督権限を背景に，予算の実施計画作製事務を統括する職務権限を利用して，職務に対する指導の形を借りて行われたものであり，また，丁には港湾工事の実施に関する指揮監督権限はないとしても，その働き掛けた内容は，予算の実施計画において概要が決定される港湾工事について競争入札を待たずに工事請負契約の相手方である工事業者を事実上決定するものであって，このような働き掛けが金銭を対価に行われることは，北海道開発庁長官の本来的職務として行われる予算の実施計画作製の公正及びその公正に対する社会の信頼を損なうものである。したがって，上記働き掛けは，北海道開発庁長官の職務に密接な関係のある行為というべきである」とされた[41]。

4　罪数，他罪との関係

公務員が，**恐喝的手段**を用いて賄賂を要求し，相手方に賄賂を交付させたとき，恐喝罪が成立するのは当然として，行為者に収賄罪が成立するかどうかが問題となる（なお，同じことは，欺く行為を手段とした場合についてもあてはまる）。たとえば，警察官がその事件について捜査を行う意思がまったくないのに，相手方に対し，金をよこせば事件につき捜査・立件しないですませてやる，と申し向けて金銭の交付を要求する場合のように，公務員側に最初から賄賂と対価

40）　最決平成 20・3・27 刑集 62 巻 3 号 250 頁。

41）　最決平成 22・9・7 刑集 64 巻 6 号 865 頁。

関係に立つ職務執行の意思がなければ，職務に対する報酬としての賄賂の授受という関係を認めがたいので，収賄罪の成立は否定すべきであろう[42]。これに対し，もし行為者にその職務行為を行う意思があれば，収賄罪の成立も認められてよい[43]。その場合には，賄賂を交付した相手方にも贈賄罪が成立しうる[44]（もちろん，恐喝を受けたことで責任が減弱し，さらには否定されることがありうる）。

5　賄賂罪の諸類型

（1）　単純収賄罪，受託収賄罪，事前収賄罪

（収賄，受託収賄及び事前収賄）
第197条①　公務員が，その職務に関し，賄賂を収受し，又はその要求若しくは約束をしたときは，5年以下の拘禁刑に処する。この場合において，請託を受けたときは，7年以下の拘禁刑に処する。
②　公務員になろうとする者が，その担当すべき職務に関し，請託を受けて，賄賂を収受し，又はその要求若しくは約束をしたときは，公務員となった場合において，5年以下の拘禁刑に処する。

単純収賄罪（本条1項前段）は，公務員が，その職務に関し，賄賂を収受し，またはその要求もしくは約束をすることによって成立する。なお，2003（平成15）年までは「仲裁人」も刑法典の賄賂罪の主体とされていたが，仲裁人については仲裁法（2003〔平成15〕年8月1日法律第138号）の中に処罰規定が設けられた（仲裁50条以下を参照）。**収受**とは，賄賂を取得・獲得することをいい，**要求**とは，自ら進んで賄賂の供与を促すこと，**約束**とは，贈賄者と収賄者の間で，将来賄賂を授受することについて合意することをいう。要求・約束・収受が一

42）　最判昭和25・4・6刑集4巻4号481頁も，「本件のように公務員がその職務を執行するの意思がなく，ただ名をその職務の執行に籍（か）りて，人を恐喝し財物を交付せしめた場合には，たといその被害者の側においては公務員の職務に対し財物を交付する意思があったときと雖（いえど）も，当該公務員の犯行は，収賄罪を構成せず恐喝罪を構成するものと見るを相当とする」とする。

43）　最決昭和39・12・8刑集18巻10号952頁は，証券会社の社長である被告人が，証券検査官である大蔵事務官の要求により，金品などを供与したケースで，その要求が強要にわたる場合においても贈賄罪を構成するかどうかが問題とされたが，贈賄罪の成立を肯定した。

44）　以上のように考えるのは，大塚・636頁，大谷・663頁以下，高橋・726頁，前田・507頁以下，512頁以下，山口・622頁，山中・850頁以下など。

連の行為としてそれぞれ行われたときには，包括一罪となる（→総論586頁）。

受託収賄罪（本条1項後段）は，請託を受けたことに基づく単純収賄罪の加重類型である。**請託**とは，将来一定の（ある程度特定した）職務行為を行うように公務員に対して依頼することであり，その依頼を承諾することが「請託を受けた」ということである[45]。その内容は正当な職務行為でもよい。

政治家と贈収賄罪 国会議員に対する政治献金は，議員の職務行為との間に対価関係が存在すれば当然に賄賂となるが，それが存在しない場合には，たとえ「ヤミ献金」として政治資金規正法違反の違法な資金提供が行われたとしても，賄賂罪を構成するものではない。そこで，政治家については，単純収賄罪（197条1項前段）での立件と訴追が事実上困難である。なぜなら，「政治献金だと思った」「賄賂性（対価関係）の認識がなかった」という弁解を崩せないからである。実際には，政治家が汚職で処罰されるのは，受託収賄罪（197条1項後段）による場合に限られることになり，**請託の有無**が決定的な争点となる。

事前収賄罪（本条2項）は，公務員になろうとする者が，その担当すべき職務に関し，請託を受けて，賄賂を収受し，またはその要求もしくは約束をすることによって成立する。ただし，行為者が後に公務員となった場合にはじめて処罰される。従来，後に「公務員となった」ことは，犯罪の成立に影響しない**客観的処罰条件**（→総論77頁，169頁）にすぎないとされてきた[46]。すなわち，後に公務員になれるかどうかは，行為者が左右できることではなく，犯罪の成否とは無関係な，処罰のための条件にとどまる。後に公務員にならなかったときでも，請託を受けて賄賂の収受等が行われる限り，犯罪としては成立しており，ただ刑罰権発動のための条件が欠ける（したがって，これを訴追し処罰することはできない）とするのである（しかし，現在では，後に公務員になったことを構成要件

45）「請託を受けた」というと，贈賄側が積極的で，収賄する公務員は受動的・消極的に振る舞うイメージがあるが，そうである必然性はまったくない。公務員の側から積極的に「こういう取扱いをしてやるから見返りをよこせ」と持ちかけ，贈賄側が「よろしくお願いします」と応じたところ，同意を与えたという場合でも，「請託を受けた」といえる。

46）大塚・637頁以下，川端・750頁，高橋・728頁，藤木・65頁，前田・508頁，松宮・496頁以下など。

要素として位置づける見解も有力である[47])。

（2） 第三者供賄罪

（第三者供賄）
第197条の2 公務員が，その職務に関し，請託を受けて，第三者に賄賂を供与させ，又はその供与の要求若しくは約束をしたときは，5年以下の拘禁刑に処する。

本罪は，公務員が，その職務に関し，請託を受けて，自分に対してではなく第三者に対し賄賂を供与させ，またはその供与の要求もしくは約束をすることによって成立する。公務員自らが賄賂を受け取らないで，第三者にこれを受け取らせるような脱法的態様の行為をも処罰できるようにするための補充的な犯罪類型である。ただし，これにより当該の公務員自らは何の利益も得なかったという場合や，利益を受ける気すらなかったという場合でも，本罪は成立する。公務員が，家族の者を介して賄賂を受け取る場合には，本罪ではなく，受託収賄罪となる。

（3） 加重収賄罪，事後収賄罪

（加重収賄及び事後収賄）
第197条の3 ① 公務員が前2条〔197条・197条の2〕の罪を犯し，よって不正な行為をし，又は相当の行為をしなかったときは，1年以上の有期拘禁刑に処する。
② 公務員が，その職務上不正な行為をしたこと又は相当の行為をしなかったことに関し，賄賂を収受し，若しくはその要求若しくは約束をし，又は第三者にこれを供与させ，若しくはその供与の要求若しくは約束をしたときも，前項と同様とする。
③ 公務員であった者が，その在職中に請託を受けて職務上不正な行為をしたこと又は相当の行為をしなかったことに関し，賄賂を収受し，又はその要求若しくは約束をしたときは，5年以下の拘禁刑に処する。

加重収賄罪（または枉法（おうほう）収賄罪。本条1項・2項）は，公務員が，197条および197条の2の罪（したがって，単純収賄罪・受託収賄罪・事前収賄罪・第三者供賄罪）を犯し，よって不正な行為をし，または相当の行為をしなかったとき（1項），

47） 伊東・413頁以下，大谷・655頁，曽根・324頁，団藤・143頁，中森・314頁，西田・528頁，林・450頁以下，福田・53頁，松原・633頁以下，山口・624頁，山中・852頁以下など。

あるいは不正な行為をし，または相当の行為をしなかったことに関して，賄賂を収受，要求もしくは約束し，または第三者にこれを供与させ，その供与の要求もしくは約束をしたとき（2項）に成立する。加重収賄罪は，単純収賄罪や受託収賄罪等とは法条競合の関係となり，これらの犯罪を吸収して，本罪の規定のみが適用される。「不正な行為」や「相当の行為をしないこと」が犯罪（たとえば，虚偽公文書作成罪）を構成するときは，それと観念的競合となる。

事後収賄罪（本条3項）は，公務員であった者が，その在職中，請託を受けて職務上不正な行為をし，または相当の行為をしなかったことに関して，賄賂を収受し，またはその要求もしくは約束をすることによって成立する。最高裁は，被告人甲が，公務員在職時にA社の乙らから請託を受けて不正な職務行為を行い，その後まもなく，退職した甲がA社の関連会社の非常勤の顧問となり，顧問料を得たというケースにつき，不正な行為と顧問料との間に対価関係を肯定し，事後収賄罪の成立を認めた[48]。

(4) あっせん収賄罪

（あっせん収賄）
第197条の4　公務員が請託を受け，他の公務員に職務上不正な行為をさせるように，又は相当の行為をさせないようにあっせんをすること又はしたことの報酬として，賄賂を収受し，又はその要求若しくは約束をしたときは，5年以下の拘禁刑に処する。

本罪は，公務員が，請託を受け，他の公務員をして，職務上不正な行為をさせるように，または相当の行為をさせないようにあっせんすること（将来の行為），またはあっせんしたこと（過去の行為）の報酬として，賄賂を収受し，またはその要求もしくは約束をすることによって成立する。**あっせん**とは，贈賄者と他の公務員との間に立って仲介し，贈賄者の要求ないし希望を取り次ぐことをいう。公務員としての立場であっせんすることを必要とし，単なる私人としての行為は本罪を構成しない[49]。注意すべきことは，ここにいうあっせん行為は，職務密接関連行為としてのあっせん行為（→672頁以下）とは異なる点で

48) 最決平成21・3・16刑集63巻3号81頁。
49) 最決昭和43・10・15刑集22巻10号901頁。

ある（したがって，本条にいう「賄賂」は，職務行為に対する対価としての「賄賂」ではない）[50]。もし，あっせん行為について**職務関連性が肯定**できる場合には，本罪ではなく，むしろ単純収賄罪・受託収賄罪・加重収賄罪が成立する。

あっせん利得処罰法 地元の有力者である政治家（国会議員）などが何らかのトラブルを解決したことの見返りとして金銭を求めたとしても，「トラブルの解決」は公務員としての職務行為ではなく，したがって，職務関連性が否定されよう。また，他の公務員に「口利き」をしてその見返りに報酬を受けたとしても，その公務員の行為が不正な行為または相当の行為の不作為でなければ，あっせん収賄罪に問うこともできない（たとえば，政党内の派閥を率いる大物国会議員に賄賂を贈り，その影響下にある国務大臣に何かを行わせようとする場合でも，その大臣の裁量の範囲内の事柄であれば，「不正の行為」といいにくいため，なかなか本条の適用は難しい）。そこで，2000（平成12）年に成立し，2002（平成14）年に改正された，**公職にある者等のあっせん行為による利得等の処罰に関する法律**（あっせん利得処罰法。2000〔平成12〕年11月29日法律第130号）により，国会議員や地方議会議員等が，公務員等に口利きをして報酬を受ける行為や，国会議員の公設秘書等による同様の行為が処罰されるようになった。

(5) 没収と追徴に関する特則

（没収及び追徴）
第197条の5 犯人又は情を知った第三者が収受した賄賂は，没収する。その全部又は一部を没収することができないときは，その価額を追徴する。

犯人または情を知った第三者が収受した賄賂は必ず没収される。その全部または一部を没収することができないときは，その価額を追徴する。刑法総則の没収・追徴は任意的なものであるが（19条・19条の2〔→総論617頁以下〕），その例外として，必要的没収・必要的追徴が認められているのである（→3頁）。収賄者等に不法の利益を保有させないことがその趣旨であると解される。

公務員が賄賂として金員の貸与を受け，金融の利益を得たときには，それが贈与でない限り，本規定によりこれを没収することはできないし，価額の算定

50） 団藤・150頁を参照。

が困難であることから追徴もできない。ただし，この金員を19条1項3号の「犯罪行為によって得た物」（取得物件）として没収・追徴（19条の2）することは可能である[51]。

(6) 贈 賄 罪

（贈賄）
第198条 第197条から第197条の4までに規定する賄賂を供与し，又はその申込み若しくは約束をした者は，3年以下の拘禁刑又は250万円以下の罰金に処する。

本罪は，197条から197条の4までに規定する賄賂を供与し，またはその申込みもしくは約束をすることによって成立する。当然のことながら，主体は制限されておらず，それは公務員に限られない。申込み・約束・供与が一連の行為としてそれぞれ行われたときには，本罪にあたる包括一罪となる（狭義の包括一罪〔→総論586頁〕）。

51） 最決昭和33・2・27刑集12巻2号342頁，最決昭和36・6・22刑集15巻6号1004頁を参照。

事項索引

あ

い

う・え

お

か

き

く

け

こ

さ

し

す

せ

そ

た

ち

つ

て

と

な

に

ぬ・ね・の

は

ひ

ふ

へ

ほ

ま・み

む

め

も

や・ゆ

よ

ら・り・れ・ろ

わ

判例索引

●大　審　院

● **最高裁判所**

● 高等裁判所

● 地方裁判所

講義刑法学・各論〔第3版〕
Lectures on Criminal Law – Specific Offences, 3rd ed.

2016年12月5日 初 版第1刷発行
2020年12月25日 第2版第1刷発行
2023年12月25日 第3版第1刷発行

著 者 井田 良
発行者 江草貞治
発行所 株式会社有斐閣
〒101-0051 東京都千代田区神田神保町2-17
https://www.yuhikaku.co.jp/
装 丁 高須賀優
印 刷 大日本法令印刷株式会社
製 本 大口製本印刷株式会社
装丁印刷 株式会社亨有堂印刷所

落丁・乱丁本はお取替えいたします。定価はカバーに表示してあります。

Printed in Japan ISBN 978-4-641-13967-1